Forma interior: la creación poética de Claudio Rodríguez

Antonio García Berrio

Forma interior:
La creación poética de
Claudio Rodríguez

Prólogo de Antonio Garrido Moraga

Colección «Aire Nuestro»

Málaga, 1998

COLECCIÓN «AIRE NUESTRO»

Director
FRANCISCO RUIZ NOGUERA

1

Logotipo de la colección
ENRIQUE BRINKMANN

Ilustración de sobrecubierta
JORGE GALINDO

Edita: EXCMO. AYUNTAMIENTO DE MÁLAGA
© Antonio García Berrio
© Para la presente edición Excmo. Ayuntamiento de Málaga
Fotocomposición e impresión: Gráficas URANIA S. A.
Avda. Juan XXIII, 35, Tel: 952 33 30 58. MÁLAGA
ISBN: 84-89883-33-5
D. L.: MA 1564 - 1998

T 1001963321

Antonio García Berrio (1998)

A la dulce memoria de
Desamparados Berrio Campos: 1910-1993.

PRÓLOGO

Se inicia la colección «Aire Nuestro» con este volumen sobre la creación poética de Claudio Rodríguez. No podía tener mejor principio. Esta nueva colección, dirigida por la muy experta mano del poeta, crítico y profesor Francisco Ruiz Noguera, une en este su feliz comienzo el nombre del gran poeta como objeto de estudio y el nombre del gran teórico literario como autor de la investigación.

Antonio García Berrio fue nuestro maestro. No estoy usando el plural formulístico; en este posesivo incluyo a muchos que tuvimos la suerte de recibir su ciencia en una naciente universidad a cuyo prestigio y crecimiento contribuyó de manera decisiva. Durante varios años García Berrio desarrolló en Málaga un ambicioso proyecto de docencia e investigación del que todos nos beneficiamos y del que somos deudores. Me resulta muy difícil resumir una labor que, además de conocimiento, fue un talante y un modo personales que nos formaron en los métodos y en otros aspectos más profundos cual corresponde al verdadero maestro. Fueron años decisivos en la peripecia personal de cada uno y en la vida colectiva; fueron años apasionantes en los que, en el edificio de San Agustín, se dieron cita un conjunto de profesores singulares, orgullo de la institución por muchas razones.

El magisterio de García Berrio fue especialmente intenso para alguno de nosotros que, durante esos años, convivimos estrechamente con él y colaboramos de forma modestísima en algunas de sus monumentales empresas. Uso «monumental» con toda intención. La obra de García Berrio, en su conjunto y en cada caso particular, es un ejemplo de esfuerzo intelectual poderoso al servicio de un modelo original e integrador de teoría literaria. En el autor se unen de manera eminente la mejor tradición de la llamada Escuela Filológica Española y las más modernas tendencias en las tareas investigadoras sin ningún tipo de concesión a la moda de cada momento.

Su obra es un ejercicio de responsabilidad que permite hoy, tras la crisis de la Poética estructuralista desde mediados de los setenta y la siguiente del significado, comprobar la solidez de sus cimientos. No le hubiera sido difícil, teniendo en cuenta su brillantez, banalizar los objetos de su estudio y situarse en el estrellato del pensamiento débil o frecuentar sendas de gratificación inmediata por parte de determinados grupos y círculos. El maestro no lo ha querido así y por eso su obra, como este volumen inicial de Aire nuestro, es ejemplo y lección; a García Berrio se le puede aplicar con propiedad el «buscad sus pares, pocos».

Cultivar la teoría literaria es un gran riesgo y la lectura de «Vigencia de una teoría lingüística de la literatura: posibilidad actual y límites» nos sitúa en la posición presente del autor que es partidario de una «prolongación actualizada de una Teoría filológica de la literatura de signo estético-universalista en una Poética histórica». La teoría de la literatura que arranca, como afirma en el trabajo citado, de la integración «proyectada» de las estructuras lingüístico-inmanentistas del texto debe entenderse como un dispositivo de doble registro; por una parte, buscando las convergencias y por otra, los trayectos diferenciales; de esta manera, los aspectos sustanciales de carácter universal se diversifican en las diferentes «formas» históricas.

Hace veinte años justos, yo reseñaba el primer volumen de la «Formación de la Teoría literaria moderna» y destacaba que García Berrio no hacía historia del periodo sino que ofrecía, evidentemente, desde la historia, el «sistema» para alcanzar la fisonomía operativa del mismo. Creo que estas palabras siguen siendo válidas. Ese sentido de sistema se ha ido enriqueciendo con los años y se aplicó a Jorge Guillén como mecanismo en «La construcción imaginaria en Cántico» y se aplica en «Forma interior: la creación poética de Claudio Rodríguez». Una de sus más felices aportaciones es la distinción entre literariedad y poeticidad; la primera es la opción y la segunda, un valor posible.

Esta diferencia es básica para entender este libro. En la literariedad estamos comprometidos emisor y receptor, desde el primer momento mientras que la poeticidad exige que intervenga el imaginario simbólico que supera ampliamente lo individual. Lo comunicado, lo acuñado en la serie sintagmática de la superficie textual, debe asociarse, como es objeto de este libro, a la propia realidad individual del receptor en el marco de la generalidad. Se trata de un complejo mecanismo que oscila, según creo, de forma intermitente como un péndulo que pasara de un extremo a otro en sintonía con los dos niveles. Se podría decir que existen dos individualidades en el seno del marco simbólico universal. Afirma el autor que entre el texto poético concreto y el paradigma literario abierto al logro individual, se crea un espacio amplio que garantiza la libertad del acto estético.

El texto literario es un acto de comunicación donde la subjetividad de cada lector selecciona y rechaza valores particulares propuestos, e incluso se desvía muchas veces respecto a la tendencia significativa dominante que el texto propone. Todo ello desde las palabras pero no como una mera cuestión de palabras, y así lo defiende el autor. A esto hay que añadir el carácter imaginario del hecho literario que arranca del concepto mimético aristotélico como ha destacado García Berrio. El universo que compone una obra de ficción se nos aparece como existente y esto es la suma de «modelo del mundo, referente y texto, que fijan el referente ficticio como realidad poética ficcional sostenida por su relación con el texto de ficción». La escritura literaria se concibe como un sistema artístico de reglas que puede y debe ser transgredido desde ese punto de partida y el espacio textual se abre necesariamente para permitir la evolución de la escritura. Los llamados géneros son oportunidades que se unen al pasado y se abren al futuro,

Es vano intento reducir la riqueza de este libro a unas pocas notas como las que aquí esbozo. La parte teórica ofrece los fundamentos que permiten entrar en el mito como tema, clave del análisis. La experiencia mítica de la poesía de Claudio Rodríguez se analiza desde diferentes perspectivas a modo de luces diversas que iluminan las facetas de un brillante que se nos escapa en su propia claridad cegadora.

Por otra parte, los llamados esquemas figurales de la argumentación poética ofrecen los mecanismos concretos de la articulación del texto.

Estamos ante un libro importante para la historia de la poesía contemporánea y para la teoría literaria. Estamos ante el inicio de una colección y también se trata de un acto de agradecimiento al maestro de unos jóvenes que se licenciaron hace veinte años.

ANTONIO GARRIDO

PREFACIO TEÓRICO:

EL CONCEPTO LINGÜÍSTICO DE «FORMA INTERIOR»

«Forma interior del lenguaje» es un concepto idealista alcanzado en la obsesiva problemática dieciochesca de la diversidad tipológica y los catálogos de lenguas. Con antecedentes clásicos en el debate entre los analogistas y anomalistas, la suposición de un estado general del espíritu cuya actividad creativa diera lugar a una serie de categorías básicas y universales de la representación lingüística de la realidad, constituye un sentimiento que va cobrando consistencia especulativa desde los grandes renovadores del pensamiento científico moderno, como Vico y Leibnitz[1], a los sistemas románticos mayores de la lingüística y la poética como el de Federico Schlegel, con muy especial seguimiento en el pensamiento de Steinthal en su base sicológica sobre la génesis y naturaleza del lenguaje[2]. Pero, más allá de todos estos estadios de

---

1. Para un meticuloso y convincente seguimiento de la conciencia humboldtiana sobre el antecedente de Leibnitz en el concepto de «forma interior del lenguaje», así como sobre las limitaciones y diferencias del correspondiente pensamiento precursor en Leibnitz, véase Jürgen Trabant, «Humboldt et Leibnitz: Le concept interieur de la linguistique», en T. de Mauro y L. Formigari (eds.), *Leibnitz, Humboldt, and the Origin of Comparativism*, Amsterdam, J.Benjamins, 1990, págs.135-156; para el concepto de forma interior ver pág. 136.

2. La labor mediadora y continuadora de Heymann Steinthal en la corriente humboldtiana que llega a la Estilística con Vossler a través de Gabelenz y de Saussure, ha sido recordada por H.H.Christmann, siguiendo las investigaciones de W.Bumann, en *Filología idealista y Lingüística moderna*, Madrid, Gredos, 1985, pág. 73. Véase Jürgen Trabant, «Ideele Bezeichnung Stenitals Humboldt-Kritic», en A.Esbach, J.Trabant (eds.), *History of Semiotics*, Amsterdam-Filadelfia, Benjamins, 1983, págs. 251-276. También Tilman Borsche, «Die innere Form der Sprache. Betrachtungen zu einem Mythos von Humboldt-Hermeneutik», en Hans-Werner Scharf (ed.), *Wilhelm von Humboldt Sprachdenken*, Essen, Hobbing, 1989, págs. 47-63. De la obra de Steinthal son particularmente relevantes a nuestro propósito, aparte de sus obras mayores: *Die Klassification der Sprachen dargestellt als die Entwicklung der Sprachidee*, Berlín, 1850 y los dos volúmenes de su *Abriss der Sprachwissenschaft*, Berlín, 1981, el temprano análisis de fuentes antecedentes que supuso su trabajo *Die Sprachwissenschaft Wilhelm von Humboldt's und die Hegels 'sche Philosophie*, Berlín, 1848 (existe reimpresión de 1971), así como su condición muy tardía de editor de los trabajos lingüísticos de Humboldt.

aproximación y de tanteos, el concepto de «innere Sprachform» fue articulado y formulado por Guillermo de Humboldt.

La forma del lenguaje significa para Humboldt un estadio «constante y uniforme» —«Beständige und Gleichformige»— de la actividad del espíritu que acomoda los sonidos articulados a la expresión necesaria del pensamiento. Actualmente parece necesario sobre todo clarificar el contenido de la formulación humboldtiana sobre la actividad lingüística del espíritu: la lengua se hace presente en su totalidad en la actividad del espíritu» —«Die Sprache ist in der Seele in ihrer Totalität gegenwärtig»—; esto es, las partes del lenguaje son interdependientes en su constitución y en la medida en que todas se supeditan al caudal general de la experiencia y están conformadas según «las reglas constitutivas del espíritu —«durch die Summe der Erscheinungen und die Gesetze des Geistes»—; de tal manera que «la lengua no se podía alcanzar, si no estuviera previamente ya en la mente humana como tipo»[3].

La preexistencia de la forma interior del lenguaje como estructura constitutiva del espíritu humano es el fundamento problemático que introduciría para Humboldt las constantes universales de sistematicidad simbólica sobre las cuales, y a partir precisamente de las mismas, el ejercicio humano de la referencialidad lingüística denota sus puntos de constancia (la forma interior, responsable de las estructuras universales simbólico-expresivas —«die Form aller Sprachen sind im wesentlichen gleich [...] die immer allgemeinen Zweck erreichen muss»—), así como sus fórmulas de diferencia performativa (la forma exterior, determinante de las diferencias categoriales y simbólicas en

---

3. El de «tipo» mental prelingüístico es el contenido más nítido del concepto de «forma interior» como manifestación y pauta del espíritu en su trabajo de construcción de representaciones de sí mismo y sobre la realidad: «Die Sprache liese sich nicht erfinden wenn nicht ihr Typus schon in dem menschlichen Verstande vorhanden wäre». Los decisivos conceptos de «forma»: interior, exterior y sintética del lenguaje se encuentran penetrantemente diseminados en el conjunto del pensamiento de Humboldt, constituyendo sin embargo una de las constantes organizadoras de su obra. Todas las referencias a la obra de Humboldt proceden de la edición autorizada de sus *Gesammelte Schriften*, editados por A. Leitzmann et al., Berlín, 1903-1936 (17 vols.); actualmente utilizables en la reimpresión de 1968, así como en la edición de *Werke* (5 vols.), ed. por A. Flitner y K. Gield, Darmstadt, 1960-1981.

cada lengua concreta —«die Verschiedenheit kann nur in den Mitteln und nur innerhalb der Grenzen liegen»—). Señalar por tanto hacia la forma interior del lenguaje en términos de lingüística o, como en nuestro caso, bajo fines y necesidades crítico-literarias, significa actualmente apuntar a los constituyentes antropológicos, simbólicos y expresivos, determinados en unidad a causa de las identidades sicológicas del *impulso* humano de simbolización. Un impulso que, en cuanto tal, resultaría obviamente anterior a la división consciente de la enunciación en términos de referencialidad semántica y de argumentación sintáctica, por no mencionar, naturalmente, la realización fónico-expresiva de los enunciados concretos. No obstante lo cual, la condición unitaria y global de ese *impulso* estructurado y constituido en *forma interior* determina las homologías y sincronicidades perceptibles entre semántica, sintaxis y fonémica en la constitución de los textos más intencionales del lenguaje, como son los poéticos.

Evidentemente, la ubicación de la forma interior en el proceso de génesis de los textos se correspondería con el espacio de los mismos que, en términos actualizados de normalidad lingüística, caracterizamos como dominio de la *macroestructura*. Más exactamente creemos que la evanescente intuición idealista de la «forma interior» universal lingüística, frente a la empiría diferenciante de la «äussere Sprachform», se corresponde inicialmente en el caso de Humboldt con una precoz intuición de las diferencias necesarias entre lo que actualmente denominamos el núcleo textual tópico-genético y las instrucciones argumentativas[4] de la macroestructura textual, opuesta a la condición combinatoria y diferenciadora de las reglas de las transformaciones microtextuales.

---

4. Nos atenemos en nuestra propia formulación a la diferenciación en el «componente de base textual (Text Basis)» entre el conjunto de «representaciones semánticas del texto (Text Se Re)» y el «bloque de información (Text Ω)», según la rigurosa sistematización de J. S. Petöfi. Ver entre sus más tempranas formulaciones de la teoría la fundamental exposición «Towards an Empirically Motivated Grammatical Theory of Verbal Texts», en J. S. Petöfi y H. Rieser, *Studies in Text Grammar*, Dodrecht-Boston, D. Riedel, 1973, págs. 205-275; así como *Vers une théorie partielle du texte*, Hamburgo, Buske, 1975, y en J. S. Petöfi y A. García Berrio, *Lingüística del Texto y Crítica literaria*, Madrid, Comunicación, 1979.

No es nuestro objetivo ahora seguir la evolución que ha conocido el sugerente y problemático concepto humboldtiano en el dominio general de la teoría lingüística[5], y aún menos en el campo más específico para el que fue originalmente formulado bajo el idealismo sobre la división y tipología de las lenguas[6]. Tampoco queremos pronunciarnos aquí sobre el grado de interés del mismo en la actualidad, que tratan de reivindicar algunas revisiones recientes de la teoría lingüística. Nuestro actual acercamiento al concepto humboldtiano de la «innere Sprachform» viene motivado exclusivamente desde la corriente de su asimilación estética, poética y estilística, tal como discurriera ya en los primeros decenios de este siglo en el conjunto de aproximaciones estilísticas que desembocaría en los conocidos requerimientos de Amado y Dámaso Alonso a comienzos del decenio de los cincuenta.

El intento de reactivación llevado a cabo por Peter Schmitter en los años ochenta[7] sobre la fundamentación y proyección del concepto humboldtiano dentro del dominio de la estética[8], más que en el de una concreta poética o una estilística literaria propiamente dichas, reconstruye los pasos desde las primeras tesis de Hans de la Fuente en 1912 y de Annelise Mendelson en 1928, hasta las más recientes como la de

---

5. Entre los numerosos trabajos orientadores en este sentido amplio y general, sigue siendo fundamental el de Helmut Gipper, «Wilhelm von Humboldt als Begründer moderner Sprachforschung», en *Wirkendes Wort*, 1965, 15, págs.1-19. Cotéjese con el examen más actualizado de Tilman Borche, *Sprachwissenschaften. Der Begriff der menschlichen Rede in der Sprachphilosophie Wilhelm von Humboldts*, Stuttgart, 1981; así como el conjunto de trabajos antes citado, editados por Hans-Werner Scharf. La amplia bibliografía existente al respecto puede consultarse en Marie Elisabeth Conte, «Wilhelm von Humboldt nella linguistica contemporanea. Bibliografia ragionata», en *Lingua e Stile*, 1973, VIII, págs. 127-165.

6. Remitimos al trabajo de Donatta di Cesare, «The Philosophical and Antropological Place of Wilhelm von Humboldt´s Linguistic Typology», en T. de Mauro y L. Formigari, eds., op. cit., págs. 157-178, que mantiene una singular atención a los destacados estudios tipológicos de Paolo Ramat.

7. Cfr. Peter Schmitter, «Ein transsemiotisches Modell Wilhelm von Humboldt Auffasung von Kunst und Sprache», en Hans-Werner Scharf(ed.), op. cit., págs. 219-238.

8. Véase complementariamente, Günter Wohlfart, «Überlegungen zum Verhältnis von Sprache und Kunst in Auschluss an W.v.Humboldt», en B.Scheer y G.Wohlfart (eds.), *Dimensionen der Sprache in der Philosophie des Deutschen Idealismus*, Würzbug, 1982, págs. 40-66.

Philip Mattson en 1972[9], pasando por los trabajos publicados más especializadamente literarios de Kurt Müller-Vollmer[10] y los más conocidos de Helmut Gipper[11]; a los que se ha de añadir la atención muy singular de Jürgen Trabant[12]. Sin embargo la corriente más específicamente crítico-estilística, a la que pretendemos vincular la continuidad de nuestro propio libro, no nos parece que se acogiera sino muy lateral y ocasionalmente, sobre todo en el caso de los españoles Dámaso y Amado Alonso, a la tradición exegético-lingüística alemana más estricta del difuso concepto tipológico humboldtiano[13].

La asimilación que hemos bosquejado antes, del viejo concepto humboldtiano de *forma interior* al de *macroestructura, temático-semántica* y *retórico-argumentativa* o *macrosintáctica*, convalida y refuerza la realidad del proceso creativo poético desde el *impulso* a la *forma*; así como la utilidad interpretativa no parafrástica del proceso crítico que lo descubre y lo describe. El conjunto de nuestras observaciones críticas sobre los textos artísticos revela, en efecto, que sobre el espacio de la propensión expresiva y simbolizadora del *impulso* existe una proclividad de convergencias antropológico-espirituales de signo universalista,

---

9. Cfr. Peter Schmitter, «Kunst und Sprache: Über den Zusammenhang von Sprachphilosophie und Ästhetik bei Wilhelm von Humboldt», en *Sprachwissenschaft*, 1982, VII,1, págs. 40-57. La noticia concreta a que aludimos, en págs. 42-43.

10. Cfr. Kurt Müller-Vollmer, *Poesie und Einbildungskraf. Zur Dichtungstheorie Wilhelm von Humboldts*, Stuttgart, 1967.

11. La aplicación poetológica del concepto lingüístico de «forma interior» puede fundarse especialmente en observaciones de Gipper incluidas en su estudio «Wilhelm von Humboldt als Begründer moderner Sprachforschung», en *Wirkendes Wort*, 1965, 15, págs. 1-19; así como en la panorámica general trazada en su obra en colaboración con Schmitter, *Sprachwissenschaft und Sprachphilosophie im Zeitalter der Romantik*, Tübingen, 1979.

12. Destacamos por su contenido especializado a nuestro objeto actual, dentro de las numerosas aportaciones de Trabant, el estudio «Die Einbildungskraft und die Sprache: Ausblick auf Wilhelm von Humboldt», en *Neue Rundschau*, 1985, 96, 3/4, págs. 161-182.

13. Entre las aportaciones al concepto lingüístico y crítico-literario de forma interior que pudieron ser indicativas para Dámaso Alonso, podemos recordar los artículos de Walter Porzig, «Der Begriff der inneren Sprachform», en *Indogermanische Forschungen*, 1923, 41, págs. 150-169; o el de Leo Weisgerber, «Das Probleme der inneren Sprachform und seine Bedentung für die deutsche Sprache», en *Germanische-Romanische Monatsschrift*, 1926, XIV, págs. 241-256. Asimismo fue bastante divulgado en los años de la génesis de la estilística de Dámaso y Amado Alonso la miscelánea editada por K.J.Obenaner, *Innere Form und dichterischen Phantasie*, Munich, 1935.

que puede ser razonablemente relacionada con el espacio de convergencias simbolizadoras avizorado por Humboldt y la tradición idealista como el dominio universalizante de la forma interior lingüística.

Sólo desde esa perspectiva global textualista de las macroestructuras resulta discernible la realidad genética de los procesos creativos como trayectos del impulso a la forma, cuya ilustración constituye su objeto declarado y su última justificación. De ahí que los más avizoradores y ambiciosos trabajos de la Estilística en los cincuenta llegaran a presentir y a reclamar la necesidad de realizar el análisis de ese trayecto creativo; si bien para ello le faltaba a la crítica lingüístico-formalista de entonces la familiaridad necesaria actualmente irrenunciable con las revelaciones de la Sicología del arte y de la Mitocrítica, instrumentos ambos que describen la peculiar semántica de la imaginación poética manifiesta en temas, en mitos personales y en símbolos de universalidad referencial.

En razón de la constitución macroestructural de sus objetos primarios de reflexión, una Estilística de la forma interior, estilística genética y textual, precisa reactualizar las virtualidades del análisis tradicional retórico, comprendiendo la razonable legitimidad de las figuras también como *esquemas de la argumentación*. En efecto, las figuras fundamentales de la tipología tradicional, ya sean las de *semejanza afirmativa metafórica*, o las de *diferencia restrictiva antitética*, confirman la condición de «esquemata lexeos» o pautas para las voces con que las denominaba el pensamiento retórico griego, en la medida en que tales pautas figurales son susceptibles de resultar ampliadas, tal y como veremos en la segunda parte de este libro, a verdaderos esquemas macroestructurales de la argumentación. De ese modo se fundan los esquemas figurales macrorretóricos como la alegoría, la paradoja o la sinécdoque, capaces de incorporar el despliegue textual macrosintáctico del *impulso* expresivo, el cual puede ser secundario, previo o sincrónico según los casos, pero siempre homólogo a la concreción semántico-temática de la voluntad simbolizadora del impulso.

Mitocrítica y macrorretórica como «lectura alegórica» o figural de la estructura de los textos eran actividades del desarrollo crítico desconocidas en el momento histórico en que Dámaso Alonso reclamaba una *estilística futura de la forma interior poética*, complementaria de su propia práctica estilística sobre la *forma exterior poemática*. Faltaba por tanto, entonces, la comprensión compleja de la estructura y la génesis textuales en los términos en que la han facilitado los desarrollos de las gramáticas textuales, para hacer posible nuestra propuesta actual de una *Estilística textual*, temática y macrorretórica, como estilística de la forma interior.

De la lingüística a la crítica literaria: estilística textual de la forma interior poética

La práctica estilística de Dámaso Alonso hizo el recorrido, según su propia consideración, de la «forma exterior»; es decir, partiendo de la realización fónica, gramatical y léxica de la «forma», trataba de inducir las convergencias con el «significado». El gran crítico español formulaba el trayecto analítico practicado por su método como itinerario «en la perspectiva del significante al significado». Recordemos la propuesta completa del alcance efectivo y deseable del método estilístico en *Poesía española*:

> *Entendemos por* forma exterior *la relación entre significante y significado, en la perspectiva desde el primero hacia el segundo. Esa misma relación, pero en la perspectiva desde el significado hacia el significante, es la que llamamos* forma interior.
> *Los estudios de estilística —añadía—, todos, y los míos propios... están hechos preferentemente en la perspectiva de la 'forma exterior', sencillamente porque es lo más fácil, porque en ésta se parte de realidades concretas fonéticas. Los estudios en la perspectiva de la 'forma interior', que aquí algunas veces intentamos, son mucho más difíciles: se trata en ellos de ver cómo afectividad, pensamiento y voluntad, creadores, se polarizan hacia un moldeamiento, igual que materia, aún amorfa, que busca su molde*[14].

---

14. Cfr. Dámaso Alonso, *Poesía española: Ensayo de métodos y límites estilísticos*, Madrid, Gredos, 1950 (ed.1971, reimpresión), págs. 32-33.

El grado de facilidad y de dificultad analíticas a las que alude Dámaso Alonso, se refiere claramente no tanto al sentido de la marcha metodológica, sino como nosotros afirmábamos más arriba al grado de extrañeza de la cultura crítica de aquel momento con el contenido concreto, estructural y genético-creativo, de las macroestructuras de los textos literarios, objetos de los análisis estilísticos. Tal extrañeza empieza por desconocer la improporcionalidad entre las parejas de términos significante/significado y forma/contenido, muy especialmente en el caso de la creación artística. La concreción del *impulso* simbolizador poético, que Dámaso intuye algo confusamente en el segundo párrafo transcrito como compuesto de «afectividad, pensamiento y voluntad, creadores», no siempre se verifica inicialmente en objetos de pensamiento y de significado reescritos a continuación como forma significante, sino que con mucha frecuencia aparece intuida y descrita por los propios creadores como diseño rítmico o incluso como diseño visual espacializado del texto resultante.

Los análisis de los poemas de Claudio Rodríguez que practicamos intensivamente en este libro, exhiben netamente la realidad poética que estamos enunciando. Por propia declaración y por sus resultados textuales patentes, la forma rítmica de muchas de las composiciones del poeta supone una intuición previa más determinante sobre las razones de la construcción estética del texto que el anecdotario estrictamente temático. Así es sobre todo cuando se le otorgue al entendimiento del ritmo su exacta dimensión realista de constituyente poético y de ajuste intencional proporcionado entre una gran variedad de formantes simultáneos globales, sicológicos y físicos, que integran la voluntad sincrónica de codificación creativa: componentes no simplemente fonoacústicos, sino cenestésicos, diseños espacio-temporales de orientación imaginaria antropológica, intuiciones formalizadas, graduales y progresivas del concepto, etc., etc. Todo ello sometido además, posteriormente, al proceso de ajustes conscientes y de retoques presididos por un sentido general de lo proporcionado y rítmico. En muchos casos, recordamos por ejemplo el del poema «Lamento a Mari» de *Casi una leyenda,* una composición intuida inicialmente bajo el impulso del sentimiento melancólico del amor decadente, que acaba perdiendo su orientación hacia el objeto personal de la amada y conformándose oscuramente como el desbordamiento del encuentro con la divinidad femenina de la tierra.

Bajo la corrección que proponemos, la misma descripción esquemática de Dámaso Alonso con que concluía el texto antes transcrito sobre el trabajo conformador, de «moldeamiento» originado y animado en el seno del material poético, no del significado conceptual-temático propiamente sino del complejo imaginario-emotivo hacia la resultante textual poemática, parece perfectamente adecuada a la realidad plástica e ilustrativa del trayecto de la formulación poética. No obstante, creemos que subsiste mucho de distorsionante cuando subraya Dámaso la distancia diacrónica en el seno de lo que, en realidad, es un continuo de simultaneidad operativa con permanentes interferencias en el proceso de la simbolización poética. Adviértase la incidencia de esos residuos de compartimentación categorial apriorística que denotamos, en la continuación del texto de referencia:

> El instante central de la creación literaria, el punto central de mira de toda investigación que quiera ser peculiarmente estilística (y no andarse por las afueras) es ese momento de plasmación interna del significado y el inmediato de ajuste en un significante.

La adecuación real de este proceso descriptivo me parece asumible solamente cuando se entendiera el término «momento» bajo su acepción atemporal, físico-espacial y geométrica, de punto de equidistancias simultáneas y sincrónicas, y no bajo la inequívoca acepción temporal-sucesiva en que inercialmente lo asumía aquí Dámaso Alonso; una valencia léxica que está reforzada además por el «inmediato» que la secunda.

En este punto, la sumaria esquematización de Dámaso Alonso se limitaba a repetir el modelo generalizado que concibe rígidamente la relación pensamiento-lenguaje como un trayecto sicológico rigurosamente compartimentado y sucesivo. Al hacerse así, el desenfoque irrealista de nuestro gran crítico no puede ser imputado especialmente a una responsabilidad personal distorsionante; más bien habría que decir que, participando Dámaso Alonso de una simplificación tan divulgada sobre la génesis operativa del lenguaje, su explicación del comportamiento de la lengua poética secundaba estrictamente, sin sorpresas desorientadoras, el alcance generalizado de la concepción clásica de las operaciones lingüísticas: de la semántica a la fonémica pasando ordenadamente por la gramática. Una esquematización del proceso simultáneo de la simbolización lingüística irrealistamente aislacionista y diacrónica, que dejaba huellas patentes en la compartimentación tradicional de las operaciones retóricas de «inventio», «dispositio» y «elocutio», y que se prolonga hasta la concepción descriptiva de la inordinación entre los «niveles» semiológicos.

La aplastante inercia de la compartimentación tradicional retórica, con su concepto sucesivo de las operaciones intelectuales y expresivas en el lenguaje, concurría de modo muy similar en las penetrantes ideas sobre la forma del otro gran representante hispano de la Estilística, Amado Alonso. No hay sino recordar un momento de recapitulación sintética en su estudio «El ideal clásico de la forma poética», de *Materia y forma en poesía*, para percibir la penetración ahormante de la ideología clásico-retórica sobre el orden de las operaciones lingüísticas dentro de su concepción crítica de la forma:

> *Los tres elementos que hasta ahora hemos considerado: el sentimiento, la realidad objetiva y la intuición poética de sentido, se manifiestan en un pensamiento cuya naturaleza, como tal, es intelectual; este pensamiento, a su vez, se expresa en una construcción idiomática en donde las palabras, sus giros y su materia fonética se comportan de manera específica en cada lengua*[15].

Las razones para semejante asimilación simplificada del ideal retórico de producción expresiva, tan contrario a las experiencias cono-

---

15. Cfr. Amado Alonso, *Materia y forma en poesía*, Madrid, Gredos, 1969, 3ªed. (La advertencia inicial para justificar la reunión de trabajos de etapas distintas en la unidad de la teoría estaba fechada en 1954). El lugar citado en el texto no es coyuntural ni anómalo dentro de la continuidad de ideas del autor; poco más adelante, en el mismo artículo, se reiteraba: «la realidad representada no se da en el poema con presencia directa, sino figurada en representaciones de la fantasía, en pensamientos y, *en fin en palabras*» (pág.46, el subrayado es nuestro).

cidas y proclamadas de los creadores poéticos sobre la génesis de su producción, no cabe atribuirlos aquí solamente a que Amado Alonso se circunscribiera voluntariamente en el capítulo citado a describir la constitución *clásica* de la forma; sino sobre todo, como se ve también en Dámaso, a que faltaba una idea realista de la estructura compleja de los textos y en consecuencia de su proceso de génesis. En todas las descripciones de tal espacio sicológico y lingüístico que encontramos en Dámaso y en Amado Alonso, se constata la misma simplificación apresurada en el paso del sentimiento conceptualizado concebido incluso en términos textuales de globalidad como *contenido* a la *forma poemática* exterior, que se identifica sistemáticamente por el autor con los estilemas terminales de la forma: *palabra*, según la llama regularmente Amado Alonso, aunque en algún momento excepcionalmente transcriba su equivalencia como «forma exterior»[16].

Amado Alonso llegó a acercarce, con alguna de sus observaciones sobre el juego métrico-estrófico de la constitución del texto, al ámbito macroestructural del poema en términos de espacio lingüístico semántico y sintáctico diferenciado y medial entre las motivaciones sicológicas del impulso y las determinaciones lingüísticas de la forma terminal externa (también a su vez léxico-semánticas, gramaticales y fono-acústicas). Pero nada de todo eso se concreta en los intensos capítulos descriptivo-teóricos de *Materia y forma*; al igual que echamos muy de menos tal ausencia en el extenso y pormenorizado registro crítico de su otro libro mayor, *Poesía y estilo de Pablo Neruda*, obra en la que sorprende la omisión de toda problemática crítica sobre la categoría de «forma interior», mencionada sin embargo de manera no infrecuente dentro del libro[17].

---

16. Es en su tipología histórica de los varios comportamientos literarios en relación con la constitución de la forma: «Los llamados genéricamente alejandrinos y los virtuosistas en general, empeñados en la elaboración artística de los elementos sensibles, *forma exterior*, reducen la poesía a extremada maestría» (Ibid., pág. 49).

17. Véase ya expuesta nuestra extrañeza sobre ese lamentable vacío explicativo, que responde sin duda en el caso de nuestros grandes estilísticos a las carencias ambientales de una teoría desarrollada del texto equivalente a la hoy accesible para todos, del balance sobre *Poesía y estilo de Pablo Neruda* en nuestra contribución al Homenaje de Amado Alonso en su centenario, Publicado por *Ínsula*: «Vigencia de la forma» (noviembre, 1996).

La ausencia de una visión macroestructural de la acción estilística en la poesía de Neruda por parte de Amado Alonso configura uno de los límites más característicos en aquel libro para la crítica actualizada, en la medida en que con ello se distanciaba de una aproximación semántica y dispositiva en el concepto de *forma interior*. Privada de esa contemplación macroestructural de la composición poética, la estilística de Amado asumía una comprensión del estilo y la forma que no sobrepasaba habitualmente el nivel de los registros expresivos frástico-sintácticos —lo que en *Materia y forma* designa, de manera genérica, aún más restringida y localizadamente con el término de *palabra*[18]. Todo ello en antítesis al genuino concepto profundo, macroestructural y universalista de la acepción raigal humboldtiana de *forma interior*.

Sin duda que lo más avanzado e interesante en la concepción de Amado Alonso sobre el trayecto genético de la poesía, que nosotros configuramos actualmente como *forma interior,* ajustado al proceso macroestructural de la «inspiración» peculiar de Claudio Rodríguez, se concreta en su famoso desarrollo especulativo sobre la tópica y vaga noción romántica de *sentimiento* en el origen de la expresión poética. En el capítulo inicial de *Materia y forma*, «Sentimiento e intuición en la lírica», se formula una visión teórica penetrante del espacio sicológico de *sentimiento* e *intuición,* en que se gesta y se expande para él el *impulso* simbólico de la poesía: «Lo poético de una poesía —así se inicia el conocido texto— consiste en un modo coherente de sentimiento y en un modo valioso de intuición». La dialéctica entre la presencia fenoménica y la representación conceptual de lo real asimilado y metamorfoseado en sentimiento constituye seguramente el hallazgo más continuo y actual en la especulación teórico-crítica de Amado Alonso:

---

18. Véase un ejemplo más de la simplificación del trayecto genético entre sentimiento y forma, según Amado Alonso, donde se explicitan inequívocamente los términos exteriores de los estilemas de la forma: «El sentimiento no es de naturaleza racional, y por eso no puede comunicar directamente. Hay que hacerlo indirectamente, por contagio sugestivo. Este contagio sugestivo se obtiene por medio de los juegos rítmicos propios del lenguaje poético, gracias a las claras o vagas asociaciones adheridas a las palabras empleadas, por la elección de ciertas fórmulas sintácticas que presentan movimientos del ánimo por imágenes, metáforas, etc.». (Ibid., págs. 16-17).

La realidad es particularmente estructurada por el senti-
miento que quiere expresarse líricamente, y el sentimiento, a su
vez, sólo adquiere creadoramente consistencia y estructura en la
figura de realidad que es su objetivación[19].

Pero también, una vez más aquí, la simplificación, el lamentable achatamiento especulativo de la monumental esfera que constituye el vasto dominio de la *forma interior*, no deja de manifestar sus trazas, al indistinguir sistemáticamente, más allá de algún atisbo feliz o aproximación no duradera, entre el bloque y el estadio sicológico progresivamente inconsciente y consciente, y el bloque y espacio macroestructural, conceptual-temático y formal-argumentativo de la forma interior. No siendo sin embargo desconocidos, por lo demás, para Amado Alonso los recorridos de doble sentido que comunican reversiblemente sentimiento y forma, decisiva intuición que se formula mediante sus conocidas imágenes de impulso de *lanzadera*[20]. Lo que sucede sin embargo con la penetrante constatación de Amado es que se reduce y simplifica el trayecto

---

19. Ibid., pág. 14. Si el apartado fundacional del libro, «Sentimiento e intuición en la lírica» establece y define la mención muy precisa de los tecnicismos fundamentales en el proceso de *metamorfosis* de lo real peculiar y privativo de la transfiguración lírica, en términos de sentimiento, intuición y referencia, es en el enunciado tercero de la obra, titulado «El ideal clásico de forma poética», donde se desarrolla con precioso pormenor descriptivo el análisis del gran crítico español sobre la dialéctica de la metamorfosis simbólica de la poesía. Ver las páginas 29 y ss.

20. Recuérdese la plástica sensibilización de esa idea clásica sobre la intercomunicación reversible del sentimiento de lo real transformado, imaginación y concepto referencial incluidos, y la forma poemática: «considerando en conjunto la acción del crear poético, más que una relación de causa a efecto, hay en este doble aspecto de la lírica un movimiento de lanzadera, merced al cual el espíritu va logrando, en perfección creciente, la *forma* del informe vivir meramente psíquico. La forma, la estructura, labor creadora de la poesía» (ibid., pág. 13). Y más adelante, al considerar el hacerse poético del famoso soneto de Quevedo «Amor constante más allá de la muerte», reformula en términos todavía más diáfanos su penetrante y exacta intuición sobre la dialéctica sincrónica entre semántica y sintaxis de la forma interior, y aun de la que ésta constituye reversiblemente con los estilemas terminales de la forma exterior poemática: «La unidad de la realidad representada es el molde donde el sentimiento cobra a su vez unidad y última coherencia; la forma de la una se identifica con el otro, entendiendo aquí por forma la *estructura íntima*». A destacar en esta fórmula feliz uno de los momentos de mayor proximidad en Amado Alonso a una concepción compleja, sicológica y macroestructural del espacio de la forma interior. «Pero es imposible aceptar —añade con impecable exactitud en este punto desarrollando racionalmente su metáfora de la lanzadera— ni que el sentimiento haya sido provocado por la forma de la realidad vista, ni al revés» (ibid., pág. 16).

textual de tales desplazamientos sobre la formatividad del *contenido* en *forma*, al ignorar el vasto e intrincado espacio macrocomponencial mítico-simbólico (temático) y estructural-dispositivo (figural-argumentativo) en la forma interior[21].

Frente a las inercias deformantes que accidentan y debilitan la

---

21. Dentro de la obra de Amado Alonso, el momento en que el concepto de «forma interior» aparece explícitamente afrontado bajo su concreta articulación humboldtiana, es en el capítulo segundo de sus *Estudios lingüísticos. Temas hispanoamericanos*, Madrid, Gredos, 1967 (3ª ed., la primera de esta obra es de 1953), titulado «Americanismos en la forma interior del lenguaje». Pero lo que se constata aquí son las peculiaridades, excesivamente personales, en la modificación «ad hoc» de la categoría humboldtiana de base, referida a un concepto no universalista sino contrariamente individualizado y diferenciador de la forma interior, que alude más bien a lo característico en la modulación del plano y el sistema referencial según los intereses y necesidades de cada comunidad lingüística o dialectal de lengua. Es precisamente esta inversión contradictoria por parte de Amado Alonso del sentido unificador y universalista inherente a la categoría humboldtiana, con lo que se corresponde la vocación «desviacionista» e individualizada del ideal crítico-literario de forma en los críticos estilísticos del «habla». Entre ellos se movía con absoluta comodidad la crítica de Amado, al igual que la práctica crítico-estilística de «forma exterior» en un Dámaso crecientemente enfrentado, eso sí, a la conciencia atomizadora con que esa práctica crítica aparecía fundacionalmente lastrada.

En el caso de Amado Alonso, es tal vez el contagio intertextual del intuicionismo de Bergson, del que tenía un conocimiento manifiestamente más directo que de Humboldt —de hecho en el capítulo de referencia la noticia de la categoría humboldtiana se hace con alusiones generales y sin citas textuales explícitas—, lo que determina su peculiar inversión categorial de la concepción lingüístico-idealista de la «forma interior» como criterio de peculiarización individualizante. Inicialmente Amado se acogía a las restricciones deconstruccionistas pioneras de Bergson —«nihil novum sub sole»— contra la supuesta condición categorial-deformante del «lenguaje-intelecto». Para Bergson, según Amado Alonso, la intuición, una capacidad cómodamente indefinida por esencia, no se olvide, frente al más estricto conocimiento del lenguaje-pensamiento, era la única responsable de una «visión directa de la realidad» canalizada como «única manera posible de conocer».

Definido para Amado Alonso el código lingüístico del lenguaje-pensamiento como conjunto o red «categorial» interpositiva: «el lenguaje-intelecto interpone entre la realidad y nuestro conocimiento una red de categorías, una (añade de manera muy gráfica) ortopedia conformadora» (pág. 61), la inmediata entrada en juego de la dicotomía saussureana «langue-parole» que practica el gran filólogo español, precipita su asimilación de la «langue» con la estructura categorial-distorsionante; asociando a su vez con la «parole» la tendencia individualizadora responsable en último término de la diversificación grupal de los lenguajes: «Cierto es que el lenguaje —afirma al respecto Amado Alonso parafraseando a Bergson— en cuanto *lengua* o idioma, institución constituida e instrumento común de una sociedad, no contiene más que significaciones categorizadas, clases previstas y aplicables a cualquier realidad y contingencia; pero el lenguaje en cuanto habla, en cuanto uso... no destruye necesariamente el conocimiento, ni lo suplanta con sus categorías instrumenta-

descripción más divulgada de Dámaso y Amado Alonso sobre la separación de las dos «formas», como trayectorias analíticas sucesivas en la producción del lenguaje poético entre un *antes*, el contenido-significado, y un *después*, la forma-significante, nuestra observación analítica de la creación de Claudio Rodríguez nos permite corroborar e

---

les». Desde tal perspectiva concluye: «Bergson atendía sólo a la *lengua*, pero, atendiendo sólo al *habla*, hasta ha sido posible la teoría contraria de Benedetto Croce» (pág. 62).

A partir de estos presupuestos, asistimos en el razonamiento de Amado Alonso a una errónea —en todo caso inargumentada— asimilación del concepto humboldtiano de «forma interior». Primero con la *lengua*, como responsable del filtro categorial, bloqueante según Bergson, de la simbolización referencial; y luego con la diversificación actualizada de la capacidad universal del lenguaje en *lenguas* distintas: «Un siglo antes que Bergson, ello fué el descubrimiento del genial Guillermo de Humboldt, que lo llamó Inneresprachform, forma interior del lenguaje. La idea de Humboldt se desdobla —añade prolongando la imprecisión en incomprensión flagrante de la categoría humboldtiana— para aplicarse al *lenguaje*, don genérico del hombre, y a las *lenguas* o idiomas diferentes constituidos por los hombres».

Según esto, la «forma interior» sería simultáneamente responsable, primero de la estructura categorizadora-universalista del lenguaje, lo que la haría indirectamente responsable del bloqueo simbólico-referencial que antes se atribuía a lo categorial-lingüístico: «Lenguaje es categorización, don de lenguaje es don de categorizar, de agrupar y clasificar, y toda significación idiomática es por esencia categorial. La forma interior del lenguaje humano es categorial, su modo propio de comprender y de dar a comprender la realidad es el categorial —es decir, en los propios términos bergsonianos asimilados más arriba por Amado Alonso, el bloqueante y arreferenciador—, y en lo que esto tiene de esencial universal, constitutivo de toda lengua, es el tema de Bergson». Pero a continuación vemos extendido el concepto humboldtiano a la variedad individualizada de actualizaciones lingüísticas, *lenguajes*, de la facultad expresiva: «Cada idioma tiene su propia forma interior del lenguaje» —sí, corregimos nosotros, en la medida en que la parte participa de las propiedades del todo; no, en cuanto forma diferenciada, «propia» en los términos equivocados en que Amado Alonso interpreta la condición precisamente «prediferencial» de la categoría humboldtiana de «innere Sprachform»— y con ella su propia participación de las cosas y su estilo propio de expresión» (pág. 63). Con lo cual se querría invocar contradictoriamente la misma constitución que resultaba bloqueante en el nivel general del lenguaje, como garante del desbloqueamiento referencial e intuitivo, según la tesis general de Amado, en el nivel de singularización idiomática de las lenguas.

Como puede observarse, este peculiar concepto de «forma interior» mantenido por Amado Alonso, equívocamente remoto e infiel a las fuentes textuales de Humboldt en cuanto estructura universal y prediferencial de la capacidad humana del lenguaje, invalidaba efectivamente su transferencia útil a categoría crítica concreta y operante. De esa manera, cuantas veces apeló a ella Amado Alonso en su discurso crítico-literario, sería en términos muy inconcretos y casi evanescentes como visión sentimental e intuitivamente *peculiarizada*; y nunca en la acepción universalizadora y macroestructural intuida por Dámaso Alonso y desplegada aquí por nosotros como macroestructura semántica de las representaciones míticas, convergente y homóloga con las macroestructuras sintáctico-retóricas figurales del despliegue expresivo-argumentativo.

ilustrar adecuadamente la intuición que describe la interacción sincrónica entre forma y contenido. La actividad primaria y previa en la elaboración del poema no se produce ordenadamente en el sentido de un contenido conscientemente predeterminado que se «informa» progresivamente; en la génesis del poema lo verdaderamente previo y fundante es el *impulso* poético, para emplear una denominación tradicional y nada pedante. Es a partir de esa voluntad simbólica del *impulso*, que transita entre lo *informulado inconsciente* y lo *formalizado consciente*, como se establece la realidad creativa nada quimérica del *continuo de «formatividad»* al que nosotros denominamos necesariamente *forma interior.*

El *antes* y el *después* teóricos que concurren, en todo caso, en el *continuo de la forma interior poética,* se refieren a los momentos sicológicos reales y constatables que obligan a distinguir entre la etapa de constitución *subconsciente* e informulada de la intención simbólica y el proceso de elaboración *consciente*, a base de reajustes conceptuales y expresivos indiferenciadamente simultáneos que van elaborando de manera progresiva el texto del poema. A tal condición comprobadamente inexpresa e indeterminada del *impulso de inspiración* se debe el protagonismo generador del *ritmo* en la inspiración de poetas como Claudio Rodríguez y sus modelos, desde Schiller a Rimbaud o Jorge Guillén; con la conocida descripión en éste último del impulso primario «hacia el poema» como sentimiento de «ritmo desenlazado». Cuando se llega a entender adecuadamente el ritmo poético en su legítima y efectiva condición de afloramiento sinóptico del conjunto de conformaciones cenestésicas de previsión conceptual referencial, sobre la plasmación especializada del texto del poema y sobre la melodía temporalizada de las correspondencias simbólicas sonoras, es fácil apreciar la actualización del sentimiento y la voluntad simbólica del impulso.

A partir de la *continuidad* sicológica del trayecto impulsivo de la inspiración, y de la *simultaneidad* operativa de los factores conceptuales y expresivos, contenidos y formas, comparece a la descripción metalingüística una representación objetiva y realista sobre el espacio textual de la *forma interior* poética. De ese modo, la forma interior recupera su condición genuina de trayecto espacializado de la génesis y la plasmación del poema, y no la de una mera «perspectiva» para la contemplación analítica del mismo, según la formulara Dámaso Alonso. En el caso de nuestro poeta, Claudio Rodríguez, la plasmación del proceso poético en las importantes huellas manuscritas que nos ha sido posible examinar, sugeriría un elaborado estado de la representación del tematismo ya en el punto de partida de la mayoría de las composiciones; si bien es cierto así mismo que la práctica ordenadamente progresiva del proceso madurado de escritura en cada texto, del principio hacia el final, permite asegurar otro tanto sobre la selección previa de los ritmos.

También la denominada *forma exterior* deja de ser en nuestra representación una vertiente netamente perspectiva del análisis «a posteriori», tal como la describía derivativamente Dámaso Alonso, para reintegrarse a su condición de nivel performativo integrado en el proceso de producción del texto poético. En la actividad creativa de un autor como Claudio Rodríguez, la forma exterior confina con la plasmación macroestructural de las unidades *extensas* del poema y se concreta en el complejísimo juego de alternativas *intensas* que encauzan y proyectan en el nivel de los microcomponentes —rítmicos léxico-semánticos, gramaticales y fónicos— la representación intuitiva primera del impulso, previamente ajustada en el nivel extenso macroestructural con márgenes de libertad y de riesgo estético decisivos.

Nuestra asignación explicativa de la *forma interior* al trayecto sintético impulsivo y macroestructural *extenso* mítico-temático, esquemático-figural y rítmico-macrodispositivo, y de la *forma exterior* al espacio textual en que se producen los reajustes *intensos* que acondicionan microtextualmente a las unidades estabilizadas por los dispositivos macrotextuales, está muy lejana de rebajar la trascendencia poética de la forma exterior a costa de privilegiar estéticamente a la interior, fundándose en su evidente prioridad genética. Antes al contrario, el virtuosismo literario específicamente individualizante del *estilo* reside sobre todo visible y comprobadamente para los poemas de Claudio Rodríguez en su inigualable sentido de la metamorfosis expresiva. El acierto inapelable en las selecciones léxicas y gramaticales, los reajustes rítmicos, versales y estróficos, en escansiones y encabalgamientos, la capacidad de realizar fundidos simbólicos deslumbrantes a través de yuxtaposiciones oracionales sucesivas a procesos previos de elisión, que pueden llegar incluso manifiestamente a la sustitución sin más de afirmaciones por negaciones o a la inversa; todo el inmenso caudal de decisiones y riesgos en la voluntad intencional de los desvíos estilísticos terminales e intensos de la forma constituye la capacidad estética más genuina del estilo del poeta. Así lo concebía además prioritariamente la ideología clasicista de la retórica literaria transferida en nuestro siglo a la analítica formal del estilo literario y poético.

En el caso concreto de la poesía de Claudio Rodríguez, han sido sobre todo los aciertos simbólicos, rítmicos y expresivos de la forma exterior los más frecuentes y directamente ponderados y exaltados por lectores y críticos como el factor diferencial de la poeticidad del estilo. Aunque del grueso de nuestros análisis centrados sobre los aspectos mítico-temáticos y figural-argumentativos de la forma interior se deduce el grado de simplificación inasumible de aquella conceptuación superficial y reductiva de la forma y el estilo poéticos, no pretendemos sin embargo descalificar completamente la generalizada conceptuación tradicional sobre la poeticidad microestilística de las creaciones literarias, que resultan por lo demás decisivas en el caso concreto de la poesía de Rodríguez.

Los factores diferenciales poéticos de la *forma interior* confinan con lo *universal mítico y exprexivo* sobre todo en las etapas involuntarias de su constitución subconsciente. Alguna vez hemos recordado que la grandeza del artista sublime radica tanto en sus capacidades naturales del subconsciente como en la eficacia conscientemente actuada de sus decisiones de estilo. Pero no ha de olvidarse que si el valor diferencial estético de las estructuras de la *forma interior* poética radica en la *medularidad universalizable* de las estructuras míticas actualizadas y en la eficacia de sus fórmulas simbólicas de representación, la condición y el valor últimos de lo perceptible poético se afirma incluso con mayor grado de evidencia en los factores de peculiarización y de *individualización característica*, simbólicos y expresivos, de la conformación personal de cada gran poeta.

El concepto de forma interior para
una estilística actualizada del macrotexto poético

Gracias sobre todo a la progresiva asimilación del pensamiento antropológico sobre los mitos y la simbología imaginaria llevada a cabo por la crítica literaria reciente, resulta posible ajustar de modo más realista en el proceso de la creación poética las etapas correspondientes a la constitución del componente textual que Dámaso Alonso denominaba imprecísamente «significado», susceptible, según él, de «ajuste» sucesivo al «significante». A partir de la tradición romántica inglesa codificada por M. H. Abrams[22], se ha establecido la generalización de un determinado itinerario imaginario más frecuentado temáticamente que otros de los posibles como mito característico del *impulso* de elevación, crisis y restitución o salvación por la poesía. Claudio Rodríguez, al igual que muchos otros poetas post-románticos, participaría de forma espontánea o cultural, intertextualmente, de un esquema similar con variantes. Pero en la descripción de esa trayectoria mítica quedan ya de manifiesto las insuficiencias de identificarla con lo conceptualizado-temático bajo la convicción genérica asimilada por la crítica formal y estilística en la etapa de Dámaso Alonso.

Particularmente en las poéticas de búsqueda fervorosa del deseo, a las que corresponde sin duda desde sus comienzos hasta el momento presente la de Claudio Rodríguez[23], la condición incierta del *impulso* intuitivo, fundador del proceso de creación, implica también un

---

22. Cfr., M. H. Abrams, *El espejo y la lámpara*, (1953), traducción española de G. Araoz, Buenos Aires, Nova, 1972.

23. Téngase en cuenta al respecto, no sólo el dato más divulgado y convencional del contenido temático de su primer libro, *Don de la ebriedad*, sino el del título de *Aventura* que el poeta proyecta, por ahora, para su libro inmediatamente futuro en estado actual de gestación nebulosa. Para él, Claudio Rodríguez ha compuesto solamente seis poemas, que considera sintomáticamente exploratorios sobre el incierto fondo que conforma su vago presentimiento de conjunto, en particular la extensa composición titulada, quizás provisionalmente «Meditación a la deriva». Conviene precisar desde el comienzo la condición perfectamente compatible y fructífera de la incertidumbre fervorosa de su capacidad de deseo con el rigor meditativo y el cálculo estilístico más racional y depurado del gusto en el proceso controlado de la construcción del poema. Una ambivalencia que depara y determina precisamente la sublimidad poética y creativa de Rodríguez.

grado de evanescencia temática en el que sensaciones, sentimientos y conceptos se confabulan inseparablemente constituyendo la sustancia sicológico-simbólica de los mitos del «significado». En este supuesto, las raíces míticas de la condensación semántica del tema se acaban configurando como diseños antropológicos de poderoso esquematismo. Por ejemplo, la raíz de los sentimientos radicales de *identidad* y de *diferencia* en Claudio Rodríguez resulta temáticamente dominante y subyacente en nuestro análisis, incluso respecto al ejercicio de *cotejo exploratorio* poético de la realidad como extroversión analítica del centro-yo del poeta.

Elevarse —o abismarse— a las intuiciones radicales de lo *uno* y de lo *vario*, de lo *propio* y de lo *otro*, tal como se constituye el mito generador de la enunciación poética bajo el modelo de la expresión lírica, bajo la forma en que la examinamos nosotros en los cinco capítulos de la primera parte temática de nuestro libro, implica a su vez una opción simbólica todavía más primaria y radical: la del predominio, según modelos personales de la imaginación, del sentimiento anhelado hacia lo *unitario*, frente al poder configurante de las actividades de la conciencia en términos de *escisión* y de *dualidad diferenciales*.

En la profundidad de esas estructuras máximamente esquemáticas y radicales de la conciencia antropológica cobra fundamento la indistinción entre lo conceptual-semántico y lo formal-dispositivo a que antes aludíamos. Sólo a partir del despliegue ulterior hacia la simbolización expresiva de estas primeras estructuras sicológicas unitarias del *impulso* poético, se producen las especificaciones respectivas en términos de selecciones y de adquisiciones sucesivamente míticas y simbólicas por una parte; mientras que por la otra acontece, paralela y sincrónicamente, la constitución del orden argumentativo de la expresión siguiendo el orden macrorretórico de alguno de los esquemas figurales. Por ejemplo, con el *impulso* de fuga y desafección que determina el predominio *temático* del mito de la compañía fraternal en la poesía de Claudio Rodríguez, en sus etapas de salvación idílica y de ruptura y alejamiento, se corresponde sustancialmente el predominio del esquema de antítesis que enfrenta como opuestos, conciliables o irreconciliables, los planos del *yo* y del *otro* explícitamente desde *Conjuros:* «A las puertas de la ciudad» y «El baile de Águedas» y más tarde «Por tierra de lobos», «Ciudad de meseta» y «Oda a la hospitalidad» de *Alianza y condena*. Lo mismo que el recurso figural estructurante de la concentración metonímica o del esquema de la sinécdoque encuentra su base sicológica dentro de momentos muy singulares en el ejercicio de una voluntad permanente de salvación desgastada y zaherida en sus impulsos superiores, con sus configuraciones restringidas del tematismo en poemas como «Sombra de la amapola», «Gorrión», «Arena», «Espuma», etc., etc.

La búsqueda crítica de una semántica o una sintaxis de la forma interior ha de elevarse o radicarse, según vamos viendo, a estructuras sicológicas emotivas, sentimentales e imaginarias muy previas antropológicamente a las estructuras conceptualizadas del tematismo. No debe extrañarnos en consecuencia la insatisfacción íntima de Dámaso Alonso con su erudita transcripción intertextual de fuentes como aproximación temática al ideal de forma interior, en su análisis de la tradición pitagórico-musical subyacente a la «Oda a Salinas» de Fray Luis de León[24]. Más bien añadiríamos nosotros que la afirmación consciente del tematismo, en los términos en que trata de reconstruirlo en ese ejemplo la culta analítica de don Dámaso, representaría desde nuestro punto de vista el momento de escisión en el complejo unitario constitutivo de la *forma interior*; perteneciendo en todo caso el depósito de materiales intelectuales y temáticos resultante al componente «profundo» conceptual y consciente de la forma textual externa.

Por lo mismo, no le bastaba a la iniciativa de Dámaso para rastrear la «forma interior», esta vez en el dominio de la *dispositio* textual, con exceder el límite habitual frástico de la sintaxis estilística en su análisis del juego argumentativo interestrófico en «La profecía del Tajo»[25]. Como en el caso del análisis de la intertextualidad cultural determinante del tematismo de la «Oda a Salinas» —y añadiremos que aquí aún más concreta y fácilmente—, no le engañaban al gran crítico sus intuiciones primarias. Había que sobrepasar, en efecto, el ámbito de las unidades microcomponenciales, para insertar en unidades y planos del macrotex-

---

24. Cfr. Dámaso Alonso, *Poesía española*, cit., págs. 165-198.

25. Ibid., págs. 128-152.

to, en este caso estrófico-sintáctico, sus observaciones sobre el comportamiento de la forma interior. Pero resulta casi obvio manifestar a la vista de los resultados críticos, que la fragmentación del tematismo argumentado en unidades del nivel clausular-estrófico, en lugar del frástico-sintagmático, se corresponde de cualquier modo con etapas genéticas muy terminales de la macrosintaxis dispositiva «interior», más bien próximas en todo caso a la «forma externa».

En definitiva, pues, la forma interior poética se enraiza sobre todo en las iniciativas sicológicas del *impulso* inicial de la voluntad y la intuición hacia la constitución expresiva del poema como experiencia. Se trata de los momentos fundacionales del impulso creativo, que conocemos como proceso sicológico marcadamente unitario, preconsciente y consciente, y muy previo a la escisión de esa «forma inicial» en sus constituyentes temáticos de «significado» y argumentativo-sintácticos de la forma «significante». El tematismo y la argumentación esquemático-figural de los textos, como realidades escindidas a partir de la unidad simbólica del impulso poético fundante, son sin embargo desarrollos macrotextuales y conscientes de la forma interior entre los que se manifiestan las solidaridades de la sincronía isotópica desplegada desde su prehistoria subconsciente como unidad del «impulso poético». Conviene no olvidar por tanto, a propósito de la constitución de la forma interior poética, la longitud de su trayecto constitutivo en el proceso de creación, profundo hacia los impulsos unitarios de la imaginación antropológico-mítica subconsciente y desplegado hacia las operaciones conscientes de la elaboración temática y significante-expresiva[26].

* * * * *

---

26. El progreso interno tal vez más matizado en lo doctrinal lingüístico y en la sensibilidad crítica de la Estilística tradicional hacia una Estilística textual, lo ha representado el trabajo de uno de nuestros maestros más estimados, don Manuel Muñoz Cortés. Su trayecto de enriquecimiento constante de la Estilística está seguramente en las raíces y estímulos de nuestros propios principios; pero no es fácilmente sintetizable. Véase la evolución de sus aportaciones entre 1943 y 1984 en la colección de trabajos titulada *Estudios de Estilística textual*, Murcia, Universidad, 1986.

Dentro del tratamiento crítico en este libro de la forma interior en la poesía de Claudio Rodríguez, nosotros hemos optado sin embargo por separar estratégicamente en las dos partes del mismo los materiales respectivos mítico-temáticos y figural-argumentativos. Así, los agrupamos en cinco capítulos dentro de cada parte, correspondientes a cada uno de los libros publicados hasta el presente por Claudio Rodríguez. Mediante esa separación táctica, que es artificial, insistimos, respecto a la naturaleza no escindida del impulso fundante de la forma interior, pretendemos ilustrar más claramente las condiciones de unidad y de variación de la poesía de Claudio Rodríguez en cada una de las esferas de constitución de su discurso poético, temático y formal, tal y como suelen verse apeladas *grosso modo* en la consideración analítica, crítica y lectora, del estilo de los poetas. Es sin embargo iniciativa «abierta», que queremos dejar en este caso a la decisión de nuestros propios lectores, la de alterar o no el orden sucesivo de la lectura del libro; agrupando, si se desea, el cotejo de los dos capítulos correspondientes a cada obra de Claudio Rodríguez. Cuando se proceda de esta manera, se percibirán más de cerca las solidaridades entre las estructuras mítico-temáticas y retórico-argumentativas a las que nos hemos referido en este prefacio. En todo caso, estamos persuadidos tras nuestro minucioso análisis de la obra total de este poeta, de la realidad objetiva, es decir no forzada críticamente, de ambas conclusiones: la homología sincrónico-genética entre los constituyentes de la «forma interior» a lo largo del proceso creativo de cada texto y la coherente unidad progresiva del solidísimo «mundo» poético de Claudio Rodríguez.

Por lo pronto el campo de la *forma interior* poética instaura, en términos mucho más realistas de lenguaje, una visión naturalizada de la creación verbal estética. Desde nuestros conocimientos actuales sobre la singularización literaria de los mitos colectivos y del funcionamiento peculiar de la imaginación artística en sus más elevados exponentes como Claudio Rodríguez, nos es posible atender con el debido pormenor a los fenómenos macroestructurales del contenido y de la forma como estructuras fundamentales del proceso imaginativo y verbal que determina la resultante estética. La propensión crítica a concebir el trayecto macroestructural, mítico y argumentativo, de la forma interior como un episodio estéticamente ignoto, emplazado sicológicamente en la zona de desarrollos automáticos del inconsciente, supone una simplificación lesiva para la comprensión simultánea de la «naturalidad» en los procesos de creación poética. Las complejas actividades individuales: selectivas, combinatorias, asociativas y bloqueantes respecto a las «instancias» universal-colectivas de la imaginación y de los inventarios de expresividad figural-argumentativa, que la intuición excepcional de los grandes creadores artísticos practica en su articulación personal del mito, caracteriza y define diferencialmente sus resultados en grado desde luego no inferior al que determinan los correlativos hallazgos microestructurales, imaginarios y expresivos, de los «estilemas» superficiales de la forma.

Una vez afirmada la condición genética y poéticamente relevante de la macroestructura textual, mítico-temática y argumentativo-figural, objeto fundamental de nuestro estudio, resulta obligado reiterar aquí también el decisivo factor poético que corresponde a los estilemas microcomponenciales, en los términos en que ya los analizó y llegó incluso a tipologizarlos la primera Estilística de la forma exterior. A este respecto, poco es ya lo que de verdaderamente fundamental puede añadirse a la exhaustividad de los viejos inventarios retóricos, gramaticales y métricos de los varios formalismos. Téngase en cuenta que ni siquiera Dámaso Alonso sentía ya la necesidad de realizar él mismo o de convocar a otros para hacerlo tales inventarios de fenómenos. Por el contrario, la penetrante crítica «intuitiva» de Dámaso se movía cómodamente entre las categorías y los paradigmas de la retórica, la gramática oracional, la métrica y la fonología. Una situación que no me parece que se haya modificado sustancialmente desde entonces para el estudio de las entidades microestructurales del poema, objetivos fundamentales o casi exclusivos en la Estilística tradicional de la forma exterior poemática.

Lo que un proyecto crítico de la forma interior poética como el nuestro debe añadir a las viejas partes de la Estilística externa, consiste en atender cuidadosamente y subrayar con puntualidad las *líneas de sincronismo y de continuidad genética* entre los dos grandes espacios estilísticos. La inversión del orden en el proceso analítico implicado en una *Estilística de la forma interior* debe tratar de identificar y de hacer explícita la homología transformativa, a partir de la unidad generativa del *impulso*, entre los espacios textuales innaturalmente discriminados desde la contraposición de los dos modelos estilísticos de análisis. Así se pasa de la globalidad del *mito poético* a la pluralidad de los contenidos·en el texto poemático, y de la globalidad de los *esquemas figurales* dominantes a la diversa articulación de las figuras y las estructuras sintácticas en la manifestación terminal de la forma de cada poema. En una palabra, la sección analítica *externa* de las afloraciones intensas del estilo en una Estilística de la forma interior ha de orientarse predominantemente a ilustrar, sin distorsiones, el fenómeno de la *unidad* y la *continuidad* sicológica y expresiva de la forma.

Otros avances estilísticos y poetológicos sobre el concepto de forma interior

En la tradición española reclamada de Dámaso Alonso y sobre todo de Amado Alonso[27], pero movilizando los recursos y la amplísima información directa al alcance de su vasta cultura internacional europea en América, Claudio Guillén es seguramente el pensador literario moderno que más asiduamente ha mantenido operante y activo el decisivo concepto de *forma interior* dentro de la crítica mundial durante

---

27. La génesis estilístico-hispana en su asimilación del concepto de forma interior queda de manifiesto ya en uno de los más tempranos ejercicios críticos de Guillén. Me refiero a «Estilística del silencio (en torno a un poema de Antonio Machado)», aparecido en *Revista Hispánica Moderna*, 23, 1957, págs. 260-291. Fue incorporado tardíamente a su libro *Teorías de la Historia Literaria*, Madrid, Espasa-Calpe, 1989; sobre el enraizamiento en el concepto de «forma interior» de Dámaso y Amado Alonso de su procedimiento crítico en aquel análisis juvenil, ver págs. 53 y 72.

Por lo demás, la directa influencia sobre Claudio Guillén del limitado-deformado concepto damasiano de «forma exterior» asimilada a *significante*, con su correlativo implícito de «forma interior» sumarizada como *significado* (meramente conceptual-referencial), gravitaba por entonces en los pasos donde resulta más deprimido en Guillén el interesante concepto de una poética de *lo no dicho;* más técnicamente, de la presuposición lingüística comunicativa tempranamente enunciada por él como de los *silencios* poéticos. Véase algún testimonio de esa asimilación débil: «Lo cierto es que la poesía, en suma, es de naturaleza híbrida. Naturaleza que evidentemente encierra dos órdenes distintos: el de las representaciones imaginadas y el de los materiales sonoros; el de los significados y los significantes; o dicho sea con la terminología que mejor subraya nuestro prolos decenios sesenta y setenta. Debe advertirse, además, que la casi constante aproximación de Guillén al conjunto de conceptos sobre el texto literario en la categoría de forma interior ratifica la posición central de la misma en su concepción de la «literatura como sistema».

El hábito elegante de amplias miras doctrinales, así como la condición conciliadora que caracteriza a su estilo polémico sin estridencias, le han permitido a Guillén obtener fórmulas estimables de comprensión y de aproximación equidistante a las cuestiones, incluso a las más intrincadas por su naturaleza o a las más oscurecidas por la insolidaridad y las astucias del debate desasimilativo de los críticos. Entre éstas principalmente, la de la universalidad y su opuesta de las diferencias históricas monistas, cuestiones ambas tan inmediatas genéticamente a las de las *formas*, general, interior y externa. Bien es cierto, no obstante, que con frecuencia los esfuerzos de Guillén destinados a compre-

---

blema estético el de la materia fónica (con la correspondiente cita en nota de Dámaso Alonso) y el de los silencios» (pág. 79).

Tampoco se debe omitir cómo, posterior y paulatinamente, los sumandos aquí en presencia, de «significado» (conceptual), de «representación imaginaria» (con emociones añadidas) y de «silencios» (significados presupuestos), se conglomerarían tácitamente en un concepto, aproximado, de *contenido*; incluso a partir ya de otras caracterizaciones casi inmediatas sucesivas en aquel estudio precoz. Así: «Sin llegar a ser infinito, como lo deseaban los románticos, el poema es *ilimitado*, carece de confines precisos, no tiene marco. Existe una relación dinámica y dialéctica entre una forma mínima la de los materiales sonoros y una forma máxima la de los *silencios* o representaciones y situaciones y emociones fantásticas desprovistas de corporeidad acústica. Relación que no cabe reducir geométricamente al concepto de una perfecta articulación entre significantes y significados». Y para oponerse directamente al concepto damasiano de estrictas correspondencias entre los significados de la «forma interior» y *sus* significantes de la «forma externa», concluye respecto a la conocida sistematización simplista de *Poesía española*: «No creo que a un número (n) de fonemas corresponda un número idéntico (n') de significaciones. Me parece más bien que una serie limitada de significantes sugiere una serie ilimitada (n' - x) de representaciones». Nos encontramos aquí con otro de aquellos desliçes inconsecuentes, en la fórmula sobre ilimitaciones meramente retórica de Guillén, con que se estaban constituyendo en Francia a la sazón las autosatisfactorias fantasías críticas sobre los «infinitos»: el de las formas estructurales legítimas en los textos y sus correspondientes lecturas infinitas. «La sustancia fonética de la poesía (se corregía implícitamente el joven crítico a renglón seguido) evoca esferas imaginarias, que esta sustancia entrama y orienta en sus líneas principales. El poema es un mecanismo propagador de vectores vitales, (aquí la imagen físico-semántica seleccionada trasluce una concreción delimitada y consistente), susceptibles de estructurar ámbitos ilimitados (de nuevo un testimonio del mito crítico recién nacido de la ilimitación infinita irresponsable) de emociones y nociones» (págs. 80-81).

hender y a asimilar los extremismos, le han inclinado a lo largo de su carrera a un género de transacciones escasamente clarificadoras en sus últimas fórmulas con puntos de partida comprobadamente obnubilantes[28].

 ⁻ Tal sería el caso, por ejemplo, de su clara asimilación de la pareja de facetas desdobladas universalidad-forma interior. Una cuestión quizás la máxima doctrinalmente y dominante en la que el reconocimiento de la variedad histórica de formas fenoménicas, enfatizada hasta lo excluyente sobre sus alternativas universalistas por la nueva crítica pragmatista contemporánea, no debía ser nunca secundada sin formular al tiempo las debidas advertencias y cautelas a favor del universalismo; especialmente en el periodo sembrado de prejuicios e interdicciones espúreas que acaba de transcurrir. En ese sentido, el haber mantenido viva la memoria simple de *lo unitario*, «lo uno» que es el marco de la «forma interior» lingüística y poética, junto a lo *plural fenoménico*, «lo diverso», manifestación y espacio constituyente de las «formas externas», debe serle contado ya a Claudio Guillén como una rareza espiritual de fidelidad a la tradición idealista de Occidente, casi exclusiva

---

28. Oscilaciones muy patentes, a mi juicio, en el tenor general de las grandes cuestiones debatidas, como la de los géneros literarios, en su obra más sintética y madura hasta el presente, *Entre lo uno y lo diverso*, Barcelona, Crítica, 1984. Las mismas se hacen explícitas en su significativo balance sobre la crítica moderna en el artículo «Los equívocos de la estilística», donde se mezclan actitudes tan discordantes sobre fenómenos y formas sin embargo tan concatenados y corresponsables como la demoledora, aunque exacta, sanción contra Paul de Man en términos de «alegre ejercicio de un formalismo trágico», compatible con el elogio al «extraordinario libro de Barthes titulado *S/Z*» por su ejercicio deconstructivo de «voluntad disgregadora» (Cfr. *Teorías de la Historia Literaria*, cit. págs. 85-87). Aunque, la tradición crítica de signo estilístico y universalista de construcción del sentido, que constituye el fondo de la vasta cultura literaria y filosófica de Guillén, no dejó de comparecer y de pecularizarse en cada caso conflictivo como rareza de criterio independiente durante los años más duros del doctrinalismo relativista. Así en el mismo escrito anterior, publicado originalmente no se olvide en 1984, no dejaba de censurar el libérrimo «placer del texto» bartheano, donde «prevalece el prejuicio o *parti-pris* de la desintegración, que no es menos ideológico o sectario, me parece, que el de la totalidad» (ibid., pág. 88). Siendo, en fin, otro testimonio inocultable y sintomático de la fidelidad tradicionalista de Guillén al convenio, con largas raíces aristotélicas, sobre las razones de universalidad de las percepciones y el juicio artístico, su mantenido acuerdo y acogida de las constantes razones de Tzvetan Todorov a contracorriente, como las sostenidas al comienzo del decenio de los setenta en *Poétique de la prose*. Todo ello asociado también lúcidamente por Guillén con la constancia universalista de base lingüística de Greimas (en la línea general de Chomsky, Greenberg o Lakoff) en el mismo pasaje de su penetrante estudio «De la forma a la estructura: fusiones y confusiones» (Ibid., págs. 142-143).

dentro de los modos y modas de la crítica literaria en los decenios recién transcurridos.

Respecto a las cuestiones que aquí nos interesan, resulta particularmente pertinente y rico el estudio elaborado entre 1974 y 1978, «De la forma a la estructura: fusiones y conclusiones»[29], donde no deja de ser igualmente sintomático el ahinco de Guillén tendente a descubrir solidaridades y compañías en la crítica estructuralista aproximables al concepto de «forma interior». Así destacaba los atisbos de comprensión fundacionales de Jean Rousset sobre «l'amalgame d'une forme et d'une experience», en *Forme et signification*, interesadamente malentendidos por la severa crítica de Jacques Derrida en *L'écriture et la difference*. Intuiciones no remotas para Guillén de las fórmulas plenarias de Dámaso Alonso en *Poesía española*.

En la plenitud misma del formalismo estructuralista europeo, apelaba Guillén a las semejanzas dentro de la «espléndida» *Poétique de la prose* del por entonces incuestionable Tzvetan Todorov, como testimonio preclaro de una asimilación no excluyente de la polaridad generalista constitutiva de la «innere Sprachform» en la entidad comunicativa de las estructuras del relato literario. Asunción trascendental en torno de la cual Guillén ponderaba al paso, con Todorov, aproximaciones y diferencias en la concepción y los modelos narratológicos de Greimas y de Genette; pero sobre la cual se había olvidado ya, hacia finales de los setenta y bajo la presión de las teatrales urgencias dramáticas del escepticismo crítico relativista y deconstructivo[30], la continuidad normalizada en la mayoría de la Lingüística, con Chomsky a la cabeza, y de la Sicología cognitiva.

---

29. Originariamente fue una comunicación leída en el Primer Coloquio Español de Literatura Comparada en Mayo de 1974, que se publicó ampliada, en «1616», I. 1978, págs. 23-40. Recogido después en el libro *Teorías de la Historia literaria*, por cuya edición lo cito aquí.

30. Sobre el alcance innegable de tales escenarios de zozobra metafísica en el sensible barómetro espiritual de Claudio Guillén dan testimonio consideraciones «ambientales» como las que siguen: «La búsqueda de metaestructuras universales acaso responda (contradictoriamente en todo caso; la puntualización es nuestra) a un requerimiento de *sentido* en un mundo abandonado a sus aparentes incongruencias y fracasos, unido espacialmente sólo (pero nada menos, corregimos nosotros, frente a las astucias de la palabrería apocalíptica de la deconstrucción) por las ciencias naturales, y filosóficamente tan sólo por cierta lógica» (pág. 146). Corríjase en el final anterior: por la totalidad de la lógica formal moderna y toda la lingüística fundada en aquélla.

La conmovedora vocación que alienta la ambición cultural de una personalidad crítica como la de Claudio Guillén, le equipaba con una experiencia histórica de resistencia a las superficialidades más solventes de las modas, dentro de su medio universitario de adopción en América. Tal vez por eso había podido impermeabilizarse eficazmente Guillén —igual que yo mismo, «mutatis mutandis», en el ámbito español y europeo— y adherirse, también como nosotros, a la continuidad del ideal romántico de la «forma interior» actualizado por la estilística de sus maestros, Dámaso y Amado Alonso.

Dentro de ese acervo común de equipamientos y aspiraciones culturales, lo de menos y lo inevitable serían las diferencias de matiz. Así, es fácil para mí coincidir de entrada con Guillén sobre la responsabilidad histórica deformante de las particiones de la Retórica (*primero* «inventio» y *luego* «dispositio») para un concepto englobante y unitario de forma interior como el que nosotros desplegaremos en este libro: en principio impulso sicológico o «sentimental» como lo proponía Amado Alonso, y luego sincrónicamente su despliegue macroestructural semántico-sintáctico o, si se quiere, temático-argumentativo. Pero después, me parecen mucho más tortuosas las vías de Claudio Guillén para explicar el extravío en el concepto de forma dentro de la obra de Aristóteles: el trayecto que separa la *Metafísica* y la *Física* aristotélicas, —con su concepto sintáctico-semántico sintético de «forma sustancial»— respecto de la *Poética*. Del análisis muy sucinto por parte de Guillén del concepto de *fábula* en la *Poética*, se infiere abierta la brecha que compartimenta y aísla los constituyentes semánticos y sintácticos de la forma interior[31]. Así se fundarían, para Guillén, las

---

31. La condición integrada de la *forma* como sustancia informada y «forma sustancial» compone sin duda el núcleo estable en el universalismo de la «forma interior» aristotélica. Tal como lo resume Guillén: «La forma y la materia, para Aristóteles, son categorías inmanentes que hacen posible que los objetos reales sean pensables. Estas dos categorías de las cosas —añade y confirma Guillén— son mutuamente relativas». Pese a todo lo cual, lo que resulta de la *Poética* es, según la tesis de Guillén, una «omisión flagrante —aquí se me ocurre recordar la condición probadamente preparatoria y fragmentaria del manuscrito de esta obra aristotélica—. Pues: «la contraposición de forma y materia, cuya función es esencial en la *Metafísica* de Aristóteles, no aparece en la *Poética* del mismo filósofo» (Ibid., págs. 154-155).

incomprensiones tradicionales con el concepto de forma interior que llegan hasta el clasicismo alemán[32].

En palabras del propio autor, es a partir del clasicismo prerromántico cuando se redescubre «la identidad y la pertinencia crítica de un principio formal, o formal/estructural, que diera cabida y encierre dentro de sí las materias y elementos temáticos de la obra literaria»; se identifica, sencillamente, que la dicotomía de forma y materia tiende a disolverse en el poema». En esta etapa definitiva de la evolución de los conceptos solidarios de universalidad de las causas estéticas y de generalidad constitutiva de la «forma interior» poética, la nómina de los nombres aportados por Guillén se ajusta casi sin sorpresas a los de las bibliografías tradicionales sobre forma interior que examinábamos al comienzo de esta introducción: Shaftesbury[33] y James Harris, antecedentes del concepto de «organische Form» popular desde Herder en Schiller, Goethe y los hermanos Schlegel. Y tras las reacciones románticas de Coleridge y De Sanctis, la analítica gestaltista del concepto en Oscar Walzel y la línea de autores del siglo XX tales como Worringer, Herbert Read, T. E. Hulme o Paul Valéry y los por tanto tiempo desconocidos formalistas rusos. Así se llegaría, en la panorámica

---

32. Guillén acostumbra a remitirse indirectamente para todas estas generalizaciones históricas a la mediación de síntesis, como la del muy autorizado y prestigioso Bernard Weinberg, en su *A History of Literary Criticism in the Italian Renaissance*, y a la *Historia de la Crítica Moderna* de Wellek, fundamental pero no siempre precisa; o bien a monografías más específicas, como la de Elisabeth Wilkinson sobre los conceptos de forma y contenido en el Clasicismo alemán. Así resultan debilitadas afirmaciones históricas decisivas de Guillén sobre la perpetuación de su hipótesis central relativa a «la omisión de un concepto adecuado de forma en la *Poética*»: «los tratadistas del Renacimiento italiano, de la época en que la *Poética* por fin renace y vuelve a la vida, no rectifican ni tienen por qué rectificar la curiosa ausencia, en el gran texto de teoría literaria, de la clásica *contraposición* de materia y forma» (Ibid., pág. 156).

33. La aportación a los conceptos neoplatónicos de forma del conde de Shaftesbury en su obra, *Characteristics of Men, Manners, Opinions, Times*, de 1711, representa tal vez lo más personal e interesante en el inventario revisionista de Guillén (ibid., págs. 162-163). El conocido principio armónico universalista sustentado por Shaftesbury «all things in this World are united» se identifica en su comportamiento y alcances extensos con el del «forming power» indisociable en la constitución perceptiva de los cuerpos —«in Body itself»— dentro de las constituciones artísticas.

de Guillén, a la penetrante percepción estilística de los españoles Dámado y Amado Alonso[34].

Desde mi perspectiva, el conjunto de actitudes que personaliza Claudio Guillén resulta sintomático de las circunstancias críticas que han llevado en la segunda mitad del siglo XX a diluir la operatividad del concepto universalista de «forma interior» en la crítica literaria mejor publicitada; es decir, la de pragmatistas y materialistas, cuyo liderazgo confirmó a los vencedores en la Segunda Guerra Mundial. Bajo ese signo general, y bajo el del hibridismo resistente de sus propias raíces y formación, es como enfocamos aquí la «singularidad ejemplar» en el más propio de los sentidos de Claudio Guillén. Formado en las mejores tradiciones liberales de Europa y América, es capaz sin embargo de atender simultáneamente y sin prejuicios a los avances en su momento de la escuela de la *Filosofía de la Ciencia Literaria* alemana, parafraseando en el estudio de Fritz Strich sobre la forma interior del soneto, que «la forma interior sería el devenir o proceso que modela las correlaciones temáticas».

Al afrontar en tan interesantes términos directos el concepto de forma interior, no dejaba Guillén de plantearse la cuestión de sus límites, de acuerdo con la formulación del desafío de Wellek, para quien tal línea fronteriza resultaba cuestión tradicional todavía no resuelta de la crítica. El problema en la práctica viva —quiero decir, ante los textos— se presenta extraordinariamente complejo, según veremos en este libro; desdoblándose además sobre dos vertientes diferenciadas: la cuestión empírica del establecimiento concreto del límite y, quizás aún más determinante, la de la circulación de la continuidad estilística entre las dos zonas o vertientes de la forma. Sobre todo ello, se deja sentir aquí, especialmente en la debilidad de las ideas generales de Guillén en materia de constitución lingüística y límites de las formas, la ausencia de una doctrina lingüístico-textual solvente en el

---

34. Cfr. C. Guillén, *Teorías*, cit., págs. 162-163. La síntesis de Guillén remite sobre estas etapas al estudio aún básico, de 1935, de R. Schwinger y H. Nicolai, *Innere Form und dichterische Phantasie*, cit. Ver asimismo en los *Concepts of Criticism* de R. Wellek, el apartado «Concepts of Form and Structure in Twentieth-Century Criticism» (pág. 60 y ss.).

conjunto de su argumentación teórica[35]. Eso le hubiera llevado a considerar las diferencias básicas *genético-tabulares* entre *macro* y *microestructura*; asimilando globalmente la primera a la temática y a la argumentación dispositiva de la forma interior como estructura lingüística, además del constituyente inicial de la inspiración que nosotros solemos denominar *impulso* y Amado Alonso *sentimiento*[36]; en tanto que se concibe el espacio de las transformaciones microestructurales (léxico-semánticas, gramaticales y fono-acústicas) como el dominio estilístico propio de la forma exterior.

La complejidad tal vez críticamente insalvable —quiero decir irrepresentable en términos explícitos— de la cuestión de límites entre las estructuras interna y exterior de la forma sigue sin estar adecuadamente representada, más allá de la atribución genérica y de principio que yo mismo adopto respecto a la frontera lingüística entre la macro y la microestructura del texto. Esa es la cuestión seguramente pendiente con mayores urgencias, entre las importantes, a propósito de la estructura

---

35. Lejos de nuestro ánimo regatear cicateramente importancia a esta intuición de nuestro admirado amigo Claudio Guillén. Lo que sucede es que el aporte de las nociones básicas de la Lingüística textual sobre la constitución y límites de las estructuras del texto nos ha resultado fundamental, además de la constitución mítico-imaginaria del impulso, para diseñar y organizar críticamente nuestro propio estudio sobre las formas en la poesía de Rodríguez.

Hagamos constar además que las fechas iniciales de composición del artículo fundamental de Guillén que estoy glosando aquí (1974), aunque la de la publicación en su forma definitiva fuera 1978, no hacía ni mucho menos técnicamente obligatorio el conocimiento y aún menos la familiaridad conceptual con una Text-linguistik por entonces en su desarrollo inicial, tan diferente en sus métodos de la tradición clásico-humanística de la paráfrasis crítica cultivada y seguida por Guillén. Sesgo más característico tal vez de una apreciación distinta, haya resultado del distanciamiento del gran comparatista respecto de la Lingüística del Texto durante el periodo «español» de su carrera universitaria, inaugurada precisamente a partir de los años casi inmediatamente posteriores al de publicación de este escrito básico sobre la forma interior. De esta última etapa, hispano-catalana, de su carrera docente son escasas las contribuciones que conozco de Guillén sobre los conceptos fundamentales del universalismo poético y la forma interior, tal como lo revela el índice de capítulos de su *Teorías de la Historia Literaria*. En este balance tardío la opción asumida por Claudio Guillén se ha hecho deliberada y valorable.

36. Interpreto así el entendimiento y función del decisivo componente «sentimental» como constituyente sicológico y prelingüístico del texto del poema, que intuía y formulaba en sus términos propios Amado Alonso en *Materia y forma en poesía*; tanto en el apartado «Sentimiento e intuición en la lírica», como en el titulado «El ideal-clásico de la forma poética».

literaria de la forma poética. Nuestra concentración en esta obra sobre la constitución propiamente macroestructural de la forma interior se ha ceñido, obligadamente al diseño expositivo de la génesis poética como proceso sicológico-lingüístico entre el *impulso* y las cristalizaciones sincrónicas y alternativas —temáticas y dispositivas— de la *forma*.

Extender un tratamiento semejante sobre los límites y las transferencias de la unidad de estilo entre los dos grandes espacios textuales de la forma, más allá de nuestras aproximaciones puntuales en unos cuantos apartados, merecería una tercera parte en este libro, al menos con la misma extensión y pormenor de los dos de que ya consta. No han sido las espinosas dificultades de identificación de objetos y de especificación crítica las que me han disuadido de un tratamiento de la cuestión más circunstanciado en este libro; sino otras puramente editoriales. Ya era bastante el lujo de un libro humanístico de la extensión de éste en los difíciles tiempos que corren y en los inexorables que se avecinan. Queda enunciado así, por tanto, como proyecto propio o como cuestión principal común y abierta a todos la de delimitar los respectivos ámbitos de las formas, representando de paso necesariamente los trayectos estilísticos que trazan y representan el valor ostensible de las continuidades en el estilo.

Porque ese sí, el de la continuidad estilística entre formas, es el principio y la prueba más intuitivamente acogida dentro del conjunto de características estructurales de la poesía. Claudio Guillén detecta y define indudablemente el principio de convergencia crítica del isomorfismo en el estilo; pero lo decisivo es que lo instrumenta al servicio de caracterizaciones menos comunes. Entre ellas, la primera: la del principio de *individualización* como característica no incompatible, sino incluso solidaria e incardinada en el origen universalista del impulso sicológico de la forma interior. Así, glosando las penetrantes observaciones de Borges de que el número de las «obras» supera al número de las «cosas» o al decir menos llano de Flaubert : «nous avons trop de choses et pas assez de formes», proclamaba Guillén cómo «la forma tiende a lo individual, lo singular, la diferencia»; y añadía taxativamente que «es un principio activo de individuación». Evitando la tentación platónica e idealista del innatismo previo de las formas, el respeto debido al ideal de «idea» de Panofsky era lo que le predisponía para asumir con absoluto convencimiento la narración simplista de Amado Alonso sobre el amplio trayecto estilístico de la forma: «creo que cualquier estudio genético serio de la composición progresiva de una obra poética puede mostrar cómo el autor va aprovechando, integrando en su trabajo, y obviando o desarrollando mediante el lenguaje, que no sólo reproduce sino profundiza unos modelos previos». Verificación muy persuasiva, sin duda alguna, pero que nos emplaza tan sólo en el comienzo de una larga historia textual[37].

En su conjunto, el ámbito de aportaciones más familiar a la compleja cultura mixta de Guillén me parece que se puede vincular con el espacio, originariamente romántico, del arranque poético de la imaginación como impulso y sentimiento universal, modernizado bajo el estímulo de la antropología cultural de Lévi-Strauss. De la estimulante *Vie des formes* de Focillon arranca para Guillén su confesado ideal de la obra individual como «red de relaciones» con orígenes universales compartidos, lo que le consiente ostentar simultáneamente su unicidad y la pertenencia a una «linguistique universelle». Pero es declaradamente en la *Antropología* de Lévi-Strauss donde se fundamenta para la óptica actualizada de Claudio Guillén «la difícil conexión entre la forma individual y las formas generales o universales» (pág. 170).

---

37. Así creemos verlo intuido también en su momento por Claudio Guillén. Primero al avizorar, aun en forma demasiado genérica, un espacio de la constitución simbólica diferente y por necesidad más profundo que el de los regímenes antropológicos de la imaginación; tal y como lo declarábamos antes nosotros: «Las estructuras singulares no son ni inmanentes o simplemente accesibles a la observación empírica ni meras muestras de unas metaestructuras ideales de idéntica especie; y el conocimiento conjunto de una pluralidad de entidades singulares nos lleva a reconstruir un *sistema mental* (los subrayados son nuestros) o *código de paradigmas* y opciones ejemplares, merded al cual las estructuras individuales, por fuerza parciales, son posibles y tienen sentido». Cfr., *Teorías*, cit., pág. 117. La conformidad del registro crítico de Guillén sobre el sistema de Leví-Strauss con nuestra propia intuición de una distancia discriminada entre el impulso y su despliegue en macroestructuras temático-argumentativas de la *forma interior*, viene corroborado por la constancia de la intuición anterior de Guillén sobre un nivel de «sistema mental o código de paradigmas», diferenciado del de las «metaestructuras ideales de idéntica especie». Véase la mantenida identidad a que aludimos, poco más adelante, cuando insiste: «Tampoco son pertinentes ni significativas unas formas generales basadas sencillamente en unas formas singulares unidas nada más que por la semejanza, y no colocadas en un repertorio de paradigmas diversos o contrarios» (Ibid., pág. 171).

En los decisivos avances analíticos de la *Antropología estructural* y *El pensamiento salvaje* se perfiló efectivamente, a nuestro modo de ver, un paso decisivo en la intuición antropológica de la geología íntima de las formas. Porque, como lo subraya acertadamente Guillén, no se trata ni tan siquiera —con no ser ya en sí mismo poca cosa— de alcanzar el nivel de inserción genética de las formas individuales en «metaestructuras ideales de especie»; es decir, de los rasgos genéricos de la imaginación humana constructora de símbolos y de mitos, hasta donde alcanzan los antropólogos de las religiones o de la literatura como Gilbert Durand. El avance definitivo estriba en que, a partir de Lévi-Strauss, nos aparece tal vez ya accesible un espesor performativo de máximas abstracción y extensión sobre la estructura de los procesos de simbolización semántica y de organización sintáctico-formal. Tal nivel radical de los impulsos expresivo-comunicativos, con figuras de plasmación síquica de estructura formalmente lógica, es el que sustenta al fondo la indiferenciación y sincronía entre los temas y las macroestructuras argumentativas de la forma interior, que son la tesis analíticamente verificada en este libro[38]. Pues efectivamente, a partir de una cierta orientación desde luego no la más practicada y pública en la antropología universalista de Lévi-Strauss, la Poetología estructural tuvo a su disposición una vía abierta hacia la variedad de estratos de la forma interior, que sin embargo no fue representada de manera explícita en los diseños narrato-

---

38. Véase la crítica correspondiente de Guillén: «Los métodos panlingüísticos de Todorov o de Greimas entorpecen toda percepción en el poema de relaciones no asimilables a las articulaciones propias del lenguaje» (Ibid., pág. 173). Mientras que más adelante declara Guillén su persuasión, con la que coincidimos, sobre la posibilidad de un universalismo abierto en la contemplación de Lévi-Strauss: «La gran apuesta, el desideratum, que el pensamiento de Lévi-Strauss nos propuso, señala el posible descubrimiento y el sentido de unos códigos culturales universales. Este es el gran objetivo, que no sé -interrogo- si ha sido alcanzado». Por mi parte, creo poder responder en términos negativos a aquella interrogación de Claudio Guillén en 1974. Sobre todo en los años sucesivos a la misma y hasta casi este día las inquisiciones sobre la condición de lo poético, como la mía, que pudieron haber asumido la rica tradición aristotélica y romántica de fundamentaciones universalistas, no sólo han sido raras sino sobre todo desoídas o estigmatizadas por el predominio ideológico de una crítica nihilista y escéptica. Ya entonces, en 1974, el mismo Guillén no dejaba de manifestar todos los pudores de su hábito intelectual de amplísimo eclecticismo, restringiéndose a renglón seguido: «Ignoro por último, si es una exigencia del espíritu el ansia de la piedra filosofal, la clave única, el *ars magna* que todo lo abarque y dilucide»(pág. 175).

lógicos de un Todorov bloqueado exclusivamente en el nivel formulario de las estructuras gramaticales[39].

Como se ve, las intuiciones de Claudio Guillén desarrollando los conceptos damasianos y de Amado Alonso sobre la «forma interior poética» representan en su conjunto quizás junto a las de Todorov, pero con una cultura literaria consciente mucho más amplia, una de las más decisivas reafirmaciones en la tradición universalista de la forma poética, formulada y mantenida además como un testimonio progresivamente más solitario y raro en los difíciles años recién transcurridos del masivo empuje crítico pragmatista y escéptico del relativismo y el nihilismo deconstructivo. Quizás el límite técnico más sensible en Guillén, desde nuestra propia perspectiva actual, dentro del despliegue de su concepción universalista sobre la «forma interior», es el que reproduce el desconocimiento de sus modelos estilísticos, Dámaso y Amado Alonso, de un diseño neto de la estructura del texto tal como lo ha formulado la Text-linguistik. Sólo desde ahí resulta viable actualmente diferenciar con solvencia canónica entre *impulso* aproximable al contenido del «tópico textual» en el modelo de Van Dijk o al de «Text Basis» en el de János S. Petöfi, macroestructura temático-argumentativa y microestructura.

En los ámbitos más familiares a la cultura crítica de Guillén figuraban sin duda reminiscencias románticas del espacio intuido sobre ese primer fondo sicológico en la génesis textual que nosotros distinguimos habitualmente como *impulso*. Por ejemplo, recordaba tempranamente el propio Guillén, en 1957, la identificación por el gran crítico americano

---

39. Ibid., págs. 23 y 72. Las limitaciones comprobadas en la consolidación expresivo-inmanentista del ideal lingüístico de la Estilística tradicional condujeron regularmente la voluntad superadora de Claudio Guillén sobre todo hacia el sistema de novedades de la ideología romántica de la forma asumido por la crítica norteamericana moderna, antes que a los desarrollos descriptivo-lingüísticos de una Text-linguistik quizás demasiado tardía y rígida para el periodo más asimilativo de la formación humanística de Guillén. Véase algún testimonio explícito sobre tales presencias y ausencias dentro de sus propuestas superadoras en el mismo trabajo de 1957 «Estilística del silencio (en torno a un poema de Antonio Machado)»: «Los límites de la Estilística coinciden con los del lenguaje considerado como enunciación visible o audible. Basado en ella se levanta un edificio que ya no es lengua sino situación o mundo imaginario. No todo en poesía *es* esa lengua que la hace posible» (pág. 77).

R.P. Blackmur de una *emoción básica* del poema, como «transfondo o arranque vital que está en todas partes y en ninguna» del cuerpo expresivo del texto; creando un conjunto de rasgos de omnipresencia y elisión del impulso como características antitéticas pero no contradictorias del mismo. Omnipresencia y difusión en ausencia del impulso, equivalente en todo a la vivencia crítica tradicional del fondo de la «emoción» y el «sentimiento» fundadores dentro de la secuencia de modelos críticos de la Estilística hispana de Amado Alonso a Carlos Bousoño, perfecta y oportunamente invocada por Guillén de manera básica y habitual[40].

Pero será seguramente en lo relativo a la comprensión intuitiva y a la formulación del efecto sincrónico alternativo o pluridireccional de la constitución temático-argumentativa de la *forma interior* y léxico-semántica, gramatical y articulatoria de la *forma poemática externa*, donde las intuiciones de Guillén decanten más la madurez independiente de su experiencia crítica. La superación de tales parcelaciones irrealistas se daba ya, según hemos visto antes, en las conocidas censuras de Guillén al modelo tópico de compartimentación sucesiva esclerotizado en la tradición doctrinal de la Retórica (págs. 151 y ss.), y ante todo en su tesis de fondo sobre la pérdida, en la tradición aristotélica de la *Poética,* del concepto físico y metafísico de la *forma sustancial* como materia informada (págs. 154 y ss.).

El alcance sin duda más comprensivo de la palmaria intuición sobre la génesis de la inspiración y la constitución formal del texto poético, habría de llegarle a Guillén de su experiencia doctrinal y personal de «hombre de letras» y de crítico en convivencia directa y familiar con algunos de los momentos más altos de la poesía mundial contemporánea: el magisterio directo de Jaime Salinas, el de su propio padre, la proximidad de la noticia íntima y personal de Federico y de Machado,

---

40. No representa mucho en sentido contrario, tampoco en este caso, el que el hábito de «cultura cortés» tan característico en el constante esfuerzo de aportaciones eruditas del eminente comparatista, señalara en ocasiones hacia otros modelos de comprensión superadora de la dicotomía sucesiva fondo-forma, tales como el de Harri Levin en su divulgado artículo «Notes on Convention», dentro de la miscelánea editada por el mismo Levin, *Perspectives of Criticism,* Cambridge, Mass., Harvard University Press, 1950, pág. 70.

etc, etc. En esa penetración intuida sobre el ser al tiempo trascendental y elaborado de lo poético, se nutren sus intuiciones sobre la procesualidad configurativa de la forma, que se manifiestan sobre todo en su estudio de 1976 «Proceso y orden inmanente en *Campos de Castilla*», subtitulado sintomáticamente «(Con Roman Jakobson)»[41]. Se explica de esa manera la compatibilidad entre la que yo he caracterizado en términos de «fisicidad» y «consistencia» materiales del texto artístico, frente a las tentaciones y prejuicios evanescentemente esteticistas atribuidos a la poesía por la crítica antimetafísica postnietzscheana y postheideggeriana. La *consistencia* del material verbal de los textos artísticos vehicula la espiritualidad de los mismos; en Guillén: «los rasgos de un orden latente cesan de ser meramente mentales habría que decir tal vez aquí más genéricamente sicológicos: imaginarios, sentimentales, conceptuales y sensitivos y al actualizarse se vuelven materialmente perceptibles».

Ese «transfer» continuo, en términos de Jakobson, de los registros inmateriales en el impulso hacia las «consistencias» del orden estabilizado en el cuerpo expresivo del poema desborda y sobrepasa efectivamente, con la vivacidad incontenible de la creación imaginativa, todos los límites y órdenes teóricos establecidos[42]. Transferencia e interacción en la génesis creativa del poema, y progreso y retroactividad entre el impulso y las macroestructuras de la forma interior. También demolición constante de la conciencia temática como concreción sicológica previa a la *forma* que la realiza en términos de *contenido*. Pero

---

41. Recogido en *Teorías de la Historia Literaria*, cit., págs. 177-197.

42. Claudio Guillén ha plasmado con profunda veracidad la experiencia de esa actividad tumultuosa de la conciencia formativa del poema. La extensión de la cita queda de sobra justificada, a nuestro parecer, por el fondo de lúcida experiencia que se transcribe: «es de sobra evidente que ningún sistema cuaja de golpe, que ningún orden cristaliza de una vez. La configuración tan trabada que barruntamos está a la vista, es una promesa que lleva implícito el objetivo final del quehacer poético: el poema terminado. Pero por otro lado, todo sucede como si esta espléndida promesa ya estuviera empezando a cumplirse. El *transfer* o traslado de que habla Jakobson no es ni una realidad completa en el presente ni un mero proyecto para el futuro. El traslado es un ir trasladándose progresivo que a cada paso revela su especial carácter, un devenir que va manifestando parcialmente su futuro *como sistema*» (Ibid., pág. 179).

asímismo constante disolución de límites en la «formatividad» peculiar del hallazgo estilístico puntual e instantáneo, *intenso* en los estilemas de la forma poemática externa culminativa; recogiendo a veces inciertos estímulos muy remotos en flotación potencial inédita al interior de los depósitos iniciales del impulso como voluntad simbólica, mientras que en otras —tal vez lo más frecuente— lo que se representan son los chispazos del asociacionismo espontáneo, enriquecedores de los magmáticos *planes* subconscientes y conscientes del impulso y la forma interior.

Tal me parece ser, efectivamente, la fisonomía profunda de la *forma interior poética* como espacio y trayecto principales de la creatividad del poeta sublime. Esa condición fundadora y fundamental de la necesidad íntima, interdependiente, entre los constituyentes diversificados del poema logrado; la que yo mismo he apreciado y he corroborado después en las páginas de este libro, en mis análisis reiterados sobre la portentosa totalidad poética de las obras de Claudio Rodríguez. El efecto de perfección se constituye en poesía desde un coloquio muy tenso y siempre dulce entre variadísimos componentes en presencia simultánea; y de ello, es el espacio o momento de demora de la forma interior el que propicia el medio principal de transferencia: de lo imaginario y sentimental sicológico del *impulso* hacia la conceptualización verbalizada del texto.

Hablo aquí de espacios potencialmente previos al proceso de creación, o en todo caso resultantes y estabilizados tras del mismo en el texto. No se dejan entender ni aislar tales compartimentos de la forma mientras dura el inestable proceso «daimónico» de creación. La incomunicación entre constituyentes y niveles en la génesis del poema, los registros en orden y clausurados, son lo menos compatible con el ideal ampliamente descrito y reconocido de creatividad. Así los ámbitos de forma, la interior y la externa, revierten continuamente sobre la memoria sicológica del impulso fundador creativo para despabilar y recuperar fragmentos y centellas aletargadas del mismo, que se habían mantenido preservados en expectativa potencial. O bien, lo que es más frecuente, para atender las asociaciones surgidas durante el laboreo lingüístico de las formas entre las disponibilidades en la *sustancia* espiritual —sustancia potencial y aún no forma actualizada, no se olvide— donde se alojan y se nutren las inspiraciones y los proyectos creativos en duración de *impulso*.

Aún más perceptible y evidente se nos ofrece, según esto, la permeabilidad osmótica de los continuos recursos entre formas. Es tanta la brillantez deslumbrante de las imágenes aisladas, de los constituyentes poéticos discretos e instantáneos en la poesía de Rodríguez, que alcanzan credibilidad los testimonios que afirman la prioridad genética de las incidencias singulares sobre el continuo conceptual y rítmico de la imaginación textual del poema. Lo verdadero y lo incierto de tales tesis se ha de ver en distintos debates de este libro; aunque no es eso por lo que nos interesa aquí, sino en su condición de testimonio sobre la pluralidad discontinua de los efectos intensos estilísticos en la forma exterior poemática de los textos de Claudio. Ese empedrado de terminaciones fantásticas felicísimas en el cuerpo rítmico del poema, el enjoyado deslumbrante de aciertos instantáneos que inscriben las frecuentadas enumeraciones caóticas y las gradaciones acumuladas de imágenes y momentos penetrantes de la alusividad y el ritmo del lenguaje; todo ello, que constituye efectivamente un arsenal de privilegiados argumentos de la perfección poética de Rodríguez, procede e interactúa, se deriva e influye, sobre las macroestructuras temáticas y dispositivas de la forma interior. Y me remito, no ya a los bien reconocibles engastes de *Don de la ebriedad*, sino a las inextricables tramas de sus tapices últimos más sabios, en poemas como «El robo» o «Solvet seclum» de *Casi una leyenda*.

¿Y qué decir o qué prometer aquí más exactamente de la interacción entre las macroestructuras principales de la forma interior, la temática y la sintáctico-dispositiva de la argumentación? La vieja imagen saussureana y tradicional de haz y envés retorna inevitablemente apropiada para el cabal entendimiento de tanta interdependencia entre los estereotipos de contenidos y formas. Una pareja útil tan sólo no dañosa cuando se considere a sus partes como meras *facetas*, en alternatividad sincrónica, de la resolución consciente del impulso sustancial en niveles de forma.

Considerada de esa manera, la unidad a doble faz, semántica y sintáctica, del complejo macrotextual de la *forma interior* subraya y refuerza la ósmosis en el proceso de «formatividad» del continuo textual entre las sustancias potenciales —y valga la redundancia aquí tan sólo— del impulso de la voluntad creativa y las formas que lo actualizan. Una comprensión altamente esquemática y sintética del espíritu que asimila y formula la realidad unitaria, y se abre a través del *impulso* simbólico en representaciones alternativas con amplio desarrollo temático o en bloques de información textual, convencionalmente sintáctico-formales, susceptibles de desarrollar estructuras de texto muy amplias.

Lo decisivo en todo esto es que tal despliegue reversible de la voluntad simbólica de representación se manifiesta a la conciencia simbólica en términos de *representación semántica* (la visión nocturna, o los símbolos «a minore» y «a maiore», como la flor o la cumbre montañosa) o como *esquema formal* (la paradoja o las sinécdoques metafóricas respectivamente sobre el plano figural retórico, correspondiendo a los ejemplos temáticos antes mencionados) con calidad representativa casi intercambiable. De esa manera y sobre tales parámetros hemos tratado nosotros de establecer en este libro una representación del espacio de la forma interior cual *momento* de despliegue macroestructural, desde el espesor magmático de la sustancia universal poética movilizada en *impulso* hasta el precioso límite de los *estilemas* de la forma poemática como fenomenología textual. Con ello creemos haber realizado una aproximación no desdeñable a las aportaciones críticas sobre *forma interior.*

PRIMERA PARTE

EL MITO TEMÁTICO

CAPÍTULO I

ITINERARIO DOBLE DE LA EXPERIENCIA MÍTICA: *DON DE LA EBRIEDAD,* COSMOGONÍA HÍMNICA DE UNA HUIDA

El mito cosmogónico en la actitud lírica: variedad fenoménica de lo Uno absoluto. Esquematismo mítico y violencia biográfica

Lo fundacional grandioso en la poesía de Claudio Rodríguez consiste en su asimilación de posturas esenciales de la necesidad literaria; una espontánea sabiduría, como no podía ser de otra manera tratándose de un adolescente que en *Don de la ebriedad* compone sus primeros poemas[1]. Subyugan en los versos iniciales de Claudio el esquematismo esencial directo del mito universal cósmico, así como la lúcida consecuencia con la que se implanta en su poesía la tesitura literaria más adecuada y exacta para formularlo: la actitud lírica en su modulación hímnica del entusiasmo arrebatado.

Cuando Rodríguez ha insistido después, reflexivamente, en la importancia decisiva y diferencial que reviste el *hacerse* del poema como *progresión* expresiva del mito[2], dice mucho de cierto y seguramente también que todo lo sinceramente consciente que a él le consta, sobre el trabajo activo de la conciencia literaria: el laboreo elocutivo de im-

---

1. Sobre el breve proceso previo de antecedentes poéticos a *Don de la ebriedad,* véase Luis García Jambrina, «La prehistoria literaria del Claudio Rodríguez», en *La revista hispánica moderna,* XLVI, 2 (1993), pág. 9-29.

2. En el conjunto de sus profundas aunque relativamente escasas declaraciones metapoéticas, tal vez la más sintética y abarcante sobre la constitución de la poesía sea la tantas veces recordada en el prefacio a la edición de sus cuatro primeros libros en Cátedra, titulada «A manera de comentario», donde se dice: «...La poesía entre otras cosas, es una búsqueda, o una participación entre la realidad y la experiencia poética de ella a través del lenguaje». Se mencionan los dos elementos

previsibles consecuencias y frutos imaginarios y sentimentales; es decir, sobre los abismos, los riesgos y los hallazgos calculados y casuales del *impulso,* de la intuición hacia la forma. Nosotros atenderemos en la segunda parte de este libro a los aspectos argumentativos en la organización discursiva del mito y a los formales en la factura del poema, con la atención y la profundidad que merecen. Pero la forma en la expresión literaria se gesta desde mucho antes en el esquema constitutivo del texto, en la intuición total generadora de todo gran poema. La *forma* debuta desde el *impulso* fundador con la selección, adecuada o desafortunada, de la *actitud* literaria y del *tenor* del énfasis más eficaces para la naturaleza de los contenidos conceptuales y emotivos entrevistos que se trata de expresar y de comunicar.

Podría ser que en principio, como refieren muchas interpretaciones de los mitos de la imaginación colectiva, tan sólo sean el terror y el pesimismo los principios que generan la necesidad literaria de «contar» para perpetuar y constituir la memoria. Si se cede a esta conjetura restrictivamente agónica y pesimista sobre el origen épico de la narración literaria, no hay más remedio que admitir la posterioridad de la actitud lírica. Incluso en el caso del primitivo *ditirambo,* la divinidad celebrada lo es con mucha frecuencia en el ejercicio de una filiación entusiasmada y optimista, relativamente independiente, o al menos independizada, de un supuesto primer móvil latente y remoto meramente sacrificial y oblativo. Así pues, frente a la necesidad celebrativa de la superioridad heroica, ajena y complementaria a la conciencia del propio yo del cantor, que preside las sangrientas «aristías» homéricas y la fatal «agonía» de los héroes trágicos, el conjunto de modalidades literarias temático-formales que desembocaron en la cultura bajo la forma de poesía lírica, se fijaron como tematismo básico explorar y cotejar la realidad íntima con la exterior, a la medida de las necesidades míticas y sentimentales del autor del canto[3].

---

que intervienen en la dialéctica lírica: el sujeto de la «experiencia» y su objeto de «realidad», así como la síntesis poética de esa búsqueda y participación, que no es otra que el resultado del lenguaje medial, el poema. En adelante citaremos siempre los textos de los cuatro primeros libros y de este prefacio por la edición personal del autor en *Desde mis poemas*, Madrid, Cátedra, 1980.

3. Remontándonos al origen de nuestros primeros mitos literarios europeos formulados en cantos poéticos, predominan en ellos los sentimientos pánicos, en los cuales pudiera residir esa sensación de obscenidad hecatómbica que han suscitado las sangrientas escenas de matanzas de

No se debe olvidar, a este respecto, cuáles son el origen de la experiencia transcrita por Claudio Rodríguez en esta exploración cosmogónica y el desarrollo de su transfiguración poética. El fundamento real es la *salida*, la fuga de un hogar familiar poblado de presencias dolorosas para la sentimentalidad sensible del adolescente huérfano. Un dato más de los paralelos posibles entre el contexto biográfico lleno de semejanzas de Claudio y de su modelo Rimbaud, por tantos conceptos próximo en aquellos años. El adolescente de genial precocidad creativa, con antecedentes de escolar avanzadísimo, que se siente en conflicto con una madre o autoritaria o débil, pero en cualquier caso sofocante, es el punto de partida común del carácter y de la situación ambiental que aproxima las circunstancias biográficas del joven Claudio a las de su claro referente francés. Por más que el balance de recuerdos y emociones adolescentes que Claudio ha estabilizado sentimentalmente en sus horas actuales de distancia serena, insista más bien —y así me lo reitera aquí el poeta-amigo instándome a corregir los paralelos con el rechazo maternal y doméstico de Rimbaud— en las razones de *atracción* hacia las maravillas de la exploración posturalista en su joven imaginación, que sobre las alegadas de *rechazo* sentimental y fuga. Sobre las confidencias del amigo, quede testimonio aquí de su memoria actual de un sentimiento de «protección» doméstica.

En la unidad de ese *impulso* del espíritu se originan las estructuras inextricablemente simultáneas de la *forma interior* de la poesía: las mítico-temáticas y las argumentativo-formales, el mito cosmogónico y las alegorías de la interpretación transfigurante. El espacio exterior referenciado es efectivamente el de los campos más próximos a Zamora, el escenario de las primeras fugas anárquicas del joven poeta. Espacio realísimo, con trazas muy claras y «señaleras» en el texto; pero dominio transfigurado poéticamente y sublimado en *ámbito* peculiar, donde se aloja el proceso imaginario de *iniciación cosmogónica*. Un ámbito peculiar regido, sobre

---

Homero para determinados espíritus modernos, que no habrían cedido incondicionalmente a la grandeza épica de las primitivas imágenes patéticas. Adviértase que no es muy distinto en lo esencial el fondo de movilización emocional que procuraba servir la «catarsis» trágica; de modo que las diferencias formales entre epopeya y tragedia dependerían principalmente de las estrategias expresivas y comunicativas que se fijaran los autores de aquellos textos.

lo diverso transcendible, por la arquitectura anhelada del Uno, objeto del deseo que se oteaba mejor a la luz paradójica de las exploraciones más ciegas, las nocturnas, las del vuelo ambivalente y simultáneo del alma hacia lo externo y hacia lo más íntimo del yo.

La espontánea equivocidad de los trayectos exploratorios del deseo en la cosmogonía personal de Claudio Rodríguez en su primer libro se refleja en la peculiar geometría irracionalista con la que se construye la totalidad en el espacio imaginario de la obra. ¿La exploración postural y diurna en el espacio relacional externo no es, en el fondo, una forma de proyección del otro trayecto previo, interior y profundo, donde el *yo* individual se configura olvidando la naturalidad integrada del *ello* en el total del Uno? Tal es seguramente lo más valioso y universal en todas las experiencias poéticas de iniciación cosmogónica, como ésta de Claudio, abiertas bajo el esquema del cotejo lírico entre lo exterior objetivo y su metamorfosis interior. Doble universalidad por tanto la de estas invitaciones imaginativas a la iniciación cosmogónica: carta duplicada de los trayectos exploratorios del espíritu humano hacia el exterior del tiempo creado y hacia lo íntimo de una eternidad infinita del espíritu presentida y olvidada por todos. La sonora clarividencia poética de *Don de la ebriedad* se aloja, con rara capacidad de sugestión simbólica, en estas afirmaciones que nos implican a todos, y que por eso se plasman en los mitos universales iniciáticos de la exploración del cosmos circular.

La potente inocencia creativa de Claudio Rodríguez en *Don de la ebriedad*, que en buena medida se ha preservado metamorfoseada hasta el resto de su obra proteica, tuvo, como se ha dicho, el acierto superior de asumir instintivamente de entrada la actitud lírica de exploración cósmica, a partir de la presencia simultánea de una conciencia formalmente nunca extinta y en permanente vigilia[4]. Una exploración que,

---

4. Entre los críticos de Claudio Rodríguez que han recorrido acertadamente este punto de partida sintético sobre el esquema simbólico-expresivo de la que denominamos actitud lírica como dialéctica fundante genérica subjetivo-objetiva, resulta clarificadora la actitud de Carole A. Bradford, quien destaca la presencia directiva del componente poemático referencial-objetivo como constituyente del lirismo moderno de Claudio Rodríguez, en oposición al asfixiante subjetivismo de los poetas en la tradición romántica. En su estudio «From Vicente Aleixandre to Claudio Rodríguez: Love as Return to the Cosmos», en *Hispanic Journal*, 4 (1982), págs. 97-104, Bradford atribuye concretamente el rasgo al factor de influencia de Vicente Aleixandre, siempre difuso en el caso personal de Claudio.

trasluciendo la experiencia directa de los itinerarios diurnos de la luz y de sus epifanías como conocimiento postural, discurre por la situación paradójica invertida de una iluminación nocturna, donde la mirada del poeta no puede contar en principio, como en la búsqueda mucho más garantizada y fenoménica de Jorge Guillén, con la asistencia segura de la luz total[5]; sino que se abre, por el contrario, entre un fondo de inocencia nebulosa a las expectativas de la ayuda divina, de la luz seminal como epifanía increada y descendente. No hay más remedio que recordar ahora, en el principio, el fragmento orientador, solícitamente cortés hacia el entendimiento de sus lectores, con el que Claudio Rodríguez inauguraba en brillante cálculo tardío, ya que el texto fue efectivamente uno de los últimos compuestos de la obra, según confidencia personal del autor, el poemario *Don de la ebriedad*:

Siempre la claridad viene del cielo;
es un don: no se halla entre las cosas
sino muy por encima, y las ocupa
haciendo de ello vida y labor propias.
Así amanece el día; así la noche
cierra el gran aposento de sus sombras. (pág. 33)

Presencia tenue y paulatina de la luz, estaríamos tentados de decir que laboriosa o costosa, si no nos constara por Claudio la suficiencia en el gozo de sus resultados iluminadores; de ahí la impresión afable de albas o de amanecidas, de luz delicada y cernida que sugieren invariablemente a los lectores referencias luminosas como ésta[6]. No es de ninguna manera el relámpago ni la catarata deslumbrante que concurren

---

5. Resulta casi inevitable la paradójica asociación con Guillén, a raíz de este marcado contraste en la actitud de exploración lírico-subjetiva de la realidad fenoménica en torno. Bajo tesis de intencionalidad deconstructiva que aquí no parecen pertinentes, ha prestado entusiasta atención a ese contraste, Martha Lafollette Miller, en «Order and Anarchy: Cosmic Song in Jorge Guillén and Claudio Rodríguez», en *Anales de literatura contemporánea*, 12 (1987), págs. 259-272.

6. Parece difícil seleccionar y destacar una sola presencia de voz predominante en relación a un constituyente mítico tan principal y diáfano como éste de la luz. En efecto, así lo señalan todos los críticos y tratadistas de la poesía de Claudio Rodríguez; pero tal vez sea la fina sensibilidad de José Olivio Jiménez la que haya extraído los perfiles más significativos sobre este formante básico

en otros casos de mitologías luminosas revisadas por Eliade entre los mitos solares de la imaginación antropológica, sino la lenta luz de englobantes epifanías que permite ver y describir suavemente, dentro de la misma tipología de luces místicas del gran filósofo de las religiones; aquélla que, según él, reclama necesariamente la voluntad de un dios colaborador.

La sugerencia divina en esta obra de la iluminación frenada y bloqueada por el mismo Claudio bajo un pudor personal de signo inocentemente moderno, es una realidad sobre la que especula la mayor parte de sus críticos. A mí personalmente me parece una discusión ociosa, bastante ñoña y en el fondo apoética: el propio poeta se ha esforzado con seguro tino casi siempre en marginar la intencionalidad directamente religiosa de sus fenómenos de iluminación y epifanía; otra cosa sean —y esa sí legítimamente rastreable en las reconstrucciones críticas— las pautas inconscientes de la religiosidad formularia recibida desde la infancia. Entre los críticos de Claudio alguno, como Prieto de Paula, favorece preferentemente el implícito paralelismo sanjuanista del «don» de la ebriedad transfigurante, sin desconocer acertadamente la manifiesta neutralidad en su escritura de Claudio Rodríguez[7]. Una actitud literaria que no desmiente sin embargo en lo sustancial su acen-

---

del mito personal del poeta. Concretamente, glosando estos mismos versos en su estudio «Para una antología esencial de Claudio Rodríguez», en *Cuadernos Hispanoamericanos*, 414 (1984), págs. 92-110, no tenía inconveniente en asumir la sugerencia extrema de Gonzalo Sobejano, quien llega a identificar la luz como presencia simbólica de la «gracia poética» (pág. 97). Pero lo más destacado en Jiménez sobre este tópico es su denodado entusiasmo para afirmarlo incluso en momentos tardíos de la obra de Claudio, como *El vuelo de la celebración*, cuando el cerco de las adversidades ha cegado ya el tematismo de las horas tempranas del esplendor. Véase «Claudio Rodríguez entre la luz y el canto: sobre *El vuelo de la celebración*» en *Papeles de Son Armadans*, 259 (1977), pág. 103-124.

7. Creo que ha sido Prieto de Paula en su libro fundamental, *La llama y la ceniza. Introducción a la poesía de Claudio Rodríguez*, Salamanca, Universidad, 1989, el crítico que ha dado más amplia acogida hasta ahora a las asociaciones propiamente religiosas de la entonación sagrada en la poesía de Claudio. Aquí se trata sólo de un perfil muy determinado del matiz y del énfasis crítico concreto, dentro de la presencia del entusiasmo sacralizador que comunica uno de sus seguros soportes a la grandiosidad luminosa de la etapa auroral y de los momentos más entonados y solemnes en el canto trascendental de Rodríguez. Pese a todo lo cual, Prieto ha dejado neta constancia del límite en todas las coyunturas de balance; por ejemplo: «...observamos en Claudio Rodríguez un

drada fe personal, que él proclama como uno de los fundamentos más seguros de su esperanza salvadora en el hombre. Por el contrario otros críticos manifiestan cierto pudor de raíces laicas y positivistas, apresurándose a desestimar explícitamente la intención religiosa, que sería en todo caso «sagrada», de los paralelismos transustanciadores de la luz[8]. Pero de todo este generalizado debate en torno a la cuestión central de la mitología visionaria de Claudio: la naturaleza y efectos de la iluminación, me parece que conviene insistir todavía en la cuestión no necesariamente obvia de las consecuencias poéticas que plantea la

aura de religiosidad y no porque sus versos sean confesionales, que no lo son, sino porque su poesía dibuja un mapa de iluminación sacral». Ciertamente, los tonos de mayor volumen sobre los acentos de la sacralidad se los sugiere a Prieto la primera obra del poeta: «...Un vago... sentido religioso puebla con un aire genesíaco los versos de nuestro autor» (op. cit., pág. 107), al recrear una atmósfera espiritual en que «la religión y la muerte son referentes de fondo» (pág. 109). El meticuloso lector de Claudio descubre cómo aparecen signos de religiosidad, «algunas veces abstracta y litúrgica, otras con referencias más concretas y de interpretación nada dudosa» (pág. 112); tendiendo sobre todo a columbrar presencias de la poesía sanjuanista y teresiana en Claudio, lecturas confesadas por supuesto y de segura huella, cuyo análisis diferimos aquí hasta los lugares de su incidencia concreta. Véase, asimismo, la actitud sintética de Louis Bourne sobre la atmósfera general y las fuentes de religiosidad de Claudio, en «Plotino y las hermosas agresiones de Claudio Rodríguez», en *Libros*, 25 (1984), págs. 3-4.

8. Las glosas críticas a los relieves de la sacralidad poética de Rodríguez oscilan, como decimos, entre las asociaciones de voluntad más literal y explícita y las más generales de José Olivio Jiménez, cuando habla de «la actitud del espíritu que acompaña a la casi alcanzada y secreta unidad de la creación y de ésta con el hombre» (cfr. «Claudio Rodríguez, entre la luz y el canto», cit. pág. 11); o bien bajo el enfoque a la vez sensitivo y matizado que suele mantener Dionisio Cañas; por ejemplo, en *Claudio Rodríguez*, Madrid, Júcar, 1980, pág. 83. Sin que sobre todo ello desmerezcan las sensatas llamadas restrictivas bajo la óptica realista de González Muela, cuando al analizar las fuentes y los temas de Claudio procedentes de Fray Luis, advierte categóricamente «no hay místico; este poeta no es un místico» (cfr. *La nueva poesía española*, Madrid, Alcalá,1973, pág. 59) Semejantemente, Juan Malpartida al glosar el poema «No porque llueva seré digno», apostilla: «El misticismo, su experiencia de la unidad, de lo uno del bien de que habló Plotino y que tanto debió atraerle a Claudio Rodríguez por aquellos años no le es suficiente. De serlo no habría escrito». Cfr. Juan Malpartida, «La mirada fundacional (sobre Claudio Rodríguez)», en *Cuadernos Hispanoamericanos*, 449, 1991, pág. 104. Por supuesto Claudio, con su vida, ha resultado ser en todo caso un místico epicúreo, si el oxímoron resulta asimilable; pero su búsqueda de la trascendencia sagrada sobre las cosas ha sido inabatible, junto a su voluntad cordial y sincerísima de salvación del hombre. De mi propia experiencia sobre su vida, puedo decir que he procurado ignorar siempre por discrección amistosa cuanto de real pecador conlleva la «leyenda» de Claudio Rodríguez; pero no me he podido sustraer a la evidencia emocionante de su intensa y discreta piedad llena de vida.

indudable *convicción* personal del poeta adolescente sobre la luz y el mito de la ebriedad como *vivencia* intensamente asumida.

Parece necesario superar el complejo laico y modernista para afirmar que, a partir de *Don de la ebriedad* pero no sólo en aquella primera obra, lo mejor y más activo del impulso poético de Claudio Rodríguez lo mueve su sincera convicción de la vivencia transfigurante en sus trances y raptos de iluminación vivificadora[9]. Esto explicaría entre otros casos del complejo sicológico creativo de Claudio Rodríguez, su tantas veces comentada parquedad creativa, que le ha prestado sin embargo

---

9. La religiosidad poética de Claudio Rodríguez, para la época ya relativamente remota de *Don de la ebriedad*, se explica bastante exactamente cuando se consideran sus dos devociones literarias simultáneas por los sagrados cantos de San Juan de la Cruz y por la poesía descreída o paganizante de los simbolistas franceses: Verlaine y Baudelaire, sus principales modelos poéticos modernos, junto al sin duda máximo —y próximo— estímulo de Rimbaud. Existe un precioso documento inédito de treinta cuartillas, fechado en abril de 1953, que Claudio Rodríguez entregó sin copia como trabajo universitario voluntario al profesor Carvallo Picazo —el poeta lo ha recuperado sólo recientemente y no permite publicarlo en ningún caso— titulado *Anotaciones sobre el ritmo en Rimbaud*. En él, Claudio Rodríguez ponía en relación de máxima semejanza los poemas sagrados de San Juan con las canciones «blasfemas» de Rimbaud en los siguientes términos: «Sólo es comparable el ritmo de 'Le Bateau ivre', dentro de nuestra literatura, al de la 'Llama de amor viva'. Hemos de hacer una observación: la fusión de objeto y sujeto no sólo tiene lugar desde lo físico, como en los primeros poemas, sino desde la totalidad expresiva». Abundando en esa aproximación, actualmente, Claudio me ha confesado en varias ocasiones su convicción no probada sobre la lectura por parte de Rimbaud de las poesías de San Juan. Pero ya en aquel trabajo universitario destacaba, en la constitución poético-estilística de Rimbaud, el fundamento rítmico de sus aproximaciones con San Juan: «Verdad es —dice más adelante sobre el poder arrebatador de Rimbaud a las alturas de *Le Bateau ivre*— que su técnica es increíble, que su ritmo incendia zonas ocultas... Estamos ya en medio de una 'opera fabulosa'. El ritmo de lo sensorial a lo metafísico va ser (sic) el objeto propio y vasto de la poética de Rimbaud. Lo lógico se ha sustituido por lo sonoro». Incluso poco antes, a propósito de la técnica todavía primeriza de un poema como *Les effarés*, Claudio Rodríguez asimilaba provocativa pero sinceramente la propensión blasfematoria del poeta maldito francés con el impulso genérico de los místicos: «La poesía de Rimbaud —afirma— está ya abocada a la blasfemia como escala más o menos mística». Si trasponemos el tenor de todos estos datos y testimonios sobre la peculiar sacralidad poética de Claudio Rodríguez en los días finales de la composición de *Don de la ebriedad*, al balance y comprensión de su intensidad religiosa, podemos caracterizar tranquilamente su obra y actitud personales de entonces como *sagradamente blasfematoria* o de *mística maldita*. Para el Claudio arrebatado y caprichoso de aquellos años, incluso la blasfemia poética de Rimbaud, o la que él mismo jamás llegó a pronunciar pese a todo —no se olvide—, podrían ser instancias legítimas, como el anhelo expreso de los místicos, de vinculación religatoria, de tentativa sagrada.

tan excelentes resultados poéticos. Esa cauta moderación no sería sino resultado del pacto sicológico entre la personalidad privada de Claudio Rodríguez y su exigentísima conciencia de poeta «en trance» creativo. Sobre tales rigores máximos del existir poético no se ha prodigado nunca en aclaraciones ni ha fantaseado el hombre siempre sensato que es Claudio Rodríguez en ninguna de sus declaraciones; pero tampoco las ha desmentido, asumiéndolas implícita y respetuosamente como una «casi leyenda» en sus menciones constantes sobre el «don» de la inspiración.

Por otra parte, sólo la virtualidad de una experiencia de *transubstanciación* intensa y penetrante[10] explicaría la profundidad y el alto poder de contagio de los himnos entusiastas de *Don de la ebriedad*. En ellos basta una cultura literaria elemental y adolescente, junto al encendido impulso de la inspiración imponderable, para elevar la voz poética a momentos de resonancia solemne tan vibrante como algunos de los mejores en las grandes odas de un Hölderlin entonces para él desconocido, o del Leopardi que ya había leído, según me ha confesado el propio Claudio. Una experiencia sobrecogedora, la del descubrimiento de la elección fatal de la clarividencia y de la voz necesarias, que se representa convincentemente azorada bajo sensaciones físicas en tempranas imágenes de contradicción paradójica, como la del abrazo mortal de la siega. Símbolo que tan prolongada presencia habría de tener en la traducción de esos impulsos terminales, inexplicables pero peculiarísimos, dentro de la emocionalidad sobrecogida de Claudio en soledad ante las inmensidades de la naturaleza en torno, de extremo peligro según el sentimiento efusivo de Rodríguez:

> *Y, sin embargo —esto es un don—, mi boca*
> *espera, y mi alma espera, y tú me esperas,*
> *ebria persecución, claridad sola*
> *mortal como el abrazo de las hoces,*
> *pero abrazo hasta el fin que nunca afloja.* (pág. 33)

---

10. Cfr. Dionisio Cañas, *Poesía y percepción*, cit., pág. 98-99.

Únicamente la emoción auténtica que rebasa y desnaturaliza la reflexión del cálculo retórico, puede explicar el poder de elevación independiente de la voz poética de Claudio a los extremos sublimes a que la han llevado en su identificación entusiasta con ella las promociones masivas de lectores desde su aparición. Sólo obedeciendo a los impulsos de ese sentimiento y de esa voz poética elícitos y personales, los poetas de más solemne voluntad eterna se imponen a la mediocridad de su ambiente histórico, que en el caso de estos años de la actividad literaria de Claudio era la poesía social. Y no hay mucho que insistir aquí, después de la unanimidad con que lo acreditan nuestros historiadores y críticos más solventes, sobre lo muy tediosa y triste que, a distancia, nos resulta actualmente la situación histórica objetiva y la dialéctica literaria de la poesía social, alternativa cotidiana de la inesperada poesía esencial de Claudio Rodríguez[11].

Manifestándolo de la manera menos problemática, pero por ello no más inexacta e irreal, la actitud lírica implica diferencialmente, respecto a las que generan las otras modalidades literarias, una persistencia diáfana y directa de la voz y la experiencia del poeta como *origen* de la enunciación, frente a la realidad que lo circunda como *objeto* y marco

---

11. Parece ocioso insistir ya más de lo dicho por la mayoría de sus críticos a propósito de la proximidad y las diferencias que marcan inevitablemente la convivencia literaria de Claudio con las tareas españolas de la poesía social. Sobre lo mucho y bien matizado que han aducido los lectores más próximos y solventes como José Olivio Jiménez, Cañas, Cano, Prieto de Paula, o Philip Silver, bastaría con recordar los celebrados versos de «Porque no poseemos»: «...Compañeros / falsos y taciturnos / cebados de consignas, si tan ricos / de propaganda, de canción tan pobres» (pág. 134), o las declaraciones insuperablemente asumidas como aquella sobre la no necesaria legitimidad poética de los temas sociales: «Se cree que un tema *justo* o *positivo* es una especie de pasaporte de autenticidad poética, sin más. Cuántos temas justos y cuántos poemas injustos». Cfr. *Poesía última*, 1963, ed. Pedro Provencio, *Poesía española contemporánea. La generación de 1950*, Madrid, Hiperión, 1988, pág. 170. Conviene sin embargo recordar aquí el trabajo crítico más original y exento con relación a los cauces habituales de los debates relacionados con la poesía social, de Jonathan Mayhew, tanto «The Dialectic of the Sign in Claudio Rodríguez's *Alianza y condena*» en *Hispania*, 72 (1989), pág. 516-525, como «The Motive of Metaphor: Claudio Rodríguez's *Conjuros* and the Rhetoric of Social Solidatity», en *Symposium*, Spring (1989), págs. 37-55. Un discurso satisfactoriamente enjundioso, en buena medida bajo la tutela intelectual de Frederic Jameson, que supera la pesada dialéctica falaz del compromiso y la consigna partidaria en nombre de una más profunda solidaridad ética.

de las referencias[12]. En la poesía de Claudio Rodríguez, la presencia expresa de ambos espacios en diálogo funda el parámetro constitutivo y variablemente matizado, según libros y etapas de experiencia[13], que irá conformando no sólo las peculiarizaciones masivas del mito personal temático del autor, sino también —y de manera incluso más decisiva— la estructura básica y las modificaciones formales sucesivas del esquematismo figural que rige la argumentación macrosintáctica. Esas estructuras que organizan en homología con esquemas universales sicológicos las estrategias económico-comunicativas de la *forma interior* del discurso textualizado, aparecen suscitadas por la evolución del tematismo con un grado de inmediatez y de necesidad interdependiente, que configura la verdadera solidaridad de haz y envés en la expresión poética, tal como la visualizó mejor que ningún otro crítico estilístico Dámaso Alonso.

La actitud lírica por tanto configura los *mitos cósmicos*, cosmogónico y cosmológico, como referencialidad participada en el yo. Claudio Rodríguez inquiriendo sobre el ser de la noche transfigurada en el segundo poema de *Don de la ebriedad*, despliega el esquema puro y elemental de la situación lírica: «Yo me pregunto a veces si la noche...» En tan estrecha dialéctica, el interés poético de los objetos referenciales, su entidad estética, resulta siempre de su condición de consecuencia subjetiva. Así, lo diferencial mítico en la realidad transfigurada de

---

12. No debe extrañar que los estudios más exhaustivamente analíticos sobre Claudio Rodríguez, como el de Prieto de Paula, asuman con variantes el mismo dispositivo fundamental de relación subjetivo-objetiva del conocimiento y la experiencia que se corresponde rigurosamente, según afirmamos, con el esquema más genuino y arquetípico de la enunciación lírica. En el esquema de Prieto la realidad objetiva representa el fondo material, poéticamente inerte y tosco, a partir del cual la acción poética transformadora del poema induce una estructura transustanciada de la verdad, que es trascendental y profunda. Una modificación que se produciría en todo caso como «colmatación» —el término es de Blanchot—o difusión de límites según Prieto, a propósito de la experiencia lírica fundante en *Don de la ebriedad*: «el contagio fecundo que permite la pérdida de contornos del yo y de lo otro, que se abrazan en un sólo cuerpo de luz». Cfr. *La llama y la ceniza*, cit. pág. 115.

13. Este programa crítico de modificación progresiva en las etapas que fundan los libros de Claudio, sobre el esquema inicial dialéctico subjetivo-objetivo a que da lugar la situación inicial lírica, lo sigue Dionisio Cañas en su biografía y antología, *Claudio Rodríguez*, cit.; ver especialmente pág. 86.

Claudio Rodríguez estriba en su índole paradójica de medio esplendoroso, donde seres y objetos se descubren con una luz increada, o cuyo momento de creación escapa a la vigilancia del contemplador absorto:

> *Yo me pregunto a veces si la noche*
> *se cierra al mundo para abrirse o si algo*
> *la abre tan de repente que nosotros*
> *no llegamos a su alba, al alba al raso*
> *que no desaparece porque nadie*
> *la crea: ni la luna, ni el sol claro.* (pág. 34)

La arraigada consistencia de la experiencia vital se despliega persuasivamente bajo la variedad de argumentos circunstanciales con la que se anima y enriquece la construcción del mito cosmogónico de Claudio. Así es como asistimos a la intensa y peculiar circulación espacial de los estímulos cósmicos y de las reacciones de la sensibilidad personal espiritualizada, en la vibrante y curiosa gravitación descendente de la lluvia de luz transfiguradora contra la escrutación siempre ascensional de los sentidos y las expectativas del desalojado contemplador[14]. Dualismo de recios impulsos íntimos de una ritualidad oblativa, frente a la inundación deslumbrante de los agentes cósmicos de la metamorfosis:

---

14. La crítica de Claudio Rodríguez ha destacado habitualmente el predominante juego imaginativo de una verticalidad de doble trayecto en que se desenvuelve la peculiar dialéctica del conocimiento subjetivo-objetivo en su mito cosmológico poético. Por esa vía los dones de la comunicación *descienden* como regalo de lluvia y siembra mítica, en sentido contrario al que *ascienden* los impulsos y fantasías del anhelo. Planteada esa red imaginario-espacial de impulsos dominantes en *Don de la ebriedad*, su vigencia simbólica más o menos diáfana y obsesiva según etapas, se mantiene a lo largo de toda la obra del poeta. Así, el impulso vertical de la imaginación espacial llega a constituirse en el diseño espacial característico, imponiéndose a la tendencia horizontal expansiva del paseo, reforzada a partir de que se manifiesta en *Conjuros*, y a la del ahincamiento o penetración en las cosas sobre todo desde *Alianza y condena*. Prieto de Paula es entre todos los analistas de la obra de Rodríguez el que ha prestado seguramente una atención más próxima a la estructura de la circulación imaginaria del poeta en sus trayectos verticales, señalando el acercamiento en *Conjuros* de la tendencia ascensional del deseo que se había inaugurado con *Don de la ebriedad* (Cfr. *La llama y la ceniza*, cit., pág. 126).

Tal vez espontáneamente asociado a la sugerencia explícita de su título, el vuelo ascensional imaginario de la esperanza del hombre y de su anhelo parece reforzarse en la percepción de los críticos con *El vuelo de la celebración*. Prieto reconocía la sublimación máxima del impulso en

¿Qué puedo hacer sino seguir poniendo
la vida a mil lanzadas del espacio?
Y es que en la noche hay siempre un fuego oculto,
un resplandor aéreo, un día vano
para nuestros sentidos, que gravitan
hacia arriba y no ven ni oyen abajo.

Y así es como la situación lírica penetra y transfigura la normalidad inerte de las cosas, constituyendo la densidad poética del mito. Lo duro y objetivo se metamorfosea en trance de sentimiento: «Como es la calma un yelmo para el río / así el dolor es brisa para el álamo»; mientras que el espacio y la luz adoptan acoplamientos insólitos teñidos de la vibrante reverberación sentimental:

Así yo estoy sintiendo que las sombras
abren su luz, la abren, la abren tanto,
que la mañana surge sin principio
ni fin, eterna ya desde el ocaso.

En el cotejo permanente de la exploración lírica, obediente al proceso general que ha unificado y que caracteriza la poesía de todas las edades, de Píndaro a Rimbaud[15], los objetos más inertes de la rea-

---

el poema «Hacia la luz», destacando la culminación de «las líneas de verticalidad ascensional» que gobiernan temáticamente gran parte de la lírica de Rodríguez» (pág. 207). A su vez, Dionisio Cañas ha destacado el predominio de la ascensionalidad fantástica en el maduro libro cuarto de Claudio: «La mirada vuela hacia los cielos cercanos y —aunque a veces es también caída y anticanto— es intrínsecamente impulso ascencional: grajo, golondrina, alondra; y es luz y aire; y, en fin es una alerta y es esa Eva que amanece en las albas de la cosmogonía poética». (Cfr. Dionisio Cañas, *Poesía y percepción*, cit. pág. 121).

15. Sobre la evidencia universal de la actitud contemplativa de fusión subjetivo-objetiva, que origina el conjunto de procedimientos expresivos de la poesía lírica, Claudio Rodríguez testimoniaba en las mismas fechas de la finalización de *Don de la ebriedad* su convicción de la centralidad fundante del proceso lírico como *cotejo*. Así, refiriéndose al momento en que culmina la madurez poética de la lírica de Rimbaud con *Le Bateau ivre*, afirmaba en las *Anotaciones*: «Asistimos ya —en el momento de plenitud que él denomina bajo el epígrafe de 'el vértigo rítmico'— a la completa asimilación, subjetivización, de lo objetivo, de la temática poética. De tal modo que cuando citemos, de ahora en adelante, la palabra objeto, no se ha de entender como tal sino en un sentido propedéutico, metódico. El acercamiento y la fusión del objeto y sujeto se ha realizado ya completamente en 'Le Bateau ivre'».

lidad se ven animados en el diálogo de intenciones que con ellos entabla el sujeto. Así la encina, protagonista del poema tercero, trasciende su constitución objetiva en la que «no siente lo espontáneo de su sombra, / la sencillez de crecimiento...», para transfigurarse como sujeto encendido en ansias de expansión espacial merced al «viento que en sus ramas deja / lo que tiene de música», porque «imagina / para sus sueños una gran meseta»; iniciando un movimiento de dominación imaginativa de muy curiosas coincidencias con el «Árbol de otoño» del *Cántico* guilleniano:

> *Y con qué rapidez se identifica*
> *con el paisaje, con el alma entera*
> *de su frondosidad y de sí mismo.*
> *Llegaría hasta el cielo si no fuera*
> *porque aún su razón es la del árbol.* (pág. 35)

Mientras que en esa espera de la verdad esencial, del acceso anhelado hacia la forma única, el árbol se complace en la variedad contingente de las cosas diversas, de los varios accidentes no regidos por ninguna lógica necesaria, aquellos que componen el paisaje común en las pinturas del naturalismo campesino: «...Escucha mientras / el ruido de los vuelos de las aves, / el tenue del pardillo, el de ala plena / de la avutarda, vigilante y claro».

Pero el cotejo de la actitud lírica equivalente del sujeto —y el estricto constructor textual que siempre es Claudio— pone otra suerte de lógica necesaria en este texto mediante el paralelismo esquemático querido de su rigurosa proporcionalidad: diecisiete versos, los segundos, para la equivalencia personal, si los primeros diecisiete habían desarrollado antes la animación imaginaria del objeto. La explicitud del símil desvirtúa las posibilidades poéticas de la primera extensión alegórica: «Así estoy yo. Qué encina, de madera / más oscura quizá que la del roble, / levanta mi alegría». Una exploración de semejanzas destinada a participar la misteriosa hondura del quehacer del poeta, la lenta constitución como la de la encina, de la conciencia unitaria, desde la diversidad informe de las constataciones dispersas y plurales:

...Como avena
que se siembra a voleo y que no importa
que caiga aquí o allí si cae en tierra,
va el contenido ardor del pensamiento
filtrándose en las cosas, entreabriéndolas,
para dejar su resplandor y luego
darle una nueva claridad en ellas.

La compleja galaxia simbólica de la imaginación en la que se articula el mito poético de Claudio Rodríguez, no deja así de sorprender con la densidad de sus constelaciones. El esquema dialéctico de la que venimos identificando como actitud fundante del género de la expresión lírica, descubre sus interrelaciones con los diseños pulsionales imaginativos de la espacialidad, que cimentan y elevan las construcciones mítico-temáticas. La vinculación subjetivo-objetiva implica la imaginación de un continuo medial de transición y de contacto entre el sujeto enunciador, sujeto de la experiencia, y el universo de las referencias fenomenológicas: los objetos de conocimiento. Ese espacio de mediación perceptivo y afectivo será más adelante caracterizado por Claudio en términos simbólicos tan expresivos como los de continuidad, «sutura» y «cosido», términos a los que el atento análisis fenomenológico de Dionisio Cañas les ha prestado toda la atención protagonista que su alta responsabilidad simbólica descubre en la constitución del mito personal de Claudio Rodríguez[16]. De la discontinuidad reveladora, producida poéticamente por la construcción imaginaria, depende a su vez la elaboración deductiva del concepto de Unidad, objeto permanente de la afirmación anhelada dentro de la constitución del mito-temático de este

---

16. Cañas enraiza en los más convincentes perfiles biográficos y sicológicos de Claudio Rodríguez la hondura radical simbólica para esa intuición temática, que manifiesta un predominio creciente en la estructura del mito poético personal: «Dentro del ámbito doloroso de la separación se mueve la vida y la obra del poeta: separado de sus padres por la falta de amor que éstos le muestran; separado de la inocencia por la experiencia de la vida; separado de la pureza espiritual por el conocimiento intelectual; separado del hombre natural por su educación burguesa y semiurbana. Sólo un esfuerzo emocionadamente poético, casi de orden religioso, religa a Claudio Rodríguez con todo lo antes mencionado. Su poesía es un intento de encontrar esa sutura entre el hombre y lo esencial del mundo». Cfr. Dionisio Cañas, *Claudio Rodríguez*, cit., pág. 26.

poeta; en la medida en que en ella aspiramos a reconocer, ya desde estos mismos textos de *Don de la ebriedad*, la causa que configura en *sentido* a la heterogénea diversidad de las apariencias inmediatas, irrelevantes o turbadoras para la inquisición esencial del poeta.

A su vez, el denso entramado de interacciones expresivas y simbólicas que se unifican al final en la estructura lingüística del poema, ejemplariza así los efectos más medulares de la significación poética en términos equivalentes a los que, recordando a Jean Paul Sartre sobre el fundamento poético de Baudelaire, esquematizaba Dionisio Cañas. La fórmula sartreana de la poesía como *síntesis entre el ser y la existencia* no es sino una variante conceptual del vínculo dialéctico que representa y define la estructura simbólico-expresiva de la poesía lírica; basta con asimilar el concepto sartreano de *ser* como agente unitario y central de la experiencia y a la *existencia* como el espacio referencial fragmentado en multiplicidad de formas de apariencia. Sobre la perspectiva simbólica, el *ser* sartreano evocaría aquí la experiencia unitaria objeto del deseo, en tanto que la *existencia* designaría la pluralidad de formas constitutivas del objeto inmediato de la experiencia, por definición el objeto de la metamorfosis poética destinado a la síntesis esquemática espiritual de lo único englobante.

A favor de quienes, siguiendo la sugerencia tardía del mismo Claudio Rodríguez[17], interpretan *Don de la ebriedad* como un canto único fraccionado casi artificiosamente en momentos sucesivos, el poema

---

17. Tenemos aquí en cuenta la tantas veces recordada afirmación de Rodríguez en su prefacio «A manera de comentario» a la edición conjunta de sus primeros cuatro libros en Cátedra, *Desde mis poemas*: «Me estoy preguntando ahora el por qué escribí este poema (porque se trata de un solo poema, dividido arbitrariamente en fragmentos) en endecasílabos asonantados...» etc. (op. cit., pág. 16). Sin embargo, conviene prevenir a partir de esas palabras contra una posible simplificación idealizada, que pudiera suscitar la declaración retrospectiva del autor; a saber, confundir la defendible unidad y coherencia resultante del conjunto del libro, sin títulos en sus poemas, con una continuidad creativa lineal y casi instantánea, que hubiera seguido cronológicamente el mismo desarrollo resultante como «el argumento de la obra».

Pese a que el autor conserva actualmente, como se ha dicho ya, un recuerdo francamente impreciso —a diferencia del que mantiene sobre el resto de su obra— en torno a las circunstancias creativas de *Don de la ebriedad*, ha reconstruido ante mí etapas perfectamente diferenciadas en la elaboración de los textos: el sexto de la primera parte y el primero, cuarto y sexto de la tercera

cuarto aporta una nueva faceta recurrente, un incremento intenso temática y retóricamente considerado, sobre el cuestionamiento poético del cotejo lírico que constituye la entidad mítico-temática de la obra. La encina y el yo global del símil en el poema anterior se implementan ahora en el alba y el deseo, singularización del principio personal inquisitivo en el cotejo, mucho más íntimamente unificados en la expresión simbólica que llega a fundar razonablemente la identificación alegórica, «disémica» si se quiere a voluntad de Bousoño, donde en el poema anterior dominaba la nítida discriminación entre los componentes del símil. Muy escueta, con calidad casi de exabrupto «in medias res», es la fórmula sintáctica de la comparación en la cabecera del poema: «Así el deseo. Como el alba, clara...»; para dar paso ya prolongadamente a la exposición alegórica del papel mítico del alba, decisivo formante del mito temporal de la iluminación nocturna como ascesis esencial hacia la unidad, que conocemos ya desde el poema inicial del libro y de la obra:

---

fueron elaborados antes que los demás; mientras que el inicial y el último de la obra lo fueron casi al final. Coinciden las indicaciones aludidas de Claudio con las que había hecho antes a Jonathan Mayhew, Cfr. *Claudio Rodríguez and the Language of Poetic Vision*, Lewisburg, Bucknell University Press, 1990, pág. 144.

Esa diferencia de etapas en el seno de la primera obra aclara las variaciones estilísticas, bastante sutiles, que determinan el proceso de formación poética de Rodríguez. Así se percibe la distancia entre el marcado tono irracionalista y, en consecuencia, la disposición sintáctico-argumentativa más accidentada e irregular de las composiciones antiguas, frente a la más ordenada y regular disposición de los ritmos en los poemas reflexivos tardíos. En cualquier caso, lo que queda mejor de manifiesto con el conocimiento declarado de las diferencias diacrónicas entre los poemas formantes, es el excelente resultado compositivo debido al cuidadoso cálculo del joven Claudio Rodríguez. Su alta inspiración ebria se manifiesta perfectamente compatible —entonces como siempre, en él como en el más arrebatado imaginario de García Lorca— con el sereno y exquisito control constitutivo de su creación. A este respecto, el fidelísimo y penetrante lector intuitivo de Claudio que siempre fue el maestro Vicente Aleixandre, quien no intervino en el caso de esta obra, y sólo parcialmente en *Conjuros*, en la ordenación definitiva de los poemas, advertía con extraordinaria precisión el juego logradísimo entre cálculo riguroso y libertad perfectamente afectada que organizan el desarrollo narrativo de las piezas en las fases del intrincado constructo mítico: «Su ebriedad —le escribía Aleixandre— no puede ser más lúcida... Hay además un orden expuesto en el movimiento lírico, que permite un desarrollo que es complejo pero no confuso». La carta de Aleixandre, del 2 de Abril de 1953, aparece reproducida en *Olvidos de Granada*, 1986, 13, pág.95.

...Como el alba, clara
desde la cima y cuando se detiene
tocando con sus luces lo concreto
recién oscura, aunque instantáneamente.
Después abre ruidosos palomares
y ya es un día más. ¡Oh, las rehenes
palomas de la noche conteniendo
sus impulsos altísimos! Y siempre
como el deseo, como mi deseo. (pág. 36)

Reiteración del mito de la luminosidad absoluta abierta hacia lo alto por la noche. La claridad nocturna es paradoja común deshecha en la contradicción de sus términos sólo cuando funciona al interior del mito cósmico del poeta. El principio de integración unitaria es el blanco anhelado del deseo que mora por encima de la variedad diurna de los seres, de su diversidad de apariencias: los «ruidosos palomares» del día. Así que las construcciones de la imaginación nocturna, las «palomas de la noche» recluidas —«rehenes»— ante la claridad disolvente de las luces del pleno día, se ven obligadas a refrenar «sus impulsos altísimos», como el deseo de verdad total del hombre visionario. Inequívoco índice de destino para el deseo: el sentido usual ascendente de todas las construcciones escatológicas de la imaginación. Arrastrados por la inercia creciente de la integración alegórica, alba y deseo llegan a indiferenciarse en su actividad, indistinguiéndose también ambiguamente en la enunciación del texto: «Vedle surgir entre las nubes, vedle / sin ocupar espacio deslumbrarme». Alba y deseo confundidos en la realidad del uno que orienta su destino a través de la otra; deseo y alba dispersados en su sobrevuelo necesario por el intermedio de las apariencias, los objetos discretos, la realidad fragmentada en unas consistencias tiernamente innovadas: «Necesita vivir entre las cosas. / Ser añil en los cerros y de un verde / prematuro en los valles...» El mito cosmogónico de Claudio Rodríguez, su peculiar entendimiento del día y de la noche y del papel del yo y de los objetos, se descubre predeterminado por la dominante trascendental del mito del origen feliz anterior a la fragmentación: el mito integrador del deseo en el Uno.

* * * * *

En el poema sexto de la primera parte —el único de los poemas de creación temprana incluídos en esa parte— es donde se tematiza quizás más directamente el proceso mítico de reducción unitaria de los accidentes[18]. Y ni siquiera en una explicación tan ardua y especulativa llega a desvanecerse en la estrategia poética la estructura argumentativo-temática del cotejo lírico como impulso constitutivo de la *forma interior*; siendo esa misma presencia alternativa la que introduce en el texto la animación que preserva su vibración poética. Así la formulación más especulativa y abstracta que asienta la doctrina elementalmente pitagórica de la retracción depuradora de lo diverso en lo uno:

> *Las imágenes, una que las centra*
> *en planetaria rotación, se borran*
> *y suben a un lugar por sus impulsos*
> *donde al surgir de nuevo toman forma.* (pág. 37)

se ve inmediatamente animada, aproximada a las resonancias más humanas de las delicias sensibles de lo contingente, cuando el poeta traduce desde su entorno las abstractas «imágenes» en su realidad concreta de objetos familiares y entrañables. Se reproduce por tanto el cotejo esencial fundamento de la actitud de diálogo lírico, que sirve a Claudio para concebir y representar simultáneamente, según vamos viendo, su mito cosmológico personal:

> *Yo pregunto qué sol, qué brote de hoja*
> *o qué seguridad de la caída*
> *llegan a la verdad, si está más próxima*
> *la rama del nogal que la del olmo,*
> *más la nube azulada que la roja.*

---

18. Una útil lectura intertextual de este poema es la que realiza Louis Bourne, quien advierte la modificación que impone el cuño filosófico aristotélico sobre el concepto platónico de *forma*, incorporado por Plotino, como «idea que puede ser independiente de las cosas sensibles». En efecto la «forma» en la acepción de Claudio Rodríguez se corresponde con el concepto de «universal determinado», al modo como las sustancias potenciales se concretan según Aristóteles en los actos accidentales, cfr. Louis Bourne, «Plotino y las hermosas agresiones de Claudio Rodríguez», cit., pág. 6.

En este profundo trasunto filosófico[19] de la exploración imaginaria diurna se sugiere la estructura mítica subyacente a la constatación inmediata de la diversidad, verdadero objetivo presentido y latente de la inquisición poética de Claudio Rodríguez, que irá cobrando creciente explicitud en los poemas de obras sucesivas. Por cierto que en la formulación poética de esta profundísima intuición básica sobre la constitución humana de la experiencia de lo real, Claudio Rodríguez era perfectametne consciente, ya a la sazón, de que la suya se identificaba en ese punto con la inquisición filosófica y poética fundante de toda imaginación simbólica. En su iluminante escrito contemporáneo a estos poemas sobre el ritmo en Rimbaud, dejaba trazas inequívocas, mencionando a éste y a Maritain, sobre las circunstancias particulares de su propia adquisición y participación en la conciencia universalista que transita «entre lo uno y lo diverso»[20].

De todos modos sorprende cuando menos, al tiempo que confirma sobre todo la remontada capacidad de visión poética de Claudio, su sagaz avizoramiento adolescente de los desarrollos trascendentales en que desembocan los mitos cosmológicos bajo sus versiones de mayor pe-

---

19. Sobre la muy precoz y persistente vocación de lecturas filosóficas de Claudio ejemplifican tanto el arriba mencionado Bourne, quien confirma el resultado de sus propios análisis con testimonios directos familiares sobre el continuado ejercicio de lectura de Plotino y de la filosofía neoplatónica por parte del poeta, como Dionisio Cañas. Éste ha recuperado los testimonios de la formación filosófica adolescente del autor guiado por el magisterio de don Manuel de Luelmo en Zamora. Como era casi obligado en un programa adolescente de lecturas bien ordenado para la época, son los pensadores de la filosofía antigua las fuentes principales en la raíz filosófica del mito juvenil de Claudio. Concretamente Cañas ha insistido sobre la influencia cosmológico-naturalista de Lucrecio, cfr. *Claudio Rodríguez*, cit., pág. 21.

20. Cotéjense las observaciones de Claudio Rodríguez a propósito del tematismo experiencial cosmológico fundante del enunciado de Rimbaud, con los extremos de su propio mito personal patente en el conjunto de *Don de la ebriedad*: «Pero Rimbaud vive un contraste trágico: el de la armonía de la Naturaleza frente a la cruel existencia de aquí abajo. O sea, la autonomía de la que habla Maritain, la de los supremos postulados de la esencia y las condiciones exigidas de existencia por esta misma esencia, se encuentra exacerbada hasta el límite en toda la obra de Rimbaud». El tenor apasionado en esta declaración de Claudio—«contraste trágico» y «cruel existencia»; «supremos postulados» frente a las «condiciones exigidas» etc...— proclama por sí mismo la efervescencia vital con la que el poeta traducía por entonces a los apasionados ritmos de *Don de la ebriedad* su lúcida orientación sobre la disyuntiva esencial —y trágica— del conocimiento.

netración poética. No cabe formulación más clara del objetivo visado que la de aquel adolescente radiantemente ebrio, y con toda razón, por el remontado vuelo de su intuición sustancial del ser: «Quizá pueblo de llamas, las imágenes / encienden doble cuerpo en doble sombra. / Quizá algún día se hagan una y baste». Y una vez más, inmediatamente, el rico contrapunto imaginario de la propia identidad sentimental: «¡Oh, regio corazón como una tolva, / siempre clasificando y triturando / los granos, las semillas de mi corta felicidad!». Imágenes inspiradísimas del asedio a lo inexplicable, a lo sólo intuible más allá de las menesterosas apariencias, cobradas al precio del mayor desasosiego, de los desvelos más altos e inquietantes. El misterio «culpa» desde la unicidad grandiosa inasequible, que se trasluce a partir de la inmensidad subyugante de un entorno contemplado en empequeñecida soledad por una conciencia personal que se siente culpable con su vida, en la atención dispersa entre lo variado e inmediato. «...Misterio. / Hay demasiadas cosas infinitas. / Para culparme hay demasiadas cosas». Aunque más allá del «alcohol eléctrico del rayo» o del sucederse de meses en estaciones, de los otoños y de los relentes, persiste la vieja voz sagrada que las almas más firmes e ingenuas como la de Claudio no se resisten a convocar, haciéndola equivalente inmediato de lo inasequible; ni siquiera en el tiempo moderno de la mayor «miseria»: «Vienes por tu sola / calle de imagen, a pesar de ir sobre / no sé qué Creador, qué paz remota...»

Pero lo certero y lo más sólido, a estas alturas de una tan remontada caza altanera, no excluye para su fe los perfiles desdibujados del objeto; y así el incierto Creador que promete unidad para la variedad de representaciones en el texto anterior, se perfila según la frecuentada imagen del arador del mundo —otro de los símbolos obsesivos en la construcción mítica de Claudio Rodríguez— en el poema séptimo[21]. Imá-

---

21. Las imágenes del arador y el surco, como símbolos en este caso de la luz y de su proyección y huella sobre la tierra y el cuerpo del poeta, se constituyen persistentemente a partir de su primera aparición en *Don de la ebriedad* en una de las estructuras nucleares del mito imaginario del poeta a lo largo de toda su obra. La fórmula fantástica que constituye el nucleo simbólico, radica al Creador providente bajo la imagen agrícola del arador y a su vez transfigura el propio sentimiento de sí mismo y en general de la realidad creadora como campo roturable y espacio de sembradura. Sobre otra de las afloraciones de este complejo simbólico en «Canto del despertar»: «El primer surco

genes del propio cuerpo, lacerado y abierto en canal como surco de tierra, y la del campo arado, que habían de ser el obligado medio referencial para un observador del campo castellano de cereal tan fiel como lo es nuestro poeta, si además no constara la incidencia sobre la cultura de Claudio de modelos literarios tan inmediatos y seguros como el poema de Unamuno «El Cristo Yacente de Santa Clara (Iglesia de la Cruz) de Palencia». Dado que en esta composición unamuniana de 1913 se encuentran seguramente las claves genéticas de uno de los más potentes y duraderos símbolos —el del surco y el «crucifijo de los campos»— de Claudio Rodríguez, conviene demorarse aquí para ilustrar esta decisiva transferencia intertextual. Como se recordará, en sus *Andanzas y visiones españolas*, Unamuno había construído la imagen del «trágico Cristo de tierra» sobre la de una visita anterior a la Iglesia de Santa Clara, hablando del convento con la centenaria tradición de la monja tornera enamorada, Margarita, allí donde las Clarisas adoraban al «Cristo formidable de esta tierra».

---

de hoy será mi cuerpo...» etc., véase Carole A. Bradford, «Transcendent Reality in the Poetry of Claudio Rodríguez», en *Journal of Spanish Studies: Twentieth Century*, 7 (1979), págs. 135-136.

Por lo demás, la extraordinaria condición sintomática de este complejo símbólico se ve confirmada por el elevado número y la densidad mítica de sus transformaciones. A esa luz ha de ser considerada la afloración de otra de las imágenes más recurrentes en Claudio sobre la conciencia dialéctica de sí mismo con las fuerzas o radicaciones descendentes de la proyección luminosa de la divinidad. Se trata de la difundida imagen de la ropa tendida al sol como trasunto del alma o de la propia identidad inocente o sufrida. Una representación también popular y rural en la práctica realista de los años en que Claudio incorporaba las observaciones naturalistas de sus poemas. Louis Bourne ha puesto en relación las imágenes de la camisa o la ropa tendida al sol con la de la «ropa vieja» de Plotino en *Eneadas* (I.6.7) (cfr. «Las hermosas agresiones»... cit., págs. 3-4). La aproximación, algo indirecta como tal entre la literalidad estricta de las dos imágenes, se muestra más reveladora y verosímil sin embargo cuando se tiene en cuenta la frecuentada cultura neoplatónica de Rodríguez en *Don de la ebriedad*, según se ha destacado ampliamente. Pero además parece imprescindible ensanchar la significación mítico-simbólica de este núcleo de imágenes sobre la *siembra divina*, que en otras ocasiones se transforma en su variante dolorosa de la roturación o la arada.

En tal sentido, el mito escatológico vertical de Claudio con su doble trayecto de elevación humana y de descenso de los bienes divinos, se incardina en uno de los universales míticos más actuados desde Homero, pasando por los variados mitos escatológicos de grandes creadores como Dante o Hölderlin. En fin, parece enriquecedor y oportuno para encuadrar la intertextualidad más verosímil en la geología literaria y síquica de este núcleo de imágenes de Claudio Rodríguez, apelar

La vinculación del cuerpo de Cristo con la representación semántica de la tierra construye obsesivamente el poema de don Miguel. Se evoca, para empezar, aquel entorno de secas arideces junto al oasis de Palencia y del convento; siendo además ilustrativo para las imágenes unamunianas de la desolación desértica y del escueto vergel vegetal cercado por la vega del Carrión, la idea misma del *descenso* o lluvia del polvo de tierra y no de agua. Recordamos el fragmento de *Andanzas y visiones*, precisamente en nota de la *Antología poética* en la edición que usa y suele leer Claudio Rodríguez: «El Cristo de Santa Clara, el que muchos creen momia, el que ha venido a descansar en manos de las pobres Clarisas del Convento de Margarita la Tornera... la que huyó por sed de maternidad en este oasis de Palencia, en las frescas riberas del riente Carrión, es el Cristo del Páramo. El Páramo es escombrera; escombrera del cielo. En días de terrible bochorno, como estos que

---

como Bourne a la imagen de Fray Luis de León, otra de las lecturas ciertas del joven bachiller Claudio Rodríguez, en el poema «A nuestra Señora»: «como terreno puesto /... a cien flechas estoy que me rodean». Una referencia que cubriría las valencias de dolorosa laceración que comparecen en algunas afloraciones del mito del flechamiento por la luz o del hollado y picoteo hiriente de las ropas por el gallo siempre inquietante, tal y como se actualiza el complejo simbólico en la «Elegía desde Simancas» (pág. 259).

Tampoco debe omitirse, si se ha de ilustrar en toda la extrema complejidad de sus constelaciones sicológico-simbólicas el intrincado mapa de interacciones míticas que descubre la incidencia de este núcleo temático, la estricta semejanza que guardan en el diseño dinámico espacial todas las anteriores semantizaciones fantásticas con otra de las metáforas más frecuentes de Claudio Rodríguez: la del propio corazón como uva feraz que destila la sangre del mosto bajo las pisadas de los hombres en el lagar del mundo. Estas otras figuras simbólicas se perfilan también ya pioneramente en el poema de «Canto del caminar» (pág.51), prolongándose a través de distintas afloraciones de *Conjuros* —la de «Con media azumbre de vino» (pág. 78) o la de la mención de la uva en plenitud de sazón no pocha de «La contrata de mozos» (pág.113)—; constituyendo una de las imágenes más persistentes en la fantasía de Claudio Rodríguez (Cfr. Arturo del Villar, «El don de la claridad de Claudio Rodríguez», en *La Estafeta Literaria* 592-3, (1976), págs. 21-22). En suma, la conciencia de un diseño común de la espacialidad en todos estos desarrollos figurales del mito sirve una estructura previa, general y unánime, sobre la que se depositan secundariamente los constructos sicológicos concretos con variada valencia emocional. El articulado interés del mapa simbólico que configura el mito personal de Claudio Rodríguez, ratifica una de las mejores garantías sobre la sincera necesidad de su poesía.

estamos pasando, las piedras de encima del cielo han ido dejando caer su polvo a que se pose en este suelo. Y no el agua»[22].

Ya en el poema, la acuciante imaginación del cerco polvoriento de arideces en torno al oasis palentino del Carrión dirige la construcción del texto. Margarita, la monja Tornera, huye loca con su galán en busca del amor porque... «el amor no vive, / en el seco destierro de esta tierra»; resultando por tal modo reforzadas imaginativamente las representaciones de la feracidad y la frescura sitiadas del excepcional refugio que representan todos estos paraísos fluviales de paramera en los poetas de Castilla: en Unamuno como en Machado y en Guillén y en Claudio. En esa ambientación fantástica, las albas Clarisas serán «los blancos lirios del páramo sediento», y el Cristo que veneran es «el Cristo formidable de esta tierra», «porque este Cristo de mi tierra es tierra», como se reiterará en «leit-motiv» del texto:

Cristo que, siendo polvo, al polvo ha vuelto;
Cristo que, pues que duerme, nada espera.
Del polvo pre-humano con que luego
nuestro Padre del cielo a Adán hiciera,
se nos formó este Cristo tras-humano
sin más cruz que la tierra,

---

22. La asociación de estos textos e imágenes unamunianas con el símbolo fundamental de Claudio Rodríguez no es en ningún modo conjetural o caprichosa entre construcciones imaginativas y «tempos» pasionales indudablemente semejantes. Como en tantos otros casos de este estudio, la relación establecida procede de las confidencias directas del poeta. Claudio Rodríguez selecciona precisamente este texto del Cristo de las Claras de Unamuno en sus notas inéditas para cursos universitarios y conferencias. Además me consta, siempre por su propio testimonio, que visitó la Iglesia de la Cruz y había visto la impresionante representación momificada del Cristo durante sus últimos años de Bachillerato; es decir, en momentos de intensa génesis de la imaginación patética que afloraría en los símbolos de *Don de la ebriedad*. De hecho, puede apuntarse el dato de que no existe huella alguna de la representación simbólica del «surco» en tierra o del «crucifijo de los campos» en el núcleo conocido de los poemas más antiguos de la obra; con lo que este conjunto simbólico de arideces casuales y de páramos castellanos sufridos y terribles parecería ser un desarrollo mítico hacia lo naturalista más evolucionado y tardío, antropológica y culturalmente, a partir del primer núcleo de inspiración filosófica más abstracta y esencialista en lo conceptual e imaginario. La *Antología poética* de Unamuno con sus notas de *Andanzas y visiones españolas* usada habitualmente por Rodríguez es la de la antigua colección Austral, de Espasa-Calpe, págs. 160-165.

del polvo eterno de antes de la vida
se hizo este Cristo, tierra
del después de la muerte;
porque este Cristo de mi tierra es tierra.[23]

Por encima del más que probable trayecto que comunicaría el Cristo yacente de Unamuno con las imágenes del surco terrestre del propio cuerpo y de los «crucifijos de los campos» en la imaginación de Claudio Rodríguez, predomina la constitución forzosa y natural de los estímulos comunes del formidable escenario de la «terrible estepa castellana». Sobre lo abrumador de ese desolado espacio de monotonía, las convergencias literarias en lo térreo y sediento resultan obligadas. Tal me parece ya en la más que probable incidencia escrita de la imagen de la obra de Claudio en el «Canto del despertar»: «El primer surco de hoy será mi cuerpo»; así como después también en su transcripción quizás más netamente diáfana de la imagen obsesiva del Cristo yacente de Unamuno: «Ritual arador en plena madre / y en pleno crucifijo de los campos».

Pero la proximidad razonable de los textos de don Miguel a los de Claudio, sobre esta imaginación inevitable de una tierra común, depara también —y literariamente diría que sobre todo— la ponderación de diferencias, de peculiaridades en lo incomunicable. Subyuga a Claudio, como a todos nosotros, en estos Cristos de Unamuno la tenacidad trágica de su adusta reciedumbre sangrienta y descarnada, la noble gravedad del hallazgo trascendental sobre lo inmóvil y cotidiano de lugares y

---

23. Resulta imaginativamente dominante en la génesis fantástica de todos estos símbolos, la constitución térrea del núcleo simbólico que transita entre el Cristo yacente de Unamuno y el «surco» y el «crucifijo de los campos» de *Don de la ebriedad*. La asociación no necesaria de la térrea aridez con el Cristo momificado de las Clarisas es una peculiaridad idiosincrásica de Unamuno, filtrada desde él seguramente a las correspondientes imágenes de Claudio Rodríguez. Así, el sudor del Cristo «la seca tierra / regó...», y su dolor de carne muerta es «dolor-espíritu» que «no habita / en carne, sangre y tierra»; mientras que el Cristo singular de Unamuno, este Cristo único español y castellano, no es el Verbo encarnado, sino tan sólo un anhelo de vivir sin vida, sólo la «gana», la real gana, / que se ha enterrado en tierra», desde una voluntad ciega que «se eterniza hecha tierra», pues «el Cristo de mi pueblo es este Cristo, / carne y sangre hechos tierra, tierra, tierra!»

gentes. Pero a Claudio Rodríguez —y a mí mismo— le desalienta en la poesía de Unamuno su inhábil tenacidad reiterativa, el barroquismo insistido de las imágenes. De ahí, su solución en las tempranas fórmulas esquemáticas para estos Cristos de tierra contemplados en el cruce entre surcos de las tierras de *Don de la ebriedad*. Una misma raíz sentimental común, y dramática, conmociona ambas sensibilidades; pero la del tenaz vascongado, descubridor tardío de lo portentoso trascendental, persevera machacando sobre el hierro del hallazgo primero para inquirir resonancias de eternidad. El joven Claudio Rodríguez por su parte, originado en el escenario de estos portentos térreos, era poeta de fundamento mucho más esencial y mejor comunicado que Unamuno con el valor esquemático de los silencios poéticos; de ahí que insista tan sólo lo necesario, lo imprescindible, con mesura.

La esencialización de las imágenes del Cristo de tierra unamuniano le surgen como al paso a un Claudio con emoción culpable, en caminata de fuga por los campos en torno de Zamora; por eso las representaciones más circunstanciadas las encontraremos, y no por caso, en el «Canto del caminar». Pero la tierra del cuerpo lacerado del Dios-Cristo equivale en la imaginación de Claudio Rodríguez a la tierra-surco de su propio cuerpo; mientras que la divinidad humana de los Cristos vencidos por la muerte de Unamuno[24] se reconstituye como divinidad inmortal y providente —aradora— en el poema del Claudio andariego:

> ...yo soy un surco
> más, no un camino que desabre el tiempo.
> Quiere que sea así quien me aró. —¡Reja
> profunda!— Soy culpable. Me lo gritan.

---

24. Es ya bien conocida la raíz simbólica en la asociación unamuniana del Cristo yacente de las Claras de Palencia, un Cristo de Santo Entierro, un Cristo muerto, con el polvo de tierra como imagen de lo inerte; diferente del agonizante, aún vivo, de *El Cristo de Velázquez* «al que rinden culto los creyentes agónicos», según lo construía el mismo Unamuno en *La agonía del cristianismo*. De todo ese fondo de reflexión cruzada entre la vida y la muerte de los Cristos con las

El acatamiento de la linealidad determinada e inalterable para el destino de la propia vida, como la arada de una ajena voluntad divina, libera la filosófica traslación vital de Claudio Rodríguez del cuajarón de sangre sobre tierra en que se estrellaban las ansias inmortales de Unamuno. Sin embargo persiste un fondo común de trágico destino en esta contigüidad imaginaria entre los Cristos-surco de tierra, asumida con esquematicidad lírica mucho menos machacona y patética en el joven caminante reflexivo:

> *Pero ahora eres tú y estás en todo.*
> *Si yo muriese harías de mí un surco,*
> *un surco inalterable: ni pedrisca,*
> *ni ese luto de ángel, nieve, ni ese*
> *cierzo con tantos fuegos clandestinos*
> *cambiarían su línea, que interpreta*
> *la estación claramente. ¿Y qué lugares*
> *más sobrios que estos para ir esperando?*
> *¡Es Castilla, sufridlo! En otros tiempos...* (pág. 51)

Pero el poema de Unamuno se aproximará todavía más netamente al fondo de imaginación espacializada que gobierna la metamorfosis simbólica del poeta con sus representaciones de la tierra horizontal arada

---

asociaciones del aire vital y de la tierra inerte procede la apoteosis de tierra ensangrentada con que se cierra el poema de Unamuno:

> *Y las pobres Franciscanas del convento*
> *en que la Virgen Madre fue tornera*
> *—la Virgen toda cielo y toda vida,*
> *sin pasar por la muerte al cielo vuela—*
> *cunan la muerte del terrible Cristo,*
> *que no despertará sobre la tierra,*
> *porque él, el Cristo de mi tierra es sólo*
> *tierra, tierra, tierra, tierra...*
> *cuajarones de sangre que no fluye,*
> *tierra, tierra, tierra, tierra...*
> *¡Y tú, Cristo del cielo,*
> *redímenos del Cristo de la tierra!*
> *(Antología lírica, págs. 164-165)*

en surcos, precisamente cuando invoca las imágenes más terrestres del Cristo español. Las representaciones que suscitan el fondo inerte de horizontalidad tendida y expectante frente al cielo providencial del que proceden la lluvia y la sementera, o la arada inmortal que abre las tierras en los cruces de surcos:

> *Este Cristo español que no ha vivido,*
> *negro como el mantillo de la tierra,*
> *yace cual la llanura horizontal, tendido,*
> *sin alma y sin espera,*
> *con los ojos cerrados cara al cielo*
> *avaro en lluvia y que los panes quema.*
> (*Antología lírica*, pág. 163)

Mas sobre la olímpica inquisición sustancial del surco inalterable en sus destinos, no deja de incidir, según se aprecia en el último verso, el fondo de inmensidad desolada del paisaje seco de la tierra unamuniano. De ahí las peculiares «asociaciones» al ser-surco en la tierra que vienen desde el entorno de desolada grandiosidad; y de ahí también, en definitiva, el inocultable desgarro doloroso del ser-surco térreo de la arada, que vincula necesariamente este eje simbólico central en el mito de Claudio a las imágenes ambiguamente cósmicas de la laceración y el flechamiento carnales del «Canto del caminar»:

> *Oh, la noche que lanza sus estrellas*
> *desde almenas celestes. Ya no hay nada:*
> *cielo y tierra sin más. ¡Seguro blanco,*
> *seguro blanco ofrece el pecho mío!*
> *Oh, la estrella de oculta amanecida*
> *traspasándome al fin, ya más cercana.* (pág. 52)

El fondo ilimitado de libertad leopardiana —otro hijo retenido en la casa familiar contra el impulso de su imaginación ensoñadora de espacios infinitos— que alentaba el deseo aún casi intacto de este ebrio «pastor errante», aparece asediado por las asociaciones dolorosas de adversidad y muerte, que a las imágenes del surco de la arada y del flechamiento le vienen de la tierra muriente unamuniana y de los dardos de la envidia que llovían sobre Fray Luis[25]. Ese fondo de tragedia sufrida lo denota siempre en el aherrojado Claudio, fugitivo y culpable, la asociación inevitable de las imágenes de dolor y de muerte. Así en la continuación del texto anterior: «Que cuando caiga muera o no, qué importa»; o en el segundo poema nocturno de la primera parte: «Qué puedo hacer sino seguir poniendo / la vida a mil lanzadas del espacio». Y es que este espacio de árida inmensidad grandiosa acusadora se impone para cualquier reflexión sensible, ya trágica en Unamuno o más esperanzada y sublime en el Claudio de *Don de la ebriedad*, como un sobrecogedor ámbito de trascendencia y de muerte. Teatro donde sobreviene la emoción sintética de Claudio, su «¡Cuánto hueco para morir!».

La elaborada densidad simbólica de la imagen dolorosa —como la propia conciencia de culpabilidad atormentada y el fatal fondo imperdonable de resentimiento materno que la generaba— del surco en tierra como Cristo muerto no deja de encerrar sus perfiles, indirectos, tortuosos y conceptualmente rebuscados en la mitología más raigal y persistente de Claudio Rodríguez. Unas veces el Creador como tal, el foco de lo absoluto unitario, y otras la luz del sol o de la luna proyectan su huella de vario tipo sobre la extensión de lo creado, la tierra, en la que se incluyen el propio ser y el cuerpo del poeta. Operación por tanto de roturación y sembradura de la claridad divina descendente, al encuentro del anhelo ascensional de las criaturas que buscan la integración unitaria de su propia verdad esencial, la que subyace y desnaturaliza las apariencias vitales de la diversidad. En ocasiones —que no lo es por cierto en el caso del símbolo comentado del poema séptimo— el poeta se siente, él mismo, incisión ensangrentada de esa arada, surco elevado dolorosamente por la tajante reja del arado divino. Esa palpitación intensa de acento trágico, humanísimo, que no suele faltar en los grandes poemas que conmueven: fondo de tormentoso cerco de Fray Luis,

---

25. Como se ha señalado ya en una nota anterior, Louis Bourne ha puesto en relación razonablemente estas imágenes del flechamiento en *Don de la ebriedad* con el paso del poema de Fray Luis de León «A nuestra Señora», donde presenta su propia tribulación: «...como terreno muerto /... a cien flechas estoy que me rodean». Cfr. L. Bourne, «Plotino y las hermosas agresiones de Claudio Rodríguez» en *Libros*, 25, 1984.

de agonía encarnada en Unamuno y de la sola fuerza de rebelión imaginativa de Leopardi. Pasión de acento vital, apasionamiento poético de vida que animará las que sin él serían albas alegorías intelectualizadas de un adolescente a la búsqueda del sentido del mundo. En cualquier caso, la imagen de la labor agrícola en la que se proyectan las divinidades sobre la faz de una tierra sedienta de comunicación y epifanía, suele iniciar el motivo sacrificial, frecuente y conmovedoramente espontáneo y sincero, entre las imágenes y la sentimentalidad más desasosegantes y rotas del propio yo en el imaginario de Rodríguez.

* * * * *

El poema séptimo, junto a los dos de la primera parte de la obra, están marcados temática y formalmente por el desarrollo de la vertiente de autodescubrimiento del poeta, sujeto de la enunciación, a costa de los objetos referenciales externos. Crece aquí por tanto el espacio protagonista de la referencialidad al ensimismamiento intimista. El sentimiento de la contemplación absoluta como tarea de adquisición unitaria incide ahora sobre el tenor consolidado en los poemas previos; recuérdese el final del cuarto sobre el deseo semejante al alba. Quedaba claro allí que el movimiento de reconcentración de la conciencia como ahincamiento del anhelo de sublimación absoluta contribuía contradictoriamente a encapsular al poeta en su propio existir, inhibiéndolo del contacto con los destinatarios de su voz, los otros; pero todo ello a la espera del momento de la suprema revelación, de la epifanía anhelada de lo absoluto, cuando la «tarea» de participar la nueva reveladora se hiciera, como su propio cuerpo, hostia abierta y ofrecida en poema sublime para sus semejantes.

El tema de la oblación oferente, conglomerado imaginariamente en el poema séptimo con los símbolos del arado, proyecta una aureola emocional de misterio sagrado que contagia otras imágenes del enunciado, como la del «crucifijo de los campos», excelente trasunto descriptivo de la síntesis geométrica en las encrucijadas de bancales arados. No creo que vayan mucho más allá de esta irradiación del aura sacra, en formidable resonancia castellana de Unamuno y de Machado, las asociaciones legítimas que suscita el encuentro azaroso de

imágenes y de sentimientos y las supuestas intenciones de simbolización cristiana del poeta[26], con las que especulan a veces los críticos de
la tesis general del mensaje religioso de Rodríguez.

Tras el alto absoluto de la lectura del poema, se reanudan las claves ajustadas del tema de la efusión sacrificial. Nuevas imágenes temáticas con evidente poder de equivalencia alegórica como la de la «ropa
tendida», que se asociará en el futuro al alma en el poema de *Conjuros*
titulado «A mi ropa tendida»[27]. La experiencia de observación naturalista de la ropa tendida al sol para que se seque y se blanquee por la
acción del oreo providencial, se asimila aquí simbólicamente con el
sentimiento oferente y autocompasivo de no sentirse suficientemente
digno para merecer el favor de la atención del arador divino. «En la ropa
tendida de la nieve / queda pureza por lavar...» Y en esta inquietante
demora de la revelación, la conciencia azorada permanece incompleta
y tensa entre expectativas de iluminación absoluta: «...Yo no alcanzo lo
que basta, / lo indispensable para mis dos manos»; el tiempo que previenen las estaciones futuras de la inquietud encendida de la espera:
«Antes irá su lunación ardiendo, / humilde como el heno en un establo». Reactivado anhelo de la escucha: «Si nos oyeran...»; pero ruptura
al fin de la demanda inerme y recuperación del asumido temple viril en
soledad abandonada. Resignado vigor en la digna menesterosidad de
hombre solo en el camino, que convoca de nuevo el simbolismo del surco
y del arador crucificado. Hasta que se cumpliera un día esa llegada, le
queda abierta al visionario ebrio, al poeta, la incertidumbre encendida
de su tarea de búsqueda insegura, fértil en atisbos tan sólo momentáneos; parcialidad incierta y fragmentarias facetas de lo que nunca había
de ver, a buen seguro, la posesión definitiva en esta vida, el descanso
desvelador e inculpable en lo Uno. Tarea de astrologías fantásticas de
la imaginación encendida:

---

26. Cfr. Ángel L. Prieto de Paula, *La llama y la ceniza*, cit., págs. 107-109.

27. Téngase en cuenta lo referido ya en nota anterior sobre la incorporación de las metáforas
de la ropa tendida al sol en el complejo mítico, a la vez esquemático-espacial y pluritemático, de
la iluminación y la arada escatológicas.

Abandonado así a complicidades
de primavera y horno, a un legendario
don; y la altanería de mi caza
librando esgrima en pura señal de astros...

La efusión sacrificial oblativa persiste intensificada junto a la evidencia compatible con el principio iluminador anhelado. La clave temática de la culpabilidad incierta, autocompasiva, de la hostia sacrificial se configura ahora con plena explicitud en el centro del poema: «Basta a mi corazón ligera siembra / para darse hasta el límite...». En lo que se refiere a la concreción en este poema del principio unificador, pudieran aportarla las inequívocas identificaciones del amor —aparecido aquí por primera vez como sentimiento de infinito en el deliberado orden del poemario— con el principio de la fecundación iluminante: «Qué eficacia / la del amor. Y llueve...»; y su diálogo: «Quisiera estar contigo no por verte / sino por ver lo mismo que tú...».

El argumento constructivo del poema lo configura en este caso otro de los símbolos de más persistente futuro en el imaginario poético de Claudio: la lluvia como principio a la vez fecundador y depurativo, tema emergente de nuevo en poemas futuros, como «Lluvia y gracia» de *Alianza y condena*. El símbolo exculpador de la lluvia debuta precisamente para declarar la insuficiencia de sus efectos regeneradores con la eficacia poética de los habituales inicios «ex-abrupto» de Claudio Rodríguez, como reflexión que amplifica el común accidente de un chaparrón sobrevenido al raso; circunstancia seguramente frecuente en la cotidianeidad andariega del joven poeta, pero que descubre aquí su sintomática polivalencia simbólica, como el oreo de la luz y el aire, sobre la atormentada conciencia trágica del fugitivo culpable: «No porque llueva seré digno. ¿Y cuándo / lo seré, en qué momento? ¿Entre la pausa / que va de gota a gota?...»

A su vez, la andadura temática la organizan una serie de fórmulas diáfanas sobre la meditación sagrada adolescente —«domine, non sum dignus...»—, así como las reflexiones sobre el empleo de la vida ante la hipótesis de la súbita llegada de la muerte. Pero mas allá de la inocencia de esos esquemas formularios triviales, que el propio Claudio me ha confirmado personalmente, sin concederles no obstante excesiva influencia, se sobrepone salvadora en el joven poeta definitivo la grandeza sublime de la visión, la inminente gravitación del mito cósmico de la regeneración sagrada: «Huele a silencio cada ser y rápida / la visión cae desde las altas cimas siempre.» El silencioso aroma de un entorno de seres sensitivamente naturales que exhalan como «A la respiración en la llanura», el poema inaugural del libro primero de *Conjuros*; oreo de una tierra familiar recién mojada, feracidad de mantillo agradecido: «Como el mantillo de los campos, basta, / basta a mi corazón ligera siembra...», presintiendo el desplome solemne de las iluminaciones de la gracia, que desciende desde el cielo del mito para fecundar objetos y almas. Una lluvia jocunda que arrastra sólo bienes; ni sombra de dolor: «Estoy pensando / que la lluvia no tiene sal de lágrimas.»

Sequedad y dolor, y lluvia y gracia; fatalidad de culpas de la carne, tragedia de la aridez sangrienta del cuerpo como sediento surco abierto en el cuerpo de la tierra madre; esa otra madre esteparia, tan maldecida y necesaria. Constancia árida de la vida culpable dolorosa e instantes de pura luz redentora y sublime de la vocación poética. Lo cotidiano y referencial en el entorno físico y fungible del poeta prolonga y adensa misteriosamente su alcance revelador y sus resonancias sentimentales en el espesor incierto de sus equivalencias transfigurantes simbólicas. La intensidad trascendental del mito engrandece y ejemplariza las contingencias biográficas ocasionales. Estas tierras zamoranas sedientas que recorre el Caín fugitivo —con sus fondos convencidos de Abel muy lacerado—, son desoladas y trágicas como el inquieto espíritu que las asimila y las identifica y las transforma por sus trasuntos más reveladores. La torturada imagen de la tierra con sus heridas de surco doloroso; el vientre femenino, amoroso y materno, que es masa heñida; la tierra-corazón, uva pisada; la cama de la infancia con el hueco sudado quizás del cuerpo ajeno... Pero también la regeneradora misericordia de la lluvia que es gracia y manantial remoto y río compañero, el oreo a la luz descendida que es fórmula salvadora y constancia esperanzada de vida. Fascinantes espesores de culpa con iluminaciones de perdón, celeridad de abismaciones trágicas y elevaciones gráciles del deseo justificado en los hallazgos fértiles de la imaginación poética. El necesario peso terreno, diario y personal, de la poesía si es grande, con su imprescindible contrapunto de vuelo simbólico, eterno y universal, cuando se eleva —tal el hallazgo de *Don de la ebriedad*— para ser sublime.

No se debe olvidar el valor de esta ambivalencia de los símbolos, intelectual-cosmogónica y sentimental-biográfica, al sintetizar críticamente el significado de *Don de la ebriedad*. En los casos en que ha prevalecido el sumario temático de la constitución de la experiencia —tal vez el más exterior y por tanto el mejor asequible—, se suele desatender la condición inevitablemente apasionada del conflicto sentimental-biográfico que figura en el impulso determinante de este recorrido exploratorio de huida, con su necesidad implícita de justificación y de absolución. Es sin embargo cierto también, por el contrario, que la elección y el control poético de Claudio Rodríguez, incluso en aquellos albores adolescentes de su conformación literaria, ha propendido siempre a un equilibrio felicísimo entre lo universal y la voz estrictamente personal de la experiencia, en detrimento de lo más extrovertido y explícito. El tono habitual de la confidencia lírica de Claudio abunda más en lo recatado e íntimo que en la extroversión incontrolada del propio sentimiento. Francamente, en el itinerario exterior temático de *Don de la ebriedad* se impone lo racional-estético de la experiencia cosmogónica universalizable sobre cualesquiera tentativas, que hubieran resultado inevitablemente débiles, de patetismo sentimental biográfico. Pero no cabe desconocer también ese otro fondo secreto, pues es la pujanza de su condición de impulso la que constituye el alcance apasionante y personal de los mitos poéticos.

El mito cósmico que construye el universo de *Don de la ebriedad*, delimita de nuevo en este poema la nítida constitución de sus elementos: el *poeta* en su ebriedad apasionada se abre azorado a la espera del *principio divino y unitario* de la metamorfosis iluminadora que desciende de la noche como la luz del cielo de los astros; contando siempre con la sólida presencia de *las cosas* que ama, esa segura incompletez exasperante de la diversidad que crean las apariencias inestables del mundo. Anhelo contra costumbre, iluminación deslumbrante frente a familiaridad amable, tangible y cotidiana.

Respecto a la inesperada mención temática del *amor* —«Qué eficacia / la del amor»—, que hacia el final del poema reactiva la primera sugerencia ya advertida antes, se plantea una cuestión interpretativa abierta. ¿Es ese amor, súbitamente emergente, una participación que concreta y actualiza el principio divino de la iluminación reveladora? Así lo sugiere en efecto la lógica del mito cosmogónico, al tiempo que no se desmentirían tradiciones neoplatónicas muy arraigadas y antiguas, desde la cultura de la poesía cortés y el petrarquismo, que mitificaran la genealogía divina del amor.

Así me lo confirma, además, la confidencia personal del propio Claudio. Con la única excepción del poema a Clara Miranda, «(Sigue Marzo)» en la tercera parte de esta obra, la temática del amor humano, amor y eros hacia la mujer, no aflora en el encendido poemario de amor sublime o de panteismo cristianizado que es *Don de la ebriedad*. El *tú* divino al que se proyecta la voz en todos estos textos es, como veremos en detalle más adelante, una referencia sagrada y envolvente, poderosamente indeterminada: el verdadero Dios-universo exterior e interior al sagrado del yo, despojado de todos sus atributos en la escenografía dogmática antropomórfica. La sincera y potente proyección sentimental del impulso imaginativo de Claudio se instala tan íntimamente en la raíz del sentimiento sagrado, que lo descubre bajo todos sus atributos en el entorno: en el sol, en el viento que reactiva el impulso vital de las criaturas, en la roca y el mar o en «la noche aún más exacta». Acierto sumo de la identificación sagrada en el tú dialogado, que afecta la misma perspectiva compartida de la mirada en el amor humano: aquel otro ver desde los dos a un tiempo en el poema de Clara Miranda; la mirada del ser divino que alienta respirando con la tierra y la lluvia:

> *Quisiera estar contigo no por verte*
> *sino por ver lo mismo que tú, cada*
> *cosa en la que respiras como en esta*
> *lluvia de tanta sencillez, que lava.*

¡Es la tierna piedad de este poeta por las criaturas tan mínimas y diversas y tan universales como las gotas de lluvia, poderosas con todo para transfigurarse en trasuntos de alturas en lo Único!

Como el poema inicial de esta primera parte, el noveno que la cierra es formalmente redondo y temáticamente diáfano. Demasiado asequible tal vez para alta poesía; fruto seguro del cálculo cortés —nunca diré que astuto, porque la alta fecundidad poética de Claudio no precisa de recursos oblicuos o mezquinos— de un poeta que demuestra en *Don de la ebriedad* una pericia muy meticulosa en la organización de sus libros. Incluso en esta encendida primera obra, que él ahora quiere recordar sinceramente como el fruto espontáneo e irracionalista de unos años de ebriedad absoluta del espíritu, desasistido de cálculo y de orden racionales. En este texto de remate del libro se formula, con un entusiasmo diáfano en ningún caso incompatible con las más altas calidades de la forma poética, el recado de entrega, la intención solidaria que ha hecho nacer la voz poética de *Don de la ebriedad.*

Nos consta que, a la sazón, corrían malos tiempos para la poesía intimista y meditativa, con el riesgo agregado de la mala conciencia insolidaria para los espíritus menos ensimismadamente poéticos que el de Claudio; a lo que ha de añadirse, en su caso, la acción de un encendido impulso de generosidad adolescente, motivando la liturgia oblativa del poema final:

> *Como si nunca hubiera sido mía,*
> *dad al aire mi voz y que en el aire*
> *sea de todos y la sepan todos*
> *igual que una mañana o una tarde.* (pág. 40)

Los inmediatos correlatos metafórico-alegóricos corroboran el desasimiento personal de la experiencia extática, la legítima universalidad natural de la conciencia de participación de todos en la epifanía iluminada de la metamorfosis: «Ni a la rama tan sólo abril acude / ni el agua espera sólo el estiaje». La riqueza cordial de una realidad ubérrima, propicia a la revelación y el peculiar universo mítico de *Don de la ebriedad,* desfila en síntesis hasta la exaltación compartida. Testimonialmente consagra a este poema —o por decirlo mejor, lo encumbra para la «Einfhülung» a niveles de autenticidad patética raramente comunes— el convincente sentimiento de plenitud que sólo encuentra la vía de su desbordamiento en un oscuro anhelo de autoinmolación reconocida. Tan alta y consoladora es la experiencia, tan raro y aquietador resulta el trance, tan únicas y vibrantes las emociones descubiertas, que la plenitud estalla en rompimiento, en un desbordarse gozoso de final, en agotamiento de los éxtasis: «¡Que todo acabe aquí, que todo acabe / de una vez para siempre!».

Al fin adviene sincerísima y contagiosa esa conciencia turbia de la exclusividad, de la incomunicación personal ensimismada como sacrilegio indigno ante la convergencia unificadora de la naturaleza «Sobre el abierto páramo, el relente / es pinar en el pino, aire en el aire, / relente sólo para mi sequía»; hasta que se revela como algo sacrílego la frustración de lo individual, sustraído a la unanimidad de todo lo semejante:

> *Sobre la voz que va excavando un cauce*
> *qué sacrilegio éste del cuerpo, éste*
> *de no poder ser hostia para darse.*

La fórmula simbólica de la hostia sacrificial no responde, como puede verse, a un desahogo sentimental ocioso de su difuso sentimiento temático de culpabilidad contra la normalidad sagrada; antes bien introduce un cierre relativamente necesario para la congruencia circular del mito cosmológico que corrobora el esquema fundante de cotejo propio de la forma lírica. La conciencia personal individualizadora de los impulsos ebrios del protagonista del éxtasis reinstaura y asimila, dentro del espacio de la recepción de la experiencia, el principio entrópico de la pluralidad diversificante. Contra él actuaba la revelación unificadora de la iluminación, induciendo las metamorfosis de lo plural cósmico hacia lo unitario espiritual en el ser. El impotente sentimiento de autoinmolación al que responden las liturgias oferentes de todos estos poemas, conlleva, con el pleno acierto en gracia a sus formas expresivas, la garantía perfecta de un orden de sentimientos conmovedoramente sinceros y patéticos; todo ello al servicio de un luminoso cálculo del espacio exacto del universo mítico y expresivo[28]. Una vez más es el mito unitario del círculo impo-

---

28. El decisivo símbolo de la hostia sacrificial, en tanto que sentimiento sublime de la propia voluntad como destino, representa el trasunto personal de un conflicto íntimo entre los resultados de la generosidad sincera, un rasgo personal subyugante del atractivo de Claudio Rodríguez, hombre y poeta. Pero aquí nos interesa resaltar sobre todo el dato de su integración congruente, más allá de su condición íntima sicológicamente conflictiva, dentro del complejo simbólico que constituye

niéndose como estructura raigal de la imaginación sobre cualesquiera otras
fórmulas simbólicas participadas de la diferencia.

La paradoja de la luz oscura: presencias exteriores que accidentan la unicidad «sincrónica» de la «individuación»

Para el alma anhelante, para los corazones presurosos, es dominio
inestable lo que se llega a conocer como demasía; al que busca tan sólo
lo unitario y lo exacto, no lo acoge mansamente en delicias sabidas lo
heterogéneo, sino que le sirve de traba y le impide progresar. Así era aquel
joven poeta; tal su mirada encendida en trance de revelación, sintiéndose
rastro abrumadamente culpable, surco enhiesto en la tierra arado por el
creador nocturno de la luz esencial, que con el día y de la mano de las
distracciones del hombre desdibujaba su verdad entre pluralidades.

Los seres familiares, las escenas consabidas de los campos: las
cimas de los collados y de los secos páramos, el cabeceo sencillo del
sembrado, los henos que germinan, las enrramadas cúpulas del árbol;

---

la atractiva cartografía mítica del universo de Claudio. Prieto de Paula lo conectaba indirectamente
con la compleja constelación de conflictos que acabamos nosotros de vincular poco más arriba: el
problematismo de amores familiares y del apasionamiento erótico —«el amor... es concebido más como
plenitud de entrega que como plenitud de poesía»—. En efecto, coincidimos plenamente con Prieto
cuando subraya el interés que para la constitución del universo mítico de Claudio tiene la condición
no exigente y activa del amor de todo género y no su retraída pasividad —en palabras de Prieto «su
carácter casi pasivo»—. Bajo el poderoso impulso de la generosidad adolescente de estos primeros
poemas, sucesiva al fuerte complejo de culpabilidad, culmina en las pasiones de autoinmolación, de
entrega y sacrificio simbolizadas por la imagen de la «hostia» como fórmula sagrada extrema del amor
al prójimo y a las obras de la creación (Cfr. Angel L. Prieto de Paula, «Claudio Rodríguez entre la
iluminación y la muerte», en *Ínsula*, 444-5 (1983), pág. 7). Estas primeras afloraciones del símbolo
de la hostia en *Don de la ebriedad* denotan todavía la presencia entusiasta, hímnica y expansiva de
una honda figura de la intimidad que irá descubriendo paulatinamente sus desarrollos conflictivos
en los libros posteriores. Por ahora, el fondo de profunda laceración síquica que nutre el desamor
de sí, o la disponibilidad para inmolarse en hostia, se compone bajo las imágenes habituales del idilio
sacralizado, como todas estas paráfrasis simbólicas de la oblación de Cristo que el joven Claudio
Rodríguez articulaba en los moldes doctrinales cristianos todavía demasiado próximos a su educación adolescente. Por todo ello, me parecen oportunas, para simbolizar el trasunto de esta atmósfera
sicológica, las asociaciones simbólicas que propone Dionisio Cañas en la horma de las divulgadas
imágenes de Santa Teresa: «crucificado entre la tierra y el cielo, es decir, entre la existencia y la
trascendencia». cfr. *Claudio Rodríguez*, cit., pág. 13.

todo lo que se mira y se puede nombrar con la facilidad de lo regustado y lo consabido quizás sea lo primero que alcance a lectores y críticos de Claudio, con el inevitable peligro de la anécdota fácilmente entrañable, la más asequible y cómoda. Pero lo familiar, lo repetido y vario, era asombrada culpa para el hombre todavía brioso que busca la verdad total y regeneradora de lo absoluto. Tal es el argumento básico, la unicidad del impulso general que impone la necesaria paradoja nocturna de la exploración en las inestables penumbras de lo que se revela, para un alma habituada a andar y a otear sobre los campos conocidos del día; y tal el argumento común tematizado en los dos fervorosos cantos del libro segundo de la obra.

El sentimiento de sí mismo bajo la imagen del surco abierto en tierra por la luz celestial reveladora, cuya transcendencia y complejidad simbólica dentro del mito personal de Claudio hemos analizado antes, retorna frecuentemente, desde las primeras evidencias del amanecer en el comienzo del «Canto del despertar». Y luego, bajo la plenitud del día doloroso del «Canto del caminar», explorará sin júbilo todas las apariencias consabidas, a favor de un asequible trasunto de la imagen total tras la metamorfosis. De nuevo el simbolismo del surco: «...yo soy un surco / más, no un camino que desabre el tiempo...»; pero no bien detectada la huella de la esencia unitaria en el hondón sustancial de cada cosa, de todas a la vez, el alma vuelve a saludarla con el mismo sentimiento de filiación que se conforma en las imágenes del arado y el surco: «Si yo muriese harías de mí un surco, / un surco interminable».

Dolorido sentir éste del surco. Poeta como hombre, las presencias sobrecogedoras que a la mayoría les satisfacen, a Claudio no le han bastado nunca; antes bien le acusan y le cercan, solitario sobrecogido y con la conciencia fatalmente marcada de culpabilidad, al entrever desde todas las insuficiencias y las distracciones que enmascaran al hombre la verdad esencial: el inalcanzable Grial sólo corpóreo en la intangible luz. De ese mismo fondo compacto del sentimiento han de venir seguramente las asociaciones simbólicas invariablemente doloridas de la imagen de la hendidura del surco, con su cortejo de sentimientos anejos de culpa y de castigo, que comparecen temáticamente en estos dos poemas. Y surco como los surcos, un surco más dotado de conciencia y de anhelo; pero tan inscrito, tan adherido a tierra, tan acotado al valor definitivo como cualquier otro. La generosidad del poeta, su inconformismo metafísico, lo proclaman culpable en el despertar desde la familiaridad tangible de las presencias varias e inmediatas, como lo condenan culpable ahora en el caminar desde el sobrecogimiento personal abierto hacia lo inmenso de la noche terrestre y sideral de la llanura abierta con sus milagros de revelación:

> ...¡Cómo se une todo
> y en simples movimientos hasta el límite,
> sí, para mi castigo: la soltura
> del álamo a cualquier mirada! Puertas
> con vellones de niebla por dinteles
> se abren allí, pasando aquella cima.
> ¿Qué más sencillo que ese cabeceo
> de los sembrados? ¿Qué más persuasivo
> que el heno al germinar? No toco nada.
> No me lavo en la tierra como el pájaro.
> Sí, para mi castigo, el día nace
> y hay que apartar su misma recaída
> de las demás... (pág. 45)

Castigo y culpa confesados de Claudio Rodríguez en su sentimiento de extravío inmenso ante la grandiosidad de la llanura.

La oportunidad de aproximar la poesía de Claudio Rodríguez a la del «senior» castellano Jorge Guillén ha gravitado sobre estos temas en algunos de sus críticos[29]. Pese a que Claudio me ha reiterado insistentemente no haber leído ni un solo poema de Guillén sino mucho tiempo después de haber escrito *Don de la ebriedad*, los aproximaba a ambos desde luego —y fue conversadamente convenido entre ellos en su primer encuentro—

---

29. Uno de los cotejos monográficos más extensos y explícitos que se ha hecho entre Guillén y Claudio Rodríguez es el de Martha Lafollette Miller, en «Order and Anarchy: Cosmic Song in Jorge Guillén and Claudio Rodríguez» en *Anales de Literatura Española Contemporánea* 12 (1987), págs. 259-270. Si bien la aplicación demasiado rígida y esquemática al flexible universo imaginario de los dos poetas de un esquema ideológico deconstructivo, que contrapone el supuesto orden sin quiebras del «moderno» Guillén a una no menos supuesta anarquía de signo postmoderno de Claudio Rodríguez, perturba la utilidad analítica de tal examen crítico.

el espacio natal: campos de Valladolid y de Zamora. Lo que no es poco ya: rasas estepas y trazas de alamedas deseadas por la sed estival a lo largo de los ríos ilustres. De esos paisajes circunstanciales proceden luego los ensueños del espacio de la imaginación. Los unen también a ambos muchas más convergencias poéticas que no quiero yo agotar aquí. He escrito ya tal vez sobradamente sobre Guillén para correr el riesgo de especializar en exceso mi óptica de ahora; pero no debo omitir tampoco el testimonio, para quienes pudiera interesar, de que, pese a sus protestas iniciales de desconocimiento, el casi paisano Guillén ha llegado a constituir, andando el tiempo, uno de los conocimientos más seguros en la cultura literaria española de Claudio Rodríguez. Cosa distinta sean las simpatías y preferencias personales íntimas: le perturba a Rodríguez, como a mí mismo —y lo hemos hablado—, aquel egocentrismo de don Jorge viviendo en lo fundamental casi exclusivamente para la tarea espiritual sublime de la obra, tabla para él de solitaria salvación sobreviviente. Claudio es desde luego, sin tópicos ni leyendas, muchísimo más vital, generoso y distraído en esto. El cotejo de ambos mundos poéticos en el espacio temático convergente de estos cantos del despertar o en el del itinerario caminante del paseo se hace, por todo ello, tanto más obligado; especialmente porque puede ilustrar lo contrapuesto entre dos conciencias casi contrarias, de manera que la del joven resplandece con más claros perfiles. Donde en Guillén hubo regularidad y júbilo, nitidez y fervor — «esto es cal, esto es mimbre»— hay en Rodríguez —quien gusta sobre todo de citar el verso guilleniano— presencias aceleradas hacia su centro sentimental, retracciones tenaces de la figura al nombre, fondos de sentimiento como a la espera de las epifanías nunca llegadas que florecen en densidad total. El minucioso entusiasmo de Guillén se convierte en aceleración global y proceso de superación y de abandono en el despertar y el caminar de Claudio Rodríguez[30]. Donde el mirar preciso de

---

30. Más que las hipótesis deconstructivas de Lafollette Miller aludidas en la nota anterior, me parece atinada la observación de Prieto de Paula sobre la simultaneidad emotiva de la vivencia y el canto, que contrastaría entonces con la posterioridad reflexiva del júbilo en las experiencias guillenianas de *Cántico*, como éstas del despertar en el poema «Más allá». Cfr. Angel L. Prieto de Paula, *La llama y la ceniza*, cit., pág. 115.

Guillén, cuya genealogía fenomenológica orteguiana ha ilustrado celosamente Silver, hay en Claudio Rodríguez mirar insatisfecho, despojado de sí.

Ya es sintomático que entre estos dos poetas, con vocación y seguridades tan opuestas —maravillas concretas y apariencias inválidas—, todas las cuentas del cotejo cuadren, bien sea por igualdad o por diferencia. Por eso temo que extremar el recuento salga a la postre ocioso para la elucidación que verdaderamente importa aquí. Lo único que se trata de destacar, porque es lo de más cuerpo y porque tal vez ilumina espacios personales tanto más vastos cuanto menos nítidos y accesibles, es el opuesto tenor de sentirse en el mundo, de ser entre las cosas, que evidencian estas dos poesías castellanas. En su casi nunca excedida habitación simbólica, Guillén percibe alborozado su propio hacerse desde las cosas que «lo centran» y lo contienen a través de la concreción del entorno iluminado, de la exactitud cenital en la curva del jarro o en la cabezada de su «beato sillón». La terrible naúsea nocturna de Guillén se acoge, resignada, a su invención de un júbilo del día, cuando su ser se reconoce señor de todas aquellas cosas... mientras duran; mientras y sólo !ay! «mientras el aire es nuestro».

El Claudio de aquel temprano despertar poético en *Don de la ebriedad* desdeña sin dolor, por el contrario, todo lo que conoce: todas las familiaridades de la luz; su reino no es del mundo donde ha aprendido a andar —«Comienzo a comprobar que nuestro reino / tampoco es de este mundo...»—. El reino necesario para su anhelo de curiosidad cosmogónica adolescente, espoleado —no debe olvidarse— por la necesidad redentora de una conciencia íntima corroída del pecado de origen, es alto y remontado; lo aclara sólo —ardiente paradoja— la luz unificante de una noche amiga de lo absoluto. Evidencia contra paradoja, tales son las figuras que nombran los impulsos imaginarios respectivos del mayor y del más joven poeta. El día de Guillén y la noche iluminada de Claudio; el esplendor de lo cenital frente a la luz difusa del instante de sombra reveladora que antecede al crepúsculo. ¿El «existencialismo jubiloso» contra la náusea del existir? Desde luego que no, porque al adolescente zamorano se le encendió muy pronto una llama temprana de esperanza salvadora, con júbilo tanto más alto que al optimista por férrea disciplina mental que siempre fue Guillén. La reconcentración guilleniana sobre el perfil exacto de los objetos fue de tejas abajo y de suelo hacia arriba, nunca escatológica ni abisal: el júbilo en la extinción asumida. El apolíneo Jorge Guillén era un previsor perenne, un minucioso, un solista; mientras que el menádico Claudio, seguro sólo en trances de creación poética, es vitalmente un derrochador perseguido por rigores de conciencia y de origen, en desarraigo íntimo constante, voluntarioso perdedor siempre esperanzado: por eso tal vez, donde la poesía del «senior» distancia con respeto, la del joven suele unir y atrae fraternalmente. Por lo demás consta el invariable desmentido de Claudio sobre su desconocimiento en aquellas fechas de «Más allá» y de *Cántico.*

Sólo en lo consabido de las cosas, en la costosa demora de objetos del anhelo, Rodríguez llega a querer morir para entregarse, y lo repite mucho en estos dos poemas. Guillén en *Cántico* cuidaba de no mentar la caza, pasando sobre las ascuas que le prestaba Quevedo delante del extremo tapial del «muro cano» en las afueras de Valladolid. El surco hendido en la tierra y el blanco de lo creado con que Claudio se nombra —...«Aquí sí es peligroso. / Ahora en la llanada hecha de espacio, / voy a servir de blanco a lo creado»—, son imágenes próximas en único dolor, formas contiguas del mismo sentimiento de entrega a la inmensidad sublime del espacio con su causa última en la exclusión del fondo infranqueable de luz, generosa oblación bajo el anhelo de algún rayo de sombra definitivamente luminoso. Escogido por el día, cercado de pluralidad, el adolescente encendido de *Don de la ebriedad* presiente todo cobijo como tregua inestable; calor que no consuela porque excluye la luz esencial, omitida para la doble culpa, moral e intelectual, de su fatalidad de origen: —«...Alma del ave, / yacerás bajo cúpula de árbol»—. Así que todo el espacio que abarca no se traducirá jamás, como sucede con las almas melancólicas y resignadas como la de Machado o disciplinadas en el júbilo como la de Guillén, en gozo ante la grandeza desolada de Castilla, sino en campo de carencia fundamental, en población vacía; porque sus fervorosas ansias de presencia total lo tienen desalojado de sí y de cualquier vivencia estabilizada, si no es la del cegador olvido absoluto en la luz y la visión míticamente penitencial y absolutoria del Uno. Recordemos:

Un concierto de espiga contra espiga
viene con el levante del sol. ¡Cuánto
hueco para morir! ¡Cuánto azul vívido,
cuánto amarillo de era para el roce! (pág. 49)

Con frecuencia suele acogerse Claudio en nuestras conversaciones sobre las vivencias poéticas lejanas —para el poeta pudorosamente lejanísimas ya— de *Don de la ebriedad*, a las sensaciones de «desobramiento» y de desalojo de toda conciencia sólida y activa, como la que proclama aquí la exclamación «¡Cuánto espacio para morir!». El recuerdo sincero de Claudio Rodríguez ha sublimado bajo sensaciones de involuntariedad caótica algún resto inquietante de un silencio seguramente debido. Aquel espacio, escenario de sus heridas, bueno sobre todo para morir, como los símbolos autodesignativos de la hostia, de la herida del surco y del cuerpo ofrecido a la laceración de lanzas y flechamientos luminosos, consolida un núcleo poderoso y confuso de sentimentalidad imaginaria en torno al diálogo con la conciencia organizada de la lealtad transgredida en la fuga. Anonadamiento subconsciente a causa de la fidelidad moral asumida por el joven adolescente; y anonadamiento sobre todo consciente y publicado de Claudio ante la inmensidad poblada de entrevistos resplandores secretos. ¡Ofertas de inmolación! Son pactos sobrecogidos con el destino de una vida tenaz, conmovedoramente entregada e inocente.

La paradoja surge en este caso de que la celebración de lo que se posee —disciplinadamente jubilosa en Guillén y melancólicamente reparadora en Antonio Machado— se convierte en protesta para el hombre transcendental, tal como la siente Claudio Rodríguez. Una queja que a nosotros nos brinda sin embargo sus más exactos frutos, la densidad emocional de unas presencias en fuga melancólica, aunque llenas de voz. Las descubrimos por doquier en estos dos poemas —¿A despecho de Claudio? No sé: nunca se sondeará completamente el fondo de un amor, incluso los de aquellos que son como estos amores trascendidos—. Fértil inmensidad poblada de presencias queridas sólo al paso; pero aun así inocultablemente hondas y entrañables, como aquellas «puertas / con vellones de niebla en los dinteles», o la «tibia respiración de pan reciente», que anuncia la poderosa imagen del poema «A la respiración de la meseta»; o la inmensidad simbólica del «mar que sigue / sobre el páramo», o el tierno acogimiento de la visión en «redil fabuloso de las tardes», o la imagen del tránsito del día «igual que el estertor de alondra nueva»...Castilla la gentil, después de todo. No es fácil desoirla en su grandeza, ni aun a golpes de proyecto metafísico. Una inmensidad eterna para sentir la muerte que se sobrepone a cualquier proyecto trascendental de rebasarla:

> *¡Es Castilla, sufridlo! En otros tiempos,*
> *cuando se me nombraba como a hijo,*
> *no podía pensar que la de ella*
> *fuera la única voz que me quedase,*
> *la única intimidad bien sosegada*
> *que dejara en mis ojos fe de cepa.*
> *De cepa madre...* (pág. 51)

* * * * *

Bien pudiera suceder, sobre la fascinación poética de Claudio Rodríguez, que la paradoja de las sabrosas presencias elididas a favor de su cálculo metafísico se invirtiera a su vez, deshaciéndose para la delicia común de los lectores. Porque la consistencia del anhelo místico está tan sólo compuesta de imágenes absolutas de vacío, en un itinerario íntimo desde el yo de la conciencia individualizante al fondo universal de un *ello* o un *self* donde se intuye ciegamente la comunicación con lo universal cósmico como centro y presencia. La entidad poética de ese fondo de tentativas la sugieren los nítidos perfiles del negativo natural pertinazmente elidido. He repetido muchas veces en sitios muy diversos que nada hay imaginativamente más diurno que la fantasía de esas noches pobladas de figuras proyectadas y trasplantadas desde la experiencia del día en la narración de los místicos y en los sueños de los nocturnos románticos. Y tal pudiera ser, de otra manera, la paradoja doblada de la fascinación poética de Claudio. A la inmensidad íntima del propio centro proyectado en y sobre las coordenadas del mundo, su aliento infinito, encaminan los poderosos ritmos de sus acentos hímnicos y la calculada entidad de sus silencios; pues de la calidad inefable de las sugerencias del anhelo absoluto no participa en realidad mención alguna de palabra ni carne viva de imagen. Los seguros ritmos poemáticos de *Don de la ebriedad* y los inciertos espacios de su silencio —y conste que habrá que desconfiar mucho de su poder poético efectivo cuando pase la moda radiantemente «silenciosa» de estos tiempos— son poderosos para contagiar por sí mismos la autenticidad vehemente de sus fondos trascendentales. Pero más abajo de esa altura inefable y «desde esta ladera» del hacer consistente del poema, nos quedarán por siempre las imágenes puras naturales tal y como las sintieron los poetas; siquiera sea, como en el cantar de Claudio Rodríguez, al paso de su encendido caminar tras una caza demasiado cimera de altanería.

En la poesía de Rodríguez, sobre todo en la de sus dos primeras obras, la voz trascendental garantiza y preserva la hondura universal del mito cósmico: la integración de lo diverso externo en el principio imaginativo nocturno, íntimo y exterior al mismo tiempo, de la unidad, la «sincronía» en la doble búsquesa de la «individuación» de la que hablaba Jung[31], el movimiento de la imaginación que profundiza sobre su centro mismo la inquietud de los hombres; y todo ello sin diluirse en vacíos de cálculo racional. El vuelo metafísico de Leopardi en su «Infinito» se labraba sobre lo familiar de una colina yerma, saltando sobre los setos que ocultaban confines de un horizonte mil veces constatado; por no hablar de las cabalgatas de héroes ensoñados en el mítico «Archipiélago» de Hölderlin. ¡Y de cuántos regustos de las sabrosas presencias en lo cotidiano conventual, y de las reminiscencias entrañadas en las experiencias de infancia campesina de San Juan de la Cruz! No podría ser sino también así en la poesía de Claudio, quien nos entrega sus iluminados trasuntos superiores bajo el aventajado claroscuro de entrañables presencias naturales, asimiladas paradójicamente para negarlas en definitiva, ofrecidas a la mejor escala mítica.

Pero la exaltación que se suele frecuentar felizmente entre los críticos sobre el valor de las presencias del natural entorno castella-

---

31. Cfr. M. L. von Franz, «El proceso de individuación», en Carl G. Jung, *El hombre y sus símbolos*, Madrid, Aguilar, 1974, pág. 211.

no[32], no debe escamotear la penetración de unos atisbos de absoluto, sincrónicamente exteriores e íntimos, que resultan particularmente densos en los poemas centrales de *Don de la ebriedad*. Ya hemos constatado antes cómo la señalación del yo por los objetos del entorno, que concretaban tan gozosamente con el amanecer el centro personal de Jorge Guillén, era en el caso de Claudio motivo de denuncia y de castigo, la causa de la individualidad alienadora que les atribuye su designio mítico trascendental: «...ved, de pronto / los seres ama-

32. La crítica en general tiende a diluir, y no sin causa, los aspectos más costumbristas y anecdóticos del sentimiento castellano de Claudio Rodríguez, exaltando por el contrario la trascendentalización y la sublimación hímnica de sus intensos acentos líricos en estos temas de poesía popular y naturalista. Pese a ello, la proximidad a la óptica sensitiva del poeta de la cultura del castellanismo literario, desde el *Poema del Cid* a Unamuno y a los regeneracionistas y a Machado, constituye una realidad que afecta, como la experiencia directa y espontánea de sus propias vivencias personales, a la acendrada modulación sentimental del imaginario sobre el paisaje natural que anima estos primeros libros de Claudio Rodríguez. Hay que tener en cuenta, por supuesto, la cuidadosa distancia que el poeta zamorano ha procurado mantener con el descriptivismo naturalista, reflejada en sus famosas declaraciones sobre la génesis de *Don de la ebriedad*: «¿Se trata de una Poesía de la Naturaleza, como decían los tratadistas del siglo XVIII? O bien ¿se trata de una poesía regeneracionista, analítica, social, como se escribía hace años, de la situación histórica de Castilla (Unamuno, A. Machado al fondo)? Ni es 'Castiella la gentil', del *Poema del Cid* ni tampoco la Castilla miserable, andrajosa, etc...» (ed. cit. pág. 14).

Sin embargo las reservas antitópicas manifestadas por el poeta en las declaraciones anteriores, en todo fieles y adecuadas por lo demás al cuidado tenaz de su elaboración literaria en los poemas, no desarraigan la condición generativa y primaria de los estímulos paisajísticos castellanos en la emocionalidad de la poesía de los primeros libros. El mismo Claudio lo señalaba así, inmediatamente antes del texto arriba transcrito: «...aclarar que mis primeros poemas brotaron del contacto directo, vivido, recorrido, con la realidad de mi tierra, con la geografía y con el pulso de la gente castellana, zamorana». El estímulo natural de los paisajes y los hábitos campesinos castellanos decide sin duda alguna en los perfiles poéticos más decisivos de estos primeros libros. Así lo ratifica en el mismo fragmento, a continuación: «Mal sabía, junto a mis pasos, que el paisaje y los hombres alentaban mis primeras andanzas y aventuras, y mi manera de escribir». Por todo ello conviene enfatizar, contra la inevitable persuasión de mejora que anima la buena fe de los más favorables críticos y lectores de esta poesía, que deprimir la atención a la temática entrañable castellana de Claudio puede desfavorecer la imagen de su constitución imaginaria y sentimental poética, en la medida en que se desatienden los fundamentos reales de la transfiguración a cambio de una supuesta elevación sobre los términos más sublimes de la metamorfosis metafísica. Por otra parte, no debe olvidarse que esas imágenes y esos sentimientos en su base naturalista implican nombres y sonidos, el lenguaje en suma, castellanísimo y popular; uno de los formantes menos descontables en el efecto general poético de una obra verbal hecha de menciones y acentos entrañablemente cotidianos y familiares.

necen, me señalan. / Soy inocente. ¿Cómo se une todo / y en simples movimientos hasta el límite / sí, para mi castigo... / Sí, para mi castigo, el día nace...»Y es en la tensión transida de las metamorfosis de las formas dispersas hacia su síntesis esencial, donde el joven poeta confesaba, al abrir el día, su conmovedora convicción sobre los riesgos extremos de la vida.

El peculiar amanecer de Claudio marca ante todo ese instante en que se quiebran y fragmentan los mitos del deseo. La verdad cenital, doblemente anhelada por la inteligencia curiosa y la conciencia dolorida y culpable, la descendida desde la iluminación nocturna hasta el resplandor de la epifanía de lo Único absoluto, es el vehículo mítico habitual de todos los anhelantes, en las horas febriles de los místicos y en el instante ingrávido de los escrutadores solitarios románticos. La proyección externa de ese anhelo hacia el encuentro de una presencia sagrada unitaria y absoluta es sin duda representativa de la calidad candorosa de la imaginación de Claudio en aquellas primeras narraciones cosmogónicas sobre el impulso íntimo de recomposición del propio yo universal. El cambio de las luces en el despertar del hombre y de los cielos marca el principio del fin y el final del estado de la revelación; y por eso críticos como Prieto de Paula corrigen con todo acierto esa equívoca impresión de normalidad alboreante que habían constatado previamente otros observadores de los instantes míticos de predominio en *Don de la ebriedad*[33].

Como han señalado ya satisfactoriamente algunas de las mejores lecturas de Claudio, la paradójica iluminación auroral que protagoniza la andadura de su anhelo romántico en estas primeras estaciones enardecidamente visionarias, no entraña la agonía cerradamente nocturna de poetas

---

33. Cfr. Ángel L. Prieto de Paula, *La llama y la ceniza*, cit., pág. 41: «Cierto —dice este propósito Prieto— que la poesía de Rodríguez es una poesía matinal, y no sólo en *Don de la ebriedad*, el libro más mañanero entre los suyos. Pero no menos cierto que el poeta hace coincidir, en cruce imaginario, la noche con la claridad» Esa identificación del tiempo matinal, incluso castizamente «mañanero» de Claudio, la refiere Prieto a observaciones como la de Francisco Lucio, «Claudio Rodríguez, entre el aire y la vida», en *Ínsula*, 304 (1972), pág. 4, que había considerado *Don* «el libro más mañanero o matinal de la poesía española, si no hubiera existido antes *Marinero en tierra* de Alberti».

como Valente, ni las medias luces melancólicas de un Brines crepuscular y elegíaco. La confusión nocturna de las apariencias transfiguradas que construye el deseo de Rodríguez, es invariablemente esperanzada y abierta a la resolución. De ahí se sigue la impresión predominante de aurora que comunica *Don de la ebriedad*, desde sus luces cernidas e inciertas[34]. Difusión por tanto y atenuamiento de unas claridades diurnas que serían incompatibles con la demanda de verdad transcendente eterna y regeneradora, absolutoria y sustancial, la que se fingía aún posible para el vate ilusionado de los primeros años y experiencias.

Bien es cierto que la síntesis en que se consolida la percepción intuitiva del poeta en aquellas claridades preaurorales de *Don de la ebriedad*, ha de evolucionar después hacia la declarada variabilidad fenomenológica de la contemplación moral y de la intuición reflexiva, en un proceso de conocimiento que será cada vez más metonímico, determinado y ejemplar dentro de su obra posterior[35]. Pero con todo, no olvida Claudio nunca, ni en los momentos de mayor abismación y herida, la generosidad esperanzada de un mensaje de salvación para sí mismo y sobre todo para su prójimo. De ahí la sensación en todo momento cordial y luminosa, aunque ya no adolescentemente radiante, que convocan en sus lectores más fieles los libros ya tardíos con un Claudio dolorosamente probado y replegado al interior de su propia «almendra» mortal, tal como se habrá de ver en *El vuelo de la celebración*[36].

La medularidad mítica de la situación imaginaria que funda la paradoja temática central en el temprano *Don de la ebriedad*, afirma su influjo en el mosaico mítico de la imaginación del poeta a través de su perpetuación expansiva en una gran variedad de constituyentes

---

34. Cfr. Dionisio Cañas, *Poesía y percepción*, cit. págs. 138-139.

35. Ibid. pág. 82: «Podríamos hablar... de una primera *mirada auroral intuitiva*; luego de una segunda, *contemplativa-moral*; y por fin de una tercera, *contemplativo-reflexiva*».

36. Para José Olivio Jiménez, por ejemplo, (op. cit., pág. 110) la luminosidad radiante como impulso ascensional celebrativo y el canto son las imágenes y emociones poéticas conductoras de la plenitud de la obra aludida, incluso en la madurez penosamente experimentada de Claudio no se olvide que *El vuelo de la celebración* se inicia nada menos que con la cumbre dolorosa de «Herida en cuatro tiempos».

mítico-temáticos, sobre los que ha de ir rebrotando sucesivamente. Tal el caso, destacado ya por Dionisio Cañas, de la evidente equivalencia mítico-simbólica en los tematismos del alborear del día y de la existencia humana, que prolonga y comunica los mitos fundamentales de la inocencia auroral del primer Claudio adolescente con su tierno recurso a la peculiar luz de la infancia, según comparece a partir de las inolvidables odas y composiciones culminantes de *Alianza y condena*. En ellas, cuando el proceso interior de conocimiento se había consolidado ya en experiencia retraída, el recurso imaginario a la peculiar luz afectiva de la infancia —la propia y la contemplada en la inocencia traviesa de los niños ajenos—, ese incesante curso persistente del mito unitario de la claridad iluminada enlaza a˙nuestro poeta con la progenie mítica de los que hacen recurso al origen consolador de una «edad dorada», junto a Wordsworth o a Rilke[37].

En definitiva, las complejas redes de recurrencias simbólicas que vemos evidenciadas en la construcción mítica del tematismo dentro del universo poético de Claudio Rodríguez, vienen a corroborar la trascendencia metafísica del ejercicio estético de este autor, tal como lo proclamara Pere Gimferrer precisamente a partir de las intrincadas construcciones míticas del primer Claudio sobre el símbolo de la paradoja nocturna de la luz[38]. De esa manera la poesía descubre su entraña seguramente más sustantiva y necesaria de sabiduría vital profunda, incorporada al discurso de los mitos «sincrónicos» de la *cosmogonía* y la *individuación*; es decir, la arboleda difusa de los símbolos interiores se ve comunicada por el acierto poético de Claudio Rodríguez con la delicia de sus feraces trayectos externos y sensitivos, a través de las reglas eufónicas del poema y del concierto grácil de sus imágenes.

---

37. Cfr. Dionisio Cañas, *Poesía y percepción*, cit., págs. 136 y 137. Glosando el poema de Wordsworth, «Composed upon an evening of extraordinary splendour and beauty», el crítico subraya la evidencia de que «infancia y amanecer parecen confundirse, pues ambas participan de lo naciente»; y otro tanto infiere de la continuidad mítica de los dos grupos de símbolos temáticos a propósito de las referencias a la niñez de Rilke, «otro poeta que tan familiar le es a Claudio Rodríguez» en la séptima de sus «Elegías».

38. Cfr. Pere Gimferrer, «La poesía de Claudio Rodríguez», en *Triunfo*, 442 (1971), pág. 54.

En el itinerario del segundo poema de este libro, el «Canto del caminar», resuena quizás más próxima aún la voz de nuestros místicos recordando el no saber de quien trasciende las verdades de ciencia y experiencia: «Ni aun hallando sabré: me han trasladado / la visión, piedra a piedra, como a un templo»[39]; y lo que se vislumbra en ese traslado alcanza patente concreción poética arropado por las estructuras extremas de la construcción paradójica, entre los pasos más tensos del oxímoron. Tales aquellos bloques de la luz diáfana: «transparente quietud, en bloques, hecha / con delgadez de música distante / muy en alma subida y sola al raso». Saber sublime de retracción y olvidos de «retiro / al oscuro henchimiento», hecho de comprobar por la exclusión, que «nuestro reino / tampoco es de este mundo». Saber de pasar sin demorarse, de pasar y seguir —aquí las insistentes anáforas que marcan el ritmo al paso ligero constitutivo de «Canto del caminar»— hasta que se descubre la soledad absoluta del propio corazón frente al misterio: «...Y tú, corazón, uva / roja, la más ebria, la que menos / vendimiaron los hombres, ¿cómo ibas / a saber que no estabas en racimo, / que no te sostenía tallo alguno?».

Por propia definición, «Canto del caminar» consagra en lo temático un itinerario exploratorio, el trayecto de observación entre las realidades concretas y exteriores a la búsqueda de reflejos de lo absoluto divino. Como casi todas las demás composiciones en este libro, la panorámica extensa del cotejo que incluye el poema, entre el paisaje exterior y sus metamorfosis alegóricas en estados íntimos del ánimo, cumple funciones de testimonio iniciático a los enigmas de la experiencia absoluta. Críticamente podrían espigarse interpretaciones en tal sentido a partir de determinados pasos del texto, sobre todo en aquellos en que se reproducen las llamadas sin eco al fondo del propio corazón. Pero creo que tal focalización de la lectura no sería absolutamente correcta, porque no estoy persuadido de que ese itinerario hacia el «hombre interior» fuera recorrido todavía por Claudio en el trayecto explícito y consciente de *Don de la ebriedad*. Se lo he preguntado así; y así me consta de sus propias respuestas.

---

39. Cfr. Ángel L. Prieto de Paula, *La llama y la ceniza*, cit., pág. 112.

Pero el convencimiento consciente sobre la fisonomía expresa de las propias intenciones ha de contar escasamente en este caso, porque deliberada o subconscientemente todo hombre experimenta en el mito de búsqueda el proceso regular de identidades que transita equivalente —«sincrónicamente»— de lo exterior a lo íntimo, fundando la experiencia cosmológica y la explicación mágica o religiosa de las cosmogonías. La estructura mítica del trayecto iniciático y del peregrinaje, del itinerario regional cosmológico, tiene su aspecto de proyección íntima en las variantes míticas del conocimiento del «hombre interior», que desde Sócrates a San Agustín y a Santa Teresa formularon el descubrimiento de una necesidad de los hombres para acceder al conocimiento de su propio impulso inicial. El trayecto mítico romántico reconocido por Abrams y después por Frye o por Harold Bloom en la crítica anglosajona, reitera sustancialmente el itinerario del que Jung denominaría trayecto íntimo de «individuación». En tal sentido, no resulta de ninguna manera casual ni prescindible que la andadura simbólica del mito cósmico-experiencial del camino en Claudio coincida fielmente con el diseño junguiano del proceso de individuación, como trayecto de depuración nocturna —interna o digestiva— respecto de la variedad fenoménica de las diferencias accidentales hacia el hipotético núcleo constituido de la identidad unitaria esencial.

En el apartado anterior descubríamos las equivalencias simbólicas entre el componente cognoscitivo del asombro y el anonadamiento experienciales del viaje y los factores de la conciencia perturbada en el impulso de fuga; siendo la condición explícita y patente del factor de experiencia la que enmascaraba y relegaba las afloraciones del factor reprimido emotivo bajo el itinerario mítico del recorrido de reconocimiento cosmogónico. De la misma manera, ahora afrontamos la activación del mismo mecanismo de evidencia consciente en el itinerario expansivo del viaje de reconocimiento diurno cosmológico, convertido en alegoría del trayecto íntimo nocturno de «individuación» interior. Así comienza a manifestarse, por consiguiente, la condición universal y «constante» de los *procesos* míticos con independencia de la sustancia temática que conduzcan: en estos primeros planos del despliegue mítico de Claudio Rodríguez predomina la constancia de la regla de equivalencia alegórica entre lo patente descrito y lo latente simbolizado. Tal vez se trate del orden y de la norma fundamentales en la constitución literaria de los mitos narrados: de la razón de ser profunda de la escritura poética, que Claudio Rodríguez alcanzó a asimilar y a formular con plenitud mítica absoluta ya en su primera obra.

La tradición de cultura dominantemente realista —realista, por supuesto, en los términos filosóficos y teológicos del término— en que los españoles hemos alentado, a semejanza de nuestros vecinos occidentales y a diferencia de nuestros desconocidos del oriente, nos ha hecho ser sicológicamente a Claudio y a mí mismo —como al propio Jung o a sus discípulos— más directamene inductivos que intimistas y abstraídos en los recorridos que reintegran el *yo* en el *ello*. A lo largo de la segunda mitad de nuestro siglo —*Don* es del cincuentaitrés y estas líneas serán publicadas en el noventaimuchos— las noticias sobre las filosofías orientales y el sicoanálisis del inconsciente se han generalizado, superficialmente casi siempre, al alcance de nuestro positivismo occidental. En consecuencia, disponemos hoy de iluminaciones contrastadas y conceptuales sobre nuestros comportamientos y trayectos sicológicos que eran inalcanzables hace cincuenta años por la cultura castellana de Claudio. Sin ella, no podía convocar sino las caminatas sintomáticas de Unamuno y Machado, o el vuelo interior simbólico de San Juan y de Santa Teresa. Esa es la situación real, exagerarla ahora a otros fines sería una absoluta deslealtad crítica; otro más de los detestables «ejercicios de placer» de la escritura crítica onanista.

Pero las obnubilaciones conscientes sobre el trayecto síquico de «individuación»que atraviesa la esfera de la conciencia integrada, no suponen la inexistencia efectiva de la navegación experiencial de Claudio. Sobre todo porque una cosa es formular el mito de la experiencia sobre la metamorfosis transcendentalizante que cumpliría en este caso *Don de la ebriedad*, y otra distinta el seguimiento completo de esa traza integradora de la experiencia en la obra total del poeta. En consecuencia, no es lo mismo que nos hayamos propuesto mantenernos con fidelidad en los límites estrictos de la cultura consciente de Claudio Rodríguez y de sus propósitos realmente formulados en *Don de la ebriedad*, que no reconocer en los acordes entusiastas de aquellos himnos los testigos poemáticos resonantes de la raíz universalizadora en la voluntad inconsciente. Porque es precisamene esa instancia expansiva hacia el vislumbre de una ley niveladora, universal y eterna, de la iluminación trascendental de la conciencia, lo que engrandece y general el mito que se describe en el primer poemario subyugante y remoto de Claudio Rodríguez.

* * * * *

En el itinerario exploratorio de la marcha en fuga que constituye «Canto del caminar», conviene reparar desde el principio en la tematización adelantada a primer plano explícito del ritmo de andadura, constituido en pauta de la grandiosidad hímnica para las extroversiones del anhelo infinito[40]. Desde «Nunca había sabido que mi paso...» etc., hasta el momento de contrapunto ético-reflexivo que se expresa como: ...«Por ese ruido / quizá algunos linderos me recuerden. / Por otra cosa no». Así, la resonancia de la ley de la marcha jalona la circulación en el poema de visiones y nombres, de los referentes reales objetivos con sus transfiguraciones en la metamorfosis poética: «Cambian las nubes..» etc., etc.

Pero pronto comparecen también, junto a los índices externos, las pautas seguramente inconscientes de la ambivalencia trascendental —bidireccional y sincrónica: hacia lo exterior y hacia lo íntimo—. Tal efecto cumple, por ejemplo, la selección del detalle de «amplificatio» focalizado en el espectáculo simbólico de los cursos del agua: ...«como el arroyo / dentro de su fluir, los manantiales / contienen hacia fuera su silencio». Estas formulaciones de la sospecha mítica de Claudio sobre

---

40. Es continua, y muy sagaz, la insistencia del poeta en advertir sobre la condición «en marcha» de la construcción de *Don de la ebriedad*. Con esa indicación previene Claudio sobre una serie de aspectos decisivos que concurren en la constitución de su obra. El *impulso* fundacional de marcha, que en realidad lo era de fuga, determina la presencia fragmentada de las imágenes y su encadenamiento abrupto, apresurado y sin nexos; todo lo cual resulta responsable en definitiva de la peculiaridad acelerada del ritmo poemático característico de *Don de la ebriedad*. Algunas de las declaraciones publicadas de Claudio a ese respecto son asequibles en Dionisio Cañas, *Claudio Rodríguez*, cit., pág.23; así como en «Escribo mientras camino», en *El País*, 20.9.1981, suplemento, pág.4. Por su parte Santos Alonso ha destacado este mismo rasgo, que Claudio enfatiza muy frecuentemente, y que lo emparenta con la progenie castellana de poetas caminantes, como Machado o Unamuno, en su artículo «El camino como metáfora», en *Leer*, 1993, 66, págs. 49-51.

el secreto de los cauces del agua que silencia su tersa superficie limitadora —«Como es la calma un yelmo para el río»; y he de advertir aquí que mi interpretación del símbolo se funda sobre la confidencia personal del propio Claudio— traducen una figuración homologable a la de la esfera de lo íntimo de la identidad, cuyo recubrimiento reproduce el sondeo de la conciencia individualizante hasta su protohistoria genética, dentro del proceso de integración natural originaria del yo en el total absoluto[41].

Sobre esa pauta y bajo estos límites críticos, no veo exceso de interpretación si se subrayan aquí los claros indicios conscientes textuales que apuntan reiteradamente hacia el trayecto universalizante de la transfiguración simbólica, cuando se realiza el cotejo de las imágenes naturales discernidas sucesivamente desde la exploración de estos paseos. Por ejemplo, en la formulación «Hasta la hoz pregunta más que siega», la asociación elemental sugerida por el parecido entre la forma del instrumento y el signo gráfico de la interrogación trasciende a su alcance metafísico, inaugurando uno de los símbolos —el del abrazo mortal de las hoces— más persistentes y luminosos en la galería de imágenes dramáticas que conforman el relieve profundamente patético que lleva en flotación la voluntad de fuga y de acusaciones culpables y el sentimiento de la inocencia en el primer Claudio. Espacio trascendental y tanteos universalizables en lo profundo del significado de los símbolos, que resultan sin embargo eficaces —no se olvide— en la medida en que se originan sobre aciertos insuperables en la selección natural de lo observado y en su nomen-

---

41. A favor de las interpretaciones sicológicas de amplísimo despliegue hipotético que hacemos a partir de este símbolo medular del cauce del arroyo en la mitología personal de Claudio, conviene recordar cómo la focalización del silencio protegido tras el yelmo superficial del curso de agua aparecía ya tematizada en una de las primeras composiciones, la titulada «Manantial», fechada en 1950 e inédita hasta su recuperación filológica por García Jambrina. Cfr., «La prehistoria literaria de Claudio Rodríguez», extracto de la *Revista Hispánica Moderna*, 1993, XLVI, 2., ver págs.14-15. El poema se inicia precisamente con esta marca característica del fondo silencioso del curso de agua: «...Y tan dolido vas que va sin queja / tu fluir, en silencio, / cantando aquellas tardes sin la nieve / derretida de enero» (pag. 23). En el trabajo de Jambrina pueden consultarse numerosos pasos contextuales del símbolo del cauce del agua en la poesía de Claudio Rodríguez a partir de *Don de la ebriedad* y hasta *Casi una leyenda*.

clatura; y sobre todo, en este caso, porque los promueve el vigor de los ritmos:

Un concierto de espiga contra espiga
viene con el levante del sol. ¡Cuánto
hueco para morir! ¡Cuánto azul vívido,
cuánto amarillo de era para el roce! (pág. 49)

No faltan en todo esto, como se ve, los indicios —el «hueco» para morir— que insisten en proyectar el acoplamiento del secreto hacia los espesores tenebrosos del deseo. En todo caso, lo seguro es ya conscientemente la desubicación de los secretos hondos para la realidad más aparente de las cosas: «Ni aun hallando sabré; me han trasladado / la visión, piedra a piedra, como a un templo». En la espacialidad imaginaria del joven visionario pugnaban los hábitos culturales de la orientación vertical del impulso exploratorio, eufórico y diurno, con el ensayo necesario de algún soterramiento ciego, nocturno, hacia la semilla de la almendra, hacia el calor fetal e íntimo del trigo debajo de su cutícula. Por eso se emparejan aquí con una naturalidad contradictoria las fórmulas contrapuestas del impulso: «¡Qué hora: lanzar el cuerpo hacia lo alto! / Riego activo por dentro y por encima / transparente quietud...»

Sin embargo el joven ha abandonado su casa en plena noche para ver, para sentir la intensa fricación con el alma de las cosas. Tal vez era aún muy pronto para que el casi adolescente relegara las delicias de los misterios exteriores; aunque urgieran presencias inconfortables de una incompatibilidad familiar necesitada de conciliación. Quizás resultaba demasiado precoz para la feliz conclusión de un trayecto difícil de experiencia «interior», que exige madurez, su decisión de afrontar sin más apoyos de la mirada la oscuridad del ciego sentimiento ensimismado, disolución de la conciencia aislada en el *tu-yo* interior. Así es como sobrepuja con frecuencia en este canto la cabalgata de delicias externas a las formas de su asimilación íntima como metamorfosis poética: aquel cardal tan sabio retrayéndose «ante la lluvia al áspero / zumo viscoso de su flor»; o aquella lavandera, conocida y simbólica, que blanquea y estruja la camisa del alma; o aquel otro grito de culpabilidad desde las cosas, que asciende desde lo íntimo «como un heñir de pan». Nominación siempre exacta, regustada y sentida como el mayor tesoro: los nombres sumisos de las cosas sencillas, las que alcanzan a acariciar las manos cotidianas. Amor transfigurado, inmensidades de tierra convertidas en «el mar que rige / sobre el páramo», para que el viento sea a la sencillez del chopo «como las jarcias de un navío» y las tardes invasoras entren en su redil.

Así crece el pasar y el que las cosas pasen; ritmos acelerados del caminante joven. Un absoluto ininterrumpido de menciones fidelísimas, retenidas a veces en su detalle exacto apenas transformado bajo el poder del ritmo; en contraste con otros momentos más absolutos y esenciales de la visión en panorámica infinita sobre la eternidad sin accidentes del tiempo, cuando se iguala en rendiciones mágicas del alma:

> ...*Pasan los días, luminosos*
> *a ras de tierra, y sobre las colinas*
> *ciegos de altura insoportable, y bellos*
> *igual que un estertor de alondra nueva.* (pág. 51)

El dolorido lazarillo joven que asiste con fruición al eco de su pujante caminar, apenas tenía aún otros ojos de tiempo que los de contemplar en torno maravillas; el tiempo de fingirse encuentros protectores: «Pero ahora eres tú y estás en todo». Y siguen las imágenes que consolidan el deseo hacia ese impulso paterno, cenital y exterior; aquél que deja huella abierta sobre la tierra y el propio cuerpo como surco simbólico. ¿Y en qué huella encarnar sino en surco de tierras de pan llevar o en «cepa madre», para el adolescente desarraigado escapando a los rigores de Castilla?: «¡Es Castilla, sufridlo!». Castilla la gentil, nombrada sólo esta vez, según mis propias cuentas y las de Claudio, en toda la obra de este su morador invariable; la voz consoladora de la tierra, la «única voz» restante tras el tiempo mítico feliz, siempre anhelado, cuando se le «nombraba como a hijo».

Era tal vez demasiado profunda y conmovedora la incisión y la sed de vacío de aquel vibrante surco recién abierto, para anhelar aún otra sombra y otros espacios íntimos más esenciales que los de las carencias vitales del afecto buscándose paternidades hacia afuera en el nombre de la tierra: «...que la de ella / fuera la única voz que me quedase, / la única intimidad bien sosegada / que dejara en mis hojas fe de cepa. / De cepa madre...» Soledad desamparada y patética del corazón; tal vez uno de los primeros instantes en que se ilumina la orfandaz más radical, la inevitable realidad metafísica del hombre, ser en el mundo...Así le sobreviene a la ternura del desamparo del poeta su simbología más honda de destino: la cepa madre, la uva del corazón del *Rayo que no cesa* — «Pisa mi corazón que ya es maduro»; otra de esas pautas más que seguras de la cultura literaria tempranamente asimilada por Claudio Rodríguez[42]— pisada en el lagar de la vida y el sagrado vino de la ebriedad, resignado o exultante, según la luz de los días y sus trabajos:

> *...Y tú, corazón, uva*
> *roja, la más ebria, la que menos*
> *vendimiaron los hombres, ¿cómo ibas*
> *a saber que no estabas en racimo,*
> *que no te sostenía tallo alguno.* (pág. 51)

El poeta se supo en aquel día voz demasiado temprana y receló de su entusiasmo extrovertido —«He hablado así tempranamente, ¿y debo / prevenirme del sol del entusiasmo?»—. Vitalidad esperanzada de entonces, sinceras culpas íntimas descargadas de la gravedad que mira al fondo por las energías; y el regusto de los mejores nombres conocidos, el nombre de los instantes más puros de la luz, del arbol arce y de la floración en marzo del almendro, para ponderar por encima de todas esas gracias el nombre inalcanzable de lo eterno: «Qué importa marzo coronando almendros. / Y la noche qué importa si aún estamos / buscando un resplandor definitivo». Del canto más misterioso de San Juan arrancó Claudio para la ocasión el aire remontado de la almena celeste; y hay un cruce de direcciones, como en el místico, en el espacio infor-

---

42. Téngase en cuenta la fidelidad nunca enfatizada de Claudio Rodríguez por Miguel Hernández, a quien dedicó su Discurso de ingreso en la Real Academia Española. Como la procedencia unamuniana del símbolo fundamental del *surco*, esta otra hernandina de la *uva-corazón* la he deducido del énfasis puesto por Claudio Rodríguez sobre esta imagen en sus explicaciones universitarias de *El rayo que no cesa*, Cfr. Claudio Rodríguez, *Poesía como participación: hacia Miguel Hernández*, Madrid, R.A.E., 1992, pág.25.

me de estas noches de espera y esperanza: la búsqueda extrovertida que predomina en los impulsos irrefrenables del entusiasmo joven, pero formando ya el cruce con el flechamiento luminoso de estrellas que señalan hacia otro centro más misterioso, tan sólo presentido para la búsqueda en el fondo del corazón: «Oh, la estrella de oculta amanecida / traspasándome al fin, ya más cercana».

El progreso rítmico del caminante cantor construye un crescendo de las epifanías sublimes, que gradúan hacia el final el «clímax» poemático de un itinerario de exploración plenaria. Gozo sólo poético seguramente, esperanza o fe prematura en la ebriedad de aquel adolescente aún no probado en dolores extremos, el único mal irreparable de la existencia. Pero concurre ya en estos versos un aura tan lograda y tan tenue, una luz que se cierne virginal sobre el poema, que no hay más sino que acogerse estremecidos a la inocente visión del joven vate, como uno de los consuelos más aproximados que el arte le forja a la necesidad humana de infinito:

> *Una luz que en el aire es aire apenas*
> *viene desde el crepúsculo y separa*
> *la intensa sombra de los arces blancos...*

Ascesis y frustración: fragilidad inasequible de las presencias en el ápice irracionalista de la iluminación diurna. La acomodación idílica del mito en el libro tercero

Los frescos poemas aurorales de *Don de la ebriedad*, constituidos en mitología cosmológica por Claudio con ejemplar blancura, manifiestan un dominio tan riguroso de la forma y de la retórica figural que desmienten la lectura de todos aquellos críticos que han especulado con las supuestas dificultades aporísticas del lenguaje poético en la intención calculada de Claudio Rodríguez[43]. Una lectura atenta y lingüísticamente

---

43. Para un lector español, la comprensión de la poesía de Claudio Rodríguez en *Don* puede considerarse asequible y hasta diáfana, salvo en unos pocos enigmas o estructuras semánticamente abiertas o polisémicas, que por lo general no se extienden nunca hasta la totalidad del texto del

competente persuade por el contrario de que ni los mitos temáticos, ni las formas que los expresan con acabada explicitud, autorizan en este caso ninguna limitación simbólica insuperable del lenguaje. No se confunda la quimérica impotencia del lenguaje alegada por los deconstruccionistas fundacionales a partir de Derrida, ni en general ni en el caso de Claudio Rodríguez, con los límites naturales de la razón del hombre cuando eleva su deseo a conjeturas y a apuestas metafísicas sobre la dimensión de lo absoluto. A estas alturas ya, pienso que no vale la pena en un estudio crítico concreto como éste corregir discursos meramente derivativos, cuando el centro de autoridad de la deconstrucción crítica, con los libros de Paul de Man al frente, está ya tan suficientemente acotado y rebatido en los excesos de su retórica apocalíptica[44]. El desfase natural entre los alcances de la estructurada disciplina men-

---

poema. Siendo evidente, por supuesto, que el grado de dificultad o de mediatez del significado en el caso de este altísimo poeta no procede de limitaciones o insuficiencias referenciales del lenguaje, sino de la profundidad objetiva de los referentes simbólicos buscados, o del grado de indeterminación constitutiva en la configuración incierta de los mismos. Pues no debe olvidarse que no se trata, en el caso presente, de regulares objetos del conocimiento, sino de meras tentativas exploradas del deseo. A esa distinción, que ha sido desatendida con demasiada asiduidad por la crítica literaria de inspiración deconstructiva en los primeros años ochenta sobre todo, se alude por ejemplo en una lectura de Claudio que podríamos considerar bastante espontánea como la de Arturo del Villar: «Por eso es posible distinguir una doble posibilidad significativa: lo que se dice, que está muy claro y no precisa de añadidos escoliastas, y lo que se quiere decir, la segunda intención encubierta, para que sólo algunos sean capaces de advertirlo». Cfr. «El don de la claridad de Claudio Rodríguez», cit., pág. 21. Y si elegimos el parecer de uno de los analistas más finos y profundos de esta poesía, como es en mi opinión Jose María Sala Valldaura, concordamos absolutamente con sus salvedades, incluso con las que se refieren a los mecanismos de la simbolización por naturaleza oblicua y polisémica como la alegoría, convertida desde el famoso dictamen de Bousoño en el esquema figural expresivo más característico de los primeros tres libros de Claudio. Pese a ello, Sala establece categóricamente: «Claudio Rodríguez sabe, en general, dar suficientes elementos y referencias —con el uso de palabras de relación directa, incluso *filosóficas*— para que el poema tenga valores implícitos sin llegar a lo críptico»; cfr. «Algunas notas sobre la poesía de Claudio Rodríguez», en *Cuadernos Hispanoamericanos*, 334 (1978), pág. 133.

44. En torno a la discusión teórica personal que implican mis juicios y valoraciones en relación las críticas sobre Claudio de inspiración relativista y deconstructiva —cuestión sobre la cual no juzgo pertinente extenderme en un estudio crítico-analítico sobre un autor concreto— remito al detallado tratamiento de los fundamentos teóricos y los principales protagonistas de la crítica norteamericana postestructuralista en mi *Teoría de la Literatura*, Madrid, Cátedra, 1994; especialmente en los capítulos de la segunda parte págs. 316-378. Por otro lado, debo reiterar aquí mi sincera

tal y de los infinitos abiertos al anhelo es una cuestión universal en todo caso de sicología, que no representa en sí aporía absoluta sobre las supuestas insuficiencias del lenguaje. El conocer de Claudio es riquísimo, y su capacidad lingüística de expresar ese poder cognoscitivo se manifiesta absoluta y —por lo menos en la gran masa de versos de *Don de la ebriedad*— hasta diáfana. Lo que no resultaría sino contradictorio sería la pretensión de una *legalidad infinita* del lenguaje para asumir y formular los absolutos de un conocimiento sobre los objetos ilimitados del anhelo trascendental, sean ahora los de nuestro poeta o los del hombre universal. El lenguaje ya cumple con declararlo así, que no es poco; las aporías más ciegas sobre las insuficiencias simbolizadoras del lenguaje quedan respondidas y cerradas por éste al formular puntualmente el límite aporético.

Debate con más sentido pudiera ser el que afecta al tantas veces removido fondo irracionalista del lenguaje de *Don de la ebriedad*. Aquí todo dependería de matices, que los comprometidos en esa discusión no quieren reconocerse mutuamente: de una parte resulta innegable la posibilidad de espigar incluso efectos etiquetadamente surrealistas en algunas imágenes concretas, sean o no éstas las más expresivas poéticamente. Pero no está mal fundado tampoco en las evidencias de la lectura práctica el parecer de quienes dicen acceder sin problemas, racionalmente, al conjunto de estos mensajes diáfanos. Tal vez todo consista en el fondo en una cuestión de simple profundidad de la competencia en la lengua, de lecturas pacientes y detalladas; y en último

---

estimación muy matizada de las indudables aportaciones «en positivo» de los líderes de la deconstrucción y el alojamiento del valor poético en el pensamiento de Derrida (Ibid. págs. 337 y ss); sobre todo —en especial en el caso de este mismo libro— nuestra alta valoración de la retórica figural también «positivada», que alumbró Paul de Man bajo la denominación de «lectura alegórica» (Ibid. págs. 352-367). En buena medida, la segunda parte de esta reconstrucción teórica del concepto estilístico de «forma interior» es tributaria al modelo «positivado» del análisis alegórico-figural de Paul de Man. Lo mucho que de revalidable me parece que hay en la analítica deconstructiva, depende de que se le libere de la carga innecesaria y estéril de una retórica y una ideología trucadamente aporéticas sobre el lenguaje y el significado, actualmente desacreditada entre otros por el poco sospechoso Umberto Eco, en *I limiti dell'interpretazione*, Milán, Bompiani, 1990, y de que se consideren positivamente las estructuras figurales de la retórica como *formantes* estructurales y no como *deformantes* aporéticos.

término de la voluntad de concordar en lo sustancial, sin disentir po-sicionalmente —profesionalmente— por principio.

No conviene confundir en este trance sin embargo la suficiencia o no de lo referencial lingüístico, que sin duda lo alcanzan muy satisfactoriamente en su conjunto los mensajes de *Don de la ebriedad*, con la apelación también inocultable en esta misma obra a la periferia alusiva —intersticios, silencios, efectos simbólicos de rebote, etc...— de la referencialidad racional y consciente, con la que la mayoría de los poetas —y Claudio también— tantean mediante descomposiciones inusuales del código expresivo sobre la decisiva orla de las valencias connotativas, sentimentales e imaginarias, para suscitar los efectos emocionales y fantásticos implícitos en el componente sentimental de la evocación artística, externa si se quiere a la racionalidad habitual estricta. Negar tal evidencia equivaldría a descodificar comunicativa-mente símbolos expresivos perfectamente asimilados en el mensaje poético de *Don de la ebriedad*. Casi al azar: «y no revela que en la noche hay campos / de intensa amanecida apresurada / no en germen, en luz plena, en albos pájaros. / Algún vuelo estará quemando el aire, / no por ardiente sino por lejano» (pág. 34); y poco después: «Como es la calma un yelmo para el río / así el dolor es brisa para el álamo». O bien el sueño de «una gran meseta» puesto sobre el alma vegetal de la encina amanecida por un viento tan sólo musical en el poema tercero; o los «ruidosos palomares» del alba en el cuarto y el legen-dario cuento de sus penas por el río solemne en el quinto, etc... Se trata de niveles habituales en la metamorfosis poética que a nadie debe escandalizar que se les denomine propiamente irracionales, como lo ha hecho Philip Silver[45] a la cabeza de otros, en el caso de esta poesía temprana de Claudio Rodríguez.

---

45. Cfr. Philip Silver, «Claudio Rodríguez o la mirada sin dueño», en *La casa de Anteo*, Madrid, Taurus, 1985. Recordemos alguna de las mejor matizadas formulaciones de la tesis prin-cipal de Silver: «De la poesía de Rodríguez se desprende también un designio parecido, llamado *surrealista*, de arrancar de cuajo al lector de su rutina espiritual y moral, y de embarcarle en una aventura poética destructora de aquella nada infrecuente postura vital que «sólo ven en las cosas / la triste realidad de su apariencia» (pág. 229).

Más discutida ha sido la atribución por Silver del tenor imaginativo de la poesía inicial de Claudio a concreta contaminación surrealista, que se habría movido desde la confesada influencia de Rimbaud en sus poemas en prosa[46]. Pese a lo cual, no se puede descartar ni minimizar la importante pista genética abierta por Silver, como se ha hecho a veces, sin sopesar y verificar con los textos y la crítica de Rimbaud en mano la meridiana atribución del hispanista americano. Dentro de la dinámica denunciada por Silver sobre el prejuicio inercial en sectores muy amplios de la crítica española para desconocer en todo lo posible cualquier huella

---

46. Ibid. pág. 222. Para las imprescindibles motivaciones aceptables de Silver, véase sobre todo lo indicado en el apartado«Claudio Rodríguez, poeta surrealista ('ma non troppo'), en págs. 227-232. Especialmente sus observaciones sobre la peculiar articulación de raigambre rimbaudiana en las primeras obras de un surrealismo que desemboca en forma de metáfora textual continuada, con el resultado de un «irracionalismo metafórico», es decir surrealismo de apariencia irracionalista del que han hablado habitualmente y sin sobresaltos los críticos mayores de Rodríguez a partir de Bousoño. Así, según Silver: «El (automatismo surrealista) de Rodríguez, además de generar la consabida arbitrariedad metafórica, reviste la aludida novedad en las letras españolas de vertebrar poemas enteros, probablemente por influencia de Rimbaud. Por lo menos en lo que se refiere a la insólita expansión de la metáfora continuada..., no cabe encontrar precedente más a mano que poemas en prosa de Rimbaud como *Bárbaro* y *Movimiento*» (pág. 228). Entre los discrepantes de Silver sobre esta decisiva cuestión destacó Jaime Siles, «La palabra fundada» en *Quimera* 9-10, (1989), pág. 77 y más extensamente en «Dos versos de Claudio Rodríguez y una prosa de Pedro Salinas: ensayo de reconstrucción», en *Ínsula*, 444-5 (1983), págs. 6-7. Por su parte, creo que Prieto de Paula manifiesta y lidera una forma de discrepancia leal sobre estos problemas críticos con su razonable defensa del control consciente que, según él, ostenta Claudio en todo trance de su proceso creativo (cfr. *La llama y la ceniza*, cit. págs. 85-87). Para Prieto, siguiendo en esto a Siebenmann «el aparente irracionalismo... es una incoherencia con clave». En términos próximos a la actitud de Prieto y con fundamentos de opinión muy semejantes a los suyos, podríamos recoger aquí entre otros a Dionisio Cañas, en *Claudio Rodríguez*, cit., pág. 68; o al influyente Gustav Siebenmann antes citado, cuando considera en términos generales que «la ordenación del pensamiento es tan lógica que su esquema parece obedecer a la preceptiva retórica» (Cfr.*Los estilos poéticos en España desde 1900*, Madrid, Gredos, 1973, pág. 465). Por su parte Pilar Palomo, a propósito de los esquemas de vinculación entre imágenes y palabras al interior del poema, diferencia entre ilogicidad y surrealismo «Es, en consecuencia, un proceso alógico, aunque esta alogicidad no creo que pueda relacionarse con el automatismo surrealista» (Cfr. «La poesía española en el siglo XX», en J.I. Ferreras (ed.) *Historia crítica de la Literatura Hispánica*, Madrid, Taurus, 1988, pág. 127). Como en tantos otros casos, la sagacidad de José Olivio Jiménez ha producido sobre esta debatida cuestión también las fórmulas más adecuadas; por ejemplo, hablando de *Don de la ebriedad*: «...Lo meditativo se enriquecía con una carga expresiva sin temores teñida de los latentes valores irracionales de la palabra, rarísima entonces...» (Cfr. «Claudio Rodríguez entre la luz y el canto...» cit., pág. 108).

de surrealismo entre nosotros[47], el punto innegable de transgresión viene a ponerlo siempre y sobre todo el controvertido experimento del surrealismo tardío sobre los ejercicios de escritura automática. También aquí resultaría prudente medir y contextualizar antes de desesperarse y tirar los trastos por la ventana a primera sangre; y sobre todo resulta imprescindible comprobar con imparcialidad crítica objetiva a qué alude propiamente Silver en los casos puntuales en que asocia el surrealismo con el rico y más que cierto filón de los «orígenes» rimbaudianos del joven Rodríguez.

En este punto remitimos a las páginas correspondientes de la segunda parte de nuestro libro sobre la verificación retórico-estilística de la propuesta rimbaudiana de Silver, porque se trata de una cuestión de consecuencias textuales sintáctico-dispositivas derivadas del despliegue de un esquema retórico metafórico. Quede aquí por ahora simplemente registrada la decisiva cuestión literaria de su anclaje referencial simbólico en la expresión poética y en la constitución del universo mítico de Claudio Rodríguez, sobre todo para la primera etapa de su confirmación imaginaria del *deseo*.

Los hallazgos más radicales de ambigüedad irracionalista en *Don de la ebriedad* se localizan sobre todo en los poemas de la tercera parte. Cabría pensar en consecuencia, si se asume la hipótesis sobre el crecimiento creativo del libro a que animan ciertas apariencias, que la densidad irracionalista del discurso poético de Claudio habría aumentado en grado con la última etapa, supuestamente, madrileña de la escritura de la obra, a la que corresponderían, según esa conjetura infundada, los poe-

---

47. La importante defensa de un surrealismo patente entre nosotros a partir de los poetas y las obras tardías de la «segunda generación» del veintisiete —Aleixandre, Lorca, Cernuda— y en los años de la postguerra, como por ejemplo en Rosales, cualifica la tesis de Silver, junto al avizorador antecedente de Cano Ballesta, como uno de los proyectos más documentados y penetrantes que organizan racionalmente el panorama de nuestra literatura moderna. Véase su reciente *Ruina y restitución: reinterpretación del Romanticismo en España*, Madrid, Cátedra, 1996. Sobre la incidencia del propio caso de Claudio Rodríguez en ese panorama crítico-historiográfico, ver de Silver, «Nueva poesía española: la generación Rodríguez-Brines», en *Insula*, 270 (1969) págs. 1 y 14; así como los apartados subtitulados «Ciertos reparos a la Generación del 27» y «Una tradición inadvertida del surrealismo español», en el capítulo antes citado de *La casa de Anteo*, cit., págs. 223-227.

mas de la parte tercera[48]. Además la presencia dentro de esta serie del poema dedicado a Clara Miranda refuerza la apariencia de la creación progresiva y continua según la estructura resultante del libro.

Sin embargo las evidencias históricas, tal como nos las ha confirmado el propio poeta a mí mismo o a Jonathan Mayhew, contradicen la atractiva hipótesis del crecimiento del irracionalismo poético en paralelo al de su cultura literaria moderna, incrementada y modificada a partir de su instalación universitaria en Madrid. Los textos más irracionalistas de esta tercera parte —primero, cuarto y sexto— son confirmadamente, junto al sexto de la parte primera, los más antiguos en la elaboración de la obra. La declaración de Claudio Rodríguez obliga a invertir, por tanto, el supuesto orden del irracionalismo poético en el crecimiento temático y en la maduración poética del escritor; es decir, se habría dado en realidad un proceso de distanciamiento respecto al irracionalismo poético y de progresiva clarificación imaginaria y expresiva del mito cosmogónico y de las formas artísticas que lo representan.

Queda a salvo en todo esto, no obstante, el proceso consciente de ordenación definitiva del libro según un orden congruente de construcción global de la experiencia en el mito cosmogónico. Ya hemos dicho que Claudio prefiere recordar y representarse actualmente como emotivamente caótica su situación anímica y el género de vida que hacía durante las etapas finales de composición de su primera obra. No obstante, las evidencias del libro obligan a reconocer en la ordenación de sus constituyentes un nivel muy elaborado de estructuración progresiva y de coherencia narrativa del tematismo mítico. En todo caso, Claudio habría seleccionado los fragmentos poemáticos dispersos, como se

48. Con esta hipótesis creativo-biográfica parece contar Dionisio Cañas, *Claudio Rodríguez*, cit., pág. 34: «El canto tercero de *Don de la ebriedad* está ligado ya a una separación física, emocional e intelectual de Zamora, del Padre Duero, y de todo lo que aquella ciudad y sus tierras representan para Claudio Rodríguez». Si bien los desajustes que efectivamente asedian a la hipótesis biográfico-progresiva sobre el supuesto paralelismo cronológico y referencial que ordenarían similarmente la estructura de la obra y el crecimiento de las experiencias biográficas y míticas, le obligan a corregirse inmediatamente: «Tal vez no esté tan claramente expresada esa separación, pero es sin duda —concluye no obstante— dentro de *Don de la ebriedad* donde tal crisis espiritual está ya patente». Tal vez sí dentro del total de la obra, pero no principalmente en todos los poemas de esta tercera parte, según el testimonio concluyente que me confía el propio Claudio Rodríguez.

manifiesta desde el comienzo de la tercera parte, la cual denota explícitamente la acción de un cambio que jalona la doble modificación de la experiencia mítica y de la secuencia narrativa que la representa: «Lo que antes era exacto ahora no encuentra / su sitio».

Para explicar razonablemente la entidad de este importante cambio, técnicamente artificioso y —precisamente por eso— formalmente ambiguo, lo mejor es leer los poemas que orlan esta parte: el primero «Con marzo» y el octavo, pues queda así expuesta la constante reconocida por toda la crítica de cómo el poeta —o la mano de su mentor Aleixandre otros libros después— acostumbra a organizar «a posteriori» y a graduar con atinado celo conceptual y hasta casi didácticamente la exposición de los mensajes. De esa forma se aprecia en el primer poema la siembra prometedora de enigmas ambiguos que el último resuelve y cierra con una diafanidad mítica tan convincente como simplificadora.

La composición subtitulada «Con marzo» presenta un perfil de búsqueda del término de la experiencia absoluta, entorpecida ahora por la luz solar, que prolonga por vía negativa la situación habitual de la paradoja mítica precedente: el día diluye y dispersa en variedades inciertas los alcances de la visión unitaria lograda mediante la iluminación sobrehumana de la noche: «Lo que antes era exacto ahora no encuentra / su sitio. No lo encuentra y es de día». A su vez, la confidencia personal que se corresponde con esa situación mítica que invierte la experiencia cosmológica, expresa inequívocamente la culminación plenaria de los sentimientos de ebriedad, servida desde el poderoso ritmo hímnico de la marcha redoblada —no se olvide que todos estos poemas fueron compuestos recitándolos al paso acelerado de Claudio en plena caminata y retenidos largo tiempo en la memoria antes de ser definitivamente trascritos—, así como desde un conjunto de irracionales destellos de imágenes fragmentadas:

> *Volado yo también a fuerza de hambres*
> *cálidas, de mañanas inauditas,*
> *he visto en el incienso de las cumbres*
> *y en mi escritura blanca una alegría*
> *dispersa de vigor.* (pág. 55)

La disposición temática de ese conjunto de imágenes irracionalistas, fuertemente poéticas, favorece el efecto de acumulación acelerada y de rápido desfile en vuelo ante la mirada del contemplador. Porque el poema rotulado «(con Marzo)» es otro «Canto del caminar», crónica fiel y selectiva de los paseos-escapadas del joven enardecido y culpable; carrera esta vez a pleno sol, a plena luz, en la que se acumulan sobre la celeridad convocada del ritmo los retazos de imágenes fragmentadas. Los vínculos íntimos del ajuste racional quedan elididos convencionalmente, movilizando los más accidentados y brillantes brotes irracionales del venero mítico imaginativo. En ese tenor de construcción fantástica, «El manantial que suena a luz perdida» propone la unión irracional del ser y de una propiedad inadecuada —sonido del manantial y trasparencia remota de la luz—; pero también las «hambres cálidas» y «las mañanas inauditas». Gramaticalmente el desajuste irracionalista de todas estas combinaciones imaginarias consiste en una «subcategorización anómala», pero con mucha frecuencia el efecto poético radica en cruces de la fantasía menos automáticos que las violaciones elementales de la regla gramatical. Así sucede, por ejemplo, en la transustanciación poética de los vapores de la escarcha en el «incienso de las cumbres», o la del júbilo desvalido de la propia escritura inocente: «y en mi escritura blanca una alegría / dispersa de vigor...»

En el arracimado desfile de estas imágenes iniciales del poeta adolescente, adquiridas en los itinerarios de la exploración postural, asistimos a la constitución de los núcleos imaginarios destinados a consolidarse en mito; así acontece en la transfiguración de las estrellas, testigos privilegiados de la particular ensoñación paradójica del deseo cosmológico: «¿No se ilimitan / las estrellas para algo más hermoso / que un recaer oculto?». Peculiar metamorfosis mítica de lo real preñada de toda suerte de palpitaciones emotivas. Unas veces la amenaza y el miedo se adhieren a símbolos siniestros, como los de la luz de luna bruñendo los calveros mortales del pinar: ...«Si la vida / me convocase en medio de mi cuerpo / como el claro entre pinos a la fría / respiración de luna...»; en otras se perfila el acotamiento del espacio del aire a cargo de la filigrana dinámica que le trazan los vuelos de las aves señaleras: ...«brisas / de montaraz, silencio, aligeradas / aves que se detienen y otra vez / su vuelo en equilibrio se anticipa». Y la gravitación del grano en la sazón misteriosa y sagrada de los meses propicios; y hasta las simples imágenes más diáfanas y escogidas, como las de los designios azarosos de un vuelo de la voz, la elección del impulso del ritmo y del destino caprichoso de la rima obligada en respuesta asonante: «Tú sobre el friso de la amanecida».

Aires y tierra, aves y vegetales y cursos de agua sin sombra de población humana van depositando el espesor imaginario, fecundo y propicio a la metamorfosis. A veces tal densidad se concreta en imágenes directas y certeras, como la rauda velocidad de las golondrinas incidiendo en los nidos de la muralla; pero en otras ocasiones lo que se apunta es solamente el perfil de un corte de la celeridad indefinida sobre el aire: la curvatura extrema del perfil de las alas como el espacio vaciado por el cercén del hacha, y mantenido milagrosamente sobre la orla más accidentada y sutil de la nominalización fragmentada en encabalgamientos:

> *Oh, plumas timoneras. Mordedura*
> *de la celeridad, mal retenida*
> *si el hacha canta al pájaro cercenes*
> *de últimos bosques y la tierra misma*
> *salta como los peces en verano.* (pág. 56)

El poema diseña consistentemente los fundamentos espaciales donde se residencia el mito: «Yo que pensaba en otras lejanías / desde mi niebla firme, que pensaba / no aparte de la cumbre, sino encima / de la ebriedad». Mas junto a eso, el juvenil ardimiento de la imaginación se asocia a sus símbolos más recónditos y persistentes, como el de la uvacorazón, entrevisto en el poema dentro de su probable génesis inicial. Faltan aún las afloraciones léxicas definitivas bajo la asociación discontinua entre la viña evocativa y el «rugoso corazón» del verso en el periodo sucesivo; o el del curso de las aguas ensoñadas: ensueños de la sed del caminante mesetario de secanos y páramos inmensos, que transustancia el líquido en salmodia duradera, en tersuras insonoras de yelmo o en transparencia límpida de doncellez inmaculada; «El agua. Se entristece al contemplarse / desnuda ya con marzo casi encinta».

El cemento entusiasta del ritmo crea sus ecos ajustados en rima de poema, donde se engastan las piedras imaginativas de todos estos depósitos transfigurados de la contemplación natural. No hay otra manera de explicar la sensación de perfecto acorde y de ajuste exactísimo que crea el continuo de las imágenes asociadas bajo el misterio profundo de las convergencias sensoriales del ritmo:

De qué manera nos devuelve el eco
las nerviaciones de las hojas vivas,
la plenitud, el religioso humo,
el granizo en asalto de avenidas.

Andadura portentosa del ritmo acelerado en clímax para la síntesis última del poema, donde se adelgazan aún más los trasuntos de las mejores imágenes. Brilla el acierto extremo de la virtud poética casi innata de Claudio: fusión de lo espontáneo con lo experto y profundo, facilidad grácil de los cursos del ritmo unida a selecciones convergentes de símbolos recónditos encarnados en mito, pujanza clarividente del escogimiento racional y espontaneidad tierna y sonante de las emociones. Gracia y acierto, ebriedad y fórmulas acuñadas en perfección expresiva:

¡Voz tanteando los labios, siendo cifra
de los ensueños! Ya no de esta bruma,
ya no de tardes timoneras, limpia
del inmortal desliz que va a su sitio
confundiendo el dolor aunque es de día.

Sobre la identificación ya lograda y completa de la experiencia de la luz nocturna se enclava el misterioso *tú* con su incierta capacidad universal y sagrada de referencia misteriosa, en la que destacan los atributos de belleza y de expresividad trascendental que se le señalan: «...Huele a ti, te imita / la belleza, la noche a tus palabras / —tú sobre el friso de la amanecida». Porque en esa *presencia* infinita y olímpica instalada «sobre el friso de la amanecida» convergen los trasuntos más universales y absolutos. Una oscura presencia capaz de incluir lo mismo a la sombra benéfica de la mujer amada que a la *divinidad* no ajena al hombre, sin perfiles concretos y contraria por su propia sustancia al principio sicológico de «individuación». Visión en rapto de celeridad tajante que se asimila sólo a las imágenes más extremadamente atractivas e irracionales, como la poderosa del corte del hacha en los últimos bosques de la imaginación, que inaugura la promesa de horizontes sin límite como las plumas extremas que gobiernan el vuelo del ave en una de las imágenes poéticamente más productivas y reconociblemente irracionalistas de toda la poesía de Claudio.

Pero la prolongación en imágenes transracionales de esa presencia sagrada en el contexto sucesivo se resiste a la incertidumbre de las formas plenarias de la experiencia natural: la mirada del agua «que espera ser bebida», «las nerviaciones de las hojas vivas, / la plenitud, el religioso humo, / el granizo en asalto de avenidas». Una presencia que se concreta por una parte en pronombres ambiguos, el *tú*, el *ella*, que traducen indicios incumplidos para la inmediatez de la presencia, y que se explaya en el final del texto bajo las formas más abarcantes de la universalidad del mito: «Ah, nombradla. Ella dice, ella lo ha dicho».

La evidente condición universal y difusa —con su correlativa ambigüedad simbolizadora si se quiere— de ese *tú* pronominal, protagonista sobrevenido a la expresión de la experiencia mítica, queda manifiesta precisamente cuando se confronta con su uso en el poema siguiente a Clara Miranda, donde el *tú* encuentra una referencia personal inequívoca[49]. En este caso, el hallazgo del *tú* implica un soporte más favorable y ágil por sí mismo de la coyuntura eufórica, que faltaba antes inquietantemente en

---

49. Se trata de las primeras apariciones del tematismo amoroso en el universo poético de Claudio Rodríguez. Pero el amor pudiera ser el componente mítico más poliédrico e incierto entre todos los demás formantes del mito personal de Claudio; de ahí que las opiniones críticas se han dispersado extraordinariamente a este respecto. Algunos, como Mudrovic, han emplazado con calidad protagonista el fundamento de la intención y el desarrollo temáticos del amor en la obra de Claudio Rodríguez, sobre todo en un libro como *Alianza y condena*. La síntesis temática del mismo que realiza Mudrovic destaca la superación de la angustia mortal y el ahicamiento en el interés de la vida por obra del amor (Cfr. «Claudio Rodríguez's *Alianza y condena*: Tecnique, Development and Unity, en *Symposium* 33 (1979), págs. 248-266. Aún más absolutamente en *El vuelo de la celebración*, identifica las noticias familiares de muerte que proclama «Herida en cuatro tiempos» con la supuesta prolongación de la historia amorosa de Claudio, como una suerte de cancionero

lo inestable de la visión mítica desde la ebriedad; confirmando la condición externa y excepcional de este homenaje a su joven enamorada, respecto a la elaborada entidad construida del mito temático unitario que gobierna la diversidad de constituyentes en este poderoso relato de iniciación cosmogónica. De tal manera que la conjunción del mito personal fundante de la original representación cósmica de la iluminación, que en este texto se cruza con las más convencionales y viejas fantasías sobre

---

«in morte» de la amada (cfr. William M. Mudrovic, «Time and Relaity in Claudio Rodríguez' *El vuelo de la celebración*», en *Anales de Literatura Española Contemporánea*, 6 (1981), pág. 123).

Sólo cuando se entendiera mucho más oblicuamente el amor como el gran motor de la filia universal y no en su acepción más propia y directa de vinculación sentimental y erótica, como lo asumen por ejemplo la biografía de Cañas o la interpretación de Sala Valldaura sobre el momento de la historia poemática que culmina en «Ahí mismo» (art. cit., pág. 133), podrían proponerse los sentimientos amorosos como un centro efectivo de los ideales de conocimiento y de solidaridad realmente dominantes en toda la obra de Claudio. En tal sentido, son a mi juicio más asimilables opiniones como la de Carole A. Bradford, que sugieren mediaciones del amor mucho más genéricas, universales y metafísicas. Cfr. «From Vicente Aleixandre to Claudio Rodríguez: Love as a Return to the Cosmos», en *Hispanic Journal*, 4, 1 (1982), pág. 98.

La incidencia publicada del amor personal biográfico de Claudio en sus primeros libros puede considerarse pudorosamente recatada y hasta raramente excepcional sin fundamentos expresos, en todo caso, para alentar conjeturas biográficas gravísimas. Incluso la aparición de los temas estrictamente eróticos como «Música callada» de *Alianza y condena*, o su adensamiento en la historia pasional narrada dentro de *El vuelo de la celebración*, sólo le merecía al informado biógrafo Cañas valoraciones de tematismo atípico y difuso, «que responde a una circunstancia vital compleja», fruto accidental y torcido «del desencuentro cotidiano con la historia propia y la de la sociedad» (Cfr. *Claudio Rodríguez*, cit., pág. 76).

Desde el punto de vista del tematismo mítico, los casos de censura o de «borrado» temático, como éste del amor en Claudio, suscitan un interés doblemente justificado para la elucidación y la reconstrucción crítica del mito sicológico. De ahí la importancia que tiene señalar la asimetría del tratamiento poético del amor dentro del conjunto de temas del primer núcleo publicado del universo poético personal. El debate sobre el conflicto soterrado en las implicaciones biográficas y sicológicas entre los temas familiares del desamor y el desasosiego y la conformación problemática del eros en la biografía poética de Claudio Rodríguez ha de diferirse hasta que el amor erótico se presente con todo su esplendor decisivo en *El vuelo de la celebración*, donde las confidencias personales de Claudio orientan hacia una pluralidad de objetos y aventuras personales. Pero en la paráfrasis crítica sobre estas primeras apariciones concentradas de *Don de la ebriedad*, no se justifica el tormentoso descenso a esa arqueología problemática del erotismo de Claudio. Se trata, como hemos dicho, de las felices notas perfectas de un amor humano a Clara Miranda, compartido y celebrado en sus términos de máxima discreción, o de los primeros acentos de un amor más universal y metafísico.

la innovación en la mirada sobre el mundo de las almas enamoradas, presta todavía una cierta trascendencia mítica a las fórmulas más tradicionales de la euforia amorosa:

> ...*Qué verdad, qué limpia escena*
> *la del amor, que nunca ve en las cosas*
> *la triste realidad de su apariencia.*

Si bien se mira, es la realidad de la experiencia transfigurante del amor la única consistencia convencionalmente asumible en todo el poemario. Porque, en especial en esta tercera parte, que incluye sin embargo —no se olvide— algunas de las formas más embrionarias e iniciales en la conformación mítica de la imaginación de Claudio, la vivencia transfigurante del poeta que instaura la paradoja mítica de la iluminación esencial, logra acentos muy tensos al tratar de expresar el alcance de la vivencia del *tú* universalizado, sin duda para representar la redondez del mito en el espacio acotado de la obra. En este punto se hace cierta la pretensión esteticista tantas veces aventurada por el propio Claudio Rodríguez, que propone la prioridad del «hacerse» expresivo del poema, el encaje sinfónico de su constitución estética, por encima de cualquier exigencia racional del contenido o de la simbolización, incluida la mítico-temática e idiosincrásica[50]. A tan sublime impulso radical del círculo perfecto, también en el esplendor material poético del poemario, sacrificaba aquel joven iluminado la forzada apoteosis de la identificación personal con la *presencia* señalada en el *tú*.

* * * * *

---

50. Del prólogo del autor a su edición *Desde mis poemas*: «... la expresión de dichos límites, entre la transparencia y la opacidad, tiene sentido a través de una técnica, por decirlo así: de las posibilidades rítmicas, sintácticas, léxicas del lenguaje»; y después: «La voz, la palabra humana, va excavando un cauce que puede, a veces, llegar hasta *el oráculo del sueño* o a la creación del ritmo de las cosas, o de la intimidad más inefable». Y desde luego: «El merodeo hacia la exactitud, quizá, del estilo puede adquirir varios matices que, generalmente, se atribuyen a los cánones o sistemas expresivos». Y aún más: «Gran parte de la poesía contemporánea —y no sólo española— queda coja, inválida, y no únicamente por la absurda denominación de *verso libre*, sino por la distancia esencial del lenguaje ante las cosas», ed. cit. págs. 15-16.

Uno de los factores no inmediatamente manifiestos que resultan más decisivos sobre la fascinación y el interés que desde su aparición ha condicionado la simpatía por parte de los lectores a *Don de la ebriedad*, es el de la bien graduada y motivada ordenación narrativa del mito iniciático que incluye, sobre el recorrido de exploración cosmológica constitutivo de la experiencia. Como hemos repetido ya en varias ocasiones, la historia de este itinerario de iniciación la organizó el autor en dos etapas bien diferenciadas, que se acogen a los grupos de poemas de las dos partes extremas de la obra. En el primer libro asistimos al desarrollo de la ascesis nocturna de la ebriedad, bajo el esquema paradójico de la visión sustancial favorecida por la oscuridad, depuradora de las diferencias accidentales a favor del principio unitario que identifica y define verdad y bien. En nuestros análisis de las situaciones de digestión imaginaria y de nocturnidad mítica del libro primero, el mecanismo de la inversión paradójica aparece difuminado en detalles expresos y precisos, pero que proyectan un condicionamiento ambiental masivo de declinación radiante, cuando no de nocturnidad absoluta visionaria, bajo el modelo de la iluminación mística[51].

51. Precisaremos, como evidencia incontestable sobre nuestra apreciación, los siguientes pasos del libro primero. En el primer poema: «... así la noche / cierra el gran aposento de sus sombras»; «Si tú la luz te la has llevado toda, / ¿cómo voy a esperar nada del alba?». El poema segundo tematiza en su totalidad el factor de nocturnidad de la visión sustancial paradójica; recordemos: «Yo me pregunto a veces si la noche / se cierra al mundo para abrirse o si algo / la abre tan de repente que nosotros / no llegamos al alba, al alba al raso / que no desaparece porque nadie / la crea: ni la luna, ni el sol claro»; «Y es que en la noche hay siempre un fuego oculto, / un resplandor aéreo, un día vano / para nuestros sentidos,...»; «Así yo estoy sintiendo que las sombras / abren su luz...» etc...El tercer poema postural sobre la encina no especifica ambientación diurna o nocturna; mientras que el cuarto, temáticamente dedicado a la irrupción luminosa del alba, pondera en paralelo sobre todo la periferia ambigua y nocturna del momento de luz: ...«Como el alba clara / desde la cima y cuando se detiene / tocando con sus luces lo concreto / recién oscura, aunque instantáneamente», que hace brotar las imágenes más penetrantes sobre la fascinación nocturna misteriosa, como la de «las rehenes palomas de la noche». Por su parte, los poemas quinto y sexto —el único de este libro correspondiente al primer estadio cronológico de la constitución del mito—, sin articular explícitamente el tematismo luminoso nocturno, convocan el despliegue fantástico de símbolos en cualquier caso no radiantes, como el del silencioso transcurrir del río, o el rayo de luz sólo otoñal que despliega todo el simbolismo decadente de las hojas caídas, etc., etc..., en el caso del poema quinto; así como la rotación ascensional, implícitamente nocturna, de la variedad de las imágenes hacia su confusión digestiva en la unidad de la esencia, en el poema sexto. En los textos séptimo y octavo se repiten

A la hora de asimilar receptivamente los efectos generales de ambientación temporal imaginaria, hemos de recordar cómo la génesis del hallazgo imaginativo de la inversión paradójica en la visión bajo la luz nocturna se correspondía en la práctica con lo más elaborado y tardío del esfuerzo creativo de Claudio Rodríguez. Los poemas que desplie-

---

las situaciones de decadencia y de nocturnidad difusiva impregnando la tonalidad emotiva del «ritual arador» en el primero de ambos: «Antes irá su lunación ardiendo, / humilde como el heno en un establo», que eleva la nueva caza mística altanera, como la de la noche de San Juan de la Cruz, para que libre su esgrima «en pura señal de astros»; mientras que es la unificación de los silencios —sinónimo imaginativo de la continuidad nocturna de la sombra— la que, desde su caída semejante a la de la luz en el crepúsculo, impone su condicionamiento ambiental imaginario en el poema octavo: «Huele a silencio cada ser y rápida / la visión cae desde las altas cimas siempre», o más adelante: «Y es por el sol, por este viento, que alza / la vida, por el humo de los montes, / por la roca en la noche aún más exacta / por el lejano mar...»

El poema final del libro, el noveno, ilustra perfectamente el cumplimiento imaginativo de las sensaciones de caída y desleimiento asociadas con el momento imaginario digestivo que se vincula a la extinción absoluta de la luz. Cada consistencia singular que con la luz discriminante del día hace suya la percepción individual y postural, se desvanece y diluye en la inmensidad igualadora de la noche: «¿Quién podría decir que es suyo el viento, / suya la luz, el canto de las aves / en el que esplende la estación, más cuando / llega la noche y en los chopos arde / tan peligrosamente retenida?». Queda ya claro que el sentimiento de nocturnidad digestiva no es solamente consecuencia de las apreciaciones lumínicas, antes bien se trata del complejo emocional de las sensaciones de desagregación difusiva desintegrada del límite individualizante de las consistencias discretas; lo simboliza a continuación la voz del mito: «¡Que todo acabe aquí, que todo acabe / de una vez para siempre! La flor vive / tan bella porque vive poco tiempo / y, sin embargo, cómo se da unánime, / dejando de ser flor y convirtiéndose / en ímpetu de entrega». Del predominio de esa atmósfera ambiental de disolución se sigue la voluntad oblativa profunda del poderoso símbolo personal del cuerpo como hostia oferente. La propiedad incomunicada de la voz y de los límites propios comparece así, a la luz disgregada del espacio y de la atmósfera míticos del régimen digestivo nocturno, como privanza ilegítima: «Invierno...saca / fuera de mí lo mío y hazme parte, / inútil polen que se pierde en tierra / pero ha sido de todos y de nadie».

No debe desconocerse, sobre el funcionamiento imaginario de estos balances de sentido, que las sensaciones y emociones dominantes globales constituidas a partir de ellos no se refieren sólo a la red de alusiones expresas de los lexemas simbólicos centrales del régimen imaginario de que se trate, porque el gran creador procederá siempre de forma oblicua, evitando reiteraciones enojosas y subrayados demasiado obvios. De esa manera, el emplazamiento que vamos constatando de las emociones y los símbolos disolutivos más medulares en estos ápices inicial y último del balance mítico de la obra, irradia al entendimiento de conjunto de los lectores el predominio de una emoción fantástica que, en el caso presente, es la resultante pulsional disolutiva encarnada en el símbolo sagradamente nocturno de la hostia: «Sobre la voz que va excavando un cauce / qué sacrilegio este del cuerpo, este / de no poder ser hostia para darse».

gan centralmente el núcleo del mito temático del rayo de oscuridad mística en la experiencia cosmológica, se emplazan en los dos primeros y últimos lugares del libro primero. Encabezan y confirman por tanto el mito resultante para la adquisición de los lectores, pero no debe olvidarse al mismo tiempo que ese hallazgo inicial de la lectura, la abertura fascinante del mito de iniciación en la ebriedad, ha sido el resultado de esfuerzos anteriores de la maestría poética y de tanteos progresivos desde la «normalidad» diferencial con la que se adquieren y constituyen las experiencias de partida.

La condición de tabularidad progresiva y de registro acumulativo en los textos, según la cual observamos cómo se va constituyendo el complejo de sensaciones fantásticas de la ambientación imaginaria, manifiesta una gama de variaciones y de diferencias en su mayoría involuntarias, todavía mayor en el conjunto de textos del libro tercero. Así resulta de la progresiva organización del mito narrativo sobre la exploración diurna y diferencial, hacia la salida «normalizadamente» postural de la ebriedad en el poema intensamente dramatizado que concluye el libro y cierra de forma provisional el despliegue convencional del mito.

El temprano poema primero, titulado «Con Marzo», emplaza la lectura desde su primer verso en un «antes» y un «ahora» decisivamente engañoso, sobre el que hemos prevenido ya en varias ocasiones. Ambas deixis no se proyectan sobre la temporalidad constituida en el curso de la narración, sino sobre la coyuntura fundadora del mito. La exactitud del *antes* alude al estado de absoluta inocencia, a la justicia original previa al cuestionamiento iniciático cuya historia es el libro; en tanto que el estado actual de perplejidad en la historia narrada de la ebriedad con sus diferentes estaciones es puesto inmediatamente en relación con la iluminación diferencial diurna: «Lo que antes era exacto ahora no encuentra / su sitio. No lo encuentra y es de día». Y sin embargo, tras esta referencia temporal tan categórica, se suceden las fluctuaciones en momentos esenciales de luz, que arguyen el instante de inmadurez organizada de las coordenadas míticas en el temprano poema. De esa manera, a partir de las «mañanas inauditas», la inmediatez de la enunciación convoca ininterrumpidamente asociaciones genuinamente nocturnas en los versos sucesivos:

...¿No se ilimitan
las estrellas para algo más hermoso
que un recaer oculto? Si la vida
me convocase en medio de mi cuerpo
como el claro entre pinos a la fría
respiración de luna... (pág. 55)

y las prolonga en bellísimos afloramientos —«Huele a ti, te imita / la belleza, la noche a tus palabras / —tú sobre el friso de la amanecida»— que implantan claramente sobre el curso del texto retazos de imágenes previamente excavados y retenidos en la memoria impulsiva del potencial poético. Todo ello para reincidir inmediatamente en nuevas alteraciones diurnas de la ambientación luminosa del mito, que restituyen hacia el final del poema la condición declarada inicialmente: «ya no de tardes timoneras, limpia / del inmortal desliz que va a su sitio / confundiendo el dolor aunque es de día».

A la dispersión inmotivada de la línea de sucesividad temporal que arroja la ambientación luminosa del mito en la secuencia poemática del desenlace narrativo historiado en el libro tercero, coopera la inserción de un texto tan reconociblemente circunstancial y tardío como lo es, declaradamente, el segundo titulado «Sigue Marzo» y dedicado al amor de Clara Miranda. El momento de la visión dichosa de los enamorados, capaz de producir la metamorfosis embellecedora —«...la del amor, que nunca ve en las cosas / la triste realidad de su apariencia»—, es congruentemente matinal —«Así cada mañana es la primera. / Para que la vivamos tú y yo solos»—, como es esperanzadamente germinativa en la estación de marzo; y acorde a tal ambientación se construyen las imágenes temáticas del cotejo cosmológico del texto. No obstante lo cual, la situación de la experiencia mítica adquirida ya en el momento creativo de la escritura tardía del poema induce en este punto otro de los cruces desconcertantes con el mito maduro de la visión nocturna paradójica:

El sol claroluciente, el sol de puesta,
muere; el que sale es más brillante y alto
cada vez, es distinto, es otra nueva
forma de luz, de creación sentida... (pág. 57)

No diferente ha de ser el ambiguo y cambiante estado de la iluminación que ambienta el despliegue del mito en los poemas sucesivos; pues, en contraste con la exigencia lógica diurna de la posturalidad animadísima y penetrante para el exceso de imágenes temáticas que decoran los textos, las fluctuaciones temáticas de la iluminación mítica resultan continuas. Así en el poema tercero, con la situación predominante de acuidad discriminativa de la plena luz —«...¿ Podría / señalar cuándo hay savia o cuándo mosto»... etc—, alternan inesperadamente las imágenes crepusculares de la más bella unanimidad difusiva: «Y como el gran peligro de las luces / en la meseta se nivela en fondo / cárdeno, así mi tiempo ya vivido...», etc; cuando no la rotunda declaración del cambio absoluto del instante de luz en el mismo poema: «...una cosa la noche, otra lo próximo / de aquella noche que pervive en ésta / y la demanda». En cuanto al texto siguiente, el cuarto —otro de los más antiguos del libro—, resulta arquetípico sobre el estado inicial de incierta maduración del mito en lo que se refiere a la ambientación temporal imaginaria de sus condiciones de génesis. Por lo pronto, aunque la simple alusión a «los senderos del espacio» suele acondicionar el emplazamiento obligadamente nocturno; en el caso del tipo de jalonamientos espaciales que crean temáticamente en esta escena las trayectorias de las aves, «las señaleras criaturas», o las visiones que sugieren «el río, actor de la más vieja música» y la palpitación de vidas en la copa del árbol, o la del cereal en su perpetua movilidad que encaña, todo encuentra su alojamiento diurno en «la mañana / en la mitad del tronco verdeoscura»; la mañana temática del poema que, con todo, anuncia en el último verso su vocación proyectada de noche conclusiva:

> Mañana a costa de alas y de túnicas,
> cereal encañado (la primera
> senda sin otro viento que mi fuga),
> el tropismo solar del agavanzo,
> un ruido hacia la noche...Nunca. Nunca. (pág. 59)

A partir de este punto cesan las precisiones temáticas ambientadoras sobre la luz y la sombra y sus acomodamientos respectivos, normal y paradójico, de la visión. Como lo hemos particularizado en otros lugares de nuestros análisis, en los poemas finales de la obra se tematiza la unidad inmutable y eterna de la visión esencial. Bajo esa condición estable, la primitiva paradoja necesaria de la sombra reveladora y la condición normalizada del espectáculo cambiante de las diferencias ceden a una identidad genérica inmutable que iguala en eternidad a la diversidad de matices estacionales: «Arcaduz de los meses, vieja y nueva / ignorancia de la metamorfosis / que va de junio a junio». En tal estado de gravitación indiferente y de identidad etérea, el nombre de las viejas fracciones del tiempo —la mañana, la noche— resulta equivalente y vaciado de peculiaridad referencial:

La mañana no es tal, es una amplia
llanura sin combate, casi eterna,
casi desconocida porque en cada
lugar donde antes era sombra el tiempo
ahora la luz espera a ser creada. (pág. 63)

Culminar el proceso de ascesis hacia la iluminación espontánea e idéntica, sin las tensiones apasionadas de la previa ebriedad, construye la ilusión asequible sólo para la planificación narrativa del anhelo pero desconocida realmente para las vivencias previas palpitantes, tanto para la atormentada y diferencial como para la de la nunca más serena paradoja. De ahí que la salida de la ebriedad por la culminación meramente hipotética del anhelo equivalga, dentro de los sobresaltados cálculos del adolescente, al lugar inexperimentado donde se cruzan muerte y nacimiento: «¿Es que voy a morir?...».

Bajo la sorprendente simetría que nunca descuida Claudio Rodríguez, con el despliegue en el primer poema del mito de la *presencia* inefable como epifanía y comienzo del diálogo con un *tú* a la vez multiforme y trascendental, es como se puede establecer fructíferamente la correspondencia de los dos textos finales de este libro. Ambos pertenecen al conjunto de los poemas que podemos considerar de mediación meditativa, exegéticos y más diáfanos y asequibles, bajo su perspectiva de elaboración calculada y tardía, que los poemas espontáneamente míticos que los anteceden. Composiciones, como hemos dicho ya para otras semejantes, con mayor eficacia comunicativa y exentas a

las corrosiones del sentido que inducen las incertidumbres de lo enigmático ilimitado. Precisamente es así porque en ellas se clarifican
racionalmente y se sintetizan todos los enigmas de la constitución del
mito temático; tal vez por eso resultan ser también los poemas favoritos
de la crítica, aquellos cuyas menciones y citas textuales se suelen mul-
tiplicar en las paráfrasis.

Efectivamente, en el primero de ambos, el séptimo, el elemento
nuevo del despliegue mítico, el diálogo con la *presencia* incierta, queda
notablemente supeditado a la reiteración del centro simbólico del mito
temático: la constitución unitaria de la verdad-belleza trascendental más
allá de la pluralidad anecdótica y fenomenal de las apariencias. El poema
lo expresa en este caso bajo un poder de concentración conceptual y de
explicitud expresiva que han hecho de sus versos iniciales una cita
obligada en la localización del tematismo esencial de Claudio Rodríguez:

> *¡Qué diferencia de emoción existe*
> *entre el surco derecho y el izquierdo,*
> *entre esa rama baja y esa alta!*
> *La belleza anterior a toda forma*
> *nos va haciendo a su misma semejanza.* (pág. 62)

La diafanidad del enunciado está sembrada de símbolos reconocibles
como el insistido del surco, e igualmente la simbolización estética de la
misteriosa causa de la *presencia* trascendental en términos de *belleza*
preexistente, «anterior a toda forma». Cuenta aquí, incluso, el reiterado
esfuerzo del diseño operativo que aportan las fórmulas consagradas en la
tradición doctrinal cristiana, como la de la de «hacer a propia imagen y
semejanza» del Creador a sus criaturas, sobre todo las personales y
humanas. Por lo demás, la operación fundadora de la existencia discurre
también en estos textos sobre los reconocibles trayectos míticos del
descenso solar y de la proyección animadora con retoques ocasionales de
los ritos agrícolas, según resulta habitual en el mito cosmológico esencial
de Claudio Rodríguez en *Don de la ebriedad*. A destacar igualmente en
todo este despliegue de símbolos y de trayectos conocidos la rara exactitud del ajuste expresivo que da forma a los conceptos menos concretables y definitivos, como aquella abstracción que suscita la fórmula

«niveles de algún día» y que denota el centro más inmaterial de las presencias esenciales. También la nada ociosa explicación de una tierra fecundada por la luz absoluta, pero poblada de la pluralidad de formas fenoménicas; una densidad mítica a la que el poeta alude sintéticamente denotando que «no pudo ser rampa de castidad».

En el texto se depositan asímismo continuos matices visionarios extraídos a los difusos sentimientos míticos de la presencia. Tal es el origen y la explicación de la luz creadora absorbida en las formas, con la exploración del inestable ápice temporal en que se resuelven instantáneamente las tensas vigilias de la iluminación: «Junta de danzas invisibles, muere / también amontonándose en sus alas». Porque el poema de Claudio es una escrutación intensa con la palabra, una auscultación sobre el nacer hasta que surja —si es que se concreta— la oscura llama de la iluminación de la presencia en el *tú*, entre una densa escala de formas incompletas del reflejo y la diversidad:

> *Miro a voces en ti, mira ese río*
> *en la sombra del árbol reflejada*
> *igual, lo mismo, entre la diferencia*
> *de emoción, del sentir, que hace la escala*
> *doblemente vital. Leche de brisas*
> *para dar de beber a la eficacia*
> *de los caminos blancos, que se pierden*
> *por querer ir donde se va sin nada.*

La cima, el señalamiento del ápice instantáneo de la revelación, está tematizada por cierto, como era esperable en el calculado desarrollo narrativo del mito a lo largo del libro, en el último poema. El árbol es el símbolo nítido elegido en primer término para evidenciar con él la trascendencia simbólica de la metamorfosis; primero el árbol y después la brisa que lo mueve. Todo inmovilizado, transfigurado en unidad esencial ajena a los desgastes y al proceso de cambios de un vivir doloroso con destino:

> *Cómo veo los árboles ahora.*
> *No con hojas caedizas, no con ramas*
> *sujetas a la voz del crecimiento.*

Y hasta a la brisa que los quema a ráfagas
no la siento como algo de la tierra
ni del cielo tampoco, sino falta
de ese dolor de vida con destino. (pág. 63)

Y como siempre, lo más sazonado de la transustanciación esencial de
Claudio lo aporta el regusto que proyecta la línea de consistencias
accidentales, pero en metamorfosis poética sugerentemente entrañada,
sobre cuyo tierno negativo se construye la purísima abstracción del vacío
anhelado, de la forma inmortal. Así acontecen las imágenes blancas de
la mañana diáfana, exenta de población, «llanura sin combate», y las
«sombras del tiempo» configurando el negativo de la luz, de la metamorfosis total y culminante:

La mañana no es tal, es una amplia
llanura sin combate, casi eterna,
casi desconocida porque en cada
lugar donde antes era sombra el tiempo,
ahora la luz espera ser creada.

La meditada construcción recurrente, en espejo, de este madurado
poema —igual que la del anterior— trata de acondicionar un efecto
levemente dramático de desenlace, de ajuste idílico convenido: la iluminación ocurre y pasa, y el desenlace restablece la suerte de las evidencias. Un ápice tan sólo de la visión en la cumbre de la metamorfosis
esencial: la salida del tiempo de la iluminación. Emoción expresada a
la que sirve el paralelismo formal de los interrogantes con contenido
antitético. Si el poeta creía sentir primero las orlas de la muerte —«¿Es
que voy a morir?»— en las inmediaciones de la epifanía trascendental,
cuando la percepción animada de las consistencias variables se ve
desleída en la tenue luminosidad uniforme de una esencia prolongada
e idéntica; ahora en el resurgir doloroso, al límite de la ebriedad y ante
la variedad dispersa de todo lo inminente, la sensación existencial y sus
preguntas se vuelven lamentables y contrarias:

¿Es que voy a vivir? ¿Tan pronto acaba
la ebriedad? Ay, y cómo veo ahora
los árboles, qué pocos días faltan...

Mas la aporía del instante en plenitud fuera del tiempo, simbolizada contradictoriamente por la duración implacable de la historia contada, no es la tarea feliz de una historia narrable, sino tal vez en todo caso de un tenso dolor vivido, de una agonía de transfiguración esplendorosa y continua, como ha sido la vida y el crear de Claudio desde entonces.

* * * * *

En los cuatro poemas de contenido más ambiguo e irracionalista que forman el núcleo mítico central y primigenio el tercer libro de *Don de la ebriedad*, se despliega el coloquio apasionado entre la ebriedad del poeta iluminado y su fundamento. La ambigüedad sugerente proviene ahora de la indeterminación poético-imaginaria en el principio divino de la iluminación cósmica, que acabamos de considerar como fundamento de la ebriedad: el *tú* sagrado de este coloquio que se perfila sobre contenidos de atribución difícilmente estables y monocordes; en ocasiones fundando él mismo, principalmente, el espacio semántico de la ambigüedad.

Así, en el principio del poema tercero, el término del diálogo induce la atribución de sentido bajo una forma habitual de noticia referida: «Siempre me vienen sombras de algún canto / por el que sé que no me crees solo». La respuesta reabre el mito del trayecto unificador de la experiencia, elevando el coloquio a un susurro esencial y metafórico: la insuficiencia de la variedad de formas naturales que rodean la atención en fuga del poeta —la savia, el mosto, el horizonte de la era sembrado por los trillos en el atardecer—, trascendida en la vivencia unitaria *contagiada* por el contacto de la identidad esencial del curso idéntico del río o del arroyo: «Al cabo es el contagio de lo que busco. / El contagio de ti de mí, de todo / lo que se puede ver a la salida / de un puente, entre el espacio de sus ojos». Medular imagen esta de los ojos del puente creando la selección visual de lejanías casi infinitas, que traduce la metamorfosis de una observación habitual de Claudio, al contemplar las perspectivas sobre el horizonte a través de los ojos del puente romano de Zamora.

Pero ni siquiera en estos versos desaparecen inequívocamente los fundamentos para la identificación personal del *tú*, ya que el último permitiría razonablemente la conjetura de una metaforización de base fisiognómica[52]. Y es claro que ese incorpóreo espacio donde se ubica el objeto de la voz lírica, permite en ocasiones pensar en la mediación personal como reflejo de aquella fuente anhelada de la inmensidad; o incluso —¿por qué no?— en su alojamiento dentro del espacio más íntimo de la propia identidad, en el cosmos del «hombre interior». Pero en la expresión del poema, todo vuelve a condensarse sobre el escenario habitual del mito de la epifanía universal: aquel sol de la noche que ilumina las identidades de la esencia, lo mismo que la demolición del sol del día, favorece la dispersión en formas de la variedad alienadora. El alba nocturna y el elevarse sobre el firmamento de ese paradójico luminar de llama oscura son imágenes inequívocas de los versos siguientes: «...llegas sobrepasando la llegada, / abriéndote al llegar como el otoño.» Y lo refuerza la asociación por contraste con la fuente de la luz diurna, de la variedad —«el gran peligro de las luces / en la meseta»—, felizmente equilibrado en fondo de unidad y concretado en síntesis extrema de horizonte: «se nivela en fondo / cárdeno, así mi tiempo ya vivido...»

El nivelarse en fondo esencial e idéntico de la discursividad de las vivencias produce el favor de la alta soledad ensimismada, con su sabor inefable de ebriedad activa conocedora del ser de lo total, tal y como transitara por los paseos resonantes que se relatan en el «Canto del caminar»: «Porque una cosa es creerme solo / y otra hacer ruido para andar más firme». La engañosa compañía de las cosas, compañía de alienación y ausencia, proclama un doble de las mismas: el trasunto esencial siempre inminente en su gravitación tan próxima y presentida como definitivamente escurridiza y sutil. Así las noches, la que cela el perfil concreto de los seres como la que abre, esencial, su significación definitiva, la cósmica y unitaria en la dimensión incalculada de un espacio sin nociones de límite: «una cosa la noche, otra lo próximo / de aquella noche que pervive en ésta / y la desmanda...». La epifanía del ser se representa como cantar sin voz y sin sonido, cántico sólo de armonías

---

52. Véase la contextualización de la poderosa imagen simbólica de los ojos del puente, cuyo tajamar divide la corriente única del río en Prieto de Paula, *La llama y la ceniza*, cit., pág.115.

visibles de la imaginación, en el espacio interior del cristal silencioso de las aguas o en la intimidad incorpórea de un canto de los aires presentido dentro del vacío: «—te estoy oyendo aunque no escuche nada—, / sombra de un canto ya casi corpóreo».

La poesía —se sabe bien— mueve sus propios instrumentos, con frecuencia tal como aquí contradictorios, para sensibilizar las intuiciones más inasibles y crípticas. La vivencia de la inmediatez de la iluminación de lo absoluto se ve expresada tras la paradoja doble de una reencarnación corporal en las imágenes de la presencia. La rotundidad sonora del endecasílabo de cierre —tan contraria por cierto al descompuesto ritmo de su verso previo, sólo al servicio de las aclaraciones— renueva la representación paradójica de lo «corpóreo» como el término familiar que induce la imaginación habitual de lo inminente. Presencia de la sombra, de un rumor de sonidos exentos a voz alguna: infinitud, desalojo del hábito de existir... ¡Y qué consuelo humano poner sobre aquellas inmensidades del cálculo metafísico la familiaridad lastrante del «ya casi corpóreo»! Es el consuelo de las entrañables huellas de la andadura resonante de Claudio y de su vista sobre la inmensidad arrebolada de los atardeceres de Castilla.

Así el poema cuarto, que cruza las figuras de la alegoría con las de la paradoja en uno de esos feraces recorridos del contemplar castellano del poeta sobre un entorno de planos y profundidades, de colores cernidos y presencias remotas fundidas en cromatismos cárdenos y en añiles difusos de extinción. Lo ausente por lo presente: alegoría; lo remoto contrario a lo inmediato pero sólo representable como la negación de éste: la paradoja. Y ese juego de sentimientos que se debate en el fondo de todas las añoranzas de lo ignoto hechas con el metaforismo de la metamorfosis: el doble engaño poético de tratar de eludir una pluralidad de compañías que se nombran, no obstante, con las palabras más tiernas y entrañables, como la voz del río compañero y vecino — «el río, actor de la más vieja música»—, los nombres y ritmos más eficaces en la convocatoria de su ser espiritual. Senderos escrutados en el espacio núbil de la astronomía, contra sendas y trochas conocidas y aun desgastadas en los paseos cotidianos:

Aún los senderos del espacio vuelven
a estar como en la tierra y se entrecruzan
lejos de la ciudad, lejos del hombre
y de su laboreo. (pág. 59)

Un cálculo de sendas infinitas sin nombres, geometrías «amplísimas de rectas y de curvas» que acotan el espacio abstracto para el vuelo del ave —«valle con señaleras criaturas»—, y que comparecen numerables tan sólo desde la voz más familiar, desde la emoción del nombre dado a lo tan bien amado y conocido: el aleteo íntimo de las aves emboscando la vida entre las frondas tupidas de la vega, «de un fuerte gris hojoso»; el encañar del cereal en la multitud audible de su crecimiento en fricación sobre los campos...

Y si el nombrar es peligro, si el conocer de cerca encubre lo infinito y distante; preciso es correr el riesgo —dice ahora y aquí un Claudio desbordado por el fervor de la inminencia inefable— de destruir las inversiones de la paradoja en las composiciones del libro primero, para asimilar crecientemente la proyección consoladora y diurna de los paralelos alegóricos en la narración progresiva de esta parte final, compuesta de poemas viejos y últimos mezclados y acomodados en frágil equilibrio verosímil: «Riesgos callados. Que también alguna / verdad arriesgue el alma ya visible». Aunque al cabo se imponía siempre, en el balance narrativo de aquel mito del fervor voluntario, la esperanza joven aún nunca derrotada: el rigor de la búsqueda infinita, los mitos del anhelo irrefrenable pese al riesgo seguro de frustración; porque el movimiento enseña «que puede más la huida que la busca» sobre las evidencias gustadas de lo plural sensible. Así remonta el ritmo de este canto hasta su cima desbordada en clímax, los fervores del himno asumiendo candorosamente el destino de una búsqueda infinita que nombra la ficción inválida de un final sin solución conocida y cifrado en *nunca*, donde desembocan las ansias aceleradas del himno:

...el tropismo solar del agavanzo,
un ruido hacia la noche...Nunca. Nunca.

Plenitud ardorosa del mito juvenil que toma atrevidamente la condena por destino.

Si el poeta ha sondado el *espacio* de inmediatez de la epifanía en los dos poemas anteriores, su cuidadosa previsión «a posteriori» de la arquitectura temática del libro al que ambos pertenecen, reserva los dos siguientes para explorar el *tiempo* de la revelación, en una clave —también en esto similar a la poesía sobre el espacio— de *inminencia* de la epifanía. La dimensión temporal de la presencia infinita juega en la rara intuición de aquel joven poeta con los ilimitados parámetros del tiempo trascendido a la sensibilidad individual[53]. A través incluso de las contradicciones del concepto, que significan su menesterosidad provisional corrigiéndose progresivamente, la poesía de Claudio puede llegar hasta a supeditarlo con excelente tino a las necesidades de la creación de algún momento iluminado del ritmo poemático ¡Alta fe del poeta,

---

53. A propósito de la decisiva infraestructura simbólica que representa el escenario imaginario de la iluminación nocturna, tratamos de no reiterar en cada una de las contínuas sugerencias del texto las consideraciones hechas ya en otros lugares. No obstante, parece inevitable aludir, sobre las concreciones simbólicas tan densas y apremiantes de este poema, a la originalidad que entrañan las inversiones de naturaleza paradójica implicadas en la peculiar claridad esencial nocturna. Juan Malpartida ha señalado semejanzas verosímiles para la filiación imaginaria de este recurso en Claudio con el pensamiento paradójico de María Zambrano (cfr. J. Malpartida, «La mirada fundacional», cit., pág. 103). Tales semejanzas se encauzarían, según el mismo crítico, en la tradición poética de la nocturnidad mística que también alcanza a otros coetáneos de Rodríguez como José Angel Valente. Añádase al estudio de las afinidades entre la situación peculiar de la poesía de Claudio y el marco de pensamiento poético de María Zambrano, el estudio de García Jambrina, «Pensamiento y poesía según María Zambrano: una aplicación a la lectura de Claudio Rodríguez», en *Philosophia Malacitana*, IV, (1991), págs. 131-142.

Obviamente la amplitud, la universalidad y la centralidad imaginario-antropológica del conjunto de símbolos implicados en el mito fundacional de *Don de la ebriedad* amplían necesariamente a niveles de gran comprensión tipológico-imaginaria los parentescos espirituales y estéticos de nuestro poeta. Así Angel Rupérez lo ha podido enraizar con la línea de contraste —elevación y retracción, agonía y recuperación idílica— del mejor Romanticismo europeo (Cfr. A. Rupérez, Prólogo a *Claudio Rodríguez. Poesías completas*, Madrid, Mondadori, 1992, pág. 10.) Pero el ejercicio de las identificaciones podría ser extendido ilimitadamente; así González Muela, por ejemplo, ponía en relación la iluminación nocturna de Rodríguez con el pitagorismo doctrinal de Fray Luis de León con la singular idea de las «claritas», que conjuga talantes de pensamiento y de constitución imaginaria tan distantes en las respectivas culturas del tiempo y de la sensibilidad como pueden serlo Santo Tomás y Joyce (cfr. J. González Muela, *La nueva poesía española*, cit., pág. 65). Y es que, en definitiva, lo que incorpora el singular mito cosmológico de la iluminación paradójica nocturna de Claudio Rodríguez es la faceta peculiar de la poética del deseo al servicio del impulso fundacional de la totalidad sustancial y del centrado.

sobre la sabia fatalidad del ritmo! Así se nos alcanza, por ejemplo, el presentimiento de la *vez* única y para siempre, la *vez* eterna en que precipita lo absoluto:

> *Será dentro del tiempo. No la mía,*
> *no la más importante: la primera.*
> *Será la única vez de lo creado.* (pág. 60)

Medida desde el más acá del tiempo, la *vez* eterna y única de la iluminación esencial se fragmenta vitalmente en instantes numerosos de atisbo, en momentos ansiosos de presentimiento: «¡Sencillez de lograr que no sea ésta / la primera y la última!», cuando la conciencia de la ebriedad demanda a la varia contingencia de las cosas la radicalidad definitiva de su metamorfosis en lo único de la presencia esencial: «...Alba, fuente, / mar, cerro abanderado en primavera, / ¡sed necesarios!». La eternidad inmutable de esa *vez* anhelada de la revelación excede el tiempo vivido, lo destituye como sustancia válida de experiencia inmutable. El poema lo representa primero contradictoriamente como suma de vida. —«Ella exige muchas vidas»—; pero corrige su instinto obedeciendo al índice más seguro del espacio espiritual del sentimiento. Se suscita así la única vivencia humana de la experiencia sublime, la única exenta a la numeración melancólica de los minutos del falso tiempo de la sensibilidad: el poder extático del eros en plenitud, la facultad salvadora del amor, único resarcimiento del hombre contra el tiempo: «...y vive tantas que hace eterna / la del amante, la hace de un tempero / de amor, insoportablemente cierta». En tan extrema escucha, en una tan infinita espera de la *vez* decisiva, la mirada revierte de nuevo —y como siempre, igual que antes lo vimos para el presentimiento del espacio— sobre el latido análogo de las cosas, que anuncian desde su impotencia de tiempo perecedero el presentimiento casi táctil del tránsito transfigurante, el ser oculto —místico— de una metamorfosis real sólo aparente para el mirar iniciado.

Es la constancia ajena al tiempo del amor infinito y eterno, la verdadera duración absoluta de un solo instante de arrebato iluminado mientras que no se extinga. Recurrencia del mito consolador del eros sobre el melancólico desobrarse en la traición vital del transcurso, sobrellevado muy penosamente por la experiencia de la exploración diurna —«Arcaduz de los meses, vieja y nueva / ignorancia de la metamorfosis / que va de junio a junio...»—; y más próximo y humano aún que la vocación fatalmente inestable e inquieta del deseo absoluto, extraviado en noche eterna sin coordenadas certeras ni asequibles.

El rastro poético de una caza tan ágil, y tanto más sobre terreno bien escurridizo, justifica sobradamente la reiteración del tanteo en variaciones. Y variación, nunca repetición, ofrece el sexto poema, otro de los más antiguos e iniciales de la obra. Se empieza por constatar lo más seguro, la evidencia indisimulable de una ausencia que no puede suplir por conjeturas la inexperiencia personal aplastante sobre la *vez* de la revelación de lo absoluto —«No es que se me haya ido: nunca ha estado»—; junto al dolor no mencionado de una renuncia inasequible para el buceo en la noche —«Pero buscar y no reconocerlo, / y no alumbrarlo en un futuro vivo...»—, que hace inviable renunciar al acecho de la iluminación, siempre presentido como inminente entre las cosas: «¿Cómo dejaré sólo este momento? / Nadie ve aquí y palpitan las llamadas». Palpitación de lo esencial recóndito, que transforma y recela insuficiente ante la amenidad de un campo de inocencia poblado por las realidades múltiples de la variación.

La experiencia confirmada sobre la frustración en el hallazgo de esa plenitud absoluta de presencia quema por su vacío de «forma», precisamente para que el mito y la búsqueda ilusionada sobrevivan: «Nadie ve aquí y palpitan las llamadas / y es necesario que se saque de ello / la forma». La forma que preside, cíclica, el aliento del hombre en su deseo «...la forma / para que otra vez se forme / como en la lucha con su giro el viento». El tono opaco de la razón abstracta doctrinal, y tanto menos nítido todavía en estos tanteos primerizos y andariegos, cobra capacidades de evidencia poética bajo su espontánea memoria sensitiva, en el modelo palpitante de los indicios de la observación, los que se iluminan con el regusto entrañable de las palabras que los nombran y los transfiguran:

> *...No,*
> *no es que se haya entibiado en el renuevo*
> *súbito de los olmos ni en el ansia*
> *blanca igual que la médula del fresno.* (pág. 61)

Experiencia por tanto del transcurso frustrado de los anhelos de presencia, conciencia defraudada del deseo de ayer en el saber de hoy, en su vacío de forma: «Ayer latía por sí mismo el campo. / Hoy le hace falta vid de otro misterio». El misterio provisto eternamente por las cosas sencillas y entrañables, los símbolos jugosos de realidad, esa uva-corazón del mundo en otra de las primeras consolidaciones de su metamorfosis con el hacerse de los mitos de Claudio: ...«del pié que ignora la uva aunque ha pisado / fuertemente la cepa».

Empresa decisiva la de esta búsqueda que se basta a sí misma, porque el alma en ebriedad ha avizorado su sustancia amorosa: «Mientras, / no sabré amar de lo que amo, pero / sé la vida que tiene y eso es todo.» Tarea pura de presentimientos, de impulsar ciegamente la esperanza, de dejarla correr hacia las fuentes del propio ser, lo mismo que el arroyo y que los manantiales. La hora poética es aún temprana para la metamorfosis de todos esos símbolos naturales; temprana y fresca, pero poderosa en su desvivirse irracional. Hay honda palpitación esperanzada de misterios en las innovaciones sim-bólicas del poema, incluso en todas estas que nombran la quietud de las aguas. Porque al final se trata, después de todo, de un ensayo de nombres solamente, la yuxtaposición de evocaciones para la cohe-rencia sintagmática: el arroyo, la calma, la nube vivificadora con su promesa de aguas, y la quietud del sueño... y el enlace congruente del verso, el cemento irracional del ritmo: «Quizá el arroyo no aumente su calma / por mucha nube que le aquiete el sueño». O el manantial y la emoción de altura de sus fuentes de cima y el regazo profundo de su lecho: «quizá el manantial sienta las alturas / de la montaña desde su hondo lecho». Y siempre, para concertar las emociones reforzadas en estos brotes densos del misterio, se susci-tan las convergencias poderosas de la razón recurrente de anáforas y rimas: «quizá el arroyo»... y «quizá el manantial»; y lo abisal del sueño resonando a distancia en lo hondo del lecho. Las razones poéticas de la forma para el irracionalismo experiencial.

Al conjuro inexorable de este destino, el alma arrebatada por los impulsos de la ebriedad se entrega al abandono de la prueba, indiferen-te al zarandeo múltiple de los ensayos y al tanteo extraviado del incier-to rastro de la traza infinita, variable hasta la misma muerte:

> *Oh, más allá del aire y de la noche*
> *(¡El cristalero azul, el cristalero*
> *de la mañana!), entre la muerte misma*
> *que nos descubre un caminar sereno*
> *vaya hacia atrás o hacia adelante el rumbo,*
> *vaya el camino al mar o tierra adentro.* (pág. 61)

Tal vez sólo la imagen casual y remota de esa presencia sutil en todos sus perfiles transparentes del remoto pregón del cristalero divino, azul y sobrenatural[54], haya aproximado eficazmente la voz del poema a la fecunda inconsistencia de una representación humana inaferrable. Esa imagen portentosa de la voz con sus ecos irracionales de llamada distante, como si nos alcanzara un pregón de eternidad. La palabra absoluta, desnuda de referentes triviales, enaltecida por la emoción y el ritmo ¡otra vez más los ritmos esta vez! Fluencia pura del movimiento en los vacíos versos del final... plenitud casi exenta del impulso absoluto recubierto, ni tan siquiera para bien aquí, de fórmulas significantes secundarias. Misterios siempre probados de la poesía: alcanzar sólo con lo corporal, con lo recibido en trances de abandono de búsqueda. Alcances de lo infinito entre las resonancias diáfanas de un remoto pregón matinal de oficio cristalino.

---

54. La transparencia divina del inquietante símbolo precioso, mágicamente desdoblado en los ecos y quiebras de un sonido oscilante y logradísimo, nos consta con certidumbre por la confidencia del propio autor que declara Louis Bourne: «Plotino y las hermosas agresiones del Claudio Rodríguez», cit., pág. 4: «¿Y Dios? Encontramos su humilde imagen. Casi lo confirman las notas del 23 de agosto de 1978 en la figura de un obrero cualquiera: «¡Oh más allá del aire de la noche / el cristalero azul, el cristalero / de la mañana».

CAPÍTULO II

RESIDENCIA EN LA TIERRA: *CONJUROS* DEL ETERNO RETORNO

Las estaciones simbólicas del mito de retorno

Tras el primer impulso rimbaudiano de la *fuga iluminada* y después de haber construido el idilio quimérico absoluto del deseo adolescente, la pasión hímnica leopardiana de Claudio Rodríguez madura y se concreta hacia el naturalismo alegórico de los *hallazgos* y el *retorno* en su segundo libro, *Conjuros*. Persiste en esta nueva obra el mito de la *exploración* postural de la realidad establecido formalmente como *cotejo* lírico imaginativo poético; pero se transforma notablemente ahora el destino y los objetos para aquel primer impulso del caminar errante del poeta, pues en *Conjuros* ya no se da primariamente la *salida* como en *Don de la ebriedad*, sino la tendencia hacia el *regreso*.

Queda claro, no obstante, que los hallazgos concretos de *Conjuros* no terminan en los objetos reales cotejados: la viga del mesón, el tapial semiderruído o las escenas de romerías y bailes campesinos, de contrata de trabajadores o de un encuentro directo y naturalista con los lugares y objetos, personas y enseres de los campos familiares de Zamora y de la casa materna. Aquí se impone habitualmente el mecanismo imaginario de las metamorfosis alegóricas que ya señaló Carlos Bousoño, y cuyo alcance y particularidades retórico-formales estudiaremos nosotros extensamente en el capítulo correspondiente de la segunda parte de esta obra. Recrearse directamente de forma naturalista en esos objetos, seres y situaciones hubiera emparentado la intensa pericia mítica de Claudio con el realismo postmachadiano de la poesía social, que era precisamente el contexto poético en el que se gestó *Conjuros*.

Pero a través del alegorismo retórico, persiste en esta segunda poética de la búsqueda la capacidad imaginativa mítica transformadora de Rodríguez. Al «canto errante» del solitario Leopardi modernizado en el malditismo de Rimbaud e idealizado desde las necesidades del impulso transfigurante de la imaginación de Claudio sucede ahora un nuevo repliegue idealista lírico. Su acuñación es comprobadamente romántica —de Hölderlin a Bécquer[1]— y seguirá contando con el modelo creciente del recorrido simbolista de Mallarmé, una vez que la continuidad creativa de su propia escritura ha ido desvaneciendo en el ánimo del joven poeta los fantasmas iniciales de la gravitación del silencio rimbaudiano.

El esquema temático-imaginativo del retorno y los hallazgos del

---

1. El rastro poético de Hölderlin en la poesía temprana de Claudio Rodríguez puede afirmarse ya al menos como convergencia mítica sobre formantes fundamentales de la imaginación en *Don de la ebriedad*; me refiero a los de la iluminación divina descendente y a los encuentros ebrios del deseo absoluto con las divinidades sobre la cumbre alpina en la poesía juvenil del remontado lírico alemán. No obstante, la pauta imaginaria predominante en la mitología fantástica del primer libro de Claudio fue la leopardiana, sobre todo en las odas de la inmensidad desolada que expresa el «Canto de un pastor errante en Asia», o en la inevitable sugestión de la espacialidad metafísica del idilio «El infinito». Todo ello, obvio es repetirlo, junto al estímulo fundamental de Rimbaud Verlaine y nuestros propios clásicos, especialmente los místicos Santa Teresa y San Juan; así como de los poetas modernos más accesibles a la cultura escolar castellana del joven Claudio Rodríguez, tales como Bécquer, Unamuno, los Machado, Luis Rosales y muy probablemente ya su casi paisano Jorge Guillén.

Respecto de los extranjeros, Claudio me insiste habitualmente en la influencia de Verlaine y Baudelaire, según él lecturas muy presentes en la época de sus primeros libros; aunque de las trazas explícitas la gravitación decisiva es la de un Rimbaud perfectamente conocido y asimilado. Así nos consta fehacientemente por el escrito inédito de Claudio fechado y entregado en abril de 1953 y titulado *Anotaciones sobre el ritmo en Rimbaud*, que analizamos exhaustivamente en el capítulo correspondiente a *Don de la ebriedad* en la segunda parte de esta obra. A propósito de Leopardi, tengo el testimonio personal confesado del propio Claudio sobre la existencia de un ejemplar de las poesías del gran lírico italiano entre los libros de su padre. Pero en relación a Hölderlin nunca he descubierto en mis conversaciones con Claudio el momento de su primera aproximación a las obras —obviamente en traducción— del gran poeta alemán; de manera que no existe posibilidad de conjeturarlo como fuente sobre *Don de la ebriedad*, y sí, aunque sin presencias explícitas, las obras de Goethe, Heine y Schiller, según la confidencia que me hace reiteradamente Claudio.

Sin embargo la situación respecto al conocimiento directo de Hölderlin por parte de Claudio Rodríguez cambia decisivamente en el caso de *Conjuros*. En su Memoria de Licenciatura sobre *El elemento mágico en las canciones infantiles de corro castellanas*, presentada por Rodríguez en 1957, es decir un año antes de la publicación de esta segunda obra, consta ya un conocimiento no meramente nominal de Hölderlin, que se constata por ejemplo en la siguiente nota que transcribo: «De esto se deduce que el 'nombre' tenga, para el niño, no ya un valor fonético y, hasta cierto punto, conceptual, sino predominantemente afectivo. Su verbo, como quería Rimbaud, tiende a ser un 'verbe

soporte real para las alegorías de *Conjuros* imponen a la segunda obra de Claudio Rodríguez la tonalidad idílica del nuevo tematismo regenerativo y de unos hallazgos sentimentales más sólidos y concretos. Pero, junto a ellos, es necesario subrayar también la pervivencia de los acentos temáticos de culpabilidad y acecho que asomaban entre la ebriedad de la obra anterior: la vigilancia de los astros, el flechamiento y la arada divinas, la peculiar «acusación» en los desolados escenarios grandiosos y el propio sentimiento de culpabilidad, etc., etc.; es decir, las secuelas

---

pour tous les sens' (*La palabra que funda* de Hölderlin)». La presencia objetivada de su cultura sobre Hölderlin se evidenciará sobre todo en *Conjuros* bajo el tematismo que gobierna el esquema mítico fundamental del *retorno* a la patria y del reencuentro solidario y cordial con sus gentes. Así en el poema de Claudio a las puertas de la ciudad resuenan los acentos del «Retorno a la patria, al hogar» de Hölderlin; como hölderliniana será la solemnidad sagrada de los ágapes en torno al patriarca feliz, y hölderlinianos y leopardianos al tiempo la tonalidad de los reflejos de luces idílicas que gobiernan bailes y romerías campesinas.

En lo que se refiere a la cultura romántica de Claudio Rodríguez centrada en Bécquer, sabemos por testimonios personales de sus clases y conferencias la valoración que de la misma hace el gran poeta zamorano. Destaca sobre todo en este aspecto la profundidad estimulante que testimonian las *Rimas* en relación a la génesis sicológica del poema, que a Claudio Rodríguez le parecen parangonables con los mejores aciertos de la inspiración de los románticos ingleses como Wordsworth, Keats o Coleridge, que han aportado los más divulgados conceptos sobre la imaginación romántica. Descartado el escaso interés que en opinión de Claudio Rodríguez han conservado las composiciones más famosas pero ñoñas y sentimentales de las *Rimas*, él gusta de destacar la importancia como antecedente surrealista que para la modernidad española pueden contener los poemas del sevillano sobre el sueño, que suponen una observación casi científica del mismo. Como ejemplo, la rima 71 «No dormía, vagaba en ese limbo», o la 43 «Dejaré la luz a un lado y en el borde», significativas ambas junto a los fragmentos de consideración teórica sobre la misma cuestión que incluyen las *Cartas desde mi celda*. Concretamente, expresiones que Claudio suele subrayar en la primera de las poesías citadas, como «...mas otra luz el mundo de visiones / alumbraba por dentro», descubren interesantes zonas de convergencia con el peculiar juego paradójico de luces que centra, como sabemos, el esquema mítico y la figuralidad dominante de *Don de la ebriedad*. Respecto a la antes mencionada rima 43, Claudio Rodríguez suele subrayar en ella aspectos de la temporalidad anulada en el sueño, que ilustran también cercanamente zonas medulares de esta peculiar dimensión mítico-imaginativa en la primera obra.

En relación a la época de *Conjuros*, la gravitación sobre ella de la importante cultura becqueriana de Rodríguez parece innegable, por más que el «efebo» en este caso haya terminado sutilísimamente difuminando, como en él es constante, las huellas explícitas de su exquisito antecedente romántico. No obstante, el espíritu becqueriano podría caracterizar los inciertos términos evanescentes de sus impulsos de fuga y de búsqueda, que constituyen respectivamente el objeto poético de sus dos primeras obras. Claudio acostumbra a evocarlos bajo las sugerentes fórmulas becquerianas de «...donde la flor sin nombre», o «donde habite el olvido».

sicológicas por una mala conciencia sucesiva a la situación de *huida*[2]. Acusación y liberación, amenaza e inocencia comparten y encarnan respectivamente en *Conjuros* el peculiar dualismo que fundará perpetuamente el esquema sicológico y poético del autor, en términos de *crisis experta* y de *idilio salvador*.

Los «miedos de la noche veladora» de San Juan de la Cruz se prolongan en esta segunda obra bajo las imágenes habituales de la «lanzada al raso» de las estrellas-rejones en el romance de Antoñito el Camborio, que Claudio aprendió de memoria desde su infancia y que gusta todavía recordar en sus clases sobre Lorca; lo mismo que su equivalente mítico diurno de la arada en el surco. Pero como observaremos después en nuestro propio recuento y cotejo de símbolos, los testigos dolorosos de mala conciencia por la fuga de la casa materna se ven ya paliados notablemente en la edad de *Conjuros* desde la propia debilitación y desdibujado de su presencia, y sobre todo a causa de la sembradura imaginativa de los símbolos más feraces del retorno y los hallazgos patrios. Dentro del mito romántico de la restauración regenerativa hölderliniana, se destierran definitivamente los rigores de culpabilidad obsesiva, resonancias de la conciencia cristianizada que se organiza en torno a los despilfarros culpables del hijo pródigo.

---

2. Sobre la vinculación que establece en el texto el tematismo de las peculiares «amenazas» del entorno de escenarios grandiosos con la situación sicológica de «mala conciencia» causada por la conducta irregular de fuga, hago constar aquí las explicaciones personales del propio autor. Si bien, en otros casos, ha aludido en sus conversaciones conmigo al sentimiento de desproporción entre la pequeñez personal y la grandiosidad de los escenarios naturales del campo y de la noche de Castilla, para explicar el sentido de tales «acusaciones» o su propia «culpabilidad» como anonadamiento.

La unión del mito del regreso con la conciencia culpable, en el caso particular de la temática de *Conjuros*, enlaza la estructura del mito personal de Claudio Rodríguez con el esquema agustiniano del pecador arrepentido que vuelve al seno de la casa del padre. Las parábolas bíblicas con ese esquema mítico son abundantes, constituyendo su plasmación más conocida, la del hijo pródigo, una más que probable incidencia consciente en la conformación mítica del retorno de Claudio Rodríguez a partir de *Conjuros*. A su vez, lo peculiar en esta versión moderna y postrousseauniana de la parábola bíblica, lo pone la fluctuación que siempre ha de darse en el ánimo de Claudio entre la propia «cojera» simbólica, que manifiesta su memoria inextinguible de la culpa, y el rechazo no menos culposo que proviene del entorno social hipócrita y pactista, constituido y sustentado en los sentimientos insolidarios del temor xenófobo y la intolerancia.

* * * * *

Tampoco se espere ninguna nitidez naturalista de perfiles en la nueva floración mítica acuñada en esta obra por la *poética del retorno*. La aproximación a los objetos reales del entorno, que algunos lectores de *Conjuros* han querido exagerar en los términos de una supuesta intensificación de la fidelidad naturalista, queda siempre hábil y exactamente velada por la vocación de misterio de Claudio, para quien, recordando a Machado, «el alma del poeta se orienta hacia el misterio»; siendo su actividad más digna semejante a la imagen del cazador nocturno convocada por García Lorca.

En tales términos simbólicos, la poética del retorno y del hallazgo idílicos diseñada en *Conjuros* se consolida en torno a las imágenes de la recuperación de la inocencia espontánea, ya sea a través de la convivencia y la intimidad fraterna o como su equivalente mítico-temporal del recurso a la edad dorada de la infancia feliz. El contacto hölderliniano con el retorno patrio se tematiza más en la situación que en los detalles de «A las puertas de la ciudad» (págs. 74-75); un regreso fielmente vinculado al reencuentro y regeneración de las imágenes previas a la fuga en «Dando una vuelta por mi calle» (págs. 93-94), y en el escenario interior de la propia alcoba y del lecho protagonista del desasosiego onírico en «Caza mayor» (págs. 116-118). En determinados trances, el poeta declara la solidez fatal de sus razones de retorno: «Calle cerca del río y de la plaza, / calle en el tiempo, no, no puedo irme, / nunca me iré de aquí: fue muy certero / el tiro.»; y aunque esa vuelta se pague alguna vez con la «carnicería» de las aves simbólicas que atormentan el reencuentro de «Caza mayor», en otros momentos del sentimiento campean los valores eternos de la fidelidad, como en la portentosa crecida rítmica del clímax sentimental que testimonian los énfasis del conjuro en el poema «Al ruido del Duero»:

> *...Y si algún día*
> *la soledad, el ver al hombre en venta,*
> *el vino, el mal amor o el desaliento*
> *asaltan lo que bien has hecho tuyo,*
> *ponte como hoy en pie de guerra, guarda*
> *todas mis puertas y ventanas como*

tú has hecho desde siempre,
a quien estoy oyendo igual que entonces,
tú, río de mi tierra, tú, río Duradero. (págs. 81-82)

Pero el ruido del Duero designa simbólicamente el *sin lugar* físico de los escenarios puros espirituales, la región del negativo sentimental donde se siente alojado el combatido anhelo de desarraigo que genera los misterios poéticos resonantes. Por eso el río «fundador de ciudades» suena «en todo» menos en su lecho; y por eso ni la ciudad tras sus puertas, ni la calle detrás de sus paredes se entregarán al hijo que retorna a la seguridad de una presencia quieta, no a la serenidad de una paz idílica absoluta. De ahí el desasosiego final que testimonia «Cosecha eterna»: «¡Que se hace tarde, vámonos, que llega / la hora de la tierra y aún no cala / nuestro riego, que cumple / el gran jornal del hombre y no está el hombre!».

Ni la ciudad por tanto, ni sus equivalentes simbólicos íntimos progresivos: la calle de la infancia, la casa materna, la propia alcoba o el lecho con su hueco donde se consumó el centro culpable de la frustracción, alcanzan la consistencia imposible que se exige desde el espacio inextenso de los centros inconfesables del sentimiento. El espacio de la aventura se transubstancia entonces, una vez más, en mitos de tiempo, de lo transcurrido y lo irrecuperable. Nacerá así la infancia de los «Primeros fríos»: «Allí sale humo, corazón, no a todos / se les mojó la leña»; o bien el futuro restaurador y justiciero cuya imposible venida se conjuga como rescate de salvación idílica en «La contrata de mozos»: «¡Nuestra feria está aquí! Si hoy no, mañana; / si no mañana, un día. Lo que importa / es que vendrán, vendrán de todas partes»; será en fin imaginación metamorfoseada del incidente adverso bajo el conjuro de la reconstitución fraterna en la quimera de la edad dorada de «El baile de Águedas»:

Echo de menos ahora
aquellos tiempos en los que a sus fiestas
se unía el hombre como el suero al queso.
Entonces sí que daban
su vida al sol, su aliento al aire, entonces
sí que eran encarnados en la tierra». (pág. 119)

La aproximación a la consistencia familiar de los objetos y las entidades del entorno, que figura como adquisición en el programa poético de *Conjuros*, no significa por tanto abiertamente —como algunos han creído ver— la modificación de la anterior imprecisión romántica de los perfiles fenoménicos, que tan cavilosa y calculadamente cultiva con maestría absoluta Claudio Rodríguez. Como mucho, tal vez marque *Conjuros*, entre toda la obra del poeta, el momento de más directa explicitud referencial, el de mayor franqueamiento cordial; tal vez, pero con ser así, no se consuma en estos poemas del retorno, como antes tampoco en los de la huida, ninguna abdicación del principio romántico del misterio poético en lo inmediato, que Claudio ha constituido en centro de su estética.

Si no todavía de sustitución y de mutación radical del simbolismo, que no habrá de llegar en todo caso hasta *Alianza y condena*, sí se puede hablar ya razonablemente en *Conjuros* de evolución marcada respecto de *Don de la ebriedad*, al servicio de la inversión del itinerario mítico global entre la fuga del primer libro y el retorno tematizado en el segundo. Así los viejos símbolos medulares del descenso de la iluminación paradójica divina van debilitando la peculiaridad de su relieve especial mítico para reequilibrarse en valencias más habituales. El medular grupo simbólico que formula, en el mito del descenso solar de *Don de la ebriedad*, la proyección incisiva de la luz como flechamiento, lanzada o roturación en surco de los campos del propio cuerpo, atenúa aquí notablemente su presencia dramática y especialmente su densidad simbólica. Tal es el tono de mayor normalidad significativa que la mención del surco adopta en el primer poema de *Conjuros*, «A la respiración en la llanura»:

> *Por eso la mañana aún es un vuelo*
> *creciente y alto sobre*
> *los montes, y un impulso a ras del suelo*
> *que antes de que se efunda y de que cobre*
> *forma ya es surco para el nuevo grano.* (pág. 69)

No siendo otra la valencia que se sigue de la segunda aparición del símbolo en «Cosecha eterna»: «¡Ved, ved nuestro surco / avanzar como la ola, / vedle romper contra el inmenso escollo / del tiempo!».

Después de todo, la vertiente más concretamente realista del parámetro natural de las alegorías en estos poemas sobre la cosecha y los
trabajos del campo exige una concreción referencial siempre más neta
de sus piezas míticas. De forma semejante y hablando de la transfiguración de los limos vegetales de Osma en tapial de casa, en el poema
«Ante una pared de adobe», parece natural que se atenúen y normali-
cen los antiguos transportes simbólicos de la labor de arada: «...como
cuando / sólo eras tierra de labor y ahora / rompías hacia el sol bajo
el arado». Incluso la nueva percepción mucho más analítica y serena de
los formantes del mito tradicional del descenso y la roturación reveladora del arado divino determina una plasmación más directamente
fenoménica, mejor discriminada y analítica del antiguo compuesto
emotivo englobado en los símbolos. Véase si no, la nitidez del despliegue simbólico del complejo sobre el descenso revelador en términos de
labor de arada, flechamiento y cernido de la luz en la situación que centra
la emocionalidad hölderliniana del nuevo mito del regreso en «A las
puertas de la ciudad»:

> *...¿Qué hacía tan tranquila*
> *mi juventud bajo el inmenso arado*
> *del cielo si en cualquier parte, en la calle,*
> *se nos hincaba, hacía su trabajo*
> *removiéndonos hondo a pesar nuestro?*
> *..........................*
> *cuánto granar nos iba*
> *cerniendo la azul criba del espacio,*
> *el blanco harnero de la luz...* (pág. 74)

Bajo la placidez aportada por la nueva atmósfera sentimental del
retorno, la serenidad enunciativa encuentra su espacio textual más distendido y amplio para organizar el despliegue de todos estos símbolos, que
en los momentos iniciales y fervorosos de su alumbramiento se manifes-
taron como tensos nudos de imágenes apasionadas y magmáticas. Por eso
se desgrana remansadamente en la narración del poema la galería de
símbolos familiares, otrora crípticos y tortuosos en su plasmación imaginativa, en la que se configura el complejo mítico. El aquietado yelmo
silencioso de los cursos de agua se sustancia aquí en compañía de rumo-

res perennes con las aguas del Duero —«Como el Duero en abril entra en la casa / del hombre y allí suena, allí va dando / su eterna empresa y su labor»—; y las simbólicas ropas tendidas al oreo del sol abdican ahora de sus más numinosos pliegues simbólicos para manifestar más claramente su constitución visual de texturas metafóricas del sentimiento, de la humildad y la alegría[3]:

> *...así nosotros, ¿qué otra cosa haríamos*
> *sino tender nuestra humildad al raso,*
> *secar al sol nuestra alegría, nuestra*
> *sola camisa limpia para siempre?* (pág. 75)

Semejantemente, la arada que el cerro de Montamarta demanda de los hombres, es la labor real de alguna reja profunda que airea y vivifica vegetalmente la sequedad de su milenaria sed universal.

La creciente claridad objetivada de este grupo de símbolos agudiza, si acaso, en todos ellos la condición violenta y dolorosa de sus efectos dramáticos. El flechamiento de la luz descendente en el poema «A las estrellas» se exaspera lorquianamente —recuérdese del romance de Antoñito el Camborio: «Cuando las estrellas clavan / rejones al agua gris»— en la imaginación de Claudio Rodríguez bajo la violencia laceradora de rejones y lanzas: «A qué lanzada al raso tan cercana / seguro blanco ofrece el pecho mío»; mientras que la «justicia de la luz» que penetra en el siniestro «Pinar amanecido», es obra de la «audaz horda / de las estrellas, la implacable hueste / del espacio». En cuanto al símbolo mismo del pinar, la siniestra asociación nocturna que mantiene duraderamente en el imaginario de Claudio Rodríguez clarifica mediante una de las raíces, la más convencional seguramente, de su constitución adversa la amplia explicitud temática del poema final de *Conjuros*. En

---

3. Análogo tenor de diafanidad alegórica comunican las restantes afloraciones del simbolismo de la ropa tendida, como por ejemplo en «Día de sol»: «Oh, sed ropa tendida. / ¡Que nos varee el sol...». Y sobre todo el desarrollo más amplio y circunstanciado que recibe este impulso medular simbólico en toda la obra de Claudio Rodríguez, en el poema «A mi ropa tendida», de cuyo análisis temático nos ocupamos en distintos lugares de este estudio.

«Pinar amanecido» se contraponen las asociaciones neutrales del pinar saludable y benéfico —«¿No sientes / junto al pinar la cura, / el claro respirar del pulmón nuevo, / el fresco riego de la vida?»— frente al paulatino despliegue de la acepción simbólica desfavorable del agrupamiento de los pinos, semejante al de las casas y los hombres de la ciudad. Todo ello vinculado al pactismo negativo de la defensa común, del interés arracimado y del miedo: ...«tronco a tronco, hombre a hombre, / pinar, ciudad, cantemos: / que el amor nos ha unido / pino por pino, casa / por casa».

La evolución interna que observamos en la galería de símbolos dominantes en la imaginación de Claudio Rodríguez, ratifica por una parte la consistencia atormentada y hasta sangrienta de su experiencia consolidada; pero señala simultáneamente un punto de salvación optimista sobre el ápice de la desesperación, que siempre enmascara o matiza el imaginario severamente trágico del poeta. De esa manera, resulta sintomática la tonalidad imperante dentro del conjunto de símbolos sobre la agudización de lo doloroso, la distancia irreductible frente al término natural de la muerte. Mencionada sólo retóricamnete en las interrogaciones del poema final de *Don de la ebriedad*, ahora en *Conjuros* señala el ápice inexorable de la abolición dolorosa de la vida. La resistencia tenaz que a ella opone siempre el optimismo emprendedor de Claudio, se proyecta sobre fórmulas poéticas crecientemente intensas, pero invariablemente abiertas a la positividad salvadora. Ni tan siquiera el abrazo simbólico de las hoces resulta ser ya «mortal» en este libro, como lo fuera en el precedente. Recuérdese «El canto de Linos»: «¡Fuera la hoz, sí, fuera/ el corto abrazo del apero aun cuando/ toda la tierra sea esperanza». Por el contrario, el tenor más común a las menciones de la muerte en *Conjuros* es el de plenitud, el de cima de los clímax vitales. Como la misma vida, resulta fascinante contemplada en su perspectiva sólo teóricamente necesaria, a distancia de nube: «¡Qué vida y muerte fulminantes!», exclama en el poema «A la nube aquella»; y desde su distancia inanimada, el cerro de Montamarta establece también su balance ambiguamente abierto sobre el trance renovador de los humanos: «Aún les queda en el alma / mi labor, como a mí su clara muerte».

A fundamentar juvenilmente la modulación gloriosa del instante más temido y fatal para los hombres se conjuran en la poesía de Claudio los recursos expresivos de estilo: la *clara* muerte del último poema mencionado es fórmula adjetiva, positiva y abierta, que se reitera significativamente en las más resonantes representaciones como desbordamiento inefable de emociones plenarias. Me refiero a las expresiones que extreman los momentos culminantes del clímax sentimental en «A la respiración en la llanura»: «Sería natural aquí la muerte. / No se tendría en cuenta / como la luz, como el espacio, ¡Muerte / con sólo respirar!». Y sobre todo en la mención que decide y abre en amplitud infinita otra gradación exclamativa: «¡Qué hostia la del aliento, qué manera/ de crear, qué taller claro de muerte!». Bajo la evidencia de tales poderes modificadores de la expresividad sentimental del estilo en el universo especial y cerrado de la poesía, la trasmutación salvadora y gloriosa de la muerte a cargo de los lexemas y las construcciones fantásticas de claridad luminosa y de apertura cromática descubre la progenie de su arqueología emocional imaginativa.

Pronto empezaban a extremarse, como se ve, los síntomas de la constante poética, imaginaria y expresiva más peculiar del atormentado espíritu de Claudio Rodríguez: la crisis emocional extrema desenlazada en fórmulas de poderosa persistencia. Por una parte, el arrojo apasionado y agitadamente romántico de la proclividad trágica de su carácter y de su biografía empezaban a emplazar familiarmente a Claudio en los arrabales tormentosos de la perdición y el malditismo de sus modelos literarios de juventud: Rimbaud y Verlaine. Pero por otra, obraba ya en el poeta por entonces, como después y hasta ahora mismo, ese fondo alternativo, invariable y seguro, de regeneración y de supervivencia: su *voluntad ética de salvación* —efusiva y egocéntrica al tiempo, según momentos— batallando y contrastando sin tregua los más extremos peligros de su desencadenado impulso de transgresión, las zonas más sombrías de su leyenda vengativa y sangrienta... la trágica fascinación de este poeta.

* * * * *

La condición dolorosa y por momentos violenta de la imaginación exasperada de Claudio Rodríguez se extiende a todos los grupos de formantes simbólicos de *Conjuros*, que paulatinamente van configurando el atlas de la imaginación del poeta. Junto a la fundamental conglomeración mítica del descenso luminoso de la claridad, cuyas variantes fantásticas de despliegue simbólico acabamos de examinar, se afirma y se recrea en la configuración imaginaria de esta segunda obra el universo visceral de la uva simbólica del corazón y el vino de la sangre, un trasunto mítico de probable progenie literaria en la «compasión» hernandina del poeta, que aparece dominante sobre el conjunto temático del poema «Con media azumbre de vino». En casos como éste, el simbolismo medular se manifiesta enfáticamente en la fórmula expresiva que articula el conjuro: «¡Todos, / pisad todos la sola uva del mundo: / el corazón del hombre!». Uva y vino que han de constituirse duraderamente, a partir de su consolidación simbólica en las primeras obras, en verdaderos centros y talismanes míticos de todas las leyendas, la personal y la poética, de Claudio Rodríguez.

Principio de todas las ebriedades vulgares y sublimes del poeta: de las más degradantes en su leyenda menor como de las superiores en la clarividencia dionisíaca (de las que aquella otra ebriedad de la leyenda cotidiana se descubre en verdad como máscara personal intemperante y calculada, cordial y despectiva en el fondo), el símbolo sangrante y vivificador de la uva se reviste en esta poesía de su entidad sagrada y superior. Ese vino, la sangre mística y sagrada del hombre-Cristo, signa la salvación sobre las puertas de los nuevos primogénitos: «¡Con su sangre/ marcad las puertas!». Y alternativamente la uva de los jóvenes corazones, en la venta jaranera y triste de «La contrata de mozos», será fruta nunca marchita y «pocha» en los lagares de la mejor esperanza, solidaria y quimérica.

Pero una vez más la salvación y la violencia, el optimismo en lo doloroso, son coordenadas dramáticas que entrecruzan sus raíces en la tortuosa y fecunda imaginación de Claudio Rodríguez. El zumo generoso del corazón brota tan sólo cuando lo tritura la pisada del hombre; lo mismo que la iluminación de lo absoluto había de producirse únicamente bajo la luminosidad paradójica de unos astros divinos flechadores o alanceadores. Paralelamente, la fórmula de la violencia inseparable de todo alumbramiento mítico reaparece en el grupo de símbolos femeninos y maternos del pan y el vientre «heñidos», estrujados u hollados. Lo mismo da que sea el infinito pulmón o el vientre maternal de la llanura, sobre el que el caminante define su propia estatura personal;

o que se trate del seno de la tierra que alumbra su fruto vegetal en la «Cosecha eterna»:

> *Y cualquier día se alzará la tierra.*
> *Ved que siempre está a punto*
> *y espera sólo un paso bien pisado.*
> *¡Pronto, pisadla ahora,*
> *que sube, que se sale*
> *la leche, la esperanza*
> *del hombre...* (pág. 79)

El género masculino del hombre-corazón contagia imaginativamente sin duda el fondo mítico de aquel símbolo, igual que el sexo gramatical del lexema tierra determina también en este caso mucho de la condición femenina del símbolo fantástico y de sus secuelas asociadas: la leche aquí, no el vino, producción del sexo femenino:

> *...¡A la tierra,*
> *a esta mujer mal paridera, demos*
> *nuestra salud, el agua*
> *de la salud del hombre! ¡Que a sus hijos*
> *nos sienta así, nos sienta*
> *heñirla sin dolor su vientre a salvo!* (págs. 79-80)

Pero sobre la contextura imaginativa de la nominación simbólica diferente, se establece y domina en el mito de Claudio una forma uniforme de impulso generador violento y duro, cruento y extenuador como su propia experiencia dominante de lo femenino y lo materno.

Desde el trabajo imaginario de muchos de estos símbolos se unifican las plurales valencias míticas de afloraciones léxicamente diferenciadas, pero que de pronto descubren la convergencia de un impulso común. En el mito general del retorno que gobierna temáticamente *Conjuros*, la variedad de términos para el movimiento imaginario acumula, por ejemplo, los ideales de la ciudad patria con el hueco que produce la memoria del cuerpo sobre la cama materna de la infancia. De esa manera, la ciudad, la calle, la casa, la habitación y la cama desecha con la huella del cuerpo amenazante son términos progresivos de un retorno común, que precipita hacia el acogimiento en el seno maternalmente anhelado y temido. Una acogida calurosa que se sustanciará de nuevo en este libro con la imagen germinativa del grano bajo el manto protector de la cutícula, evocada inquietamente ahora en el verso del poema «A las estrellas»: «como el grano en la vaina, que es su límite oscuro».

Desde la perspectiva sorprendente de las recónditas homologías simbólicas que convergen en el trayecto mítico del impulso de retorno, el truculento dramatismo del poema «Caza mayor» descubre la medularidad subconsciente del conflicto de culpa y arrepentimiento en la constitución del mito personal de *Conjuros*. Por una parte se afirma consolidadamente, en la tortuosa formulación poemática de este texto, el espacio conflictivo que se emplaza como lecho anhelado y temido, el centro evocativo de la atracción y del rechazo, de la ternura y del odio:

> *Dura y sin hoyo está mi cama ahora.*
> *¿Quién ha dormido aquí, madre, quién la hizo*
> *tan mal todo este tiempo? ¡Venga, venga*
> *lo mío!...* (pág. 116)

Y junto al lecho, en acelerada asociación espontánea, el grupo de desgarradoras representaciones simbólicas de las aves, el nuevo foco sacrificial característico en este intenso momento patético de la imaginación de Claudio. Dos familias de imágenes penetradas profundamente de contagio doloroso, que se alternan bajo una multiplicidad fecunda de facetas extremas a lo largo del texto. Así, inmediatamente después de la presentación del espacio fundante del conflicto en el lecho, se suscita la amenazadora desbandada de las siniestras palomas de la imaginación trágica:

> *...¡Madre, a ver qué desbandada*
> *es ésta! Ahí van, tú dices,*
> *todos los sueños, ahí van las palomas.*

De este modo, las «señaleras criaturas» de antaño, meros rastros simbólicos de una celeridad de aliento matafísico que poblaba los «ruidosos palomares» de la imaginación, se transfiguran, dentro de la carnal

ensoñación de resistencias al retorno familiar de Claudio, en los testigos ensangrentados del propio sacrificio terrible. Con ellos jugarán
siempre, ahora como antaño, los formidables poderes poéticos del estilo y las jugosas capacidades de evocación fantástica del poeta; aquí
bajo el guiño logradísimo de una familiaridad naturalista —«¡Al ojeo,
al ojeo,! Las conozco: / esa de corto vuelo / aquella otra / nuevica es,
la otra pedigüeña», etc.—. Pero a la postre lo que predomina en esta
historia es la dramática intensidad de su perfil siniestro asociativo, con
las representaciones siempre amenazadas del propio mito obsesionante
sobre la inalcazable restauración del origen idílico:

> *Nunca creí tan simple*
> *verlas hoy aquí en tierra, aquí a mi lado.*
> *¡Pero que se me van! ¡Cerrad las puertas!,*
> *¡cerrad esa ventana que mi vida*
> *se va! Madre, ¿quién hizo*
> *tan mal mi cama, con tal revoltijo!*

El despojo del hueco por la desprotección materna en la cama
infantil es sin duda el centro de atracción mítica, la estación más aciaga
y dolorosa del alma, en este recorrido imaginario del imposible retorno
de *Conjuros*. Así lo proclama Claudio con absoluta explicitud tras el
nuevo asalto, el más cruel[4], de la pesadilla de los pájaros; y lo figura

---

4. Fuera del contexto intensamente trágico de este texto, el frecuentado simbolismo del
palomar mantiene a veces su condición habitual de animado receptáculo de ilusiones. Así se da
en el poema «A las estrellas» como: «¿Qué palomares de aire me abren los olmos?»; y con valor
semejante en la invitación de «Dando una vuelta por mi calle»: «...abre / tu palomar y salgan, /
salgan al aire libre». Pero no dejan de ser infrecuentes tampoco en este mismo poema los contextos adversos y crueles para el simbolismo cinegético de las aves; y sobre todo en los sobríos
símbolos, reveladoramente freudianos, de la composición «A las golondrinas». Destaco a este
propósito las imágenes de las golondrinas acribillando, raudas y derechas, la muralla, e incidiendo
en ella como sobre el propio cuerpo en la famosa pesadilla del cuento de Kafka «El buitre» (Cfr.,
Carlos Castilla del Pino, «El psicoanálisis, la hermenéutica y el universo literario» en P. Aullón
de Haro, *Teoría de la Crítica literaria*, Madrid, Trotta, 1994, págs. 374 y ss.):

> *...Cuándo os daréis cuenta*
> *del sol, de que ese muro*
> *busca vuestro calor. ¡Acribilladlo*

bajo la nítida alusividad del calor de las mantas sobre el aterido sueño del niño, una representación fantástica asociada a la imagen igualmente obsesiva del grano protegido tras la cutícula de la vaina:

> ¡*Fuera, fuera! He venido*
> *a descansar. La culpa*
> *es tuya, madre, que no me velaste.*
> *Mira como aquel niño*
> *se arrebuja en su sueño*
> *como en su manta, y llega*
> *a madurar en él, y se hace grano*
> *allí dentro, en la prieta vaina pura,*
> *y apunta ya, y no sabe, y la cosecha...* (pág. 116)

A partir del hoyo de la cama, de ese centro abismal y terrible del lecho desvelado[5], la proyección imaginativa va ensartando los símbolos

---

> *ahora, metedle el pecho hasta lo hondo*
> *como al barro del nido...*(pág. 89)

Un indudable resto de violencia y de horror se sobrepone aquí a la neutralidad de la observación natural del vuelo de las aves con su acelerado trajín de alimentar las crías en los nidos. La familiar presencia de aves en la poesía de Claudio Rodríguez no disminuye nunca la condición misteriosa o siniestra que inducen frecuentemente. En el poema a las golondrinas, el efecto de celeridad y de sorpresa con que se inicia, se produce lo mismo que en otros casos a partir de las imágenes de pesadilla del roce y del contacto —«¿Y me rozais la frente / y entrais por los solares...» etc.—; un escalofrío de repulsión que es aún más patente en el poema comentado «Caza mayor»:

> ¡*No! ¡Esos vencejos, esos*
> *sueños de juventud que van y vienen,*
> *que me aletean en la cara! ¡Quietos,*
> *quietos! ¡Estad como ese,*
> *quietos en la pared, crucificados!* (pág. 116)

Sin olvidar, por último, el protagonismo central del grajo en la composición alegórica sobre la muerte del hombre, dentro de esta misma obra, en el poema «Incidente en los Jerónimos».

5. Aparece aludida en estos versos la anécdota dolorosamente retenida en la memoria del niño y que ha subrayado con énfasis especial Dionisio Cañas, de cómo en un día de malestar febril tras de un accidente de escasa importancia, la madre salió de casa acompañando al padre a presenciar un espectáculo festivo. La sensación de abandono en que se sintiera el niño tuvo, como lo testimonia este poema, muy duraderas y adversas consecuencias que alimentaron y centraron el núcleo imaginario y sentimental más decisivo, sin duda, de la sicología del poeta. Es en razón de la importancia decisiva que hay que atribuir a estos sentimientos muy arraigados de desafecto y de

amplificados en la progresión de esta pesadilla: del lecho y de la casa a la ciudad; y de la ciudad a la patria común, al hoyo de la tierra:

> *¡Vamos a esa ciudad, vámonos ahora!*
> *Aquí no estoy. Madre, ésta no es mi cama.*
> *¡Pero sí es la de todos, si es la dura*
> *pero con hoyo! Tierra. ¿Y quién la hizo*
> *tan mal todo este tiempo, madre mía?* (pág. 118)

El recubrimiento idílico del mito íntimamente doloroso del retorno culpable y combatido corre a cargo, como se ha visto, de las plácidas

---

culpa en la constitución del complejo mítico imaginario de Claudio Rodríguez, por lo que creo inevitable realizar este subrayado crítico; sin desplegarlo —por razones, espero, que comprensibles en mi caso— hasta el más que plausible escenario de sus duraderas consecuencias biográficas y simbólicas.

Conviene constatar aquí, no obstante, la medularidad del tema de infancia y de los conflictos adolescentes de Claudio con el núcleo normal de afectos vinculados a la imagen materna, como el desencadenante más decisivo en la ubicación del mito del viaje iniciático, en términos de *huida culpable* y de *retorno conciliador*, según se articula la historia mítica de los dos primeros libros del poeta. La tortuosa asimilación de ese conflicto ha de dejar más tarde sus huellas puntuales tematizadas en poemas como «En invierno es mejor un cuento triste» de *Alianza y condena,* o en la desgarradora historia de «Herida en cuatro tiempos» de *El vuelo de la celebración,* bajo la impresión de la muerte sucesiva de la hermana y la madre.

La intensidad problemática de la crisis materna y la desgracia familiar de los hermanos, que alcanzará hasta reconsideraciones tan tardías como la de «Con los cinco pinares...» en *Casi una leyenda* —obra, tal vez la más importante por lo que se refiere a la construcción imaginativa de los mitos temáticos de Claudio—, es la que se refleja en el desplazamiento del complejo filial y fraterno de culpa a su recubrimiento temático de la transgresión como robo sacrílego y enterramiento del cáliz. Una fantasía más seguramente entre las transfiguraciones en deportista, pelotari, nadador, jugador de cartas o representante de toreros, con las que este gran poeta trata de gratificarse burlonamente dentro de las fantasías diurnas de su peculiar «leyenda» favorita.

Con todo, tampoco resulta decisiva la verificación concreta del episodio del robo infantil del cáliz y el de su ocultamiento; lo ciertamente importante en este caso, para explicarse la constitucion mítica del complejo y la fisonomía de las metamorfosis imaginarias de estos símbolos, radica, según mi propio análisis, en la asociación que se ha de producir en el poema «Ahí mismo» del *Vuelo de la celebración* entre el objeto desencadenante de la culpa mítica, el cáliz sepultado en tierra, y la conformación simbólica del sexo femenino mineralizado, como gruta, cueva o bóveda —otra de las semantizaciones fantásticas con presencia emocional más intensa y extensa en la obra de Claudio—. En todo caso, es míticamente significativo que la temprana materialización juvenil de la transgresión culpable como cáliz sacrosanto robado se asocie en el transcurso del tiempo con estos tardíos símbolos de una temática amorosa y erótica que no ha dejado nunca de desalojar por completo, en el caso de Rodríguez, la fascinante tiniebla problemática de su génesis mítica.

imágenes fraternales de estirpe hölderliniana de «A las puertas de la ciudad», las cuales introducen a su vez el contraste de su propia galería simbólica de compensaciones salvadoras. Focalizado como memoria insolidaria de la venta deshonrosa del trabajo y del vigor en «La contrata de mozos»[6], o bajo el extendido y duradero símbolo del «paso cojo» o de los malos pasos entre las gentes pérfidas[7], este decisivo núcleo imaginario se perpetuará en la poesía de Claudio Rodríguez como uno más de los acordes simbólicos que integran el mito mayor de su retorno imposible al centro frustrado de la infancia.

Radicación telúrica del conocimiento, desde el mito inicial de la revelación fundante

Conjuros enraiza, en muchos sentidos, el proceso de metamorfosis trascendental que sobre el entorno de lo real había proyectado el anhelo adolescente del poeta en *Don de la ebriedad*. Persiste invariable desde entonces la actitud lírica de *exploración por cotejo* sobre lo inmediato, pero en los resultados se acentúan ahora las resonancias sentimentales y el interés en la estructura íntima y poética del material objetivo sobre la voluntad de profundizar abstractamente el conocimiento cosmogónico; no siendo tampoco infrecuentes, en consecuencia, los momentos poéticos en los que se focaliza más atentamente la sustancia misteriosa del *yo*.

---

6. El síntoma insolidario y adverso de la venta por dinero del vigor laborioso y de la ociosidad festiva de los hombres, tematizado centralmente en «La contrata de mozos», se despliega por otras composiciones de *Conjuros*; empezando por la situación inicial básica de la espera al sol en la plaza, tal como se manifestaba ya en «Día de sol». La asociación de lo mísero y lamentable con lo que se pone en venta concurría en la interrogación del poema «A las estrellas»: «¿Tan miserable es nuestro tiempo que algo / digno, algo que no se venda sino que, alto / y puro, arda en amor del pueblo...»; y tanto en «Al ruido del Duero» —«La soledad, el ver al hombre en venta»—, como en «A la nube aquella» —«Lejos de donde el hombre se ha vendido»— reaparece con idéntica constancia este más que seguro núcleo de la frustración idílica.

7. Véase, por ejemplo, en «Al ruido del Duero»: «...Hoy no puedo, hoy estoy duro / de oído tras los años que he pasado / con los de mala tierra» (pág. 81). Más concretamente en el símbolo del paso malo o cojo de «Dando una vuelta por mi calle»: «...Qué multa / me pondrían ahora, a mí el primero, / si me vieran lo cojo, / lo maleante que ando desde entonces».

Se ha apuntado a veces, sobre esta serie de modificaciones literarias que se observan en el segundo libro de Claudio Rodríguez, que la
independencia del autor en *Don de la ebriedad* conoce aquí alguna
inflexión temática con pequeñas concesiones a la presión de la atmósfera humanizada del realismo social en la que estaba inmersa
absolutamente la poesía de la generación inmediatamente previa con
Hierro, Morales, Nora, Otero o Celaya[8]. Así debe de ser en algún grado, porque en el fondo ni siquiera un espíritu tan absoluto y puro, tan
independiente poéticamente como el del joven Rodríguez, parecería animado de suficientes razones polémicas para eludir la ley aplastante del
momento ético contemporáneo. Pero aun así, y más allá de las presencias más individuales y humanizadoras que se descubren en la mayoría
de los textos de *Conjuros*, lo cierto es que todas esas posibles vecin-

---

8. La gravitación más o menos activa y penetrante del intertexto de la poesía social sobre
Conjuros es una de las cuestiones literarias externas más debatidas en la crítica temática sobre esta
obra, y sobre la que habremos de volver en detalles concretos en otros lugares de nuestro estudio.
Entre el enmarañamiento de las opiniones críticas más o menos desencontradas, prevalece la convicción sobre la independencia radical de Claudio Rodríguez. Para esta cuestión, Prieto de Paula
(Cfr. *La llama y la ceniza*, cit., pág. 127) ha reseñado las supuestas discrepancias que alinearían
a críticos como Jaime Siles en su artículo «La palabra fundadora», cit., pág. 77, y Dionisio Cañas,
en *Poesía y percepción*, cit., pág. 127, proclives según Prieto a considerar a *Conjuros* como «un
libro de poesía costumbrista» o social; frente a quienes como él mismo o Guillermo Carnero veían
en las inocultables diferencias de *Conjuros* respecto al intertexto social inmediato la mejor prueba
de la distancia «superadora», que acabaría favoreciendo a la poesía de Claudio. Cfr. Guillermo
Carnero, «La práctica de la poesía social en la posguerra», en *Leviatán*, 13 (1983), pág. 130. Sobre
bases distintas, la conclusión genérica de Carnero concuerda con el análisis específico de la presencia de los temas de la solidaridad social en *Conjuros* que realiza Jonahan Mayhew. Precisamente
la conciencia distanciante de la creación poética dotaría a las formas de solidaridad fraterna en
Claudio, según ambos críticos, de unos niveles de novedad totalmente amortizados en los ejercicios convencionales de poesía «social». Cfr. Jonathan Mayhew, «The Motive for Metaphor: Claudio
Rodríguez's *Conjuros* and the Rhetoric of Social Solidarity», en *Symposium*, 43 (1986), págs. 37-
55. A destacar por último, entre los defensores de la peculiar independencia del sentimiento solidario
en Claudio, el análisis historiográfico de Philip Silver, quien conecta el evolucionado contenido
moral de los poetas del 50 con la tradición humanística de un «centro republicano», cuya tradición
intelectual remontaría según Silver a la sociología de Ortega y a la distanciada solidaridad intelectual de poetas como Guillén y Salinas. En contra se situaría para el crítico americano la línea
de una «izquierda republicana», que llega a los poetas sociales de nuestra postguerra desde el
magisterio emocional de Unamuno y Machado. Cfr. Philip W. Silver, «Nueva poesía española: la
promoción Rodríguez-Brines», en *Ínsula*, 270 (1969), pág. 14.

dades se configuran en la poética de Claudio Rodríguez como una modificación espontáneamente natural, gradual y congruente del *mito temático* fundante del autor, tal como se había plasmado ya en la tensión magmática del deseo metafísico en *Don de la ebriedad*.

Seguramente que, de nuevo, la sustancia más influyente y perceptible de todas estas modificaciones del mito temático la ofrecían diseños imaginarios más esquemáticos y abstractos sobre el impulso explícitamente temático y sentimental. Correspondiendo a la situación espiritual de la iluminación casi mística para el arrobado contemplador, la trayectoria fundante de la metamorfosis metafísica en *Don de la ebriedad* era, como se recuerda, *descendente*, y se refería sobre todo a la lluvia de luz iluminadora —«Siempre la claridad viene del cielo; / es un don: no se halla entre las cosas / sino muy por encima»...—, una impresión de cenestesia imaginaria que no ha de confundirse con la actitud de contemplación *ascendente* que afecta al receptor simbólico de la iluminación. Pero ahora, en las nuevas coordenadas míticas de *Conjuros*, —un itinerario de retorno, no se olvide, consecutivo al anterior de huida— se invierte el sentido predominante en el trayecto de comunicación esencial. Verifiquémoslo en el primer poema del nuevo libro «A la respiración en la llanura», con todo su valor de testimonio de síntesis sobre el programa alegórico encerrado en el total de la obra, según nos consta que Claudio despliega siempre en estos textos liminales.

La poderosa imagen poemática de la respiración telúrica envolvente, que da sentido y llega por momentos a confundirse con la propia respiración a ras de tierra del poeta, constituye la raíz de un sentimiento de espacialidad imaginaria manifiestamente distinto del que fundaba la iluminación descendente en el mito juvenil del deseo[9]. Incluso sin la

·

---

9. Como control y contrapartida a lo que pudieran parecer excesos nuestros de la ilusión interpretativa, debe tenerse en cuenta en el caso del gran poeta que es el autor de «A la respiración en la llanura», su sensitiva capacidad de transfiguración sobre cualquier forma habitual de la experiencia. Véanse sus declaraciones sobre algunas de las sensaciones de intensa cenestesia que se tematizan en el poema: «Al caminar de noche por la meseta se llega a producir una sensación de *elevación* del cuerpo, que no es ninguna metáfora mística de levitación, sino que es una auténtica sensación corporal, en la que se pierde casi el sentido». Declaraciones en *El Europeo*, 1991, 32, pag. 76. De la espontánea sinceridad de este tipo especial de sensaciones en la vibrante sen-

explicitud alusiva del impulso ascensional que se concretará después en otros poemas, la circulación aérea marca el sentido predominante de la ascensión y del vuelo: «Por eso la mañana aún es un vuelo / creciente y alto sobre / los montes...»; y más adelante: «pero algo me levanta al día puro, / me comunica un corazón inmenso, / como el de la meseta, y mi conjuro / es el del aire...» Imágenes del hombre descendido a la compañía de las cosas y con las evidencias ya estabilizadas de su fracaso cotidiano en la esperanza adolescente ebria. Cada vez más, la *centralidad* solitaria y desolada de la propia vivencia de sí mismo como centro de la consciencia experta entre la variedad entrañable de las cosas impone espacialmente la ley humilde del amor ascendente sobre el anterior vislumbre sobrehumano de advenimiento descendente de la *Unidad* esencial[10].

Sólo unas modificaciones tan marcadas en el esquematismo espacial de la imaginación resultan decisivas sobre el planteamiento temático y su desarrollo en el poema segundo «A las estrellas». Todo favorecería en la configuración imaginativa de este tematismo la reiteración del núcleo central del mito de la iluminación descendente, que comparece

---

sibilidad de Claudio se percató entre los primeros su amigo —y por entonces puntual correspondiente— Vicente Aleixandre, precisamente a cuenta de las peculiaridades sicológicas del impulso «ascensional» que testimonia este mismo poema. Sobre esto le escribía desde Miraflores el día 10 de Septiembre de 1953: «Comprendo lo que me dice de que quisiera hacer una poesía de impulso. Hay en vd. un henchimiento, una disposición ascensional en la contemplación de la naturaleza, del mundo en trance de crecimiento. Tiende vd.a una embriaguez de totalidad respirada. En este poema es bien visible». Cit. por Dionisio Cañas, *Claudio Rodríguez*, cit., pag. 100.

10. La importancia temática de este indicio mítico del movimiento imaginario ascendente ha sido elevada a condición principal y constitutiva del tematismo fantástico de *Conjuros* por Angel Luis Prieto de Paula, cfr. *La llama y la ceniza*, cit., pag. 126. A tal respecto resume el excelente conocedor de la poesía de Rodríguez: «Muchos de los poemas de *Conjuros* incorporan a su mundo lírico una nota que ya estaba presente en *Don de la ebriedad*, aunque se hace ahora más frecuente y explícita». Se torna en el sentido dominante, diríamos nosotros, dentro de la orientación lineal que define reversiblemente lo ascendente-descendente imaginario y como consecuencia del bloqueo mítico desengañado sobre la esperanza de la compañía divina descendente. «Me refiero —continúa Prieto— a la tendencia ascensional que actúa en Claudio Rodríguez como puente espiritual que une lo humano y lo celeste... Muchos poemas de este libro manifiestan en el asunto y en el propio título tal aventura: «A las estrellas», «A las golondrinas», «A la nube aquella», «El cerro de Montamarta dice», «Incidente en los Jerónimos». Propendiendo a tales alturas alcanza, ya que no las cumbres del conocimiento, a lo menos un otero alto desde el que presentirlas y vislumbrarlas».

—aun así— obligatoria en algunos momentos. Y sin embargo, las presencias simbólicas del texto imponen el nuevo protagonismo del empeño temático del hombre por proyectar activamente hacia lo alto sus esfuerzos, tratando de lograr un encuentro comunicativo que se ha desprendido ya de las aspiraciones esencialistas de la metamorfosis:

> *¡Que mi estrella no sea la que más resplandezca*
> *sino la más lejana! ¡No me queme su lumbre*
> *sino su altura, hasta lograr que crezca*
> *la mirada en peligros del espacio y la cumbre!*
> *¿Quién cae? ¿Quién alza el vuelo?*
> *¿Qué palomares de aire me abren los olmos?...* (pág. 71)

En esta coyuntura del impulso ascensional, el entrañado símbolo del palomar y en general del vuelo de las aves que se multiplica en los poemas de *Conjuros*, descubre todo su valor de sensibilización material, de semantización figurativa para el nuevo impulso dominante. Y así el poema constata abiertamente la multiplicación de los incidentes concretos, humanísimos, que le han nacido a la pureza esquemática del mito esencial adolescente; eso sí, ni tan siquera ahora recordado en el prístino sentido descendente de la iluminación: «..Antes / era sencillo: tierra y, sin más, / cielo. / Yo con mi impulso abajo y ellas siempre distantes.»

En términos sintomáticamente próximos, incluso las persistencias menos modificables a la experiencia en las dinámicas de la espacialidad, como la que daba lugar a las metáforas obsesivas de la ropa tendida al sol o de la imagen sacrificial oferente del yo expuesto a las lanzadas del espacio, cuando comparecen nuevamente en estos poemas de *Conjuros* —«A qué lanzada al raso tan cercana / seguro blanco ofrece el pecho mío»—, lo hacen convocadas por inequívocas marcas del sentimiento y de las vivencias vitales, para tematizar el despojo de cualquier contaminación especulativa y metafísica del mito. Ya no hay descenso incorpóreo de la luz, sino caída... y aun material: ...«Esas de arriba, luego / caerán. ¡Hazlas caer! Ni son estrellas / ni es música su pulso enardecido». Todo lo ocupa ahora en el poema el protagonismo de las experiencias en la tierra, marginando el espacio de unos mitos aéreos que subyugaban ayer: «... y hay un sonido/ misterioso en la noche, y hay en cada / ímpetu del espacio un corpóreo latido». Todo es impulso a la auscultación de lo inmediato, que asciende en escalas de elevación hímnica: los sembrados «serenos / en su tarea hacia la luz»; y las montañas y las altas cumbres y hasta la horizontal llanura proyectada hacia lo alto en esta nueva comunión del sentimiento. Todo lo consagra y lo eleva el contagio del impulso cordial.

Algo muy semejante, sobre la modificación antes anunciada del símbolo de la ropa al oreo, se constata en el poema tercero, «Día de sol». El descenso de la luz no cuenta ya con ninguna capacidad de metamorfosis iluminadora, ni tan siquiera como ascesis de purgación y de limpieza metafísica para la epifanía. Ahora se trata del sol compañero que calienta, que entibia y que consuela de las inclemencias del aire frío al raso: sol de la espera en plazas de contrata de mozos.

En el poema cuarto «A las puertas de la ciudad», centro del mito fundante del retorno en esta obra, la modificación del mito cósmico se proyecta e ilumina sobre otro de sus despliegues temáticos fundamentales: el hallazgo del nuevo latido solidario, la tarea entusiasta en la que se ha transformado con el paso del tiempo el antiguo ensimismamiento. Es este contagio horizontal, contiguo, de las palpitaciones fraternales del corazón el que define inevitablemente el nuevo espacio del sentimiento poemático con sus sendas y sus direcciones modificadas. La historia del extravío anterior que aquí se tematiza frente a la recién estrenada vivencia del aliento común[11], convecino y fraterno, implica entre otras muchas cosas el nuevo espacio fundamental del mito de la imaginación; y Claudio traza aquí su historia:

> *¿Qué estaba yo mirando*
> *que no lo vi? ¿Qué hacía tan tranquila*
> *mi juventud bajo el inmenso arado*
> *del cielo si en cualquier parte, en la calle,*
> *se nos hincaba, hacía su trabajo*
> *removiéndonos hondo a pesar nuestro? (pág. 74)*

---

11. Jonathan Mayhew ha destacado a propósito de este poema la temprana vocación endocéntrica de los formantes temáticos en el mito de Claudio, señalando la recurrencia en el texto de un conjunto de imágenes y de metáforas habituales desde *Don de la ebriedad*, cfr., «The Motive for Metaphor: Claudio Rodríguez's *Conjuros* and the Rhetoric of Social Solidarity». Cit., pág. 42.

Ahora son ya los nuevos días con sus nuevas tareas; y «El canto de Linos» propone, tras de su homogénea alegoría sobre la inasequible recolección, a pesar de las afanosas labores del campo, el contenido palpitante y humano de un espacio inédito para la revelación de lo que cuenta. Una vez abandonadas ya —y tal vez agotadas para siempre— las ilusorias cimas de la iluminación transfigurante, el poeta quizás decepcionado —«Por mucho que haga sol no seréis puros / y ya no hay tiempo...»— proyecta la inquietud irredenta de su nuevo anhelo hacia las presencias en apariencia menos controvertibles de la compañía próxima, en el esfuerzo estéril de los campos; ponderando la danza y los juegos del asueto después de la labor, bajo el remoto estímulo de los inocentes esparcimientos campestres leopardianos. Feraces trasuntos todos para los mitos de la vida flexionada sobre su cintura de sudores palpable, en el trabajo corporal y terrestre. De ese modo, la mítica exposición a los rayos de un sol depurador —«...con la faena a cuestas, y ponemos /la vida, el pecho al aire y un momento / somos al aire puros»— se constituye ahora en medio para revigorizar y atemperar los cuerpos, sin otras trascendencias epifánicas que las de las más dulces delicias, los modestos consuelos de la compañía honrada y laboriosa:

...Oíd desde aquí: ¿qué hondo
trajín eterno mueve nuestras manos,
cava con nuestra azada,
limpia las madres para nuestro riego?

Un trabajo poderosamente alegórico sin duda en el inolvidable juego del poema: aquel Linos, un Tántalo menor, condenado a la eterna frustración de sus cosechas; pero con la particularidad de que incluso las esferas trascendentales no se conforman ya en el interés metafísico de las antiguas metamorfosis unitarias, sino en el enardecido movimiento de fraternidad moral con los otros y sobre todo con el recuerdo de un pasado distinto en extravío: «Todo es sagrado ya y hasta parece/ sencillo prosperar en esta tierra».

En la distancia de tiempo que media entre *Don de la ebriedad* y *Conjuros*, asistimos a una intensa modificación espacial del mito cosmológico de Claudio Rodríguez, que refuerza y corrobora lo contrapuesto de los impulsos fundacionales respectivos de salida y retorno. Al adolescente intuitivo pero incierto que moduló el anhelo de explicar la unidad esencial a partir de su exploración de las variedades de la naturaleza inmediata, le ha sustituido en *Conjuros* el adulto desengañado ya de poder asimilar lo unitario inexplicable, como no sea por la indirecta vía de la adhesión del sentimiento. Así es como surge el conjunto de menciones y de apelaciones entrañables en esta nueva obra hacia los pobladores del paisaje humano del yo: criaturas de la tierra, animales y hombres. La calidad de los afectos que aporta milagrosamente la densidad poética de las imágenes, viene como trasunto de una familiaridad espontánea y sencilla, de una inmediatez cordial, íntima y tierna.

* * * * *

La figura del trasunto similar metafórico, sea o no propiamente alegórico, que comienza a adensarse como el esquema más representativo de la argumentación poética a partir de *Conjuros*, funda el soporte inmediato y explícito requerido por el contenido temático de los trabajos y los días para su construcción analógica del plano inmaterial. Poemas tan entrañablemente sólidos y sensitivos como «Con media azumbre de vino» permiten ilustrar la poderosa encarnadura de las nuevas metamorfosis materiales. Comenzando por la incomparable animación hímnica de sus ritmos hondamente carnales, recabados desde presencias simbólicas que se enmarcan en resonancias de cordialidad:

> *¡Nunca serenos! ¡Siempre*
> *con vino encima! ¿Quién va a aguarlo ahora*
> *que estamos en el pueblo y lo bebemos*
> *en paz? Y sin especias,*
> *no en el sabor la fuerza, media azumbre*
> *de vino peleón, doncel o albillo,*
> *tinto de Toro. Cuánto necesita*
> *mi juventud; mi corazón, qué poco.* (pág. 78)

Entre tanto, el subrayado simbólico, el correlato de la integración mítica, aparece inmediatamente representado con la naturalidad nunca afectada del arte sentimental de Claudio Rodríguez y bajo el seguro instinto de su infalible orientación sobre el descubrimiento de la propia simbología mítica. Una nueva visión radicalmente modificada llega a suplantar las estructuras de los anteriores mitos adolescentes del deseo. Cambian las condiciones espaciales del mito de la iluminación y se modifica la índole misma de la luz y de sus consecuencias en la configuración de la experiencia entrañable: «¡Meted hoy en los ojos el aliento/ del mundo, el resplandor del día!...». Nunca más el deslumbramiento ebrio en la sombra nocturna para cobijar el paradójico destello de las revelaciones trascendentales de la Unidad; sino la nueva oscuridad absoluta, la ceguera bien conocida y probada en las plenitudes que rebasan el día, que se asume en sus desbordamientos cordiales y en sus misterios tan sólo presentidos por la voluntad doblegada de su propio fracaso. La nueva fuente de la verdad no procede de la elevada luz cernida sobre las cosas; ahora la aporta el cultivado símbolo del corazón: uva pisada en el lagar del sentimiento para que destile los mostos más cordiales donde se encuentra la explicación adulta de la fe[12]. A las nebulosas iluminaciones míticas de la luz sobrenatural y recibida, escrutadas por el inexperto anhelo del poeta adolescente, han sucedido en los nuevos poemas de *Conjuros* las certezas cordiales del sentimiento apasionado tras la segura experiencia del adulto:

Y corre el vino y cuánta,
entre pecho y espalda cuánta madre
de amistad fiel nos riega y nos desbroza.
Voy recordando aquellos días. ¡Todos,
pisad todos la sola uva del mundo:
el corazón del hombre!... (pág. 78)

El néctar-sangre así exprimido del poema se cruza con todas sus resonancias eternas de símbolo esencial: una vez más el predominio de la cultura bíblica se sobrepone en la imaginación de Claudio, como la señal sobre las puertas de los primogénitos de Israel en la terrible

---

12. Cfr. Arturo del Villar, «El don de la claridad de Claudio Rodríguez», en *La Estafeta Literaria*, 592-3 (1976), pág. 23; para un seguimiento inicial del desarrollo temático de este símbolo decisivo en el mito poético de Claudio.

noche del Ángel exterminador en su holocausto egipcio —«¡Con su sangre / marcad las puertas!»—. Pero lo que predomina como siempre en la impresión poética del texto son los nuevos fervores de la resignación enardecida en milagros concretos, las «maravillas» corpóreas de la presencia sensitiva: densidad sabrosa de olores y sabores, profundidad tangible de la vivencia hecha revelación: «...Ved: ya los sentidos / son una luz hacia lo verdadero». La consagración de las especies más sencillas y necesarias del pan y del vino. El nuevo acceso consolador y presente del hombre enclavado en la gravitación sangrante de su soledad irremediable. El adolescente que antes espiaba extasiado las ebriedades de una luz descendida en la noche del alma, es el viviente adulto, cordial y apasionado, que proclama los nuevos rastros más concretos y próximos de la revelación al entusiasmo, ahondando la densidad litúrgica del acto común de compañía, mientras que se despide para siempre de los protocolos ingenuos de su ebriedad adolescente:

> ...Ebrios de sequía,
> sea la claridad zaguán del alma.
> ¿Dónde quedaron mis borracherías?
> Ante esta media azumbre, gracias, gracias
> una vez más y adiós, adiós por siempre.
> No volverá el amigo fiel de entonces. (pág. 78)

La materia inmediata y terrena para la nueva revelación del conocimiento impone entre otras muchas —como hemos dicho ya— todas las inversiones de la espacialidad mítica esencial. El fruto del corazón del hombre, pisado como la uva del poema anterior, discurre horizontal por los conductos de todas las bodegas del mundo, desde el lagar a las capaces tinajas y toneles. Todo es cosa de aquí, dones de la inmanencia, que de ese modo se consagran a sí mismos para alzarse a la fe. De esa manera en «Cosecha eterna» constatamos también, la inversión de sentidos en el trayecto de la metamorfosis. La llanura pisada por el hombre como inmenso lagar, cuya respiración fundaba el espacio y el destino de la nueva revelación en el primer poema de *Conjuros*, reaparece como seno materno cuya leche, un flujo nutricio alternativo del mosto-sangre del corazón del hombre, condimenta el sentido que alcanza el existir:

> *Y cualquier día se alzará la tierra.*
> *Ved que siempre está a punto*
> *y espera sólo un paso bien pisado.*
> *¡Pronto, pisadla ahora,*
> *que sube, que se sale,*
> *la leche...* (pág. 79)

Elevación por tanto contra descenso. Origen soterrado de la verdad contra revelaciones descendidas de lo alto, consistencia vegetal frente a luces difusas: modificaciones todas en la esencia del mito, que proyecta el tránsito de la inestabilidad de la paradoja de *Don de la ebriedad* a la nueva certeza metafórica asentada en las correspondencias de los poemas más representativos de *Conjuros*. Constitución mítica del tematismo y esquema figural de la argumentación poemática, haz y envés, como vemos, del sentimiento unánime de las inspiraciones creativas:

> *...Y nada, nada*
> *habrá bajo la tierra que no salga*
> *a la luz, y ved bien, a pesar nuestro,*
> *cómo llega la hora de la trilla*
> *y se tienden las parvas,*
> *así nos llegará el mes de agosto,*
> *del feraz acarreo,*
> *y romperá hacia el sol nuestro fiel grano*
> *porque algún día se alzará la tierra.* (pág. 79)

El mito del descenso iluminado se invierte ahora en la estructura espacial de la imaginación de Claudio en el de la eclosión telúrica de la madre tierra. Un cambio muy intenso se ha operado por tanto en las mitologías del poeta. La vieja iluminación descendente se reconoce apuesta defraudada, un viejo anhelo apenas entrevisto, jamás cumplido ya completamente. Simples hipótesis, interrogantes sin fuerza de evidencia por sí mismos, aunque se formulen aquí en los términos más domesticados y habituales de la siembra divina: «¿Quién con su mano eterna / nos siembra claro y nos recoge espeso? / ¿Qué otra sazón sino la suya cuaja / nuestra cosecha?». La madurez del hombre ya en la edad perfecta de la imaginación se vuelve hacia el vientre preñado de la mujer, hacia la masa blanda como la del pan heñidero o la de la ubre-uva de la leche y del vino, hacia el claustro materno de la tierra certera con su filiación más que palpable, la que se toca y la que se camina:

> ...Pero qué importa. ¡A la tierra,
> a esta mujer mal paridera, demos
> nuestra salud, el agua
> de la salud del hombre! ¡Que a sus hijos
> nos sienta así, nos sienta
> heñirla sin dolor su vientre a salvo! (pág. 80)

La nueva epifanía de la iluminación se hace causal y colectiva. Ya nunca más la ascesis solitaria vigilando el haz de luz oscura en la noche esencial; la metamorfosis telúrica que se registra en *Conjuros*, la nueva pauta de la revelación, implica compartir la vivencia con los prójimos de la tierra. De ahí que los crescendos hímnicos del conjuro en las *deprecaciones* animadas sustituyan a los antiguos fervores de un sordo coloquio siempre por fuerza solitario e interior. En el fondo queda la misma sensación impotente ante el vacío inexorable de la revelación, la demora frustrada de la conciencia humana frente al inasequible momento de la verdad plenaria.

Esta tierra segura del poeta, estable y conocida, tenía sus sobrios colores ya nombrados por Machado y Unamuno[13]; pero tiene también para el sensitivo acecho de Rodríguez incluso sus estertores habituales, su perceptible respiración y hasta sus ruidos propios, como el de la dulce monotonía del canto familiar del río Duero. Acorde general de voces

---

13. Cfr. José Luis Cano, *Poesía española contemporánea. Las generaciones de posguerra*, Madrid, Guadarrama, 1974, pág. 160. Sin embargo nunca debe olvidarse más allá de las presencias de Machado y Unamuno, tan innegables en la cultura del castellanismo de Claudio, el matiz de depurada superación esquemática de la fantasía naturalista sobre Castilla y el costumbrismo social al que aludíamos, con Philip Silver, en una nota precedente. Cfr. Philip Silver, «Nueva poesía española: la generación Rodríguez-Brines», cit., pág. 14.

viejas y nuevas —«...Y eres / tú, música del río, aliento mío hondo, / llaneza y voz y pulso de mis hombres»—. Recio cantar de gesta castellano —«¡Oíd cómo tanto tiempo y tanta empresa / hacen un solo ruido!...» «Oh, río, / fundador de ciudades, / sonando en todo menos en tu lecho...»— y sobre todo rumor imprescindible, consejero de vida, presencia fiel:

> *...tú, a quien estoy oyendo igual que entonces,*
> *tú, río de mi tierra, tú, río Duradero.* (pág. 82)

* * * * *

Radicar los mitos olímpicos de la iluminación fundante cumple sin duda sus seguridades cordiales al alto precio de las duras renuncias del deseo plenario: o Leopardi y Hölderlin, o Unamuno y Antonio Machado. Quizás un castellano tardío de Zamora no tuviera otras alternativas. La madurez de la propia historia tenía que emplazarle la experiencia con el paso del tiempo sobre las seguridades del contacto diario apasionado, entre el ser fervoroso y cordial de todas sus compañías. Así le nacen a Claudio Rodríguez sus lealtades menos prescindibles; y así se emplaza valerosamente ante las pruebas inevitables de su trabajo poético —las graves compañías, buenas y malas, tiernas y débiles— el compromiso duro de profundizar valores fundamentales entre la masa de una vieja derrota histórica asumida con fidelidad. Sembrar la vida nueva sobre la extenuadora amenaza de la melancolía y encontrar nueva conciencia en lo que ha conmovido ya a demasiadas voces, es la tarea difícil de casi todos los textos de *Conjuros*; un objeto particularmente afrontado en los poemas de la segunda parte del libro[14].

---

14. Una anécdota que me ha confiado el poeta sobre la intervención de Vicente Aleixandre en la selección del título de esta obra, revela la intensa proximidad, procurada y evitada, de la ineludible impronta del Machado de *Campos de Castilla* sobre las visiones castellanas de Claudio Rodríguez. Entre los diferentes rótulos manejados por Claudio Rodríguez, «Cantos castellanos» y «Conjuros de Castilla» fueron las propuestas más duraderas. La acertada decisión de Aleixandre seleccionando *Conjuros* tuvo como motivo principal difuminar en lo posible la presencia machadiana en el espacio temático del poemario de Rodríguez.

Las presencias más humildes y habituales: la viga vana que convoca el antiguo sustento de una techumbre arruinada, o el paredón de adobe que es único residuo superviviente de alguna otra ruina solitaria plantada en mitad de los campos, son los testigos mínimos y humildes sobre los que la sensibilidad del poeta ha de aplicarse a deducir el significado necesario, las valencias sentimentales de una nueva —y constante— iluminación sustancial. Algo del lacerante dolor en la ruina de las cosas, en su caducidad que es metáfora melancólica del tránsito imparable de los hombres sobre la liviandad de todos sus afanes, parece lo común, lo mejor alcanzable, en todos aquellos vestigios mínimos: «...Viga / de par en par al resplandor que viene / y a la dura faena / del hombre, que ha metido / tantos sueños bajo ella, tanta buena / esperanza...». Sobre ellos resuenan las voces y los ruidos conocidos: el rumor de los ríos familiares o la respiración de la llanura —«...¿No oigo el ruido aquel del río, / el viento aquel del llano?»...—. Trascendida en el tiempo a su presencia mínima, a su verdad objetiva más modesta —«...¿Cómo he podido / sostenerme hoy aquí si ella se encuentra / en pleno vuelo, si ha ido / a darlo todo a campo abierto, fuera / de esta casa, con ella?»—, la viga carcomida, cualquier presencia humilde, descubren súbitamente a la esperanza del iluminado la epifanía colosal de su significado nuevo, integrado y sublime:

> *...Contrafuerte*
> *del cielo, alero inmenso, viga que era*
> *hace sólo un momento un tronco inerte,*
> *sé tú, sé la techumbre*
> *para todos los hombres algún día!* (pág. 87)

Son los lemas de la recién nacida transfiguración: «carcoma de aquí abajo / en la que tiembla ya un nido del cielo». Como análogamente, la escrutación del vuelo raudo de las golondrinas se ilumina de trasuntos intemporales —«Qué sed tendrá el vuelo / de tierra»— en su continuo acribillar los muros donde suspenden los nidos; paredes como el sustento abierto del propio cuerpo en ansia, mientras que el pensamiento melancólico acompaña y trasciende el tráfago de los vuelos y siembra diferencias contra las pesadumbres del recuerdo y sus pérdidas:

...Gracias, gracias os doy con la mirada
porque me habéis traído aquellos días,
vosotras, que podéis ir y volver sin perder nada. (pág. 89)

Y la conversación con la presencia inerte de unos seres de tierra a los que anima y da profundidad de oído y de diálogo el amor, que tan intensamente los conoce en su ser y hasta en sus nombres, en sus vivos orígenes reciamente evocadores de la tierra de Osma: «Vuelve a la fe de la faena, a tu amo / de siempre, al suelo de Osma». Pero invariablemente, en todos estos transportes alegóricos de las cosas, destacan de principio la densidad emotiva de su entidad concreta, las arraigadas adherencias sentimentales de la historia del propio corazón. Así en la tierra de Osma, o así —después— en el juego de móviles trasuntos que despierta el consuelo de los calores del rescoldo en el poema «Al fuego del hogar».

Todo lo marca aquí y lo cualifica el sentimiento envolvente, doblemente engañoso, de la pátina transfigurante de la nostalgia. La conciencia del tiempo transcurrido, sedimentada sobre la inercia universal de las cosas y malamente asequible —sólo con penas— para el inexorable flujo de la vida del hombre. Concisión fugacísima de las exploraciones a las luces del día; traición del sentimiento y aguijonazo de un tiempo que evidencia la obligación constante de las despedidas. Es condición impuesta de todos los retornos, que se constituye en tema casi exclusivo del poema «Dando una vuelta por mi calle». Aquí donde el simbolismo de una línea de dudosa grandeza biográfica autocompasiva —«Qué multa / me pondrían ahora, a mí el primero, / si me vieran lo cojo, / lo maleante que ando desde entonces»— se contrasta con lo inexorable del tránsito del tiempo real y su débil huella en los recuerdos: «Calle cerca del río y de la plaza / calle en el tiempo, no, no puedo irme»; dura ley impuesta a toda evocación que protagoniza también «Primeros fríos»: «¿Quién nos calentará la vida ahora / si se nos quedó corto / el abrigo de invierno?».

La radicación terrestre de la ebriedad metafísica rompe definitivamente en *Conjuros* las altas esperanzas del mito adolescente. Lo que nos viene a cambio es el regusto equívocamente placentero de los gozos y de los dolores largamente convividos en las más añejas voces que los expresan, que son para los páramos de Castilla, las de Unamuno y

Machado, con el bosquejo al fondo, claroscuro, de algún quimérico vergel levemente abocetado por el toledano Garcilaso o por San Juan de la Cruz. La radicación de los objetos exteriores del cotejo lírico propicia sensaciones de riesgo fuertemente contrastadas. Para algunos de los críticos de Claudio, el extravío de una elevada escrutación del infinito con poca tradición moderna entre nosotros, cuyas correspondencias problemáticas remontan sobre la voz del poeta a los cantos errantes de Leopardi o a los himnos iluminados de Hölderlin, constituye una pérdida grave para la voz lírica mayor y sus más remontadas capacidades de vaticinio en la obra del genio adolescente. Pero si se tiene presente que en el tiempo de la ebriedad fue más lo que anheló el encendido impulso del deseo que lo que alcanzaron la voz y la visión, algunos otros lectores de Claudio saludan con alborozo esta reconducción familiar de *Conjuros*, cuando las voces se insertan sin frustración de anhelos sobre sus objetos mejor ciertos, en los depositarios naturales, visibles y constatables de los nombres[15].

---

15. Nos referimos aquí a un tipo de opiniones bastante generalizadas, por no hablar de simples prejuicios inargumentados, entre los lectores de Claudio Rodríguez. Para unos *Don de la ebriedad* representa una cima insuperable de la inspiración intuitiva y de la novedad germinal de este poeta (Véase, por ejemplo entre las mejor razonadas, la de Juan Malpartida, «La mirada fundacional», cit., págs. 105-107). Pero lo peligroso en ese género de afirmaciones sobre preferencias legítimas del gusto, es cuando sirven indirectamente para introducir la consecuencia no necesaria de una supuesta decadencia poética posterior, que no simplemente evolución o cambio. Menos son los críticos que hasta ahora han fijado la cima de la perfección poética en el cambio de estética que representa *Conjuros*, asumiendo a partir de ahí la presunción simplemente impresionista sobre la supuesta decadencia repetitiva del poeta, cuyo primer testimonio sería nada menos que *Alianza y condena*. De ese parecer se mostraron en su día las opiniones débilmente argumentadas de Joaquín Marco, «Evolución de la poesía de Claudio Rodríguez», en *Ejercicios Literarios*, Barcelona, Taber, 1969, págs. 421-422; y la de Antonio Hernández, quien insistía contradictoriamente en las acusaciones de falta de espontaneidad y estancamiento de la inspiración, *Una promoción desheredada. La poética del 50*, Madrid, Zero Zyx, 1978, págs. 261-262.

Dejando a un lado otros testimonios de ese tipo, se puede señalar que la valoración más generalizada entre los críticos mayores de Claudio Rodríguez afirma una línea de crecimiento progresivo de la calidad poética de sus obras desde *Don de la ebriedad* a *Alianza y condena*, tercer libro que marcaría hasta el presente el ápice de perfección y de consistencia según la mayoría de los críticos más solventes y asiduos de Rodríguez. Entre los mejores perfiles analíticos del itinerario poético progresivo y coherente de la obra de Rodríguez, concuerdo sobre todo con el penetrante de José María Sala Valldaura, «Algunas notas sobre la poesía de Claudio Rodríguez», cit., pág. 126. Dentro de esta línea de continuidad progresiva sin reiteraciones débiles, me parece ya más proble-

La voz de lo familiar y lo entrañable discurre limpiamente por *Conjuros* con la pureza esencial de unas presencias que, por sí solas, representan un hito más y altamente noble en la añeja tradición del sentimiento literario sobre el paisaje fundamental de las Castillas. Pero creo francamente que resulta insuficiente demorarse sobre los aciertos de un tradicionalismo como iniciativa reiterada, término de sí misma; y quizás han sido ya suficientes las lecturas de estos poemas que se han ceñido a extraer tenazmente de la pureza de las menciones, de los símbolos y de la rotundidad sugerente de los ritmos todo su jugo de afectos ejemplares, noblemente sentidos y nombrados con portentosa confianza. Triste sería por cierto, en este caso, el descenso de *Conjuros* a la fe limitada, a la constancia simple de las cosas y el hombre, para asumir el mito más seguro de la voz familiar y el canto solidario, y rendir el ansia al recurso menor de la resignación. Pero es precisamente aquí, en el incierto ápice de la rendición sobre estas externas coyunturas, donde el instinto poético inconformista de Claudio acertó a quebrar la salida más fácil de la narración, burlando lo consabido. De esa manera, la convencionalidad forzada del poeta idílico de la resignación encuentra fuerzas de original verdad inesperada para arrancar, sobre lo consolador y habitual, la verdad implacable de lo nuevo y lo viejo, la voz de la experiencia dolorosa, la constatada realidad de la mentira pactada por el miedo y por una sombra universal de muerte sin comentario válido, inasequible para el ajuste idílico.

---

mático ponderar el cambio de poética que representa *Conjuros* sobre la epifanía gloriosa del entusiasmo hímnico inspirado, que a mi juicio y al de otros (por ejemplo, Tomás Segovia, «Las nuevas voces del medio siglo», cit., pág. 275.), habría elevado *Don de la ebriedad*. No obstante, en casos como éste, cuando están sólidamente defendidas, las diferencias críticas sobre cuestiones de opción y preferencia no hacen sino declarar perfiles de la cultura y el gusto de los propios análisis discrepantes. Por ejemplo, de los críticos para mí más estimables de la poesía española moderna, José Luis Cano cuenta entre quienes han sostenido a ultranza la línea de crecimiento poético sin altibajos entre *Don* y *Alianza*: «podemos contemplar ahora —afirma primeramente— a *Don de la ebriedad* como un preludio u obertura de la jugosa sinfonía pastoral, más rica en temas y sonidos, que es *Conjuros*»; para concluir después sobre *Alianza*, que es «libro hasta ahora el más rico y granado del autor». Cfr. «La poesía de Claudio Rodríguez: de *Conjuros* a *Alianza y condena*», en *Poesía española contemporánea*, cit.; ambos juicios en págs. 155 y 164, respectivamente.

Así de complejos y tensos resultan los contenidos renovados en estos *Conjuros*, tan remotos de la ebriedad primera como de la segura resignación de los sentimientos débilmente familiares que facilitan los trayectos más inmediatos de la alegoría. Un rumor ya imparable de devastación de la esperanza comienza a remover el fondo de estas aguas con la apariencia superficial del hábito seguro; es la vida de un corazón nunca resignado ni sereno. La paradoja prevalece de nuevo sobre lo similar alegórico y los mitos se agitan conmovidos en el espacio de una voz remota de inquietud infinita.

En el encuentro de Claudio Rodríguez con los testigos castellanos de su exploración emotiva por los itinerarios de su retorno patrio hay lecturas inevitables que median en su cultura de las cosas; fundamentalmente, como se ha dicho ya, la de Unamuno y los hermanos Machado. Así era ya seguramente en los años madrileños de la composición de *Conjuros*, época de muy fuerte fervor nacional que hizo de la regeneración castellanista—sobre todo en las élites intelectuales y poéticas de entonces— una de sus fuentes emocionales y estéticas fundamentales. De manera evidente, la ambiciosa independencia creativa de Rodríguez no deja percibir directamente datos explícitos de influencia en la factura temática o formal de sus textos publicados; aparte de las coincidencias forzosas —los colores cárdenos, la mención idealizada de los raros árboles: encinas, álamos, etc..., que accidentan la horizontalidad eterna de la llanura— en el tratamiento descriptivo del objeto común.

La gravitación cultural de aquellos antecedentes obligados sobre la escritura castellana de Claudio se puede percibir más sutilmente en los fondos emotivos e intelectuales de la tonalidad espiritual de los paisajes y en la ponderación sentimental de los objetos e ideas. Naturalmente, no se trata aquí —contra lo que viene siendo nuestro criterio de economía crítica— de extrapolar conjeturas más o menos ociosas y atrevidas de fuentes inseguras para valorar lo poco de próximo y lo mucho de diferencial en el tratamiento literario por Claudio de unos tematismos decididamente generales y comunes. Me limitaré tan sólo en este aspecto a destacar ahora las trazas más seguras: las que proceden por parte de Claudio de las actitudes poéticas respectivas de Unamuno y Machado en relación con los decisivos contenidos castellanistas de sus obras.

De la poesía de Unamuno se diferencia absolutamente la de Claudio por su exquisito celo en evitar los defectos textuales de reiteración y de machaconería que parecen connaturales al entendimiento y la recia sensibilidad del pensador vascongado; mientras que se aproximan en su propensión consentida a manejar lo discontinuo de las imágenes, si llega el caso, como fundamento de animación textual. Me consta por el contenido expreso de sus clases y conferencias, que el conocido rasgo de lo heterogéneo y lo contradictorio como principio de la construcción argumentativa unamuniana es identificado por Rodríguez no sólo en su condición de característica sustancial del estilo, sino además bajo la simpatía de que sea uno de los fundamentos eternos de la incómoda distancia que puede caracterizar a los poetas más fuertes de la progenie espiritual de Shakespeare.

No hay sino que recordar en las composiciones de *Conjuros* el deliberado principio expositivo discontinuo y contrastante que rige la organización textual de poemas de fondo irracionalista, lindando con lo alucinatorio, como en «Visión a la hora de la siesta»; o bien el recurso a la coloquialidad contradictoria de sus frecuentes fórmulas de «arrepentimiento», que distorsionan efectivamente el desarrollo progresivo de alguna afirmación resolutiva. Así se cumple en poemas como «A mi ropa tendida» y sobre todo más nítidamente en «Dando una vuelta por mi calle»: «¡Alcalde oígame, alcalde, /... que no dejen / pisar por ella más que a los de tierra / de bien sentado pan y vino moro! / Perdón, que por la calle va quien quiere»... Esto, por no entrar aquí en una más circunstanciada y enojosa verificación del principio general de la cuidada lógica asociativa por contradicción que constituye uno de los fundamentos deliberados de poeticidad mejor reconocibles y seguros en la construcción poética de Claudio Rodríguez desde su primera obra.

En otra consecuencia fundamental del espíritu de independencia contradictoria de Unamuno descubre Claudio también un nuevo rasgo de convergencia, especialmente valorable en la coyuntura temática de *Conjuros*: la común independencia radical en ambos respecto a las convenciones de la consigna. Sobre la conocida afirmación unamuniana: «Yo no lucho por principios, sino por postres», suele insistir particularmente Rodríguez para subrayar la raíz de sus diferencias de aquella época con los poetas sociales, tan pobres en «canción» como ricos en propaganda. Porque en definitiva lo que de las ideas políticas ha interesado, según Claudio, a ambos poetas en común, es aquel modo característico unamuniano de pensar arraigadamente el sentimiento y de sentir el pensamiento. Agonía vital de lo especulativamente metafísico que Claudio, en íntima simpatía consciente con Unamuno, no se cansa de proclamar, incluso hasta lo improporcional en ocasiones.

Por esa misma fórmula general unamuniana de vitalizar, antes que desvitalizar por el frío racionalismo, todas las circunstancias y las incidencias de la experiencia existencial, se ha de encauzar la génesis de otra pasión temática común, que se revela de manera decisiva en fondos existenciales y simbólicos de la experiencia mítica de Rodríguez: el importante recurso en ambos —con articulaciones míticas, eso sí, semánticamente diferenciadas— a los temas de infancia, que Claudio Rodríguez acostumbra a subrayar preferente y sintomáticamente en sus selecciones temáticas de Unamuno. El recurso retrospectivo hacia la infancia tan frecuente en la temática unamuniana del «desvivirse» como modo de desandar la inexorable marcha hacia la muerte, se revela como una tendencia salvadora recorrida en común; bien que para Claudio Rodríguez el recurso a la infancia tematiza a partir de *Conjuros* la recuperación de una temporalidad inocente previa a las experiencias dolorosas de culpa. «Desnacer», no morir, es la fórmula de la angustia existencial unamuniana que hace de la niñez un espacio feliz de inocencia absoluta, exento como tal a la conciencia de la muerte.

A partir de *Conjuros* esta fascinación por la infancia, cuyas raíces unamunianas descubre Claudio Rodríguez, se afirma como la vía natural y sencilla del verdadero saber espontáneo de vida, tal como se descubrirá en las grandes odas de *Alianza y condena* y sobre todo en «Lo que no se marchita» de *El vuelo de la celebración*. Un poema que se formó en gran parte y fielmente, a unos veinte años de distancia, con los fragmentos de sabiduría espontánea infantil que en la misma época de la composición de *Conjuros* recogía Claudio Rodríguez de los cantos infantiles de corro para su memoria de Licenciatura de 1957: «Estos niños que al cielo / llaman cielo porque es muy alto»; y «Estos niños que rompen el dinero / como si fuera cáscara de huevo». Muestra de la sabiduría vital y misteriosa que provoca la identificación de Claudio con la expresión de Baudelaire de que «el genio es la infancia reencontrada».

Con lo más peculiar para Rodríguez de la temática de Unamuno converge, por tanto, el impulso imaginario de retorno hacia los lugares sagrados de la niñez, junto a las emociones preservadas a las experiencias mortificantes por el tiempo de inocencia. La situación mítica fundante del recorrido imaginario de *Conjuros* reconocía en aspectos básicos del pensamiento unamuniano un estado espiritual de convergencias que encauzaba a Claudio Rodríguez hacia el interés por otras zonas más próximas al tematismo castellano en la poesía y la reflexión en prosa de Unamuno. Pero ya en este campo, las diferencias concretas de visión poética entre el posible mentor y su potencial alumno eran tanto más inconsistentes y fundadas que sus escasas zonas de tangencia temática e imaginativa.

La Castilla drásticamente esquematizada y convencional en los poemas de Unamuno que Claudio Rodríguez gusta especialmente de comentar, tales como: «Tú me levantas tierra de Castilla»,«A Salamanca» o «El Cristo yacente de Santa Clara», es ante todo una Castilla «descubierta» por la sensibilidad adulta de un español periférico, de un vascongado; y no la Castilla accesible al sentimiento de lo natural convivido desde el nacimiento como Claudio Rodríguez. Si acaso, de la grandiosidad trágica unamuniana de Castilla pasarían al balance poético de Claudio Rodríguez algunos de sus símbolos más dramáticos y medulares; tal el decisivo del «surco» desde el Cristo de tierra de las Clarisas de Palencia, según lo hemos destacado ya en el capítulo precedente.

Pero las fuentes que deciden masivamente en la selección fantástica del conjunto de imágenes castellanas de Claudio Rodríguez no precisan ser explicadas desde los estímulos culturales librescos de Unamuno o de Machado, porque para esa raíz de las experiencias el joven Claudio había optado por el medio más directo y auténtico del habla popular, el léxico artesanal y campesino y su sintaxis. En todo caso, la relación del sentimiento y las imágenes castellanas de Claudio Rodríguez con las de Unamuno y Machado conviene medirla en los términos de una implícita moralidad o impregnación sentimental del paisaje. Pero en *Conjuros* no advertimos el poderoso regusto decadentista y melancólico de los «tristes campos de Castilla / tan tristes que tienen alma» de Machado, o aquellos otros «oscuros pensamientos de eternidad» que emanaban para Unamuno de la Castilla trágica y sublime.

La impregnación «intrahistórica» unamuniana de la «roca viva» castellana fundida en el espíritu de sus hombres y de su historia se irá acumulando en estratos apesadumbrados de reflexión, cuyos fondos aflorarían mucho más tarde en la «Elegía desde Simancas». En todo caso, la poesía descriptiva de *Conjuros* participa también a veces de los característicos movimientos unamunianos de focalización y particularización mediante las sinécdoques textuales reductivas hacia lo arquetípico y ejemplar. Tales perspectivas de la focalización temática ilustran el contraste entre el amplio respiro de la mayoría de las composiciones del libro primero del tipo de: «A la respiración en la llanura», «A las estrellas» o «El ruido del Duero»; en contraste con la ejemplarización sobre sinécdoques de lo mínimo sintomático, que se dan sobre todo en las composiciones del libro segundo como: «A una viga de mesón» o «Ante una pared de adobe».

Precisamente lo que distancia la retórica filosófica en los escenarios castellanos de Unamuno de la cuidada coloquialidad espontánea y la economía expresiva de Claudio Rodríguez, fundamenta por el contrario su proximidad mucho más familiar y evidente con las imágenes y la expresividad castellanas de Antonio Machado. El poeta sevillano trasterrado a Castilla es el referente más que seguro en nuestra tradición lírica moderna sobre el que se hubieron de ajustar como destino literario las fórmulas imaginarias y expresivas de Rodríguez, en su libro más directamente paisajístico que es *Conjuros*. Sin embargo, precisamente por eso, es cosa corroborada por sus propias confidencias, que Claudio Rodríguez ha tomado habitualmente una rigurosa distancia creativa respecto al poemario *Campos de Castilla*, en contraste con las plausibles transferencias de actitudes poéticas que pueden inferirse a partir de sus peculiares selecciones y lecturas del primer libro machadiano de *Soledades*.

De la poética temprana del primer Machado le ha interesado duraderamente a Claudio Rodríguez su espontánea llaneza cotidiana, con su correspondiente lección de economía expresiva. Entre las declaraciones de Machado que Claudio suele recordar habitualmente, figuran las de su sistemática resistencia al reflejo escritural y convenidamente literario de la retórica poética, como aquella en que Machado confesaba: «La palabra escrita me fatiga, cuando no me recuerda la espontaneidad de la palabra hablada». Un ideal compartido de «lengua viva» en la poesía, que para Claudio Rodríguez representa la obsesiva exigencia del predominio espontáneo de lo vivido sobre lo intelectualizado y convencional. Verdadero programa de tan sutiles y trabajados deslindes en la meticulosa selección y en la exigente ponderación intelectual de Claudio sobre una obra como la suya, cuyo rigor brilla sobre todo por la espontánea naturalidad vitalista exenta de cualquier sombra de afectación.

Como su unamunismo, el machadismo castellano de Claudio ha de escrutarse en las estructuras implícitas constitutivas de la atmósfera poética de sus escenas. Tal vez en los tres poetas pueda ser significativamente aproximable el sutil manejo de la *implicación* temporal; aspecto éste, como casi todos los que destacamos en nuestro cotejo, que viene a ser puesto de relieve habitualmente en las explicaciones en clase de Rodríguez sobre sus antecesores en la temática sobre Castilla. De composiciones como «El viajero», la primera del libro *Soledades*, o en poemas tan divulgados como «Yo voy soñando caminos», el poeta celebra el extraordinario dominio de Machado sobre una fusión de tiempos implicados y explicados en el cuerpo y en los referentes de sus textos, de la que resulta una suerte de intemporalidad íntima poética que hemos tenido ocasión de ponderar, asimismo, como una de las palancas líricas mejor logradas en el propio Claudio.

Semejantemente a la transición que representa el paso de *Don de la ebriedad* a sus *Conjuros*, Claudio Rodríguez acostumbra a formular la transición de *Soledades* a *Campos de Castilla* como otro trayecto de las galerías nocturnas del yo a la fenomenología abierta de los objetos referenciales. Pero a partir de ahí diríamos que, como antes en el caso de la poesía castellana de Unamuno, se afirma la concentración fenomenológica y el personal simbolismo mítico-experiencial de Claudio Rodríguez, frente a los filtros ideológicos que alimentaron la Castilla hostil y primitiva que fustigó Machado en «El dios íbero» o en «La tierra de Alvargonzález».

Una inquieta presencia meláncolica entre el «tú» y el «nosotros». La extenuación mortal del mito del retorno

La radicación terrestre de la metamorfosis poética que Claudio Rodríguez practica en el retorno de *Conjuros*, frente a la auscultación luminosa de trasuntos metafísicos que fundara el mito del cotejo lírico en la salida en fuga de *Don de la ebriedad*, no se refiere sólo, como en aquella primera obra, al espacio mayoritariamente inanimado —minerales y campos y más escasamente presencias animales— del paisaje de la revelación. Ahora Claudio Rodríguez, recién salido del ensimismamiento de la ebriedad, descubre frecuentemente al *otro* por excelencia, al hombre, a sus vecinos; los amigos antes evitados por el solitario ebrio de revelación son ahora objeto frecuente de la búsqueda y del anhelo de encuentro y de contagio sentimental. El nuevo mito de la solidaridad cordial se ofrece como instrumento simbólico que prolonga el idilio general esperanzado para un poeta mucho más despojado afectivamente y frustrado por los desencuentros metafísicos. Una vez más, el plano mítico de la doble vertiente del viaje alegórico: la aventura odiseica, la andadura festiva y arrepentida del hijo pródigo y del pecador consciente de su culpabilidad que confiesa San Agustín, o de la doble aventura del Hölderlin olímpico, la fulgurante iluminación alpina y el retorno al hogar, vuelve a imponerse —con todas las diferencias en cada caso y sus mundos respectivos— en el itinerario mítico de Claudio Rodríguez.

El nuevo hallazgo temático se constituye y refrenda explícitamente mediante la modificación gramatical del confidente poético, aquel vasto *tú* generalmente divino que aparecía en *Don de la ebriedad* —«Cuándo hablaré de ti sin voz de hombre»—, se transforma en *Conjuros* en un plural solidario inclusivo del yo como es *nosotros*, o bien escuetamente apelativo en *vosotros*[16]. El ejemplo de los referentes apelativos en los himnos ensimismados de *Don de la ebriedad* había sido realmente escaso y constitutivamente atemático; si acaso no es así en

---

16. Rasgo destacado ya por Jonathan Mayhew, en «The Motive for Metaphor», cit., pág. 39, quien marca también el importante rasgo contrastado entre esta obra y *Don de la ebriedad*.

algún poema ocasional, como el de cierre de la parte primera —«Como si nunca hubiera sido mía / dad al aire mi voz»—. Pero ahora en *Conjuros* la presencia de los demás como objeto de la apelación y fuente de la experiencia reveladora se hace fundamental.

Así aparece desde el primer verso de la obra en «A la respiración en la llanura»: «¡Dejad de respirar y que os respire / la tierra, que os incendie en sus pulmones / maravillosos!...»; formando en este caso el término mejor captable de la *imprecación* retórica que configura el conjuro expresivo y temático. En forma similar, aunque menos centrada en la conformación del todo textual, volvemos a encontrar estos plurales en los imperativos de exhortación del poema «A las estrellas» —«Oíd: ¿quién nos sitia acaso las celestes almenas?»—; si bien en este caso se trata del colectivo astral metafóricamente personalizado y no de una apelación a oyentes reales. Pero la focalización plena de la voz solidaria aparece con densidad temática a partir del poema «Día de sol». De pronto, el paisaje suspendido e inerte de tierras desoladas o de infinitos astrales se anima con figuras humanas, aproximándose en el calor de las colectividades entrañables. La exposición al sol de los parados en la plaza o el trajín colectivo en mercados y talleres encauzan el movimiento del poema hasta alcanzar los imperativos que configuran el conjuro: «Id a mi lado / sin más arreos que la simple vida...»; o bien «¡Qué nos varee el sol y el fruto viejo / caiga y sirva de abono...»; y al final: «Tapad vuestra semilla. Alzad la tierra».

Hay que destacar no obstante ya, a propósito de este primer ejemplo temático sobre el nuevo horizonte humano solidario, que no se abre precisamente como tarea e iniciativa pujante y sin estorbos. En estas primeras afloraciones temáticas del mito fraterno del deseo se impone la frustración, la incomprensión, la oferta sin respuestas que, a partir de ese momento, matizará con notable consistencia la evolución de otro de los temas y de los sentimientos más omnipresentes y explícitos en la constitución figural de la obra futura de Rodríguez, para construir la antítesis temática de *Alianza y condena*. «Día de sol» condensa la decepción que se impone tras la instancia frustrada del conjuro hacia los otros; la prolongación pertinaz, inevitable, del destino solitario iluminado: «¡No os espero ya más!» reitera en el poema, antes de desgranar las fórmulas definitivas de la despedida y la piedad coloquial de unas recomendaciones bien intencionadas, calcadas sobre la famosa fórmula concesivo-exhortativa del madrigal antológico:

> *...Os dejo,*
> *ahí os quedáis. Quisiera...*
> *¡Pero ni un día más! Os aconsejo*
> *que ya que así estáis bien estad siquiera*
> *con llaneza y con fe...* (pág. 73)

Frustrada por la inercia tardía de los otros, irrecuperablemente absortos en el «negotium» alienante de las cosas de aquí, las que radican sobre las menudencias del interés, el poeta oferente abraza su destino de iluminado solitario: «...¿Por qué ha venido / esta mañana a darme a mí tal guerra, / este sol a encender lo que he perdido?».

¿Sinceridad absoluta en lo real del deseo, o simple verdad de convicción poética? ¿Cuál es el fundamento auténticamente vital y biográfico en el nuevo sentimiento temático del impulso de retorno solidario hacia la compañía, al destino compartido? O incluso, aún más: ¿Habrá que conceder trascendencia efectiva en los poemas —dejarse persuadir íntimamente— al programa de solidaridad así enunciado por Claudio Rodríguez? No hay ni que recordar —cosa manida— las innumerables proclamaciones sobre la independencia de la belleza poética a costa de las ideas honestas, o incluso la autonomía estética de las formas verbales sobre cualquier idea de contenido. Los programas poéticos de solidaridad social desplegados seriamente en España en la época de *Conjuros* existen actualmente tan sólo anaquelados como trastos literarios inútiles, sin eficacia artística y sin fuerza literaria; mientras que los versos profundamente humanos de Rodríguez pervivirán por mucho tiempo, a través de las variaciones de los gustos, como mensajes de incontestable calidad. Recuérdese que antes, en *Don de la ebriedad*, descubríamos la forzada evolución narrativa y el desenlace fingidamente convencional e idílico del programa de desvelamiento de la metamorfosis cósmica hasta su clímax final en la epifanía provisional de lo absoluto. Con el nuevo tematismo de la búsqueda solidaria que aquí se inicia, bien podría darse la repetición del patrón narrativo de aquella constancia idílica plasmado en la composición de la obra; pues no dejamos de sospechar que mucho de regusto sagrado y decisión invencible subyace a la pasión de desarraigo por la que encauza Claudio, en casos como el de «Día de sol», su dolorido sentimiento de incompatibilidad insuperable, de soledad personal de las de naturaleza y sin remedio posible...ni deseable en el fondo para la tensión patética del mito.

Es a esta luz programáticamente convencional del idilio filantrópico, a la que responde el desarrollo del contenido solidario en el poema «A las puertas de la ciudad», arquitectónicamente fuerte para la conformación del tematismo. La expresión inicial de la nostalgia por la alternativa fraterna en la amistad da paso al mito temático —en coincidencia con un Hölderlin entonces ya conocido[17], aunque me inste Claudio que aún no

---

17. Sobre las amplias coincidencias temáticas y de escenografías imaginativas con Hölderlin, tal y como las testimoniaban ya las situaciones del descenso o siembra luminosa de la claridad divina en *Don de la ebriedad* y más específicamente aún las del regreso a la ciudad patria de *Conjuros*, con sus cantos a la solidaridad fraterna, nos constan actualmente confidencias del propio Claudio Rodríguez que aluden en sentido genérico a sus lecturas tempranas en traducción de la poesía de Hölderlin, al igual que de la de Leopardi y los simbolistas franceses, empezando por su predilecto Rimbaud. No obstante, el conocimiento documentado del gran poeta alemán por parte de Claudio Rodríguez durante la composición de *Conjuros* nos lo propicia el texto de su Memoria de Licenciatura, *El elemento mágico en las canciones infantiles de corro castellanas*, fechada en Madrid en 1957. En este trabajo, escueto y no muy bien cuidado —redactado y mecanografiado por el propio Claudio Rodríguez durante uno de sus frecuentes arrestos en el cuartel del Regimiento de León 31, donde prestó su servivio militar— aparecen mencionados por dos veces testimonios nada triviales de Hölderlin. La primera se da en nota dentro del primer apartado del capítulo primero —el ejemplar no estaba paginado— titulado «La palabra y el nombre». Allí vimos ya como el concepto poético hölderliniano de «la palabra fundadora» se unía al de Rimbaud de «un verbe pour tous les sens», para significar nada menos que la fundamental fusión mítica de la cosa y el nombre en la designación mágica de los juegos infantiles. Es tesis fundamental no sólo de este trabajo sobre las canciones de corro, sino en el fondo —como sabemos— de la concepción de Claudio Rodríguez sobre la palabra y la experiencia poéticas. Por segunda vez se menciona a Hölderlin, junto a Blake y de nuevo a Rimbaud y a Guillén, en una interesante nota del apartado cuarto del mismo primer capítulo titulado «La creación fonética». A propósito de la que, parafraseando el título de la conferencia de García Lorca sobre *Poeta en Nueva York*, alude Claudio Rodríguez a la «lógica fonética» de la poesía. Por su indudable interés trascribo aquí el contenido inédito de aquella nota de 1957: «Basta pensar en la última fase de la poesía de Hölderlin o de Blake, en Rimbaud (¡aquel fragmento de 'Les illuminations' que es un puro anhelo de objetividad rítmica: 'Ici va-t-on siffler pour l'orage, et les Sodomes, et les Solymes et les bêtes feroces, et les armés...!'), en S. Juan de la Cruz, en *nuestro* Guillén actual —el subrayado es mío— (porque sí, porque sí -porque ¡zas!). Hemos de dejar así, en una simple nota, este tema apasionante de la *lógica fonética* en la poesía como fruto del impulso hacia el objeto poético, base de toda creación».

leído— de la conmovida entrada por las puertas francas de la ciudad natal, en la acogida cordial por los amigos recuperados:

¡De par en par las puertas! Voy. Y entro
tan seguro, tan llano
como el que barbechó en enero y sabe
que la tierra no falla, y un buen día
se va tranquilo a recoger su grano. (pág. 75)

Pero la atormentada andadura de la enunciación hímnica denuncia la inestabilidad de una persuasión interna, acaso necesaria y sincera pero en el fondo muy débilmente motivada todavía; al menos frente a los recuerdos del fértil arraigo entusiasta en los sentimientos solitarios durante el acecho extático de la vieja auscultación metafísica.

A partir de su primera aparición plena y consolidada en «Día de sol» y de su consagración temática como fórmula de solidaridad en «A las puertas de la ciudad», puede decirse por tanto que se extingue en el lenguaje de *Conjuros* la presencia confidencial del *tú* singular, para favorecer el nuevo impulso hímnico del entusiasmo humano incrementado en el refuerzo compañero del *nosotros* de «El canto de Linos» y «Con media azumbre de vino». Así se mantiene también en la apelación plural al *vosotros* y *nosotros* alternativo de «Cosecha eterna» —«Pronto, pisadla ahora, / que sube, que se sale»; y «¿Quién con su mano eterna / nos siembra claro y nos recoge espeso?»—, propiciando un diálogo en el poema que se resuelve en pasos de intensidad enfática muy variable, pero que enraiza por momentos el ritmo en acordes de poderosa resonancia colectiva. Y ese mismo ahuecamiento plural de la voz se ensaya en las apelaciones del conjuro enfático a la presencia familiar de los otros, para que se amortigüe el rumor obsesivo del río de la vida en «Al ruido del Duero»[18].

---

18. En el poema mencionado, se registran por cierto interesantes variaciones que van a conformar, consolidadas en otros textos sucesivos, el peculiar perfil narrativo del problemático mito solidario de Claudio Rodríguez. Primero, la referencia escueta a una prehistoria del abandono de la fácil compañía, que recuerda la de García Lorca en la rueda de los tres amigos de *Poeta en Nueva York*: «Y como yo veía / que era tan popular entre las calles / pasé el puente y, adiós, dejé atrás

La presencia mítica del plural humano, término objetivado del retorno, se muestra por tanto fuertemente contradictoria, a la vez problemática e intensamente idealizada e idílica: la compañía imposible de una etapa exterior recién atravesada —las soledades urbanas de Madrid—, en contraste con el reencuentro familiar de unos felices compañeros de infancia provinciana, preservados en la beatitud idílica de las plácidas labores rurales y de los cantos inocentes del atardecer del día de fiesta. Un prójimo por momentos compañero, familiar y anhelado en las tareas de regeneración cordial, incluso en las más personales e íntimas de la depuración del alma, como en las alegorías de «A mi ropa tendida»: «¡Ved mi ropa, / mi aposento de par en par!...¡No tendedla en el patio: ahí, en la cima, / ropa pisada por el sol y el gallo...»; pero que se transfigura aun en este mismo texto, bajo terribles arrebatos premonitorios, en el *otro* como cruel adversario implacable y responsable del hurto más sacrílego, de las alevosías del asesinato. Un tenebroso desgarro indomeñable aterradoramente premonitorio, que se abría ya en la inesperada —innecesaria aquí— violencia de los versos convulsos: «¡Si hay algún valiente, / que se la ponga! Sé que le ahogaría».

Seguramente es que la apelación fraterna que origina los mitos temáticos de solidaridad a partir de *Conjuros*, va a responder a la irredenta pasión mítica acuñada en el corazón de este poeta, asaltado de anhelos infinitos que tratan de encauzarse bajo el patrón narrativo del idilio: la epifanía cósmica de lo absoluto metafísico y después el alto consuelo de la fraternidad solidaria; pero combatido al mismo tiempo por el duro contraste, violento y rebelde, de una biografía personal

---

todo». Y luego, el peculiar matiz de la queja dolorida por el estado presente de degradación del yo a causa de una vida gastada —nuevo hijo pródigo— en impuras compañías: «...Hoy no puedo, hoy estoy duro / de oído tras los años que he pasado / con los de mala tierra. Pero he vuelto». De modo que, al fin, son otra vez los viejos compañeros de una infancia recuperada como idilio de la memoria los idealizados convecinos gozosos con el retorno, a quienes convoca el poeta a la purificación regeneradora en el rumor tan familiar del Duero:

> ...Oh, río,
> fundador de ciudades,
> sonando en todo menos en tu lecho,
> haz que tu ruido sea nuestro canto,
> nuestro taller en vida... (pág. 81)

penosamente herida, de una experiencia de frustración y de dolorido retraimiento en los ideales del deseo. Por entonces no obstante, a las alturas de *Conjuros*, prevalecían aún pujantemente las fuerzas conformadoras del idilio; y de ellas procede todavía la tenaz confianza en el poder vibrante de los acentos hímnicos y en el contagio entusiasta de los mitos del poema. En esta nueva y vieja apelación a las raíces eternas del canto consiste, al tiempo, lo mejor y lo más convencional de la primera etapa optimista de la obra de Rodríguez: el entusiasmo del himno y lo convencional forzoso del idilio. Pero ya no son los días olímpicos de los dioses, sino por el contrario es la hora del hombre radicado en la tierra y su amenaza.

* * * * *

El tenor convencional del plural solidario que presta su pujanza al énfasis recrecido del entusiasmo hímnico, se mantiene invariable en los poemas de los libros segundo y tercero de la obra. Es presencia apelada y común que ensancha los sentimientos de acogida y cobijo en el poema «Ante una pared de adobe» —«...Pero venid todos. / La tarde va a caer. ¡Estaos al raso / conmigo!»; o que acomuna los riesgos del ensimismamiento melancólico en las reflexiones nacidas «Al fuego del hogar». El impulso del plural esfuerza la convicción de estos conjuros y presta solemnidad a los apóstrofes hímnicos; pero la presencia del otro, al fondo, se perfila siempre incompleta, siempre recelosa y favorable al repliegue solitario del yo, en cuantos casos se afronta el mito de las fraternidades solidarias bajo cualquier arista desgarradora y viva de la experiencia biográfica.

Pero será con todo el libro cuarto, otro cierre siempre bien calculado de obra, el que aporte al conjunto del nuevo tematismo masivo de *Conjuros* la voluntad del autor de constituir el reequilibrado sintético de su conformación natural abierta al dualismo, mediante el artificio doblemente temático que introduce la recuperación positiva de la esperanza. A esa constante de obediencia al patrón estructural y ético nosotros la denominamos *idilio* convenido, una forma convencional de desenlace narrativo para las sucesivas crisis a que se va exponiendo el mito personal de Claudio Rodríguez. En «La contrata de mozos», los perfiles temáticos del hallazgo y el retorno solidarios comparecen tal vez bajo las formas más engañosas de contagio social entre cuantas ofrecen los tres poemas que centran el desenlace del tematismo de la fraternidad y la acogida solidaria al final de *Conjuros*. En puridad, «La contrata de mozos» encubre bajo su alegoría una desalentada reflexión sobre el destino del hombre, el vacío del sentido vital y la accidentada suspensión que trae la muerte. De modo que el fuerte acento de solidaridad que sugiere su título, se compromete tan sólo con los contenidos más plásticos y escenográficos para la imaginación de las alegorías. Pero triste consigna y miserable destino del poema si, tras el contagio más evidente de la voz social, no se cruzaran —como así sucede en los poemas de Claudio— otros sutiles juegos, mucho más intrincados y principales, sobre las complejidades del destino humano y de su simbolización en mitos literarios. Esa inquietante irisación de las referencias auténticamente poéticas que abisma en la profundidad del «peatón celeste» la primera apariencia social, la más plana y elemental del compañero, en «Siempre será mi amigo».

La misma engañosa inmediatez inasequible del otro, que es en verdad distancia insuperable y constitutiva de la inquietud vital del solitario, acabará fundando la fórmula retórica —de nuevo paradójica— de la *alianza* como sinónimo ambiguo de *condena*. Como tal prevalece entre los ágiles ritmos de «El baile de Águedas», que —no lo olvidemos— arranca de la anécdota realista de un rechazo hostil al «forastero» en la romería[19]. Una aceleración impaciente de tránsito fugaz y de

---

19. El esquema de la alegoría distribuye perfectamente en el caso de este poema los dos formantes claramente diferenciados del tematismo. Por un lado la narración realista del incidente —real según el recuerdo del autor, pero tal vez no exento de alguna fabulación— entre un grupo de mozos que bailan en la romería feminista de Santa Águeda y el poeta, forastero andariego con quien rehusan baile y compañía. De otra parte, la elevación a categoría mítica de la anécdota inicial simbólica. La bien diferenciada distancia expositiva entre los dos planos del texto desvirtúa la simultaneidad significativa desde el estímulo único actuante que exigiría la «disemia» alegórica en un sentido estricto.

Aquí juega destacadamente en el poema el naturalismo logradamente coloquial del discurso posible entre los protagonistas reales del lance. Para empezar, el expresivo diálogo «in medias res» que remeda perfectamente tonos característicos en la expresión coloquial de Claudio: «Veo que no quereis bailar conmigo / y haceis muy bien»; aunque el habitual simbolismo sucesivo de los «pies cojos» previene inmediatamente al coloquio sobre la altura verdadera de su ejemplaridad simbó-

alcance imposible de los otros impulsa el ritmo de los versos y el «tempo» de la narración desde el comienzo del poema, sin defraudar la honda desolación de la aporía vital que encierra, la abigarrada galería de apariencias, de imágenes animadamente pintorescas: la limpieza alegórica de las aguas del río, la llegada de la compañía abstractamente enigmática de los visitantes fraternos, los «hombres de todo el mundo», o el cuento de las galas costumbristas —el manto, la media blanca, el refajo de lanilla, la colocación más que intencionada del pañuelo en la moza—. Pero el perfil transformador del mito, su tornavoz más peculiar y desolado de alegoría amarga sobre el irreversible destino solitario, vuelve con la declaración que interrumpe la algarabía del cuadro pintoresco: «Y aún sin bailar: yo solo»; «¡Águedas, aguedicas, / decidles que me dejen / bailar con ellos...».

La experiencia madura del autor en *Conjuros* vacila ahora, por segunda vez, para cerrar en falso el problematismo de la inquietud vital, como se había resuelto antes convencionalmente el desvelo insaciable

---

lica: el corazón bailón, centro de la efusión fraterna, el valor siempre regenerativo del agua que dignifica la ropa limpia del espíritu en la vigilia de «la hora» en que se cumpla la ensoñación del mito solidario. Éste, a su vez, se hace presente en el texto bajo un contraste de ruptura idealizada y quimérica con el tono costumbrista inicial: «Ya están ahí, ya vienen / por el raíl con sol de la esperanza / hombres de todo el mundo...». Recursos de sublimación generalizante que suenan actualmente como el caduco tributo inevitable a la retórica de la poética social; véanse pasos equivalentes del mismo esquema en «La contrata de mozos».

La soledad inquebrantable del poeta representa de esa manera la conciencia plenaria de una progenie espiritual de errantes míticos. El gesto intertextual que eleva este cruce irónico de tonalidades, insuficientes por sí mismas, decide la «compañía visionaria» de las peregrinaciones románticas, de Byron y de Leopardi o de Hölderlin por las inmensidades del sueño asiático o alpino: «...y ya casi / cuaja la noche pronta de febrero». También a esa misma ennoblecida luz simbólica quedan transfiguradas las expectativas sobre los acentos de mayor simplicidad: «...decid a todos / que he esperado este día / toda la vida. Oídlo» ; y se acomodan así las transferencias en el continuo mítico entre los mundos referenciales separados en la historia del texto: «...sin darte cuenta, miras a lo alto / y a tu corazón baja / el baile eterno de Águedas del mundo».

A través de la participación evidenciada en el tejido estructural del mito, se remedia y sublima la ingenuidad de las corrientes temáticas cruzadas en el efecto general de convergencia alegórica del texto. Se restituye de esa manera la fábula literaria en poemas tan desnudamente bifocales y simbólicos como «El baile de Águedas», su inmensa capacidad de inocencia mítica primigenia. Queda reconstruida así la desnudez «ingenua» schilleriana que faculta a estos poemas para constituirse en los soportes eficaces de la enseñanza mítica, ese don primordial de la poesía poderosa.

del acecho metafísico mediante el redondeo feliz de la ficción idílica. El anhelo de hallazgo solidario, de residencia terrestre para la plenitud del absoluto sentimental, es un nuevo deslumbramiento del deseo, mito feliz destinado a desvanecerse bajo la valentía de la experiencia veraz de todos los que saben «que se acaba la fiesta y no la puedes / guardar en casa como un limpio apero».

Destino casi universal de los sentimientos literarios: recubrir bajo densidades comprensibles de los afectos las direcciones inexorables del impulso vital. Estamos tocando en esta coyuntura la vidriosa cuestión de la sinceridad y las bondades éticas de la poesía y de los poetas. Aquí la discontinuidad y la asimetría entre causa y efecto resultan cuestiones irrelevantes. ¿Es en el fondo Claudio un hombre solidario? ¿Valdrá la pena tributarle a Claudio Rodríguez, la persona, una especial acogida fraterna? Me parece que el lector literario siente todas estas preguntas como algo impertinente; cuestiones relevantes tan sólo dentro de la esfera personal del hombre-escritor, destinadas a desgastar su interés con el paso del tiempo y con la distancia de la biografía.

En la estructura del mito poético de Claudio Rodríguez resultan decisivos los movimientos asociados a la constitución del *principio de identidad*. Casi automáticamente, el llamativo conflicto con la identidad despliega las soluciones del *desdoblamiento* como *crisis* e *idilio*, del que se ha percatado expresamente un conocedor con vocación profunda de la poesía de Claudio Rodríguez como Prieto de Paula, quien representa el cauce creativo del trayecto poético cubierto por el autor en términos de permanente tensión dualista y dialéctica entre «opósitos»[20]. El anhelo de *identificación* de hallazgo e integración en la experiencia de lo unitario absoluto da forma inicialmente a la vocación poética de Claudio Rodríguez; es el impulso fundante que orienta su trayectoria simbólica. Pero en Rodríguez no ha llegado a fingirse jamás

20. Cfr. Ángel Luis Prieto de Paula, *La llama y la ceniza*, cit.Véase alguna de las manifestaciones de la reiterada tesis correspondiente a *Conjuros*: «El diálogo endocéntrico entre extremos opuestos (encanto y desencanto, ilusión y desilusión, esperanza y desesperanza) incrementa la tensión de los poemas, en los que el lector va de lado a lado... Esta lucha de opuestos, relación dialéctica en que el autor parece querer hallar una nunca encontrada paz, se da, por ejemplo, en ambos fragmentos de 'Primeros fríos'.» pág.127.

la plenitud unitaria de la experiencia mítica, el dominio peculiar de su mitología poética es agónico o dramático; tan sólo en *Don de la ebriedad* el compromiso idílico afectó un desenlace de integración unitaria a las tensiones del dualismo. El tenaz mantenimiento de los restos de esa constitución inicial del *impulso* bajo la forma de *reequilibrado idílico de la crisis* y programa de salvación, adopta a partir de *Conjuros* uno de sus recubrimientos temáticos más persistentes bajo el mito ético de la fraternidad solidaria.

Contemplada a la luz de esa perspectiva, la condición ética del sentimiento personal de solidaridad, su sinceridad y el grado de coherencia moral en el conjunto de las actitudes biográficas de Claudio Rodríguez parecen, cuando menos, cuestiones anecdóticas y secundarias para el punto de vista de la entidad poética de esta pieza temática del universo mítico-antropológico. Sin contar además, naturalmente, con el decisivo expediente estético de la realización literaria de ese despliegue temático del impulso fundante antropológico, última «ratio» del valor poético. En este caso concreto, la fusión solidaria con el otro o las crisis de frustración dualista del impulso general unitario, no dejan de constituir un episodio secundario de recubrimiento semántico sobre lo primario y fundacional de un esquema antropológico impulsivo, casi de una ley rítmica, que decide el destino de los tematismos literarios como consecuencia del esquema de representación imaginaria de la realidad. Es ese plano constitutivo del sistema de reglas de la producción subconsciente, el que muestra al análisis crítico la implacable regularidad esquemática de su funcionamiento, conste o no como estructura realmente consciente en el comportamiento simbólico del poeta.

La feliz compañía, la solidaridad perfecta, no es materia efectiva del mundo, sino tan sólo ensueño de una noche de luna en el «Pinar amanecido». En una tierra de nadie metafísica que no pisan los hombres y que pueblan tan sólo las entelequias consoladoras del mito, el canto siempre anhelante del deseo:

> *¡Todos cogidos de la mano, todos*
> *cogidos de la vida*
> *en torno*
> *de la humildad del hombre!...* (pág. 121)

El misterioso símbolo del pinar, una de las presencias más asociadas a la imaginación desolada en el mito personal de Claudio Rodríguez[21], es cifra por ahora neutral de convivencia unida: el colectivo del pino junto al pino. Lo mismo que la ciudad reune en vecindad de pared medianera casa con casa, y como el hombre debiera convivir en hermandad del brazo con el hombre vecino: «¡Todos juntos, / pared contra pared, todos del brazo / por las calles / esperando las bodas / de corazón!». Oración del deseo, el cristalino idilio que incluye las imágenes transparentes e ingrávidas del anhelo; al fondo quedan invariables todos los negativos de una experiencia herida, pronta ya a descubrir que el mito de la solidaridad no es más que *alianza* y que en esta forma de ser prójimos y distintos consiste la *condena* del hombre. Por ahora alienta, aunque ya malherido, el esforzado canto de esperanza; pero las peores sombras del desengaño amenazan en las prohibiciones finales de *Conjuros*, que ya prometen para muchos años después la cifra desalentada que habrá de titular el libro sucesivo, *Alianza y condena*: «Pobre de aquel que vea / que lo que une es la defensa, el miedo».

La conciencia distanciada de un pesimismo vital expertamente consolidado combate la propensión del poeta al redondeo idílico de los mitos de salvación. Juego de la preterición, la escritura proclama el testimonio de lo que finge ocultar, secreto pacto a voces, convenio en el negativo del poema:

> *...Nunca*
> *creas esto que he dicho:*
> *canta y canta. Tú, nunca*
> *digas por estas tierras*
> *que hay poco amor y mucho miedo siempre.* (pág. 122)

---

21. De hecho, la presencia simbólica del pinar, siempre amenazadora y hasta siniestra en el imaginario de Claudio Rodríguez, contagia y desarraiga en esta composición las valencias contextuales del mito idílico de la compañía. El valor alegórico del pinar como expresión neutra de una vecindad colectiva en compañía experimenta, en el poema terminal de *Conjuros,* la contaminación pesimista que ensombrece incluso, en los últimos versos, el esplendor del idilio solidario. Así lo ha percibido, por ejemplo, Jonathan Mayhew entre los comentadores de este mismo texto, dentro de su tesis sobre el interés del mensaje social de la obra. Cfr. «The Motive for Metaphor», cit., págs. 51-54.

Anticipación de madurez desengañada y quiebra duradera del idilio[22]. La jubilosa conciencia sobrecogida por las sorpresas de la ebriedad anida en el interior del corazón del hombre experto y ya probado, desestabilizando bajo inquietantes sombras del accidente social inevitable las quimeras idílicas del retorno y el hallazgo solidario del *otro*. Se deposita así el entusiasmo del idilio resplandeciendo como la brasa ingenua que mantiene al verdadero poeta siempre fuera de un mundo truncado y negativo, amedrentado y criminal. El mismo aliento hondo, puro y sin esperanza, ha de reaparecer con fuego de inocencia en instantes futuros; él será el contraste garantizado de la ternura mítica que alimenta el canto de los grandes solitarios, de Leopardi a Ezra Pound. Pero lo distintivo en Claudio es el dolor y el recelo del hallazgo imposible constituidos en fondo de experiencia. Pervivirá en todo caso para siempre la inocencia cordial de un deseo fraterno inagotable, obediente a la fe superiormente fundada de un plan estructurante que conforma la mentalidad mítica y decide la ética: el valor nunca extinto de quien alguna vez concibiera la salvación por el idilio.

* * * * *

Reducir el balance de *Conjuros* a una pluralidad más o menos sutil y bien lograda poéticamente de referencias realistas castellanas dispuestas sin voluntad de configuración mítica unitaria, sería una inexactitud deformante que no hace justicia al tenaz esfuerzo del autor por dotar de sentido al bloque heterogéneo y protéico de su vasta inquisición mítica. Un tono intenso de melancolía fácilmente captable unifica en acorde sentimental la estética de esta galería de entrañables percepciones castellanas. Hasta aquí hemos tratado de sensibilizar críticamente tal sentimiento en términos de quiebra de la narración idílica y contrapartida de una amenaza incierta que consagraría el negativo de las formas

---

22. Para Philip Silver la ruptura de las inercias del idilio de solidaridad fraterna que culmina en estos versos, constituye el testimonio más objetivo y concluyente posible sobre la definitiva defección de Claudio ante cualquier programa convencional de «poesía social». Cfr. Philip W. Silver, «Claudio Rodríguez o la mirada sin dueño», cit., pág. 236.

plenarias —la viga sin techumbre que sustentar o el paredón testigo en ruina de la casa—; vaga inquietud que anuncia el fracaso de la fraternidad verdadera y solidaria como forma convencional de la *alianza* nacida sólo del miedo. Pero lo que aparece desplegado por la mayoría de los textos del libro bajo tenue cobertura sentimental de frustración y ruina, se consolida en densidad temática por efecto del siempre seguro cálculo constructivo de Claudio Rodríguez, a partir de esta obra ya en continuado y fecundo intercambio de sugerencias penetrantes y felices con Vicente Aleixandre. Me refiero a los poemas de la parte final, intencionadamente emplazados aquí por Claudio o por el maestro amigo —la intervención de Aleixandre en el índice definitivo de *Conjuros* no es tan segura y absoluta como la que nos han dejado los testimonios, incluso manuscritos, sobre el plan de los dos libros siguientes—, sin duda para que se dosifique y matice la rotundidad ambigua de su evidencia. Quiero aludir al tema de la muerte, condensación temática crecientemente protagonista desde las dos composiciones del libro tercero a las del libro cuarto, y que alcanza sus momentos de máxima explicitud en «Incidente en los Jerónimos», «Un ramo por el río» y «Caza mayor».

La muerte ha jugado hasta ahora en el templado ánimo de Claudio Rodríguez como vago ingrediente sacrificial muy poco conmovido. Era oferta generosa pero quimérica de oblación personal, una suerte de despechado desquite o de generosa compensación a enigmas sembrados por la diversidad de las formas en el precoz adolescente que escribía los poemas inicial y último de *Don de la ebriedad*. La mención de la muerte constituía allí un recurso más —todavía enfático y vitalmente poco motivado— emplazado en el despliegue del idilio para lograr el clímax narrativo del mito de la iluminación; pero ahora en *Conjuros* esa muerte endurece su valor de palpitación existencial.

La muerte estallaba ya con presencia grandiosa de vivencia sublime en el poema de entrada de la obra. Muerte natural, de dócil participación del individuo en la ley general del durar en el tiempo de los hombres y el mundo. Muerte como efusión vital en el acorde inmenso de la vivencia de totalidad, irreductible a fórmula pensada sobre la presunta insuficiencia del lenguaje alegada a veces por la crítica de la etapa más obsesionadamente metapoética en la moda deconstruccionista. Consunción de estallido en el arrebato sublime del latido de la verdad:

Sería natural aquí la muerte.
No se tendría en cuenta
como la luz, como el espacio, ¡Muerte
con sólo respirar!... (pág. 69)

Muerte por abandono de sí, de la impotente autonomía de un conocer personal siempre frustrado hacia la inmensidad absoluta del deseo; muerte como oblación, como obediencia humilde de la hostia sacrificial. Ella es la que se conecta con el despliegue natural simbólico en casi todos los textos de *Conjuros* de un inconcretado sentimiento de anulación del yo, que comparece bajo los símbolos del surco labrado sobre los campos, de la ropa tendida al sol, del blanco móvil a merced del mensaje descendente de la luz.

Pero lo que se muestra tan esquemático, decidido y rotundo en este tipo de poemas-síntesis de cartel suele ser siempre, en el caso de Claudio Rodríguez y en la verdad escrutable de su gestación poética del sentimiento, un tormentoso magma en asimétricas crecidas de plasmación plenaria. Gracias a ello sin duda la diafanidad de los mitos temáticos, que garantiza el interés simbólico de síntesis al discurso poético, acredita ante la experiencia de la comunicación lírica su densidad profunda de geología mítica tiernamente encarnada en las intensas palpitaciones de la vida. El inquietante poema «Visión a la hora de la siesta», que inaugura la parte final del libro de *Conjuros*, jalona con fascinantes testigos simbólicos el angustioso trayecto en que se constituye la fisonomía del mito terminal de la muerte. Así lo sugiere ya la sobrecogedora imagen en el recuerdo de la hermana enhebrada por el rayo de luz penetrante del destino; no más que una «puntada blanca» en las luces del mundo, que se acrecienta en la inquietante visión de pesadilla hasta constituirse en llamarada inexorable de extinción total. Mientras, las más añoradas imágenes de la vida del hombre: su quehacer de laboriosos cálculos sobre el ignoto destino, la tela de la vida y el sueño de Dios, se consumen en el febril holocausto de estas pesadillas de la siesta[23].

---

23. Resultan siempre sobrecogedores estos textos poéticos enigmáticamente premonitorios que contienen intensas vivencias futuras. El propio Claudio recuerda con frecuencia esta inconsciente capacidad de vaticinio que abisma la sensibilidad de muchos poetas, destacando en sus conferencias

Pero tal vez convenga constatar las templadas imágenes y el sosegado ritmo al que se acoge la inquietante visión del arrebatado comienzo «ex abrupto» hacia su desenlace de explicación definitiva. Un concierto remansado de acentos de acogida, de natural obediencia al destino vital, preside la serena visión apocalíptica del tránsito entre las cosas y las vidas. Todo obedece a esa inexorable norma existencial. Así lo habían expresado antes en el libro los dos poemas que integran la parte tercera: la honda sabiduría de resignación que se descubre hasta en las criaturas inanimadas, minerales y aéreas. Así se alzan las confidencias íntimas del montículo pelado y familiar elevando sus ansias hasta el cielo de la nube en «El cerro de Montamarta dice», sobre el tránsito inexorable e indiferente de las generaciones de los hombres: «...Aún les queda en el alma / mi labor, como a mí su clara muerte.». Es el cumplimiento definitivo de esa ley del pasar y de la extinción, válida incluso para su

---

y clases el conocido anuncio de César Vallejo sobre su propia muerte en un París otoñal y en día lluvioso. Lo llamativo en el texto de esta «Visión a la hora de la siesta» no es tanto la asociación premonitoria de la hermana herida y ensartada —«enhebrada»— por el rayo de luz, sino la más pormenorizada convergencia de las selecciones simbólicas —el «zurcido» o la «puntada»—, que reaparecerán inconscientemente en las impactantes imágenes de la herida cosida a mano, aquella «sutura de la soledad» de los fragmentos de «Herida en cuatro tiempos». Pero la explicación a tan sorprendentes coincidencias no ha de buscarse en avances de vaticinio, sino más bien en las reminiscencias de esta primera visión mortal de la niña de Burgos, identificada entonces por el poeta con su joven hermana, tantas veces observada habitualmente por él en sus trabajos de cosido y bordado en casa. Un resto de imagen del dolor con que se ha de abrir *El vuelo de la celebración*.

Cuando advertí —con intensa sorpresa por su parte— este dato a Claudio Rodríguez, el poeta evocó la génesis objetiva del poema y de sus imágenes iniciales: durante una de sus fugas a Burgos, descubrió dentro de una casa de los alrededores de la Catedral y en horas y situación de confusión y de extravío inspirado del poeta, la figura entrevista de una muchacha anónima en el interior doméstico iluminado súbitamente por un rayo de sol. Dicha visión precipitó en su memoria la tierna asociación con las imágenes para él familiares de su querida hermana Carmen, próxima en edad a la joven de Burgos y entregada habitualmente a labores idénticas. Lo demás, lo premonitorio de esta visión terrible, queda explicado desde su preocupación precoz y habitual por el destino fatal de sus hermanos huérfanos.

Tras tan intensa sacudida patética, el tono de la visión sesteante adopta el desorden y la confusión angustiosa de la sintaxis propia de las pesadillas. De ese núcleo de transfiguración simbólica procede la amplificación de la tela de la labor de la niña-hermana a la «estopa hostil del hombre», tejida y destejida en «el telar hermoso» del «mesón del tiempo» de los días de fiesta ciudadana: «...inmenso lienzo en el que cada / ligera trama es una vida entera», que se irá deshilando como vidas de hombres («...hilo a hilo cantando se descose / una vida, otra, otra / de aquel gran sayo») con el despertarse de la pesadilla.

propia impasible existencia geológica: «Porque no estaré aquí sino un momento. En vano...»; y lo mismo la nube, que simboliza por su propia constitución —«¡Qué vida y muerte fulminantes!»— el necesario acto de extinguirse para cumplir su destino de fecundación y de tormenta: «...¿No se esfuerza / la nube por morir en tanto espacio / para incendiarlo de una vez?».

Mas lo peor lo impone a la melancolía el recuerdo del destino fugaz irreversible de las nubes pasadas como el de las existencias transcurridas del hombre, sin retorno: «¿Y dónde están las nubes de otros días, / en qué cielo inmortal de primavera?». Todo fluye pero nada torna a la presencia una vez transcurrido. El ser recóndito de los hombres, como el manifiesto de las nubes, consiste en existir modificándose: «Oh, nube que huye y cambia a cada instante». El símbolo de la nube, reiterado críptica o diáfanamente en numerosos poemas de libros diferentes de Rodríguez, asume y comporta el poliédrico cruce de asociaciones conceptuales e imaginativas que totaliza el contenido emocional de la muerte del hombre. Originada sin dolor, el destino de la nube es formarse y acrecerse para su inmolación fecunda: «¡Y vivir en el sitio más hermoso / para esto, para caer a tierra / o desaparecer!». Frente a la condición fatal de su destino, sólo le queda al hombre recubrirlo de anhelos, fantasear sobre un albedrío asequible tan sólo, en todo caso, para sus deseos inviables: «...si no habitarla, / ya, quién pudiera al menos retenerla.» Dulces son solamente los quiméricos jardines del idilio; allí tan sólo se abre, desplegando sus humildes poderes, la realidad consoladora del deseo.

La presencia temática de la muerte se condensa en total de poema con las composiciones «Incidente en los Jerónimos» y «Un ramo por el río». La segunda de ambas introduce animada la narración de un estricto conjuro folclórico, de un ex-voto eufemístico: flores en el río a la muerte para exorcizarla, para alejarla del lugar. El recuerdo de esta tradición popular zamorana[24] no contradice el tono de distancia, de ins-

---

24. No aparecen noticias de esta fiesta de conjuro tradicional en el trabajo folclórico de Claudio Rodríguez sobre las canciones de corro. Cuando le he preguntado al poeta sobre su conocimiento de estos rituales, los atribuye actualmente de manera poco precisa o, como en el caso del personaje Linos, a un residuo folclórico menor que se remontaría, en la consciencia del propio Claudio, a los relatos clásicos de la Mitología.

trumento dócilmente asumido y de resolución para el idilio, que la sombra mortal, terrible en otros, proyecta habitualmente sobre la conciencia poética de Claudio. La misma *muerte tan muerta* de *Casi una leyenda* como mero accidente diferido, ajena al contenido de los pasatiempos, de los trabajos alegres en los días —«¡Que nadie hable de muerte en este pueblo!»—; muerte buena tan sólo para eufemismos y conjuros, para transfigurarla en flores que apedrear, que vale en todo caso como eventualidad asumida y descontada: «...Dios sabe / si volverá, pero este año / será de primavera en nuestro pueblo».

«Incidente en los Jerónimos» constituye por su parte la más completa y sistemática alegoría sobre las agonías ansiosas de los hombres. El relato de la muerte del animal, del grajo de este apólogo, propone un animado y fiel trasunto de las ansias humanas ante la hora inexorable en que convergen todos los síntomas de la agonía del aliento vital. El paralelo alegórico es tan puro y los símbolos tan inmediatamente trasladables en el proceso que dramatiza este extenso poema, que resulta reiterativo y ocioso parafrasear aquí la rotundidad narrativa del mito. Así se explica el templo como escenario mítico del poema, a la vez trasunto fielmente monumental y ámbito simbólico donde se espejan todas las estaciones de la vida del grajo y al que se acogen las tentativas extremas de su salud. Símbolo masivo de larga permanencia en la imaginación de Claudio[25], la afiligranada arquitectura de la construcción simbólica de los Jerónimos, a vista de este pájaro moribundo, encierra el cumplimiento capaz de todas las metáforas de un existir florido:

---

25. El templo representa uno de los escenarios simbólicos más sintomáticos del imaginario de Claudio Rodríguez. Espacio mítico donde se cruzan algunas de las obsesiones persistentes del poeta como la del robo sacrílego, con las de las creencias ingenuas mejor consolidadas en su espontánea religiosidad; sin olvidar las pasiones flotantes en su imaginario cultural que se enraizan con su propia pasión de ascendencia romántica y sobre todo becqueriana por iglesias y conventos a menudo ruinosos. Frecuentemente Claudio glosa y recuerda los textos becquerianos de la *Descripción de los templos de España*, o el escenario de la leyenda de *Maese Pérez el organista*. Bajo el de la bóveda del templo nos hallamos por tanto con uno de los recubrimientos fantásticos fundamentales en la imaginación sagrada de Claudio Rodríguez, que merecería una atención sicológico-biográfica que ampliara las breves indicaciones de Dioniso Cañas, *Claudio Rodríguez*, cit., pág. 32.

> *...Dejadme*
> *donde ahora estoy, en el crucero hermoso*
> *de juventud. Y veo*
> *la crestería en luz de la esperanza*
> *arriba, arriba siempre.*
> *Paso el arco fajón, faja de fiesta,*
> *y el floral capitel. ¡Que siga, siga*
> *el baile! ¡Más doncellas, primavera,*
> *alma del hombre!... (pág. 110)*

Con el aviso del final inminente, imágenes y ritmos se precipitan en una acelerada borrasca, logradísima, de presentimientos en tropel confuso. Mientras, los objetos que pueblan el ámbito real del templo simbólico, espacio de soporte para la alegoría, proyectan su velocidad sobre los símbolos vitales mejor acariciados y familiares del poeta: el altar como término externo de la acogida, o el refugio de los retornos míticos a la ciudad natal ajustando las últimas palpitaciones esperanzadas de la vida: «Llegaré. Llegaré. Ahí está mi vida, / ahí está el altar, ahí brilla mi pueblo». Por fin, el golpe seco de la última exclamación y el inválido despojo resultante: «¡Ya por tan poco! Un grajo aquí ya en tierra.»

La amenaza mortal actúa contra la luz de felicidad, de euforia idílica, que se fingen los mitos de solidaridad. El sueño esperanzado del remedio, de la restauración de unos ecos infantiles de beatitud perfecta, se ve inquietado y desbaratado por la sombra inevitable de la desolación, que en estos poemas del libro último de *Conjuros* aparece convocada concisamente como amenaza de muerte. Con ella se nombran así sencillamente y de manera conocida algún terror humano aún más grave, más sombrío e informe, alguna densa masa de espesor imaginario irreductible, alguna oculta sombra de conciencia maligna. Hubo ronda presentida inconsciente de muerte, como hemos dicho antes, en el rasgo de luz retrospectiva que enhebraba a la niña inocente, a la hermana futura de la «Visión a la hora de la siesta», en el inquietante tejido de aquella estopa hostil hecha de vidas de hombres, «...el limpio rayo / de la vida y de la muerte», aquel «inmenso lienzo en el que cada / ligera trama es una vida entera». Y hay crónica sobre todo del tránsito mortal, brutal, directo, en la agonía de este grajo de los Jerónimos. Sobre eso caben muy escasas dudas.

Ni siquiera se libran completamente de amenazas siniestras los poemas que expresan la alternativa del mito solidario; asoma mucha melancolía avizorada, mucha pujanza juvenil inútil sin futuro en «La contrata de los mozos». Y el ramo de la muerte sobre el río alejado a pedradas por los niños no deja de ser conjuro momentáneo, que sólo encuentra su sentido en la certidumbre última del fracaso. Antes bien es el contraste triste, el claroscuro melancólico de todas esas asambleas de juventud, de mercado o de baile, lo que les presta su intensa profundidad sentimental sobre la que se afirma la vibración poética. El ritmo apresurado del baile de Águedas es trasunto ante todo de la aceleración inexorable de las ruedas del tiempo: todo había sido mejor en otra edad, cuando no se conocía la resistencia inicial de ahora al forastero: «Echo de menos ahora / aquellos tiempos en los que a sus fiestas / se unía el hombre como el suero al queso»; y mucho importa entonces andar listo y sumarse a la fiesta —«¡Métete en fiesta; pronto, / antes de que te quedes sin pareja!»—, porque ese animado baile de gente joven exige sobre todo celeridad de mocerío, prisa ansiosa de «hora» lisonjera: «... que se acaba la fiesta y no la puedes / guardar en casa como un limpio apero».

La dolorosa sombra del idilio incompleto, de los consuelos siempre insuficientes, no se expresa necesariamente en estos altos poemas bajo mención abierta, a cuerpo limpio y rostro descubierto. La melancolía desolada se comunica y penetra contagiando de amenaza poética los símbolos más neutrales, como el pinar y la luna de «Pinar amanecido». Las valencias naturales del puro oreo, del aire despejado y salubre del pinar —«Cuánta salud, cuánto aire / limpio nos da»— se tornan habitualmente para Claudio en el caso de este símbolo, en un espacio de amenazas, presencias que recubren mensajes muy aviesos que impurifican y accidentan la coral solidaria:

> *Bajo este coro eterno*
> *de las doncellas de la amanecida,*
> *de los fiesteros mozos del sol cárdeno*
> *tronco a tronco, hombre a hombre,*
> *pinar, ciudad, cantemos:* (págs. 121-122)

Mas los coros esforzados del hombre de experiencia no son ya capaces de desarraigar del mito, como en las viejas pastorales de Teócrito a Virgilio y de Sannazaro a Keats y a Leopardi, la certidumbre del fracaso final, las amenazas de lo inexorable. Toda la fiesta es tregua momentánea y el idilio resulta sólo construcción fugitiva de un olvido muy frágil:

Nunca digamos la verdad en esta
sagrada hora del día.
Pobre de aquel que mire
y vea claro, vea
entrar a saco en el pinar la inmensa
justicia de la luz, esté en el sitio
que a la ciudad ha puesto la audaz horda
de las estrellas, la implacable hueste
del espacio. (pág. 122)

Bajo esa claridad de la experiencia negativa funden los mitos y palidece la ficción idílica —«Pobre de aquel que vea / que lo que une es la defensa, el miedo»—; porque cualquier razón que propicie el remedio es «sutil añagaza, ruin chanchullo, / bien adobado cebo / de la apariencia». Con el mensaje desalentado de «Pinar amanecido» se cierra *Conjuros* bajo la sombra trágica de una preterición ruinosa, de un esfuerzo potente y solemne del canto que no puede celar la verdad honda que subvierte el idilio ...¡Adiós ya a la poesía del entusiasmo; nunca retornarán a la voz los esplendores absolutos de la ilusión resolutiva!

La nueva claridad terrible, esta desesperanza ilimitada, ahincaba sus raíces de naturaleza en la tibieza blanda de las primeras sábanas, en el remoto espacio de los sueños de infancia acunados por la dulzura materna o su vacío. Así gravitan sobre todos estos epílogos contradictorios del idilio amenazado las sombras de una tragedia sorda e interior, que se desatan en aleteos albos de palomas siniestras y en el asalto raudo e hiriente de los negros vencejos del poema «Caza mayor». Todo un coro de emociones biográficas de dura declaración atormentada, de desconcertante sinceridad inconvencional, de reproches por las fiebres de infancia no veladas —y la cama desecha por extraños—: «...la culpa / es tuya, madre, que no me velaste»[26]. Una historia resentida y tramposa

---

26. En los traumas biográficos de infancia se constituyen las valencias simbólicas emocionales que peculiarizan la imaginación de todos los seres humanos. Pero en el caso de Claudio

que algún día confesará como litigio de catres y de alcobas; y que comparece a esta primera luz con retazos en bandadas hirientes de pesadilla poética, bajo las imágenes encarnizadas y sangrientas del aleteo febril y de la caza.

De poco han de servir el forzado entusiasmo, las anhelantes palpitaciones del ritmo en los cantares hímnicos. Ningún consuelo idílico, ni lisonjera fórmula ilusa de remedio podrán cancelar ya las sombras ensangrentadas de carencia y de muerte, el espesor rabioso de unas memorias de crueldad y desarraigo extremos. La primitiva voluntad idílica, el esforzado vuelo del cántico entusiasta, ha sido severamente vulnerado por las inquietudes de la experiencia urgente y por las rémoras dolorosas de una desasosegante memoria de carencias.

Es hora de concluir ya en su conjunto el mensaje mítico de *Conjuros*: la voluntad accidentada de frustracciones para un retorno conciliador tras de la huida, la nueva luz del día que desvanece y oculta la paradójica luz nocturna fundadora de la ebriedad adolescente, la animada pluralidad melancólica de las presencias reales que enmascaran extraviándolo el objeto solitario del deseo, o la mezquindad pactista de la alianza urbana que envilece y rebaja los primeros sentimientos cordiales solidarios en el mito de los retornos patrios. Con todo ello, el anticipo de esta imagen todavía inmadura y externa de la extinción mortal no constituye, ni mucho menos, elemento definitivamente absoluto de frustración. Por el contrario, el conjunto de emociones codificadas en *Conjuros* hace que la renuncia a las esperanzas salvadoras del idilio por la abdicación mortal aparezca encarnada en reglas consoladoras de destino; porque para la conformación mítica de Claudio Rodríguez el desenlace simbólico de la muerte no ha llegado nunca a representar hasta ahora, ni en *Casi una leyenda,* un desliz definitivo, sino que deja tozudamente abierto el espacio consolador de un signo de obediencia, un término de dignidad asumido con la resignación litúrgica de las ofrendas.

Rodríguez, las raíces de infancia manifiestan sin duda peculiaridades extremamente fecundas desde el punto de vista de su poderosa capacidad de metamorfosis mítica, que nosotros hemos insinuado anteriormente en la nota quinta de este mismo capítulo. Sobre las relaciones filiales y familiares de la infancia de Claudio Rodríguez, no debo añadir yo nada a las confidencias autobiográficas acogidas por Dionisio Cañas, cfr. *Claudio Rodríguez,* cit., págs. 18-19.

CAPÍTULO III

LA TRENZA DORADA: *ALIANZA Y CONDENA*

El laberinto mítico:
viejos y nuevos símbolos sobre la luz y el conocimiento

¿Qué cabe hacer una vez consumado el doble sentido de la aventura? En su primera obra, *Don de la ebriedad,* el poeta acertó a herir en el centro mismo del mito del deseo: la *huida* como itinerario postural para la exploración del mundo y como respuesta reactiva del sentimiento frente a la adversidad y contra el fondo magmático de las incompatibilidades sagradas. El programa intuitivo en esa búsqueda proponía el *anhelo unitario* y el impulso de integración sobre el rechazo de las formas dispersas del consuelo superficial. La *siembra de la luz* deslumbrando verdades y abriendo el *surco* doloroso pudiera ser el símbolo predominante en el complejo mítico de la iniciación.

Cuando la aventura alcanza a ser completa y a desplegar el trayecto de la experiencia como destino resultante tras la abdicación de los fervores ebrios, se genera el paradigma mítico del *retorno*: el itinerario exultante de Ulises, atribulado del Hijo pródigo, idílico de Hölderlin, fraterno y conciliador de Rodríguez. Tras la del ideal unitario, el resignado experto se promete el mínimo de los dones felices del consuelo solidario a partir de la *diferencia* asumida de los seres en torno. El fruto de la *uva-corazón* se agranda simbólicamente ahora como pacto esperanzado capaz de propiciar la dignidad para continuar acogido en la *almendra* del fruto, en la intimidad uterina del eterno dormitorio de infancia. Fue el fragmento mítico de *Conjuros* y sus trasuntos simbólicos fundamentales.

Alianza y condena partía del necesario fracaso del bucolismo idílico anterior, ni el baile campesino en el atardecer del día de fiesta leopardiano, ni las promesas del retorno apolíneo y gozoso de Hölderlin hasta la casa patria. Claudio se distancia en el otoño 1958 de sus escenarios de anhelo y pesadilla: la ciudad bien cercada, la calle, la casa materna, la propia alcoba con el lecho en permanente desorden inhóspito. La extrañeza de los nuevos escenarios y el desafío intenso de una cultura nueva antes sólo entrevista, sin precipitar una modificación apresurada o bobalicona en los temas y símbolos, comenzaban no obstante a sedimentar el polvo calcáreo y la desecación inhóspita de una nueva simbología no menos fascinante, aunque sí menos fértil que la anterior.

El poeta, todavía soltero, viaja al principio muy frecuentemente desde Nottingham a Madrid y a Zamora. La dureza reforzada del contraste había de propiciar necesariamente el desmesuramiento de sus impaciencias, acerando la precisión de los dicterios destinados a herir profundamente y licenciando todas las viejas cautelas conciliadoras del eufemismo lírico. La nueva radicalización madura y muy abrupta de las anteriores diferencias conciliables se traducirá en la quiebra definitiva, cuya fórmula figural resulta ser la *antítesis* excluyente y el sentimiento mítico de la *fractura* definitiva, a prueba incluso de los voluntarios ejercicios salvíficos de un impulso de conciliación unitaria que no llegará nunca a abandonar completamente a Claudio Rodríguez.

Conviene no olvidar sin embargo, cuando se trata de sintetizar este recorrido de *experiencia de la quiebra*, la distancia considerable de siete intensos años que separan temporal y estructuralmente los extremos del trayecto de la narración mítica de *Alianza y condena*. Así, la formidable elevación poética que arma la dureza implacable de los dicterios en la serie de grandiosas panorámicas epopéyicas del libro primero —«Gestos», «Cáscaras» o «Por tierra de lobos»— tiene poco que ver con el nuevo aprendizaje de la elegante auscultación esquemática y sustancial de los símbolos que testimonian los últimos poemas compuestos para la obra, como son «Frente al mar», «Un olor» o «Lo que no es sueño». No obstante, la consistencia mítica de universos simbólicos tan sólidos como son los que acaban siempre conformando los libros de Claudio Rodríguez, aun no predominando en ellos el férreo plan determinado que los organice, determina una fuerte impresión masiva de convergencia congruente.

En cualquier caso, las evidencias imponen una consideración autónoma de conjunto para el tratamiento temático de la serie de poemas mayores que se agrupan en el libro primero, y que formulan la dura crítica del pasado y del medio social con el que Claudio iría discrepando hasta que se produjo la ruptura conflictiva y el interdicto oficial, que acabaron por acarrearle su propia actitud pública y la divulgación inevitable del contenido de textos como «Por tierra de lobos» y «Ciudad de meseta».

Ya hemos señalado cómo el tenor de intensificación de la ruptura antitética, especialmente encauzado en la vertiente de crítica social, se evidencia en la historia manuscrita de la génesis de estas composiciones. El síntoma es el abandono de todos aquellos desarrollos temáticos que no incidieran en la vertiente de la censura corrosiva, y por el contrario en la propensión a acoger con marcada intensidad textual cualquier gérmen incidental de la actitud combativa. El caso más ilustrativo sobre esta tendencia lo facilita la génesis manuscrita conservada del poema «Cáscaras», el cual había llegado a desarrollar inicialmente como canto segundo un interesante texto perfectamente corregido de denso contenido simbólico, que sin embargo fue integramente sustituido por los vigorosos ritmos de censura social que integran el apartado segundo del poema publicado. Dado el interés a vario efecto que reviste el mencionado fragmento inédito, lo transcribimos integramente a continuación:

> La silenciosa reproducción del polen, el embrión
> vivo de la semilla, la germinación,
> las nutriciones y las secreciones,
> la flor crecida con control hermoso,
> todo se abre hacia el fruto. Pero el fruto
> es cerrazón; vacila, y se proteje.
> Con su aceite interior teje la urdimbre
> delicada, la nutre y del ligero halo
> hace piel o[semilla]hace cáscara. Hace distancia,viste
> su realidad insoportable. Guinda,
> ciruela, almendra, nuez, trigo, avellana.
> Y el puro origen es misterio. Y sólo
> por tal vivimos. Si alguien de verdad viese,
> si alguien tocase de verdad, mordiera
> el fruto vivo sin quitar su cáscara,
> se quedaría anonadado, como

si poseyera de verdad el cuerpo
que ama, fuera sábanas,
como si le llegase
una carta sin sobre,
fuera letras, como si en realidad entrase
sin centinela o guardia
hasta la muerte donde cuaja el fruto.[1]

El cotejo de este interesante fragmento con el no menos vigoroso y perfecto canto que lo sustituyó en la versión publicada del poema, cla-

---

1. El texto que insertamos, tanto en su factura referencial y expresiva como en el estado de la transcripción manuscrita de Claudio Rodríguez, puede calificarse como de redacción definitiva; a falta sólo del tipo de retoques —adiciones, supresiones y fundidos— que confieren siempre el último grado de perfección y las imágenes más sugestivas e irracionales a las composiciones del poeta. La relación temática en este caso entre el fruto y la cáscara, argumento del poema, no alcanzaba aún un ensamblaje perfectamente elaborado en el momento en que fue suspendida la redacción del mismo. Más bien se trata casi de un esbozo fuertemente intuitivo.

Como suele ser habitual en los procesos creativos de Claudio, afloran en este texto elementos expresivos y de imagen transferidos desde las figuras y canales obsesionantes en el mito personal del poeta. A su vez, no son pocos los constituyentes parciales de este fragmento inédito que aparecen incorporados a la composición definitiva de los poemas más próximos, como el propio «Cáscaras» o el poema sobre la mirada «Porque no poseemos». Así, por ejemplo, la resolución del «fuera sábanas» que velan el cuerpo amado tal como aparece hacia el final del texto —«...se quedaría anonadado, como / si poseyera de verdad el cuerpo / que ama, fuera sábanas»—, resulta conectada con una de las reflexiones iniciales del poema final: «...el traje / que cubre el cuerpo amado / para que no muramos por la calle / ante él»; y tanto mayor aparece el grado de esa proximidad, cuando llegamos a saber que «traje» es una corrección manuscrita sobre el original cancelado «sábanas» —otro más de los rasgos de ultracensura pudibunda tan frecuentes en Claudio—. Por lo demás, éste del deslumbramiento cegador ante la plenitud del cuerpo de la amada, mantenido a veces desde la mirada en silencio del protagonista, llega a ser un tema recurrente en toda la poesía sobre la contemplación amorosa a lo largo de los tres últimos libros del poeta. Aquí mismo vuelve a surgir la fórmula —privada desde luego de todo contacto con la contemplación específicamente erótica— en «...ese prieto vendaje / de la costumbre, que nos tapa el ojo / para que no ceguemos».

La contigüidad simbólica emerge inocultable, asimismo, entre el desarrollo temático general del texto excluido y la fórmula publicada hacia el final de la parte primera de «Cáscaras»; nos referimos a la continuación del fragmento anterior: «la vana golosina de un día y otro día / templándonos la boca / para que el diente no busque la pulpa / fatal, son un engaño / venenoso y piadoso». Aunque también sean detalles de desarrollo temático mucho más concentrado e intenso los que a veces vienen a corroborar el momento de unidad imaginativa, como la súbita invocación de la imagen suscitada por los «centinelas vigilan» del texto publicado y la presencia correspondiente en el final del inédito:

rifica la voluntad de selección temática que habría de reorientar este grupo de poemas iniciales hacia la culminación y el balance del ejercicio de constatación en torno a la hipocresía social frustradora de las apelaciones idílicas a la fraternidad cordial unificante. La decisión de señalar el definitivo ápice crítico a la conciencia de diferencias antagó-

---

«...como si en realidad entrase / sin centinela o guardia / hasta la muerte donde cuaja el fruto». Aunque la transferencia más extensa y medular de estructuras completas de la intuición temática en este caso es la que produce la invitación, común en ambos textos, a perforar las envolturas falaces de la cáscara para acceder al sagrario sorprendente del fruto. Así, todo el desarrollo último del fragmento omitido, a partir de los versos: «Si alguien tocase de verdad, mordiera / el fruto vivo sin quitar su cáscara», se constituye en el esquema en ocasiones casi literal —véase, por ejemplo, el logradísimo endecasílabo final, «hasta la muerte / (celda) donde cuaja el fruto»— de la exhortación imperativa con que finaliza el texto publicado. Recuérdese: «muerde la dura cáscara / muerde aunque nunca llegues / hasta la celda donde cuaja el fruto».

Pero el dominio de estos núcleos simbólicos decisivos, resistentes y poliédricos, de la forma interior no se reduce en ningún caso a los tanteos constructivos de una sola composición. La densidad polifacética del impulso emotivo, nutrición subconsciente del mito personal temático, se constituye como una sustancia imaginaria en flotación incierta que se posará, durante el tiempo en que se mantenga su fluctuación informulada, sobre una constelación más o menos densa y numerosa de imágenes y formas, que suele detectarse en sus afloraciones de detalle sobre todo entre poemas de elaboración cronológica próxima. Por ejemplo, en el caso que nos ocupa actualmente, advertimos la presencia de algunos de los terminales simbólicos más conspicuos y de los procesos centralmente comprometidos en el meollo mítico del fragmento inédito en el poema «Porque no poseemos», tal como lo hemos anunciado frecuentemente. Nos referimos no solamente ya al caso de coincidencias en el sesgo de imágenes demasiado puntuales como las del vestir o desvestir, junto a la alusión a la entraña vegetal del fruto de la granada, de las que acabamos de ocuparnos. En el poema sobre la mirada comparecen en fragmentos tan significativos como:

> *Quiere acuñar las cosas,*
> *detener su hosca prisa*
> *de adios, vestir, cubrir*
> *su feroz desnudez de despedida*
> *con lo que sea: con esa membrana*
> *delicada del aire,*
> *aunque fuera tan sólo*
> *con la sutil ternura*
> *del velo que separa las celdillas*
> *de la granada...* (pág. 133)

Porque más iluminadora y proyectada al futuro mítico de Claudio nos resulta todavía la presencia común del constituyente simbólico del *aceite*. Compárese la sutil afloración «Con su aceite interior teje la urdimbre / delicada...» en el fragmento inédito, con la circunstanciada inserción de la lubricación con aceite en el poema sobre la mirada. Se inauguraba de esta manera una corriente mítica decisiva que se perpetuará más o menos subterráneamente hasta su afloración como ingre-

nicas se sustancia sin ambigüedades en los impetuosos énfasis rítmicos que corroboran magistralmente la plasticidad de las imágenes temáticas, intensísimas, en estas composiciones. Pero por otra parte, en la decisión de relegar el texto manuscrito, podemos aquilatar complementariamente aspectos muy significativos sobre las decisiones de control mítico de un complejo simbólico decisivo en el progreso de la forma interior.

En los dos libros anteriores de Claudio Rodríguez, hemos tenido ya ocasión de constatar el decisivo significado mítico de la serie de símbolos de *recubrimiento* y *protección calurosa del núcleo vegetal germinativo.* El revestimiento simbólico más frecuente que adoptaba ese sentimiento de identificación, tanto en *Don de la ebriedad* como en *Conjuros,* había sido el del grano de cereal bajo la protección de su cutícula en la espiga. En el reconfortante sentimiento de calor vegetal que garantiza la preservación de la semilla para la continuidad cíclica de la germinación y de la vida, no es difícil descubrir la proyección del intenso anhelo íntimo de acogimiento primero familiar y materno y después, sustitutivamente, hospitalario y fraternal. Me parece evidente que la identificación por parte del poeta fugitivo y caminante al raso de Castilla con esa familia de símbolos constituye un núcleo fundamental evidenciado en la conformación subconsciente del mito sentimental de Claudio Rodríguez.

Con el logro de ese anhelo inicial de acogimiento el poeta identifica los momentos de plenitud o de carencia en su presentimiento de reintegración a lo absoluto unitario; por el contrario, ante las crecientes evidencias de desalojo e intemperie, se desencadenan las decepciones

---

diente fundamental en el decisivo poema sobre «El robo» de *Casi una leyenda.* Recordemos el primer despliegue nuclear de esta cristalización simbólica en «Porque no poseemos», inmediatamente sucesivo a los versos antes transcritos:

> ... *Quiere untar su aceite*
> *denso de juventud y de fatiga,*
> *en tantos goznes luminosos que abre*
> *la realidad, entrar*
> *dejando allí, en alcobas fecundas,*
> *su paso y su despojo,*
> *su nido y su tormenta*
> *sin poder habitarlas.*

de la condena al desasimiento de la conciencia-parte desgajada del ser-todo, desprotegida y abierta a los accidentes del desconcierto intelectual y de las agresiones insolidarias. A su vez, la evolución temática de este complejo simbólico conoce nuevas fórmulas de revestimiento fantástico, sin exceder el espacio todavía decisivo de la mitología vegetal; se trata del hallazgo simbólico del *fruto* y de la *almendra* en los términos en que se tematizaban ya en el desarrollado fragmento que fue excluido de «Cáscaras» por la decisión del propio autor.

Un síntoma decisivo para el analista en las grandes creaciones artísticas, lo que las consagra en último término como mensajes apasionantes y necesarios, pudiera cifrarse en la exactitud implacable de este género de convergencias simbólicas en el mito personal, que se ven transferidas además a las estructuras directivas de la argumentación —las que nosotros llamamos figurales entre otras—. Así interpretamos en este caso la correlación manifiesta entre la simbología inicial del grano y la cutícula protectora y la del presentimiento de la identidad unitaria recubierta o desprotegida por las sábanas —en orden o en desorden—sobre el hueco que el propio cuerpo determina en el lecho doméstico al cuidado de la madre —origen del conflicto, de la fuga y, en definitiva, de los sentimientos de desagregación de Claudio—. Una perplejidad análoga a la que se prolonga al constatar sucesivamente las asociaciones dramáticas entre el universo intensamente conflictivo que vincula a la hermana amada y su destino trágico con las imágenes del fruto y la simiente protegida tras la corteza de la almendra. Las leyendas fingidas por el poeta para revestir y mejorar las entidades inconfesadas del conflicto inicial en el amor materno —recuérdense los reproches superficiales sobre el episodio de la fiebre no velada por la madre— se convierten ahora en instantes de presentimiento de situaciones sobrecogedoras, como las coincidencias que detectábamos en las asociaciones entre la hermana y la muchacha burgalesa de «Visión a la hora de la siesta» en *Conjuros*. Análogamente, en la persistencia subconsciente del símbolo medular del fruto y de la almendra, tal como aflora entre otros en este texto censurado por Claudio, que desembocaría en la terrible imagen, cima de la ternura, del poema «Un rezo» de *El vuelo de la celebración*: «porque tú eres la almendra / dentro del ataúd. Siempre madura».

Como vemos, la decisión táctica de Claudio Rodríguez de sustituir para la segunda parte de «Cáscaras» un texto con tan medular espesor simbólico por otro no menos importante poéticamente, en el que se alcanza la culminación del tematismo de indignación y crítica social, define el sesgo de lo que la voluntad consciente del poeta quería poner en evidencia y silenciar en el despliegue de mitologías temáticas de la *forma interior*. En definitiva, con su sintomática elección entre ambos textos, comparece un nivel de decisión consciente que incide en el desarrollo de la *forma interior* dentro del proceso creativo de Claudio Rodríguez. Pero, a su vez, las razones sicológicas últimas que rigen el destino de lo admitido y de lo excluido hunden sus raíces subconscientes en los implacables cálculos involuntarios que determinan fatalmente las convergencias simbólicas constitutivas del mito personal.

A partir de la intensa evidenciación que aporta la serie de los poemas críticos del libro primero sobre el fracaso definitivo de las expectativas analógico-alegóricas del cotejo experiencial, cambian las coordenadas que orientan el proceso temático de la experiencia en *Alianza y condena*. Se produce así, tras el triunfo de la irreductible desagregación de las antítesis, el desenlace de *radicación de la experiencia* que la crítica ha identificado como la temática continua en el complejo variado y muy denso que constituye la síntesis de contenido más homogénea para *Alianza y condena*. Trascendentales modificaciones en el medio luminoso que acoge el ahincamiento de la nueva *mirada*, tematización detallada de los obstáculos —las *cáscaras* que entorpecen los nuevos ensayos de exploración intuitiva sobre las entidades de la realidad—, restricción del ámbito extenso que focaliza las exploraciones del nuevo posturalismo, según las sinécdoques cuantitativas del todo por la parte —el girasol o el gorrión—, o bien las metonimias causativas del juego de intenciones. Así se forja el complejo temático que enriquece con su variedad, pero también desde sus altas convergencias míticas, la fascinación de esta tercera etapa en el despliegue del universo poético de Claudio Rodríguez.

* * * * *

El hombre que en 1965 publica su tercera obra, *Alianza y Conde-*
na, tras siete intensos años de activa preparación entre Inglaterra y
España, era a juicio de la mayoría de sus críticos un poeta definitivo
y en plena madurez[2]. Plenitud temprana, con poco más de treinta años
y tras un largo periodo de maduración literaria en Inglaterra, cuyas
marcas reconocibles en el tematismo y en lo esencial de la argumentación poemática imponen una evidencia sutil de innovaciones decisivas
dentro de la continuidad, definitivamente asentada a partir de esta obra,
de un «universo» mítico y expresivo propio y personal[3]. Efectivamente,
lo más perceptible en la constitución mítico-temática de esta tercera obra
es la forma en que las composiciones dilatadas a lo largo de aquel espacio de tiempo se suceden y complementan amortiguando desigualdades

---

2. Cfr. Ángel L. Prieto de Paula, *La llama y la ceniza,* cit., pág. 159. Prieto invoca a su
vez el parecer convergente de José Luis Cano y de Jaime Siles, al que se pueden añadir las siempre
finas apreciaciones de José Olivio Jiménez. Ver por ejemplo: «Para una antología esencial...»,
cit., pág. 102.

3. Dionisio Cañas en su amplio prefacio biográfico-crítico a Claudio Rodríguez ha destacado cómo la indudable maduración personal y de la cultura literaria del poeta durante los años de
permanencia en Inglaterra no dejan huellas tan decisivas sobre su obra como cabía esperar. A
diferencia de otros compañeros de generación como José Ángel Valente, en quien la experiencia
internacional que se inició también en Inglaterra marcó el comienzo de una positiva constante de
maduración, la sensibilidad y la imaginación de Claudio aparecerían, según el crítico, contrariamente arraigadas sobre temas, mitos y sentimientos —felices o problemáticos— de índole
retrospectiva, o por lo menos que presentan una contigüidad de intereses pendientes con las primeras incardinaciones vitales. Según Cañas, la distancia española introduce en los temas de *Alianza*
tan sólo fugaces tonos de sentimentalidad negativa, de molestia adversa; tal como serían, por ejemplo,
los lemas urbanos de la industrialización dentro de un ahondamiento pesimista más global y genérico
del desarraigo cósmico. Cfr. Dionisio Cañas, *Claudio Rodríguez,* cit., págs. 59-69.

Dicho esto, conviene no obstante retener el dato incontrovertible de la complejidad y la
variedad gradual de la inspiración que afecta al conjunto de poemas que acabaron integrando la
obra, cuyas peculiaridades temáticas y de inspiración se distribuyen entre los siete años tal vez de
más intenso y fructífero ahondamiento del autor en la evolución de su magisterio poético. La cultura
literaria inglesa de Claudio Rodríguez merece en cualquier caso, como afirmamos más adelante,
un examen meticuloso y en profundidad. Aunque sus rastros explícitos sobre la obra del poeta
aparecen discretamente asimilados e incluso disimulados —en correspondencia congruente con el
comportamiento habitual de Claudio Rodríguez con todas sus fuentes—, la sutil modificación de
los contenidos y un sentido crecientemente acrisolado de la intensidad lírica de la construcción
textual del poema hacia la sobriedad del esquematismo meditativo, tal como lo reflejan las composiciones entre 1962 y 1964, evidencian el hondo calado del impacto de una renovación radical

llamativas y rupturas bruscas respecto a las constantes temáticas y formales que conocemos en el libro precedente[4]. Por el contrario, lo más apreciable y valioso sin duda en el poderoso conjunto de la imaginación literaria que consagra ya definitivamente *Alianza y condena*, es la progresión naturalísima, coherente y atractiva, de un mito personal sin novedades extravagantes ni fallidas, aunque quede perfectamente perceptible la diacronía temática y estilística de sus bloques textuales constitutivos. Lo que no significa en ningún caso, como saben bien los lectores no apresurados de Claudio Rodríguez, la perpetuación monótona de su mundo simbólico ni de las formas figurales que lo expresen, sino intensas transformaciones sutiles a uno y otro lado, temático y figural, del continuo expresivo.

Si el estímulo de la literatura inglesa y americana adquirida en los años universitarios de Nottingham y Cambridge no es masivamente visible en lo exterior de la poesía de Rodríguez, con la lectura intensificada de los románticos como Keats y Shelley especialmente y de los contemporáneos Ted Hughues, Philip Larkin o Tom Gun; no hay que excluir sin embargo tan categóricamente como suelen hacerlo sus críticos hasta ahora el influjo de ese importante sector de la cultura literaria de Claudio en el proceso de maduración poética de la imaginación

de las imágenes y los tonos poéticos asumida durante los siete años de vida allí. Téngase en cuenta, no obstante, que no todos los rastros de influencias inglesas, desde Keats y Wosdsworth a Hughues y a Larkin se produjeron en los años de residencia de Rodríguez. A partir de aquella experiencia inicial, es un hecho destacado el contacto del poeta con la literatura inglesa, que se concreta sobre todo en el duradero trabajo de traducción y adaptación poética de T.S.Eliot cumplido por Claudio Rodríguez durante los años previos a la publicación de *El vuelo de la celebración*.

En sus declaraciones muy conocidas a Federico Campbell acertó a destacar Claudio Rodríguez el aprendizaje poético fundamental sobre el acrecentamiento del sentido de construcción y de totalidad textual poemática, que se deriva de la experiencia literaria inglesa: «La poesía inglesa —decía Claudio— me ha influido en el rigor de la construcción, en el acceso hacia el poema. Pero ese rigor no niega la magia ni la fantasía ni la locura armoniosa. Dentro de la locura —concluye— puede existir una armonía». Cfr. Federico Campbell, *Infame turba*, Barcelona, Lumen, 1971, pág. 233.

4. Cfr. José M. Sala Valldaura, *Algunas notas* cit., págs. 127-128: «*Alianza y condena* está escrito dentro de la misma esfera teórica que *Conjuros*, pese a la naturales diferencias entre uno y otro libro».

estilizada y de los nuevos ritmos más serenos, más meditativos y susurrados que culminan en *Alianza y condena*. En cualquier caso se tratará de un complicado ejercicio de microcrítica que está por hacer, y que tiene en su contra principalmente, para enmascarar los objetivos, la austera vocación artística del poeta bajo su fidelidad de origen a los modelos literarios de su cultura española y la permanencia evolucionada de sus idearios y sus técnicas literarias.

En *Alianza y Condena* se prolongan, pues, temáticamente las consecuencias míticas de la actitud básica de observación y cotejo que han dado como resultado la prolongación configurada de la *experiencia*, según el propio autor la destacaba en el subtítulo de la primera composición, tan bien calculada y sintomática como la de todos sus otros libros, «Brujas a mediodía (Hacia el conocimiento)». Se despliega por tanto en este primer texto —no ya tan evidentemente retrospectivo y didáctico como en los de las obras anteriores, sino mucho más enigmático y poético— una completa y renovada exposición sobre el mito personal del *conocimiento*, tal y como los críticos lo han destacado habitualmente[5].

El hombre se interroga y profundiza, otra vez, sobre el ser misterioso e incierto de la realidad, pero no ya bajo la presunción idílica de una ebriedad personal que experimenta la intensa iluminación nocturna transfigurante de la variedad fenoménica en acordes de unidad metafísica, como en *Don de la ebriedad*. El modo de conocimiento de *Alianza y Condena* es experiencia *radicada* en la pluralidad entrañable de las cosas y de los hombres, tal y como aparecía asumida ya desde *Conjuros*; pero los instrumentos operativos y las consecuencias de esa radicación son en esta tercera jornada del proceso marcadamente distintos. Si hasta el conocimiento de *Conjuros* se prologaba con frecuencia un resto de la *inundación* de la alteridad sobre el espíritu anonadado y extático, en la tercera obra de Claudio predomina la situación tematizada de *escrutación* activa, de análisis perspicaz y penetrante de la mirada en los complicados entresijos simbólicos de los objetos de la

---

5. La síntesis más pormenorizada e ilustrada de este punto de convergencia crítica puede adquirirse en Ángel L. Prieto de Paula, *La llama y la ceniza*, cit., págs. 159 y ss.

realidad. Ese inestable y oculto *momento de verdad* que está en las cosas pendiente de la mirada atenta, se manifiesta también como revelación siempre sobrecogida pero ya inasequiblemente dinámica con origen objetivo. Un nuevo estado de gracia de la realidad, súbito chisporroteo como el de la sal sobre las brasas: ...«Cada / forma de vida tiene / un punto de cocción, un meteoro / de burbujas».

Pero el cambio más radical en las nuevas modalidades del conocimiento procede de su objeto distinto, de la inversión en sus consecuencias de la experiencia sobre la metamorfosis. Donde antaño alentaba la ilusión del éxtasis hacia lo verdadero, ahora se constata con mayor intensidad enfática el simple juego de las experiencias sobre la revelación transfiguradora como apariencia no necesariamente fundante de revelación, la hechicería que sobrepasa la desdeñable evidencia empírica y objetiva, «el sorteo de los sentidos», incluso como animada ilusión engañosa:

> ...*No es tan sólo el cuerpo,*
> *con su leyenda de torpeza, lo que*
> *nos engaña: en la misma*
> *constitución de la materia, en tanta*
> *claridad que es estafa,*
> *guiños, mejunjes, trémulo*
> *carmín, nos trastornaban. Y huele*
> *a toca negra y aceitosa, a pura*
> *bruja este mediodía de septiembre.* (págs. 127-128)

Un cambio total se verifica, asímismo, en el estado de ánimo íntimo de la ebriedad; lo que se constata desde este meridiano maduro de la experiencia es ya la decadencia de «vicios enterrados», los sedimentados hábitos de compra del corazón: encías resecas que desembocan indistintamente en la virtud del rezo y en el desahogo de la blasfemia, con los recuerdos y aun con el olvido, con «todo aquello que fue sosiego o fiebre». Extinción delirante y amenaza universal del mal inexorable: «el hondo estrago y el tenaz progreso / de las cosas».

A la inexperta pureza de la esperanza extática adolescente la suplanta como causa de la nueva desolación la experiencia de la revelación confusamente erótica —«Un cuerpo encima de otro / ¿siente resurrección o muerte?», metáfora absoluta de todo lo elementalmente vital—, el consuelo sólo acogedor de una dicha resignada a no ser nunca ya infancia absoluta: «¿Por qué quien ama nunca / busca verdad, sino que busca dicha? / ¿Cómo sin la verdad / puede existir la dicha?...». Y así se mezclan en el ánimo del poeta, en su franco abandono por plenitud experta ante la dificultad de la contemplación viva, la lucidez sobre el inasequible límite racional: «Pero nosotros nunca / tocamos la sutura». ¡Qué precoz anticipo personal de Claudio en estos nombres de la frustración; al tiempo que Blanchot y mucho antes que Derrida! «...esa costura... entre nuestros sentidos y las cosas», junto a la confusa asimilación de las vivencias más corpóreas como el único alcance latente sobre lo verdadero: «...Entre las ruinas / del sol, tiembla / un nido con calor nocturno...». Cobijo en el oscuro saber certero —saber de brujas— de las palpitaciones vitales exentas a los desalientos metafísicos: «Porque ellas / no estudian sino bailan / y mean...». Porque el conocimiento propugnado por Claudio Rodríguez es sobre lo esencial y continuo, vivo, de la materia, sobre la participación identificada con su estructura del propio ser analítico.

Las alegorías del conocimiento se agrupan en varias composiciones del primer libro de *Alianza y condena*. No es sin embargo el caso de «Gestos», el poema inmediato[6]; aunque se tematizan en él las hondas modificaciones que ha experimentado para el poeta la nostalgia entrañable de la pátina histórica depositada como contagio humano sobre la epidermis de las cosas: «No, no son tiempos / de mirar con nostalgia / esa estela infinita del paso de los hombres». Pero el despliegue del mito renovado del conocimiento en otros de sus detalles fundamentales se aborda centralmente en las dos composiciones sucesivas, tercera y cuarta del primer libro.

Mucho de la evolución mítica en el conocimiento, como cotejo subjetivo-objetivo que funda la experiencia, radica en las modificacio-

---

6. El poema se tituló «El espacio y el gesto» a lo largo de las numerosas versiones conservadas del mismo. Es una de las composiciones más tardías —la versión mecanográfica primera es de 1962— en el grupo de los poemas sobre panorámicas grandiosas que componen el material de transición entre la censura social de *Conjuros* y la serie de textos de alta intensidad crítica que forma el primer libro de *Alianza*.

nes de la escrutación, en la manera de ver, en la nueva mirada como conciencia sustitutiva del límite de la posesión intuitiva, de la comunicación por invasión extática. La mirada es precisamente el subtítulo del poema alegórico « Porque no poseemos»[7]. Mirar a la nueva luz intensa y cenital del mediodía de la experiencia —«cruel / de tan veraz»— comunica ante todo el espectáculo desalentador de la confusión natural en los objetos y de la inseguridad del conocimiento: «...la mirada, ya no me trae aquella / sencillez. Ya no sé qué es lo que muere, / qué lo que resucita». Pero esta nueva manera de asumir el conocimiento, limitada y modesta, concentra el viejo mito de la revelación ebria sobre una actividad del comportamiento y unos secretos en las cosas que son mucho más habituales y asumibles fuera del mito idílico, sin que por ello quede destituido el trayecto poético de las metamorfosis, ni adulterada la sutileza extrema que reclama la mirada secreta:

> *Quiere acuñar las cosas,*
> *detener su hosca prisa*
> *de adiós, vestir, cubrir*
> *su feroz desnudez de despedida*
> *con lo que sea: con esa membrana*
> *delicada del aire...* (pág. 133)

Nada altera el entusiasmo idílico atesorado en los objetos, sus secretos entrañables ahora ofrecidos a la revelación sentimental tan próxima del amor. El reconocimiento afectivo de la mirada en aquellas alturas de la madurez poética de Claudio Rodríguez modifica y humaniza tiernamente la vieja siembra olímpica de la luz metafórica:

> *...Mana, fuente*
> *de rica vena, mi mirada, mi única*
> *salvación, sella, graba,*
> *como en un árbol los enamorados,*
> *la locura armoniosa de la vida*
> *en tus veloces aguas pasajeras.* (pág. 134)

---

7. Véase el atento análisis de este tematismo bajo la pertinente perspectiva filosófico-crítica de la fenomenología en Dionisio Cañas, *Poesía y percepción*, cit., págs. 99 y ss.

Vida como locura...pero armoniosa; y realidad tormentosa y confusa pero iluminada en «juventud constante», en «maravillosa eternidad». El poema no duda en descender incluso a zonas de baja corriente lírica, a las quietudes prosaicas de la narración, para anotar la historia de ese tránsito desde la mirada indolente y fría, domesticada en la ficción común de lo cotidiano, al arrebato sobre la revelación instantánea de la rutina, aquel otro espacio de fricción entre mirada y realidad donde la poesía descubre su objeto y su destino: «Hacía tiempo / ...me era lo mismo / ver flor que llaga, cepo que caricia; / pero esta tarde ha puesto al descubierto / mi soledad y miro / con mirada distinta...». Hasta que de repente el sincero entusiasmo del idilio enciende la milagrosa epifanía de la revelación insólita —«...Es la hora / en que nuestra mirada / se agracia y se adoncella»—; el instante de gracia de la mirada nuevamente iluminada, la hora del abandono de sí mismo y de la confianza en el esplendor íntimo de las cosas, que se entrega a la fatalidad de la inquisición poética del mundo, a «esa mirada que no tiene dueño»[8].

La mirada voluntaria y activa, más próxima quizás al quehacer derrumbado y maduro del hombre muy sufrido, cuando la pujante concreción casi olímpica del deseo metafísico adolescente penetra en el alma poética de las cosas a través de sus caparazones, de la densa coraza universal de lo convencional y amortizado. El símbolo metafórico anticipado al título del poema «Cáscaras» enuncia sintéticamente, a su vez, el proceso intelectivo de la mirada.

Para empezar, ya ni siquiera resulta naturalmente hostil el obstáculo de la coraza; y ni los entorpecimientos habituales de la precaución y el disimulo dejan de motivar la condescendencia y hasta el amor gastado en la ternura del hombre dolorido, experimentado en todos los descuentos de la vida. Desde el mismo «nombre de las cosas, que es mentira / y es caridad», y desde el mismo traje que no cela el cuerpo amado para preservarnos del incendio que aniquila en ternura. Así se forma la letanía de los cortos consuelos: «las cuatro copas / que nos

---

8. Bordeamos nosotros aquí percepciones críticas de Philip Silver, con las que nos sentimos en estimulante concordancia, Cfr. «Claudio Rodríguez o la mirada sin dueño», cit., pág. 239.

alegran al entrar en esos / edificios donde hay sangre y hay llanto», como la de los símbolos más ambivalentes: «la cautela del sobre, que protege / traición o amor, dinero o trampa». Todo lo que se nos opone, lo que amortigua y trivializa en hábito la excepcionalidad incendiaria de la milagrosa revelación, comparece ante el «ethos» indulgente del poeta en estos ápices de la madurez moral y poética como garantía y amparo... «ruin amparo». Una letanía tolerante que no exceptúa siquiera las formas más miserables y desgastadas del pactismo social: «Los sindicatos, las cooperativas, / los montepíos, los concursos; / ese prieto vendaje / de la costumbre... son un engaño / venenoso y piadoso». Si bien más tarde y con el desarrollo progresivo del idilio, la narración afronta y enfatiza algo contradictoriamente —contradicción que es licencia de los poetas altos como Claudio— los polos más costosos y negativos de esas contrapropuestas paradójicas:

> *La cáscara y la máscara,*
> *los cuarteles, los foros, los claustros,*
> *diplomas y patentes, halos, galas,*
> *las más burdas mentiras:*
> *........................*
> *¿han de dar vida a tanta*
> *juventud macerada, tanta fe corrompida?* (pág. 137)

para dar paso más razonadamente, desde tales premisas concesivas, al desenlace natural de la argumentación idílica: «muerde la dura cáscara, / muerde aunque nunca llegues / hasta la celda donde cuaja el fruto».

* * * * *

Un factor no menos decisivo sobre la modificación del entramado mítico que la actividad de la mirada desveladora, opuesta a la antigua actitud extática en la revelación ebria, puede que sea el radical cambio actuado en el propio símbolo luminoso, el medio en que se produce la epifanía poética. La antigua luz mística nocturna, aquel encendido rayo de oscuridad cuyo avizoramiento intenso propiciaba el idilio de la metamorfosis esencial, se ve suplantada muy frecuentemente en el nuevo libro de horas que es *Alianza y condena*, por la luz cenital del mediodía. Así resulta ser en todos los poemas sobre el conocimiento del libro primero. Explícita como dato sustancial en el título que inaugura la obra, «Brujas a mediodía», la nueva circunstancia de la luz —«...Y huele / a toca negra y aceitosa, a pura / bruja este mediodía de setiembre»— invierte la modalidad misma de producción de la metamorfosis dentro del cotejo lírico.

Un Claudio nuevo al que la luz —¿y la estación, septiembre?— no le aporta ya, junto a la radicación natural de las formas en la conciencia directa, el aquietamiento resignado de la antigua tensión del acecho metafísico. Antes al contrario, el esplendor diurno de una luz plenaria arrasa y estraga el prometedor regusto de los viejos momentos íntimos, nocturnos y aurorales, de las metamorfosis:

> *ahora, a mediodía, cuando hace*
> *calor y está apagado*
> *el sabor, contemplamos*
> *el hondo estrago y el tenaz progreso*
> *de las cosas, su eterno*
> *delirio, mientras chillan*
> *las golondrinas de la huida.* (pág.128)

Las consecuencias transcendentales, por tanto, de estas modificaciones en la luz y en las peculiaridades sensitivas de la adquisición del entorno de los seres descubren su verdadera urdimbre simbólica: la suplantación del ensueño por la vida, del mito ilimitado del deseo adolescente por el acotamiento expertamente maduro de una realidad certera y opresiva: «junto a este aquelarre / de imágenes que, ahora, / cuando los seres dejan poca sombra, / da un reflejo: la vida.». En las intimidades más cálidas del recuerdo de los mitos de infancia se arrincona lo poco de tierno y jugoso que sobrevive: «...Entre las ruinas / del sol, tiembla / un nido con calor nocturno...». Esta suerte de aquelarre invertido que es el conocimiento bajo la plena luz del mediodía, convierte en ceremonia indeseable de extenuación y muerte el arte ilusorio y regenerador de la fantasía nocturna sobre las brujas.

Por eso la nueva forma de mirar tiene mucho de consuelo resignado, de reactivación esforzada e idílica. El poema sobre la mirada, que comienza «Porque no poseemos», tematiza la condición secundaria y reactiva conllevada por la actividad adulta del conocimiento experto, aniquilando la lozanía gratuita de los mitos de infancia. Las horas y las luces que enmarcan este nuevo ejercicio penoso son las mismas que las del aquelarre invertido, paradójico, del poema anterior:

> *...La combustión del ojo en esta*
> *hora del día, cuando la luz, cruel*
> *de tan veraz, daña*
> *la mirada, ya no me trae aquella*
> *sencillez...* (pág. 133)

Y por la misma causa, el recorrido idílico que incorpora implícito el curso del poema, desemboca y se aquieta hacia el final del texto en una modificación vesperal del grado de la luz, de su sustancia sentimental en la que se remansan las urgencias en tenue conciliación: «...Tiembla en el aire / la última luz. Es la hora / en que nuestra mirada / se agracia y se adoncella». Contra el imperio devastador de la plena luz diurna sólo caben por tanto estrategias de espera, fórmulas de atenuación y de cobijo; así es simbólica y muy próxima al sentir del poeta la rotación diurna del girasol, transfigurada en cifra de prudente simpatía —«Esta cara bonita, / este regazo que fue flor y queda / tan pronto encinta, y yo lo quiero...»—. Movimiento de humildad prudente —«...tú me hacías mucha falta / con tu postura de perdón...»— buscándose el cobijo del pleno sol.

El chisporroteo de los milagros diurnos con su metamorfosis se formula por tanto en la radicación madura de la experiencia del poeta como un trayecto de plenitud de la luz a la vez devastadora y cercada. De ahí que el progreso idílico de la narración se cumpla a favor de fórmulas luminosas de tránsito y de atenuaciones. Ni siquiera a la hora de un paisaje esquemático tan puro y esencial, de tan estrictas aristas que sólo son formas de antítesis, como es aquel contraste mediterráneo de Las Mayoas de Ibiza en «Frente al mar», el poeta concilia para su estado de transustanciación sublime de la experiencia la plena luz del mediodía sin sombras de septiembre, sino que evoca la reiteración siempre acogedora de la luz en el atardecer mediterráneo: «Quema la tramontana. Cae la tarde».

La mediación simbólica de los matices de luz confiere valencias acentuadas en el estado de ánimo, como lo prueba la reiteración invariable de las situaciones de repliegue reflexivo en cuantas ocasiones se suscita. Así, en la melancolía resignada del poema «Cielo» (pág. 170): «...tras este seco mediodía, alzo / los ojos. Y es la misma verdad de antes», o en el contraste con el recuerdo arisco de las horas de plena luz en «Un momento» (pág. 174) —«mientras, luz en la luz, se nos va»—; lo mismo que es obligada y necesaria para el claroscuro de «Adiós» (pág. 176) desde la salutación —«Cualquiera cosa valiera por mi vida / esta tarde.»— hasta la despedida: «...Queda / tú con las cosas nuestras, tú, que puedes, / que yo me iré donde la noche quiera».

A lo largo del discurrir de los poemas ordenados por la fiel escrutación del proceso creativo de Claudio, seguido día a día por Aleixandre, y gestados durante largos años de intensas modificaciones en la experiencia del hombre y del poeta, el síntoma simbólico de la luz descubre como siempre su condición, ahora mejor implícita y soterrada, de cifra fundamental y de vehículo sustantivo del fundamento mítico. Brilla con plenitud en los textos iniciales del libro, primero como el medio plenario en que se cumplieran las nuevas epifanías redondas y constantes de la mirada inequívoca; pero pronto, según lo hemos visto, ese momento intenso de la luz cenital tiende a encauzarse a través de sus atenuaciones en la peculiar retina mítica del poema, tal y como resultaba favorita ya en *Conjuros.* Incluso sin exceder el planteamiento previo de la luz radiante en los poemas sobre el conocimiento y la mirada de la primera parte de *Alianza,* tenemos ocasión de constatar el contrapunto donde declina aquel impulso fundacional del arco narrativo en las composiciones de cierre de esa misma parte primera. Así en el texto de «Por tierra de lobos», la asunción implícita de las variaciones de la luz poemática ordena y va graduando la curva sentimental de la memoria nostálgica, desde la infancia —«Lejos están /...Las mañanas aquellas, pobres de vestuario»— al momento presente de la reflexión madura, asumido como luz en declive del atardecer:

Ahora ya el sol tramonta. De esos cerros
baja un olor que es frío aquí en el llano.
El color oro mate poco a poco
se hace bruñida plata. Cae la noche. (pág.141)

La condición fundadora de la luz para el mito en la intención explícita de Claudio Rodríguez está confirmada, incluso temáticamente, con la presencia del poema final con que concluye el primer libro, «Noche en el barrio», que cambió sintomáticamente su título inicial de «Noche en las afueras». La concepción idílica del despliegue temático de los mitos en el cuidadoso cálculo dispositivo del poeta trata de cerrar así la parábola abierta desde el esplendor meridiano de los primeros textos, tan poblados de riesgos de extenuación, sobre el poder renovador de una mirada diurna tardíamente adquirida. Al otro extremo del arco narrativo del idilio, el conjuro final recaba la familiaridad afectuosa con el recuerdo de los poderes entrañables del véspero y la quietud de la noche cerrada:

Sólo oiga,
noche mía, después de tantos años,
el son voraz de tu horda luminosa
saqueando hasta el fondo
tanta orfandad... (pág. 146)

Ya no más, con la noche, la expectativa quimérica de la luz metafórica, partera de absolutos en la verdad; aquí sólo se aspira a la luminosidad consoladora y tenue del resplandor moral: «Desmantele / tu luz nuestra injusticia y nos la ponga / al aire». Luz de la noche, ahora, mucho más próxima y compartible, luz que es quizás ya únicamente sonido, concertado latir de sentimientos familiares, presentidos, convividos:

Y estás sola,
tú, noche, enloquecida de justicia,
anonadada de misericordia... (pág. 146)

Pero la curva idílica que se traza y se ciñe al tránsito de la luz en el libro primero, no es sino un modelo convencional y comprimido que se proyecta con constancia de hábito invariable al total de la obra, como estación mayor en el despliegue uniforme del mito fundamental simbólico de Claudio Rodríguez. De tal manera que, después de otra serie de textos en el libro segundo como «Mala puesta» o «Nieve en la noche», donde se constatan oscilaciones enconadamente relevantes del mito de la luz, descubrimos en el tercero la persistente presencia culminante de la claridad en una progresión de momentos graduados y sorprendentemente ajustados[9], que van desde la refundación idílica de los instantes dulces en las tiernas «albadas» amorosas de «Sin leyes»

---

9. Un lugar común formulado y repetido por la crítica presenta la intervención decisiva de Aleixandre en la ordenación de los libros de Rodríguez. Las versiones al respecto deducidas de las declaraciones confidenciales del propio Claudio pudieran no desmentir efectivamente esa representación de las cosas. La cuestión por supuesto resulta de trascendental importancia, sobre todo para las construcciones críticas como la nuestra en las que el factor del orden y la configuración textual de cada libro alcanza una significación tan decisiva respecto a la conformación temática del mito general y a la constancia y modificaciones progresivas en el estilo de la argumentación figural macrorretórica. Factores de continuidad y de cambio que se revelan a su vez fundamentales en los libros de Rodríguez, al incluir composiciones tan dilatadas en el tiempo como las que se agrupan en este caso en los siete años de gestación de *Alianza y condena* (1958-1965), y después en los once de *El vuelo de la celebración* (1976) o en los quince que median entre esta obra y la última, *Casi una leyenda*, de 1991. La importancia de tales decisiones relativas a la estructuración del macrotexto global de la obra y de sus partes o libros queda puesta de relieve, por ejemplo, en las especulaciones críticas del texto que dan pie a esta nota.

En varias ocasiones he preguntado al poeta sobre esta cuestión decisiva y, en su recuerdo, la intervención de Aleixandre parece haber sido muy importante en el caso de *Alianza y condena* y *El vuelo de la celebración*; resultando mucho menos decisiva, contra lo que se ha insinuado algunas veces, en la estructuración de *Conjuros*. Por fortuna, disponemos de vestigios manuscritos sobre los planes muy avanzados de índices para las dos obras en las que la intervención declarada de Aleixandre es mayor. En su momento examinaremos con detalle el definitivo índice manuscrito y razonado, de puño y letra de Aleixandre, para *El vuelo de la celebración*; no obstante, existe también un avanzado inventario de los poemas de esta obra elaborado y manuscrito previamente por el propio Claudio. Respecto a *Alianza y condena*, los vestigios manuscritos conservados deparan una situación muy diferente: los dos llevan la letra de Claudio Rodríguez, uno en folio y con caracteres cursivos y el otro con formato de cuartilla y letras capitales; y ambos con una estructura y ordenación de los poemas bastante próxima a la definitivamente publicada, que es la que sirve de pauta habitualmente a nuestras deducciones macrotextuales sobre la estructura mítica y argumentativa de la obra.

La situación de la problemática compositiva de *Alianza y condena* a la luz de esos índices manuscritos obliga a modificar absolutamente este otro aspecto tan decisivo de la «leyenda» literaria de Claudio; a saber, el poeta desentendido del orden estructural de sus propios libros, según etapas y momentos particularmente turbulentos de su propia biografía. Una conjetura que pudiera

y «Amanecida», a los ensayos de acomodación idílica del papel mítico de la noche en poemas como «Noche abierta». La oscilación temática del símbolo luminoso que señalamos antes en un poema de transición de luz protagonista como es «Mala puesta», procede sin duda del papel de trasunto metafórico sobre el propio desfallecimiento del yo que cumple el ocaso del día en el intenso momento de la efusión sentimental. En este caso, un entendimiento no enfatizadamente negativo de las luces diurnas aproxima la situación temática del símbolo a sus nuevas valencias en los primeros textos de

---

ser, en efecto, adecuada para el periodo de composición de *El vuelo de la celebración* y para la relación que Claudio me ha confesado en ocasiones como francamente familiar de él y su esposa Clara con Aleixandre, y que corrobora en todo caso la existencia del índice final de la obra al que nos referíamos antes. Sin embargo ni la situación vital de un Claudio recién casado en el periodo inglés de escritura de *Alianza* ni, como hemos visto, los datos manuscritos conservados obligan a mantener el grado de intervención determinante de Aleixandre sobre la ordenación de *Alianza y condena*. Otra cosa sea la responsabilidad del puntual y penetrante seguimiento lector, más que acreditado, del viejo maestro sobre la elaboración de la obra de Rodríguez, que autoriza a hablar con toda propiedad de una tarea de compañía y de consejo crítico en éste y en muchos otros aspectos de la creación de los poemas.

A la estructura definitiva y publicada del libro corresponde ya casi sin alteraciones el índice manuscrito en cursiva y folio. Del primer libro de la obra, el título «Brujas» es manifiestamente una abreviación por espacio, ya que en el otro índice en cuartilla y tipos capitales —que responde a un proyecto anterior, más incompleto y con grandes variaciones respecto al inventario publicado— figuraba en primer lugar con el título completo de «Brujas a mediodía». Fuera de esa variación, registrada tan sólo en el índice en folio, hay que reseñar las omisiones de los poemas «Frente al mar», «Hacia un recuerdo», «Amanecida» y «Lo que no es sueño». Tampoco consta en el folio seguramente por razones circunstanciales de espacio la separación del libro cuarto con sus dos odas, figurando sólo el título «Oda a la hospitalidad», escrito con caracteres de mayúscula a la izquierda de la columna del índice junto a la referencia de un nombre, Luis Zapata, su número de teléfono y su dirección en Navas del Marqués.

En cuanto a la lista más antigua en cuartilla, las interesantes variaciones de los títulos, la diferencia en la distribución de los textos en el interior de cada libro, las omisiones de poemas y otras peculiaridades que se registran, aconsejan su transcripción literal en todos los detalles: I Brujas a mediodía+ Porque no poseemos (La mirada?), Cáscaras + Gestos + (otro: Fábula de oro y miel...); II Girasol, Ciudad de [estrategia] tachado y sustituido por (de meseta), [A campo abierto] tachado y sustituido por (Por tierra de lobos) +, Nieve en mala hora, Lluvia (de gracia?) +, Eugenio de Luelmo [+] tachado, Espuma, Gorrión, El ajeno +, Mala puesta (?), Viento de primavera, Noche en el barrio +, Cielo +, [Retrato al charco (?)] tachado, otro; III Sin leyes, Un bien, Tiempo mezquino, Un momento, Un olor +, Un recuerdo + (Hacia un recuerdo), Un perdón, Una despedida +, Suceso, Una tentación, Como el son de las hojas del álamo, Una luz [+] tachado, (Otro); IV Oda a la niñez, (Oda a la hospitalidad/ Oda a la alegría).

la obra. El repliegue crepuscular significa impotencia y pérdida de intimidades tiernas:

> *La luz entusiasmada de conquista*
> *pierde confianza ahora,*
> *trémula de impotencia, y no se sabe*
> *si es de tierra o de cielo. Se despoja*
> *de su íntima ternura*
> *y se retira lenta. ¿Qué limosna*
> *sin regocijo? ¿ Qué reposo seco*
> *nos trae la tarde? ¿Qué misericordia*
> *deja este sol de un grana desvaído?* (pág. 157)

Coherentes con la amenaza contenida e implícita que conlleva la progresión de la tarde hacia la noche, se manifiestan las modulaciones simbólicas de ésta cuando aparece expresa en el entreverado tematismo del poema «Nieve en la noche» (págs. 159-160). Ahora la máscara de la nevada sobre la ciudad funda la alegoría moral de la hipocresía acumulada en siglos de mezquinas alianzas urbanas. Y ni siquiera el resplandor sobrevenido con la nieve es capaz de recuperar el primitivo candor esplendoroso e íntimo de la noche en el tiempo lejano de sus epifanías metafísicas. Todo un denso intrincamiento de afloraciones tectónicas en la masa del mito[10] se manifiesta bajo las formulaciones de aparente inocencia del poema: «Es la feria / de la mentira: ahora / es mediodía en plena / noche... La nieve, tan querida / en otro tiempo, nos ciega, / no da luz.» Un sedimentado adensamiento de los magmas del mito se deja adivinar tras la calculada inocencia de unas formulaciones orladas de candidez poética.

---

10. Véase en el apartado tercero del capítulo correspondiente a *Alianza*, en la segunda parte de esta obra, nuestro pormenorizado seguimiento y deslinde del doble universo mítico —la descripción de la nevada, y la escena amorosa del género de «albadas»— que converge y se entrecruza en el resultado misterioso de esta composición. El proceso de ensamblaje temático entre las dos corrientes simbólicas resulta bastante discernible según el estado conservado de los manuscritos; y es ese enmascarado —colmatado— hibridismo simbólico el que depara seguramente el indudable fondo de fascinación en este tipo de poemas evanescentes.

El rico entretejido de los temas que despliegan la evolución del mito fundamental sobre el peculiar cotejo de la situación fundadora del enunciado lírico, fue creando en *Don de la ebriedad* la representación de la experiencia metafísica y ahora este otro conocimiento fenoménico mejor avenido con las vivencias cotidianas. Pero junto a la evolución congruente y relativamente sólida de la sustancia simbólica del mito con sus divertículos anejos de variedad temática, conviene por lo menos constatar la incidencia de la constante convencional de reajuste positivo que hemos llamado idílica, y que regula uniformemente en todos los momentos del proceso simbólico la libertad expansiva de los mitos temáticos. En el caso que ahora nos ocupa de *Alianza y condena*, un grupo de composiciones del libro tercero en las que surge la sustancia semántica del mito temporal diurno-nocturno como esquema colateral fundante de la mitificación poética de la experiencia y del conocimiento, permite ilustrar un nuevo cruce entre los planos temático y dispositivo del contenido.

El poema «Noche abierta» recupera inicialmente la presencia alternativa de la luz nocturna en sus efectos de beatitud no metafórica sino moral: «Bienvenida la noche para quien va seguro / y con los ojos claros mira sereno el campo». En contraste también, si se quiere[11], comparece la valencia adversa del símbolo nocturno —«el duro ceño del cielo» y «la condena de su tierra»— en dependencia con la situación subjetiva del ánimo —«Pero a quien anda a tientas y ve sombra...»—, estableciéndose con ello la situación contraria a la antigua mitificación positiva

---

11. En relación al contraste temático sobre la continuidad y las quiebras del factor simbólico de la luz en este poema, ha de tenerse en cuenta la accidentada historia de su composición, tal como la testimonian los manuscritos. El arranque hímnico y entusiasta que expresa el tematismo positivo de la bienaventuranza ceñida a la primera estrofa, lo hemos constatado como un ensayo que no llegó a progresar entre las páginas de varios manuscritos tempranos correspondientes a poemas muy iniciales de la primera parte —véase el detalle de esa ubicación y de su desarrollo en el apartado tercero del capítulo correspondiente a *Alianza* de la segunda parte—. Ante la inadecuación del optimismo de ese conjuro franco de bienaventuranza, con raíces fervorosamente hölderlinianas y bíblicas respecto al tenor emotivo, o pesimista o melancólico, predominante en la obra, Claudio Rodríguez decidió el hallazgo del contraste patético de la maldición, con lo que arrastraría de paso el conjunto de formantes simbólicos que, como el de la luz, deciden la escenografía necesaria del complejo mítico.

del éxtasis experiencial. Frente a la nueva positividad del conocimiento a la luz meridiana diurna, que tematizaban innovadoramente los poemas inaugurales opuestos a la vieja iluminación nocturna de *Don de la ebriedad*; ahora, en esta inflexión tardía del idilio, el recurso a la ensoñación de la noche fascinante —«Bienvenida la noche con su peligro hermoso»— reorganiza en plenitud la antigua escenografía poética, al raso de Castilla, de tan poderoso sobrecogimiento: «Y aún más en este páramo de la alta Rioja / donde se abre con tanta claridad que deslumbra». Pero para un alma ya tan probada en el esfuerzo y tan experta en todas la mutaciones de la fortuna distantes del optimismo ingenuo, no existen más los ámbitos irreversibles ni las situaciones de seguridad ilimitada. De esa manera se convocan poéticamente en estos versos esplendorosos fulgores de la fascinación nocturna, aunque ya ambivalentes y poderosos en cuanto tales, gravitando sobre cualesquiera grandezas del destino del hombre: las más felices como las desventuradas hasta sus últimos confines dolorosos:

> *Porque la noche siempre, como el fuego, revela,*
> *refina, pule el tiempo, la oración y el sollozo,*
> *da tersura al pecado, limpidez al recuerdo,*
> *castigando y salvando toda una vida entera.*

De todos modos, la declinación idílica de la luz meridiana, en su atenuación próxima al antiguo calor favorable de la mítica noche reveladora, aparece más continuamente en *Alianza y condena* asociada a la vieja tradición de las «albadas», las cantigas de amor tradicionales. Al frente del poema titulado «Sin leyes» (pág. 180), uno de los que componen el crescendo idílico del tematismo amoroso con que se cierra el libro tercero, Claudio reproducía la mención de una de aquellas joyas de intensa palpitación de nuestros Cancioneros viejos: «Ya cantan los gallos / amor mío. Vete: / cata que amanece.» Las delicias implícitas en el coloquio nocturno de los amantes y la orden quebrada en deseos de la enamorada, invocando la indeseable cautela con la primera luz del nuevo día, otorgaban un protagonismo sutil al crescendo de luz, desde los trovadores al Góngora de «Ya besando unas manos cristalinas» y del romance del español en Orán, que se recorta contra la explicitud deliciosa de los primeros planos temáticos en la escena de amor. No más presencias expresas de la noche y del alba que las muchas implícitas desde el intertexto tradicional temático, son las que se concretan en este poema de Rodríguez. Sólo un clímax bien graduado de sutiles menciones: la evocación de la «alta noche» en el verso tercero, la mención de «la hora mala / de la cruel cortesía» y la añoranza gozosa de la duradera batalla transcurrida de amor —«Como una guerra sin / héroes, como una paz sin alianzas, / ha pasado la noche»—; antes del sucederse de la reiterada fórmula cruel del tiempo que anuncia la necesidad de despedida: «Estás cansada / y yo te amo. Es la hora...Calla, / que yo te amo. Es la hora»; y antes de que la cándida luz virginal del día nuevo salude las esperanzas renacidas de los dos felices: «...Es la hora. Entra ya un trémulo / albor. Nunca la luz fue tan temprana».

Interesante cálculo de recursos poéticos en las variaciones de un tematismo monocorde exhibe el poema inmediato, el titulado «Amanecida». Mientras que en «Sin leyes» el protagonismo segundo de la luz creaba el contrapunto al discurso de amor, aquí se invierte el orden y la extensión textual de las presencias temáticas restituye su protagonismo a la magia de los instantes de indecisión de la hora. Ese momento sobrecogedor del tránsito en el cosmos, entre la noche ubérrima y la luz auroral que quiebra y pluraliza las sutiles quimeras esenciales apenas ensoñadas:

> *Dentro de poco saldrá el sol. El viento,*
> *aún con su fresca suavidad nocturna,*
> *lava y aclara el sueño y da viveza,*
> *incertidumbre a los sentidos. Nubes*
> *de pardo ceniciento, azul turquesa,*
> *por un momento traen quietud, levantan*
> *la vida y engrandecen su pequeña*
> *luz...* (pág. 181)

Presencia nueva y diferente de la luz para el solitario ya no ebrio de revelación sino desterrado de las dulzuras del mundo. Donde primero se aspiraba a la plenitud de la verdad sin reparar en riesgos cegadores, siquiera fuese a través de la vía sentimental de la pasión vivida; ahora ya no se pretende sino el relativo consuelo de la efusión amorosa en el alma, de la concordia afectiva con los mínimos lenitivos, los más reparadores para la soledad del ser en desamparo. Nueva luz sin las sombras bien conocidas de la amenaza, cuando median la pujanza del tiempo que aún recuerda la plenitud de los momentos y las estaciones del amor. Siempre la misma acogida en el cobijo de una luz favorable; bien sea a la mitad de las inciertas horas entre el sueño y el alba o en el minuto y en el lugar exactos, aunque sean variables e inciertos. Cuando esa luz milagrosa resplandece, se reproducen con suprema fidelidad los relumbres momentáneos del bien que selecciona la narración idílica para completar su curva emocionada. Aquella luz especial reconocida en los cruces felices del amor y de las raras treguas batalladas que concede la vida:

> *Esta luz cobre, la que más me ayuda*
> *en tareas de amor y de sosiego,*
> *me saca fuerzas de flaqueza.* (pág. 183)

El protagonismo simbólico de la luz surge y resurge permanentemente en las arquitecturas míticas de Claudio con su variación plural de afloramientos temáticos. La luz prolonga así hasta *Alianza y condena* su condición de ingrediente central entre los mitos de la experiencia personal y cósmica del poeta. A estas sublimes alturas de creación, con un vivir probado en fortunas adversas, lo que importa saber es que la luz familiar es la compañera segura en los minutos más intensos de las metamorfosis, la que comparece idéntica y fiel sobre los más variados intersticios de la felicidad y el desaliento, del rezo y la lascivia. Ella es la que se filtra en la nostalgia, cuando de la periferia mineral de los carbones arranca la milagrosa envoltura de una llama que acompaña los días de humildad y los instantes de turbio sacrificio resumidos en vida de treinta años: «luz tan mía, tan fiel siempre y tan poco / duradera, por la que sé que soy / sencillo de reseña...». Simbólica luz, esencia de alma y síntesis de vida y de experiencia, una más y tal vez la más sustancial de las sendas en que se reconcentra el mito:

> *...Luz que toma*
> *cuerpo en mí, tiempo en mí, luz que es mi vida*
> *porque me da la vida: lo que pido*
> *para mi amor y para mi sosiego.* (pág. 183)

La mención final del canto en el idilio, el amor, que acondiciona y reaviva la positividad del núcleo mitológico de la luz, marca de esta manera la persistencia de su protagonismo simbólico dentro de la complicada topografía laberíntica de los mitos de Claudio sobre la experiencia en el conocimiento experto. Y así es como la luz meridiana y cenital, que requería al principio del libro la mirada del ojo para penetrar la sólida corteza universal de las cosas, se ve reconducida hasta las zonas siempre familiares y apegadas al reparo sentimental de unas claridades cernidas en el minuto, todavía nocturno, de gracia y de revelación precursora del día.

Reverso ético del conocimiento: del ambiguo valor de la alianza a los idilios inocentes de la hospitalidad y de la luz de infancia

Los nuevos mitos sobre el conocimiento presentados temáticamente en *Alianza y condena* modifican de forma definitiva, como hemos tenido ocasión de señalar marginalmente antes, el contenido metafísico de los primeros objetos temáticos, reforzando y especializando los constituyentes morales de la experiencia. Estos nunca habían estado del todo ausentes en el bloque magmático de las inciertas visiones de la ebriedad adolescente, pero tampoco habían sido especialmente enfatizados y distinguidos en el seno de aquélla.

El examen de los nuevos mitos de la experiencia en *Alianza y condena* muestra asimismo el discurrir en idilio del conocimiento visual, distinto y plenariamente diurno, que constata la «sutura» entre los objetos y sus representaciones sicológicas, intimadas, de índole manifiestamente cognoscitiva. Después, y dentro del despliegue intencional de todos estos textos distanciados entre sí a lo largo de siete años de elaboración entre dos países, Inglaterra y España, se advierte el paso paulatino de los contenidos diurnos del conocimiento, en los textos emplazados como apertura de la obra hacia su redondeo y conclusión en formas sentimentales difusamente nocturnas. Todo ello bajo una modalidad ética de la experiencia que profundiza las razones cordiales del amor y de la solidaridad que se habían descubierto ya en *Conjuros*. En paralelo con el trayecto idílico del conocimiento hacia las formas puras del amor, se concentra por tanto el mito de la solidaridad, sus amenazas y su propio despliegue idílico.

Ya en el poema sobre la mirada, «Porque no poseemos» (págs. 133-135), se apuntaba el desarrollo de esta modificación ética sustancial de la experiencia: «Hacía tiempo / (qué bien sé ahora el por qué) me era lo mismo / ver flor que llaga, cepo que caricia; / pero esta tarde ha puesto al descubierto / mi soledad y miro / con mirada distinta» (pág. 134). Incluso en el inmediato señalamiento que sigue sobre la insuficiencia, tan recordada, del canto en unos «Compañeros / falsos y taciturnos, / cebados de consignas, si tan ricos / de propaganda», se reconoce inequívocamente la incidencia de la nueva contemplación experiencial. Una mirada que Dionisio Cañas ha reconstruido en sus profundos matices, virginal y sorprendida ante la nueva luz y ante sus nuevos móviles antaño desconocidos: «... y yo seguía / entre los sucios guiños, esperando / un momento». Este instante de luz, temblor del aire, «en que nuestra mirada / se agracia y se adoncella», no proclama abiertamente todavía en este texto un contenido ético de condición cordial y solidaria, pero franquea poéticamente ya sus alcances fraternos en la insuperable fórmula poética que destacara Silver, contra cualquier forma de individualismo egocéntrico al final del poema: «esa mirada que no tiene dueño».

Por su parte, los poemas segundo y cuarto del libro inicial son los que implican más próximamente, aun sin alcanzar niveles demasiado nítidos de explicitud temática, la proyección ética en los sentimientos solidarios en que se resuelve, a estas alturas de su desarrollo maduro, el persistente mito del conocimiento. Por su lejana —y evitada— tangencia con la problemática socio-histórica propia de la poesía política coetánea, el poema «Gestos» toma en cuenta formas plurales y colectivas de destino nacional, lo que viene a aproximar inevitablemente determinados trances del enunciado con el sentimiento de la solidaridad común. Unas veces la asumirá bajo el simbolismo de las imágenes-testigo, como la tan reiterada del abrazo del segador —«¿Por qué es el mismo el giro del brazo cuando siembra / que cuando siega, / el del amor que el del asesinato?»— y siempre en el plural de voz como conciencia unida de los hábitos generales de un pueblo: «Nosotros, tan gesteros pero tan poco alegres, / raza que sólo supo / tejer banderas, raza de desfiles, / de fantasías y de dinastías». Gestos habituales que, si se unifican en fórmulas y figuras del fracaso y los pactos mezquinos, son también el acicate necesario para transformar las consignas en el cántico de rupturas y olvidos del idilio: «No, no son tiempos / de mirar con nostalgia / esa estela infinita del paso de los hombres. / Hay mucho que olvidar / y más aún que esperar» (pág. 132).

La nueva significación del gesto abierto hacia el hermanamiento solidario en la raza de hombres nuevos, con filiación ante todo fraterna, induce el contrapunto idílico que se sobrepone a los pactos y a las alianzas del temor recíproco, casi animal, en una humanidad minada por el recelo en el poema cuarto titulado «Por tierra de lobos». La ciudad natal comparece de nuevo aquí desde su calidad habitual de símbolo posible del acomunamiento idílico, solidario y fraterno; mientras que toda convocatoria de las esperanzas se encamina hacia las formas colectivas del cobijo común: «por si nos llega algo / que cobije a los hombres». Porque el único fondo experto cotidiano que se tiene y que amedrenta, es la experiencia continua de la horda, la de la brutalidad en el seno de la manada común: «En manada, no astutos / sino desconfiados».

Aunque el poeta evoque, pese a todo, con muy tierna nostalgia inevitable las imágenes entrañables del mito de la niñez, arropadas en carne de gallina de mañanas de invierno mal cubiertas por el abrigo que ha quedado corto, «Las mañanas aquellas, pobres de vestuario». Contra ellas se recorta la dura galería de las ceremonias urbanas del pacto y el disimulo en la vileza convencional y en la cobardía con afeites, que por entonces le había de costar a Claudio un extrañamiento efectivo de varios años alejado de Zamora bajo la declaración de persona «non grata»: «...Y notas / de sociedad, linaje, favor público, / de terciopelo y pana, caqui y dril». Pero sobre ese magma ácido de avaricia y de incienso, sobre el amontonamiento turbio de víveres egoístas de post-guerra y de municiones hostiles de años movilizados, sobrenadan las formas del más alto consuelo, las más gráciles, la iluminadas: «...Aquellas mañanas con su fuerte / luz de meseta, tan consoladora. / Aquellas niñas que iban al colegio, / de ojos castaños casi todas ellas, / aún no lejos del sueño y ya muy cerca / de la alegría». Por eso... «A veces, sin embargo, en esas tierras / floreció la amistad. Y muchas veces / hasta el amor. Doy gracias».

El itinerario del idilio renueva en la segunda parte del poema interesantes formas de variación en paralelo sobre las que quedan intactos, sin embargo, los ecos de la nostalgia solidaria de un alma inadaptada al disimulo, ardiendo en sinceros anhelos de convivencia fraterna. Así de nuevo la patria natal simbólica, la cercana ciudad, asoma sus perfiles ¡ay siempre inasequibles!: «Erguido sobre / tantos días alegres, / sigo la marcha. No podré habitarte, / ciudad cercana. Siempre seré huésped, / nunca vecino». Y de nuevo la serie de imágenes de más perfidia y fraude, dolorosas «campanas a las claras del alba»: «...Y los misales, / y las iglesias parroquiales, / y la sotana y la badana...»; para desembocar en las figuras al fin consoladoras en la lontananza del idilio solidario: «Es hora muy tardía / mas quiero entrar en la ciudad. Y sigo. / Va a amanecer. ¿Dónde hallaré vivienda?» La plenitud idílica de la espera cordial ilusionada, diseñada bajo el modelo sentimental de Hölderlin en el poema «A las puertas de la ciudad» de *Conjuros*, se ha tornado en distancia insalvable a partir de las experiencias reales definitivamente hostiles y lesivas de la nueva madurez de *Alianza y condena*. Por más que en el poeta persevere indomeñable su voluntad salvadora de fraternidad solidaria, la distancia insalvable entre su independencia y el pacto convencional de los otros le ha inscrito en el corazón la certeza de su definitivo destino de extrañado.

La elegía a «Eugenio de Luelmo» del que se destaca en subtítulo «Que vivió y murió junto al Duero», debe ser entendida en la riqueza sentimental de sus líneas ejemplares como un refrendo bajo perspectiva inversa del tematismo contrastado entre alianza mezquina y condena solidaria. Eugenio simboliza la expresión del sacrificio en cabeza de víctima inocente y desapercibida de las traiciones del cálculo social. La culpa, la de su gracia de naturaleza: «Cuando amanece alguien con gracia, de tan sencillas / como a su lado son las cosas, casi / parecen nuevas...» La consecuencia de su ejemplo generoso, una mala conciencia inextinguible por la posesión asoladora: «...casi / sentimos el castigo, el miedo oscuro / de poseer»; la acusación inmediata de desigualdad, en la reserva convencional pactada contra la entrega espontánea: «la eficacia de este hombre, / sin ensayo, el negocio / del mar que eran sus gestos, ola a ola». Contemplar la formidable estatura cordial del pobre escayolista, la trivialización de su figura al alcance del primero que llega, causa temor y es alarma correosa para el justo que mire y se reserve un resto de cautela. Eugenio de Luelmo representa la culminación ejemplar de una solidaridad idílica, inasumible en el pacto interesado de los hombres con prisas; el pleno de la disponibilidad, del olvido de sí para la sola compañía de los otros. —«El, cuyo oficio sin horario / era la compañía»—. Un apacible ejemplo en ariete pacífico contra cualquier barrera de la distancia circunspecta: «leyes que dividían / a tajo hombre por hombre».

La vergüenza secreta de sus cautelas inestables es lo que le comunica seguramente al poema de Claudio los mejores aciertos de descripción cordial: la justa nota en el son de la ternura elegíaca, el tino simbólico en las veladuras exactas del sentimiento; y aquella simpatía de gracia en las anécdotas y en los lances menores del carácter de Eugenio: su manera de dar las cartas en las partidas sin reservarse trampas, el tambor de su asma, la humilde pana del único traje de cada día, sus andares vencidos como de alondra, su olor «a cal, a vino, a sebo», su sangre de lagartija subiendo y bajando cuestas desde el Duero...[12]. Hay un seco dolor sin consuelo de alegorías en la tragedia honda, tan cósmica y al mismo tiempo tan menor, angosto espacio entre cuatro paredes de una tumba sin el fluir de los ilustres cauces metafóricos: «La muerte no es un río, como el Duero, / ni tampoco es un mar. Como el amor, el mar / siempre acaba entre cuatro / paredes...» Dolorosa aporía de la realidad escueta y sin consuelo, sin vuelta alguna de mejora por la imaginación.

Pero la inercia sentimental del idilio ahínca; y el poeta saca fuerzas de fe sobre su propia mala conciencia de próximo y distinto. Y así se impone, después del sobresalto y del apocamiento culpable del yo, la masa del consuelo gracias a la grandeza moral de la víctima solidaria. Más allá de la incompetencia confortable de los símiles idílicos persiste la gran verdad del ejemplo del hombre ya extinguido: «Pero tú

---

12. El poema de la elegía a Eugenio de Luelmo se nos revela en la historia de su gestación, siguiendo los testimonios manuscritos conservados, como un caso ejemplar de ensanchamiento mítico a partir de un conjunto magistralmente tejido de inferencias meditativas y simbólicas sobre la base escuetamente esquemática de la anécdota referencial. Para un enjuiciamiento más cómodo y objetivo del progreso y de las inserciones del tematismo simbólico y meditativo en esta composición, según

no reflejas, como el agua; / como tierra posees». De tal manera que, aunque a la palabra verdadera de Claudio la asalten todas las sombras honradas de su propio pudor avergonzado, de su sentir culpable de replegado y de superviviente —«Nos da como vergüenza / vivir, nos da vergüenza / respirar, ver lo hermosa / que cae la tarde...»—, la elegía a la grandeza del hombre solidario puede formular su balance de idilio bajo la persuasiva convicción sincera de la grandeza de su héroe menor transfigurado.

En el apartado anterior y a propósito de los mitos temporales sobre la luz y el conocimiento, señalábamos ya la calculada inflexión del cierre idílico que se cumplía provisionalmente en el último poema de la primera parte «Noche en el barrio» (págs. 146-147). También desde la perspectiva de nuestros intereses temáticos actuales no deja de reflejar

---

el proceso de despliegue temático que incluimos en el texto, transcribo a continuación el estado inicial de este poema en su formulación de base ya mecanografiada y fechada en el verano de 1959:

En memoria de Luelmo
(Que murió ahogado junto al Duero)

Nunca supo que el río
es mal vecino, y en su sangre aún suena
el pulso gris del agua. De sencillo
bautizo, siempre anduvo
por las calles, con todos,
y nadie pudo detener la saña
feroz de su inocencia.
Limpio fue su jornal, limpio su vaso
diario. Ved que ahora
su hombría de alta cal, su pura casta,
su oficio de humildad y compañía,
bullen aquí. No arrugas
ni tos, sino piel niña y lengua fresca,
lucen por su hondo barrio,
por su nueva taberna de alto mosto
donde su corazón se entrega, se abre, es río
para siempre en crecida,
desbordando los cauces de la muerte
hasta llegar tranquilo,
feraz a nuestros brazos,
trémulos aún del roce de su pana,
del calor luminoso de su vida.

sutilmente ese mismo poema su propia contribución al acrecentamiento resolutivo de los mitos sobre el aprendizaje doloroso, con su resolución en el encuentro solidario que resulta perceptible en la organización temática del libro primero. Mediante la presencia de una bien graduada sembradura de reflejos temáticos sobre la desolación y su remedio idílico colectivo, se corrobora el íntimo entramado entre formantes imaginarios del mito general, resueltos en la semántica simbólica de unos temas en apariencia distintos pero profundamente correlacionados. Derivaciones todas ellas de la unidad central del mito de la comunidad de origen sobre la escrutación íntima del sentido.

La incitación temática a la noche discurre obligadamente entre la topografía mítica de la ciudad natal, el nuevo medio simbólico dominante donde se resuelve la frustración de las alianzas del cálculo que envilecen la euforia de la hermandad solidaria. Se convoca a la noche para que entre «por este barrio», para que meta su «cruda forja / por estas casas», donde reina la «honda miseria» que ella sola podría hacer cicatrizar. Hombre o ciudad comparecen en el texto deliberadamente indistinguidos, en su calidad única de presas desvalidas: «Acaba / ya de cernirte, acosa / de una vez a esta presa a la que nadie / quiere valer». Muestra de que la labor restauradora de la alta noche, en otro tiempo simiente de la luz metafísica, no es otra, en la nueva oscuridad de la esperanza idílica, que la de refrendar el entusiasmo solidario sobre el dolor de tantas laceraciones: «Desmantele / tu luz nuestra injusticia y nos la ponga / al aire...». La noche y la ciudad, la sociedad y el hombre, factores todos necesarios y fundidos en las altas tareas de la restauración del impulso fraterno:

> *Y estás sola,*
> *tú, noche, enloquecida de justicia,*
> *anonadada de misericordia,*
> *sobre este barrio trémulo al que nadie*
> *vendrá porque es la historia*
> *de todos...* (pág.146-147)

Al igual que se modificara el medio de las metáforas, y que el adolescente andariego por la llanura abierta en éxtasis metafísico de ebriedad se ha convertido ya en el maduro solitario urbano; se ha modificado también aquí nítidamente el objetivo de toda esta vigilia. Se trata ahora de reclamar la cordialidad solidaria de los otros para el dolorido expatriado, excluido de la ciudad o detenido a sus puertas natales, en el arrabal perpetuo de una dolorosa espera cada vez más desgastada por las ensoñaciones del idilio poético.

* * * * *

Caracteriza a *Alianza y condena*, sobre cualquier otra emoción, el mesurado tono melancólico de su sentir doliente en la resignación. Un dolor de difuso desaliento y una severa capa de dignidad erguida gradúan la proporción de la experiencia melancólica y del idilio en las composiciones de la parte central de este poemario culminante, el más equilibrado seguramente en la obra total de Claudio hasta el presente. En todos los poemas se descubren vestigios del par de fuerzas conjugadas que ponen las experiencias del dolor y de su remedio, del triste pesimismo en la experiencia y de su superación animosa en el idilio. En «Espuma»[13] la reflexión sobre la extrema profundidad simbólica de un accidente mínimo, el fruto de la observación arraigada a partir

---

13. Nuestra propuesta dual sobre los momentos en que se despliega el impulso fundante poemático —crisis e idilio— no resulta incompatible con la división ternaria —advenimiento, epifanía e integración— indicada desde este mismo poema por Sobejano como constante de la estructuración textual de Claudio Rodríguez. La de Sobejano responde después de todo a la vieja organización aristotélica de la fábula en principio, medio y fin, consagrada después por los tratadistas clásicos como planteamiento, nudo y desenlace. Cfr. Gonzalo Sobejano, «*Espuma* de Claudio Rodríguez», en *Revista hispánica moderna*, 34, 3, 2 (1994), págs. 75-84; e «Impulso y epifanía en la obra de Claudio Rodríguez», cit., pág.410-411. Ante las objeciones específicas documentadas por Prieto de Paula sobre la imposibilidad de transferir el esquema ternario a numerosos poemas de Rodríguez (Cfr. *La llama y la ceniza*, cit., págs. 144 y ss.) donde no son raras efectivamente las entradas dramáticas con abruptos comienzos «in medias res», nos parece más generalizable la aproximación flexible entre el preámbulo y el nudo de la situación poemática de «crisis» o «ascesis», que entendemos como un momento de intensidad emocional o cognitiva del poema concorde con la preferencia más practicada por Claudio. Respecto al momento sucesivo de «integración» o desenlace, para el que nosotros hemos adaptado convencionalmente el prestigioso término tradicional genérico de «idilio», nuestro atento seguimiento en este estudio de dicho componente fundamental en el acondicionamiento narrativo del mito permite representar las drásticas fluctuaciones que registra su implantación a lo largo de la obra general de Rodríguez.

de un acontecimiento habitual, trasluce la languidez del ánimo desolado que tiñe la mirada del poeta: «El dolor encarcelado / del mar, se salva en fibra tan ligera»; mientras que en el encaje débil de la espuma, «donde rompe la muerte», resplandece el resignado abandono a la melancolía que encuentra el fondo donde entregarse a la externa dulzura de un sutil desvanecimiento lindante con el tenor poético de aquel otro naufragio en infinitos de Leopardi. Es así como el desenlace del idilio melancólico de Claudio se remonta con el paisaje final de este poema a una de sus máximas cimas rítmicas de la felicidad emotiva:

> A este pretil, brocal de la materia
> que es manantial, no desembocadura,
> me asomo ahora, cuando la marea
> sube, y allí naufrago, allí me ahogo
> muy silenciosamente, con entera
> aceptación, ileso, renovado
> en las espumas imperecederas. (pág. 151)

Parecida dialéctica entre las inercias del fondo dolorido y el consuelo idílico en las gracias reconfortantes —«esta presión fogosa que nos trae / el cuerpo aún frágil de la primavera»— preside la liviandad alacre del estímulo que conmueve la intimidad lírica en el interior de «Viento de primavera» (págs. 152-153). Términos clave en las mitologías de la problemática y del idilio como *hospitalidad* —«las abre / a no sé qué hospitalidad hermosa»— y *alianza* —«tras el cálido son de esta alianza»— emplazan las difuminadas sensaciones de atisbos exquisitos en la continuidad del mito.

En otros casos, como el del poema «Gorrión» (pág. 154), la exposición contrastada de los estados de la melancolía: el extenuante fondo de tristeza y la gracia superadora del accidente mínimo natural, se consolidan en torno a las valencias más espontáneas del símbolo. Como sucede, al contrario, cuando los estímulos exteriores asumidos en el cotejo subjetivo del diálogo lírico inducen las formas más solemnes, totales y claudicantes del ensombrecimiento de la tierra; por ejemplo, en el caso de aquella «Mala puesta» (pág. 157), cuando la incurable desolación se vive como «...esta derrota / nuestra, por cobardía o arrogancia, / por inercia o por gloria / como la de esta luz, ya sin justicia / ni rebelión, ni aurora»[14].

El comprometido emplazamiento de Claudio Rodríguez sobre las cimas extremas de la tensión ética, gracias a las metamorfosis poéticas de la realidad, se confirma en los momentos textuales intermedios de *Alianza y condena* con la inserción de poemas por una u otra circunstancia remotos al momento y a la ambientación temáticas habituales en la composición de la obra. Me refiero a unas formas tan variadas como las que referencia la estilización abstracta del cotejo sentimental en el texto más tardíamente compuesto «Frente al mar», en contraste con el desbordamiento de imágenes de acontecer e historia que animan el poema de cierre de este libro segundo, que fue sin embargo uno de los primeramente escritos, el titulado «Ciudad de meseta». Pero la abstracción fascinada del límite geométrico entre la tierra y el mar, del constante abismo en antítesis entre las masas antagónicas de la materia del mundo[15], funciona en su trasunto de proyección a formas de realidad desde los íntimos sentimientos de extenuación e idilio como el esquema de valencias que simboliza el paisaje familiar, sembrado de vivencias habituales de la ciudad cercada castellana: la Zamora natal.

Claro que en el texto tardío y exquisitamente maduro y esquemático que es «Frente al mar», el trasunto sentimental de los contrarios

---

14. Ni siquiera sobre los poemas de tematismo más distanciado y vario deja de gravitar la dialéctica entre estos dos fondos antitéticos de abolición y de remedio, de condena y de idilio. Como sugiere la contrastada forma de sentir su propia vida, con su riqueza «de tanta pérdida» y su quehacer de poeta intentando «ordenar un tiempo de carestía», en el poema «Dinero» (pág. 158). Sólo en los momentos álgidos de la desolación, la «feria de la mentira» que le sugiere la neutralidad objetiva en sí de la ciudad nevada en el poema «Nieve en la noche», penetra de negatividad sin contrapeso las formas más habituales y comunes; y hasta «la nieve, tan querida / en otro tiempo...» se tiñe del pesimismo general del alma en estas cimas agónicas de anulación de la esperanza. La nieve cae «tan sin dolor» que «su entrega / es crueldad», y cae «hostil al canto... No riega / sino sofoca, ahoga», hasta tales extremos miserables que, en casos como éste, queda incluso descartado el recurso al idilio: «...No, no quiero / mentirte otra vez. Tengo / que alzarle la careta / a este rostro enemigo». (pág. 160).

15. Cfr. José Olivio Jiménez, «Claudio Rodríguez, entre la luz y el canto», cit., pág. 123.

resulta mucho más esquemático y se implica extremadamente escueto en el simbolismo contrastado de las masas en pugna: la tierra como medio más familiar y seguro frente al elemento inhabitual del mar, más habilitado por eso mismo para la imaginación feraz de la promesa idílica. Serenidad frente a inquietud, ternura contra desolación —«¿Qué nos serena, qué nos atormenta: / el mar terso o la tierra desolada?»—, son la materia afectiva de un esquema escuetamente mental desde el que el hábito mítico dualista, constitutivo de la imaginación de Claudio, se interpreta y expresa como el combate más duro del espíritu.

El poema contiguo, aunque muy distinto, en el índice resultante en que se acabó organizando la obra[16], «Ciudad de meseta», representa por

---

16. Resultan altamente aleccionadoras las circunstancias y tiempos de creación y de inserción de los dos poemas referidos, que Claudio acabó agrupando probablemente con débiles razones ocasionales, al final del segundo libro de *Alianza*. «Frente al mar» no figura, como dijimos antes, ni siquiera en el segundo y casi completo inventario de composiciones de *Alianza y condena*. Por otra parte, la única copia mecanografiada de «Frente al mar» la he encontrado ya incluida entre las pruebas de Revista de Occidente, con instrucciones manuscritas de la editorial —27 bis (anterior a «Ciudad de meseta»)—, que revelan la tardía incorporación del poema al texto general de la obra, seguramente ya en pruebas en la primavera de 1965. Además, la situación biográfica que dió lugar a esta composición: la estancia de veraneo junto a Clara, Bousoño y una amiga alemana de éste en la finca de Ibiza «Las Mayoas», propiedad de un amigo común, durante el verano de 1964, garantiza la condición tardía del poema respecto a la intensa etapa sucesiva a *Alianza* en la evolución del gusto y la técnica poética del autor. A todo lo cual ha de sumarse la condición inhabitual del escenario temátio marino, lo que fomenta además definitivamente la condición de anomalía y desacomodación ambiental de esta hermosa composición descriptiva y reflexiva entre el conjunto de textos que forman el libro segundo, caracterizados por una focalización temática muy marcada en correspondencia con el mecanismo sintomático reconcentrado de las sinécdoques.

Tal vez fuera una decisión de dudoso acierto para hacer valer el contraste temático entre poemas contiguos, la que llevara a Claudio y a Aleixandre a colocar «Frente al mar» cerrando el libro segundo junto a un poema como «Ciudad de meseta», de contenido y fórmula poética tan diferentes y distanciados de aquél. Si «Frente al mar» es con toda seguridad el texto de más tardía incorporación a *Alianza y condena*, posterior incluso a los del libro tercero «Hacia un recuerdo», «Amanecida» y «Lo que no es sueño», que no figuraban tampoco como él en el segundo de los índices manuscritos conservados, «Ciudad de meseta» es la más antigua de las composiciones incorporadas a esta tercera obra de Rodríguez. La crítica ha observado con frecuencia, a ese respecto, los detalles de continuidad temática entre «Ciudad de meseta» y el sentimiento de fuerte pesimismo que se expresa en las pretericiones finales de «Pinar amanecido», reforzando con ello la tesis general sobre la quiebra del esfuerzo idealista de salvación idílica en el final de *Conjuros* y su prolongación en lo que sería —según ese diseño de lectura— el sentimiento social predominante en *Alianza y condena*. Una vez más las circunstancias anejas a los manuscritos conservados

el contrario una bien diferenciada cima de intensidad lírica, que pone en juego situaciones referenciales y registros poéticos mucho más reiterados y habituales en el tematismo tradicional castellano del Claudio de *Conjuros*, que no la portentosa estilización abstracta de la antítesis simbólica tardía de «Frente al mar», en último caso ensayo de los nuevos rumbos poéticos avizorados en aquellos años culminantes de la experiencia vital y poética en Inglaterra. Por otra parte, el grado de explicitud y de desarrollo en este antiguo texto —último en el orden de su libro aunque uno de los primeros compuestos entre los que constituyen esta tercera obra del poeta— de las claves míticas sobre las

---

permiten restablecer un orden incontestable, aquí también, sobre las hipótesis interpretativas de la crítica. Porque en el caso que nos ocupa, no se trata del puente de continuidades intencionales tendido a uno y otro lado del profundísimo hiato con que las inercias de la recepción persuaden a concebir la discontinuidad cronológica entre obras; sino muy al contrario, lo que se constata es la sucesividad de textos en un mismo momento poético de gran intensidad apasionada, cuyos testimonios fueron distribuidos por razones de conveniencia entre el final de *Conjuros* y el comienzo de *Alianza y condena*, siete años después.

Una vez más hemos de destacar, en coyunturas como la presente, la condición no meramente anecdótica sino poderosamente relevante y significativa de estos detalles documentales, cuando explican y deciden, como en el caso presente, el perfil crítico de los análisis macroestructurales relativos a la estructura y a la evolución mítica y compositiva de la imaginación de un autor. La crítica corre el peligro de simplificar descontando el factor diacrónico de variación a lo largo de los extensos periodos de gestación de las obras literarias —hasta casi veinte años entre los últimos libros de Rodríguez; siete, con importantes cambios además de residencia y de cultura entre *Conjuros* y *Alianza*—. Se suele primar consciente o involuntariamente, por el contrario, la supuesta capacidad constructiva de los autores, que se esforzarían en mantener según esto el control de su voluntad de configuración unitaria mítica e incluso estilística. En esa situación, tal vez la conducta crítica adecuada en el análisis macroestructural constitutivo de una estilística de la forma interior sea mantenerse fiel al definitivo equilibrio entre las razones de constancia universalista y las de variación histórica, que mantienen su tensión dialéctica sobre las exigencias creativas de los grandes poetas. Equilibrio consciente de la crítica, por una parte hacia la constancia antropológico-universalista del mito personal y de las proclividades de expresión correlativas; pero sin forzar con ello la implacable realidad de las variaciones y excepciones singulares, que accidentan y constituyen al tiempo la unidad antropológica personal de las constantes míticas y simbólicas de cada creador.

El dato documental que confirma la relación de continuidad cronológica entre «Ciudad de meseta» y los poemas que expresan los graves accidentes finales de la voluntad idílica manifiesta en *Conjuros*, sobre todo «Pinar amanecido», es la circunstancia de que sea el único texto mecanografiado que queda del poema. Lo hemos encontrado en el conjunto manuscrito de la obra *Conjuros*, remitido por Claudio para su entrega en la editorial a su entonces prometida Clara Miranda.

peculiares valencias simbólicas del testigo temático central de la obra que es la *alianza*, hacen de él una pieza fundamental para el comentario y la interpretación del estadio culminante en el despliegue mítico de Claudio Rodríguez[17].

La disposición del poema ostenta asimismo la organización argumentativa del tematismo. Primero, el emplazamiento que hemos denominado como *esquema de la enunciación lírica*, el marco del contraste entre lo sentimental e íntimo del yo y el espacio abierto a la curiosidad exterior, la base del *cotejo lírico* subjetivo-objetivo en el que se configura esta modalidad expresiva de la metamorfosis poética. Un arranque validísimo de diálogo natural y cotidiano, que se flexiona inmediatamente con imágenes de desconfinada eficacia sobre la inmensidad transparente de la desolación: «Vengo a saber qué hazaña / vibra en la luz, qué rebelión

---

Así pues, «Ciudad de meseta», que figura en los dos proyectos o índices de *Alianza y condena*, es en realidad un poema compuesto durante, o inmediatamente después de la etapa última de *Conjuros*, y reservado por el poeta para la obra sucesiva. En el mismo sobre de *Conjuros* conservado por Clara Miranda, que incluía esa única copia mecanográfica, hemos encontrado también otros dos manuscritos que acabarían figurando en *Alianza y condena*: el texto embrionario sobre la muerte de Eugenio de Luelmo transcrito en la nota 12, fechado en el verano de 1959, y una de las dos únicas copias mecanográficas, sin variantes, que han quedado del poema «Un momento», otro texto de contenido e incidencias formales aproximables en todo al tono sentimental y estilístico de «Ciudad de meseta» y «Pinar amanecido».

Al mismo tiempo, la demora e incorporación a *Alianza y condena* de ese núcleo de poemas atraídos de la etapa previa de *Conjuros*, con la tesis del indeseable pactismo condenado como alianza urbana, pesa muy activamente en la constitución del factor adverso dentro de la dialéctica declaradamente polémica y adversativa de *Alianza*. Repasado el índice definitivo de la obra, se constata cómo el fundamento de crítica social que constituye el centro de la argumentación sobre el pacto obligado ciudadano incorporado al título de *Alianza y condena* y contrapuesto a la elucubración del idilio solidario, se concreta fundamentalmente en las famosas antítesis de «Ciudad de meseta»: «Jamás casas: barracas, / jamás calles: trincheras...», etc., hasta «¿cómo fortificar aquí la vida / si ella es solo alianza?». El resto de los poemas que conforman el núcleo de pesimismo y crítica social en la tesis de *Alianza* —fundamentalmente: el segundo bloque del libro primero con «Cáscaras», «Por tierra de lobos», «Eugenio de Luelmo» y «Noche en el barrio»; y los que ocupan la misma posición en el segundo libro: «Mala puesta», «Dinero», «Nieve en la noche»— no explicitan ese ápice de la tesis moral fundante de la ambigüedad antitética de *Alianza*, que ejemplariza el sintagma del título.

17. El ambiguo término de *alianza* ha suscitado en ocasiones imprecisas lecturas, que malinterpretan la condición unívocamente pesimista bajo la que Claudio Rodríguez modula en la mayoría de los casos esta voz altamente simbólica. En la reveladora correspondencia del autor con Vicente Aleixandre, contemporánea al desarrollo y titulación del libro, el maestro que alentaba a

oscura / nos arrasa hoy la vida». En subrayado inmediato, la expresión paralela del propio sentimiento de sí, la respuesta en otro tiempo tan franca de su cordialidad que con el aire y la transparencia familiares se siente renacer para rememorar los viejos mostos del corazón, la uva sagrada pisada en el lagar y el rumor de las aguas en el encarnado símbolo del río duradero:

> *el talón se nos tiñe*
> *de uva nueva, y oímos*
> *desbordar bien sé qué aguas*
> *el rumoroso cauce del oído.* (pág. 163)

Clave de frustración, la invocación directa de la alianza y la aclaración subsiguiente a claves mezquinas de apariencia convencional ocupan el cuerpo intermedio del poema, el nudo crítico de este conflicto entre las rememoraciones del recuerdo pasado y las previsiones ilusorias de un desenlace idílico. La alianza simboliza el reverso taima-

---

su joven amigo a simultanear los poemas «malditos», como «Brujas a mediodía», con los que él llamaba «susurrados», le instaba a que no faltara en el título del libro el término de *alianza*, cuyas resonancias solemnes e incluso bíblicas debieran amparar seguramente la positividad superadora de los poemas susurrados. (Cfr. Dionisio Cañas, *Claudio Rodríguez*, cit., pág. 58).

Bajo el juego profundamente irónico de desentendida indiferencia con que Claudio Rodríguez afecta manifestarse comúnmente sobre las alternativas más decisivas de su mundo poético, la crítica ha cotejado paráfrasis y declaraciones muy variadas y hasta contradictorias del autor, algunas de las cuales parecen acoger —sin confirmarlas tampoco rotundamente por supuesto— valencias significativas de *alianza* más próximas al género de las resonancias solemnes y dignísimas que sugería Aleixandre en su momento; entre ellas, la críptica declaración de Claudio que recordaba también Dionisio Cañas: «La alianza y la condena. La inaguración y la duración compartidas, cara a cara: la sencillez en torno a la complejidad de tu vida» (ibíd., pág. 74). Aunque más tarde en el prefacio «A manera de comentario» para la edición de *Desde mis poemas,* entreabría algo más diáfanamente los velos de la ambigüedad, después de alegar sobre este libro que «basta, creo, el título para comprender»: «La fugacidad, por decirlo así, de las relaciones vitales, contiene, como ya dije, cercanía o alejamiento. ¿Podremos alcanzar tan sólo lo próximo, lo fascinante o lo que, mutilado, arrasado, condenado está ahí?, ¿lo tremendo?». Todo para concluir inequívocamente que, detrás del «dualismo» se muestra «una identificación», donde la ambigüedad de la *alianza* —colegimos nosotros— descubre su identidad de fondo con la inequívoca negatividad de la *condena*. Porque la *alianza*, como se dice mucho más establemente en el poema que estamos anotando, que hubiera debido ser forma sagrada de alta condición cordial, se ha rebajado a bajo armisticio pactista para hacer simplemente «la vida tolerable».

do, la burla falsificada de la efusión del alma solidaria[18], mera yuxtaposición de acoso y convivencia entre vecinos irreconciliables a quienes
aproximan sólo los intereses, pero a los que separan las diferencias de
la emulación y el odio en competencia:

> *Es la alianza: este aire*
> *montaraz, con tensión de compañía.*
> *Y a saber qué distancia*
> *hay de hombre a hombre, de una vida a otra,*
> *qué planetaria dimensión separa*
> *dos latidos, qué inmensa lejanía*
> *hay entre dos miradas*
> *o de la boca al beso.*

Nada puede avanzar el comentario sobre una ejecución poética tan
meridiana y vivaz del feroz sentimiento: inútiles los planos de estas
ciudades sórdidas fundadas en la separación encastillada y en bien
cercados orgullos. Todos los nombres urbanos que iluminan la unión
tienen sus hostiles antónimos, y las realidades cordiales sus reversos
belicosos: «Jamás casas: barracas, / jamás calles: trincheras, / jamás

---

18. Ante la rotunda negatividad frustrante de la *alianza* como motivo temático sobre la
decepción del mito solidario en todas estas composiciones, la crítica no ha dejado de percibir el
predomino de esa tonalidad adversa sobre las inducciones del prejuicio positivo; a ese respecto,
véase la temprana reacción crítica de Juan Carlos Molero (en *Levante*, 15.5.1966). Tratando de salvar
la adversidad aplastante del enunciado, a favor de la complejidad poética que implican las matizadas fórmulas de salvación idílica en la tesis general de Claudio, José Olivio Jiménez exaltó
inicialmente los términos de la solidaridad fraterna posibles en el lexema *alianza* y en determinados contextos de esta obra, acabando por aceptar no obstante la valencia redobladamente pesimista
que el lema temático de *alianza* asume predominantemente, sobre todo desde la acepción en este
poema. Cfr. *Diez años de poesía española*, cit., pág. 173: «Aunque en todos estos poemas la *alianza*
(de los hombres con la vida, de los hombres con los hombres) no permite suponer una plena y
satisfactoria realización moral, ello significa, sin embargo, la única posibilidad humana (de matiz
emocional, intuitivo, y por ello sólo alcanzable en ráfagas momentáneas) de escuchar el rumor
esencial y permanente de la vida. Y esta alianza, todo lo precaria que se quiera, explica el gusto
por los símbolos como aire, viento de primavera, espuma, luz, bien, aroma, etc... Frente a ella, la
condena nace de una sinceridad más crítica o *intelectual*, de testimoniar esas otras fuerzas negativas más históricamente circunstanciadas, pero no menos presentes en el patrimonio espiritual de
la humanidad: el odio, el miedo, la mentira, la hipocresía, la separación».

jornal: soldada.» Mientras que el dulce proyecto de la compañía se resuelve tan sólo en mezquinos acuerdos de vecindad: «...he aquí lo que nos hizo / vivir en vecindad, no en compañía». En una historia así tan lacerada, en un pacto tan triste y tan mezquino, la interrogación del poeta es inevitable: «¿cómo fortificar aquí la vida / si ella es solo alianza?»[19].

Pero sobre los males del hombre se imponen las eternidades sublimes de la luz y la materia infinita del espacio: «Aquí no hay costas, mares, / norte ni sur; aquí todo es materia / de cosecha». Y el idilio se eleva una vez más en sus proyectos de incierta tentativa, en sus ciegos tanteos de anhelos infinitos, en la resonancia interior de un sentimiento de anulación de historias de alianza sobre las que se remonten, ya sin trabas, los consuelos de la compañía fraterna[20]. Así el regustado idilio conjura las figuras más estables de la historia para recomponerlas en inmateriales construcciones al vuelo de un espacio infinito y eterno, signado desde los viejos nombres de las presencias nativas entrañables.

---

19. La diafanidad de estas formulaciones decisivas se impone en el balance que se constituye en expresión polémica de la tesis del libro sobre las oscilaciones, nunca tan categóricas, de otros contextos de *alianza*, por los que pudieran sobrevolar los contrapuntos más positivos del esfuerzo idílico. Prieto de Paula figura en este caso entre los críticos que se han esforzado por sustentar una interpretación ambivalente en el balance global de su apartado «Amor, vencedor del miedo»: «No sería procedente creer que ambos sentidos de la *alianza* son excluyentes entre sí. También hay aquí una amplia zona de sutura, cosido o bordado que une las dos interpretaciones. Esta *alianza* es fruto del interés a veces, y en otras ocasiones —Prieto no precisa en cuáles— rendimiento positivo, aunque —reconoce el crítico la forzosa evidencia— frágil y quebradiza». Cfr. Ángel L. Prieto de Paula, *La llama y la ceniza*, cit., pág. 47. En todo caso conviene no perder de vista, tampoco en lo que se refiere a estas decisivas ambivalencias autorizadas desde contextos contradictorios sobre el término temático de *alianza*, las oscilaciones inherentes a un despliegue tan dilatado en el tiempo y en la variedad de circunstancias de la composición como el que implican los siete años de gestación literaria de *Alianza y condena*. Tanto más en el caso del carácter y temperamento de Claudio, tan impulsivo como desentendido de cualquier obligación rigurosa de fidelidad a ninguna tesis intelectual. Puedo garantizar que el único fiel del vigor y de la constancia responsable que reconoce altísimamente la estricta vocación de Claudio Rodríguez, es el que se refiere a la limpia ambición estética de su poesía.

20. Sin descontar esta dialéctica del contraste idílico tan genérica en Claudio, resulta incomprensible la contraposición de valores respecto del índice dialéctico central de la *alianza*, que arma la compleja sucesión de estados de ánimo contrapuestos constituyentes del «pathos» de pesimismo y euforia sucesivos en la dramaticidad del poema. Así una lectura demasiado radical como la de González Muela parece tomar tan sólo en cuenta los movimientos del énfasis idílico, frente a la negatividad patente de *alianza* en los contextos más neutrales de Claudio (Cfr. J. González Muela,

El itinerario sobre los temas de solidaridad y de su quiebra se concentra sobre todo en las segundas partes de los libros primero y segundo, alternando con otras expresiones del progreso meditativo o del interesante repliegue de la concentración poética sobre las focalizaciones en sinécdoque que reflejan el trasunto de lo universal verdadero a lo particular intrascendente y lo concretamente entrañable. En el tercero, apenas si reaparecen ecos aislados de ese formante crítico negativo en algún poema; siendo ese libro un despliegue agónico de la temática sobre la inestable presencia del ser. Por cierto, creemos que la crítica en general no acostumbra a poner el énfasis que merece la condición decisiva de esa convivencia en *Alianza y condena*, junto al bloque de problematismo dramático de los símbolos castellanos y familiares se vinculados con la tradición temática de las obras anteriores y su cultura literaria, del otro bloque de textos con despliegue futuro en el tematismo y la forma. Ambos se aunan bajo el incesante crecimiento de la sensibilidad literaria de nuestro poeta, en contacto con el impulso modernizador de la literatura inglesa.

La recuperación más circunstanciada del tematismo mítico de la fraternidad cordial culmina en la segunda de las dos odas mayores en las que Claudio Rodríguez explaya la expresión didáctica de los dos temas centrales de *Alianza y condena*: la inestabilidad del ser y del conocimiento junto a la cordialidad solidaria como garantía de plenitud estable contra el azoramiento por las incertidumbres. De esta manera, una vez más, el emplazamiento en distribución culminante del tematismo positivo subraya la voluntad de clímax idílico que se configura hasta ahora como la tendencia de construcción poética permanente de Rodríguez.

La nueva poesía española, Madrid, Alcalá, 1973, pág. 71). En el polo opuesto, se encontrarían lecturas mucho más absolutas del pesimismo, como la de Jonathan Mayhew, quien se creía en el deber razonable de oponerse a los esfuerzos absolutos de euforia exultante sobre los mensajes optimistas de *Alianza*, como el de José Luis Cano, en los siguientes términos: «Alianza however, can also be a negative concept. The word can refer to an alliance in the military sense, a social contract built on fear rather than love», cfr. Jonathan Mayhew, «The Dialect of the Sign in Claudio Rodríguez's *Alianza y condena*», en *Hispania*, 72 (1989), pág. 521. En su conjunto, no obstante, el predominio de la valencia temática de *alianza* tal como la percibe Mayhew, es lo que justifica paradójicamente, a nuestro juicio, accidentes de modulación eufórica instrumentados por la conformación patética del idilio en el discurso total de la obra.

Al final del apartado intermedio de la «Oda a la hospitalidad», la fraternidad cordial se ha ofrecido ya como la única alternativa eficaz contra las insuficiencias falaces del recuerdo: «...¿Mas alguien puede / hacer de su pasado / simple materia de revestimiento...? ...¿O bien ha de esperar a estar con esos / verdaderos amigos, los que darán sentido / a su vida, a su tierra y a su casa?» Con tal antecedente, la tierna pintura del beato acogedor y retirado en la culminación idílica de la composición, arrancada a la solemnidad patriarcal de las figuras bíblicas[21], a los acentos clásicos de Horacio y de Fray Luis y a la emocionalidad moderna en las imágenes de Leopardi y de Hölderlin, compone la alternativa hímnica más apropiada para la semblanza inicial del menesteroso errante. Trasunto idealizado del vagabundo defraudado por las infinitas pruebas de la fragilidad del ser, los vibrantes acentos de exaltación hímnica componen el marco poético que anuncia la plenitud del entusiasmo idílico del canto:

> *Es la hospitalidad. Es el origen*
> *de la fiesta y del canto.*
> *Porque el canto es tan sólo*
> *palabra hospitalaria: la que salva*
> *aunque deje la herida. Y el amor es tan sólo*
> *herida hospitalaria, aunque no tenga cura;* (pág. 194)

Mientras, el símbolo inmediato de la mano tendida retorna al poema para radicar la imagen fundadora del más alto significado regenerador.

No falta por tanto ninguno de los requisitos idílicos convencionales en la serena pintura de este retraído feliz —¿otro Caballero del Verde Gabán?, ¿otro «caballero privado» u honrado labrador del siglo aúreo?—. Ni el enfoque patriarcal bíblico y hölderliniano de su puesto a la mesa: «...Y este hombre / ve en torno de la mesa / a sus seres queridos»; ni la alta certidumbre solemne de sus silencios: «No pregun-

---

21. Aunque no se perciben explícitamente en el texto trazas del discurso bíblico, éste es sin embargo el que Claudio señala y anota marginalmente en el manuscrito y en los textos mecanográficos conservados de esta oda. Por ejemplo: «No sólo compañero de mesa (Biblia)».

ta / sino invita, no enseña / vasos de pesadumbre ni vajilla de plata. / Apenas habla, y menos / de su destierro»; ni la distancia total de los enojos, de las inquietudes trajinantes de antaño: «Lo que esperó lo encuentra / y lo celebra, lejos / el incienso y la pólvora, / aquel dinero, aquel resentimiento». La gustosa tarea del hospitalario idílico es la de numerar amigos fieles. ¿Pero dónde ha podido encontrar el desolado Claudio a este dichoso, sino en su propio anhelo interior inalcanzable? ¿Qué mirar remansado y apacible puede tener el retirado feliz sino la luz anhelante e incierta de los ojos de Claudio? Utopía restauradora, idílicas imágenes que, cuando se declaran, suele ser porque se dan ya por definitivamente inalcanzables.

Sólo la paradoja, figura de la evidencia en el orden inverso del deseo, es la capacidad que puede acoger al fin aquel ámbito inasequible de la casa del beato retirado. El «hogar sin fronteras», como la libertad sin lastres de posesión y de previsiones que conocía el joven errabundo, signan el sentimiento del máximo poseer en la desposesión más absoluta: la única verdad sin excepción al alcance del hombre, como el amor o como la fraternidad, absolutos tan sólo cuando se enajenan sin límites ni lastre.

* * * * *

De todo cuanto llevamos constatado sobre su contenido, el título *Alianza y condena* no abarca la suma del total de la tercera obra de Rodríguez. Seguramente tal rótulo pretendía denotar la urgencia más destacada para el interés contemporáneo de su autor: el fervoroso anhelo de solidaridad social y su frustración fatal en la experiencia, el fracaso para la tentativa de hallazgo de un reparo moral a la fatigada encuesta de los años adolescentes en ebriedad metafísica. Desde ese punto de vista, el título —si no exhaustivo— puede funcionar como un archilexema temático de la dimensión mítico-sentimental predominante de la forma interior. Sin embargo un recuento analítico completo del tematismo del libro pone de manifiesto que el despliegue quizás más persistente del contenido prolonga otra preocupación central de las obras anteriores: el itinerario mítico del conocimiento, o si se quiere decir de forma más apropiada a la índole poética de esa investigación, las sucesivas fases en el proceso del *cotejo* fundante de la actitud enunciativa lírica.

En *Alianza y condena* se han planificado ya las inquietudes más lacerantes sobre la insuficiencia o la imposibilidad del conocer esencial de lo absoluto, que se insinuaban en *Conjuros* bajo acentos mucho más asumidos y resignados, después de la narración idílica inicial desarrollada en *Don de la ebriedad*. En los apartados anteriores hemos constatado cómo en el libro primero se despliega pormenorizadamente una evolucionada teoría de la visión poética reconcentrada y sensitiva en el acecho fenoménico, que sin embargo no llega a recuperar el antiguo fervor del poeta adolescente, sino en todo caso la resignada plenitud derivada del milagro relativo y menor que nos deparan las sorpresas en la auscultación del pormenor, en sinécdoque, de las cosas. Igual que también hemos podido corroborar que, en la segunda mitad del libro segundo y en la última parte de la «Oda a la hospitalidad», es donde más abiertamente se despliega la apelación a la fraternidad[22] como el fruto moral más sazonado para una articulación humana y realista de las expectativas del conocimiento.

Ahondando en el desarrollo de ese núcleo de contenido que nunca deja de constituir el mito poético principal de Claudio, si no es que sea

---

22. No caben ya para el caso de *Alianza y condena* los debates críticos habituales en torno al deslinde de la problemática más lineal y directa sobre la «poesía social», que se habían suscitado con mejor propiedad y oportunidad a propósito de *Conjuros* y de los que nos hemos hecho eco nosotros en el capítulo anterior. La presencia del tematismo de la solidaridad idílica en esta tercera obra de Rodríguez debe asumirse desde coordenadas contemporáneas mucho menos drásticas e inmatizadas. Así por ejemplo, Sala Valldaura contextualizaba todas estas refencias de alianza solidaria de las que nos estamos ocupando, dentro de un espíritu más vasto del ideal de «comunicación» propugnado a la sazón por el «penúltimo» Aleixandre y paralelo al tránsito de la poesía pura de los primeros *Cánticos* guillenianos, como el apartado de concienciación emblemática que representa *A la altura de las circunstancias*, por no hablar de *Clamor* y *Maremagnum*. Esta línea de sensibilidad por una convivencia agónica de Claudio, posición muy matizada y personalizada en *Alianza y condena*, contribuiría más realistamente, según Sala, a no desarraigarlo de las tensiones reales del tematismo contemporáneo que engloba a todos sus compañeros de antología en *Poesía última*: Cabañero, Ángel González, Carlos Sahagún y Valente. Es desde ese nivel de modulada «comunicación» de signo humanista, desde donde se pueden asimilar no ociosamente todos estos poemas de Claudio con un cierto eco de la poesía social, siempre según el referido crítico. Cfr. José M. Sala Valldaura, «Algunas notas sobre la poesía de Claudio Rodríguez», cit., págs. 121 y 148.

el único que desde el fondo gobierna la diversidad temática del autor en sus recorridos más perceptibles, un buen número de poemas agrupados hacia el principio del libro tercero de la obra exaltan en común la inestabilidad de las formas del conocimiento y de la vivencia consciente en términos de razón principal de la desazonada existencia del curioso. Así se muestra ya paradigmáticamente en el primer texto titulado «Un suceso» (págs. 167-168), narración de un doble proceso en que la verdadera historia, la soterrada, queda patente sólo para la intimidad del poeta sin trascender jamás al dominio común del acontecimiento. Todos los disimulos de «ciencia e inocencia» en el conmovido poeta se desdoblan sobre la doble conversación de «estudiada habilidad», que mantiene un orden de intrascendencia tras del que se esconde el contradictorio deseo de la tentación; en un sufrido diálogo de amor y de renuncia simultáneos sellado por el casto beso de la despedida, el que encubre el sollozo.

Otro proceso de frustración en cierta manera semejante en su doble curso de declaración escamoteada a su momento propio y sólo luego exhumada a destiempo en el enunciado, es el diálogo tardío con la madre que comparece en el dramático texto «En invierno es mejor un cuento triste»[23]. Los límites más oscuros y torturados de una lamentación ya sin objeto establecen la escritura de esta profunda herida sobre la biografía del dolor y del remordimiento; en tanto que tal vez el balance necesario sobre el estado de desolación de un alma tan doblegada y tan

---

23. El título definitivo de este poema, que corresponde a una cita de Shakespeare traducida inicialmente por Claudio Rodríguez como «En invierno es mejor un cuento triste», había sido antes progresivamente «El perdón», «Historia de un perdón» y «De rodillas», a lo largo de los sucesivos textos manuscritos. Por otra parte, la cita shakespeariana que acabaría prevaleciendo en esta composición, había sido seleccionada previamente como subtítulo. Así aparecía ya en la cabecera de la primera de las copias mecanografiadas conservadas del poema «Cáscaras», que en dicha copia se titulaba «Cáscaras en invierno». El dato, marginal o débilmente circunstancial si se quiere, aproxima no obstante el tematismo desengañado sobre la adversidad y la hipocresía social del poema «Cáscaras» al núcleo emocional conflictivo de las relaciones familiares y sobre todo maternas de Claudio Rodríguez. Así lo hemos sugerido indirectamente nosotros al principio de este capítulo, en relación al sintomático rasgo del simbolismo vegetal del grano y la cutícula, traslado de la acogida fetal y sus conflictos en la sicología íntima del poeta.

herida lo aporta, a continuación, la composición titulada «Cielo». Poema éste de muy inciertas causas y noticias[24], en el que lo definitivo lo acabará poniendo el énfasis de la extenuación sentimental, de la angustia en un dolor sin estridencias, sedimentado en dilatadas languideces

24. La serena resolución superadora que en su versión definitiva y publicada aporta este intensísimo y medido poema sobre un fondo latente de hondo patetismo trágico, resulta ser una vez más en el caso de la poesía de Rodríguez el fruto de lacerantes tensiones soterradas en las versiones sucesivas del texto. Las doloridas menciones al desarraigo familiar tan sólo sugeridas en el segundo verso —«Ya sin fe y sin nadie»— constituyen el producto discreto de un lamento mucho más explícito, que se hace presente en la extensa serie de ensayos manuscritos y mecanográficos para este poema. Véase la tremenda expresión de la que consideramos una de las versiones manuscritas primeras, en las que suelen manifestarse con menos veladuras los desahogos vehementes del poeta: «Pero es hermoso no contar con padres / y alzar los ojos porque sí, es hermoso / acostumbrarse al premio éste». En otra hoja que incluye dos versiones, manuscrita parcial y mecanografiada, posteriores al texto antes mencionado, la referencia más piadosa a la soledad respecto de los padres se desplaza al segundo verso para sustituir a la primera versión del mismo —«Ahora necesito más que nunca / mirar al cielo. Más que el agua, el aire»—, donde queda sucesivamente: «...mirar al cielo.[Nueva fe, otros padres] Ya sin fe y sin padres».

La interpretación queda por supuesto en condiciones para identificar ese grado de libertad adquirido desde la previa soledad y la ausencia de los «padres», como una referencia mucho más genérica a la liberación o la pérdida de la fraternidad institucional de los mentores sociales en general, conectada con la ruptura liberadora: la de la vieja fe, a la vez constrictora y tutelar, a la que se aludía mucho más abiertamente en las versiones manuscritas previas, que no en la velada elegancia de la última publicada: «...alzo / los ojos. Y hay peligro. No el de antes / porque ahora no hay fe: ese gran peligro / de la aventura sin leyendas ni ángeles, / ni siquiera ese azul que hay en mi patria». En cualquier caso, la sustitución del referente «padres» por «alguien» y «nadie» progresivamente no se produce hasta la última copia mecanográfica del texto definitivo. Para un más particularizado cotejo de los lectores, abierto a muchas otras posibles sugerencias, optamos —para abreviar— por transcribir aquí la versión mecanográfica, intermedia, de la que proceden algunas de las variantes que hemos invocado:

> *Ese cielo*
> *Ahora necesito más que nunca*
> *mirar al cielo. Más que el agua, el aire,*
> *tanto o más que esta tierra, él cuenta nuestra*
> *historia. Y es pura acción. Esta tarde,*
> *tras de tan seco mediodía, alzo*
> *los ojos. Y hay peligro. No el de antes*
> *porque ahora no hay fe: ese gran peligro*
> *de la aventura sin leyendas ni ángeles,*
> *ni siquiera ese azul que hay en mi patria.*
> *Pero es hermoso no contar con padres*
> *y alzar los ojos porque sí, es hermoso*

de hábito. Historia cotidiana de la angustia bien conocida y mejor sentida, contada en propia voz o adivinada en el perfil de existencias distintas, semejantes, como la del poema sobre el vacío de amor que se

> *acostumbrarse al premio este. Cabe*
> *toda mi vida en esta recompensa*
> *que no merezco ni merece nadie.*
> *Hoy necesito el cielo más que nunca.*
> *No mañana. Mañana será tarde.*

Queda un residuo de interpretación tal vez pendiente todavía en las modificaciones significativas del texto. Se trata del cambio experimentado por la expresión del sentimiento de gozo sin paliativos en el momento —peligroso por liberado de tutelas domésticas aunque reconfortador— de la contemplación exultante: «Pero es hermoso no contar con padres / al alzar los ojos porque sí, es hermoso / acostumbrarse al premio este. Cabe / toda mi vida en esta recompensa». La fórmula sustitutiva de «Vale dinero» comporta una ambigüedad inevitable: costoso puede ser en efecto sinónimo de valioso, pero a la vez pudiera ser término de censura alusiva a la carencia de los dones de gratuidad fraternos y hospitalarios; tanto más si se tiene en cuenta la negatividad radical del símbolo del dinero en la mitología poética y la experiencia personal de Claudio Rodríguez. Por otra parte resulta factible construir la constelación de relaciones entre «vale dinero» y algunos de los términos con que se identifica el fondo progresivamente ambiguo en la evolución de los manuscritos de la experiencia del gozo plenario.

Ambigüedad sobre los objetos posibles del placer sensitivo existe en: «...aceptar una gracia que no cabe / en los sentidos, pero les da nueva / salud, los aligera y puebla». E inmediatamente, todavía resulta menos estrictamente especificada respecto al gozo espiritual de la contemplación del cielo: «Vale por mi amor este don, esta hermosura / que no merezco ni merece nadie». ¿Hacia qué zonas de la anécdota vital conduce la correlación de *valer dinero*, la revitalización *saludable* de los sentidos, el *don de amor* y la *hermosura* inmerecida, que se entrecruza en las variantes abortadas y el resultado definitivo publicado? Bien pudiera ser, efectivamente, la ponderación exultante en el placer espiritualizado y sutilísimo de la contemplación consoladora de un cielo que sustentaba los últimos residuos de fiel continuidad para el sentido sustancial de la vida; así lo ha establecido, pese a tantos sugerentes resquicios de inestabilidad, el enunciado resultante del texto. ¿Pero no parece imaginable otro cruce de sentido amoroso, vital, transfigurado en la experiencia sublime de la contemplación celeste? En casos como éste, las conjeturas interpretativas de la crítica bordean habitualmente el desprestigiado espacio de las gratuidades hermenéuticas. No es el caso actual, porque sorprende en el texto la variable manuscrita que figura al pie de la versión mecanográfica antes transcrita: «...alzar los ojos, ver sin recompensa, [no por consuelo sino por combate] sin buscar un consuelo que hace / que en los sentidos aún no quepa esta / nueva acción folladora». El crítico ha de pedir perdón en este punto y ante todo al poeta, que ha elegido persistentemente transfigurar la espontaneidad de estos exabruptos mantenidos tan sólo en la puridad de los manuscritos. Nuestra propia transgresión en este caso se debe al interés que creemos que manifiesta tal ejemplo extremo de producción de un sentido sublime en el resultado del poema, logrado sobre los materiales más heteróclitos —en el fondo, la «carne moridera» de Unamuno— y aun salaces de la existencia espontánea.

narra en «Ajeno»[25]. Un itinerario desfallecido, en suma, del andar renqueante por el vivir sin brillo, con otra de aquellas simbólicas cojeras del poeta —aquí: «y cojea en seguida porque anda / sólo con su fatiga...»—, que en las claves simbólicas personales de Claudio representan la segura marca del mal vivir. Así había traslucido ya la imagen de los malos pasos en «Viento de primavera» —recuérdese: «...y los pies van a la desbandada, como siempre»—, que se repetirá después en «Tiempo mezquino»: «iba ya muy coja / mi juventud...» dentro del mismo libro, para consolidar definitivamente una de las formas más reiteradamente plásticas a lo largo de toda la obra de Claudio sobre el sentimiento de la propia derrota.

En la tensión indefinida de esta búsqueda queda implícita, para significar la diferencia y el progreso, la elementalidad insatisfactoria de las viejas imágenes de la posesión y la presencia: «No, no quiero / la duración, la garantía de una / imagen, hoy holgada y ya mañana / fruncida...». El viaje, realísimo y simbólico al tiempo, de «Hacia un recuerdo»[26] persigue sólo los jugos más sutiles, los efluvios dejados en su fuga por cuerpos, los ecos atenuados en trayectos de luz, la percepción vital

---

25. La lograda tonalidad lírica de inconcreta sugerencia universalizable sugerida por este texto, fechado en enero de 1962, se debe sobre todo al ejercicio de comprensión esencializante practicado por el autor a partir de una primera exposición narrativa más extensa y circunstanciada. Véase en el tercer apartado del capítulo sobre *Alianza y condena*, en la segunda parte de este mismo libro, nuestro tratamiento sobre este y otros tipos de transformaciones de la argumentación textual practicados con los mejores resultados poéticos por Claudio Rodríguez.

26. Sobre la focalización del síntoma lírico sentimental en este poema manuscrito —también con una copia fechada en enero de 1962, como «Ajeno»— resulta sintomático el primer título «Distancia del recuerdo», que figura en la primera hoja de los numerosos ensayos manuscritos que hacen, en su conjunto, de este texto uno de los de génesis manuscrita conservada más rica y representativa de toda la obra de Claudio Rodríguez. A lo largo de aquel año de 1962 y en los primeros meses del siguiente se localiza sobre un grupo de poemas no fechados y de muy alta felicidad lírica —«Un suceso», «Cielo», «Ajeno», «Adiós», «Noche abierta» y «Como el son de las hojas del álamo»— la culminación del ejercicio de aligeramiento referencial y de concentración de la sutileza sensible y emotiva, que deben considerarse como la expresión definitiva en el proceso de conquista de un nuevo espacio de delgadez simbólica, hacia el final del periodo inglés de Claudio Rodríguez. Las nuevas fórmulas de la intensidad subjetiva conquistan para estos ejercicios finales de la «narratio» poética el extremo más distanciado en el arco que se iniciara, al otro extremo espacial y cronológico de *Alianza y condena*, con la densidad fantástica de las monumentales imágenes panorámicas en los poemas de diatriba social castellanista.

de la desenvoltura de la brisa. La fórmula esquemática para un espacio tan indefinido, con el redoble de su valencia íntima alegórica, fortalece su eficacia mediante el latido intenso de la reverberación humana en diálogo de amor apasionado: «...No, hoy no / lucho ya con tu cuerpo / sino con el camino que a él me lleva».

Un discurso tan esencial y remontado sobre las impotencias del recuerdo y sobre la condición evanescente de toda posesión prolongada ensambla con eficaz naturalidad el cuerpo denso de la crónica del viaje castellano, la otra ladera de la alegoría: las paradas del tren y el autobús, el trajín de viajeros y de simples curiosos, la fraternidad practicada del saludo o la entrada en el corazón urbano de las ciudades viejas. Pero no se olvida jamás de su interrogación más honda, de la inquietud por fuerza dolorosa para quien ya no se deja retener sobre las superficies, ni en la ganga falsificada de los recuerdos siempre insuficientes:

> *...No busco*
> *masticar esa seca*
> *tajada del recuerdo,*
> *comprar esa quincalla, urdir tan pobre*
> *chapuza. Busco el sitio, la distancia,*
> *el hormigón vibrado y tenso, la única*
> *compañía gentil, la que reúne*
> *tanta vida dispersa...* (págs. 172-173)

Por esa vía la fórmula del poema se proyecta sobre el misterioso centro del recuerdo: la identidad nunca franqueada de ese cuerpo esencial objeto del trayecto alegórico, las inquisiciones sin término de la evocación. Cuerpo místico de lo Uno en su renuevo carnal inaccesible de la tierra y la casa natales, de oreos familiares y de encañar de mieses, de cabeceo de las sembraduras y de las tierras cárdenas en el atardecer de los oteros; de todo lo que es «vida dispersa». Pero en la voz poética utilizada para este libro se impone una nueva geometría imaginaria de dimensiones esenciales en los símbolos, donde la «carne» concreta de las presencias de realidad se estiliza para resplandecer más certera en el cálculo abstracto de los pliegues geométricos en «calibres» y en «áreas»; aunque sin olvidar con ello la verdad tan corpórea de un destino general antitético de muerte en la paradoja de la rima:

...No tan sólo
tu carne, que ahora ya arde como estopa
y de la que soy llama,
sino el calibre puro, el área misma
de tu separación y de la tierra.
De aquella tierra donde el sol madura
lo que no dura. (pág. 173)

Este continuo batallar del hombre con la tristeza, la inestabilidad de cualquier átomo y momento del bien y de vivencias de absoluto, conoce escasos instantes de dulce tregua, apenas una bocanada fugitiva del aire del primer amanecer o de la paz que se impone con el decaer de las luces más radiantes del día en el crepúsculo. El poema «Un momento» (pág. 174), uno de los más tempranos —téngase este dato muy en cuenta— de los que figuran en la obra[27],viene a conmemorar con su inclusión desacompasada en este momento del libro uno de esos instantes de tregua. Un poema que construye su propuesta de fascinaciones positivas desde el entorno de la negación del destino habitual en unos días «hechos / a su oscuro aposento palmo a palmo». Días de diario con su mugre grosera de «conciertos de cuartel», cuando por excepción en el instante más insospechado, cualquier gesto franco hacia los otros o su sencilla apertura descubre la dulce «música / del corazón por un momento». Pero el peso insoportable de la densidad total del desaliento amenaza desde las orlas habituales «en nuestra sorda vida»; de esta forma el corto minuto de excepción, aquellos resplandores apenas estables de esperanza, nos amenazan siempre desde su anegamiento con una extinción definitiva para no retornar ni aun en recuerdo. Así el conjuro final, la fórmula de aliento del espíritu para renovarse en una traza sin luces

---

27. Un texto mecanográfico de este poema, del que se conservan tan sólo dos transcripciones distintas, figuraba con la versión inicial abreviada de la «Elegía a Eugenio de Luelmo», fechada en el verano de 1959, junto a la única copia existente de «Ciudad de meseta» en la colección mecanográfica de *Conjuros* conservada por Clara Miranda, utilizada por ella en 1958 para las gestiones editoriales y las correcciones de la obra. La condición muy antigua de «Un momento» se refleja en la presencia en el texto del conjunto de imágenes características de la diatriba social que impregnan todos los textos de transición de Claudio Rodríguez entre *Conjuros* y *Alianza*.

de esperanza —«un manchón lóbrego / de sombrío pulgar»— que apenas si quebranta el pulso torpe de la acostumbrada pesadumbre. La tarea monótona del desaliento no conoce tregua de días ni de noches, y la buenaventura del dichoso será ya, por el cuento de los demás, la fábula de fuentes de alegría que se bendice sólo sobre un tenor de evocaciones ajenas a la dolorida carne propia[28]. Así es la bienvenida a la noche de aquel afortunado extraño que «va seguro» y que puede mirar «sereno el campo, / y con la vida limpia mira con paz el cielo, / su ciudad y su casa, su familia y su obra», en el poema «Noche abierta», otro de esos instantes fugacísimos de consuelo a estas alturas, cuando la imaginación desalentada ensaya por contraste pausas de plenitud y la situación del atormentado, errabundo maldito, establece su rotundidad de norma indeseable:

> Pero a quien anda a tientas y ve sombra, ve el duro
> ceño del cielo y vive la condena de su tierra
> y la malevolencia de sus seres queridos,
> enemiga es la noche y su piedad acoso. (pág. 177)

De ahí que lo habitual en este cancionero de frustración y penas sea el canto estabilizado en el dolor; así, aun viniendo de un instante de dicha, estos delgados efluvios encuentran su origen y su fundamento en el cuerpo continuo de la tristeza, según lo tematiza el poema «Como el son de las hojas del álamo»:

> El dolor verdadero no hace ruido:
> deja un susurro como el de las hojas
> del álamo mecidas por el viento. (pág. 178)

sin duda uno de los momentos más altos y estilizados que nos ha legado la voz de Claudio Rodríguez en la expresión fugitiva y sutil de la melancolía.

---

28. En expresión a la vez feliz y nada obvia, Sala Valldaura ha condensado el complejo trasfondo intelectual y moral en que se ha ido sustanciando el pesimismo de Claudio, al señalar cómo en *Alianza*: «se desmiente el viejo ideal de hacer sinónimos verdad y alegría», Cfr. «Algunas notas...», cit., pág. 131.

Una pasión bien conocida, la tristeza, y regustada hasta la delectación casi morbosa por la conciencia en paz con los señuelos débiles de la esperanza; porque es en último término ella, la esperanza, la que siembra de enigmas las certidumbres del dolor y la muerte. Pues que el dolor, una vez asumido como estado, tiene fondos sabrosos e incluso luminarias de victoria: «...Música sola, / sin enigmas, son solo que traspasa / mi corazón, dolor que es mi victoria». El final del poema abre el compás del libro a los epitalamios de una paz recompuesta, siempre —eso sí— con progresivas bajas del entusiasmo, con pérdidas seguras de la vida; pero con una voluntad también inextinguible de sobrevivir en los bienes del poema, en el reequilibrado salvador del idilio[29].

El idilio regenerador resonará de nuevo —lo hemos constatado ya antes y después lo recorreremos como mito de infancia— fiel a su cita con la inquebrantable vocación esforzada del poeta, en las composiciones finales de este tercer libro. Comparece en las reminiscencias del recuerdo que despiertan con «Un olor», en el apasionado esplendor de las declaraciones de amor de una pareja de cuerpos solitarios en la noche de «Sin leyes», o en la conciencia de renovación de la vida poseída en el poema de amor «Amanecida». También con la consagración voluntariosa de la alegría en «Lo que no es sueño» y en el consuelo siempre puntual de la cita con «Una luz», aquella luz cobriza que renueva las «tareas de amor y de sosiego desde la infancia»; o en la situación poética de «Un bien», como el triste laboreo de una esforzada maña para rescatar los restos del naufragio de la esperanza. Pero aún hay fondos peores en la fundamentación del desconsuelo, momentos en los que se extrema al máximo el fracaso: son los poemas del amor más oscuro y obsceno, aquel cuyo recuerdo se maldice en «Tiempo mezquino», una composición malaventurada sin duda por muchos conceptos[29], pero sobre todo porque nos enfrenta con las formas menos recuperables del

---

29. Favorecido por su hipótesis textual sobre el comportamiento creativo de Claudio y sus hábitos de construcción del libro como enunciación estratégica progresiva, William Mudrovic figura entre los exégetas que antes se han percatado del permanente juego de reequilibrado temático argumentativo al que nosotros denominamos habitualmente *idilio*. Bajo esa misma percepción deben integrarse por tanto nuestras indicaciones sobre la relativización de la espontaneidad temática en los tópicos ilusionados de las odas finales de *Alianza*. Cfr. William M. Mudrovic, «Claudio

arrepentimiento. Lo que se descubre es un fondo turbio de historia tan irreversible y cerrada y con un aborrecimiento personal tan último, que su reverso idílico necesario precisará alumbrar un ser distinto, un objeto bendecido y renovado de amor como el de los epitalamios de «albada» en «Sin leyes» y «Amanecida».

Pero la inquebrantable voluntad de salvación que establece la constante poética y humana para la condición profunda del poeta, acomoda, después de la intensa novedad de estos momentos oscuros, la compensación de unos cuantos instantes de gozosa contrapartida sentimental, correspondiendo a la intención siempre evidente de configurar el libro —y cada libro— como trayecto idílico. Por eso, en contraste con las peores adquisiciones del fondo vital de la experiencia consolidada y madura, se eleva sobre la intensificada novedad de presencias semánticas hacia el final del libro tercero otra reactivación de la constante mítica de inocencia y fidelidad al recuerdo, que rebusca dentro de las galerías de una idealizada infancia feliz. Sobre tal variable de presencia temática se constituye, casi sin contenidos históricos palpables, la renovada expresión del optimismo y la justificación necesaria para la acción salvadora de la poesía.

Ya hemos destacado antes, hacia el final del apartado precedente, cómo este conjunto de poemas componía el contrapunto idílico en el tematismo mítico de la solidaridad; por eso ahora no nos detendremos ya con el mismo detalle a examinar el modo en que se cumple esa misma

---

Rodríguez's *Alianza y condena*: Technique, Development and Unity», en *Symposium*, 33 (1979), págs. 257-258.

La expresión literaria del erotismo de Claudio Rodríguez, como proyección de los traumas familiares de juventud y de muy irregulares vivencias adultas, que llegaron a ser obsesivamente continuadas en su vida, representa sin duda una de las zonas más oscuras y tortuosas de su mitología personal y poética. Por eso acierta plenamente Dioniso Cañas cuando caracteriza estas controladas y restringidas afloraciones apasionadas en los poemas de *Alianza y condena*, antes como un fenómeno de «tachado» que de desbordamiento explícito. Por nuestra parte, depositarios de confidencias personales que no podríamos traicionar y dada además la poderosa voluntad del poeta de censurar biográficamente los datos que dan salida poemática a este conjunto de vivencias, nos remitimos simplemente a la escueta información de su biógrafo Cañas sobre la «circunstancia vital compleja» de Claudio, que da origen a un erotismo que «en el plano poético... es para Rodríguez una vuelta a la inocencia, pues significa... la abolición del miedo histórico y personal». Cfr. *Claudio Rodríguez*, cit., págs. 70 y 76.

función de idilio para el complementario tematismo de infancia en la composición «Como el son de las hojas del álamo» (pág. 178). En este poema no se desarrolla, al menos no en todas sus circunstancias temáticas, el formante mítico de infancia que justifica la contrapartida de dulce resignación del otro sordo «dolor verdadero», aquel que no hace ruido como el susurro «de las hojas / del álamo mecidas por el viento». El ápice simbólico para todas estas deixis de la imaginación no puede ser otro que la construcción mitológica de una reserva cándida alojada en los albores de la existencia, en lo natural regenerador todavía a cubierto de las dolorosas retracciones de la vida constituida en experiencia. El desplazamiento salvador de la mirada poética retrospectiva «tan timbrado de espaciosa / serenidad, en medio de esta tarde», que conforma las seguridades liminales de la infancia inocente, es uno y lo contrario en el tiempo, proyectivo y futuro, de las fraternidades solidarias.

El mito idílico de la infancia feliz se conforma como despertar de candorosas reminiscencias del recuerdo en poemas como «Un olor» y «Una luz». La indicación evocativa aparece marcada desde el comienzo en ambos textos: «¿Qué clara contraseña / me ha abierto lo escondido?; y «Esta luz cobre, la que más me ayuda / en tareas de amor y de sosiego, / me saca fuerzas de flaqueza». Con tan lejana afloración de constancias inveteradas en la raíz del ser, la configuración originaria del mito se va concretando en representaciones temporales, del origen y del tránsito, crecientemente indiciarias. Las trabajadas, correosas y adustas notas de ese «olor» de la infancia tan característico en su esencia vital alumbran con toques magistrales la pintura sagaz, que a tantos fascina, de una bien determinada aspereza rústica de sabores y olores nuevos: «Olor a sal, a cuero y a canela, / a lana burda y a pizarra; acaso / algo ácido, transido / de familiaridad y de sorpresa». Pero ante todo el formante más decisivo lo aporta el conjunto de indicios que apuntan hacia el tiempo idílico de la salvación:

¿Qué materia ha cuajado
en la ligera ráfaga que ahora
trae lo perdido y trae
lo ganado, trae tiempo
y trae recuerdo, y trae
libertad y condena?

La masa evocativa de este intenso olor vital la compone sobre todo la densidad de un tiempo conocido y reconocido en imágenes arraigadas en la persistencia: «este aire / íntimo de erosión», que sólo se descubre bajo la intensidad no quebrantada de sus jugos de tiempo: «este olor que es mi vida».

Igualmente es materia de tiempo retrospectivo la vibración poética que desvela el hallazgo consolador de la luz familiar en el poema titulado «Una luz» (pág. 183): «...estos minutos / que protegen, montan y ensamblan treinta / años, poniendo en ellos sombra y mimo, / perseverancia y humildad...». En la fiel persistencia de esa luz indiciaria se reconocen sus poderes de constitución existencial, su propia fe de vida: «luz tan mía, / tan fiel siempre y tan poco / duradera, por la que sé que soy / sencillo de reseña». Un baño de rubor habitual reconocible, un instante de luz cobriza reencontrado como pauta del tiempo y como fuero de la propia fidelidad consustancial: «...Luz que toma / cuerpo en mí, tiempo en mí, luz que es mi vida». Hallazgos tan preciosos de constancia, de ahincamiento en el reencuentro reparador de la propia mirada, perdida bajo la luz dispersa de facetas en la amplitud del día de los otros. Sus consecuencias menos confundibles corroboran los minutos más íntimos del consuelo, como aquellos del poema «Amanecida»: «cuando todo me acoge, cuando hasta / mi corazón me es muy amigo»; o como los que enseñan seguridades esenciales en «Lo que no es sueño»: que «el dolor es la nube, / la alegría, el espacio; / el dolor es el huésped / la alegría, la casa...». Toda una «vieja sabiduría», en efecto, que hunde sus raíces en la constelación de un tiempo general, tiempo sin tiempo. Duración mítica donde la evocación selecciona en libertad de trabas congruentes de pasado y presente la conclusión salvadora de una existencia con su balance idílico —«la más honda verdad es la alegría»—, la que permite proclamar sobre el desgaste continuo del conocimiento el tempero de fe inmortal que se renueva y constituye en el acto de amor que funda cada poema.

Pero hasta aquí han sido sólo indicios de movimiento y señales temporales para la dirección evocativa sin corporeidad semántica y sin concreción de nombres propios. La plenitud consciente de todos estos esquemáticos rastros simbólicos la aportarán, igual que en el caso de la pasión solidaria, las grandes odas que se agrupan en el libro cuarto.

El remate constructivo de la obra, que funciona así —como se ve— constituyéndose en desembocadura semántica estable y circunstanciada para las tensiones de la voluntad. Esas tendencias sentimentales variablemente difusas en el terreno de los nombres, que recorren el libro y conforman los reversos idílicos contra la plenitud trabajosa y hasta dolorida de las evidencias expertas del conocimiento[30].

La «Oda a la niñez» pone nombre y concreción a los indicios esquemáticos fugaces de la voluntad idílica que aparecían diseminados en los poemas menores del libro tercero. Niñez que sirve como la referencia capaz de organizar, una vez más también aquí, los ahincamientos necesarios de la bendición —un tono de la luz, el accidente leve de un espacio confortable de bienestar—. Un contenido sentimental demasiado complejo que se formula a veces bajo sagrados materiales reconocibles de la reminiscencia poética: «rompen claras escenas / de amanecida, y tantos / sucios ladrillos sin salud...», pero que tiene un seguro principio de constancia arraigada en el repaso mítico de la inocencia de origen: «...Entonces, / nada hay que nos aleje / de nuestro hondo oficio de inocencia».

Antes y después: retrospección y proyecto de una celeridad de fantasía mal avenida con las rebajas y las resignaciones que le imponen los incidentes mezquinos del ahora habitual. En esta tensión de opuestos complementarios de la ilusión, se van sustanciando esquemáticamente las consistencias temáticas que formulan el esquema del mito idílico contra el agravamiento de la experiencia vital. Hay presencias constantes de una fe, que señalan hacia la diafanidad de los orígenes —el *leit-motiv*— «¿Por qué todo es infancia?», reiterado más tarde en estribillo: «Ved que todo es infancia»; igual que las hay que forman el complemento contrapuntado para el proyecto también idílico de mejora

---

30. Jonathan Mayhew ha percibido acertadamente este mismo rasgo de modificación culminativa de la argumentación temática de Claudio, manifiesto en las dos últimas odas dentro del conjunto de poemas y libros que componen *Alianza y condena*. Detalle sobre la sintaxis de la «forma interior» del texto, que aproxima nuestras percepciones sobre este decisivo aspecto. Cfr. Jonathan Mayhew, «The Dialectic of the Sign in Claudio Rodríguez's *Alianza y condena*», en *Hispania*, 72 (1989), págs. 521-522.

quimérica futura, el plan de fraternidad que proyecta sus esperanzas sobre el porvenir de los tiempos:

Mas ya la luz se amasa,
poco a poco enrojece; el viento templa
y en sus cosechas vibra
un grano de alianza, un cabeceo
de los inmensos pastos del futuro. (pág. 189)

El consuelo de infancia es un destello limpio de la ternura sin el desgaste mezquino del regateo que conlleva el compromiso experto para sobrevivir: «Una verdad se ha dicho sin herida, / sin el negocio sucio / de las lágrimas». Luce sobre las transacciones que fundan el tránsito cotidiano —«los días / que amanecen con trinos y anochecen / con gargantas...»—; y siendo también carne de tiempo idílico, es un tiempo diferente que el fraudulento de la experiencia anaquelada en formas muy frías de recuerdo —«la droga del recuerdo, la alta estafa del tiempo»—. Voz que convoca la eficacia suprema del sentimiento, la que se exceptúa a los perfiles de la contraposición lógica convencional, al ámbito lastrado y acotado de las palabras: «Ved que todo es infancia: / la verdad que es silencio para siempre». Retención saludable, cauterio regenerador y freno beneficioso contra una historia demasiado compleja: «...ese hierro / que nos marca, y nos sana, y nos da amo». Zapatos de ilusión para reanimar y para recomponer los pasos equivocados. Aquel simbólico andar «muy cojo» que es trasunto siempre en Claudio Rodríguez de la existencia social experta. Las botas de siete leguas de los cuentos y los zapatos trasnochadores del día de Reyes Magos componen, con el vestido ya ajado de comunión, el ajuar que garantiza la supervivencia digna de todo lo necesario y fiel.

Tiempo mítico para la evocación de los orígenes, que subsiste exento a la condición devastadora del tiempo presente: «Lo de entonces fue sueño. Fue una edad. Lo de ahora / no es presente o pasado, / ni siquiera futuro: es el origen». Tiempo en que reconocemos quizá solamente el ámbito para un plan fundamental más íntimo y esquemático de las leyes humanas del destino. Las coordenadas raigales de la experiencia del ser de nuevo en el juego final, allí donde convergen las conciencias no expresas y donde los mitos de los poetas toman voz para representar la encarnadura universal de las imaginaciones de los hombres. Pero también unas esencias de espacio y de tiempo sembradas de presencias reciamente corpóreas y penetrantemente sensitivas, como acontece siempre en el Claudio de los fondos sustanciales. Así ahora el insuperable acierto narrativo, a la vez tan inmediatamente virtual y tan desarraigadamente simbólico, que trae la escena de la reconciliación idílica. Renovada regeneración de las señales orientadoras del yo en los momentos culminantes, cuando las postrimerías del ritmo anuncian que ha sonado el ápice para la conciliación idílica: «Y nadie, / nada hay que nos aleje / de nuestro oficio de felicidad» (págs. 190-191). Decoro del poema que requiere la fuga de las formas como el desdibujado narrativo donde progresa la epifanía del nombre, el acceso franco y la sencilla desembocadura del curso del enigma hasta la clave que franquea su sencillez de desenlace.

El tematismo en que se configura la sustancia mítica de *Alianza y condena* ilustra una nueva versión, la más desarrollada y madura dentro del trabajo poético de Claudio Rodríguez, en los mitos del tiempo modulados en este caso bajo la elisión idílica del presente. Los ejercicios de ahincamiento en instantes de resignación y de consuelo —por muy altos que sean— que comunican algunos de los poemas de esta obra, exigen las expansiones suplementarias del deseo en la doble espacialidad mítica proyectiva del origen: la del principio e infancia y la del futuro, donde se funden la concordia fraterna y la solidaridad hospitalaria. Un esquematismo de fondos antropológicos más habituales y humanos sobre los que converge la universalidad de las imaginaciones proyectivas, y que resulta complementario de la otra gran mitad humana de quienes, como el Guillén más arquetípico, se reconcentran en la sublimidad redentora de las formas inminentes de la evidencia. Pero el esquematismo esencial de tales coordenadas sustanciales de la imaginación funda tan sólo las grandezas de los mitos poéticos universalizadores; después siguen —o no, según la felicidad de cada caso— las animadas constelaciones de imágenes temáticas y de formas textuales, mayores y menores, que las constituyen en cuerpo de poema. Esa feraz carne del texto, esa fecunda pulpa de la forma tan sabiamente espontánea en la poesía de Claudio Rodríguez, en cuya variedad se conjugan y armonizan fidelidad y felicidad, la continuidad habitual de lo reconocible y la novedad impredecible de lo recién aparecido, el regalo simultáneo del pacto familiar y del don precioso de la nueva amistad.

Continuidad y evolución del universo imaginario: el espacio interior de la nueva simbología

La voluntad de conocimiento tematizada en *Alianza y condena* subraya la tendencia a la continuidad de la imaginación poética de Claudio Rodríguez. Al seguir críticamente su desarrollo en este libro, hemos tenido ocasión de advertir, en el primer apartado de este capítulo, las innovaciones reflexivas que adquiere dicha volundad de conocimiento lírico por cotejo en el poema «Brujas a mediodía». Tal acrecentamiento de la experiencia queda expresado fundamentalmente como meditación iluminadora sobre las resistencias y obstáculos subjetivos —«Porque no poseemos»— y objetivos —«Cáscaras»— que revela el proceso de conocimiento. Aquella iluminación pasivamente anhelada en *Don de la ebriedad*, que se había hecho ya trasunto metafórico y voluntad exploratoria en las metamorfosis experienciales de *Conjuros*, se desdobla y reflexiona en *Alianza* a medida que va identificando los poderes adversos que la limitan: la proyección inicial ébriamente *unitaria* del impulso hacia el conocimiento se fractura y *desdobla* así en la doble experiencia de *voluntad* progresiva y de *resistencia* adversa.

Si desplazamos el esquema postural subjetivo-objetivo de la experiencia sobre el conocimiento hacia el otro fondo, interior y sintomático, del trayecto íntimo de la *individuación*, por el cual se manifiesta al *ego* consciente de la fragmentación el *self* espontáneamente unitario, se configura el desdoblamiento meditativo antes aludido en términos de voluntad y resistencia, como la escisión de la conciencia experta dividida entre *redención* y *ruina*. La indesarraigable voluntad salvadora del poeta procede según momentos del reflejo de una fidelidad íntima sagrada —«Un bien» o la «Oda a la niñez»— y de los estímulos exteriores del bien sutilmente espigados en los intersticios evanescentes de la emoción —«Viento de primavera», «Como el son de las hojas del álamo» y «Una luz»—; o bien de los hallazgos solidarios reales —«Eugenio de Luelmo»— o de los ilusorios e idílicos: «Oda a la hopitalidad». Opuestamente, la conciencia de ruina proviene del mal infligido por los otros —«Por tierra de lobos» o «Ciudad de meseta»— y del tormentoso fondo de la mala conciencia conflictiva siempre en revancha atormentada con la figura de la madre —«En invierno es mejor un cuento triste»— y con la mujer en general: «Tiempo mezquino»[31].

No resulta intrascendente ni simple, como puede verse, el proceso de evolución mítica que va de la exploración cognoscitiva postural a la consciencia íntima reflexiva, con su proyección ética de conciencia, tal como se tematiza en este tercer estadio de la mitificación poética de Claudio Rodríguez. Sin mencionar las ampliaciones del horizonte de experiencia poética que añaden en *Alianza y condena* los tratamientos, hasta entonces inéditos, del amor y del erotismo; así como la expresión de la antigua conciencia social universalizadora formulada aquí como mito de la hospitalidad fraterna. Pero el adensamiento y consolidación de la entidad mítica en la poesía de Rodríguez deriva sobre todo de vertientes mucho más sutiles y replegadas en sus capacidades de intensificación poética que la simple ampliación voluntaria y consciente del tematismo. Esa es principalmente la penetrante ex-

---

31. A propósito de los grandes paradigmas míticos que se cumplen en la constitución narrativa de los poetas —profunda y ejemplarmente además en los realmente mayores como Claudio Rodríguez—, es oportuno señalar en momentos como éste el grado siempre relativo y simultáneo de *cumplimiento* universalista y de *diferencia* individualizante con que se caracteriza la constitución del mito personal de cada poeta. Expuesto en sus grandes líneas, el de Claudio Rodríguez podría aproximarse al más divulgado y generalizable que coincide sustancialmente con el esquema romántico propuesto por Abrams de elevación, caída y restauración. Philip Silver, amigo y conocedor de la poesía de Claudio Rodríguez, sintetizaba hace poco el paradigma romántico abramsiano en términos que, sin estar pensados en esta ocasión sobre el ejemplo de Rodríguez sino sobre el de Luis Cernuda, pudieran proponerse inicialmente también para el proceso de elevación ebria, degradación experta y salvación o reconstitución idílica que nosotros venimos constatando, recta y oblicuamente, en las etapas del proceso poético de Claudio Rodríguez. Concretamente queremos destacar aquí la interesante modulación de Silver sobre la validez salvadora del conflicto, que pudiera suponer una nota de individualización nada trivial para la coyuntura mítica correspondiente, en convergencia, entre Cernuda y Claudio: «...en la mejor tradición romántica, el poeta media en este conflicto en favor de la humanidad. Pero, en vez de esforzarse por cerrar la división como en el modo pastoril (para nosotros idílico), el conflicto mismo es su medio de expresión». Cfr. Philip W. Silver, *Ruina y restitución: reinterpretación del Romanticismo en España*, Madrid, Cátedra, 1996, págs. 162-163.

ploración de los espacios interiores de la sicología, causante de la captación de perfiles y tonos cada vez más sutiles en las emociones de la realidad objetiva; y sobre todo una radical modificación del lenguaje y del instrumental simbólico constitutivos de la plasmación mítica.

La interiorización de las resonancias sensitivas comparece ya manifiestamente en *Alianza* con poemas que podemos emplazar en origen sobre 1962, estabilizando un escenario de imágenes poéticas apenas esbozado en las obras precedentes. Bajo los nuevos símbolos íntimos de la exploración experta del sentimiento, la imaginación y el lenguaje del poeta cumplen el denso itinerario de hallazgos simbólicos que permite afirmar, como lo hemos hecho hace poco, el desplazamiento desde la exploración postural a la individuación subconsciente unitaria. No se olvide, por lo demás, que la residencia en Inglaterra coincidente con la elaboración de *Alianza y condena* había distanciado a Rodríguez de la inmediatez de sus referencias previas de paisaje. Así, programáticamente, el poema sobre la mirada, «Porque no poseemos», suscita una variedad de efectos sicológicos y de reacciones sentimentales muy matizadas —«la mirada, ya no me trae aquella / sencillez...»—, allí donde antes se convocaban los puros datos exteriores de la observación. Tal vez por eso, los atributos poéticos de la propia realidad externa son seleccionados ahora desde perspectivas simbólicas inéditas con poderosas y nuevas resonancias emocionales:

> *La misteriosa juventud constante*
> *de lo que existe, su maravillosa*
> *eternidad, hoy llaman*
> *con sus nudillos muy heridos a esta*
> *pupila prisionera...* (pág. 134)

Es el conjuro de la nueva profundidad íntima, de la innovadora perspectiva sicológica interior que Claudio ha tenido ocasión de descubrir en sus nuevas lecturas románticas y modernas de la poesía inglesa, de donde surgen las alacres imágenes de la fusión lírica sentimental —«pero esta tarde ha puesto al descubierto / mi soledad y miro / con mirada distinta...»— desplegadas en fórmulas de una gracia expresiva inédita y penetrante: «Es la hora / en que nuestra mirada / se agracia y se adoncella».

Bajo la recién estrenada sensibilidad, el accidente externo puede aligerarse y disminuir sus consistencias objetivas, en la medida en que se acentúan las noticias poéticas sobre el espacio de su correlato sensitivo interior. Es el caso del conjunto de composiciones espléndidas cuya calidad poética extremada juega, precisamente, sobre el perfil de su delgadez sintomática de contenido referencial. De esa manera, el sutilísimo «Viento de primavera» aporta sobre todo, con la noticia de su templanza, un perfume de «nueva intimidad»; y los espacios que interesan al poeta en el recorrido de ese viento no son ya los exteriores de la llanura o de las alamedas fluviales, sino el de los aledaños del propio corazón: «por donde entrar en él». Así ese viento sutil, compañero de vida, ha de fundar con el pulso de la sangre la inseparable «alianza» sentimental de una música sorda, sentida sólo en lo más íntimo del balance emotivo de la vida.

Al culminar en este grado experto de lo poético el proceso de fusión lírica que se produce desde la asimilación interiorizada de las presencias, el poeta adensa y magnifica, fundiéndolas en la grandiosidad sintomática del propio sentimiento, la condición en sí misma insignificante o menor de los objetos de la sinécdoque: «arrimando» a su cuerpo el girasol para que le comunique «su luminosa rotación sencilla»; o adelantando al protagonismo de la noticia lírica las recónditas emociones de «limosna sin regocijo» y de «reposo seco» sobre las calidades evanescentes de una «mala puesta» con «la luz, entusiasmada de conquista». Y hasta sobre las presencias más familiares —como la de aquella mirada hostil sobre Zamora que tematiza por enésima vez en la poesía de Claudio «Ciudad de la meseta»— recae, ya en los primeros poemas como éste de la nueva etapa de escrutación profunda, el predominio de la interiorización afectiva diferenciándolos en madurez poética: «Vengo a saber qué hazaña / vibra en la luz, qué rebelión oscura / nos arrasa hoy la vida»; porque en el aire de esa panorámica adversa de Zamora se puede percibir «tensión de compañía» y sobre la neutralidad imperiosa del cielo se impone la vibración de un desasosiego íntimo indesarraigable.

La inserción de la poesía amorosa en *Alianza y condena* favorece asimismo, por la propia configuración del género de acontecimientos temáticos referenciados, el predominio de la perspectiva intimista en la expresión de la confidencia. Abundando en la teoría genérica de este tipo de expresión poética, puede afirmarse que la de Claudio Rodríguez extrema los rasgos del discurso lírico en sus poemas amorosos del libro tercero. Incluso la composición inicial, titulada «Un suceso», emplazaría hasta el nivel de constitución temática el sesgo general de interiorización, y aun de parcelación íntima del cotejo referencial, entre los hechos de realidad y la subjetividad lírica, que venimos destacando como peculiaridad de los cambios de comportamiento poético del autor en *Alianza y condena*[32]. Precisamente lo que subraya esta intensa historia es el coloquio amoroso de una pérdida que no trasciende siquiera a la noticia de la joven amada, ante la que el poeta disimula «ciencia e inocencia / ... sin que / sepa que en este beso va un sollozo».

Esa intensa «música del corazón» que Claudio menciona en el poema «Un momento», se impone regularmente en la mayoría de los casos a la noticia externa que, desgastadas ya las viejas fascinaciones del entusiasmo hímnico y de las pasiones cosmogónicas, llega a constituirse en la referencia mezquina —«concierto de cuartel»— de una realidad crecientemente sofocante y árida, tal como la reflejan el poema «Ajeno» o los peores augurios de «Noche abierta». En esa situación de espíritu, las referencias exteriores alcanzan incluso a invertir su encarnadura imaginaria contagiadas por el tenue trasunto de algún estado de ánimo; así lo tematiza centralmente el poema «Como el son de las hojas del álamo»: «El dolor verdadero no hace ruido: / deja un susurro como el de las hojas / del álamo mecidas por el viento». Sentimiento interior al accidente externo, convocado únicamente por el poema como memoria experta y «tertium» que aproxima a la inestable calidad emotiva del verdadero objeto profundo. Por eso el rumor que sigue y se describe, no evoca ya como antes en primer plano la presencia vivida de la fricación del viento o del pájaro entre las hojas de los árboles de la ribera, sino que posee las propiedades únicas, inconfundibles, del arrastre sentimental:

---

32. Sin duda es este núcleo intenso de despojada liricidad el que convoca los juicios críticos más entusiastas sobre el poema, como el de Ángel Luis Prieto de Paula, quien lo calificaba rotundamente como «uno de los poemas más hermosos y ardientes de toda la obra del autor»; Cfr., *La llama y la ceniza*, cit.,pág.180.

un rumor entrañable, de tan honda
vibración, tan sensible al menor roce,
que puede hacerse soledad, discordia,
injusticia o despecho... (pág. 178)

Un rumor lacerante, un dolor escuchado «que es ya cordura dolorosa» y «pura resignación». Porque de los fugaces testigos de realidad convocados al poema por Claudio Rodríguez en estas remontadas estaciones de la metamorfosis sentimental poética, cuenta ya casi únicamente su capacidad de transustanciación emotiva, su poder de «cuajar» en materia de estado de ánimo, como la ligera ráfaga de aire del poema «Un olor»: «que ahora / trae lo perdido y trae / lo ganado, trae tiempo / y trae recuerdo, y trae / libertad y condena?».

Si la tercera entrega poética de la obra general de Rodríguez no ofreciera más novedades que la de esta inversión en la perspectiva sentimental de la relación lírica del cotejo transfigurante, no podría ya en ningún caso considerarse *Alianza y condena* como un dato más de mera continuidad sin modificaciones; tal es, en la riqueza de sus resultados líricos, la intensa torsión sentimental y temática que evidencia el libro sobre la trayectoria simbólica de los dos anteriores. Pero es que además el alcance de una modificación semejante acarrea, como hemos visto, cambios absolutos en la selección temática, adquisiciones y abandonos que proclaman ya los índices respectivos de las obras y que se concretan por sí mismos. Y sobre todo, como veremos a continuación, la importante mutación registrada en la focalización emotiva del cotejo lírico determinará un singular enriquecimiento —incluso podría decirse que una modificación radical casi absoluta— de la escenografía simbólica que articula en formas de expresión poética la arquitectura mítica del universo imaginario de Claudio Rodríguez.

* * * * *

El resultado innegable de la nueva voluntad de adensamiento e individuación salida de la experiencia poética y de las circunstancias modificadas de la residencia de Claudio en Inglaterra se manifiesta, como anunciábamos antes, en la renovada fisonomía de los símbolos individuales. Generalizando, podemos establecer globalmente que, si bien se mantienen y se robustecen las constantes generales del universo mítico cada vez más reconocibles como formantes esenciales de la imaginación peculiar del poeta, la renovación del alfabeto simbólico en todas y cada una de sus imágenes es casi absoluta. Con fecunda sutileza en la selección poemática y con una potencia imaginativa formidable, *Alianza* evidencia la renovación del vocabulario de imágenes de Claudio Rodríguez respecto a sus estados precedentes.

En unos casos por los indicios que proporcionan los manuscritos de la obra y sobre todo a través de las confidencias personales del autor, podemos establecer una cronología de las etapas de composición de los poemas, en cuya disposición definitiva influyó, según las declaraciones de Claudio, el seguimiento puntual y el consejo atinadísimo de Vicente Aleixandre[33]. Dentro de esa reordenación cronológica de

---

33. La reconstrucción actual de la cronología de poemas que forman *Alianza y condena*, en la que la excelente memoria del poeta ha tomado como punto de partida —según propia declaración— la asociación del momento creativo con sus etapas de residencia en Nottingham —entre 1958 y 1960— y en Cambridge —de 1960 a 1964—, establece una primera etapa a la que corresponden: «Porque no poseemos», «Un momento» y «Ciudad de meseta» entre los más antiguos, sin fechas en los manuscritos y que pueden arrancar incluso de los últimos tiempos de composición del libro anterior. A ellos les seguirían, según el recuerdo del autor: «Noche en el barrio», «Mala puesta», «Lluvia y gracia» y «Hacia un recuerdo». Fechada en el invierno de 1959 es la primera copia mecanografiada de «Por tierra de lobos», y del verano de ese mismo año es la fecha de otra copia dactilográfica de la primera versión muy abreviada del poema «A Eugenio de Luelmo». En ese primer núcleo de la obra resultan más perceptibles las imágenes y el tematismo de transición, junto a los datos urbanos reveladores de la composición de algunos de ellos en una ciudad industriosa y fabril como es Nottingham. En aquella primera etapa se sitúa también en el recuerdo del autor la composición de «Oda a la niñez», de la que existe ya una primera versión mecanografiada y fechada en el invierno de 1960. También llevan fecha de 1960 los manuscritos iniciales de «Viento de primavera» y «Girasol».

En un momento sucesivo emplaza la memoria de Claudio el poema «En invierno es mejor un cuento triste», titulado en sus versiones iniciales «Un perdón», así como un grupo de sus textos «críticos» constituido por «Brujas a mediodía», «Cáscaras»y «Gestos», del que se conserva un manuscrito con fecha de primavera de 1962. Un año en el que aparecen fechadas a mano las copias mecanográficas de varios poemas, lo que debe ser interpretado no tanto como una temporada de excepcional actividad poética del escritor, siempre parco y pausado en su labor creativa, cuanto seguramente la referencia al momento de dar por terminados y de poner definitivamente en limpio composiciones como la de Eugenio de Luelmo (fechada en mayo de 1962), que venían siendo

los textos, en determinadas imágenes de uno de los primeros compuestos, «Porque no poseemos», se percibe ya claramente la evolución de la primitiva imaginación poblada de referencias jugosamente externas y vegetales a las nuevas fórmulas de constitución más íntima, esquemática y abstracta:

---

elaboradas durante los tres años anteriores. El mismo caso sería el de «Lluvia y gracia», en realidad un fragmento desgajado de la primera versión de la «Oda a la niñez» fechada en 1960, y seguramente también el de «Hacia un recuerdo», cuya copia mecanográfica data de enero de ese mismo año. También de enero del 60 es una copia del poema «Ajeno», que el recuerdo del autor ubica sin embargo mucho después; lo mismo que de «Adiós», poema del que contamos con una primera versión mecanográfica de la primavera de 1962. En ese momento de intensa actividad en la iniciación o finalización de composiciones hay que situar otros dos textos fechados: «Noche en el barrio», del invierno de 1961, y «Tiempo mezquino», en el productivo enero de 1962.

La elaboración de los poemas de concentración temática en sinécdoque, que se localizarían en el libro segundo, la atribuye el recuerdo de Claudio a un momento posterior al invierno del 62; bajo ese impulso habría que situar «Espuma», «Gorrión», «Nieve en la noche»y «Dinero». En cuanto a «Viento de primavera», emplazado en ese mismo momento en el recuerdo de Claudio, existe un primer bosquejo fechado en la primavera de 1960, lo mismo que del poema «Girasol».

En un momento de inspiración posterior emplaza el poeta un grupo de composiciones producto de una etapa de inusitada aceleración creativa. En ella escribió Claudio, en poco más de un mes y medio según su recuerdo, el conjunto de poemas del libro tercero que Aleixandre calificó muy acertadamente como «susurrados»: «Un suceso», «Cielo», «Noche abierta» y «Como el son de las hojas del álamo»; en cuanto a «Ajeno» y a una primera versión de «Adiós», que el recuerdo de Claudio emplaza también en el mismo bloque, disponemos de copias mecanográficas fechadas respectivamente en enero y primavera de 1962.

Finalmente viene a ser coincidente, según la memoria de Rodríguez, la cronología de composición y el orden en que fueron emplazados en el libro los poemas «Sin leyes», «Amanecida» y «Una luz», así como los dos que el autor recuerda como los textos más tardíos de la obra: «Lo que no es sueño» y «Un olor». En cuanto a la «Oda a la hospitalidad» fue compuesta también intencionadamente para hacer de ella el colofón del libro, agrupándola con la muy temprana «Oda a la niñez». De todos estos últimos poemas, los testimonios manuscritos mucho menos abundantes que ha conservado el autor, no deparan dato alguno para fecharlos a lo largo de los años de 1963 y 1964. En diciembre de 1964 Rodríguez estaba ya en contacto con la editorial Revista de Occidente, que había visto un ejemplar finalizado de la obra. El contrato de edición es del 3 de enero de 1965; pero la publicación se demoró, con la impaciencia de Claudio, hasta noviembre de ese mismo año; de todas esas circunstancias conservamos una detallada correspondencia entre la editorial y el autor sobre interesantes detalles del proceso de edición. El 27 de septiembre se le envían las pruebas de imprenta; el 29 de octubre escriben a Claudio sobre el texto de la solapa y la tirada de la cubierta del libro y le prometen ejemplares para la primera quincena de noviembre, promesa cumplida rigurosamente, como lo prueba otra carta del 11 de aquel mes.

Quiere acuñar las cosas,
detener su hosca prisa
de adios, vestir, cubrir
su feroz desnudez de despedida
con lo que sea: con esa membrana
delicada del aire,
aunque fuera tan sólo
con la sutil ternura
del velo que separa las celdillas
de la granada. (pág. 133)

La nueva geometría abstracta de los símbolos, esbozada en fórmulas como la de «esa membrana / delicada del aire», convive aquí todavía con el soporte referencial animado y naturalista del velo y las celdillas del fruto de la granada, de forma semejante y en cierto modo invertida a la que después, desde los símbolos previos de la alcoba y el nido, se abría paso hacia la obsesiva simbología futura de las cerraduras y los goznes aceitados en el espacio de imaginación de lo laberíntico, de lo secreto y cerrado que llega hasta el poderoso mito del asalto sacrílego en el poema «El robo» de *Casi una leyenda*:

...Quiere untar su aceite,
denso de juventud y de fatiga,
en tantos goznes luminosos que abre
la realidad, entrar
dejando allí, en alcobas tan fecundas,
su poso y su despojo,
su nido y su tormenta,
sin poder habitarlas...

Hasta las referencias más objetivas al ambiente corroboran el poderoso trayecto de la transferencia de tierra a tierra, del campo a la nueva ciudad fabril con sus moradores extenuados, del viejo Tormes a los cielos bajos ingleses de escombreras:

...Mira, mira:
allí sube humo, empiezan
a salir de esa fábrica los hombres,

bajos los ojos, baja la cabeza.
Allí está el Tormes con su cielo alto,
niños por las orillas, entre escombros
donde escarban gallinas... (págs. 133-134)

Un tránsito tan fuerte, el que prepara a la nueva imaginación, que el ánimo se sofoca entre el coro apremiante de imágenes renovadas y la distancia precipitadamente difusa de las familiares y transcurridas; mientras que asiste a la permanencia conmovida de la propia mirada —«mi única / salvación»—, casi el solo testigo de la continuidad atribulada en medio de tantos cambios: «pero esta tarde ha puesto al descubierto / mi soledad y miro / con mirada distinta». Es en esta variación siempre dolorosa donde la recién instalada constelación de las imágenes duras, adheridas a las viejas y nuevas «...ciudades / con ese medallón de barro seco», va descubriendo y consolidando el hallazgo de los nuevos símbolos para el mirar renovado que se siente ajeno, extrañado de sí, como sin «dueño».

En esta obra, tan distanciada por tantos conceptos de los anteriores escenarios de la imaginación poética, el crecimiento de la nueva simbología se define en principio por el abandono de las antiguas acuñaciones. Así lo corroboran ya ilustrativamente los primeros poemas integrados en el libro. El primero de todos seguramente, «Ciudad de meseta», se manifiesta, según veíamos antes, todavía inmediato en la imaginación y en sus sentimientos temáticos respecto a los últimos compuestos para *Conjuros*, como «Pinar amanecido»[34].

---

34. Véase a tal propósito el acendrado tenor de enlace temático que vincula sintagmáticamente las imágenes iniciales de los dos textos. El principio de «Ciudad de meseta» —«Como por estos sitios / tan sano aire no hay, pero no vengo / a curarme de nada»— reproduce exactamente la situación y el ámbito del antecedente «Pinar amanecido». En ambos se reitera la vertiente más convencional: la del aire saludable de los pinares, donde se solían emplazar en aquel tiempo los sanatorios y lugares de cura contra la tuberculosis pulmonar; sin que aparezca mención a la presencia de la veta amenazante y siniestra, mucho más peculiar e idiosincrásica en la imaginación de Claudio: «Viajero, tú nunca / te olvidarás si pisas estas tierras / del pino. / Cuánta salud, cuánto aire / limpio nos da. ¿No sientes / junto al pinar la cura, / el claro respirar del pulmón nuevo...?».
A su vez, la curiosa transición asociativa en el poema de *Conjuros* desde el símbolo de la agrupación forestal, que destaca la alianza metafórica del pinar para subrayar y contagiar de pers-

Volvemos a encontrar además de las continuidades constitutivas que destacamos en la nota precedente, algunos viejos símbolos tan persistentes —pero también ya en trance de desaparición— como el de la uva pisada, percibida como nuevo zumo: «cuando hoy andamos por las viejas calles / el talón se nos tiñe / de uva nueva...». Y sobre el plano de la forma no dejamos de reconocer tampoco algunos de los ritmos en calculados clímax del anterior énfasis entusiasta, como la famosa seriación de las enumeraciones antitéticas —«Jamás casas, barracas» etc.—; o bien en las interrogaciones retóricas, abiertas: «¿Para qué tantos planos...? ¿De qué ha servido...?» etc; y en las conclusivas: «¿como fortificar aquí la vida / si ella es sólo alianza?». Idéntica continuidad comparece en las poderosas deixis anafóricas: «Aquí no hay costas, mares...». En suma, reconocemos en el nuevo poema la rítmica climáxica y la figuralidad poemática que fundaban crescendos y distancias en las anteriores modulaciones entusiastas del ritmo.

Pero a un atento examen no se dejan de advertir ya los titubeos de la tensión simbólica en momentos de aparente neutralidad lírica: «Esto no es un monumento / nacional, sino luz de alta planicie», o «...Aquí no hay costas, mares, / norte ni sur; aquí todo es materia / de cosecha». Y sobre todo empieza a resplandecer tímidamente la sorpresa de una nueva sustancia más íntima y esquemática, o más árida y mineral según los casos, en la invocada materia poética de la luz: «Vengo a saber qué hazaña / vibra en la luz, qué rebelión oscura / nos arrasa hoy la vida», junto a nuevos atributos poéticos más íntimos de los fenómenos, como en aquel «aire / montaraz, con tensión de compañía».

---

pectivas adversas la inmediatez defensiva entre casas y hombres en el interior del cerco amurallado de la Zamora ideal, se corresponde en el texto correlativo de *Alianza* con la asociación, no necesaria, que se establece entre la perspectiva del pinar y el desarrollo temático de la hostilidad fundada en la «alianza» insolidaria, que campea temáticamente en «Ciudad de meseta». Por supuesto, el juego de lo presente elidido, fundando la poderosa preterición textual en el cierre de «Pinar amanecido», es exactamente lo que constituye a su vez la afirmación temática central de «Ciudad de meseta». Tan importantes señales de continuidad entre ambos textos, a caballo entre los dos libros sucesivos de Claudio Rodríguez, ofrecen una atalaya excepcional para medir los datos de continuidad y cambio no sólo entre estas dos composiciones fronterizas en su creación, sino sobre la masiva evolución creativa del imaginario simbólico de Claudio, poema a poema, durante el periodo de siete años en que se forjó decisivamente su portentosa madurez lírica.

Si la afloración de una nueva simbología se percibe en los constituyentes individuales entre dos poemas con tan estrechas continuidades temporales y temáticas como son «Pinar amanecido» y «Ciudad de meseta», resulta aún más marcada en la impresión resultante del cotejo entre parejas de continuidad temática menos evidente, tal como la que propone, a uno y otro lado del límite convencional y genérico entre *Conjuros* y *Alianza*, otro de los primeros poemas incorporados a la nueva obra, «Noche en el barrio», con una muestra estructurada de exploración alegórica postural tan característica de la vieja espacialidad mítica como la que ofrecía «Dando una vuelta por mi calle». La nueva radicalización exasperada de las emociones antiguas de frustración y de desvalimiento anuncia ya claramente en el discurso de «Noche en el barrio» las calidades futuras de la meditación lírica: una más contenida modulación expresiva del énfasis y una galería más árida de los símbolos petrificados.

La modificación de los escenarios habituales, el ambiental y el cultural, en que se residenciaba ya a la sazón la experiencia del poeta, favorece la aparición de instantes simbólicos inhabituales dentro de la vieja sensibilidad agrícola de la imaginación previa. Así se modifica, por ejemplo, el descenso nocturno de la presencia, nunca ya como siembra paradójica de deslumbres de lo absoluto, sino como acuciante vástago industrial: «...Así, así, sin limosna, / sin tregua, entra, acorrala, / mete tu cruda forja... De una vez baja, abre / y cicatriza esta honda / miseria». Es la hora en que los anteriores momentos ocasionales de la hostilidad y del acoso depresivo se adensan y generalizan en el oído: «...el son voraz de tu horda lūminosa / saqueando hasta el fondo / tanta orfandad, la agria pobreza bronca / de este bloque en silencio...». Entre tanto, los antiguos materiales simbólicos modifican su sustancia y sus encarnaduras habituales bajo el contagio de una recién creada esterilidad de la cal y de los rígidos armazones fabriles, incluso para ocupar y expresar los espacios de la virtud del hombre:

> *...Y que la casta,*
> *la hombría de alta cal, los sueños, la obra,*
> *el armazón desnudo de la vida*
> *se crispen...* (pág. 146)

En otro de los más antiguos poemas de la obra, «Mala puesta», encontramos la ocasión de corroborar la densidad mineralizada de los trasuntos familiares, antaño fértiles y radiantes. La luz crepuscular «entusiasmada de conquista» declina su compañía de ternura para asumir las arideces desecantes de la imaginación desalentada: «¿Qué limosna / sin regocijo? ¿Qué reposo seco / nos trae la tarde?». Y se reitera la recién nacida imagen dominante de la luz como forja para introducir el dominio hostil de la tosquedad inmóvil:

> *...Aún quedan*
> *restos de la audaz forja*
> *de la luz, pero pocas*
> *nuevas nos vienen de la vida: un ruido,*
> *algún olor mal amasado, esta hosca*
> *serenidad de puesta...* (pág. 157)

Parece pues un hecho consolidado el de la intensa emoción de la simbología constitutiva del universo mítico del poeta durante la transición de la primera época castellana de *Don de la ebriedad* y de *Conjuros* al estadio maduro, ya en tierra inglesa, de *Alianza y condena*. En esa línea, el poema narrativo «Lluvia y gracia» tematizaba tempranamente[35] la sustancia del cambio urbano de perspectiva sobre el descenso fértil de la gracia; mientras que «Hacia un recuerdo» —que completa con los hasta aquí mencionados y la «Oda a la niñez» el conjunto de textos más antiguos en el recuerdo de Claudio Rodríguez— ratifica la compatibilidad ya vacilante con la nueva imaginación urbana e industrial de los antiguos regustos castellanos culturales: «Bien sé yo cómo luce / la flor por la Sanabria, / cerca de Portugal», y con las anteriores estructuras de la imaginación y del recuerdo: «Hoy es tan solo / la empresa, la aventura, / no la memoria lo que busco. Es esa / tensión de la

---

35. Como se indica en otro momento de nuestro estudio, el poema exento que llegaría a recibir el título de «Lluvia y gracia», y antes los de «La gracia», «Un don», «Bautismo y gracia», «Gracia de la tierra» y «Lluvia», procede casi íntegramente de un fragmento desgajado de la primera copia mecanográfica de «Oda a la niñez», fechada en el invierno de 1960; allí figuraba al final de la parte tercera.

distancia, /el fiel kilometraje»[36]. Mientras que se declarará más adelante el modo en que todos los nuevos símbolos estaban naciendo en busca de unos contenidos inciertos, entrevistos tan sólo, en el espacio de crecimientos futuros de la imaginación: «No busco / masticar esa seca / tajada del recuerdo... Busco el sitio, la distancia, / el hormigón vibrado y tenso...».

El extenso poema del libro cuarto «Oda a la niñez», compuesto sin embargo en la primera época de transición temática de Nottingham, corrobora asimismo el estado de modificación simbólica que venimos constatando expresivamente en el núcleo poemático de esta primera etapa cronológica de *Alianza*. Junto a los datos comunes del emplazamiento habitual del panorama imaginario, tales como la estación del renuevo vegetal en Marzo y el frío todavía cortante que separa en Castilla invierno de primavera —«¿Y es esta tu bienvenida, / marzo, para salir de casa alegres: / con viento húmedo y frío de meseta?»— el impacto de los nuevos paisajes ciudadanos no deja de asomar intencionadamente sus perfiles inequívocos: «...ahora hacemos / confuso vocerío por ciudades, por fábricas, por barrios / de vecindad...». Al mismo tiempo, se precisa una nueva amalgama de sensaciones en la que se cruzan materiales simbólicos exteriores e inéditos con las emociones familiares e íntimas de la desolación y el desarraigo: «...rompen claras escenas / de amanecida, y tantos / sucios ladrillos sin salud se cuecen / de intimidad de leche y guiso»[37].

---

36. Efectivamente, el fragmento citado aparece manuscrito a lápiz sobre el márgen izquierdo del poema en la copia mecanografiada definitiva de la primera versión fechada en 1992. Ajusta intuiciones previas cada vez más sutiles y manifiestamente progresivas, a partir del gérmen sumario, también manuscrito al márgen: «No el recuerdo sino la empresa / no la memoria sino la aventura».

37. El examen de las correcciones manuscritas sobre las hojas de la copia dactilográfica temprana de 1960, así como los cambios que manifiestan ya los escritos mecanografiados más definitivos, constituyen una atalaya ilustrativa para percibir la maduración estilística en la sensibilidad de Claudio Rodríguez. A veces se trata de alternativas creadas por uno de esos cambios radicalmente opuestos de lexemas, que asombran siempre en el comportamiento de este poeta y que aleccionan decisivamente en su caso sobre las prioridades de la razón rítmica sobre la significativa referencial. Véase al respecto la variante radical del verso tercero entre la primera versión:

La nueva simbología sirve sobre todo a la expresión de los ecos más íntimamente explorados de sentimientos maduros; tales: «el ciego pulso / de la injusticia, la sangrienta marcha / del casco frío del rencor». Las formas innovadas de la expresión parecen arrancadas seguramente a la maduración de la propia escucha espiritual sobre lo íntimo; pero son también el resultado innegable de la nueva experiencia de cultura poética, tan complementaria y distinta de la tradición española y simbolista francesa que había nutrido en sus años escolares y universita-

---

«con viento seco de meseta en puesta», en relación a la que habría de resultar definitiva: «[con] viento [de lluvia] [lluvioso] húmedo y frío de meseta».

Otras veces se trata de supresiones extensas, que manifestaban por lo común instantes de desahogos en el patetismo social o inflexiones en exceso figurativas de una retórica sentimental de relieves demasiado proclives a lo efectista del tono sensiblero; como el que figura suprimido al final del canto primero. Lo reproducimos aquí a título del inequívoco tino de Claudio en sus decisiones de depuración sobre lo esencial poético:

> *Pronto llegará el día*
> *del valor, de la limpia*
> *saña. Ved, ved las frescas*
> *riendas de nuestras manos*
> *alentando el golpe fabuloso*
> *de la inocencia.*
> *Pronto llegará el día*
> *en que nadie habrá en torno, sitiando*
> *bandera eterna, almendro en flor y en fuego*
> *que no se rinde y da en nuestra ventana,*
> *se acuesta en nuestro lecho*
> *a salvo ¡Ahí, en los aires*
> *la insurrección de la ternura!*

Si bien en otros casos, cuando la supresión obedecía a causas de composición estructural y no a baja calidad lírica, lo suprimido emigra al cuerpo o a la génesis de otros poemas, llegando incluso a constituir su total practicamente intacto; circunstancias que se dan en el texto titulado «Lluvia y gracia» extraído íntegramente de esta primera versión seminal de «Oda a la niñez».

La tónica general que manifiesta el acendrado instinto poético de Claudio Rodríguez en todas sus reelaboraciones textuales, es la de la abreviación intensificadora. El rasgo no es desde luego privativo de la coyuntura concreta de intensa renovación estilística entre 1960 y 1963 que estamos considerando específicamente en este caso; pero no cabe duda de que la generalidad de este talento en el poeta dejó testimonios muy palmarios en aquellos instantes decisivos . Véase, una entre muchas, la evolución del enunciado que va a la alusiva fórmula esquemática: «La puesta / del sol, fue sólo puesta / del corazón?», y que procede del desarrollo perifrástico en la versión primera: «Ellos, que

rios al primer Rodríguez. Lecturas de Keats y Wordsworth se insinúan, con tantas convergencias con Rodríguez en el arranque de la nueva meditación; pero también Larkin —su primera lectura poética inglesa contemporánea— y Hughes y Dylan Thomas, inaugurando secretamente para Claudio tantos espacios inhabituales a las costumbres de su imaginación española, que depositan meditaciones sobre celeridades de vacío como las que veíamos antes en la ponderación de distancias de

---

eran destello generoso, / fueron sombra nocturna, / y el sol se les puso porque iba / su corazón de puesta. Tierra que no produce/ por temor a la luz». O bien casi inmediatamente después, la intensa concreción de la experiencia —que iría a dar por vía muy indirecta en la imagen central y sutilísima del poema «Hacia un recuerdo»—, la reflexión «Siempre al salir pensamos / en la distancia, nunca / en la compañía», que aparece tan sólo como tal en una corrección manuscrita sobre el tercero y más moderno de los textos mecanográficos conservados, y que había debutado en el texto primero a través del prosaísmo enfático de la siguiente fórmula: «Maldito quien se aleja de lo que ama, / quien mira la distancia y no la compañía».

En esta línea, la tradición manuscrita de la «Oda a la niñez» nos permite reconstruir en concreto la génesis imaginaria que desemboca en alguno de los más significativos símbolos de la nueva escenografía fantástica de calcificación mortal y de corrosión. Tal es la progenie imaginaria que precipita la cristalización del núcleo simbólico del «panal» y la «tela de araña», imágenes habituales y de futura evolución hacia la escenografía epitáfica y de postrimerías de Claudio en «Solvet seculum» de *Casi una leyenda*; recuérdese: «y el cerebro de ser panal o mimbre / junto a los violines del gusano, / la melodía en flor de la carcoma...». Pues bien, el enunciado que resume ambos símbolos en la versión definitiva del poema: «quisieran / ser panales y son / telas de araña», comparece a la luz de la historia manuscrita del texto como otra más de las concentraciones de alta economía simbólica procedentes de desarrollos iniciales de imagen mucho más difusos; en este caso un extraño excurso sobre tumbas, cementerios y urnas funerarias infantiles:

> *hasta la bocanada, agria de moho del aire*
> *que respiramos ahora*
> *al pie del cementerio de este arrabal, oreado*
> *de los huesos nacederos de los muertos, ya niños*
> *en sus cunas tremendas*
> *ebrias de vida, a flor de losa el vómito*
> *de la primera leche, que inundará los cielos*
> *horrible, y tierna, y blanca,*
> *feraz como los lodos encendidos*
> *de las palomas!*

Misteriosa continuidad caprichosa y subterránea de los constituyentes de la imaginación sepulcral de Claudio Rodríguez: el panal del cerebro, la flauta de la caña del hueso, el escenario sombrío y mortal de los pinares; materiales de ignición y residuos térreos de la nueva aridez calcárea.

ausencia en el poema «Hacia un recuerdo», o en este otro de la apelación melancólica a la niñez: «Siempre al salir pensamos / en la distancia, nunca / en la compañía». Y es que entre la continuidad sin
sorpresas de los ritmos tradicionales alternados de endecasílabos y
heptasílabos —ahora regularmente asonantados[38] — los valores de las
nuevas abstracciones, cual el de la «alianza», se afirman todavía bajo
los mismos tonos de la luz y las calidades del aire que procuraba aquel
otro cabeceo familiar entre los cuadros de sembraduras cereales de la
adolescencia caminante y ebria del poeta:

> *Mas ya la luz se amasa*
> *poco a poco enrojece; el viento templa*
> *y en sus cosechas vibra*
> *un grano de alianza, un cabeceo*
> *de los inmensos pastos del futuro.* (pág. 189)

Análogo tenor temático de reflexión sobre el conocimiento y de crítica
creciente, distanciada e irreconciliable, configura los poemas de creación
sucesiva, según figuran en el recuerdo actual de Claudio Rodríguez y que
se agrupan en el libro primero de *Alianza*; con la excepción del tortuoso texto de revisión biográfica «En invierno es mejor un cuento triste»,
incluido en el libro tercero junto a otros testimonios igualmente ator-
mentados de la vida sentimental del poeta. En «Brujas a mediodía»,
sobre el conocimiento, sigue la fidelidad del interés temático por determinadas fuentes tradicionales y castizas, como los relatos populares e
inquisitoriales sobre las brujas, junto a fórmulas verbales y construcciones simbólicas definitivamente inéditas. El costumbrismo de las fuentes
propicia, a su vez, las letanías de ingredientes y el detalle de términos
que se acumulan caóticamente en los momentos textuales de ponderación del «tertium» alegórico. Al tiempo, las mejores novedades de la
alusividad léxica y las configuraciones simbólicas más sorprendentes van
destinadas a profundizar en los espacios íntimos de la experiencia en
un texto que determina, no se olvide, la primera evidencia del cambio

---

38. Cfr. Luis García Jambrina, «La trayectoria poética... análisis del ritmo», cit., págs.110-111.

simbólico-estilístico de la imaginación, según figura en el orden constitutivo de la obra.

No parece necesario abundar aquí demasiado extensamente sobre la continuidad de los constituyentes más tradicionales, alcanzada además en todo caso por un bien perceptible espíritu de sobriedad fantástica y de predominio de los ritmos aquietadamente descriptivos, sobre los anteriores más declamativos y enfáticos. Es el caso de la acumulación inicial con la noticia de ingredientes de los laboratorios de las brujas: «...ni de agujas sin ojo o alfileres... ni hisopo para rociar ni vela / de cera vírgen necesita». Muchas más sorpresas innovadoras nos reservan los símbolos que proponen la fórmula de equivalencia alegórica, como «ese meteoro de burbujas» que sigue a la enumeración anterior[39], o la sutileza geométrica, casi cubista, de una de las figuras simbólicas más logradas entre las numerosas que Claudio consagrará en esta nueva fase de su imaginación a perfilar los inasequibles espe-

_____

39. El chispeante y eficacísimo resultado de esta imagen descubre su elaborada trayectoria deductiva fantástica de cinetismo lineal, «meteoro de burbujas», gracias a las fases explícitas del proceso de transformaciones a partir de «hilera» que corroboran los pasos intermedios manuscritos. Al márgen de la primera hoja manuscrita con los habituales ensayos de reescritura progresiva del comienzo del poema, leemos hasta tres formulaciones sucesivas que acaban desembocando en lo definitivo de la imagen. Primero: «En cada / forma de vida el punto / de cocción, esa menuda hebra». Después: «En cada / forma de vida, el punto / de cocción, la menuda / hebra que la ata al ser, no la verdad». Finalmente: «...Cada / forma de vida tiene / un punto de cocción, un meteoro / de burbujas. A veces, / quien es [] en la luz pica en la sombra». El tránsito más explícito entre el estado segundo de la imagen: la «hebra» como amarra del ser, y la resolución del tercero en el «meteoro de burbujas», lo ilumina la torturada escritura en torno a estas imágenes en el cuerpo lleno de tachaduras del texto, en la parte más baja del folio: «[En cada pliegue de la luz, en cada / movimiento / prolifera] forma de vida, el punto / de cocción [] hebra / luminosa que...». Efectivamente ese rastro rectilíneo y acelerado de luz que denota la «hebra luminosa», se revela como el trayecto anodino de congruencia asociativa que desemboca en la portentosa imagen del «meteoro de burbujas». Por cierto que el fragmento conocerá aún en su continuación una tentativa más para circunstanciar innecesariamente la eficacia poética de la imagen esplendorosa. Aparece en la versión inmediatamente sucesiva de la siguiente hoja manuscrita: «...un meteoro de burbujas, que incendia / el tiempo y el espacio / de su apariencia». Por lo demás, téngase en cuenta que la aparición del símbolo del hilo o la hebra resultaba casi inevitable en presencia del campo asociativo seleccionado por el poeta para tejer la tupida urdimbre fantástica del escenario de «oficinas» y «aquelarres» de brujas. Recuérdese el contexto; antes: «No son cosas de viejas / ni de agujas sin ojo o alfileres / sin cabeza...»; y después: «...en ese / vivo estambre, se aloja / la hechicería».

sores espaciales del aire: «...y en los pliegues del aire, / en los altares del espacio, hay vicios / enterrados»[40].

Como se ve, el mejor punto de novedad en las continuas coyunturas simbólicas que conforman el texto, no apunta a la plasticidad directa de las fórmulas expresivas para simbolizar una gama, en sí misma renovadora, de sensaciones e imágenes negativas adversas; por ejemplo las «secas encías, / nos chupan de la sangre / el rezo y la blasfemia». La novedad se orienta hacia esos otros momentos expresivos en los que convergen y se contraen los componentes discontinuos. Estos, los constituyentes, se asimilan recíprocamente en las síntesis simbólicas con una poderosa capacidad de abstracción reflexiva, como la que expresa el momento en que «contemplamos / el hondo estrago y el tenaz progreso / de las cosas».

Al mejor Claudio de la época precedente lo reencontramos ya, dueño de una felicidad insuperable, en las aceleradas síntesis rítmicas y expresivas que culminan en portentosos ejercicios de acumulación caótica, prodigios elevados a partir de una maestría espontánea, ya sin quiebras, de los ritmos verbales e imaginarios acumulativos. En este mismo poema, tras el grandioso efecto lírico y el anticlímax melancólico con que se cierra la primera mitad, admira la nueva letanía acumulada de imágenes en las que se vuelven a tensar y agilizar los impulsos del ritmo: «La flor del monte, la manteca añeja, / ...la resina, / buena para caderas de mujer», etc., etc. Pero más allá de las delicias indudables de la facilidad formularia, que llega a brindar verdaderos caprichos de la fantasía irónica como el del último verso copiado, lo que fascina en la renovación de tan poderoso poeta son las nuevas capacidades expresivas muy directas y simples para la penetrante reflexión:

---

40. Curioso —y al mismo tiempo aleccionador— resulta constatar cómo estas fórmulas de novedoso esquematismo simbólico aparecen directamente, sin titubeos ni modificaciones, en la escritura manuscrita del texto, a diferencia de la atormentada gestación a la que asistimos en otros poemas. Conocidos los hábitos de reflexión poética y de formulación progresiva de Claudio, no parece exagerar que, en el caso de estas sorprendentes fórmulas esquemáticas de la fantasía, tan representativas de la nueva economía imaginaria, el poeta las habría tanteado y madurado previa y aisladamente, y que como tales hallazgos importantes los inscribe ya sin titubeos en el campo progresivo del texto.

«¿Por qué quien ama nunca / busca verdad, sino que busca dicha?»; o aquella otra sabiduría imaginaria y rítmica, capaz de descubrir las más espontáneas y sencillas fórmulas conclusivas: «...este aquelarre / de imágenes que, ahora, / cuando los seres dejan poca sombra, / da un reflejo: la vida»; y después: «¿Cómo sin la verdad / puede existir la dicha? He aquí todo»[41].

En esta hora rigurosa de la maduración simbólica cuajan los anteriores barruntos, comparecen las primeras afloraciones antes inseguras en la absorción de los símbolos nucleares y entrañados del mito. Lo hemos adelantado más arriba a propósito de la nueva espacialidad cubista del ámbito aéreo, y lo encontraremos reiterado en la persistente simbología de la «sutura»; un símbolo en este caso neutral y hasta epistémico que, asociado al vislumbre cruel de la bordadora enhebrada por el rayo de luz de «Visión a la hora de la siesta», avanza asociado premonitoriamente a la ternura de la hermana hasta la fatal sutura infectada de pólenes siniestros de «Herida en cuatro tiempos»:

> *Pero nosotros nunca*
> *tocamos la sutura,*
> *esa costura (a veces un remiendo,*
> *a veces un bordado),*
> *entre nuestros sentidos y las cosas,* (pág.129)

---

41. De hecho, el seguimiento en la tradición manuscrita de este conjunto de penetrantes interrogaciones meditativas, desplegado a partir de la temprana y lograda imagen de la experiencia erótica: «Un cuerpo encima de otro / ¿siente resurrección o muerte?» —inicialmente: «¿Cómo romper este cristal que nunca / es nuestro cuerpo?»— confirma la condición madurada de tales despuntes del ritmo enunciativo de la meditación. Pese a ser «Brujas a mediodía» uno de los poemas de los que se conserva un número más elevado de pasos manuscritos —y en concreto son muy numerosos los que constituyen la periferia en el texto de estos cuatro versos definitivos—, no hay traza alguna de los mismos hasta la última copia para la editorial Revista de Occidente. Incluso en ella llega a retocar todavía Claudio al márgen algún verso en la forma siguiente.

> *¿Por qué quien ama nunca*
> *busca verdad, más dicha (sino que busca dicha?)*
> *¿Cómo sin la verdad*
> *puede existir la dicha (haber alegría?) He aquí todo.*

Por fortuna prosperó en este caso la primera vacilación, y no llegó a definitiva la corrección segunda.

Incluso en esta acepción de utilitaria neutralidad espistémica, la pululación íntima y caprichosamente obsesiva de los símbolos revela una vez más sus inercias míticas asociativamente autónomas; de forma que la acepción sentimentalmente aséptica y neutral de la «sutura» se ve vinculada inmediatamente a la nueva floración seca y mineralizada del espacio resistente a las fecundidades de una vida pujante:

> *esa fina arenilla*
> *que ya no huele dulce sino a sal,*
> *donde el río y el mar se desembocan,*
> *un eco en otro eco, los escombros*
> *de un sueño en la cal viva*
> *del sueño...*[42]

La persistencia simbólica de la dolorosa cicatriz que cierra la sutura, nos conduce a su vez al poema «Cáscaras»: «... la inmensa cicatriz que oculta la honda herida». Un lema en el que se condensa la poderosa voluntad de cambio en la escenografía simbólica del texto, comenzando por la de los lugares de las nuevas ciudades donde se venden remedos de solidaridad a solitarios: «las cuatro copas / que nos alegran al entrar en esos / edificios donde hay sangre y hay llanto, / hay vino y carcajadas». La situación del solo en compañía ha descentrado por completo sus anteriores espacios vitales y sus hábitos de reflexión. Desde ese cambio, todo se modifica: las cataratas de los nuevos objetos para la indignación —«Los sindicatos, las cooperativas, / los montepíos, los concursos...»; «Entre la empresa, el empresario, entre / prosperidad y goce...»; y luego: «La cáscara y la máscara, / los cuarteles, los foros

---

42. En este caso, la prehistoria manuscrita de la imagen de mineralización orienta sin vacilaciones hacia su emparejamiento con las representaciones imaginarias de la muerte y la descomposición hasta la cal del hueso y el polvo de la muerte. Así, en la primera aproximación manuscrita a la representativa imagen de «los escombros / de un sueño en la cal viva / del sueño aquel...», leemos: «un eco en otro eco, un cuerpo muerto / en sus resucitados miembros, una / carne en el mismo espacio / de aquella carne por la que dí un mundo / y lo daré [otra vez ahora] mil veces». La mutación de «cuerpo muerto» y «carne» en «sueño» explica la condición mortal de la «cal viva», asociada improporcionalmente a sueño en los términos convencionales de la construcción lógica de las representaciones.

y los claustros, / diplomas y patentes, halos, galas...»—, entidades socializadas hostiles con sus correspondientes siglas adversarias. Las acumulaciones de nombres enemigos que sirve la fría convencionalidad de las gacetas y de los buenos usos recomendables de una raza gestera y poco alegre «que sólo supo / tejer banderas, raza de desfiles, / de fantasías y dinastías» en el poema «Gestos»; y que se desvela definitivamente como la manada desconfiada y astuta de los propios paisanos de Zamora, irreductible a las ilusiones de la concordia idílica en «Por tierra de lobos». Aquí, la indignación contra la maraña colectiva queda representada bajo la suma incesante de las acumulaciones caóticas que convierten el texto de este poema en un muestrario de execraciones imperdonables:

> *...Y notas*
> *de sociedad, linaje, favor público*
> *de terciopelo y pana, caqui y dril,*
> *donde la adulación color lagarto*
> *junto con la avaricia olor a incienso*
> *me eran como enemigos*
> *de nacimiento... (pág. 140)*

Para representar la hostilidad de Claudio parece bastar tan sólo la simple nómina de los nombres desportillados por el mal uso caritativo, la convivencia cacofónica de las convergencias rimadas de interior, de las que Claudio Rodríguez empezó a extraer ya a partir de entonces sorprendentes subrayados irónicos. Serán las insidiosas salmodias de la execración que enojan por sí mismas, con la acumulación de los propios sonidos de sus nombres o por efecto de la hostilidad caricatural de unas deformaciones asumidas:

> *...Y los misales,*
> *y las iglesias parroquiales,*
> *y la sotana y la badana, hombres*
> *con diminutos ojos triangulares*
> *como los de la abeja,*
> *legitimando oficialmente el fraude,*
> *la perfidia, y haciendo*

la vida negociable, las mujeres
de honor pulimentado, liquidadas
por cese o por derribo...

¿Dónde quedaron los viejos escenarios al aire libre y a campo abierto de las metamorfosis portentosas? Todo ha cambiado: el fervoroso caminante ebrio de los viejos tiempos ha entrado en la ciudad contra su propio consejo —y el de los gitanos— y se ve prisionero en nombres y hábitos de miserable pormenor. Las nuevas voces y la nueva simbología de adquisición forzosa, estas nuevas imágenes «correosas, córneas, nunca humanas», han hecho variar absolutamente la consistencia poética del mensaje castellano de Claudio: de los fervores del anhelo a la nueva exactitud inexorable de la experiencia comprobada y triste, desde el desbordamiento henchido en ritmos dilatados a la reconcentración convergente de las renovadas letanías de menciones mezquinas. No ha de faltar, con todo, la salvación por el idílio entre las piedras de tan certera desolación, porque persiste en sus rasgos sustanciales la fidelidad del universo mítico fundador del poema; pero los nuevos tiempos y experiencias le han aportado también y sobre todo a la poesía de Claudio Rodríguez la intensa modificación definitiva del modo de mirar, el que interioriza sus objetos y universaliza sus contingencias.

* * * * *

A una época posterior, y compuestos alternativamente entre Inglaterra y España según periodos de curso y de vacaciones, atribuye actualmente la memoria de Claudio Rodríguez la elaboración de una serie de poemas en los que predominan las reflexiones sucesivas a la parvedad o concentración de los objetos como «Gorrión» o «Girasol», o la calidad tenue y evanescente de los fenómenos poetizados, como ocurre en «Espuma», «Nieve en la noche» y «Viento de primavera». Claudio, con el consejo de Aleixandre, los agrupó acertadamente como una sola unidad en el libro segundo. Respondía probablemente, aparte del criterio cronológico en su composición, al principio de procesualidad narrativa e instantaneidad o concentración meditativa con que había separado del resto, ya antes en *Conjuros,* los poemas del libro segundo.

En el caso de este libro de *Alianza*, la ordenación debió de ceder a razones de tonalidad temática, cuando incluyó aquí también poemas más antiguos de la época de transición estilística como «Lluvia y gracia», «Mala puesta» y «Ciudad de meseta». En cuanto a «Frente al mar», hemos aludido ya antes a las circunstancias de tiempo y lugar en que se originó: la temporada de veraneo de 1964 transcurrida junto a Clara y Bousoño en la propiedad de «La Mayoas».

En el caso de «Gorrión» y de «Girasol», lo decisivo sobre la modificación de los símbolos temáticos viene de la reconcentración focalizadora de la sinécdoque con sus correspondientes efectos de amplificación meditativa. Explícito temáticamente en ambos es el contraste entre la ternura de los objetos tematizados y su arrimo a la dureza del propio existir: «¿Qué busca en nuestro oscuro / vivir? ¿Qué amor encuentra / en nuestro pan tan duro?». Un estado persistente del ánimo que se extrema hasta imágenes esquemáticamente áridas y mineralizadas en otro poema de la misma etapa y libro, «Dinero». Recuérdese en él, por ejemplo: «dan valor, no virtud, a mis necesidades, / ...licencia a mi caliza / soledad»[43]. Este tipo de material seco de imágenes se intensifica y adensa en la descripción alegórica de la fina película de nieve transfigurante sobre las arquitecturas de la ciudad, que presta sustancia temática al poema «Nieve en la noche». Sentimientos de herida abierta y estuco muerto de mineralización componen en el texto la combinación sintomática de símbolos y estados del ánimo:

...Escenas
sin vanidad, se cubren
con andamiajes, trémulas
escayolas, molduras

---

43. Como en los casos similares que venimos registrando, la nueva fórmula simbólica de la aridez y la desertización: «licencia a mi caliza / soledad», es una adición muy tardía. Se trata de un hallazgo imaginario que traduce el núcleo de representaciones de desolación y desecamiento a partir del anterior exudado húmedo de la herida mortal, que se desplegaron hacia el final de la composición de *Alianza y condena*, pero que vienen a fundar el nuevo medio imaginativo que encauza el creciente sentimiento de adversidad y de desecamiento de la ilusión en las obras sucesivas.

En los manuscritos de «Dinero», la única aparición ocasional del término «caliza» se registra en uno de los numerosos y variados ensayos textuales para establecer la transición entre el cuerpo

de un instante. Es la feria
de la mentira: ahora
es mediodía en plena
noche, y se cicatriza
la eterna herida abierta
de la tierra, y las casas
lucen con la cal nueva
que revoca sus pobres
fachadas verdaderas. (pág. 159)

Análogamente la «nueva intimidad» del «Viento de primavera» sintetiza en trasuntos de aridez el balance desairado de la propia experiencia: «...un viento ya gustoso, / sereno de simiente, sopló en torno / de nuestra sequedad...».

---

de las afirmaciones del arranque y la pulsión inicial poemática, y la letanía sucesiva en caos enumerativo de las propiedades sociales y virtudes siniestras del dinero. Véase el contexto aludido, totalmente desaparecido en la resolución última del texto del poema:

La canción es limosna, y el silencio miedo
de la niñez, la estafa de la adolescencia,
y esa caliza juventud...

pero que ni tan siquiera llegó a alcanzar otros desarrollos intermedios del poema, manuscritos y mecanográficos. De uno de ellos transcribimos aquí la interesante zona modificada, que según el hábito compositivo de Rodríguez corresponde a un indeciso espacio intermedio del texto, desde «licencia a mi caliza soledad» hasta «Rico de tanta pérdida»:

...A veces,
la caridad es robo y la estafa es limosna,
y el monopolio de la mentira, de fervor,
juventud, multiplica los amigos
(los amigos que olvidan por dos reales)
y falsifican los vacíos de canciones,
puebla solares[la patria,la tierra]con taquillas,siempre
con la confianza del poder. Del poder de la miel
que cristaliza luz, calor, y es oro,
tesoro. Del dinero que a veces es acción, [de la miel del dinero]
cambio, imaginación, aunque hoy sea rutina,
atrofia, no alegría, sino frivolidad,
impunidad, no ley. ¿Voy a vender, entonces,
estas palabras?¿voy a bailar en esta
escena de esclavitud con la doncella[de mayo]
[con la]moneda de santas caderas? Rico de tanta
pérdida, etc...

Dentro de los rasgos de intensa modificación de la simbología poética, vinculada externamente —hemos de repetirlo— a las drásticas traslaciones del escenario referencial y al proceso de cambios sucesivos de interiorización de la experiencia referenciada, hay que incluir la aparición en la obra de Claudio Rodríguez de una referencialidad importante e inédita: la consideración poética del espacio marino. En los poemas de este segundo libro de *Alianza* la nueva simbología comparece en dos momentos de focalización perspectiva claramente diferenciados; es metonímica la levedad temática de «Espuma», mientras que se agiganta hasta el desbordamiento hiperbólico del espacio inasequible a la escala del hombre en el poema «Frente al mar». Sobre el grado absoluto de novedades sicológicas y poéticas que implica la asunción del nuevo tematismo marino, hay que empezar diciendo que se trata rigurosamente de la primera aparición del importante factor de emocionalidad que representa el medio simbólico del mar en la obra de este poeta, cuya mitología acotada en las experiencias de vida frente a muerte resulta ya establecida de forma obvia en la analítica de los mitos.

No debe olvidarse en ningún caso que el instante de afloración temática de las aguas infinitas del mar en *Alianza y condena* coincide con la novedad objetiva de unos momentos biográficos en los que la conciencia del escenario marítimo altera la escenografía interior mesetaria sobre la que se había constituido hasta entonces la imaginación exploratoria de los primeros libros. «Espuma» es el único tributo poético, hasta el verano del 98, en la biografía de Claudio a sus estancias anuales de veraneo en Zarauz en compañía de su esposa Clara. Meses llenos de delicias anualmente renovadas en la imaginación del poeta, quien ha llegado a identificarse eufóricamente con la tierra vasca y, con entusiasmo que gusta incluso de exagerar, con el cultivo del deporte de la pelota. Unas bromas que funcionan en la fecunda y burlona imaginación de Claudio, y que, como en el caso de otros ejemplos de fantasías diurnas del poeta, traducen a los términos más convencionales y asumidos del diálogo social un espacio interesante de tregua y revitalización de su voluntad idílica. Respecto a las circunstancias biográficas concretas de la inspiración mediterránea de «Frente al mar», ya hemos apuntado antes a sus términos precisos.

Los escenarios de sobrecogimiento de la imaginación en los libros anteriores de Claudio se habían emplazado regularmente sobre las infinitas extensiones de la llanura castellana. Ante ellas, la emocionalidad del poeta respondía con los entreverados sentimientos que van de la «acusación» sobrecogida al «naufragio» infinito. Las escasas referencias hechas a la inmensidad equivalente del mar desde los paisajes de su Castilla nativa se reducían, según se recordará, a unos pocos símiles metafóricos. En la etapa anterior, la decisiva simbología de las aguas en la exploración postural regida por la metamorfosis simbólica se había ceñido —como la del primer Guillén, el otro gran poeta castellano moderno— a la imaginación de los fértiles oasis vegetales de los ríos castellanos: Pisuerga, Tormes, o el duradero Duero de *Conjuros*. Mitología de unos cursos ilustres transustanciada en secretos de voces compañeras o de misteriosos interiores de lecho, de galerías de intimidad feraz o de símbolos lineales de transcurso en caudalosos ríos o en arroyos arrebatados y rumorosos. Pero ahora, para la nueva experiencia de las aguas abiertas a la inmensidad insondable del mar, la infinitud del elemento se reviste de sus definitivas resonancias de alternativa abisal y nocturna a las exploraciones concretas de la tierra. Se iniciaba así el trayecto mítico, todavía no cerrado hasta el presente, que trasluciría sus primeros propósitos de tematismo terminal con los poemas de la serie final de *Casi una leyenda*.

«Espuma» es uno de los poemas de Claudio Rodríguez más favorecidos hasta el presente por la crítica[44]. Pero a nuestra reflexión actual le interesa sobre todo destacar en él los perceptibles cambios de estilo, en especial aquellos más cercanamente vinculados a la variación en los constituyentes simbólicos de la transición mítica de Rodríguez obrada en *Alianza*. Para empezar, aparece de nuevo reiterado el peculiar trayecto asociativo de la sustancia viva con la esclerosis inerte de los materiales cosmológicos; en este caso incluso por la forzada vía del contraste

---

44. Cfr. Gonzalo Sobejano, «*Espuma*, de Claudio Rodríguez», en Philip W.Silver y otros (eds), *Claudio Rodríguez: el poeta y su obra*, Nueva York, Columbia University, Hispanic Institut, 1994, págs. 75-84. A tener en cuenta también las razonables correcciones de Ángel Luis Prieto de Paula sobre los límites reales de esta suerte de iniciativas críticas, que tienden a aplicar rígidamente un esquema dialéctico de argumentación pretendidamente universalista, en competencia con la irreductible fecundidad de variación creativa de Rodríguez; véase *La llama y la ceniza*, cit., págs.175 y 179-80.

abierto: «Miro la espuma, su delicadeza / que es tan distinta a la de la ceniza». Y luego, la génesis del elemento de fugaz apariencia se vincula con los factores de fricación material y consistencia fibrosa: «...Es el momento bronco y bello / del uso, el roce, el acto de la entrega / creándola. El dolor encarcelado / del mar, se salva en fibra tan ligera...» Todo para desembocar ante el forzoso término del símbolo desabrido de la muerte: ...«Y es en ella / donde rompe la muerte, en su madeja / donde el mar cobra ser...» Un trayecto convencional, si se quiere, que salva su calidad poética, convertido en el desarrollo superior de un ritmo poblado de los ecos leopardianos del naufragio infinito[45], merced a la excelencia de un nuevo simbolismo capaz de combinar lo ileso imperecedero y lo constante material; sobre una de las cadencias más perfectas de la poesía de toda edad de Claudio, sonido e imaginación corpóreamente ensamblados en ritmo sentimental:

> *A este pretil, brocal de la materia*
> *que es manantial, no desembocadura,*
> *me asomo ahora, cuando la marea*
> *sube, y allí naufrago, allí me ahogo*
> *muy silenciosamente, con entera*
> *aceptación, ileso, renovado*
> *en las espumas imperecederas.* (pág. 151)

Pero el bloque más denso de la imaginación innovada de Rodríguez en esta tercera etapa de la madurez de *Alianza*, se constata en el poema que pudiera ser el último compuesto de aquel libro, «Frente al mar». Lí-

---

45. Los poemas marinos de la plenitud abisal, que la sensibilidad entusiasta de Claudio sentía deberle a la atractiva cultura del Cantábrico, han llegado por fin con el radiante verano de 1998 transcurrido en Zarauz en compañía de su mujer Clara Miranda. Se trata de dos poemas, por ahora, uno de ellos, «Meditación a la deriva», de extraordinaria extensión y perfección suprema, que la amistad del poeta ha querido confiarme en manuscrito casi definitivo. Ni sobre ellos, ni sobre el libro futuro al que están destinados con otras cinco o seis composiciones previas ya ultimadas, considero prudente adelantar yo nada aquí, siguiendo el hábito de Claudio de mantener celosamente silencio sobre su actividad creadora día a día. Quede noticia únicamente, pues, de que la larga cita demorada del poeta con las profundas mareas de Guetaria está cumplida ya: el deslizarse postural del Duero, su trayecto compañero de viajes y noticias de un día, se reconcentra ahora, finalmente, en densidades inmóviles —de flujo y de reflujo— de eternidad marina.

mite entre dos sustancias simbólicas, tierra y agua, en realidad el protagonismo textual de los bordes rocosos de la isla es superior y mucho más extensamente descrito que el anonadamiento relativamente inefable ante la inmensidad del mar Mediterráneo. Pero ante la tierra de Ibiza, el interés de la exploración postural del poeta selecciona ahora la temperatura simbólica de la aridez mineralizada, acorde con la constante de desecación de la simbología escuetamente enumerativa y abstracta:

> *Transparente quietud. Frente a la tierra*
> *rojiza, desecada hasta la entraña,*
> *con aridez que es ya calcinación,*
> *se abre el Mediterráneo.* (pág. 161)

Erosión implacable del salitre cristalino desecado por la ardiente aridez de la tramontana, las cortantes aristas del aire definen un esquematismo de estrías y biseles en la roca transubstanciada en material simbólico de talla metafísica:

> *Verdad de sumisión, de entrega, de*
> *destronamientos, desmoronamientos*
> ....
> *erosión. Placas, láminas, cornisas,*
> *acantilados y escolleras; ágil*
> *bisel, estría, lucidez de roca...*

Frente a la tierra, el secreto impracticable del símbolo del mar para este espíritu del interior castellano se recluye en mención de abismo sobrehumano —«demasiada criatura, / demasiada hermosura para el hombre»—, confirmando la reconcentrada vocación esencial esquemática y abstracta que agita con exactitud los nuevos símbolos: «pulsación de sofoco, sin oleaje, / casi en silencio de clarividencia».

Respecto a la serie de poemas «susurrados» que por consejo de Aleixandre agrupó en el libro tercero y que fueron compuestos, según recuerda el autor, en el breve plazo de mes y medio, la novedad más característica la determina, junto a la relativa brevedad de todos ellos, el tono atenuado y meditativo, distante por igual del viejo énfasis y de la nueva simbología árida y desecante. En el caso del poema

«Cielo», la expresión inicial de desaliento del ánimo se insinúa asociada a las imágenes desoladas de «este seco mediodía» inglés con sus «Riesgos / de una aventura sin leyendas ni ángeles», antes de recuperar hacia la mitad del texto el nivel esforzado de la convicción salvadora, aceptando «...una gracia que no cabe / en los sentidos pero les da nueva / salud». Otras novedades temáticas sustantivas dentro del grupo de poemas que comentamos, son la del amor, asumido desde perspectivas tan varias como la intensa aventura interior sin trascendencia externa en «Un suceso», o el sentimiento entreverado de arrepentimientos del poema «Adios»; o el balance de historias de ruina y de redención, como las que presentan «Ajeno» y «Noche abierta». Lo común en todos estos casos es la nueva mesura del tono sentimental a prueba de diferencias temáticas en sus reencuentros ocasionales con algún testigo remoto de la propia mitología imaginaria, como la cojera de las malas costumbres de «Ajeno», o aquel otro símbolo de larga penetración que ahora se inicia: el del ojo de la cerradura y la llave o el aldabón en el balance final de un día de historia hermosa o aciaga, que se insinuó en el episodio de «Alto jornal» de *Conjuros*, y que en *Alianza y condena* cierra jornadas muy diversas en los poemas «Eugenio de Luelmo» y «Ajeno».

Bajo las posibilidades abiertas por los nuevos hallazgos de la renovación simbólica, se manifiesta por tanto más llana y asequible no solamente la empresa rotunda de los nuevos géneros temáticos como el de la poesía amorosa, sino también —y aun de manera especial— la nueva exposición de vibraciones sutiles del sentimiento y de las sensaciones que se ensaya en poemas como «Noche abierta»:

> *Porque la noche siempre, como el fuego, revela,*
> *refina, pule el tiempo, la oración y el sollozo,*
> *da tersura al pecado, limpidez al recuerdo,*
> *castigando y salvando toda una vida entera.* (pág. 177)

En el inapreciable susurro de «Como el son de las hojas del álamo», el rumor entrañable del verdadero dolor se deja mecer apenas tenuemente por símbolos de armonía muy sutil, timbrados de «espaciosa serenidad», que regeneran en «cordura dolorosa» sin estridencias la tentación del llanto o de la queja abierta, y que resultan perceptibles más allá del acogimiento íntimo al murmullo de una «fronda mecida» para que el dolor se convierta en victoria.

El símbolo común que alcanza tan íntimos trasuntos interiores, es el accidente mínimo del susurro; también a la hora de percibir «Un bien»: «¿Estamos sordos / a su canción tan susurrada». Ya que la condición de estas hazañas interiores es la carencia bulliciosa de la ley del silencio: «bien que entra silencioso / en la esperanza». Lo que alerta el fino acecho de la nueva sensibilidad tan acuciante, son los renovados símbolos de la erosión que acompañan la fidelidad familiar y penetrante de «Un olor»:

Olor a sal, a cuero y a canela,
a lana burda y a pizarra; acaso
algo ácido, transido
de familiaridad y de sorpresa. (pág. 179)

como la materia cuajada en espesor simbólico de «Una luz», la que «alza de la ceniza llama, y da / a la sal alianza».

A tenor de nuestro propio recorrido de síntesis, la nueva simbología de la erosión y del desecamiento universal de la vida tal vez aparezca como el trasunto más fiel y adecuado para el incremento íntimo de la desilusión y el desengaño que tematiza *Alianza y condena*, en contraste con el énfasis animado de *Conjuros* y con el fervor desasosegado y gozoso de *Don de la ebriedad*. Incluso en el consolador balance construido en la última «Oda a la hospitalidad» no dejan de advertirse estos duros heraldos simbólicos del hombre vagabundo como el humo «bautizado con la agria / leche de nuestras leyes», o la aspereza correosa de la polilla para simbolizar la atracción de la casa hospitalaria, junto a la tortuosa condición de sentirse atrapado en la «honda cautividad del tiempo». El angustioso trayecto hacia el refugio hospitalario aparece empedrado de los adversos símbolos de la «vieja mentira» del cuerpo del engaño: el chirriar de la puerta «con cruel desconfianza, con amargo reproche»; la «esclavitud» del cristal de la ventana, «las tejas / ya sin musgo ni fe», el mobiliario hostil, «la loza / fría y rebelde», etc., etc. Pero ni tan siquiera en estos instantes intermedios de la esperanza se licencian los nuevos materiales simbólicos del seco estuco y de la floración marchita: «...¿Mas alguien puede / hacer de su pasado / simple materia de revestimiento: /cera, laca, barniz, lo que muy pronto / se marchita...?».

No obstante, sobre la pericia variable y dúctil de los símbolos, crecientemente expertos y cada vez más duchos en erosiones íntimas y en arideces, ha de prevalecer perpetuamente, dentro de la constitución mítica del universo personal de Claudio, la irreductible maniobra idílica de su voluntad de salvación poética sobre la concreción puntual del símbolo. Así se llega en esta oda a la ponderación concesiva de la fórmula reiterada de *a pesar*, para elevar el clímax redentor de la hospitalidad en la tercera parte; y aún más, si cabe, en la más breve composición «Lo que no es sueño», uno de los dos poemas más tardíos en el recuerdo de Claudio, para cumplir también aquí su invariable compromiso fiel con las palabras de la redención.

CAPÍTULO IV

CAL Y CANTO: *EL VUELO DE LA CELEBRACIÓN*

Maduración y pervivencia de los mitos

Siempre gravitarán sobre la carrera de Claudio Rodríguez los prejuicios derivados del genial arranque de su primera obra. Sorprenderá siempre para bien la rara madurez adolescente del fervor del poeta. Un rebrote de ese impacto inicial se puede percibir a propósito de la supuesta condición repetitiva o epigonal alegada por algunos, que afectaría según eso a la obra de Claudio como mínimo a partir del hito de perfección madura que significa *Alianza y condena*. Me parece que conviene descartar en ese género de reconocimientos iniciales de perfección cualquier ejercicio que no sea una inercia proclive a trazarle tópicamente la curva biológica —antes de tiempo— al quehacer literario, que es por definición y por historia absolutamente impredecible. Yo mismo he sostenido aquí que la tercera obra de Claudio Rodríguez representa una culminación del esfuerzo creativo de su autor, el ápice de un crescendo de la experiencia que concreta sagazmente sus mitos y confirma originalmente la perfección de las formas; pero no a condición de cerrar círculos críticos, ni de confirmar el apriorismo supersticioso de curvas y parábolas. Antes que eso, ratificamos sencillamente que en *El vuelo de la celebración* se encuentran algunos de los mejores poemas de Rodríguez: «Ballet del papel», «Cantata del miedo», «Una aparición» o la «Elegía desde Simancas», sin contar «Herida en cuatro tiempos», ese momento sublime y nuevo de éxtasis contenido en la voz del dolor que representa la modificación en tonos surrealistas del espacio patético de la elegía.

Y respecto a una obra tan decantada y tan plena de acierto poético como la de Claudio Rodríguez, sobre todo a partir del momento en que se produce el ápice de madurez que concreta las primeras potencialidades del impulso poético en figuras simbólicas y en estructuras de enunciación poemática explícitas, tal vez sea una propensión analítica errónea la que da en examinar y, aún más, en cuantificar en cada una de las obras sucesivas el grado de crecimiento o de crisis en relación a un supuesto núcleo único e inalterable del valor poético. Por el contrario a partir de *Alianza y condena* puede convenirse que cada nueva obra de madurez de Claudio, al no ceder efectivamente a ninguna forma de reblandecimiento redundante o decadente de la ambición poética, representa un momento progresivo de consolidación o de desarrollo de sectores parciales de potencialidad previa.

Si se reprimen por tanto los caprichos de la inercia lectora, siempre a la busca del fácil acomodo de los pendularismos o, en este caso, del amortiguamiento de los números pares; creo sencillamente que la dilatada espera de once años que separa *El vuelo de la celebración* de su precedente, depara para la obra general de Claudio un número importantísimo de confirmaciones y de novedades[1], de redondeos felices y de sorpresas afortunadas, tanto en el crecimiento mítico del tematismo como en el ensamblaje figural de las formas poéticas. Pero conviene comenzar constatando el hecho de que a lo largo de la obra no se perciben gestos drásticos de ruptura total; a partir de que, en el abandono de los mitos sobre la luminosidad paradójica nocturna de *Don de la ebriedad* hacia las formas más normalizadas y progresivamente diurnas de la iluminación, se observa la consolidación poética del conocimiento maduro.

Ni tan siquiera el tematismo más objetivamente insólito, a causa de las inocultables incidencias biográficas que constituyen el fondo de desgarrada elegía familiar capaz de unificar los momentos grandiosos

---

1. Una actitud siempre equilibrada respecto a la eterna condición debatida de pérdidas y ganancias en la progresividad de la obra de Claudio es la de José María Sala Valldaura, para quien las evidencias de progreso son compatibles con el fenómeno tan peculiar en el poeta de hacer frecuente recurso o incluso autocitas de las fuentes medulares de su conciencia visionaria, conceptual y ética. Cfr. «Algunas notas sobre la poesía de Claudio Rodríguez», cit., pág. 133. Por su parte Carmen Ruiz Barrionuevo ha destacado prevalentemente el aspecto de fidelidad y de continuidad simbólica de esta obra sobre la tradición mítica y estilística personal de Claudio. Cfr. «La poesía de Claudio Rodríguez a la vista de *El vuelo de la celebración*», en *Álamo*, 97, septiembre-octubre, 1976.

diferenciados de «Herida en cuatro tiempos»[2], trata de ocultar el recurso a los motivos constantes de su sensibilidad patética. Incluso el punto de partida explícito del fragmento primero «Aventura de una destrucción» tematiza masivamente esos fondos de continuidad mítica en la densidad trágica de la vida de Claudio: el retorno evocativo a la alcoba, a la cama y al conflicto familiares desde su niñez, que alumbraba ya muy inciertamente el tenebroso aliento de presagios sobre el fondo de la visión enhebrada de la hermana en la «Visión a la hora de la siesta» (págs. 107-108). O bien, aquellas otras horas de pesadilla asociadas a las invocaciones patéticas a la madre en «Caza mayor» (págs. 116-118),

---

2. El monumental conjunto elegíaco que forman las cuatro composiciones reúne otros tantos motivos temáticos directivos en el núcleo del complejo mítico familiar del poeta: la cama, la calle, las desavenencias con la madre y la ternura hacia la desventurada hermana Carmen. Lo que unifica sobre todo a estos cuatro momentos sublimes de la voz trágica de Rodríguez, es la misma conexión del dramatismo mítico que ellos nos hacen presentir. En la lista en la que Claudio anticipa el balance de las composiciones para esta obra, observamos efectivamente que los cuatro poemas aparecían desgajados al menos en dos grupos temáticos distintos; y de hecho, en la primera copia mecanografiada de «Aventura de una destrucción» en que aparece ya el preámbulo del título general «Herida en cuatro tiempos», el primer título transcrito y cancelado en dos etapas distintas era «Responso en dos sonidos».

Tal vez lo más destacado e ilustrativo que depara la consulta de los numerosos originales mecanografiados de estos cuatro textos sea precisamente las oscilaciones en los títulos, sobre todo en el caso de la primera de las composiciones. Tras el primer título cancelado de «Ceremonia de una destrucción», fueron tanteados sucesivamente los de «Peligro sin descanso», «Desde el peligro», «Desde el vértigo» y «Hacia el peligro», antes de volver parcialmente al primer intento modificando *ceremonia* por *aventura*, lexema particularmente sugerente para el poeta, quien lo ha acariciado frecuentemente —y todavía— como título de alguna de sus obras. De «El sueño de una pesadilla» no conservamos rastros de modificaciones sobre el título, siendo escasos los que depara «Herida», donde observamos tachada la expresión [La] Herida [sin precio]. Por lo que se refiere a «Un rezo», aparecen cancelados en las copias mecanográficas alternativas de titulación como «Camino hacia el dolor» y «Tú me has dado la mano», así como una dedicatoria explícita («A la muerte de mi hermana Carmen»).

Conviene advertir, finalmente, que en la primera edición de esta obra (Madrid, Visor, 1976) el conjunto poemático de «Herida» constaba como primera parte exenta del total de cinco en que aparece dividida la obra; criterio seguido en la reedición de Ediciones la Palma (Madrid, 1992). En la publicación más asequible y divulgada de Cátedra, sobre la que hemos normado nuestras propias referencias, «Herida» aparece agrupada en un solo libro, el primero, con los ocho poemas subsiguientes.

dentro de un premonitorio libro cuarto de *Conjuros* sembrado ya de turbulentos presagios de tragedia y de muerte. Y cuando se produce su desgarrado retorno tardío a la ternura incierta de la madre, tal como se tematiza en el poema de *Alianza y condena* «En invierno es mejor un cuento triste» (pág. 169), la dolorida memoria del poeta selecciona entre las peores fuentes de desvío las «historias / de dinero y de catres». Así es como la cama y sus ropas descompuestas, símbolos permanentes revueltos y desconcertados en los momentos álgidos de la pesadilla del poeta, retornan puntuales a la hora más desolada de la queja en el primer poema del nuevo libro: «Cómo conozco el algodón y el hilo de esta almohada / herida por mis sueños, / sollozada y desierta, / donde crecí durante quince años». Memoria mítica puntual que selecciona con fidelidad la vieja antología de las vigilias ebrias al acecho de los milagros nocturnos y reveladores de la luz.

La diferencia en la nueva irrupción madura de la memoria catastrófica en «Herida en cuatro tiempos» la instituye la inesperada contención patética, la melancolía reflexiva que sucede milagrosamente, aun agrietada, al cénit de la tragedia; así las sombrías amenazas de otras veces se convierten en desgracia desgranada, cumplida en todas sus estaciones dolorosas. La encarnación de los presagios en la precoz pesadilla aporta el tono de resignación paradójica en la plenitud del sufrimiento que han captado los mejores comentadores de este libro, como Prieto de Paula y José Olivio Jiménez. Un sombrío temblor que no quiere excederse con extremismos de voz, sino que se consolida en sedimentos simbólicos inertes bajo la geología impasible —por ahora «ceniza» en este texto— que sucede y culmina los temblores carnales de la biología palpitante de los años más tiernos:

> *La cama temblorosa,*
> *donde la pesadilla se hizo carne,*
> *donde fue fértil la respiración,*
> *audaz como la lluvia,*
> *con su tejido luminoso y sin ceniza alguna.*

A destacar por su elocuente condición simbólica, la creciente presencia, en estos estratos profundos del dolor sobrehumano, de una árida sequedad mineral en los símbolos más persistentes de lo peor[3]. Dentro del espacio calcáreo de esta recomposición imposible de las historias que ya sólo atormentan, se desenvuelve «El sueño de una pesadilla», segundo de los fragmentos del políptico sobre la destrucción. Ni la hora sembrada de amenazas nocturnas, ni el recurrente lugar simbólico, el dormitorio de infancia donde se desenvuelven invariablemente las pesadillas, se ven modificados en su condición demarcativa de espacio y tiempo de la operación simbólica. Lo que se produce sin embargo a estas alturas de la recurrencia poética del dolor, es el flujo definitivo de la voz y de los ritmos para introducir la calidad transfigurante de la poesía sobre la maduración de los objetos simbólicos; sin que la radicación onírica del estado de dolor extremo intensifique, como sucedía otras veces, el énfasis adverso de sus acentos. Ahora, por el contrario, se distiende en una letanía de prolongaciones lánguidas sin indignación de la melancolía, en una orquestación decadente de la queja: «...hay alta marea / en el mar del dormir, y el surco abierto / entre las sábanas». La maduración definitiva de la calidad poética de los símbolos no se ha de lucrar por tanto, en este alto orbe poético tan personal y tan bien configurado, con la novedad sorprendente de nuevos individuos, sino en la metamorfosis

---

3. Una continuidad sin jugos de escombros y de ruina, un escorial inerte que reencontramos después en las imágenes más comprometidas de la retracción y el pánico involuntarios:

> No volveré a dormir en este daño, en esta
> ruina,
> arropado entre escombros, sin embozo,
> sin amor ni familia,
> entre la escoria viva. (pág. 202)

Pero incluso en la desolación tan árida de estas horas extremas de la ilusión salvadora, que ha generado hasta aquí habitualmente las recomposiciones del idilio, las inercias patéticas del discurso pugnan por afirmarse a costa de la contradicción. Así el instinto reparador del recuerdo sobreviene súbitamente, aunque alcanzado de extremada fragilidad: «Y al mismo tiempo quiero calentarme / en ella, ver / cómo amanece, cómo / la luz me da en mi cara, aquí, en mi cama.» El balance de la palabra superviviente suena como si se tratara de una traición confesada, como un ahogado sentimiento de culpa por haber construido la propia razón de supervivencia sobre la hostilidad y el canto: «La vuestra, padre mío, madre mía, / hermanos míos, / donde mi salvación fue vuestra muerte.»

de los ya arraigados, de los habituales fantasmas familiares. Así, el espacio se renueva y ensaya dimensiones oníricas que nos sorprenden siempre, profundizando con eficacia poética decisiva las viejas insinuaciones surrealistas de las remotas geometrías irracionales del cálculo espacial en la ebriedad:

> *la cruz de las pestañas*
> *a punto de caer, los labios hasta el cielo del techo,*
> *hasta la melodía de la espiga,*
> *hasta la lámpara de un azul ya pálido,*
> *en este cuarto que se me va alzando*
> *con la ventana sin piedad,*
> *maldita y olorosa, traspasada de estrellas.* (pág. 203)

En el adensamiento sublime de esta nueva atmósfera del desaliento doloroso concurren y se renuevan todas las citas habituales: la ambivalente estrella de incontables poemas, el estertor de la respiración difícil, observada a términos de tema poético en el «Manuscrito de una respiración» de *Casi una leyenda* (págs. 33-35), la amapola transfigurada que animará poco después el texto de «Sombra de la amapola» en este mismo libro (pág. 209); o bien el párpado cosido a mano en la herida simbólica (pág. 205) que se ensambla, bajo la equivocidad metafórica de las agujas de un siempre amenazante y siniestro «pinar del sueño», con el símbolo de la inquietud más fría y nunca neutral, y menos positiva, dentro del peculiar mito de la imaginación de Claudio: aquel rumor desde el ensueño de fértil lunación de una angustia absoluta que comportaba «Pinar amanecido» (págs. 121-122); así, hasta la dolorosa cruz de intensa amenaza enigmática que se perfilará en «Con los cinco pinares» (pág. 61) de *Casi una leyenda*. Pero lo nuevo en esta renacida voz, la lección de maestría poética que exhibe y el dominante balance de perfección que induce ahora, radica en su efecto logrado de fusión simbólica, de continuo de imagen absorbida en la melancolía sentimental. Es el valor supremo de todos los reencuentros felices: la naturalidad con que se asimilan, ya familiares, unos símbolos que encierran por sí mismos las más poliédricas complejidades; y cómo cohabitan entonces con fértil y redoblada intensidad de valencias asociativas con posibilidades, siempre inhabituales e inesperadas antes. De esa manera eliden la congruencia relacional explícita y consciente, para fundar agregados sintéticos de alta calidad imaginativa. Véngase, si no, a la prueba de los versos:

> *Y en mis ojos la estrella, aquí, doliéndome,*
> *ciñéndome, habitándome astuta*
> *en la noche de la respiración, en el otoño claro*
> *de la amapola del párpado,*
> *en las agujas del pinar del sueño.*

El poema acumula, aquí y más adelante, la fiel galería de los símbolos habituales y recurrentes en Claudio, como los mágicos almendros de milagrosa floración prometedora en la frigidez del aire invernal castellano; recuerdo seguramente familiar de la plaza más próxima a la casa de la infancia y de la floración precaria en las riberas y campos de sus caminatas sempiternas. Unas formas imaginativas que pronto sorprenden aquí y en los poemas del último libro con la absorción sintomática de la reflexión protagonista, como en «Los almendros de Marialba» (págs. 73-75). Papel mítico en todo equivalente al que sigue jugando el susurro acunador del Duero —«Y pasa el agua / nunca tardía para amar del Duero, / emocionada y lenta, / quemando infancia»—. Aquel tan fidelísimo «río Duradero» que ha presidido, desde la infancia poética de *Conjuros* (págs. 81-82), la maduración de todas las constelaciones imaginativas del poeta, las tranquilizadoras como las más siniestras, y cuya metamorfosis fantástica produce ahora la inquietante transfiguración del tajamar del puente y de sus ojos en una incierta y turbia fisonomía de la amenaza: «...la soledad del puente / donde se hila la luz entre los ojos / tempranos para odiar».

Pero el poeta es ya a estas alturas una víctima sensiblemente vulnerada. El sentimiento íntimo por todo un pasado de dolor y de condena culmina en heridas recientes: las muertes familiares, las despedidas premonitorias y, más que nada, el asesinato de la hermana. Así es cómo la herida fatal, la real plaga en aquel cuerpo amado, se transfigura difuminándose sentimentalmente en la propia herida infinita del sentimiento. Una constelación de imágenes irracionales se acumula en caos progresivo de resonancia sentimental sin perfiles de espacio externo: el «pétalo, / sin tibieza» de la herida-flor «fecunda con su mismo polen», pero «cosida a mano, casi como un suspiro, / con el veneno de su melodía». La destitución de las subcategorizaciones entre las valencias lógico-semánticas a las que se apela en estas imágenes de honda crueldad, logra un efecto de sequedad repulsiva que ilustra el crescendo vital desde las pesadillas en el tiempo pasado. Como aquellos aleteos en pleno rostro, aquel horadamiento con el pico de las palomas y los vencejos del sueño en «Caza mayor» (págs. 116-118), aquella «carnicería» de halcones de tan hondas resonancias subconscientes, cuya contundencia onírica nos consta desde el análisis freudiano al relato de Kafka; como aquella otra imagen fuertemente enervante de la sutura «entre nuestros sentidos y las cosas» (pág. 124), en el aquelarre sobre el conocimiento que se despliega con «Brujas a mediodía».

Tan apocada está el alma ya que hasta la herida le sirve de consuelo, de rebozo tibio y habitual en que reconocerse. El sentimiento habituado en llaga es un abrazo que ni siquiera daña, sino que arropa. Una compañía de saturación, pleamar del sufrir que no reconoce el recuerdo de ningún otro afecto semejante pasado: «No es lo de siempre, no es mi amor en venta, / la desnudez de mi deseo, ni / el dolor inocente...». No es la sequedad nudosa de la injusticia a secas, ni la debilidad «color canela» que pone el malicioso, ni el esqueleto floreciente del odio.

La herida vuelve para abrazar en los instantes míticos de la alborada, en las horas ávidamente escrutadas, cuando la noche ilumina y la luz solar sólo dispersa y pluraliza: «Cómo me está dañando la mirada / al entrar tan a oscuras en el día»; a la espera de una nueva jornada que otra vez hará con sus trajines, con el embeleco de sus ocupaciones, que la herida se aquiete y se aletargue insensible hasta la nueva tregua de la noche siguiente, cuando florezca con la perseverancia que es su triunfo:

> *hablando a solas con sus cicatrices*
> *muy seguras, sin eco,*
> *hacia el destino, tan madrugador,*
> *hasta llegar a la gangrena.* (pág. 206)

No se puede hablar de decadencia, de reiteración y redundancias ante unos versos tan altos y fervorosos, tan fecundos en imágenes sin quiebra y nutridos en la sucesión incesante de sus cambios de ritmo sensitivo y en la variedad de sus fuentes de iluminación. Aquí culminan desde luego líneas constantes en la imaginación de Claudio Rodríguez; pero culminan, con diferencias inmediatas de capacidad iluminada, con registros renovados e incomparablemente recrecidos de resultado sentimental y de eficacia estética. Poesía continua, tal vez, pero poesía creciente; no sólo sin altibajos, pero sin un bajío. Un gran poeta se extrema y se confirma en los cuatro momentos de esta honda «herida» familiar.

Mas lo milagroso del sentimiento en la desolación es que enseña la posibilidad del hábito, los inesperados consuelos de una supervivencia nunca deseada. Un bien que ya no es ni tan siquiera gozo, una sorpresa que no quiere ser oreo del idilio, sino que se resigna en su perpetuación dolorosa: «...Pero / la renovada aparición del viento, / mudo en su claridad, / orea la retama de esta herida que nunca / se cierra a oscuras». El final del fragmento se enlaza en su lógica lamentable con el sentimiento que inicia el sucesivo, el titulado «Un rezo». ¿Cómo se aquieta en la constancia del hábito endurecido el instante supremo de la herida mortal? Y la respuesta: «Ha sido poco a poco, / con la sutura de la soledad / y el espacio sin trampa, sin rutina / de tu muerte y la mía»[4].

La herida y su sutura en todos estos contextos simbólicos se nutren de sustancia imaginaria y se compactan en fórmulas alusivas a la constancia de su sugerencia evocativa global. Así persisten y culminan las imágenes ‎complementarias en la constitución germinativa del mito, en permanente progreso y movimiento. Es como la visión hendida de la hermana en su féretro, transustanciada ya para las evidencias del recuerdo en la persistente imagen de la almendra en su cáscara, que va a sustituir con sus recién estrenados acentos de dolor a la fecundidad de

---

4. Para contextuar las trágicas experiencias biográficas: el asesinato por un enamorado despechado de la hermana Carmen el 31 de Julio de 1974 y la muerte de la madre, que vivía ya en Madrid, en Septiembre de 1975, sublimadas en los cuatro momentos de esta portentosa elegía, remitimos a Dionisio Cañas, *Claudio Rodríguez*, cit., pág. 78.

aquellas otras imágenes fundacionales del cobijo que arrancaban de *Don de la ebriedad* (pág. 36); o del caluroso grano cereal dentro de la cutícula protectora de la vaina que fue imagen de la niñez en el poema «Caza mayor» (pág. 116). Nido y almendra: «...y está el nido / aquí, en el ataúd, / con luz muy suave»; y más tarde: «porque tú eres la almendra / dentro del ataúd. Siempre madura.»

En los cuatro movimientos poemáticos que integran «Herida en cuatro tiempos», Claudio Rodríguez ha descubierto, junto al fundamento de sus conjeturas y barruntos anteriores sobre la crueldad inexorable del destino, fórmulas literarias eficaces y creíbles que acuñan el sentimiento en sus mejores imágenes, las más maduras, las mejor ajustadas a cauces de la voz. No hay repetición sino maduración plenaria en todo caso, afloración de cursos antes inciertos y subterráneos de la imagen; y hay sobre todo un vértigo general, exento de efectismos en estas sensaciones acumuladas en gavillas de imágenes, en el desbordamiento casi vegetal de una fecundidad de síntomas sentimentales, de haces inagotables con un dominio expresivo nunca más natural y más fértil que ahora. Y no sólo esta vez, como veremos: las dos últimas obras elaboradas por el poeta hasta ahora contienen con toda seguridad muchos de sus mejores poemas de todo tiempo, los más sobrios y exactos y al mismo tiempo aquellos que desvelan con sencillez y potencia mayores la razón de un destino.

* * * * *

La misma calidad de intensa concentración simbólica —claro que sin la fuerte resonancia en su orquestación patética de la imagen que presidía los cuatro momentos del poemario inicial— se puede revivir en los ágiles ejercicios de depuración lírica que encierran muchos de los poemas más logrados del libro primero. Tal es la arena deslizándose entre los dedos como ablución mineral, desentendida de la anterior en fertilidades y calores minerales de «Arena»[5] (pág. 208), o la «fina

---

5. Las drásticas modificaciones en el material mítico constitutivo de los símbolos dominantes en la imaginación poética de *El vuelo de la celebración* se manifiestan singularmente, como veremos a partir de ahora, en la creciente sustitución de las materias vivas, fértiles y calurosas,

arenilla / que ya no huele dulce sino a sal» de «Brujas a mediodía» (pág. 129); de tal manera que cuando ahora se la identifica como «la vanagloria oscura de la piedra», estamos reconociendo seguramente los resultados de la maduración imaginaria de aquella «interna reverberación, / en estremecimiento de cosecha» de las rocas de costa en «Frente al mar» (pág. 161). Toda una reconcentrada tarea de sedimentación simbólica al servicio de los nuevos conjuros despegados del énfasis y favorables a la resignada tarea de la melancolía:

> *...ahora que necesito*
> *tu cadencia, ya muy latiendo en luz,*
> *con el misterio de la melodía*
> *de tu serenidad,*
> *de tu honda ternura.* (pág. 208)

Función simbólica semejante al contenido imaginario de la arena arquetípica es la que ejerce la amapola, enfocada bajo la luz temática

---

vegetales y naturales, por los residuos inertes de los procesos de mineralización y de calcificación de las imágenes. En este poema, ya sintomático por su propio título y tematismo, aparece incluso evidencia manuscrita de la cancelación de todo vestigio vegetal relativo a fertilidad o a propiedades sensibles, olor o tacto, de los seres vivos. Así en el tercer verso figuraba en la primera copia manuscrita: «nunca embustera, *fértil*», fórmula sustituida al fin en el poema publicado por «nunca embustera, *ágil*».

Respecto a la acción del vuelo atribuida en el conjuro a la arena —«Vuela tú, vuela, / pequeña arena mía»— y que resulta sólo oscuramente asociable en el texto definitivo publicado al universo animado de las aves a través de la rebuscada metaforización del olor de la arena en el verso precedente: «y con su olor a ala tempranera»; la trayectoria manuscrita de ese cruce de imágenes resultó ser no menos ilustrativa sobre el proceso de borrados e inscripciones del material simbólico. Por lo pronto, la propiedad sensitiva del «olor de la arena» aparece destacada en una de las anotaciones habituales al márgen de las hojas manuscritas; pero la ulterior vinculación imprecisa del olor a «ala tempranera» queda más concretada cuando afloran desde el manuscrito los estados intermedios de la referida asociación:

> *con el susurro de su despedida*
> *y con su olor a [nido] ala*
> *de golondrina, a nido*
> *de [halcón]*

Presencias animadas, cálidas u olorosas antaño favorecidas por el poeta, cuya nueva sensibilidad las reduce y sustituye a favor del creciente esquematismo aséptico de la imaginación futura desolada.

de su nuevo protagonismo textual. Este otro símbolo ostenta un valor sistemático dentro del despliegue imaginario del mito personal de Claudio sobre la luz y «su ansia» en «Sombra de la amapola»[6]. Lo mismo que en las «Amarras» del poema siguiente se perfecciona y culmina en riqueza de imágenes penetrantes —«...y cómo nos acoge / el nervio, la cintura de la cuerda, / tan íntima de sal»— la recurrencia de

---

6. También a propósito de la evolución de los símbolos de este poema resulta singularmente aleccionador observar el detalle de las variantes manuscritas en el tanteo estilístico sobre las mismas. Las tres copias mecanografiadas que se conservan del texto permiten advertir, al final del primer verso, un núcleo de firmeza simbólica bien establecido con la imagen sintomática de la «almendra» en el mito vegetal-vital de Claudio. El término guilleniano de culminación —«Antes de que la luz llegue a su ansia»—, que comparece en la versión publicada, fue antes «Muy de mañana / antes de que la luz llegue a su almendra»; con lo que podemos colegir que el poeta desistió de disolver un símbolo tan medular en su mitología para esta fórmula meramente circunstancial de la plenitud meridiana. Por cierto que la expresión sentimental aportada por el último verso de la primera estrofa: «herida y conmovida a ras de tierra», descubre las razones lógicas de su presencia también a través de la historia manuscrita: no se trataba tanto de los sentimientos atribuidos a la humilde flor, tal y como acabó compareciendo en el poema definitivo, cuanto de un estado de ánimo del propio poeta referenciado y después suprimido, que desliza de esa manera la conjetura plausible de alguna referencia personal de índole alegórica. La circunstancia suprimida conoce dos variantes sustanciales, la más antigua : «Y al doblar esta esquina / me vuelve a dar semilla después de tantos años»; y otra posterior, aunque más inasimilable y desconcertante respecto al total ajustado del poema publicado definitivamente: «Que no me digan que el dolor lascivo / me vuelve a dar semilla después de tantos años».

Al igual que en otros casos, se aprecia en éste cómo la disciplina de construcción de un sentido unitario más fiel al tematismo centrado por el título del texto va despojando y acomodando los destellos aislados de la inspiración anárquica, aunque no sean siempre estos los menos sugestivos para la valentía de la imaginación. Así se reduce a la normalidad lógica del «surco» en la versión publicada la poderosa sugerencia irracionalista de un espesor de «cuarzo» que encapsula y preserva los latidos del «nido», el trasunto metafórico de la amapola cálida y humilde. Son dos las variables progresivas de la imagen; la primera y menos penetrante: «Vuelve a dar hierbabuena / este pequeño nido, / que está temblando, que está acariciando / la tierra, y ahora / el cuarzo»; la segunda, más progresiva imaginariamente sobre esa densidad cristalizada a la que aludíamos, concluía: «...que está acariciando la tierra / dentro casi del cuarzo». De forma semejante, la expresión posterior relativamente neutral, «sin desesperanza», sobre la humildad resignada de la «amapola sin humo», es el resultado de descartar previamente asociaciones de imágenes de un simbolismo mucho más atractivo y recargado, como: «Amapola sin humo, / tú, con tu sombra, tan crucificada (al márgen: 'Crucifijo de San Juan de la Cruz') / sonando como agua / tan transparente que abre / el cielo. Y tú tan solo». Y después: «Amapola sin humo, / tú con tu sombra tan [crucificada] martirizada sin que yo me dé cuenta / tan transparente...»,etc.

sus valencias míticas[7], que se enlazan con otros tantos momentos en la contemplación marítima de orillas y embarcaderos, tal como aparecía ya en «Espuma» de *Alianza y condena*. Sin embargo —compruébese si resulta preciso— la persistencia de temas que pudiera argüirse, no se deriva en estos casos de la simple repetición ni de ninguna forma de reinsistencia puntual; antes bien todo se sigue de un depurado ejercicio de dulce reconstrucción de la memoria imaginaria y sentimental. En consecuencia, el «Ciruelo silvestre» del poema siguiente (pág. 211), que se ilumina con galas vegetales cada vez renovadas —«Hojas color de cresta / de gallo, / ramas con el reposo estremecido / de un abril prematuro»—, vuelve a tender su fronda acogedora para que a su abrigo el hombre reitere el ejercicio de una respiración esta vez descubierta «sin esquinas»[8].

* * * * *

---

7. El cotejo de variantes en la génesis manuscrita de este texto viene a reforzar el tenor selectivo y esquemático en el recorte de desarrollos asociativos de los símbolos, observado en los poemas anteriores. Así se aprecia por ejemplo en la reducción del «*nido* de manos» que figuraba en la primera transcripción manuscrita, tomada al dictado por Clara Miranda, en la fórmula de congruencia discursiva «hay sudor de manos / que, entre el olor de las escamas, ciñe / el rumbo...» Siendo como sabemos la del «nido» una de las presencias simbólicas a la sazón polivalentes y espontáneas en la poetización de Claudio Rodríguez.

8. En este caso, como en el de los poemas anteriores, el reajuste progresivo de los símbolos que refleja la sucesión de versiones manuscritas y mecanográficas, tiende a ensanchar al máximo la extensión alusiva, borrando invariablemente los datos más reductores y unívocos de la comprensión simbólica. Así, en el testimonio excepcionalmente preservado entre los manuscritos de «Ciruelo silvestre» de un inventario de materiales previos, pensamientos y sensaciones, para la composición, que emplaza las circunstancias concretas de la inspiración en una plaza de Segovia, se hacen desaparecer en la composición éste y otros detalles singularizadores al servicio del alcance más universal de la lección simbólica. Dada la rareza de este tipo de materiales entre los manuscritos conservados de Claudio, transcribimos aquí el contenido del bosquejo poético muy primario para «Ciruelo silvestre»: «El reposo, la quietud (que es), la elevación (bendición) del árbol (sobre todo en invierno cuando no hay flor). / El reposo, la quietud, te mecía, ofrecida, cuando las ramas piden con la savia que fecunda y besa. / El agua en la plaza de Segovia —curiosamente Claudio me corrige en este punto, afirmando que en su recuerdo la plaza era de Guadalajara—, se alzaba por la calidad del agua suspendida / la hoja que no está sola —no llega a la frustración (la luz, el cielo y mis ojos — la miran), y ella conoce su destrucción (otoño) y la luz la penetra y la comprende en cada nervio, aún en cada detalle en las ramas bajeras».

Y cuando de evaluar se trate la decadencia o no del doble poder poético, de cantar y sentir, no hay sino que recordar los dos poemas tan diferenciados, con el protagonismo único del aire. «Ballet del papel», dedicado a la delicadeza sensitiva del poeta amigo Francisco Brines, que le había prestado una casa-refugio levantina en una de las entonces habituales «desapariciones» del poeta, ha sido exaltado por todos los críticos como la más estimable muestra de virtuosismo de la forma exterior en que culmina la finura rítmica y alusiva del estilo de Claudio[9]. Ejercicio necesario de «bravura» formal en el que ha cincelado el poeta, a plena voluntad, las nerviaciones extremas más próximas al efecto poético desde los hontanares recónditos del mito. No es éste el lugar de demorarnos en análisis de forma exterior; quede

---

9. Otra muestra elocuente sobre el tenor del cambio y la continuidad en el nuevo manejo y la construcción poemática de la tradición mítico-simbólica del poeta, la proporcionan las variantes temáticas, observables en la primera versión manuscrita de la segunda parte del poema «Ballet del papel». Un texto, como se verá, casi distinto, que clarifica detalles sutiles de la situación biográfica amorosa personal y de la auténtica transfiguración «maníaco-creativa» del poeta en las horas intensísimas de inspiración en las que nació, casi de corrido, el texto del poema:

> Va anocheciendo. Y vivo [esta] la armonía
> tan fugitiva: la canción que ahora
> es oración, y los labios vendidos
> con la saliva, con el sello sin señas:
> el tropiezo al caer del payaso
> la madeja del robo
> y el pulso,
> las venas del papel, [junto] a las nubes
> grosella oscuro, y danzas, con sonido
> muy a mano,
> y la palpitación, el pliegue (los pliegues)
> y el polvo de la música querida...
> Veo el papel casi emprendiendo el vuelo
> bajo este cielo que no tiene nombre,
> meciéndose, sin las alas cerradas,
> sin destino, sin nido,
> junto al ladrillo muy cercano, [junto al pie] aquí a [mis]
> nuestros pies
> [a un castaño otoñal],
> mientras se va alejando la armonía muy delicadamente,
> de puntillas, ligera, muy descalza,
> con sonrisa y sin (con) mancha.

constancia sólo de que, por momentos, los animados vaivenes de la forma externa recubren estructuras sólidamente personales en la geología mítica[10]. Desde la misma propuesta temática del oreo del aire como equivalente regenerador contrario al enclaustramiento mineral —otra constante mítica— de las sustancias y los sentimientos: «cuando la tarde cae y se avecina / el viento del oeste, / aún muy sereno...». Todo ello sin dejar escapar, sobre unos versos emplazados en un libro de intensa tonalidad patética abierto con tan intenso dolor, la condición idílica y cordial en este guiño de tregua, de escapada amorosa y creativa, en el hombre de fondo largamente probado en la tristeza, que sin embargo se esfuerza por reconocer en el gusto salado de su «Lágrima» (pág. 214) la calidad transfigurante de un agua que consuela y «que poco a poco hace feraz el llanto».

Estricta obligación para el escalón del análisis mítico-temático es la que ofrece la otra afloración en este libro del tematismo simbólico del viento en el poema que lo cierra «Un viento»; porque en él se constata, con extrema densidad en la concentración simbólica y sin apenas concesiones al alivio anecdótico, la entidad mítica de este elemento fundamental además de la intrincada dialéctica que constituye el universo imaginativo del poeta.

Recordemos que la movilización del viento se ofrecía ya preñada de misteriosos trasuntos en el fragmento tercero del primer libro de *Don de la ebriedad* sobre la encina: «Con ese viento que en sus ramas deja / lo que no tiene música...» (pág. 35); y cómo la densidad elástica del aire proponía también el espacio apropiado para las libertades más generosas de la voz en el fragmento de cierre del mismo libro: «Como si nunca hubiera sido mía, / dad al aire mi voz y que en el aire / sea de todos...» (pág. 40). Y sin embargo la dinamicidad del aire en movimiento es un estímulo obvio y muy natural para las sensaciones de regeneración y oreo de libres amplitudes: «Oh, no sólo el viento / del Norte es como un mar, sino que el chopo / tiembla como las jarcias de un navío.» (pág. 50), Claudio no la había prodigado en una obra

---

10. Remitimos en este caso al minucioso ejercicio de análisis estilístico de forma exterior que hace Ángel Luis Prieto de Paula en *La llama y la ceniza*, cit., págs. 199-201.

de tan disciplinados acechos ascensionales a la universalidad inmóvil de las esencias como era *Don de la ebriedad*, donde sólo se movilizan «brisas / de montaraz silencio...» (pág. 55)[11]. Pero tan pronto como pudo ceder la extremada tensión de aquella ascesis juvenil del deseo metafísico, la humanización de los sentidos en *Conjuros* se remansaba y distendía en el oreo mítico del libre aliento. No en balde Claudio emplaza a la cabeza de su nueva obra el símbolo desenlazado del antiguo paisaje metafísico, que moviliza en dinamicidad diáfana el poema «A la respiración en la llanura»[12]. Y dentro del esquema dual de ascensión y

---

11. Ni siquiera en el movimiento siempre prometedor de esperanzas idílicas que suelen incluir los poemas de cierre, alcanzó a ser el oreo del viento otra cosa que pura negación y casilla simbólica de un expreso vacío:

> *Y hasta a la brisa que los quema a ráfagas*
> *no la siento como algo de la tierra*
> *ni del cielo tampoco, sino falta*
> *de ese dolor de vida con destino*
>
> ....
>
> *No sólo el aire deja más su aliento:*
> *no posee ni cántico ni nada;* (pág. 63)

12. Recuérdense momentos muy explícitos sobre la función mítica de un símbolo decisivo en los versos siguientes:

> *Qué hostia la del aliento, qué manera*
> *de crear, qué taller claro de muerte!*
> *No sé cómo he vivido*
> *hasta ahora ni en qué cuerpo he sentido*
> *pero algo me levanta al día puro,*
> *me comunica un corazón inmenso,*
> *como el de la meseta, y mi conjuro*
> *es el del aire, tenso*
> *por la respiración del campo henchida...* (pág. 70)

En *Conjuros* todo eran auras de libertad. Recuérdese el balance de pasado y presente bajo cifras de libertad y de aire en el espacio que ofrecía el poema «A las estrellas»: «¿Qué palomares de aire me abren los olmos? Antes / era sencillo: tierra y, sin más, cielo.» (pág. 71). Mientras que el aire vuelve a representar más adelante el indicio cierto de la vida y del día —«El aire hace creer que surge el día / pero no los sembrados,...»; como también el componente más animador de la postura oferente, tan altamente simbólica en el mito de los primeros libros, del propio cuerpo-hostia sacrificial

caída, de pacto y de fraternidad que construye la historia de *Alianza y condena*, el viento también se tiñe de las dos valencias polares que gobiernan su mito: los inhumanos presagios y las epifanías de la esperanza. En consecuencia, él es el agente que trajo la infame historia que se relata en «Tiempo mezquino» —«Hoy con el viento del Norte / me ha venido aquella historia» (pág. 175)—, y el móvil simbólico que suscita las asociaciones dolorosas en el recuerdo de «Como el son de las hojas del álamo»: «El dolor verdadero no hace ruido: / deja un susurro como el de las hojas / del álamo mecidas por el viento»[13].

En el balance de las valencias míticas que van consolidando la configuración imaginaria del símbolo del viento como el sumando más importante dentro de *Alianza y condena*, sin duda era «Viento de prima-

---

abierto a las lanzadas del espacio. Por ejemplo en «El canto de Linos»: «...y ponemos / la vida, el pecho al aire y un momento / somos al aire puros...» (pág. 76); mientras que en el simbolismo central de «A mi ropa tendida» anima las interjecciones más claras de libertad: «...¡Ved mi ropa, / mi aposento de par en par! ¡Adentro / con todo el aire y todo el cielo encima!» (pág. 83).

Bajo tan genuina condición simbólica de la libertad, la flexible porosidad del espacio en la representación imaginaria del aire no podría dejar de ofrecer su capacidad de contraste ante la densidad mítica, inmóvil y mineral de la muerte en el poema que evoca la eternidad del cerro de Montamarta. Allí donde presiente que «Todo el aire me ama / y se abre en torno mío, y no reposa» (pág. 101). Ni en el final del libro de *Conjuros*, aquel otro simbólico «Pinar amanecido» dejó de señalar la limpia diafanidad del ámbito oreado para sugerir el pacto misterioso de la vida feliz (pág.121).

13. Pero incluso en estas bajas horas de la infelicidad, lo que traslada el viento nunca llega a constituirse en fondo violento de destrucción, sino en el delgado limo de las aceptaciones melancólicas del mal. Pese a que también se recuerdan aquí las mismas historias ruines traídas por el viento de «Tiempo mezquino» —«Traición que vino / de un ruin consejo de la seca boca / de la envidia...»—, lo que resulta y lo que predomina es el son murmurado que se armoniza en las serenidades de la resignación:

> *Estoy oyendo*
> *su murmurado son, que no alborota*
> *sino que da armonía, tan buido*
> *y sutil, tan timbrado de espaciosa*
> *serenidad, en medio de esta tarde,*
> *que casi es ya cordura dolorosa,*
> *pura resignación...* (pág. 178)

El viento transporta así los ruidos y las imágenes de que se nutre la perplejidad irresoluta entre el dolor y el bien del alma protagonista en *Alianza y condena*. Contenidos livianos y fugaces, apenas si perfiles incorpóreos de pasiones vehementes. Dolor habitual amortiguado como el suvera» el texto más representativo en el que se aporta su vibración sentimental positiva y diáfana. Soplo «de resurrección» como lo declaran sus primeras intenciones y portador de los nuevos efluvios que sugieren las viejas y las nuevas intimidades, sus efectos transformadores se concretan en la sustitución del deseo, el «hambre» de antes hacia la plenitud, el «sustento» de ahora. La ligereza de vida que comunica, pugna con todas las inercias de negatividad que apesadumbran cuerpos, quehaceres y moradas, para introducir en ellos la mejora. El efecto de ese soplo de viento es pues rejuvenecedor, invasor, hasta anegarnos en un esplendor «gustoso, sereno de simiente»[14]. Él repara la «injusticia de nuestros años» y alienta hacia una ilusión de vida que supera la mezquina desconfianza y el desaliento barrenador, mientras sacude el miedo e induce en el alma la «honda resurrección» de la esperanza, insuflando su gracia de temperatura en rebelión activa. Este viento mítico de salvación y de deseo, que el poeta ha sentido y conocido como el aliento propio de la primavera, queda acuñado ya por siempre como matriz simbólica de reactivación positiva confirmada en la expresión metafísica del poema titulado «Un viento» de *El vuelo de la celebración*.

Para empezar, el poder depurador de este viento simbólico se sabe ya penetrante, capaz de alcanzar con su iluminación hasta las células más íntimas de los cuerpos. Las coordenadas de su origen —viento del sur— y con ellas las condiciones de su propia naturaleza —«Viento sur, salino, / muy soleado y muy recién lavado / de intimidad y redención,

---

surro de la «fronda mecida», o perfume volátil como aquel otro olor evocativo del poema siguiente, que representa la suma total de la indiferencia entre las alternativas sentimentales:

> *¿Que materia ha cuajado*
> *en la ligera ráfaga que ahora*
> *trae lo perdido y trae*
> *lo ganado, trae tiempo*
> *y trae recuerdo, y trae*
> *libertad y condena?* (pág. 179)

14. Véase el significativo análisis de este componente temático del mito cosmológico del poeta en José Olivio Jiménez, quien lo considera también con toda razón un formante fundamental junto a la iluminación en el perfil de salvación optimista de *El vuelo de la celebración*. Cfr. José Olivio Jiménez, «Claudio Rodríguez entre la luz y el canto: sobre El vuelo de la celebración», cit., pág. 116.

y de / impaciencia»— no parece que sean indiferentes a la índole de sus efectos regeneradores de iluminación unitaria y de barrido de las impurezas de variedad: «Entra, entra en mi lumbre, / ábreme ese camino / nunca sabido: el de la claridad.» Porque la revelación descubre de esta forma la raíz indeleble del mito originario: la iluminación de las metamorfosis del espacio, el saber de infinito que es deseo respirado — «Suena con sed de espacio, / viento de junio, tan intenso y libre, / que la respiración, que ahora es deseo, / me salve.»— y conocimiento absoluto en definitiva: «Ven, / conocimiento mío, a través de / tanta materia deslumbrada por tu honda / gracia».

La única diferencia en estas horas irreversiblemente tardías de la experiencia apesadumbrada de Claudio, es que el antiguo balance deseado no pretende ya las revelaciones esenciales del último secreto, sino las vivencias morales, posibles y entrevistas a lo largo de la profunda historia convivida de la degradación: «Cuán a fondo me asaltas y me enseñas / a vivir, a olvidar, / tú, con tu clara música». Pero en el saber mítico lo que viene a contar definitivamente, lo que impone su ley de sustancia de la experiencia imaginativa, son los movimientos de la fantasía, el sentido de las pulsiones, las calidades de la iluminación; y todo ello aquí una vez más, bajo el aliento del soplo simbólico regenerador, proclama la claridad radiante, el entusiasmo ascensional de la euforia y su capacidad de dispersar los datos vívidos de la melancolía. Sin olvidar tampoco el diferencial inevitable en el tono de voz de unos acentos probados en el dolor, de la serenidad sin estridencias muy próxima al silencio: «Y cómo alzas mi vida / muy silenciosamente».

El examen del símbolo del viento, sobre su constancia y su maduración mítica a lo largo del proceso configurativo de la imaginación del poeta hasta sus dos últimos libros, podría ser extendido fácilmente con resultados semejantes a tantas otras unidades simbólicas —las aguas de los ríos, los símbolos arbóreos y vegetales, los diferentes momentos de la luz, el alternarse de las estaciones— como continuo y como crescendo modulado. Ceder por eso a la sospecha de la reiteración monótona y de la decadencia de la fantasía, supone antes que ligereza de lector —o lo que es peor aún, de crítico— concordar inadvertidamente con la propia tesis vital de Claudio Rodríguez: existir consiste en perder y profundizar en la experiencia vivida, ir clausurando paulatinamente los mitos del deseo y el fervor del idilio. Pero si la tarea más alta y natural de los poetas adolescentes debe ser, como lo había sido la de Claudio Rodríguez, incendiar las visiones del deseo y arrebatar los vuelos de la metamorfosis, el melancólico encanto de la maduración se plasma necesariamente en sustituir los mitos infantiles del entusiasmo por la calidad dulce y serena de la resignación adulta, encajar los desajustes que pone el desgaste de la fatalidad y la zozobra, sobre la permanencia familiar del techo protector de los símbolos personales.

Depuración extrema de los símbolos: una clave poética natural en la maduración mítica de las vivencias

La maestría alcanzada de la forma y la familiaridad progresivamente consolidada con la fisonomía de sus propios símbolos le facultan a Claudio a estas alturas de su obra para asumir los perfiles más esenciales e incluso los más sutiles y hasta evanescentes en la percepción de sus mitos habituales. Las sensaciones comunes que globalizamos a tientas como movimientos síquicos unitarios —y tanto más cuando se trata de sentimientos—, se ofrecen desdobladas en la multiplicidad simultánea de sus facetas dentro de la madurez creativa del poeta. De esa manera, la temática habitual en la poesía de introspección se va afinando aquí sobre formantes esenciales, como es el caso de la composición titulada «Cantata del miedo» que abre el libro segundo de la obra.

Descubrimos el miedo como un componente implicado en muchas situaciones que asimilamos precipitadamente como ajenas al mismo. Constituyente fundamental, como lo han subrayado ya sus críticos[15], en el mito de madurez de un Claudio doblegado por los fracasos diarios del existir, aparece frecuentemente tematizado en este cuarto libro como el ingrediente de casi todos los sentimientos heterogéneos. Él figura agazapado junto al tiempo en el complejo emocional conscien-

---

15. Por ejemplo, la breve pero inspirada aportación de Dionisio Cañas en su «Carta desde Manhattan», en *Compás de Letras*, 6, Junio 1995, págs.209-210.

te de los balances opuestos de miseria y de dicha: «Es el tiempo, es el miedo / los que más nos enseñan / nuestra miseria y nuestra riqueza». El miedo es parte del gozo para Claudio, del amor y del beso y de la melancolía que acompaña en los viajes de vuelta —«desandando lo andado, / desde Logroño a Burgos»—. Miedo que nos estorba plenitudes, que defiende la heterogeneidad del accidente excluyéndonos de lo infinito de las perspectivas más vitales —«para que no descanse y no me atreva / a declarar mi amor palpable»—; un bloqueo sutil que se interpone y se entremezcla en la orla de las emociones más matizadas e inciertas, seleccionadas entre el relicario de las experiencias sublimes: «...el estremecimiento, que es casi inocencia, / del humo de esas / hogueras de este otoño».

Más junto a la delicadeza extrema de las percepciones sensitivas y de la ponderación sentimental, la construcción poética de Claudio es capaz, en su propio interior, de contraponer los más corpóreos trazos posibles mediante las pautas figurales de la personificación y la prosopopeya, para materializar y hacer sensible la emoción fugitiva. Una pintura detallada hasta el naturalismo, como si fuera de un objeto y un ser extremamente convivido: «...con tu boca cerrada, / con tus manos tan acariciadoras, / con tu modo de andar emocionado...». Un cuerpo familiar, «con tu nariz lasciva, / y tu frente serena, sin arrugas,... y tus estrechos ojos muy negros y redondos, / como los de la gente de estas tierras.»; porque la personificación del miedo no la ha adquirido Claudio tan sólo en el análisis de sus propias dimensiones interiores, sino que la ha contrastado en su apocamiento contradictorio, mezquino y entrañable, con el aspecto de sus paisanos. En la impregnación de esos sentimientos del poeta no encontraremos por cierto la distancia hostil del recién llegado a su destierro sentimental en Castilla, como aquellos «atónitos palurdos» sorianos que indignaban a don Antonio Machado; sino estos otros familiares tristes convecinos de un Claudio que los conoce cotidianos y que los reconoce eternos en todos sus detalles de la vista y del trato corriente, el que descubre sus afinidades rústicas con los mejores héroes de las hagiografías castellanas:

Pequeño de estatura, como todos los santos,
algo caído de hombros y menudo

de voz, de brazos cortos, infantiles,
zurdo,
con traje a rayas, siempre muy de domingo,
de milagrosos gestos y de manos
de tamaño voraz. (pág. 222)

Pero con un gran poeta como Claudio, capaz de sobrellevar los riesgos y los lastres más severos, como los del contagio acariciado de la convivencia y de la tradición castellanas —tan austera de arrugadas codicias de cada día y tan honda en misticismo y en ayunos—, sin olvidar la sutileza mejor atemperada del regalo de las brisas y de las caricias íntimas de la melancolía, todas estas figuraciones lastradas en la fantasía común del uso ceden pronto su espacio de interés a los refinamientos de una sensibilidad adulta, bien aguzada entre suspiros y ansias y entre el regalo poderoso de las sensaciones contrastadas: «Qué importa tu figura / si estás conmigo ahora respirando, temblando / con el viento del Este».

En tan extremas lindes de la vivencia y de las emociones, lo que persuade y rinde en este Claudio humanísimo y maduro, en trance ya de ofrecer lo que es sólo asequible para los raros corazones tan arriesgadamente avezados como el suyo, es la persuasión contagiosa de una enseñanza construida en vivencias comunes, desvividas por los más y acogidas solamente con eficacia de fracaso por los pocos muy diestros y arrojados. Los ya contados que pueden retener con densidad de trance irrepetible la mirada perdida de la mujer insignificante que pasa junto a ellos por una calle de Ávila a mediodía; o que se descubren a sí mismos, a la parte común de la grandeza y la miseria de todos, en las sombras errantes desvaídas en gris de algún amanecer que amenaza con lluvia. Esos son los escogidos, los únicos capaces de respirar sobrecogimiento, de percibir el miedo fundador:

Anda por esas calles
cuando está amaneciendo y cuando el viento
presagia lluvia, muy acompañado
de esta grisácea luz pobre de miembros
y que aún nos sobrecoge
y da profundidad a la respiración. (pág. 223)

¿Pero es realmente nuevo este símbolo tan patente del miedo, esta recién aparecida fórmula del inestable magma del subconsciente? El símbolo del miedo es sin duda un hallazgo poético constatablemente original en este instante, y por eso tanto más eficaz y fecundo entre la galería de las representaciones fantásticas de la imaginación de Claudio; sin embargo, el mismo poeta nos proporciona y aclara la traza más segura de su genealogía simbólica. El miedo caracteriza la nueva fisonomía fantástica que reviste una convicción eterna de honda entidad espiritual: la representación simbólica de las antiguas imágenes de la camisa al oreo, de la ropa tendida y del cuerpo-hostia puesto a los asedios fulminantes de un espacio arrebatado de fulgores, o el anonadamiento ante las inmensidades cósmicas de la llanura anochecida en el corazón culpable del fugitivo. Si en el poema de *Conjuros* «A mi ropa tendida» subtitulaba a ese difuso complejo que simboliza lo íntimo vital «el alma», aquí lo manifiesta como sinónimo del miedo; ese nuevo latir sobrecogido de las eternas visiones del amor:

> *¿Nunca secará el sol*
> *lo que siempre pusimos*
> *al aire: nuestro miedo,*
> *nuestro pequeño amor?*

Con la inasequible naturalidad pronta de quien ya es perfecto familiar de sus móviles íntimos, a costa de perfección simbólica y de sobrecogimientos del espíritu, el poeta reconoce en la recién aflorada faceta de su miedo la variación fantástica que asume, en la hora del poema, su anhelada vivencia total de identificación sublime. Esa sed de unidad y de equilibrio que constituye el fondo de su vocación ideal inalcanzable, tan sólo aproximado por el justo idealista bajo sentimientos de nivelación ética y aplomo remontado:

> *Tan poderoso como la esperanza*
> *o el recuerdo, es el miedo,*
> *no sé si oscuro o luminoso, pero*
> *nivelando, aplomando, remontando*
> *nuestra vida.*

A esotérico oficio de poeta y a confianzas con un amigo viejo a quien se reconoce bajo cualquier máscara, se debe atribuir ya a estas alturas, tras las cumbres pesadas de densidad simbólica, el coloquio fluido con el miedo. Un diálogo de cierre que es el nuevo instrumento para estabilizar una vez más otro balance idílico, regenerado contrapunto —nunca sabremos bien si sólo ingenuo en Claudio— en su mito de salvación determinante de la construcción formal del poema. Son los conjuros finales —«Vamos, amigo mío, miedo mío... ten valor... Intenta seducirme», etc—, las últimas transacciones —«Quiero verte las lágrimas / y quiero ver las mías...»— de la pasión total en su ambivalencia extrema —«te desprecio / y te canto»—, de don sublime de la clarividencia: «cuando te veo con tal claridad / que siento tu latido que me hiere,...y me cura de ti...». Y luego ese otro nuevo tropezón del arrepentimiento —como cuando la multa del alcalde en el poema «Dando una vuelta por mi calle» de *Conjuros* (pág. 93)—, siempre tan bien vestido dialogalmente en Claudio de espontáneo despiste, para proclamar al compañero miedo, amigo y cómplice, seguramente «el menos traicionero».

Con su poema al miedo compañero ha alcanzado sin duda el autor de *El vuelo de la celebración* otra de sus más remontadas cumbres literarias sobre el absoluto de la experiencia reflexiva, no menor ni mayor que la del políptico desgarrado que despliega en la serie inicial que es «Herida en cuatro tiempos». Lo logra en todo caso desde la fidelidad siempre congruente con el universo poético de sus mitos mejor reconocibles y en los tonos connaturales a las estructuras de su argumentación poética. La hondura fundamental y la conmovedora sinceridad de los unos y el espontáneo dominio secretamente elaborado de las otras consolidan una labor poética que alcanza a justificarse por la eternidad lograda de su propia tarea. Existen sin duda muchos géneros de excelentes poetas; y es precipitación muy frívola e inexperta proclamar en solitario como lo mejor y lo único posible la fisonomía del gran literato que nos acaba de deslumbrar, al descubrirle los senderos maravillosos de su creación fulgurante. Así el itinerario poético de Claudio, la sencillez extrema de sus fidelidades a un rico universo propio de símbolos y de formas, tan entrañado en él que adquiere los mismos rasgos de su fisonomía imaginaria y sentimental, debemos identificarlos modestamente no más que como su vía personal para alcanzar las cimas de la pasión poética, sus perfecciones máximas y subyugantes.

La delgadez extremada del perfil de las vivencias que acabamos de reseñar como la clave mítica por la que progresa y se perfecciona el ajuste poético del símbolo, es la fórmula artística que preside el conjunto de textos agrupados en el libro segundo. Personalmente me parecen a mí sus realizaciones más explícitas, según suele ser habitual en la cuidadosa distribución de los libros de Claudio, el primer poema sobre el miedo y el último, titulado «Una aparición».

La narración en esta poesía extrema invierte los términos respecto a las estructuras de plasmación simbólica y de argumentación figurativa de la «Cantata del miedo»; por eso seguramente no deslumbre tanto como en aquel otro texto el ceñido rigor de la concentración lírica. Aquí todo se enuncia bajo forma de una historia llanamente contada, la historia sin misterios de un conocido casual, uno de aquellos entrañables encuentros en las sagradas tabernas con los desheredados ungidos por la gloria en quienes casi nadie repara, como Eugenio de Luelmo:

> *Llegó con un aliento muy oscuro,*
> *en ayunas,*
> *con apetito seco,*
> *muy seguro y muy libre, sin fatiga,*
> *ya viejo...* (pág. 237)

En los atributos simbólicos de la extraña visión se pueden reconocer todos los rasgos resignados y rústicos de los encuentros cotidianos en las andanzas de Claudio: la respiración inocente, la mirada entre audaz y recogida, el traje de ceremonia pero sin comunión ni boda... Y en el aire, los olores también habituales de las iluminaciones sórdidas de otras horas de encuentro, cuando el resplandor sobrevive a la mugre; evocados olores casi sabrosos, perfectamente familiares y reconocibles: «...con olor a resina y a vino bien posado, / entre taberna y juerga», que ambientan el diálogo alucinatorio sucesivo a la escena de la aparición. Al fin, el desvanecimiento del acompañante entre los vapores del alcohol o en los de los deseos imposibles, la compañía cordial del marginado, del buen samaritano de las tabernas desleído en el humo de lo convencional más duro, dejando atrás tan sólo uno de esos rastros sonoros del ensueño, como el pregón del cristalero azul que era Dios y la muerte: «Adiós. / Yo soy Rey del Humo».

No cabe por tanto una presencia más tenue e inconsistente que la de este fantasma de la ilusión cordial, apenas sombra del sueño amodorrado en amaneceres húmedos de taberna. Y sin embargo resulta difícil lograr un efecto fantástico más evocador y sugerente, un cara o cruz más absoluto sobre los límites siempre inestables de las verdades sólidas. En estos relieves máximos de la sugerencia lírica es donde la experiencia adulta del poeta perfecto alcanza los niveles más productivos de la economía del símbolo poético.

* * * * *

En el resto de los poemas que componen el libro, advertimos cumplida la misma fórmula general de selección simbólica. Así, «Lo que no se marchita» vuelve a glosar el tópico tan persistente en Claudio de la inocente infancia y su ternura. Pero no como otras veces sobre la propia infancia como recurso de garantía mítica en la salvación por la inocencia —recuérdese sobre todo el contenido y la función mítica de la «Oda a la niñez», remate idílico de *Alianza y condena*—. Aquí lo que prevalece es la efusión simpática y atenta al mundo de la ilusión infantil, de sus fantasmas de juegos y terrores, a su capacidad de transfiguración sobrecogida sobre los contenidos más serios de los adultos:

> *Estos niños que rompen el dinero*
> *como si fuera cáscara de huevo*
> *y saben que los números*
> *no saltan a la comba porque tienen las piernas*
> *flojas, menos el tres.* (pág. 225)

Lo que sorprende ahora son las fértiles empatías del hombre con el niño, símbolo máximamente tierno e inasequible, que comunica generosa esperanza, promesas de apertura —«no son muro sino puerta abierta»— y de verdadera libertad, seguramente la única posible: «Aquí no hay cerraduras... sino inocencia, libertad, destino». La depuración lírica de los viejos símbolos que testimonia este texto, es una vez más hija de la reflexión y de la observación tierna y fresca del poeta sobre los materiales espontáneos de la canción de corro castellana, tal y como lo demuestran sus símbolos más sorprendentes y feraces[16]. El viejo tema académico de su Memoria de Licenciatura evidencia, años después de haber sido formulado en tesis, toda su capacidad viva y directa de gérmen poético. Y sobre todo el diálogo sentimental del poema, la entrega fervorosa a la lógica elemental y sagrada de unas analogías míticas en el lenguaje ingenuo, que proclaman la inocente sagacidad de lo directo —«Estos niños que al cielo llaman cielo / porque es muy alto»— y el deslumbrante ornamento fantástico de toda representación para los

---

16. Por más que Claudio Rodríguez y algunos de sus críticos han apuntado reiteradamente hacia el valor de fuente importantísima que tendrían sus observaciones y estudios preparatorios para la elaboración de su Memoria de Licenciatura, leída en 1957, *El elemento mágico en las canciones infantiles de corro castellanas*, la verdad es que, conocidos los materiales de la misma, resultan muy escasamente relevantes como fuentes directas sobre la inspiración popular de Rodríguez. En todo caso, la riqueza lírica potencial de todas esas joyas del costumbrismo queda englobada genéricamente con el conjunto de los materiales populares análogos —léxico campesino y artesano, giros coloquiales de la sintaxis, etc..., etc...— dentro de las poderosas capacidades mimético-poéticas de observación, retención y depuración que este poeta posee en sumo grado.

La excepción en términos de transferencia e integración creativa de los materiales folclóricos de la tesina de 1957 la representa el poema «Lo que no se marchita». Concretamente, reseñamos la coincidencia exacta de los siguientes versos del mismo con canciones recogidas en la Memoria: «Estos niños que al cielo llaman cielo / porque es muy alto», versos que recuperan una canción escuchada por Claudio en Fresno de la Ribera. Reproducimos a continuación el fragmento y las reveladoras reflexiones técnicas del poeta en las páginas 7 y 8 de su Memoria: «Sully ha llegado a sostener que todo objeto, a los ojos del niño, posee un nombre como íntimo, absoluto, es decir un nombre que forma parte de la naturaleza misma del objeto que designa. Cita Sully varios text (sic): la palabra 'pegar' es fuerte porque a veces hace daño. La palabra 'saltar' es fuerte porque las niñas saltan con una cuerda, etc. Yo oí en Fresno de la Ribera, a una quincena de kilómetros de Zamora, esta canción verdaderamente reveladora:

> *Al cielo llaman cielo*
> *porque es muy altó*
> *y al corro, corro, corro,*
> *porque es redondó,*
> *ay, ay, ay,*
> *porque es redondó.*

¿Para qué más? Este sensualismo nominal ('realismo' lo llama Piaget) traía consigo, pensé, la falta de distinción entre el nombre y la cosa. Por consiguiente, el nombre atrae, se apodera de

contenidos más comunes: el sueño azul celeste y con lunares que juega con el ratón misterioso entre los enseres agigantados con que amuebla sus recintos inmensos la fantasía infantil[17]. En el caso de otros ejemplares de este grupo de textos, lo que actúa es el efecto de focalización simbólica o sentimental en algún perfil

---

las propiedades de la cosa que designa. Estamos —concluye— en pleno territorio mágico». Respecto a la imagen sucesiva del sueño azul celeste que los niños han visto «bailar con un ratón entre los muebles», aparece también su conexión con otra de las canciones recogidas y censadas por Claudio dentro del apartado siguiente, sobre «El antropomorfismo mágico», una canción de corro que para el autor tiene ritmo de canción de cuna (pág. 11):

> — El sueño hoy no quiere
> venir por acá;
> anda, ratoncito,
> a ver dónde está
> — Señora mi ama
> yo lo ví bailar
> con dos ratoncitos
> en la casa real

A la misma raíz folclórica censada pertenecen al menos otras dos imágenes sugerentes del poema. Nos referimos , en primer lugar, a la que incorporan los versos: «Estos niños que rompen el dinero / como si fuera cáscara de huevo», que correspondería al tipo de canción de «despropósito» frecuente en las fórmulas de las adivinanzas. En el apartado de su Memoria titulado «La dislocación lógica motivada por la fonética» (págs. 24 y ss.), Claudio recoge el antecedente popular de su elaborada y fresca imágen lírica anterior; se trata de la canción: «—Al alimón, al alimón / ¿de qué es este dinero? /— Al alimón, al alimón / de cáscaras de huevo», en la que según el poeta « lo verdaderamente importante es el disparate lógico».

Por último, la fantasía infantil numérica, según la cual se sabe: «...que los números / no saltan a la comba porque tienen las piernas / flojas, menos el tres», se conecta con el tipo de inquisiciones sobre las transfiguraciones mágicas en la imaginación infantil que testimonia la siguiente descripción de la Memoria de Claudio Rodríguez: «Un amigo y yo nos hemos acercado a preguntar a varios niños que estaban jugando al corro si el número cinco hacía ruido. Uno de ellos nos dijo que sí, que sonaba como una trompeta; otro que no porque no pesaba nada; un tercero, que hacía más ruido el cuatro...» (pág. 22).

Tan sólo a estas contadas trazas explícitas se reduce, en verdad, la influencia tantas veces ponderada de la cultura folclórica popular de las canciones de corro de la Memoria de Licenciatura sobre la jugosa y fresca, cuanto cultivadísima, imaginación poética de Rodríguez.

17. El rasgo de depuración simbólica como medio de renovar al interior de la constancia general de los mitos, se extrema en el ensayo de sensaciones punzantes al borde de la significación irracional, abordado en el poema «La ventana del jugo» (págs. 228-229). La transfiguración de la intensidad casi corrosiva del jugo vegetal, desde el corazón ácido de la naranja o el dulce de la

sutilísimo de detalle; como es el caso de la descripción ecfrástica sobre la hilandera de espaldas en el famoso cuadro de Velázquez que desarrolla el poema «Hilando» (pág. 230). Un texto de tan acendrada medularidad simbólica en el mito de Claudio, que llevó inicialmente el título que acabaría siendo el lema de un complejo mítico fundamental en él: «casi una leyenda». El proverbial milagro de la materia incolora de Velázquez y de la distancia invencible en que se engloba la fría serenidad de sus modelos, tan comúnmente glosado por los críticos, se vierte aquí en la sutil selección de emociones que determinan «el campo del milagro», con pinceladas sensitivas de tan intensa feracidad como las del «color jugo de acacia» en la falda sin pliegues de la modelo. Toda esta síntesis de la écfrasis exquisita al servicio, por fin, del trasunto sentimental exacto anticipado como cifra de la valencia apasionada en el verso primero del poema: «Tanta serenidad es ya dolor»[18].

Cuando el poema despliega más extensamente el anecdotario referencial en el caso de la narración que enmarca el trasunto simbólico con intensa concentración sentimental de la escena glosada en «La contemplación viva» —el encuentro casual, con consecuencias trascendentales sólo acaso inconscientes, de la mirada del poeta con la de la transeúnte desconocida, de tan claras convergencias a su vez con el frecuente tema de la mirada amorosa de Aleixandre —, no vemos dispersarse tampoco

---

pera en «sobrio cristal ardiendo» hasta su entrada en las cavidades interiores de la boca y del cuerpo, anuncia el mismo trayecto nocturno caviloso de la rapiña simbólica que ha de servir la aventura transfigurante del poema «El robo», pieza central en el mito temático de *Casi una leyenda*. A ese torrente de la pulpa oprimida se le llama primero, no ociosamente «viejo ladrón que estás robando / y al mismo tiempo dando / fecundidad»; para convocar inequívocamente después la imagen futura del ladrón deslizándose por las angosturas del tragaluz: «Y no entres en mi cuerpo con rapiña, / acariciante, / como si fueras hijo de la luz».

18. No es distinto sino en todo caso algo más pluralizado y complejo en su red de motivos, el proceso de melancólica entrega a la dulzura de lo decadente que se ensaya en los símbolos y las sensaciones, concordes y variadas a la vez —la calidad del aire, las castañas que caen de los árboles y hasta la telaraña cautelosa «con su palpitación oscura / como la del coral...»— en el poema «Noviembre» (pág. 231). Aquí la luz, el aura que formula habitualmente la orla milagrosa en las escenas de compañía apasionada de Claudio Rodríguez, se difumina melancólica con la ternura del acogimiento —«...qué / luz tan íntima. Me entra y me da música / sin pausas...»—, en el nivel sentimental y exacto entre el esplendor exultante del sol de primavera y la oscuridad sin lugar para el recuerdo de las noches de invierno, exentas de impaciencia apasionada.

el propósito fijo y general de acentuada focalización simbólica en la que se resuelven los progresos del mito maduro. La situación de arranque del amor sin consecuencias, sin trascendencia externa y objetiva de la confidencia reprimida, la conocemos largamente en alguno de los momentos más intensos e inocentes del juego del amor con que Claudio ha animado el delicioso ajuste oblicuo, manierista, de escenas como la de «Tan sólo una sonrisa» en esta misma obra (págs. 241-242) o «Un suceso» (págs. 167-168) en la anterior.

La selección simbólica en todos estos casos escoge reiteradamente un dato de hondo calado íntimo, el detalle apenas perceptible que nutre sin reservas la verdad del misterio. Igual que en la luz de «Noviembre» aquél «mes que más quiero / porque sé su secreto», la desconocida sin historia que en el pleno febrero de Ávila —¿coincidencia casual con el lema del verso tan amado de Claudio: «tus ojos, buen amigo, dentro en Ávila?»— mira en la calle al poeta, entregándole también el hondo «secreto» de su vida, aunque pase a su lado insignificante y sin retorno deseado:

> ...*Pasa*
> *esta mujer, y se me encara, y yo tengo el secreto,*
> *no el placer, de su vida,*
> *a través de la más,*
> *arriesgada y entera*
> *aventura: la contemplación viva.* (pág. 233)

Esa ignorancia mutua de quienes se adivinan en el relámpago de un cruce sin consecuencias de destino, es el condimento de la imaginación anhelante que enciende el deseo de conocer sin tiempo para hacerlo: «pero ahora no da tiempo / a fijar el color, la dimensión, / ni siquiera la edad de la mirada, / mas sí la intensidad de este momento». Ápice de densidades, he aquí el ámbito mínimo en que se disciplina el avance maduro del símbolo habitual, «la fertilidad de lo que huye», destruyendo la vida que ha reparado en ello sin consuelo de trato, sin paz de recorrido.

El lema de la «contemplación viva» aporta el resultado definitivo de madurez simbólica para otro de los integrantes míticos medulares en la imaginación de Claudio Rodríguez. En múltiples declaraciones bien conocidas sobre su poética, pero sobre todo en la síntesis de reflexión metapoética que incorporó a su Discurso de ingreso en la Academia Española, el autor ha centrado la condición sublime del poder poético en el momento de fusión *natural* y no simplemente denominativa o referencial-alusiva de la palabra con su término referente[19]. El movimiento de intensa penetración de las miradas en una escena que suele ser intrascendente y cotidiana o incluso anodina, como la que se tematiza en este poema, trata de simbolizarlo un momento ejemplar de vivencia desplazada a la existencia de la vista, que resulta a su vez transferible, según el propio Claudio, a la condición fundacional de la alta poesía: ese ápice de sobrecogimiento epifánico de la presencia nombrada y contemplada, que trascendentaliza la fungibilidad de la realidad domesticada por el hábito para revelar su condición de ser.

Pero para el despierto y el consciente, el que conoce ya sin trampa a estas alturas lo enojosamente aleatorio de la mayoría de las historias en contraste con lo memorable y lo intenso de uno de esos segundos de viva contemplación fundadora del conocimiento verdadero, no se demora el agridulce secreto de la verdadera posesión. Su agudo poder de vibración sentimental parece contrario incluso e irreductible a trato prolongado y convivencia. Porque no es cuestión de detenerse ante lo

19. Cfr. Claudio Rodríguez, *Poesía como participación: hacia Miguel Hernández*, Madrid, R.A.E., 1992,pág. 19: «Y las lindes entre lo *interior* y lo *exterior*, entre la intuición objetiva, esencial en el poeta, y la afectividad han de configurarse. La palabra se alza o susurra hacia lo que hemos llamado la contemplación viva. ¿Transfiguración, creencia? La realidad física está ahí, fuera de nosotros, pero, vuelvo a decir, su resina, su horno, sus variedades concordes o discordes actúan junto a la imaginación. El poeta necesita, aunque no lo sepa, renunciar a su personalidad y, desde luego, a su originalidad. Quisiera entrañarse, identificarse con el objeto de su contemplación para renacer en él, para reconocerse en él, como renovado en el proceso poético, en la aventura de la visión, de la inspiración armoniosa». La génesis conceptual teórica confesada que clarifica al poeta en este caso la vivacidad espontánea de su experiencia sobre la contemplación viva, se encuentra sin duda en la frecuentada lectura y reflexión por Claudio de la *Filosofía de las formas simbólicas* de Ernst Cassirer. Poco antes del fragmento del discurso que hemos transcrito, había citado Rodríguez el siguiente fragmento de Cassirer altamente revelador: «Las grandes creaciones del arte tienen esa poderosa virtud de hacernos sentir y conocer lo objetivo en lo individual, plasman ante nosotros con trazos concretos e individuales todas sus formas objetivas y les infunden así la vida más intensa y vigorosa, la más poderosa sensación de realidad» (Ibid, pág. 18).

exterior de los sobres simbólicos, tal y como al conocimiento le imponía el saber alegórico de «Cáscaras» —el mantel, la mesa y el agua atesorada tras el cristal del vaso—; y conviene saber aun a la postre, que el conocimiento que resulta y la vida que queda son criaturas de ensueño, vahídos de quimera: «Y veo, veo, y sé / lo que se espera, que es lo que se sueña». Así sucede que el engaño de lo tangible y asido es al fin desengaño, y que tan sólo lo que permanece es lo inextenso; no importa si corpóreamente convivido o sólo imaginado. Porque el evanescente perfil que se busca como fondo seguro de verdad en todas estas tensiones máximas del refinamiento poético, dentro de la densidad demasiado masiva de los símbolos habituales, apunta hacia la suprema eternidad inmune y exenta al tiempo: «...quedará esta mirada / que pidió, y dio, sin tiempo».

En semejante ascesis de la depuración mítica, no deberá extrañar que el poeta se acoja nuevamente a la intensidad del ámbito simbólico de la luz, eterna compañera que aureola toda presencia individualizada, componiendo el vector de máxima tensión simbólica que aproxima la fusión única en el esplendor de la conciencia. El poema titulado «Hacia la luz» ensaya magistralmente el ejercicio depurado y esencial en ese proceso de sutileza temática lograda a base de la alusividad simbólica[20]. Aquí convienen todos los viejos moldes de la arquitectura mítica de la luz: los impulsos posturales de ascensión y de éxtasis en el arranque abrupto de cada anáfora polisindética —«Y para ver hay que elevar el cuerpo»—, la difusión simbólica invasora, total, de la luz pura que trasluce en el Verbo —«...hacia esta luz, tan misteriosa y tan sencilla, / hacia esta palabra verdadera»—; sin que falte tampoco la condición sabida de aura sentimental que conocemos en la vieja compañía iluminante de la variedad de ámbitos emocionados: «Ahora está amaneciendo y esta luz de Levante, / ...nos mortifica y cuida». Pero sorprende pronto que la anécdota se enfrena y el meandro de historia se reduce, para ceder el paso a las síntesis más abismales y escuetas de la virtud simbólica, a sus quintaesencias

---

20. Cfr. José Olivio Jiménez, «Claudio Rodríguez entre la luz y el canto», cit., págs. 110 y ss.

necesarias —«y se alza la promesa / de la verdad del aire»—, donde se funden y se identifican olores y sabores en la vibración luminosa que alcanza el volumen de la contemplación.

* * * * *

La continuidad depurada de los símbolos temáticos en *El vuelo de la celebración* resulta aún más marcada cuando se la constata sobre la restringida gama de situaciones que gobierna el tematismo amoroso[21]. Sólo apariencias de tal ofrece la tierna contemplación de la mujer —en realidad la amada tía Juana de Clara, en cuya casa de la calle de Lagasca de Madrid vivió muchos años de felicidad hogareña el matrimonio— sumergida en la distancia insalvable del sueño en el poema «Sin noche», rozando situaciones-tema que eran tópicas en la tradición de «albadas» tan grata a este poeta. La proximidad de acentos en este caso se mani-

---

21. Ver William H. Mudrovic, para quien la importancia del tematismo amoroso en el mito literario de Claudio llega a ser tan decisiva, que se esfuerza en construir una interpretación del contenido de los distintos poemas de una obra como *Alianza y condena* en términos de un itinerario elegiaco. Cfr. «Claudio Rodríguez's *Alianza y condena*: Technique, Development and Unity», cit., pág. 248. La superación de la muerte —a la que había que añadir genéricamente de toda clase de adversidades adheridas a la experiencia moral y cognoscitiva hostil— se logra según Mudrovic por el ahincamiento en el entusiasmo vital mediante el amor.

Por nuestra parte, tratando de objetivar el alcance y responsabilidad del tematismo erótico-amoroso tal como se da en este libro tercero de *El vuelo de la celebración* y en los poemas de tema análogo en *Alianza y condena*, siempre tras recurrir a la confidencia personal del poeta, constatamos que en el caso de las enamoradas se trata de referentes diversos, mujeres distintas, en ambas obras. Vivencias variadas con protagonistas diferentes, que tuvieron intensa repercusión biográfica sin duda en la vida personal de Claudio Rodríguez. Otra cosa sea el interesante aspecto sicológico que revela la rara destemplanza asumida por el poeta en algunas de estas crónicas, en lo que pudiera traslucir un fondo recóndito o hasta subconsciente de sentimiento de culpabilidad compartida; en relación posible incluso con mecanismos de identificación materna o fraternal, como los que insinúa el mismo Mudrovic a propósito del poema «En invierno es mejor un cuento triste», cit., pág. 254.

Pero sobre estas raíces familiares en el erotismo de Claudio preferimos no abundar con confidencias tan tentadoras como inconvenientes, en lo que hace a nuestra relación personal con el poeta. Me limitaría a declarar, en el sentido de los secretos amistosos que poseo, que tal tipo de ensayos interpretativos hacia las motivaciones míticas más profundas de la densa sensación de culpa y de tragedia en la sicología del poeta conforman un objeto válido e interesante en el futuro para la interpretación de críticos más distanciados que yo mismo de su amistad personal con el poeta.

fiesta bajo la maduración de actitudes habituales al contemplar el cuerpo de la mujer: «...Entro en las palmas / de tus manos, ya casi envejecidas, / en tus arrugas que me dan resina...». Una visión tiernamente entrañable, profundizada en la convivencia de derrotas y de sufrimientos —«claro vuelo de alondra, / junto a tanto dolor, / junto a tu pesadumbre...»—. Pero todo ello con el renovado milagro de una fidelidad de la experiencia y de los sentimientos que fuerzan el acicate inagotable de la renovación sin quiebras de las imágenes exentas a cualquier resto de pesadumbre romántica: «Yo te acompaño, agua / dulce, ya casi suspirada, canción a flor de labio, / rocío a medio párpado...»[22].

La situación descrita es lógicamente más convencional en poemas de la «suite» propiamente amorosa del libro tercero, como «Mientras tú duermes» (pág. 243), donde la ternura surge de la familiaridad sumisamente descriptiva del «pathos» amoroso templado por tantas jornadas conyugales de compañía infinita: «...Y déjame que ande / lo que estoy viendo y amo...». Respecto a la situación arquetípica de exterioridad incomunicada que organiza el poema «Tan sólo una sonrisa», ya se ha señalado antes su semejanza con situaciones alexandrianas muy análogas en textos como «Un suceso» e incluso con la situación temática de «La contemplación viva»[23]. Si acaso, conviene destacar ahora la consolidación de las imágenes expresivas para el peculiar sentimiento insalvable de la distancia sin penetración posible en el espacio

---

22. El poema representa, uno de los momentos más tiernos, limpios y positivos dentro de la crónica de variadas vivencias afectuosas de Claudio, en las dos obras de aquel momento vital de creciente biografía amorosa. A propósito del ápice respetuoso y puro de esta expresión del amor sin roces de erotismo, Carole A. Bradford ha confundido explicablemente el tierno afecto familiar tematizado por Claudio en este texto, para nada erótico, con la incardinación amorosa como principio artístico en el hallazgo vital de la unicidad cósmica dentro de la experiencia poética postromántica, que alcanzaría a cosmovisiones y sensibilidades como las de Aleixandre y Claudio: «For Rodríguez, as for Aleixandre, love is a return to the cosmos, a way to regain a sense of wholeness which had been lost with the proccess of individuation». Cfr. Carole A. Bradford, «From Vicente Aleixandre to Claudio Rodríguez: Love as a Return to the Cosmos», cit., pág. 103.

23. Creo que ha sido David Pujante el primero en percatarse de la más que explicable y segura arqueología aleixandrina en el componente mítico de la mirada intensa, sin trascendencia de historia, dentro de la poesía amorosa de Claudio Rodríguez. Pujante invoca el «amar es

preservado de la doble separación sentimental e histórica. Distancia, diferencia de los cuerpos. Lo que se tematiza curiosamente es la imposibilidad de adentrarse en el cuerpo distinto; deseos y miradas contenidas en aberturas, labios sobre el umbral de las cavidades interiores vedadas: «Cuando el remordimiento llega al conocimiento, / altas tapias por fuera / y ventanas por dentro, llega a veces / una sonrisa pasajera...». Un viaje del deseo que se inicia pero que no concluye, que no alcanza —ni tal vez lo pretenda en el fondo— el término de su abismamiento.

Con la amada secreta se empieza a vivir predominantemente en el susurro extremo de la brisa. Son pasos adivinados entre el rumor tenue de un temblor de madera: «Rumor de pasos, / con sigilo sorprendente ahora / en las estrías de este suelo...». Sonidos especiales inaudibles al sentido y detectados sólo desde los presentimientos del corazón, para ambientar un diálogo conmovido de disculpas que proclaman y prometen amor y fiel compañía, sobre las emociones más sutiles para el callado rumor del crecimiento de la semilla y de la reproducción del polen. Es la «Música callada» (págs. 244-245) que sólo alcanza a escuchar la transgresión de los enamorados, sordos a lo exterior — «...música de la sombra» y «sonido del sueño»— pero abiertos a las aventuras infinitas del espacio íntimo poético. Allí la fantasía de un Claudio apasionado le ensueña vida e intenciones a los acontecimientos más comunes y espontáneos: desde el latir secreto del fruto que «con su aceite interior teje su canto / delicado» y que «Hace distancia que es sonido», hasta el rumor de las calles familiares de infancia transitadas sin tregua, y la fiesta de labios y de cuerpos «que es susurro y es cadencia» por obra del amor.

---

conocer» de Aleixandre en sus *Poemas de la consumación* (*Obras Completas*, Madrid, Aguilar, II, 1978, pág.65). Resulta evidente y sintomática la coincidencia de esa situación liminar y fundadora de la experiencia con el importante conjunto de las composiciones amorosas de Rodríguez a que nos hemos referido en nuestro propio trabajo. Cfr. David Pujante, «En torno a la luz. Sus límites y su complejidad simbólica...», cit. ver nota 25. La oportuna atribución de Pujante es compatible , y así viene efectivamente formulada, con la condición siempre incierta de tal género de contaminaciones poéticas entre autores tan próximos cultural y hasta vitalmente como Aleixandre y Claudio.

La hiperestesia que acarrea la alta y nueva maestría en las sensaciones rescata imágenes insólitas, de penetrante sorpresa y originalidad poética, en el perfil de las presencias menos habituales[24]. Pero la reconcentración transfigurante del poder simbólico de todas estas imágenes bajo el absoluto dominio de la forma allana al mismo tiempo insondables espacios de confidencia sicológica profunda. Es el caso sobre todo de la revelación comprometida que se manifiesta en el poema «Ahí mismo», portentoso en sus capacidades imaginarias de transfiguración; y al mismo tiempo sobrecogedor por la extrañeza de sus asociaciones minerales, como cerco distanciante y aséptico contra la gravitación amenazante del tabú, por la metamorfosis de lo tierno y carnal en lo seco y pétreo. Las imágenes sobre el conocimiento del sexo se instalan, para empezar, en la destitución de los hábitos de espacio; es todo el ser del hombre el que penetra en la sagrada bóveda del misterio:

> *Te he conocido por la luz de ahora,*
> *tan silenciosa y limpia,*
> *al entrar en tu cuerpo, en su secreto,*
> *en la caverna que es altar y arcilla,*
> *y erosión.* (pág. 250)

---

24. En la crónica de los amores furtivamente rencorosos del libro, como «Hermana mentira» (pág. 246) es el entorno de aire el que espía y acusa, en una sugerencia sin objeto posible de ganancias y pérdidas; y son los misteriosos grafitos del carbón y la tizna sobre las paredes de la infancia los que persiguen y cercan desde la cal del muro, publicando el descrédito de una traición de amor siempre grave y menor al mismo tiempo. Mientras que en «Voz sin pérdida» el viento de marzo y la voz amada se funden en apasionadas asociaciones menos agresivas que contaminan sus atributos. Sólo la maestría del poeta con su profundo rebuscar de imágenes en las entrañas mismas del sentimiento alcanza el hallazgo de intersticios tan breves y sutiles, como los que definen la peculiar orografía del espacio que genera la voz transfigurada de la amada: «Su terreno rocoso, casi de serranía, / el timbre embravecido y firme, conmovido, escondido / en ese cielo de tu boca...». Voz ensoñada en cuerpo con encantos y miembros, con curva de cadera —«en el camino hacia / la cadera de tu entonación»— y con luz interior. Una voz amada por sí misma y no por lo que afirma: «He oído y creído en muchas voces / aunque no en las palabras...Que mientan ellas, las palabras tuyas. / Yo quiero su sonido...»; una verdad absoluta y rumorosa, constante y fatal en la cita como el viento de marzo.

Una modificación de materias y de espacios que no trata de encubrir, en este caso, terrores inconscientes o formas de anulación de la angustia; el sexo es cáliz acogedor fecundado en transparencia de abril. En esta nueva aparición definitiva y diáfana, el símbolo sacro del cáliz es tentación perenne en la imaginación de Claudio, a la vez objeto de la rapiña sacrílega y trasunto del sexo femenino. El sobrecogimiento resulta inevitable y el cáliz de la mujer llega a transformarse en material geológico. De esa manera, la cavidad fervorosa se convierte mediante la transustanciación imaginativa en fantasía de bóveda, tan sólo identificable en los estratos finales de la transfiguración poética por su nombre rotundo y necesario:

> *en este cáliz que es cal y granito,*
> *mármol, sílice y agua. Ahí, en el sexo,*
> *donde la arena niña, tan desnuda,*
> *donde las grietas, donde los estratos,*
> *el relieve calcáreo...*

Porque antes que una sustitución de sustancia a sustancia, de calidad material a calidad, lo que actúa aquí es el contagio mítico profundo en el espacio donde se formula el sentimiento; y la bóveda pétrea se resuelve por fin conciliadoramente en oquedad de ternura y abrigo de los afectos[25], donde se consuma la concordia constructiva e idílica de la eternidad inocente de la entrega:

---

25. No nos parece necesario insistir aquí más explícitamente sobre la centralidad y la plurivalencia míticas del símbolo arquitectónico de la bóveda; a la vez escenográfico-cultural, litúrgico y sexual. El espacio de intimidad semiesférica, presentado ya tempranamente por el poeta en su condición mítica de protección y de peligro extremo de vida, desde la cúpula del «Incidente en los Jerónimos» a las afloraciones de cámara sepulcral de las postrimerías en «Solvet seclum», descubre aquí, bajo la contaminación erótica de este texto, las claves subconscientes definitivas que explican su dominante mítica. Entre los contextos más diáfanos e inequívocos que recordamos a este respecto, sobre el cruce simbólico de la fórmula espacial, pura o escenográfica, entre la bóveda y la representación fantástica de la convexidad del vientre femenino, figura la paráfrasis espontánea de Claudio a las imágenes más habituales en la poesía amorosa de Miguel Hernández: «En la obra de nuestro poeta —decía en su Discurso de ingreso en la Academia de la Lengua— el impulso erótico madura en el retorno futuro, en lo patrio, es decir, en lo natal : Bóveda y vientre». Cfr. *Poesía como participación*, cit., pág. 30.

bajo la honda ternura de esta bóveda,
de esta caverna abierta al resplandor
donde te doy mi vida.
Ahí mismo: en la oscura
inocencia.

El felicísimo hallazgo maduro de esta ebriedad de fondos imaginarios que transfiguran unas emociones crecientemente cristalizadas en formas poemáticas, se goza en la acumulación de sus riquezas con la diversificación plural de facetas y de perspectivas. «Salvación del peligro» constituye tal vez la muestra más densa y prolífica en esta floración imaginaria favorecida por la buscada vaguedad evanescente del tema, que propicia el engarce caprichoso entre las constelaciones de imágenes y la heterogeneidad sustantiva de las mismas. Entre ellas destaca, no obstante, la sustancia mineral nuevamente adquirida en la que se concretan las mejores metáforas para simbolizar latidos de la carne, vibraciones del sexo y palpitaciones del amor: «Salva mi amor este metal fundido, / este lino que siempre se devana / con agua miel». Así, más adelante:

y la música del
cauce arenoso del arroyo seco,
y el tomillo rastrero en tierra ocre,
la sombra de la roca a mediodía,
la escayola, el cemento,
el zinc, el níquel,
la calidad del hierro, convertido, afinado
en acero. (pág. 251)

Y es que, como declara el formidable verso final —«miserable el momento si no es canto»—, el poema y el canto han alcanzado ya en Claudio Rodríguez, a estas alturas de la experiencia sobre la belleza y la palabra, su nivel más alto de cristalización sustantiva[26]. La fascina-

---

26. Véase en José Olivio Jiménez el acertado análisis de este verso final, como súbita afloración casi «intempestiva» de la voluntad intensamente regeneradora y —en mi propia denominación— idílica de la noticia previa sobre la «varia y proliferante realidad» perturbadoramente dispersa. Cfr. José Olivio Jiménez, «Claudio Rodríguez entre la luz y el canto: sobre El vuelo de la celebración», cit., págs. 122-123.

ción de las realidades consiste para el poeta absorto en la consolidación imaginaria transustanciada. Experiencias de vida y formas de poema juegan a la simultaneidad natural, a la sinonimia ontológica. La perfección poética sobrepasa por supuesto el simple juego formal; hay carga de experiencia indesglosable del ritmo y de las imágenes en la ondulación evocativa de las remembranzas castellanas —«...a la orilla del temple de sus ríos, / con su inocencia y su clarividencia...»—, como en la del cabeceo de las mieses marinas —«El movimiento curvo de las olas»—, su contraste habitual en los paisajes del alma de este poeta.

La fórmula para tal perfección es sin embargo muy simple y el poeta la explica: tras la imagen experta no pulula ya la impericia idealista del ensueño, la incierta vaguedad de los deseos adolescentes, sino el conocimiento seguro y ajustado sobre la realidad poética, que es realidad en la palabra. Contemplación, no ensueño —«El soñar es sencillo, pero no el contemplar», dice en la última parte de «Sin adiós» (pág. 253)—, tal es la fórmula con que describe Claudio la culminación para esta historia suya de vida creativa; encuentro de la cosa en la palabra para la imagen, para sus perfiles más evanescentes y puros, más inéditos y sustanciales.

Constancia y desgaste de la conciliación idílica: una nueva jornada

La crisis de la voluntad idílica constante en Claudio Rodríguez sobre la salvación del hombre y del universo frente al estrago de la experiencia adversa determina la mayor zona de ambivalencia y de presencia temática en esta nueva etapa de la experiencia madura. Mucho decide ya sobre la constancia de esa voluntad salvadora y sagrada el título del libro, que incluye los índices simbólicos positivos de *elevación* y de *canto*[27]. Pero no es pequeña restricción contra la euforia la que proyec-

---

27. La voluntad de asimilar los lexemas directivos del título, tan plenos de sugestión imaginaria ascensional y celebrativa, a la vía más neutralmente dolorosa del conocimiento como experiencia, es lo que determina el balance de positividad salvadora que José Olivio Jiménez viera en *El vuelo de la celebración*. Para este depurado lector y amigo de Rodríguez, los contenidos

ta ya la primera composición de la obra, «Herida en cuatro tiempos», un políptico donde se despliegan los referentes temáticos más dolorosos con que la biografía ensombrecía en aquellos tiempos la madurez experta del hombre y del poeta.

La ruina en el balance de los afectos familiares es inequívoca en «Aventura de una destrucción». Todo resto de felicidad sobre la almohada de los sueños infantiles es ya pasado irrepetible; en esos términos el balance actual, sobrevenido, resulta catastrófico. Porque si «la cama fue nido», «ahora es alimaña», y las mejores imágenes poéticas en esta aventura de destrucción las inspiran precisamente las formas inmediatas del desaliento y del caos universalizado: «No volveré a dormir en este daño, en esta / ruina, / arropado entre escombros... / entre la escoria viva». Pero aun en tales extremos, sobrevive, poéticamente, la voluntad simultánea de conciliación y salvación idílica:

> *Y al mismo tiempo quiero calentarme*
> *en ella, ver*
> *cómo amanece, cómo*
> *la luz me da en mi cara, aquí, en mi cara.* (pág. 202)

---

dramáticos y adversamente idílicos en las composiciones trágicas «Herida en cuatro tiempos» se vincularían, en todo caso, con una línea secundaria de frustración de la voluntad salvadora. Por ahí se llega a disminuir la densidad moral de la angustia biográfica, que quedaría neutralizada poéticamente, para el crítico mencionado, en las imágenes siempre esplendorosas del ámbito simbólico de la luz: «Nunca la noche o el crepúsculo, apenas un rasgo o un aviso de la nada o la muerte. Y es que ya desde el centro mismo de estas negadoras presencias (que *Alianza y condena* había recogido con mayor densidad) el espíritu supo y pudo abrirse a la eficacia purificadora del dolor: el resultado será que las viejas y conocidas formas del mal (la injusticia, el odio, la violencia, el engaño) siguen ahora señaladas en el momento necesario (léase, por ejemplo, «Herida»), pero con acento menos acre y punzante, casi se diría que con un talante amoroso y de comprensión». Cfr. José Olivio Jiménez, «Claudio Rodríguez entre la luz y el canto: sobre *El vuelo de la celebración*», cit., págs. 114-115. Frente a la lectura selectiva de José Olivio Jiménez, que tiene una intencionalidad tan marcadamente elevadora y positiva respecto a la permanente voluntad redentora de Claudio Rodríguez, *El vuelo de la celebración* manifiesta en determinados momentos culminantes de su propia disposición argumentativa —adviértase la presencia inicial en el libro de «Herida en cuatro tiempos» y la final del portentoso onirismo de la «Elegía desde Simancas»— la contemplación elegiaca y la voz experta y astillada que ha visto también en este libro Sala Valldaura: «A pesar de seguir llamando *canto* a su voz, Claudio Rodríguez ha casi abandonado el tono fuerte, el grito entusiasta, la proclama fraterna, para contemplar, elegiaco, silencioso, el mediodía de la realidad y asumir las sombras de la leyenda». Cfr. J. María Sala Valldaura, «Algunas notas sobre la poesía de Claudio Rodríguez», cit., pág. 129.

Análogo es el conflicto entre la esforzada voluntad de reconstrucción idílica y los dolorosos testimonios del caos existencial que animan la consistencia catastrófica del texto en el segundo componente de esta tetralogía trágica. Como en el primer poema, el balance de memoria poética que urgen las mejores imágenes de Claudio en «El sueño de una pesadilla» enfoca los símbolos más siniestros: «...hay / pus en el olor del cuerpo»; y aunque no faltan notas tal vez involuntarias de la ilusión eufórica como la de «la melodía de la espiga», sobre el total del poema se impone ya generalizada la pátina de ruina general y de fiebre desazonada que recubre las presencias simbólicas neutrales en esta escenografía de la destrucción: tal aquella: «... ventana sin piedad / maldita y olorosa, traspasada de estrellas». Un perfil inequívoco de suturas crueles y heridas repugnantes se amplía y apodera de todas las menciones, donde no faltan las metamorfosis simbólicas más amenazadoras y aviesas en la imaginación de Claudio Rodríguez, en especial la sombra siempre siniestra del pinar onírico: «en las agujas del pinar del sueño».

Una pugna febril de estados aciagos del ánimo impurifica las valencias positivas en el antiguo escenario de la felicidad. Así las calles, los almendros y hasta el puente vecino del río de la infancia contaminan de amenazas sus antiguos valores de significación idílica: «...la soledad del puente / donde se hila la luz entre los ojos / tempranos para odiar»; y hasta las aguas antaño regeneradas del entrañable Duero «duradero» cumplen ahora un designio destructor sobre los restos de memoria feliz, «quemando infancia». Pero contra esa pantalla universal de la imaginación depresiva se alza tímidamente poética la invariable postura regeneradora de la ilusión tardía:

> *Pon la cabeza alta y pon las manos*
> *en la nuca. Y sobre todo ve*
> *que amanece, aún aquí,*
> *en el rincón del uso de tus sueños.* (pág. 204)

El esfuerzo de la superación idílica se entreteje con los más desolados acentos de dolor en la culminación trágica de «Herida» y sobre todo en «Un rezo». La imagen lacerante de la herida asesina, abierta en el cuerpo de la hermana desventurada, es tan intensa que resulta insoportable el desasosiego de una presencia sublimemente fundida en su formulación poética perfecta: la herida con sus bordes y labios como pétalos rociados de polen, tristemente «cosida a mano... con el veneno de su melancolía», trasunto difícilmente ocultable —aunque sintomática y superiormente transfigurado— de aquella otra herida mortal lorquiana sobre la carne de Ignacio, donde la muerte «puso huevos en la herida»[28]. La honda impresión de esa voz y de esa presencia: herida, mortal herida, lo llena todo y se extiende dominante al cuerpo entero de la situación simbólica y del poema, sin reconocer límites ajenos ni espacios de neutralidad. Pero hasta a esa plaga universal de la injusticia y de la fatalidad implacable de la propia historia quiere buscarle remedio narrado este poeta. Primero es el instante fugaz del consuelo distendido: ese rayo indiferente de la luz urbana en libertad fuera del tiempo y del espacio de la tragedia, que se deja atrás, como inmensidad dominante hacia el desenlace del poema «Herida»: «Cómo el olor del cielo, / la luz hoy cruda, amarga, / de la ciudad, me sanan / la herida que supura con su aliento». Y aunque de nuevo vuelve a crecer en el texto la marea angustiosa de las presencias trágicas más negras «hasta llegar a la gangrena», no ha de faltar el oreo final, ya mustio, pero todavía esforzado con la decisión irrenunciable de un principio caritativo, religioso.

* * * * *

___

28. La tonalidad imaginativa lorquiana resulta inevitable en los matices obsesionantes de la tierna herida en la carne fraterna, cantada con desesperación no exenta de ternura en la suite inicial de *El vuelo de la celebración*. En sus comentarios al poema aludido del «Llanto por Ignacio Sánchez Mejías», o en otros contextos de heridas míticas del *Romancero gitano*, como «la herida desde el pecho a la garganta» o «las rosas de sangre, olorosa» del «Romance fantástico», Claudio Rodríguez acostumbra a destacar el mismo perfil poético de «fusión de lo terrible con lo delicado», que inspira semejantemente la fantasía de detalles en la composición «Herida».

La misma estrategia idílica de solución se repite en «Un rezo». Y tanto más clara y temática aún en este caso, en la medida en que el poema es más breve y actúa argumentativamente como la coda del desarrollo temático de toda la historia trágica. Además, en la explicitud argumental de este poema, Claudio declara sin ambigüedades la veta moral de su conciencia idílica, su sobrecogedora piedad de raíces sagradas antes incluso que convencionalmente resignada en religión; una intensidad de comunicación que alcanza a penetrar, transfigurándolos, los símbolos adversos: «...y está el nido / aquí, en el ataúd, / con luz muy suave»... «porque tú eres la almendra / dentro del ataúd. Siempre madura».

En todas las demás composiciones del libro primero se repite idéntico el balance entre la experiencia dolorosa y depresiva y el vuelo ascensional de la ilusión idílica[29]. Es el mensaje de esperanza que se extrae en compañía de las presencias más humildes y habituales, criaturas morales de la sinécdoque ejemplar que fundan una vez más el arquetipo: la arena, la amapola, el ciruelo silvestre, la neutralidad metamorfoseada del cáñamo de las amarras portuarias... A todas esas entidades menores, próximas y asequibles de tan insignificantes —«La vanagloria oscura de la piedra / hela aquí...», dice por ejemplo sobre

---

29. Es a este tipo de presencias temáticas trabajadas y dolorosas del conocimiento y de la experiencia moral, al que cede necesariamente el favorable entendimiento de José Olivio Jiménez sobre el balance simbólico de la voluntad salvadora, connatural al temple moral y poético de Claudio Rodríguez. Así, tras señalar las raíces de su convicción simbólica sobre *El vuelo de la celebración*, su atenta lectura de la obra no puede pasar por alto el puntual reconocimiento de las zonas de penumbra dolorosa: «De todo lo hasta aquí dicho no debe inferirse que, al alcanzar ese estadio en sí trascendente, el autor relega u olvida el conocimiento de las limitaciones y penurias que integran lo más oneroso del patrimonio humano: esa conciencia que tanto vigor ha dado a su poesía de siempre. Bastaría... rastrear en estos poemas las frecuentes recurrencias de una de sus figuraciones tropológicas más favorecidas y necesarias, la de la voz *sudor*... En ella parece como si se condensara, no ya alegórica sino simbólicamente, el irónico precio ácido pero digno que paga el hombre por el esfuerzo de su vivir... anterior al alcance de cualquier forma de gracia salvadora». Y más adelante, precisamente a sugerencia de la decisiva «Elegía desde Simancas», añade: «Llanto y sudor: así literalmente nombrados. No, el ingreso a la plenitud redentora de la luz no ha borrado en la poesía actual de Claudio Rodríguez su atención dolorosa pero vivificadora al incierto y humilde destino de la condición humana». Ibid., págs. 117-118 y 120.

la arena— se revuelven los nuevos conjuros exultantes de la experiencia amiga: «Vuela tú, vuela, / pequeña arena mía, / canta en mi cuerpo, en cada poro...».

Con todo, no ha de olvidarse sobre estas composiciones, en el balance de la fluctuación idílica, la inocultable sustancia fantástica siempre amenazada de sequedades estériles y de la condición melancólica que preside los nuevos conjuros, tanto por la naturaleza resignada y humilde de los objetos coadyuvantes como, sobre todo, por el estado de ánimo en el balance de la experiencia íntima dolorida: «amapola sin humo, / tú, con tu sombra, sin desesperanza, / estás acompañando / mi olvido sin semilla».

La irreductible meta interior de la voluntad de salvación, religiosa, de Claudio se adhiere a todo símbolo de supervivencia estable. Alegoriza sobre la sólida trabazón de las fieles amarras, pero sin olvidar nunca la honda herida, el trabajo oneroso de la hosca realidad contra los idilios fértiles de otro tiempo: «...cuando mi vida se ata sin rotura, / ya sin retorno al fin y toca fondo». La nueva inflexión sobre el itinerario temático del repliegue de su irreductible vocación niveladora idílica se deja ver ante todo en la condición llamativamente marginal de sus testigos alentadores: los más entrañables sin duda y a la postre preciosamente simbólicos, pero también los menos grandilocuentes por sí mismos y los más replegados en su presencia externa, neutral y objetiva. Tal el ciruelo silvestre, en el que la ternura familiar de Claudio asimila y exalta los más suntuosos iris naturales: «Hojas color de cresta / de gallo, / ramas con el reposo estremecido / de un abril prematuro»; pero sobre cuyo milagro muy interior de impulso y compañía no cabe ya confundir las inequívocas señales de la edad externa conflictiva: «Cuando llegue el otoño, con rescate y silencio, / tú no marchitarás». Compañía interior, estaciones de muy secreto aliento —«respiro sin esquinas»— que sustentan la esforzada esperanza de una vida irreductible por el dolor.

Falto ya del impulso inocente que deparaba la resonancia universal idílica de los grandes proyectos de la cosmología adolescente, la doblegada experiencia en el dolor profundiza en todos estos textos las palpitaciones íntimas y necesarias que sustentan la reparación idílica del entusiasmo. Aunque no sea ya más que el índice puramente esquemático del vuelo como impulso ascensional de la imaginación, el poeta se aferra desde el título de la obra a ese último resto de hábito eufórico; incluso cuando se trate en el poema «Lágrima» de una pulsión ascendente hacia el dolor: «estás cayendo y nunca caes del todo, / pero me asciendes hasta mi dolor».

En el fondo, es la propia implantación temática de cada composición la que decide[30]. De ahí las fluctuaciones que se incorporan sobre el perfil oscilante de la ecuación idílica en esta obra. Si en la transformación temática de la lágrima han ganado los contextos pesimistas, en los casos en que se ponen a consideración símbolos más positivos el balance del entusiasmo asciende a niveles de mayor entidad textual. A esa luz se debe considerar el recurso del poeta a uno de sus símbolos optimistas más activos, el viento, cuando se trata de reforzar la pujanza del sentimiento idílico en la composición que cierra el primer libro. Dinamismo, pureza e iluminación, las marcas imaginarias más reconocibles del entusiasmo positivo en la simbología de Claudio irrumpen «ex abrupto» en el conjuro inicial:

> *Dejad que el viento me traspase el cuerpo*
> *y lo ilumine. Viento sur, salino,*
> *muy soleado y muy recién lavado*
> *de intimidad y redención...* (pág. 217)

---

30. Creemos que es necesario demorarse de nuevo sobre esta constante decisiva en la creación poética de Claudio Rodríguez: el predominio autónomo de la historia de cada poema en la que el propio Claudio suele insistir muy esforzadamente, contra las tentaciones de interpretar la disposición constructiva de sus libros en términos de instancia decisiva y superior de la «voluntad» del autor, que debería predominar sobre la lógica interior de cada poema aislado. Concretamente, además, en la disposición de los textos de *El vuelo de la celebración*, lo mismo que en la de los de *Alianza y condena*, nos consta —por el testimonio de Claudio y por haber cotejado los índices manuscritos de Aleixandre— la decisiva intervención del amigo y maestro del autor. No obstante, sobre esta circunstancia fundamental para el discernimiento de la «forma interior» en el universo poético de Claudio Rodríguez, conviene tener en cuenta también tanto la tenacidad de Claudio para hacerse comprender e imponer sutilmente sus propios criterios a sus lectores atentos, como la segura y autorizada capacidad de lector privilegiado de Aleixandre. En la correspondencia cruzada entre ambos sobre la lenta elaboración de los poemas de *Alianza y condena*, así como en las casi diarias visitas de los Rodríguez a casa de Aleixandre durante los años de la composición de *El vuelo de la celebración*, el perspicaz talento de Aleixandre le convierte en el espectador más próximo e informado sobre los universos implicados en ambos libros, y por tanto en un fiel y seguro intérprete de la voluntad no manifiesta del poeta.

Mención simbólica para un puro diseño de la voluntad ascensional y móvil en un espacio no cerrado y rehén, sino ampliamente penetrable y abierto, el más propicio para la salvación, para la restauración del impulso idílico: «Suena con sed de espacio, / viento de junio, tan intenso y libre». El viejo agente idílico, aquel de primavera o este otro sureño, modifica el conocimiento para enseñar los secretos de la vida nueva, nutrida sobre todo de olvido: «Cuán a fondo me asaltas y me enseñas / a vivir, a olvidar, / tú, con tu clara música». Ya que la persistencia idílica de la voluntad de salvación por la fidelidad de las hermosuras naturales y de las más acendradas metamorfosis poéticas aparece velada ahora por las nubes de una experiencia resignada de asaltos y caídas.

La positividad del compromiso idílico se extrema ya a estas alturas tan dolorosamente probadas de la experiencia para modificar incluso los contenidos adversos, como el de la zozobra existencial que acompaña profundamente a la conciencia experta. El esfuerzo idílico es la alternativa temática que protagoniza, con el misterioso temor que a todo alcanza, el enunciado de «Cantata del miedo». La voluntad de rescate, incluso para las experiencias más adversas, contamina de positividad familiar —«vienes tú, miedo mío, amigo mío»—, el fondo de inquietud que se instituye sobre cualesquiera circunstancias de la experiencia vivida, restándoles plenitud: «... la peor cuña: / la de la misma madera. Mas también es arcilla / mejorando la tierra»; pero injertándolas de elevación moral, de renovada tensión superadora: «...es el miedo, / no sé si oscuro o luminoso, pero / nivelando, aplomando, remontando / nuestra vida»[31].

* * * * *

---

31. La peculiaridad combatida y denodada de la tensión idílica, que caracteriza el tono general de la voluntad salvadora del poeta en *El vuelo de la celebración*, queda de manifiesto en los ejercicios de desarrollo temático de los contenidos más favorablemente conciliadores, como el tema de la niñez en «Lo que no se marchita». Pero se plasma de manera equivalente en cada uno de los textos de contemplación reflexiva de este libro, por ejemplo en el poema «Hilando»: «... está aquí, sin mentira, / con un amor tan mudo y con retorno, / con su celebración y con su servidumbre»; o en el saludo a la regeneración del entusiasmo que animan las luces favorables de

Hasta *El vuelo de la celebración* el sentimiento temático de conflicto que acompaña el trayecto del conocimiento en el despliegue del mito referencial de Claudio, había encontrado el impulso constante para el entusiasmo idílico en firmes puntales que recomponían la esperanza quebrantada. Recordemos el esforzado término del deseo para el mito solar de la ebriedad adolescente. Eran los días remotos del alborear ilusionado y prometido en un esplendor de «llanura sin combate», cuando la vigilia de una luz que «espera ser creada» era intensa y estimulante promesa de futuro. Bajo *Conjuros*, el desmontaje del mito metafísico de la iluminación había logrado rastrear todavía las razones humanas para recomponer el idilio esperanzado y optimista. Incluso todavía en *Alianza y condena* el recurso contagioso del ritmo general poemático había sido capaz de recomponer las quiebras más extremosas del conflicto, bajo el compromiso —eso sí ya muy laceradamente sustentado— del idilio sobre los mitos sagrados de la infancia y de la fraternidad hospitalaria.

Pero el final de *El vuelo de la celebración* emplaza sintomáticamente la heroica grandiosidad de una elegía, de un canto lamentable, en el espacio culminante que ocupaba el colofón idílico de los libros anteriores. Todo confirma así la irrecuperable profundidad de la hendidura del ánimo, que hasta este cierre ha ido prometiendo y ahondando la maduración adversa y mineral de los símbolos individuales en torno al espesor crecientemente denso y contrario de la experiencia sobre la realidad. Un cambio en el «pathos» espiritual que se conjura con la maduración discreta y progresiva que hemos evidenciado antes en el conjunto de los símbolos habituales, para producir el logrado efecto de intensificación problemática de un universo simbólico en permanencia, que tanto puede engañar —y que de hecho tanto ha equivocado— al apresuramiento de quienes demandan en los poetas sobre todo los contrastes animados y las

---

«Noviembre»: «... Tras tanto tiempo sin amor, esta mañana / qué salvadora. Qué / luz tan íntima. Me entra y me da música / sin pausa...». En tanto que la historia intensa y comprimida sobre la mirada al paso de la mujer desconocida de Ávila, en «La contemplación viva», despliega la condición mínima en la existencia sobre la que se remonta la ilusión de mejora: «la fertilidad de lo que huye / y lo que me destruye». La misma que renueva los instantes más absolutos del éxtasis de amor en el idilio entusiasta de «Sin noche», o en los momentos menos negativos de las historias atormentadas de apasionamiento erótico, que se despliegan en el libro tercero de esta obra.

discontinuidades patéticas y conflictivas. Pero el hondo dramatismo del mito del vivir como experiencia comunicada no pertenece en el caso de Claudio, según lo vamos viendo, a los que se afirman mediante la gesticulación exagerada, ni por medio de renovaciones y cambios radicales de los inventarios simbólicos del mito personal; por el contrario, la renovación mítica de este poeta elige y perfecciona el laboreo modificador de sus pautas familiares, acecha y avizora los cambios sólo secretamente perceptibles de un espacio de luz y de experiencia extraordinariamente centrado en hábitos muy estables de vivencias.

La «Elegía desde Simancas», rotulada también por el autor «Hacia la Historia», articula todos los constituyentes antes enunciados que concurren en la maduración y el cambio del sustento idílico en el mito de Rodríguez sobre el conocimiento del mundo, la esperanza unitaria y la entropía experta, así como sobre la declinación de las propias ilusiones[32]. Perduran, sustancialmente intactas, las circunstancias permanentes del mito solar: el esplendor del rayo de luz ciega dentro de la noche profunda, incluso recrecido en el instante de su oscilación intensa tantas veces acechada por Claudio al abrirse de las luces del día. Y con el haz de luz reveladora, una vez más toda la vieja simbología del flechamiento y la arada del propio cuerpo, abierto como surco:

---

32. La tonalidad sentimental claramente deprimida que asumen en esta última composición las constantes temáticas habituales de Claudio Rodríguez es perceptible, incluso para aquellas interpretaciones generales que persiguen críticamente supuestos de intencionalidad temática en el poeta bien diferenciados de la referencialidad directa y explícita. Tal sería por ejemplo, en el caso de «Elegía», la reflexión individualizada sobre el ser de la historia. Así en el seguimiento de la supuesta voluntad de confirmación deconstructiva de Claudio Rodríguez sobre las impotencias simbólicas del lenguaje, que sostiene con carácter general de tesis en su trabajo Marta Lafollette Miller, «Elegía desde Simancas» asume un valor de prueba decisivamente adversa, que confirmaría según Miller el valor temático del silencio en *El vuelo* como «renuncia» a la expresión: «Elegía becomes ultimately a critique not just of the attempt to discover meaning in past events but of language itself on all levels. As in other poems of *El vuelo de la celebración* is driven to exalt silence and, in the end, to renounce all speech»; y más en concreto sobre la peculiar visión de Claudio en el poema sobre la letra muerta de los legajos de la historia encerrada en Simancas, concluye Lafollette: «The speaker has lost his faith not only in mankind but also in these documents themselves and in the possibility to making sense of them». Cfr. Marta Lafollette Miller, «Linguistic Skepticism in Claudio Rodríguez», cit., págs. 110-111. Para una valoración más fiel al texto sobre la quiebra idílica a partir de esta misma composición, ver José María Sala Valldaura, «Algunas notas...», cit., pág. 121.

> *Ya bien mediado abril, cuando la luz no acaba*
> *nunca,*
> *y menos aún de noche,*
> *noche tan de alba que nos resucita,*
> *y nos camina*
> *desde esta piedra bien pulimentada,*
> *respiramos la historia, aquí, en Simancas.* (pág. 257)

Todo en la auscultación, tan familiar al poeta, del propio despertar de unas formas muy tenuemente insinuadas con el amanecer del mundo, que en el recinto temporal de la Simancas berroqueña resuena como la amplificación colectiva de historias y destino de siglos y de pueblos, cifrada y condenada en escritura indeleble:

> *Y se va iluminando*
> *la curva de los muebles,*
> *las fibras de papel ardiendo en la peña madre,*
> *el ábside de los pergaminos,*
> *la bóveda de las letras...*

Pero con el amanecer no llegan ahora las formas de esperanza sino las evidencias ciegas de la condena y del llanto, el dolor y el sarcasmo de sentirse víctima recluida en una historia universal penetrada de infamia: «...Y los nombres cantando / con dolor, con mentira, con perjurio, / con sus resabios de codicia y de / pestilencia y amor». Ni siquiera el recurso inmediato en el texto a los otrora símbolos de reconciliación elemental del pan y la mañana desgasta los perfiles más duros y minerales de la hostilidad insuperable en la hora irreversible de la amarga experiencia:

> *...ocultando la mirada ocre*
> *de la envidia,*
> *el hombro de la soberbia, los labios secos de la injusticia,*
> *la cal de sosa, el polvo del deseo,*
> *con un silencio que estremece y dura*
> *entre las vértebras de la historia.* (pág. 258)

Como en las remotas horas de la ebriedad, la amanecida no ha perdido aún su condición entreverada de partera de la diversidad. Frente al ensueño mítico de lo uno certero en la encendida sombra luminosa de la noche imaginaria de Rodríguez, la afirmación tortuosa del conocimiento diurno —«en la cornisa de la media luz, / entre las rejas del conocimiento»— engendra la asociación de símiles de hostilidad y de cacería, precio sangriento para el conocimiento negativo de lo perverso, lo vario irreductible del mundo y de sí mismo. Y lo peor, la vida con los otros, el pacto, los rechazos: «...así vienen ahora / la rapacidad, el beso, / la imagen de los siglos, / la de mi misma vida.» Una fauna siniestra de animales de presa: el lince, el milano real o la corneja, los halcones anidando junto a sus víctimas sobre las torres de Simancas, dicta y azacana el balance de historia de los pueblos. Como dolor de golpes y renuncias de extravío en la diversidad persiste el acrisolarse del conocimiento diverso y disperso, sin poder de ilusión para alicientar ya la existencia. El mismo gallo aciago de Federico y de Claudio, ese símbolo tal vez universal de la agresión maligna para las almas delicadas que el poeta podía recordar incluso próximo a los altares burgaleses de Santo Domingo de la Calzada[33], es el que desgarra ahora con su picoteo de quiquiriquí alboreado la camisa del alma, las inocentes ropas cándidas tendidas mansamente al blanqueo regenerador de las luces simbólicas: «...canta el gallo / en el altar, y pica / la camisa ofrecida y humilde y en volandas / en la orilla derecha del Pisuerga». Tan sólo queda el recurso mítico del aire —«Aire que nos acunas / y que nunca nos dejas»—, el símbolo vivificador más propicio y amigable en el complejo simbólico de Claudio, que formula con ello tal vez seguramente la constante más despejada y gozosa del imaginario universal. Pero incluso en tan acongojadas alturas del dolor sin remedio sobre la experiencia universal del hombre y de la historia, el aire fugitivo, el aura evanescente, no aporta ya certezas de salvación sino tan sólo la tregua

---

33. En conversación personal, Claudio Rodríguez nos ha revelado la génesis de experiencia directa de esta imagen con valencias claramente siniestras del poema. Se trata de su recuerdo de unas gallinas andando y picoteando sobre los paños del altar de una iglesia rural castellana semiabandonada.

pasajera del consuelo pequeño, del oreo momentáneo «desde los coros / del pulmón, / hasta la comisura de los labios».

Es que el poeta se sabe rodeado simbólicamente en el archivo de Simancas por los legajos de una historia de imágenes inabarcables, infinita e irreductible a la claridad de un solo caso. No hay aire capaz de aventar la mole berroqueña de historia, la pesadumbre pétrea del lastre colectivo contra el deseo solidario y feliz de un hombre solo: «La historia no es siquiera / un suspiro, / ni una lágrima pura o carcomida / o engañosa: quizá una carcajada». El conocimiento como sarcasmo desesperado, como ventaja maligna del momento amenazada también —incluso ella— de funesto final por las hecatombes del sinsentido irreductible, trágico. Un destino que viene anticipado como sucede siempre en Claudio por olores añejos, por tactos y regustos pastosos y conocidos. Así se forma y se reformula nuevamente la letanía costumbrista de la castellana sensitividad simbólica de lo adusto y lo seco, de lo terroso y lo áspero, que tantas veces ha propiciado el sentimiento de lo trabajoso, de la saturación amarga, ácida y penetrante, que lastra las presencias con historia:

> *Pero aquí está el sudor*
> *y el llanto, aquí, al abrigo*
> *de la lana y el cuero repujado,*
> *en la seda, el esparto,*
> *en la humildad del sebo,*
> *en la armonía de la harina,*
> *en la saliva en flor, lamida y escupida*
> *y pidiendo*
> *pulpa de dátil o un amor cobarde.* (pág. 259)

Las calles de esta ciudad y del tiempo son, en el encierro profundizado en historia de Simancas, los pasadizos vivos de las palabras, los corredores formados con legajos de la doble historia, la escrita y la sufrida, «la dicha a pleno labio». Contra esa gravitación rotunda de la memoria de todos y frente a la consolidación del cerco infranqueable, si antes era conjuro lo despejado y aéreo ahora ni tan siquiera, consolidado en cielo, basta ya a remediar: «mientras tú estás enfrente, cielo mío, / y no me das reposo. Calla, calla.» Porque las presencias de la realidad, las consistencias punzantes de la vida descubren la raíz de condena en su recurrencia como historia, en su naturaleza de hábito inexorable. Mas de repente todo se arrebola en un incendio definitivo, en resplandor y en clave cenital apocalíptica, para cerrar el círculo doloroso —la cruz del canto— de aquella comprensión anhelada que se abriera con la aurora del mito bajo el deseo ferviente de la ebriedad:

> *Aquí ya no hay historia ni siquiera leyenda;*
> *sólo tiempo hecho canto*
> *y luz que abre los brazos recién crucificada*
> *bajo este cielo siempre en mediodía.* (pág. 260)

El conocimiento ya disperso y vario ha clausurado el cerco contra las mitologías regeneradoras del deseo unitario. Por esta vez, en el poema último del libro el canto experto se cierra sin el contrapunto del idilio.

CAPÍTULO V

CENIZAS DEL RECUERDO Y ESCENOGRAFÍA
DE LA EXTINCIÓN: *CASI UNA LEYENDA*

Donde habita el recuerdo:
revisión postural de los símbolos temáticos

La poesía de Claudio Rodríguez resulta diáfana incluso hasta el riesgo cuando la lectura ha llegado a familiarizarse atentamente con ella. Por el contrario, al primer saludo puede parecer inabarcable e impenetrable. La causa —conviene decirlo sin demoras— reside en su hondura, quizás por la generosa sedimentación inconsciente con que se ha gestado y perfeccionado en el alma del autor y en los talleres de la imaginación y del lenguaje. Toda lectura impaciente y precipitada de estos libros —y la de un determinado género de críticos peca de eso— debuta por la distancia oscura y no suele salir de ella. Así se han urdido todos los mitos de la palabra insuficiente, la de Claudio y la de los poetas profundos de todas las edades. Digamos aquí de nuevo, sobre la generalizada tentación de los críticos del abismo, que en poesía la inefabilidad procede o bien de la grandeza irreductible de los referentes o de la torpeza insuficiente de las referencias. Sobre esto no conviene confundirse en los términos y lesionar la sagrada maestría de los discursos poéticos mayores como el de Claudio. Ellos alcanzan la plenitud de sus poderes simbolizantes sobre la inaccesibilidad objetiva, extraverbal, de los referentes del deseo, cuya condición peculiar consiste en ser constitutivamente inciertos e inaprehensibles a la potencia referencial del intelecto.

Suele acompañar también regularmente a las primeras lecturas críticas de urgencia sobre los libros de los poetas vivos la tentación profesionalista de decidir a toda prisa si la nueva obra significa un progreso interno, o bien si denota estancamiento y retroceso de la imaginación progresiva del autor. Aquí es donde los mecanismos sicológicos normales de la adquisición y la memoria acostumbran a gastarles las peores pasadas a los críticos al minuto: siempre parece mejor lo previo sedimentado que lo reciente por asimilar. No otro ha sido el caso de muchas reacciones inmediatas sobre el último libro de Claudio Rodríguez, *Casi una leyenda*, que no dejó de suscitar reservas inmediatas como todos los anteriores desde *Alianza y condena*. La habilidad biográfica de Claudio, con su «leyenda» personal de vida, puso lo que faltaba e hizo el resto.

Actualmente, a varios años de su publicación, caben ya pocas dudas —y conviene decirlo cuanto antes y sin rodeos— sobre que *Casi una leyenda* es otro libro magistral de nuestro poeta. Incluso empieza a normalizarse entre el público de lectores el sentimiento, tal vez prematuro, de que se trata precisamente *del* libro *necesario* para el diseño exacto y ajustado de su obra global, que le señala a la lectura su perfección de acorde completo. Porque a estas alturas de la vida y la obra de Claudio Rodríguez, sólo el poder superior de sus inigualables capacidades creadoras está en condiciones de decidirle la continuación adecuada al círculo perfecto de su obra. Combinando por tanto las evidencias inmediatas consolidadas de una cierta continuidad temática y el asegurado efecto poético de la obra total, resulta necesario enfocar el estudio temático de *Casi una leyenda* como momento culminante en el desarrollo del mito personal de Claudio Rodríguez; por más que no se nos oculten las variables felizmente abiertas todavía en razón de las circunstancias actuales del poeta[1].

A partir de su poema inicial «Calle sin nombre» —composición además doblemente inicial, pues fue la primera escrita por el autor para esta obra, un texto largamente previo junto a los primeros bosquejos de «El robo» de 1984 y «Solvet seclum», ya que el resto del libro se ultimó en un plazo de cuatro a seis meses de intensísima creación, según la confidencia que me hace el poeta—, la escritura reflexiva de

---

1. Reacciones críticas características sobre el tenor de diagnóstico al que aludimos, se mostraban en el artículo-reseña de Jonathan Mayhew, «Repetición y renovación en el último libro de Claudio Rodríguez», en *Ínsula*, 541,(1992), pág. 11. Las citas de *Casi una leyenda* se hacen por la única edición existente (Barcelona, Tusquets, 1991).

Claudio manifiesta una voluntad inequívoca de retorno vivencial, que impone la homología entre las estructuras míticas y expresivas a partir de la *anáfora simbólica* y del *cotejo antitético*. Cualquier aparición temática se encuentra afectada de un *antes* y un *ahora*; todo *referente en presencia* descubre su densidad de metamorfosis y de aureolado poético en función de las *formas en ausencia* inscritas en la memoria retroactiva del mito, en su balance activo sintáctico y sincrónico. Así, la antigua noche, la gran dispensadora de dones de claridad cósmica, con su perspectiva lastrada ya tan sólo de augurios sospechosos y nefastos: «¿Y no hay peligro, salvación, castigo, / maleficio de octubre / tras la honda promesa de la noche,»; mientras que, por su parte, la humilde lavadura de las remotas lluvias de la ebriedad —«lluvia de tanta secillez, que lava» (I, VIII, pág. 40)— se ve transformada en sospecha erosiva de la memoria —«... la lluvia que antes / era secreto muy fecundo y ahora me está lavando / el recuerdo»—, concebida como el adversario a la vez desleal y seguro: «... sonando sin lealtad, / enemiga serena en esta calle?». El nuevo poema y el nuevo libro se inicia a la hora y a la luz originarias del mito personal de toda la obra: el momento atemporal de la claridad paradójica entre la noche y el amanecer. El mito eternamente renovado y críptico de la pregunta eterna sobre el destino: «¿Y la palpitación oscura del destino, / aún no maduro hoy?»...

Pero la reposición de los símbolos maduros comporta siempre felizmente en este Claudio ya muy avezado las señales de una sedimentada labor vital de profundización fantástica, verdaderamente sorprendente y avisada en sus perfiles decisivos: por ejemplo accede con verdad natural por el oído aquella claridad elemental que antes se fingía para nutrir la paradoja deseada, y que llegaba por el camino contradictorio desde los ojos a la luz: «Oigo la claridad nocturna». Por lo mismo, la dimensión más peculiar y la única sensible en ese espacio de noche sin jalones, la del éter removido por el viento, se adjetiva en la confidencia madura con la experiencia de su conocimiento familiar, por más que el símbolo aleje el fluido inasequible del destino: «... y la astucia del viento / como sediento y fugitivo siempre». Se trata de la imprescindible adjetivación imaginaria pendiente que se desliza ahora sin aspavientos retóricos, ni siquiera con residuos sensibles de fantasía, hasta forzar todos los riesgos de lo imperceptible en lecturas apresuradas; pues ¿dónde han intercambiado, si no, alas y amanecida las golondrinas con la luz?:

> *Pero ¿dónde está, dónde*
> *ese nido secreto de alas amanecidas*
> *de golondrinas?* (pág. 11)

Sobre todo es el símbolo tal vez más económico y esquemático de la posturalidad exploratoria de Claudio: el marco sucesivo-espacial de la calle —el del campo, alineado en recorrido progresivo del paseo a pie o de la mirada, es por constitución más pluridireccional y abierto—, el que constata aquí las condiciones y la calidad revisionaria de los formantes del mito personal, que han llegado a seleccionarse y a pervivir más entrañablemente. La calle de siempre a la espera del alba, por más que sus trabajados edificios ostenten ya «la herencia de sus cicatrices» que las hermanan con las de la faz y el corazón del poeta, ahora ya tan versado en los desengaños de la ilusión.

La maduración imaginaria de los símbolos preside y marca cada nueva presencia. Con su sedimentación de muchos años en el imaginario del poeta las viejas metamorfosis elaboradamente elementales se intensifican en la construcción textual, potenciadas por el asociacionismo recíproco de los nuevos cruces simbólicos y por decantadas contaminaciones de raíces imaginarias remotas y misteriosas. Así por ejemplo, la antigua imagen elaborada de la lluvia fecundante para los campos de la que huía inconsciente el labrador en el relato de *Conjuros*, se compendia y adensa misteriosamente en esta andanza tardía bajo imágenes sintéticas tanto más sugestivas y precisas, sin que por ello pierda ninguno de los atributos simbólicos de la anterior historia: «Y cuando las semillas de la lluvia / fecundan el silencio y el misterio, / la espuma de la huella / sonando en inquietud...»

Actúa en todos estos casos el principio emotivo del cotejo temporal entre estados diferentes de una misma conciencia poéticamente arrobada y estremecida por la profundidad de los cambios simbólicos. Una actitud de la imaginación que decanta expresivamente, como veremos, la figura de la antítesis y que se construye imaginativamente mediante la estructura continua del cotejo de realidades enfrentadas sobre el vector temporal del *antes* y el *ahora*. Se pondera aquí, entonces, sobre la valencia poética que juega entre las decisiones sentimentales fuerte y débilmente emotivas. A primera vista, no diríamos que fuera la nostalgia pura el condimento emocional que decide sobre la calidad y la altura del diapasón emotivo en todas estas imágenes contrastadas. Incluso en este mismo contexto, el poeta se adelanta a declarar la condición activamente progresiva de su memoria: «ya no importan como antes, / el canto vivo en forja / del contorno del hierro en los balcones, / las tejas soleadas / ni el azul mate oscuro / del cemento y del cielo»[2]. No son desde luego las filigranas de las forjas de la fantasía las que dispensan ya la evaluación poética del tiempo, sino el abismo sin reglas de la imaginación, que se depura en el esquematismo esencial de visiones sintéticas elevadas en los límites siempre incomprensibles de los mismos misterios: «La calle se está alzando...».

Pero el principio fantástico de la emoción sin debilidades excesivas de nostalgia es el patrón más riguroso sobre el que el poeta monta en todos sus pasos el efecto sentimental que los enriquece y caldea emotivamente; moviéndose sobre ese fiel exacto, intransgredido, del equilibrio entre emoción y concepto, que puede figurar como uno de los datos decisivos en la fórmula poética de Claudio Rodríguez. Así también el trasunto simbólico quintaesenciado del trayecto exploratorio, el sempiterno «paso», el síntoma casi siempre cojo y claudicante de la existencia dispersa y malavenida del poeta en sus peores horas de extravío, que nos es conocido desde «Dando una vuelta por mi calle»

---

2. La deixis temporal metafórica es más que evidente en estas evocaciones tan precisas, que son en realidad una autocita respecto del primer recorrido simbólico de la misma calle de sus «correrías» en el poema «Dando una vuelta por mi calle» de *Conjuros* (págs. 93-94). Recuérdense las representaciones de referencia: «...y hoy por la tarde / tanto esta acera como aquel balcón me cazan?»; o bien: «canten sin ton ni son, canten y bailen / de tejados arriba». Por lo demás en aquella primera formulación extensa del poderoso esquema simbólico de revisión exploratoria, quedaba abierta al final del texto la propuesta a que se acoge ahora, pasados muchos años, la nueva iniciativa revisionista en *Casi una leyenda*: «Ya volveré yo cuando / se me acompase el corazón con estos / pasos a los que invoco...».

de *Conjuros*[3] se nos propone en la nueva andadura sobre todo bajo la modificación acuciante de su depuración fantástica hacia la desnudez del símbolo imaginario: «¿Hay que dejar que el paso, como el agua, / se desnude y se lave». Si bien en la misma medida escueta del nuevo caminar, no han desertado las notas léxicas tan entrañablemente propias del paso «compañero», del «tempero» fiel de la vida y las lluvias, o del símbolo quintaesenciado —«canto»— de la razón poética, para armar la representación habitual del pueblo envilecido, el viejo protagonista de las «alianzas» condenadas:

> *¿Hay que dejar que el paso, como el agua,*
> *se desnude y se lave*
> *algunas veces seco, ágil o mal templado;*
> *otras veces, como ahora*
> *tan poco compañero, sin entrega ni audacia,*
> *caminando sin rumbo y con desconfianza*
> *entre un pueblo engañado, envilecido,*
> *con vida sin tempero,*
> *con libertad sin canto?*

El momento final del propio rostro retenido en el tiempo tras una de las ventanas, «con la cadencia del cristal sin nido», corrobora la pauta general de la exploración emotiva de los temas poéticos. El repaso a la

---

3. La condición torpe, equivocada o claudicante del paso como sinónimo simbólico de los errores de la experiencia y de la compañía es otro de los formantes más habitualmente apelados en la constitución del mito personal de Claudio. En la primera formulación extensa de *Conjuros* antes invocada, el poema «Dando una vuelta por mi calle», la presencia conjugada del símbolo del «paso» y la «andadura» confirma la línea temática dominante en el texto. Desde el contraste inicial con aquel otro pisar simbólico de «la uva del mundo, el corazón del hombre», que se invocaba en los primeros versos: «Basta, pies callejeros, / no estáis pisando mosto, andad, en marcha», hasta la neta identificación de la «Calle mayor de mi esperanza» y «calle en el tiempo», como sustrato alegórico de los rumorosos balances de vida y de experiencia que jalonan toda la obra. Pero siempre —eso sí— bajo el predominio de la apreciación adversa y negativa de los pasos peores, ya incluso en aquel primer balance nada optimista: «Siempre tan mal guiados, / cómo no ibais a caer. Es trampa, / trampa. ¿Qué cepo es este?». Y luego de forma todavía más explícita: «... Qué multa / me pondrían ahora, a mí el primero, / si me vieran lo cojo, / lo maleante que ando desde entonces». Ibíd., págs. 93-94.

calle no busca novedad sino reencuentros; y en el reencuentro, las diferencias. Mientras que el permanente cotejo del contraste que imponen las antítesis, sanciona la medida temática de la memoria sentimental poética. Si en el esquema imaginario espacializado de la calle, el despliegue del mito figura como sobrevenido e implícito a través de las operaciones evocativas de la memoria que establece el cotejo, la pauta temporal se abre directa y explícita como trayecto de orientación imaginaria en los poemas siguientes. Se trata, además, de un grupo de textos acogidos por el autor bajo el significativo rótulo general «De noche y por la mañana», que declara explícitamente la condición directiva de las coordenadas temporales en la orientación antropológica sobre la estructura de la imaginación poética.

En esta nueva revista persiste sin variaciones la oblicua declinación característica del momento temporal más idóneo para la exploración ensoñadora del poeta. La mayoría de los textos corresponden a los instantes privilegiados del tránsito crepuscular que, en el mito marcadamente paradójico, aportaban la claridad esencializadora. Tan sólo el titulado «Nuevo día» representa la excepción que recuerda la frescura optimista de una luz matinal recién nacida. Sintomático es, por tanto, que la serie se inicie con un poema que despliega en su título la condición mítica del resplandor nocturno, bajo el funcionamiento imaginario peculiarmente paradójico que reconocemos dentro del mito personal de Claudio Rodríguez: «Revelación de la sombra».

Las penetrantes novedades que adjetivan intensamente el símbolo familiar de la sombra nocturna aparecen aquí también, indefectiblemente, para dotar de interesante profundidad poética a la «retractatio» de este sempiterno componente mítico:

> *Sin vejez y sin muerte la alta sombra*
> *que no es consuelo y menos pesadumbre,*
> *se ilumina y se cierne*
> *cercada ahora por la luz de puesta*
> *y la infancia del cielo...*

Tan familiares se reconocen todos los símbolos temáticos objeto de la exploración, que las primeras urgencias simbólicas no proclaman como antaño la forma visual reconocida, el pergeño de su figura, sino las compañías más afectivas y próximas del olor de las carnes y las almas, nuevas y viejas, de los protagonistas del contacto lírico: la sombra de la noche eternamente reconocida y nueva frente a la decrepitud de la memoria de los sentidos. La penosa ancianidad de una experiencia que se agranda tan sólo, como los capitales en declive, con las ilusiones que jubila. De nuevo, pues, el cotejo antitético para establecer el subrayado fiel de la fuga del tiempo, la extrañeza insalvable de las dimensiones inertes de la realidad para el soplo siempre breve de las existencias individuales. Primero, la juventud del tiempo ajeno, perfumada poéticamente en su nueva incidencia con atributos simbólicos —los labios de la almendra, el ojo del halcón—, cuyo ascenso al poder cualificador de la conciencia podemos rememorar en momentos y poemas precisos de la arqueología mítica de Claudio. Después, el contrapunto caduco de la vida propia con su conciencia de derrota tras el señuelo ilusorio de la luz intermitente, que encendiera demasiado temprano el fervor del deseo. Un complejo sentimiento del peor latido de la experiencia, simbolizado una vez más mediante la imagen de la polilla atraída para su destrucción por el foco de luz artificial, el arrebol sombrío, ya nunca más aquella otra luz intensa evocadora del albor diurno tan sólo presentido:

> *junto al recuerdo ya en decrepitud,*
> *y la vida que enseña*
> *su oscuridad y su fatiga,*
> *su verdad misteriosa, poro a poro,*
> *con su esperanza y su polilla en torno*
> *de la pequeña luz, de la sombra sin sueño.* (pág. 17)

La yuxtaposición de símbolos antaño incompatibles, áridos y feraces conjugados, signa la dolorosa ampliación de la experiencia adquirida del poeta para expresar su vasta comprensión. Las primeras habitaciones jugosas y vegetales de la imaginación temprana: «¿Y dónde la caricia de tu arrepentimiento, / fresco en la higuera y en la acacia blanca, / muy tenue en el espino a mediodía, / hondo en la encina...»; junto a la aridez, compañera de muerte, de los materiales inertes en el paisaje industrial de las ciudades que conoció más tarde el dolor del poeta: «...en el acero, tallado casi en curva, / en el níquel y el cuarzo». Y sin embargo sobre la nómina de los anteriores símbolos adversos, lo diferencial en el espíritu gentil y reconciliador de Claudio lo pone irreprimiblemente el poder redentor de su voluntad de salvación con su ejemplar capacidad de compromiso idílico. Impulso de redención inconscientemente manifiesto en casos como éste, donde asistimos al renuevo sentimental de los símbolos, al asombroso proceso de su reciclado imaginativo: «con piedad y sin fuga en la mirada».

Un coloquio enamorado con la sombra simbólica de la atracción y del cobijo... ¿del amor?, que es capaz de ensayar todavía con sagacidad momentos ejemplares en la conmovedora ternura del deseo transido de melancolía: «Si yo pudiera darte la creencia, / el poderío limpio, deslumbrado, / de esta tarde serena...». Pero ese sentimiento no ha desmontado, con todo, los parámetros fundamentales de su orientación imaginaria en el espacio personal del propio mito. Así discierne entre luces y sombras, aureolándolas afectivamente bajo los mismos términos de aquella otra sensibilidad paradójica del deseo inexperto de *Don de la ebriedad*. De esta manera, la interrogación retórica que viene a establecer la perpetuidad de las valencias fantásticas de los símbolos esenciales del mito[4] —«¿Por qué la luz maldice y la sombra perdona?»—, cuestiona en realidad y sobre todo el inescrutable fondo de la imaginación.

* * * * *

La interesante revisión madura sobre la trayectoria mítica de la imaginación selecciona atinadamente, junto al medio de claridad nocturna paradójica, el instrumento simbólico principal de su intelección poética: el ojo, la mirada. Es el tema sucesivo que propone a la pro-

---

4. Covadonga López Alonso ha analizado meticulosamente la responsabilidad estilística de las preguntas en la poesía de Claudio Rodríguez. Cfr. «La interrogación no epistémica en Claudio Rodríguez», en *Compás de Letras*, 6, Junio 1995, págs. 179-192.

funda revisión tardía «La mañana del búho». No se trata sólo de recuperar la paradoja temática fundadora del mito de la claridad esencial nocturna en *Don de la ebriedad*, ni la directa mediación simbólica del ave, tal como sucedía en «Incidente en los Jerónimos». Precisamente en la asociación del monólogo ininterrumpido del búho con los contenidos constitutivos de la reflexión cosmológica, que reconocemos como principios del mito exploratorio inicial del poeta, es donde se refundan aquí las convenciones del procedimiento alegórico. Ninguna otra presencia explícita del discurso que la prosopopeya del búho incide en el enunciado textual del poema, con lo que se cumple la condición significante de la alegoría. Ahora bien, ni una sola de las incidencias del mundo representado en el monólogo del pájaro deja de ser inferible a partir del sistema de mundos genuino de Claudio Rodríguez, empezando por la reflexión resignadamente coloquial con la que se inicia el texto: «Hay algunas mañanas / que lo mejor es no salir...».

La enunciación del búho persuade convincentemente desde el comienzo sobre el pacto alegórico, sólo porque aparece empedrada de constituyentes temáticos familiares en el mito de Claudio; tal la identificación lenticulada de la semilla como diseño de la pupila del volátil nocturno, y su rotación hacia el mar de la luz bajo amenaza de inundación inminente de alta marea. Toda la imaginación consustancial al Claudio mítico; pero todo revisado y enriquecido en la nueva articulación de acompañamiento de las formas fantásticas que instrumentan la constancia de los constituyentes simbólicos: la «ola sin ventanas» que desborda la capacidad visual de discernir con su «blancura repentina», o la explicitud onírica, hasta aquí inédita, de las paredes medianeras, transportadas imaginativamente a «la pared del sueño entre alta mar / y la baja marea». Sensaciones naturalistas del animal prosopográficamente locuaz, que se articulan en el texto como reflexión genuinamente humana, expresiva del mito: «¡Si lo que veo es lo invisible, es pura / iluminación, / es el origen del presentimiento!».

Es la conocida familiaridad espontánea de las observaciones exploratorias sobre el entorno natural de Claudio, la que aporta la propiedad detallista a la escenografía fantástica y a los lances vitales particularizados con el mayor detalle en las observaciones cotidianas del ave. Autenticidad en lo familiar, a partir de la cual se naturalizan las contaminaciones metafóricas de las metamorfosis poéticas, capaces de producir el «otoño de madera» poblado de «ecos / de olivo y abedul» para el vuelo experto «avaro de la noche», equilibrado hasta en la pesadilla. Atributos antiguos en la mente de todos estos pájaros-persona del poeta: cera del pico, aceite del candil y de la lamparilla e impregnación de humo de las velas..., que se conjugan sin variaciones de perspectiva y de escenario con el balance reflexivo sintético de las sensaciones consolidadas en trasunto del ser: «... Hay un sonido / de altura, moldeado / en figuras, en vaho / de eucalipto. No veo, no poseo». Quintasesencias puras de una familia de logradas síntesis catacréticas en las unidades de la metamorfosis, tan sorprendentes como «el vencejo de leña y de calambre»; pero a veces también con provocador deslumbramiento del colorido y del fulgor poéticos, tal «la transparencia / en pleamar naranja de la contemplación».

La fórmula de innovación en los atributos imaginativos de lo habitual temático se perpetuará a lo largo de este texto y aun de toda la obra. La lograda madurez de las imágenes brinda momentos de reflexión inéditos, como la inmediata culminación de la mañana increada que aproximará al ave a sus alojamientos reconocibles del capitel y el nido; al tiempo que aloja nuestra orientación fantástica sin transiciones convenidas ni rótulo de nombre que lo advierta, en la escenografía familiar de aquel templo de los Jerónimos. Ámbito simbólico y microcosmos nuevamente entrevisto, prometido más bien, por la fidelidad de la memoria en sus aristas esenciales transustanciadas:

...y secreto en cada grieta
de la oración y de la redención,
y la temperatura de la piedra
orientada hacia el este
con una ciencia de erosión pulida,
de quietud de ola en vilo... (pág. 21)

En presencia, toda la grandeza de la calidad poética de Claudio. La sobria concreción querida y naturalísima de su universo de referentes con su creciente familiaridad de conocidos entrañables es traza para el reconocimiento orientativo del lector. Sublimidad y alto riesgo de los contados universos mínimos, preservados por sus creadores a fuerza de continua recreación pujante, recrecimientos insondables en la profundidad reflexiva, fecundidad regeneradora de las metamorfosis. Testigo de este trabajo inigualable de renacimiento poético en los versos inmediatos será aquella culminación de la marea de piedra en el templo-universo: «No hay espacio ni tiempo: el sacramento / de la materia»; o incluso otros versos fluyentes penetrados de secreto alegórico en el concierto cruzado de sus numerosas voces reflexivas —la del autor, la del búho o la de cualquiera de nosotros—, como el que anuncia el arrebol excluyente del pleno sol: «Cuánta presencia que es renacimiento»; o bien las sensitivas percepciones siempre innovadas de la metamorfosis: «esta salud de la madera nueva», y aquel otro «color del oráculo del sueño»...

Pero sobre los aciertos cruzados del pensamiento y de la forma, configura y mantiene el interés sublime de la confidencia poética madura en este poeta sustancial su capacidad de acceder a la humildad del hombre, de cualquier hombre, desde el certero instinto de fraternidad salvadora de sus alegorías. Porque ¿qué día de luz es, después de todo, el que excluye las pupilas del búho?: «... ¡Día / que nunca será mío y que está entrando / en mi subida hacia la oscuridad!». ¿No se tratará acaso, sobre el otro registro implícito de la fábula, de la incompleta luz del anhelo que no ve el hombre, de esa segura oscuridad que nos reclama a todos al término del vuelo?

* * * * *

La pauta de experiencia antropológica que propone el contraste entre luz y sombra, modulaciones luminosas de la jornada, representa la constante más sólida y universal en la configuración imaginaria del ser humano. La peculiaridad de Claudio Rodríguez frente a la persistencia de este protocolo esencial de orientación cosmológica se funda, como sabemos, en la inversión paradójica del atributo principal de la dualidad: el orden y la calidad de la visión. Pero en cualquier caso, la pauta temporal se mantiene fiel y constante como vehículo de compartimentación imaginaria en la experiencia cosmológica del poeta. Sigue siendo así —incluso más ostensiblemente— en esta última obra, cuya primera parte se presenta organizada temáticamente en los contrapuntos explícitos del trayecto temporal.

No obstante, la posturalidad referencial, claramente diacrítica y diurna en la simbolización de Claudio Rodríguez, comparece investida regularmente de una voluntad temática que desdeña los perfiles naturalistas diversificadores provistos por la experiencia sensitiva de la plena luz. Así es como la nocturnidad clarividente en el mito poético de Claudio se asocia a los momentos siempre indecisos y crepusculares de luz y de oscuridad: en la noche que promete la claridad matutina del día, instante del poema «La mañana del búho», o en el declive vespertino de la luz, tiempo del soberbio «Nocturno de la casa ida».

Esa luz declinante de la «hora de puesta» establece el medio adecuado de claridad seleccionado por el recuerdo de Claudio Rodríguez para contemplar afectivamente otro de sus complejos simbólico-temáticos decisivos: la casa de sus afectos y de sus frustraciones familiares, la de sus pesadillas más agónicas, la de los delitos que peor le acusan; pero también la de los mejores propósitos de reconciliación y de enmienda para su *andadura* trabajosa y claudicante. La casa familiar, tan densamente simbólica, señala siempre una referencia ambivalente pero decisiva en el atlas mítico-sentimental de Rodríguez. En último término la determinación revisionista de esta vieja constancia simbólica fundamental aparece evidente en su tratamiento tardío en este texto, producto como el poema precedente, «Calle sin nombre», del decisivo cruce entre los esquemas espacial y temporal de la imaginación productiva del poeta.

La revisión poética de todas estas constantes simbólicas esenciales en el firmamento mítico de Claudio Rodríguez asume una vez más la vía de la depuración antinaturalista que hemos contemplado ya, desde la obra precedente, como uno de los rasgos característicos del cambio hacia el nuevo horizonte poético, a favor de las resultantes íntimas del trasunto metafórico sentimental. La magistral complacencia en las notas sensitivas del paisaje es un lujo de posesión que el poeta ha llegado quizás a sentir a estas alturas ya como exceso superfluo, una suerte de dominio ilegítimo. De ahí, el delicioso placer que se percibe en el abandono de las referencias quintaesenciadas al final de la estrofa de comienzo, marcando en negativo la deserción de una de aquellas reverberaciones del virtuosismo simbólico perfecto, donde las sutilezas emotivas elevaban con liviandad de filigrana fantástica los antiguos logros emocionales de la presencia referencial:

> *Es la hora de la puesta,*
> *cuando el olor de viento de levante*
> *está perdiendo intimidad, y apenas*
> *si una cadencia a pino joven, a humo*
> *de caserío, a heno,*
> *a luz muy poco amiga*
> *que está perdiendo poco a poco su alma*
> *entre codicia y libertad en torno*
> *a las nubes de falsa platería...* (pág. 23)

Desgana muy sincera, desinterés por cualesquiera demoras complacidas; hay urgencias mayores, de las de vida o pérdida del sentido, en estas renovadas apelaciones a la redención en la casa simbólica, que nunca le ofreciera sin embargo cobijo estable: «Estoy llegando tarde. Es lo de siempre... / Y no hay manera de salvar la vida. / Y no hay manera de ir donde no hay nadie». Pero se trata de un «Nocturno de la casa ida», no lo olvidemos; es decir, de una persecución en vacío sólo de ausencias, de criaturas y de sentimientos que constituyen el negativo de lo presente. Narración de un trayecto de conciencia previamente frustrado, tendencia condenada de antemano ya por la experiencia, itinerario sin trazas de promesa en el negativo idéntico de la densidad absoluta nocturna:

> *Voy caminando a sed de cita, a falta*
> *de luz.*
> *Voy caminando fuera de camino.*
> *¿Por qué el error, por qué el amor y dónde*
> *la huella sin piedad?*

Pero este ir y venir frustrado, siempre anhelante, a la calle y a la casa de la infancia instaura por sí mismo un itinerario esquemático de revisión imaginaria innovadora. El poema lo declara así hasta con la oficiosidad de su explicitud dramatizada e incluso, a mi gusto, con notable riesgo para la alusividad intensa de los símbolos líricos[5]. «Es lo de siempre, pero todo es nuevo» —se dice—, donde lo mejor de lo nuevo, el tono más alto de la intensidad poética, lo aportan los índices más depurados de presencia, las esencias de los viejos objetos de la fantasía referencial, las formas en negativo del texto que apelan a la complicidad tan necesaria y fiel de la memoria: «Hay un suspiro donde ya no hay aire»; o la «blancura fría» de las estrellas palpitando «en el espacio curvo / de la gravitación».

Tampoco existe ya la tentación de recuperar la imagen en la positividad externa del símbolo de la casa, circunstanciada bajo sus formas convenidas y su fisonomía fantástica habitual. En esta «casa ida» la carne del recuerdo se desagrega en la imaginación sensitiva o sentimental de su materia viva, como en sacramento de evocación poética. Y así, una de esas nuevas letanías fantásticas de animación mineral que se generalizan a extremos de perfección simbólica, seguramente la de más pormenorizado y mantenido énfasis poético en toda la obra, suplanta la emoción directa más simple, escueta y exterior de la casa evidente: grietas, ladrillos, paredes con el ahuecado epidérmico de su viejo temple craquelado, el cuarzo fino, el hormigón traslúcido o la arcilla higroscópica; materia desconfinada, distanciada y exenta en el negativo inorgánico de su ser para la actividad biológica y viva de los hombres. Materiales simbólicos, remotos en el recuerdo de una noche mítica sin sitio para alojarse: «Es la materia misma la que miente / como la avena loca del recuerdo».

---

5. En cualquier caso, para esta poesía adulta, siempre en el centro de la perfección, hasta los viejos espacios como el aludido de una dramaticidad coloquial algo enfática e improporcionalmente lírica, adquieren interés en atención a la alta economía simbólica y a la densidad mítica que ha alcanzado ya el lenguaje de Claudio en estas alturas de la revisión temática. Véase por ejemplo, en el fragmento mencionado, la eficaz síntesis de la primera mitología fundadora del deseo infinito:

¡Si se me cae encima como entonces
y lo que era infinito y aventura
y la velocidad de la inocencia
y el resplandor de lo que fue prodigio
y que me dio serenidad y ahora
tanta alegría prisionera!...

La desintegración en estos inventarios detallados de los primitivos hallazgos simbólicos se constituye por tanto en el síntoma más subyugante de la animación imaginativa y de la intensa revitalización sentimental lograda en las voces poéticas. La decantada familiaridad con los constituyentes simbólicos individuales de su palpitante universo mítico faculta al entusiasmo inspirado del poeta para instrumentar los multiformes ritmos de sus evocaciones. Y no sólo la geología onírica de los materiales metamorfoseados de la casa, sino —como ella— el reconocimiento íntimo sobre los formantes transfigurados de la misteriosa animación nocturna: la búsqueda sagrada de «la noche abierta / en música y en cruz» palpita en fértiles alternativas vegetales y en los toques del bestiario entrañable y doméstico de la imaginación[6].

Para el alcance ya vastamente sintético de la memoria madura del poeta ha sonado la hora de la experiencia completa de la vida, la capacidad de ponderar el alcance absoluto en el significado de sus símbolos vitales. Así, la casa intensa de la imaginación se reconoce como cuna y sepultura fundidas en el fugaz instante de la existencia: «Es la germinación bien soleada / de las ramas en rezo y desafío / entre bautismo y réquiem». Ponderación simbólica que se instituye ahora, ante la emoción de Claudio Rodríguez, en hogar y templo de esperanzas y de pesadillas —«junto a dinero y sexo»—; pero también en sepultura y panteón sobre el que sobreviene, ya sin los eufemismos timoratos que desvirtuaban la magnificencia vital de su conformación imaginaria, la sobrecogedora masa fantástica de la vivencia afrontada de la muerte, bajo la transfiguración de los atributos evangélicos relativos a la narración de la sepultura de Cristo:

> Ve la fulminación, la exhalación,
> el sepulcro vacío y el sudario doblado,
> la sábana de lino,

---

6. En el inventario universalizador del poema «Solvet Seclum», Crespo Refoyo ha percibido un recurso progresivo de la imaginación de Claudio, cuya extensión y dignidad en los últimos libros del poeta determinan el síntoma muy considerable del trabajo evolutivo en sus metamorfosis imaginarias. Cfr. Pedro Crespo Regoyo, «Claudio Rodríguez entre el Apocalipsis y las Ciencias Naturales», en *Anuario del Instituto de Estudios Zamoranos, Florián de Ocampo*, 1992, págs. 617-643.

la reverberación de la resina,
de la mirra y el áloe
en el cuerpo desnudo ya sin tiempo
como polvo estelar y profecía,
como un temblor de manantial nocturno
violeta y azul. (pág. 27)

Dominio universal de la experiencia sobre el alcance completo de los símbolos y prontitud familiar de la capacidad evocativa. En esas disponibilidades de la voz poética se recubren las costosas exigencias del ritmo poemático, por cuya impecable arquitectura fluyen, naturalísimos, los torrentes de símbolos que se encauzan en la extensa avenida del conjuro. Sobre él se encumbra finalmente el clímax del entusiasmo lírico del poema. Honda sabiduría de que «lo volandero es lo venidero»; inexplicables poderes automáticos confiados a la intensidad sagrada de sugerencia de la naturaleza de las cosas en «esta noche / de la mañana de San Juan». Como la nueva sabiduría sobre el perfil fricativamente imaginario, que hiere la fantasía desde «la flauta nueva de las tejas curvas / en la casa perdida». Porque para el experto saber vital de Claudio Rodríguez, para el hondo escogimiento de su virtud poética, al pétalo de trébol le nace espontáneamente «olor a ala», y la penetrante sábana de tantos sueños se amalgama de forma natural sin inquietud de pulpa con el arpa, el laúd y el «solo de violín, ágil de infancia», al que le nacieron tranquilamente ojo y yema. Y es que, sobre estas alturas del saber poético en el dominio magistral de la memoria simbólica, los viejos muebles de la casa reconocen la resonancia de sus propios sueños y en «la madera / de la familia a oscuras» resuena la verdad reconocida de un «tañido de la traición».

Inmadurez de la memoria de la noche: el mar impenetrable, las cavidades íntimas, el sacrilegio prometeico

Para representar el nuevo estado, el «Nuevo día», el acceso plenario del espíritu sereno al ámbito de las revelaciones absolutas, el poeta no se esfuerza en buscar símbolos inéditos, lo mismo que no ha elevado ya —como podría— el diapasón de palabras y ritmos: «Es la sorpresa de la claridad, / la inocencia de la contemplación». Contrariamente, el tono poemático se reduce al nivel del ritmo imaginario interior, semántico-simbólico, de las palabras mismas. Se trata de aquella máscara «doncella», que vuelve a ser ahora como entonces «moldura» de unas primeras nieves que recubrían los testigos de la realidad animando el paisaje nocturno de «Nieve en la noche». Y con ella también, la modesta «lluvia de tanta sencillez que lava», que había insinuado antes sus capacidades regenerativas idílicas a la distancia inmensa del poema VIII, libro I, de *Don de la ebriedad:*

> *el secreto que abre con moldura y asombro*
> *la primera nevada y la primera lluvia*
> *lavando el avellano y el olivo*
> *ya muy cerca del mar.*

Tras la revelación sencilla de algún sueño infinitamente apacible, sirven aquí a la verdad de la comunicación resistente los mismos símbolos insuficientes de antaño. Incluso no es necesario salir de las viejas formas preferenciales que habían arropado imaginariamente los mitos de otro tiempo, para encontrarle claves a la escenografía simbólica más original y desconcertante de ahora. Es así, según hemos advertido antes, cómo la voluta fantástica más original e inexpresable en el nuevo indicio de la nieve, esa extraña «moldura» que sirve para desvelar el secreto de las cosas, descubre su arqueología mítica bajo la remota presencia del poema «Nieve en la noche»: «...Escenas / sin vanidad, se cubren / con andamiajes, trémulas / escayolas, molduras / de un instante» (pág. 159).

Pero si bien resulta materialmente contradictoria la lógica inmediata de las dos nuevas apariencias simbólicas develadoras del secreto absoluto —el *recubrimiento* necesario de la nieve contra el *afloramiento* participado por el lavado de la lluvia—, la lógica mítica queda restablecida y aun reforzada en su especial coherencia mediante la epifanía del elemento común constitutivo del agua. Una estructura recubridora de los símbolos derivativos concretos —un *archimitema* podríamos llamarlo poderosamente dominante— en la medida en que es por sí mismo elemento constitutivo del «arjé» imaginario, el medio de todos los símbolos marinos del tránsito final y del olvido, la sustancia fluida del «letheo», sereno símbolo de la eternidad inmóvil y de la muerte. Por eso quizás el poema emplaza «ya muy cerca del mar» a los testigos simbólicos de la existencia arraigada y terrestre, el avellano y el olivo previamente purificados por la lluvia.

El medio marino, el océano de serenidad idéntica que ha propiciado por fin la visión plenaria, aparece caracterizado bajo el simbolismo espacial contrario al paisaje terrestre habitual en las antiguas exploraciones andariegas, siempre fallidas. Nada se mueve ahora en el secreto de la verdad: ni los pájaros que jalonaban antaño con sus desplazamientos las dimensiones del espacio puro, ni el poderoso viento mítico que animara otras veces el estatismo de ramas y semillas y hasta el despojo de los papeles callejeros. Aquí sólo se aprecia la tenue brisa oxigenando —una vez más el «oreo» habitual de Claudio— el rumor quintaesenciado de una melodía sutil e inesperada: «Invisible quietud. Brisa oreando / la melodía que ya no esperaba». En tal quietud se anuncia el peculiar espacio nocturno de lo intemporal eterno, el «continuo» informe de la vivencia imaginaria en el espacio digestivo: «Es la iluminación de la alegría / con el silencio que no tiene tiempo». Premio feliz a la virtud sincera, a lo verdadero de la fraternidad humilde y salvadora de la existencia superior de Claudio, probada en las peores transgresiones y en las acusaciones más extremas del alma y de los hombres. La inmediatez de la orla del silencio nocturno intemporal no aporta en este mito marino aquella otra atormentada inquietud del enigma cervantino, que construye la simbólica «Noche del caballero» en un Jorge Guillén siempre azacanadamente emprendedor: «Grave placer el de la soledad». Auque aquí, como veremos, no ha sonado aún para el poeta el instante de la inmersión definitiva.

Tampoco el mar, el desenlace eterno, era un agente nuevo en el peculiar atlas de la imaginación simbólica de Claudio. Solución presentible en la obligada sed del caminante de meseta, que ha ensayado tan sólo «la respiración de la llanura» durante noches de inquisición ascética y de acecho quietista. La presencia simbólica de la contigüidad inasimilable del mar ha asomado mucho antes ya, siempre revestida de sobrecogimiento, en momentos parcialmente liberadores del existir poético de Claudio desde *Alianza y condena*. Antes aún, en *Conjuros*, el símbolo consolador del agua había encauzado su fluidez en la vecindad rumorosa del duradero río mesetario, «Al ruido del Duero», o en los cursos oníricos donde los niños conjuran a la muerte con flores y a pedradas, «Un ramo por el río». Luego, desde que la inmediatez contemplada del mar se hiciera espacio monumental de expectativas grandiosas en «Frente al mar» (págs. 161-162), y revelara su condición de intenso límite simbólico en poemas como «Espuma» (pág. 151) o «Amarras» (pág. 210), la promesa de un espacio de regeneración imaginaria del ámbito fetal acuoso había anunciado su inexorable condición de desenlace marino en los cálculos del universo mítico de Claudio.

Correlato externo de la acuidad móvil del alma, tan libre y penetrante como ella misma en sus presentimientos pasivamente sabios: «Y no mires al mar porque todo lo sabe / cuando llega la hora / adonde nunca llega el pensamiento / pero sí el mar del alma». El ámbito estepario por el que ha discurrido y en el que se han formado las imágenes de recubrimiento en la imaginación del poeta, no alcanza la aventura de la inmersión eterna en lo abisal. Tampoco las profundidades marinas ofrecieron nunca espacio de acogida a la imaginación castellana de Jorge Guillén. Por consiguiente, no parece caprichosa la dislocación propuesta a la mirada: «Y no mires al mar... pero sí este momento del aire entre mis manos»; aunque de la atracción secretamente temida de las aguas inmensas emerja la riqueza de imágenes que traducen a formas la inconcreción eterna de la noche: «cuando llega la hora / —dos horas antes de la medianoche— / del tercer oleaje, que es el mío». Contemplador meseteño del mar en el litoral de Zarauz, el gran símbolo oceánico del eterno reposo comparece tan sólo aquí desde su poder de pauta metafórica; lo profundo para Guillén y para Claudio Rodríguez sigue siendo el consuelo del aire; al menos hasta los poemas del último verano.

La reserva simbólica frente al temor profundo de la suprema abismación marina, como la renovada entrega alternativa al medio más constante y familiar del aire, denotan peculiaridades tal vez subconscientes y leyes de resistencia y de entrega inadvertidas para la imaginación peculiar de Claudio Rodríguez, quien actúa y decide sus elecciones en el denso espesor del propio mito personal antropológico. Pero aún se impone otra reserva previa a las determinaciones automáticas del subconsciente: la que aporta la peculiar transfiguración literaria del poeta en acto de crear sobre la situación imaginaria del hombre y la experiencia que fundan la base subconsciente del mito.

Muchos críticos han saludado en *Casi una leyenda* la novedad de la asimilación del tematismo positivo de la muerte[7]. Contrasta sin embargo, frente a esa indiscutible presencia textual explícita, la actitud sicológica privada y personal de un Claudio poco dado hasta entonces a profundizar el pensamiento de la extinción. La advertencia, que correría aquí el riesgo de ser una indiscreción de consecuencias críticas irrelevantes, no resulta así en la medida en que encauza las resistencias imaginarias pergeñadas en el texto anterior hacia las tensiones temáticas entre sepultura y cuna, sudario y sábana, bóveda funeraria, esqueleto y doncella, que recogen los sobrecogedores poemas del final de *Casi una leyenda*[8].

Nada que objetar por tanto sobre las sinceridades literarias de la ficción idílica que se acogen en esta historia esplendorosamente culminada, en punto a la maduración selectiva y al emplazamiento argumental del tema de la muerte. Pero sobre las peculiaridades de su configuración imaginaria, sobre los altibajos en el balance de los gozos temáticos y sobre el eficaz claroscuro intensamente barroco de su escenografía fantástica, cuentan los animados episodios vitales cotidianos que inciden en el desfase entre el deseo universalista de la historia literaria transfigurada y la voluntad consciente del individuo.

Una suerte de palimpsesto ilustrativo de la auscultación interna propone el «Manuscrito de una respiración», en el colofón de la cadena temática que construye la revisión temporal de la experiencia imaginaria.

---

7. Ibid., pág. 627.

8. Véase, entre los más autorizados comentarios, el de Luis García Jambrina en su prólogo de *Hacia el canto*. No escapa a la perspicacia de Jambrina la condición inestable del tematismo en la indecisión ambigua de las valencias míticas que detectan también nuestros análisis. Jambrina califica esa evidencia en términos de contrariedad paradójica: «lo más novedoso de esta obra lo constituye, sin duda, la última sección, donde nos encontramos con una muerte extraordinariamente paradójica» (pág. 19). Asímismo Ángel Rupérez, sobre las ambivalencias del nuevo tematismo, adelantaba las claves de la «serenidad encontrada en la inmersión del ciclo de la vida natural». Cfr., «La vida para siempre», *Introducción* a su selección antológica, pág. 31. Certera percepción que orienta hacia la adquisición literaria asumida por las imágenes eufóricas de la regeneración vital, connaturales a las espontáneas convivencias de la cultura carnavalesca sobre la renovación natural y la muerte de los individuos. Todo se modifica, sin embargo, con el advenimiento de los poemas profundos sobre la abismación eterna en las mareas cantábricas del verano de 1998 pasado en Zarauz.

El trabajo fundamental de los símbolos poéticos en esta auscultación de la intimidad digestiva es de transferencia espacial. Se trata de traducir a las intenciones exteriores de los habituales agentes del paisaje, independientes y objetivos, los movimientos íntimos del propio cuerpo. La traslación de la espacialidad fantástica que resulta casi siempre difícilmente alojable en la dimensión convencional de la experiencia; tal el origen del resplandor que «trasluce y traspasa» a la conciencia esa respiración transfigurada imaginativamente en «hondo espía» por efecto de la auscultación interior.

El bloqueo constitutivo de la imaginación de Claudio Rodríguez respecto a la espacialidad digestiva y nocturna reaparece iluminado por los efectos de una siembra de desdibujadas figuras y de protagonistas posturales en el ensayo de paisaje íntimo de las cavidades. También el presentimiento de la noche interna, dentro de las bóvedas corporales, necesita poblarse imaginativamente con los fantasmas habituales de la animación diurna. Y sin embargo sus propiedades simbólicas son las mismas que las del paisaje exterior. Por ejemplo, las asociaciones casi espontáneas de la herida luminosa del aire y la proximidad imaginaria de sus equivalencias —el rayo de luz que enhebra y rapta los cuerpos, el polvo de los pólenes que infectan fatalmente los labios suturados de la herida, los encajes del embozo fúnebre y el hilo árido de la sutura y del sudario, etc...[9]— renuevan en los símbolos reiterados de esta

9. De los poemas que forman «Herida en cuatro tiempos» en *El vuelo de la celebración*, entresacamos fragmentos que tienen evidente resonancia en las imágenes del paisaje íntimo de la herida en «Manuscrito de una respiración». Así, «Cómo conozco el algodón y el hilo de esta almohada», para «el hilo blanco y duro del ahogo»; «¿Y está la herida ya sin su hondo pétalo, / sin tibieza, / sino fecunda con su mismo polen, / cosida a mano», para «y me hilvana y me cose / con polen de la luz junto al encaje». Sin contar ya el claro indicio general temático que para los antecedentes de este «Manuscrito» representaba en «Herida» la luz de la estrella: «habitándome astuta en la noche de la respiración». A destacar también aquí —sintéticamente— sobre la génesis simbólica del tematismo de la herida suturada, la sugerente presencia del símbolo siempre siniestro del pinar, cruzado con las imágenes de la herida suturada a través de la asociación indirecta del efecto imaginario en el verso de «El sueño de una pesadilla»: «en las agujas del pinar del sueño». Convergencias literarias surgidas de la vivencia común, en todos estos textos, de situaciones extraordinariamente depresivas y adversas. «Manuscrito de una respiración» fue compuesto durante el periodo de hospitalización del poeta por una intervención quirúrgica en la espalda.

escenografía interior de la lucha respiratoria la persuasión de una alta coherencia en la constancia del universo total imaginario.

Pero las manifestaciones consentidas de constancias familiares simbólicas pertenecen al orden general de las deixis intertextuales, como la gradación de las reinsistencias temáticas que refuerzan la consistencia imaginaria del mito. Lo mismo que la cuidada dosificación en la recurrencia de fórmulas singulares y de autocitas culminativas que ponen de evidencia la controlada regularidad del discurso de la obra. Concretamente en este mismo ápice supremo de la revelación madura, el significativo gesto intertextual para subrayar el paralelismo en la construcción mítica —«¿Es que voy a vivir después de tanta / revelación?»— declara, según se ha dicho ya universalmente, su voluntad evidente de contacto evocativo por encima del tiempo con las articuladas preguntas del adolescente deslumbrado bajo los espejismos idílicos en el final de *Don de la ebriedad*: «¿Es que voy a morir?... ¿Es que voy a vivir? ¿Tan pronto acaba / la ebriedad?» (pág.63).

Todos estos datos de culminación de la constancia simbólica, que con poderosa persuasión poética contribuyen a fundar la sólida seguridad imaginativa y sentimental del universo mítico de Claudio, son a su vez —mirados de otro modo— testimonios positivos de prueba para el autor. Ellos le permiten desplegar el contraste de su inextinguible fecundidad simbólica en las llamativas variaciones del contorno de su escenografía imaginaria. Así deben asimilarse los sensitivos olores de marzo y «la mirada de lluvia» que renuevan el viejo símbolo recurrente de la cama de infancia; o las nuevas llamadas al nacimiento de la pared medianera[10], que instauran en el poema el poderoso implante mítico del tematismo simbólico desplegado en los

---

10. Cotéjese la situación de la llamada que convoca a la experiencia tras la pared medianera en este poema: «¿Y quién me llama a través de ella, quién / me ha escogido, quién / me está pidiendo algo y no se entrega?», con la ambigüedad misteriosa de la convocatoria fetal al nacimiento o a la muerte en «Balada de un treinta de enero»: «Alguien llama a la puerta y no es la hora. / Algo está cerca, algo se entreabre», etc... A este propósito, conviene mencionar la confidencia que me hizo el poeta sobre cómo le impresionaron las imágenes del enlutado Salieri golpeando lúgubremente la puerta y convocando a Mozart para la entrega del «Requiem», en la película «Amadeus».

dos «Interludios». Eso sí, con variaciones altamente expresivas en su encarnadura temática: tensa espera ante la salida hacia la luz del nacimiento en la «Balada de un treinta de enero», en contraste con la frustración inexorable del nacimiento a la libertad, entre la bóveda nocturna del templo de la experiencia y la amplitud diurna de la luz y del aire, que sufre secretamente aquel ladrón del secreto, el sacrílego protagonista de la leyenda zamorana de «El robo».

* * * * *

El dilatado recorrido simbólico de Claudio Rodríguez a lo largo de su labor de escritura poética y de su vibrante experiencia existencial culmina, como vemos, en un trayecto común de fuerte convergencia mítica. No puede hablarse aquí sin embargo de inmovilismo imaginativo sino de fecunda constancia simbólica. Lo mismo que no debe culparse a la imaginación de Claudio de parcialidad en su juego paradójico con la sombra nocturna: aquel primer esplendor más que diurno de la noche, que persiste hasta el final como constancia resistente de su incoercible impulso idílico constructivo, natural y ético. Un poder de la voluntad que ha ido edificando laboriosamente las restituciones idílicas de la salvación a lo largo de todas las etapas de su obra, contra la entrega resignada al abandono en los naufragios y a la resignación fatalista de la inversión pelágica. Muy al contrario, la resistencia regeneradora de la imaginación se muestra ahora incesante a favor de una siembra fantasmagórica de imágenes proyectadas desde los paisajes de la experiencia postural diurna hasta las intimidades protectoras del útero materno y a las cavidades interiores del propio cuerpo. Incluso, con el movimiento definitivo de las fantasías simbólicas, hasta el interior insondable del ámbito de la muerte que animará la escenografía carnavalesca, corpóreamente postural, del tránsito de vanidades y las danzas macabras.

En términos más amplios, las peculiaridades en el comportamiento simbólico de la imaginación de Claudio Rodríguez no hacen sino corroborar la hipótesis razonable que alude a la exclusión de la actividad imaginativa del hombre respecto al cálculo y a la conformación imaginaria de la eternidad y de la nada, más allá de la extinción nocturna de la mirada. De esa manera, todos los esfuerzos conocidos para poblar imaginativamente los recintos ultrahumanos de la inmensidad eterna y de la pervivencia posterior a la muerte, los sublimes e imponentes escenarios nocturnos construidos por los místicos y los poetas visionarios para elevar fórmulas intuitivas del mundo escatológico hacia el más allá de los dioses o a los espacios absolutos de la noche y el sueño, no dejan de ser sino animadas proyecciones escenográficas del imaginario adquiridas en la experiencia postural diurna, la manifestación débilmente solitaria de la existencia personal.

En todo caso, la amistad del deseo de Claudio con lo nocturno, que encubre mediante el juego de la inversión paradójica de la luz su indomeñable voluntad salvadora de saturación idílica, representa el negativo de la noche misma como espacio absoluto excluido a los pobladores de la experiencia postural. La nocturnidad imaginativa de Claudio descubre, a las alturas de la circularidad del mito en *Casi una leyenda*, el alcance de su frustración radical: la paradoja del resplandor nocturno simbolizaba tan sólo, en ese punto, el esfuerzo redoblado hacia la claridad de una voluntad viva e irreductible a pruebas de fracaso y de extinción nocturna de las búsquedas vitales. Cada remedio idílico, cada nueva reactivación de la voluntad proyectiva, supone previamente la denodada fuga frente a las fatalidades del límite y la sombra.

Con los poemas de *Casi una leyenda* se tematizan los extremos inmaduros del encuentro imposible con la muerte innombrable. Ni siquiera en tales tesituras ha de desertar la energía de Claudio de su esfuerzo imaginario reconstructivo. En realidad, se generan así en el mito del poeta las últimas representaciones eufemísticas para instrumentar el exorcismo de la muerte: la afrontación deslumbrada de un día a plena luz despoblado de símbolos, la invocación del mar despojado de sus profundidades de abismo, y hasta la animación carnavalesca del sepulcro con sus transacciones metafóricas sobre la muerte y la doncella. ¿La constancia del esfuerzo imaginativo en el idilio de Claudio representa la medida de su virtud moral y la fecundidad mítica de su imaginación; o es más bien la ilustración casi exhaustiva de los límites infranqueables para la construcción simbólica? Falso dilema: tal vez la doble faz necesaria en que se sensibilizan los negativos humanos del absoluto.

En el poema que desarrolla el primero de los dos interludios del libro, el titulado «El robo», la crítica ha visto su condición medular por muchos conceptos sobre el tema de la obra que justifica su título: la leyenda zamorana del ladrón sacrílego atrapado en la angostura de la ventana de huida y petrificado a perpetuidad por su delito sobre el muro de la catedral[11]. La pauta para interpretar alegóricamente el asalto nocturno al altar sagrado la ofrece la reflexión en apóstrofe del propio Claudio: «¿tú qué te has hecho? / ¡Si has tenido en tus manos / la verdad!». A esa luz resulta inmediata, incluso hasta lo inocentemente directo y elemental, la traslación alegórica del asalto sacrílego a la iglesia con el asedio desacralizador del poeta a la verdad, al secreto final de la experiencia. En tales términos, la leyenda local de la que Claudio se sirve en este texto culminante orienta hacia la propia actividad de búsqueda.

Al considerar el relieve mítico en esta transferencia temática, lo verdaderamente revelador lo aporta la condición persistente del robo sacrílego en las fantasías diurnas y conscientes del propio Claudio. Como se dijo en su momento, la biografía de Dionisio Cañas ha recogido confidencias ciertas del poeta sobre el supuesto robo en la adolescencia y la ocultación bajo tierra de un cáliz cerca de la Catedral de Zamora[12]. En nuestros análisis simbólicos del tematismo ocasional de la rapiña

---

11. Luis García Jambrina, *Hacia el canto*, cit., pág. 22: «...cual nuevo Prometeo, el poeta ha de adentrarse en el recinto de lo sagrado y salvar la claridad para entregársela a los otros. Ahora bien, cuando intenta escapar de ese lugar secreto con la *verdad* —con su *robo*—, es ésta la que se le escapa por entre los dedos, mientras que él, como castigo, queda atrapado para siempre». La interpretación, correcta, de Jambrina responde al tenor general de las reiteradas declaraciones de Claudio Rodríguez; recuérdense entre otras las realizadas a Itziar Elizondo en *El Mundo*, 23 de Mayo de 1991, pág. 31; o las que hizo a Juan Carlos Suñén en *El Urogallo*, 62-63 (1991), pág. 11. En una interesante serie de textos periodísticos del propio Claudio Rodríguez publicados en *La Opinión* de Zamora y titulados «Un recuerdo, una semblanza de don Ramón de Luelmo», incluía el poeta la siguiente síntesis del poema-leyenda: «...Sucedió entonces que un ladrón que penetró en el recinto de las obras con propósito de robar los fondos destinados a costear el templo (yo diría cálices, custodias, viriles, etc.) al intentar escapar por una ventana se estrechó el marco de ésta quedando apresada la cabeza del ladrón. He aquí el milagro y la verdad y el destino de la poesía. Porque el poeta busca la propiedad». (*La Opinión*, 23 de febrero, 1992, pág. 11). Para el desarrollo de esta leyenda tan decisiva en la plasmación del mito meta-poético de Claudio Rodríguez remitimos, a través de Jambrina, a la obra de Francisco Romero López, *Leyendas Zamoranas*, Zamora, Bazar Jota, 1984 (5ª ed.), págs. 115-122.

12. Dionisio Cañas, *Claudio Rodríguez*, cit., pág. 32: «El propio Claudio me ha contado cómo cuando era niño robó un cáliz de una iglesia y lo escondió, enterrándolo, en los jardines próximos a la catedral de Zamora. Este acto sacrílego y a la vez temerario —añade Cañas— debió pesar en la conciencia del poeta, no por el valor material del robo, sino por lo simbólico de la

sacrílega y del cáliz desplazado por metamorfosis a la cavidad del sexo femenino, hemos tenido ocasión de reseñar facetas muy reveladoras para esta fijación simbólica obsesiva. Incluso en la actualidad Claudio suele bromear muy seriamente —también en mi propia presencia— sobre proyectos, por supuesto incumplidos, de asaltos quiméricos a tesoros sagrados. El factor de transgresión es parte fundamental seguramente en el equilibrio vital de Claudio.

---

acción. Al mismo tiempo, interpreta, qué duda cabe que era una acción premonitoria de lo que iba a ser parte de su poesía: un intento de devolver lo sagrado a su origen, la tierra, sacándolo así del ámbito institucional en que la religión católica lo ha insertado. Este robo y otros fantasmas —concluye Cañas— son los que quizás configuran esa ciudad que 'Alienta y acusa', tal y como el poeta describía Zamora».

Sin descartar las repercusiones temáticas conscientes de naturaleza religiosa y social, que privilegiaba el interés de Dionisio Cañas tras el secreto revelado por Claudio; nosotros hemos venido subrayando la coherencia subconsciente que existe entre el incidente confidencial del robo sacrílego —con sus raíces seguramente eufemísticas— con la densidad simbólica que desplaza imaginariamente el cáliz, objeto de la transgresión, al cáliz-sexo y a la concavidad bóveda o gruta. Al mismo tiempo que la tierra en la que se habría sepultado y que macularía el cáliz objeto del secreto confidencial, reaparece en la constitución del material simbólico del sexo mineralizado y térreo del poema «Ahí mismo» de *El vuelo de la celebración*. Siendo asimismo la tierra el formante sustancial dentro de la serie simbólica de la aridez y la mineralización que se ha ido constituyendo como material mítico predominante de adversidad y muerte en el cambio de horizonte simbólico del poeta, inicialmente en *Alianza y condena* y después generalizado en los dos últimos libros.

Con posterioridad a lo anterior y a la vista de la reiteración ya popularizada del anecdotario nada trivial desde el punto de vista mítico sobre el robo sacrílego, pregunté muy en serio al poeta, en ocasión de una grave enfermedad y hospitalización en Junio de 1998, sobre la veracidad del incidente. Con rara impaciencia en el tenor habitual, más bien plácido, de nuestras conversaciones, me aseguró absolutamente Claudio la veracidad de aquel remoto lance biográfico. A los catorce años del poeta, y en un instante de profunda quiebra de sus fervorosas vivencias de religiosidad, contrastada por el destino trágico de su orfandad y su desentendimiento y dolorosas censuras íntimas respecto al comportamiento de una madre extremadamente amada, Claudio perpetra efectivamente su acto simbólico de rebeldía y protesta contra Dios. También son ciertas asimismo las circunstancias de la ocultación del cáliz en el jardín próximo a la catedral, y que cuando trató de desenterrar el vaso sagrado, mucho tiempo después, no pudo encontrarlo. Para reforzar su perfil de transgresor que yo ponía en duda, añadió Claudio en nuestro coloquio otras historias de rapiñas, más bien travesuras, como la de su colaboración en la sustracción y venta de la lana de los colchones en casa de un amigo de infancia, gravemente enfrentado con la autoridad de un padre opresivo. Escasa materia biográfica, como se ve, para la constancia e importancia que las fantasías diurnas de transgresión han llegado a tener en la leyenda alentada por el mismo Claudio Rodríguez. Me extiendo obviamente en estas minucias bajo la convicción de que las fantasías y verdades sobre la transgresión sacrílega forman uno de los núcleos míticos fundamentales en la personalidad sicológica del poeta, que afloran en momentos decisivos de la obra.

Sólo desde pulsiones sicológicas poderosamente arraigadas como realidad en el subconsciente, se explica la sincera seriedad con que el poeta se complace y regala con este tipo de elucubraciones. Éstas permiten explicar, a su vez, la conmovedora propiedad de su intuición narrativa en el poema «El robo» sobre actitudes, emociones y estados de ánimo del transgresor legendario de la historia:

> *Es el recuerdo ruin y luminoso*
> *y la mano entreabierta con malicia y rapiña*
> *y los dedos astutos ya maduros*
> *con el temblor de su sagacidad.* (pág.39)

Únicamente a partir de un diálogo desdoblado del yo se alcanza a comprender los altos poderes de intuición y de empatía piadosa que afloran en esta formidable descripción del itinerario mítico del robo prometeico sobre el fuego de la verdad. El profundo logro sentimental de la identificación del anhelo personal del yo con las motivaciones intuidas en el protagonista legendario de la historia narrada explica los desajustes observables en la propiedad del diálogo.

En el cálculo deliberado —y desde luego no erróneo ni impotente— de la continua ruptura de planos de la enunciación, dentro de la normalidad del diálogo narrativo, radica por tanto la más notable habilidad poética del autor. Pues ha de tenerse en cuenta, contra lo que la crítica ha podido destacar hasta ahora, que en la narración de «El robo» se articulan alternadamente dos y aun tres historias principales con intensa repercusión en la imaginación mítica de Claudio: de una parte, la declaración conocida de la leyenda zamorana, la cual brindaba el soporte paralelo, a su vez, a la memoria personal adolescente del robo sacrílego del cáliz; todo ello unido a sus trasuntos alegóricos, también plausibles, sobre el rapto de la verdad prometeica, viene a constituir un denso material en sí mismo de entrecruzamientos narrativos y trasuntos de meditación y experiencia. Pero es que además —y esta es confidencia personal del propio Claudio que creo no ha hecho antes—, en la historia del ladrón y sus zozobras se produce el contagio de una segunda o tercera historia añadida: la de un pariente paterno huido tras un tiroteo en los primeros años de la posguerra, conocido y estimado del propio Claudio niño pues solía repararle su bicicleta. El perseguido se había escondido en el boscaje de la huerta de la abuela paterna, próxima a la estación de Zamora y contigua a los raíles de la vía del tren. Desde el conocimiento de ese cruce de historias se explica la afloración de pasajes misteriosos con sentido indecidible sin ellos, como el siguiente:

> *Así, al acecho, entre los ladrones,*
> *la incertidumbre de la soledad,*
> ....
> *con la prudencia de la encina oyendo*
> *la señal de la liebre,*
> *el raíl, el alambre*
> *junto al cauce del río hoy muy templado,*
> *te doy las piedras blancas del destino...* (pág. 40)

Por esa vía de narración críptica y desentendidamente accidentada se suscita la intensa atmósfera de inquietud sicológica y de angustia patética que, junto a los encendidos logros descriptivos en la transfiguración y animación de instrumentales y objetos, aportan los mejores fundamentos de calidad y de penetración poética a esta pieza maestra de la narración legendaria. En contraste con la imparcialidad buscada del diálogo y el juego de transgresiones, actúa la dualidad proporcional de campos simbólicos alternados que jalonan el texto. De una parte, los conocidos símbolos favorables de la fertilidad acogedora y los de la memoria personal biográfica, pugnando entre la felicidad y la angustia del recuerdo[13]; de otra y con desarrollo más tardío, la serie de los símbolos adversos de la degradación y la hostilidad inorgánicas, metálicas y mineralizadas. Estos últimos afloran al cuerpo narrativo de la historia bajo un detallismo enfatizado en la descrip-

---

13. Los símbolos profundamente jugosos y vitales enclavados en este género de representaciones comparecen en el texto en su condición de universales positivos, como espacio mítico compatible con la experiencia biográfica conocida del narrador y el balance de felicidad idílica atribuida al protagonista del relato. Así sucede, tanto en los momentos en que adquiere perfil personal autónomo, como en las coyunturas del enunciado en las que se adapta más a la conjetura del

ción del instrumental alevoso del ladrón: ganzúas, clavos, goznes y mecanismos de las cerraduras, etc.[14].

Mediante el juego de esa alternancia de evocaciones simbólicas se consigue introducir en el texto intensas gradaciones emotivas de piedad y rechazo, de caridad y perdición, sobre las que actúan indisociablemente los mecanismos autocompasivos de identificación biográfica y de acusación censora. Precisamente es a partir de la constancia simbólica de esta dualidad como se puede avanzar una conjetura razonable, opuesta a la interpretación habitual del poema en términos de asalto a la verdad prometeica. El ladrón llega hasta el borde de las esplendorosas riquezas minerales del ara y del sagrario; pero en su deslumbramiento codicioso desconoce u olvida el verdadero

---

desdoblamiento personal del poeta sujeto de la enunciación. Véase el desarrollo de este grupo de símbolos en el siguiente paso del poema:

> *Tú recuerda cómo antes un olor a castaño,*
> *a frambuesa, a cerezo, a caña dulce,*
> *a la armonía de la ropa al raso*
> *te alumbró, te dio techo, calle, adivinación*
> *y hasta hoy libertad*
> *entre perfidia y bienaventuranza.* (pág. 40)

El estricto mantenimiento en esos símbolos de las valencias reconocibles en el universo imaginativo habitual del poeta es el vehículo principal que conduce los mecanismos de identificación alegórica, responsables mayores del interés mítico en el tratamiento de la leyenda. Valencias gustosamente vegetales de uno de esos olores evocativos siempre presentes en la propia historia literaria de Claudio; recuérdese «Un olor» (pág. 179) de *Alianza y condena*. Son estos mismos valores simbólicos peculiares los que conforman las propiedades imaginarias de los objetos de uso del protagonista mítico del robo. Recuérdese al respecto el símbolo purificador de las abluciones con arena en *El vuelo de la celebración* —«Arena» (pág. 208)—; o bien las más globales valencias míticas y biográficas en los decisivos símbolos de la casa y del río, tan vinculados en el paradigma mítico de Claudio a la recuperación salvadora del estado imaginario de infancia, como a su misma pérdida. Todo ello emsamblado en versos como: «No te laves las manos y no cojas arena / porque la arena está pidiendo noche», y «Buscaste casa donde no hubo nadie, / cerca del río».

14. La familia de símbolos en el texto que introducen las presencias adversas de lo árido y metálico, prolonga e instrumenta en el segundo canto la gravitación siniestra de la aridez hostil, suscitada simbólicamente en el canto primero por las imágenes de focalización casi neurótica de la actividad de los dedos y la mano aleve del ladrón. Claudio los convoca con insuperable animación fantástica en los momentos culminantes de la decisión sacrílega, como sacudida impaciente y contrapunto de la alevosía, y tras las evocaciones de fluctuación bonancible del ánimo en la memoria vegetal idílica: «Ahora es el momento de la llave, / de la honda cerradura. Acierta o vete»;

resplandor de la naciente primavera externa al recinto opresivo del templo, el boscaje —no se olvide tampoco— en que se protegería el homicida protagonista de la segunda historia combinada. Una naturaleza y un aire en libertad exornados de no inferiores atractivos poéticos que los que le habían deslumbrado previamente en el fascinante retablo de la riqueza mineral y metálica de los altares: «Estás llegando a tanta claridad / que ya ni ves que está la primavera / sobria en los chopos ahí enfrente».

En tales términos, ¿dónde reside esa «verdad» afirmada en el texto, que el ladrón ha alcanzado —y perdido— con sus manos? ¿En el oropel metálico de unas joyas cobradas a costa de sacrilegio y ruina; o en la fertilidad de las aguas sagradas y de los árboles vecinos de la infancia, que se entregan gratuitamente sin exigir el precio de la pasión ni de la vida? No resolvemos aquí esta alternativa legítima de la interpretación desde la abierta disposición del enunciado; y tanto menos en un poema cuya inorganicidad altamente poética señala el ápice creativo

---

y sobre todo más adelante, en el momento de la culminación del robo, en el instante decisivo cuando «llega el dominio del oficio»:

> el del hierro solemne y el acero perverso,
> los goznes decorados, la locura del clavo,
> el ritmo cincelado
> sin notarse la huella de la cruel soldadura,
> y la cabeza del tornillo abriendo
> el giro y el encaje
> de la bisagra;
> la lira de la llave, el astil taladrado y bien pulido,
> iluminado entre los pliegues limpios
> marcados por la luz, por el azufre,
> por el humo de sal y de carbón. (pág. 42)

Y como prueba, basta que cualquier representación simbólica de signo divergente aflore en los espacios imaginarios habituales de la aridez astuta y culpable, para que el adverso bloque de las sensaciones aceradas de lo inerte se anime y diversifique en dolorosos matices evocativos. Casi a continuación:

> No es el dolor sino es el sacrilegio
> entre el metal y el alma
> mientras la alondra nueva canta en las heridas
> secas y solas de la cerradura.

de la clarividencia de su autor[15], cuando las apariencias fluctúan y se confunden los ya remotos valores absolutos de verdad y de mentira, de historia y de leyenda.

* * * * *

Desde la simple consideración externa de los títulos y los temas argumentales no aparece clara la relación imaginable entre los dos interludios de *Casi una leyenda*, a partir de las menciones temáticas aquí realizadas sobre el contenido de «El robo». Los dos poemas que forman el «Segundo interludio de Enero» tratan de la gozosa vigilia en la noche de Reyes Magos y de otra espera, aún más anhelante, la del treinta de Enero, fecha del nacimiento del poeta.

---

15. En una de sus declaraciones periodísticas en 1991 al diario *El Independiente*, que recoge García Jambrina, declaraba Claudio Rodríguez a propósito del estado evolucionado de su experiencia sobre la claridad poética en *Casi una leyenda*, de su huella en la estructura general del libro y en la de los poemas más representativos como éste de «El robo»: «... para mí la vida es algo legendario, no sólo historia, dato concreto. Todo me parece algo confuso, extraño, como si las experiencias no hubieran sucedido o hubieran sucedido de otra manera. La vida —añadía en conclusión— tiene ese aspecto de fábula, por eso no puedo reproducir mis experiencias anteriores», cit. por Luis García Jambrina, *Hacia el canto*, introducción, pág. 18.

Interesa advertir, sobre la coyuntura actual de nuestro análisis autobiográfico, que la nueva condición confesadamente distorsionada de la historia y de la realidad como leyenda y sueño no resulta poéticamente una pérdida para la obra de Claudio, sino antes bien una ganancia de incalculable calado para el futuro de su imaginación de la metamorfosis. Por lo mismo, las consecuencias sobre los órdenes y la técnica de los textos distan mucho de ser el paso atrás que arguyen algunos partidarios, incluso bien intencionados, del inmovilismo estético de un primer Claudio Rodríguez controlador de la construcción poética, que domeñaba con el poder de su lógica argumentativa las tentaciones hacia las demasías del irracionalismo en las imágenes de la ebriedad.

Sobre las evidentes distorsiones observables en el orden argumentativo del poema «El robo» se proyectan las consecuencias de ese proceso de síntesis irracionalista de la lógica y las verdades comunes, establecidas a partir de la sensibilidad sumisa con las reglas históricas de lo real. Y por lo mismo, esa modificación intensamente poética e innovadora de los símbolos individuales que depara inconfundiblemente el análisis, se ve enriquecida en las decisiones textuales dinámicas que determinan el cuerpo global de la narración y las leyes de su lógica. A mi juicio, por tanto, el tortuoso proceso de plasmación narrativa del tematismo en el poema «El robo», con los secretos y las oscuridades deliberadas de sus cruces intrincados de historias, marca uno de los ápices monumentales —y no lo contrario— en la perfección poética de Claudio Rodríguez.

Sin embargo, el desenlace de la leyenda zamorana sobre el robo sacrílego y la actitud de la figura de piedra aprisionada en el muro de la catedral ofrecen una decisiva pauta de relación con el cálculo imaginario del trance del propio nacimiento, tal y como se desarrolla narrativamente en la «Balada del treinta de Enero». El personaje legendario que sale de las tinieblas del templo a la luz de la calle y queda atrapado por su culpa en la angostura de la ventana, comparte una situación simbólica muy semejante con la del feto en el desencadenamiento del parto. Recuérdese la situación de angostura y ahogo en la leyenda de «El robo»:

> *No has podido salir de la marea*
> *de esta ventana milagrosa y cierta*
> *que te ahoga y te ahorca.* (pág. 44)

Por su parte, en el desplazamiento simbólico que señalamos, resulta significativa la transferencia del útero materno que «se entreabre» con la llamada aterradora a «la puerta», tal y como se construye imaginativamente en la «Balada»:

> *...Desde estas piedras*
> *que se estremecen al juntarse igual*
> *que cruz o clavo*
> *de cuatro puntas,*
> *¿se oye la señal?*
> *¿Se oye cómo el agua*
> *se está hablando a sí misma para siempre?* (pág. 67)

Y no son menores las equivalencias míticas con los móviles y el desenlace del ladrón atrapado que se vislumbran en el peculiar proyecto de la salida a la luz del nacimiento: «tanta alegría hacia la claridad... / Y el cuerpo en vilo / en la alta noche...»; o en los caprichosos atributos y circunstancias imaginarias aparejados al recinto y a la ventana del parto: «El tiempo, la traición de óvalo azul, / de codicia y envidia, / y esta pared con sombra». Sin olvidar que la compleja situación emocional y objetiva de la inquieta vigilia en «Un brindis por el seis de Enero» aparece sintomáticamente focalizada en la composición bajo la forma coincidente con el tematismo general del advenimiento de la luz[16].

La bendición tardía de lo que antes había sido sólo maldito en el «Brindis...», la puerta de la esperanza franqueada al mensajero ambiguo del propio nacimiento —de la vida y la muerte, como el enlutado Salieri del filme «Amadeus»— en la «Balada...», y hasta la enhorabuena final al «viejo ladrón sin fuga» de la leyenda de «El robo», definen la actitud de renovación en la voluntad idílica de mejora que continúa presidiendo el balance maduro sobre la ilusión y la experiencia de Claudio en *Casi una leyenda*. El tenor moral de los «Interludios» ratifica por tanto la actitud positiva que se decantó en la revisión de la conciencia postural contrastada del ahora y el antes en «Calle sin nombre», así como en las composiciones de la primera serie «De noche y

---

16. Se revela aquí muy patente y explícita, para empezar, la cosmovisión fetal permanente en la concepción del universo del poeta Rodríguez, como gran útero o bóveda cálidamente protectora y nocturna. Ese ámbito maternal e idílico, al ampliarse los quehaceres sociales de los adultos arrojados al tráfago del mundo, se ve contaminado por el más mezquino de los lastres: la obligación de ganarse la vida y el dinero —«Heme aquí bajo el cielo, / bajo el que tengo que ganar dinero»—. El emplazamiento fetal indiferenciadamente nocturno de la bóveda uterina y del cosmos extenso actúa como principio universal imaginario de la progresión esperada hacia la luz. En el mito global de Claudio, el resplandor nocturno se configura paradójicamente como destello interior de las bóvedas o cavidades habituales, la del firmamento o la del útero, siempre nocturnas: «Viene la claridad que es ilusión, / temor sereno junto a la alegría / recién nacida / de la inocencia de esta noche». Una noche que se introduce en la casa familiar de la infancia —el segundo recinto simbólico tras el del cielo a campo abierto y antes del tercero, uterino, tan tardíamente desvelado en esta poesía— a través de la ventana mítica, emparentada inconfundiblemente con la del muro del sacrilegio y la del parto: «... que entra / por todas las ventanas sin cristales, / de mañana en mañana».

Siempre dentro del ámbito simbólico de las correlaciones míticas a que autoriza la configuración de este poema, que lo relaciona intencionalmente con la situación y el trayecto mítico comunes a los otros de los «Interludios», resultan inmediatamente transferibles en este proceso de búsqueda de la claridad las propiedades simbólicas de la iluminación objeto del anhelo: «y es adivnación y es la visión, / lo que siempre se espera y ahora llega». Igualmente, la vibrante tensión insistida de la expectación ante la epifanía: «... y ahora llega, / está llegando mientras alzo el vaso / y me tiembla la mano, vida a vida, / con milagro y con cielo / donde nada oscurece». Sólo desde el complejo cruce de transferencias referenciales simbólicas que inciden en la escenografía imaginaria del brindis, se entiende su terrible contenido: «Bendito sea lo que fue maldito». Desgarradora fórmula que acoge la reprimida creencia, que bien pudo alentar el complejo temático origen del tortuoso sentimiento del conflicto con la madre.

por la mañana». Una actitud que viene a mantenerse también idéntica, como veremos, respecto a la voluntad moral predominante en los otros dos grandes registros temáticos que completan el espectro mítico desarrollado en este libro: el amor y la muerte.

Los poemas que despliegan el tematismo erótico, agrupados en el apartado con el título sintomático «De amor ha sido la falta», resultan especialmente significativos para valorar el decidido sesgo y el alcance definitivo de la plenitud idílica, inasequible ya a los más duros contrastes de la experiencia en este último libro esforzadamente gozoso del poeta. El amor había cumplido perfectamente hasta ahora, en las obras anteriores, su condición genérica de tematismo erótico regenerativo, obedeciendo a la configuración habitual del sentimiento antropológico. Sin embargo no se había dejado de hacer sensible puntualmente en muchos de los textos correspondientes a los símbolos amorosos y eróticos una contaminación peyorativa de resentimiento y de venganza: el odio como constituyente del amor. Tal contagio afectivo se podría conectar no sólo con los altibajos y los vaivenes naturales de las circunstancias biográficas referenciadas en los textos, sino quizás más sutil y verdaderamente con un fondo general de arraigadas experiencias y sentimientos perinatales y edípicos, conscientes y subconscientes.

Son muy sorprendentes y hasta chocantes a menudo los rasgos de desplazamiento transfigurativo de la amada polémica en el trasfondo de muchas de las historias amorosas singulares tematizadas en los poemas con ese contenido en todos los libros previos. Pero sobre todo resultan de una nitidez mítica inhabitual los extraños atributos simbólicos de mineralización y de aridez que cristalizan en los poemas más explícitos del régimen copulativo, como en «Ahí mismo». Tanto alcanzan a ser contradictorias y comprometidas en esta poesía las singularidades adversas de la adjetivación peculiarizante de la actividad amorosa.

Por vez primera, sin embargo, el despliegue del tematismo amoroso aparece en *Casi una leyenda* normalizado y exento a sus antiguas transgresiones y accidentes respecto al comportamiento mítico estándar de este régimen imaginativo, tras las apasionadas tormentas de *El vuelo de la celebración*. El propio título de la sección «De amor ha sido la falta», formado por el poeta sobre moldes de octosílabo del romancero añejo, adelanta la declaración tradicional de exculpación para los pecados galantes. Todo resuena ya a milagro y a bendición en el preámbulo poético que sintetiza el espíritu dominante en estos textos de reconciliación y de despedida de las antiguas transgresiones eróticas:

Aquí ya está el milagro,
aquí, a medio camino .
entre la bendición, entre el silencio,
y la fecundación y la lujuria
y la luz sin fatiga. (pág. 49)

Si bien no se deben buscar demasiadas congrüencias temáticas entre este poema, de constitución queridamente fragmentaria, y el conjunto mítico que establecen los otros del apartado. La condición enigmática de este texto, cuya génesis y contenido significativo no se le alcanzan actualmente ni siquiera al autor, responde en realidad al deseo de aprovechar algún fragmento parcial logrado con el fin de confeccionar un quinto poema, que igualara esta parte con el número de cinco composiciones de las otras equivalentes en el libro: «De noche y por la mañana» y «Nunca vi muerte tan muerta».

Por primera vez también la semilla simbólica descubre, en la euforia sin trabas ni tormentas del placer amoroso, su identidad fraterna con el poema, su condición connatural al canto: «... la levadura del placer que amasa / sexo y canto». En la hora sublime de tal descubrimiento, tan resistente y tardío para el anhelo culpable de Claudio Rodríguez, el secreto reviste al fin su fondo innegable de serenidad piadosa y quieta elevación.

Una atmósfera de desconocidos esplendores y euforia enmarca todas las composiciones de este apartado temático. Así «The nest of lovers», rememoración del nombre de la casa de Alfriston en Inglaterra donde pasó con su esposa Clara una feliz temporada, se inicia con imágenes de bendición a partir del primer verso: «Y llegó la alegría»; hasta la proclamación sencilla y sin reservas del amor: «Y yo te veo porque yo te quiero», convertida en estribillo que ajusta temáticamente el contenido del poema. En el impulso emocional que engendra la declaración espontánea del entusiasmo, resultan ya fantasmas sin fundamento las viejas compañías de presagios adversos y las sombras vengativas de antaño. De ese contexto arranca en letanía insistida el conjuro ascensional, los imperativos estimulantes exentos a las formas de congoja: «Alza tu cara más porque no es una imagen / y no hay recuerdo ni remordimiento /... sino inocencia nunca pasajera, / sino el silencio del enamorado». Una marejada de euforia capaz de recubrir con alegría los símbolos más controlados y ambivalentes de la mitología personal de Claudio: la marea, la casa y su tejado, regenerándolos con atributos y asociaciones simbólicas nuevas y luminosas: «El polvo de la espuma de la alta marea / llega a la cima, al nido de esta casa, / a la armonía de la teja abierta».

La novedad regenerativa de esta euforia tardíamente descubierta alumbra en el poeta sus títulos simbólicos más espontáneos y naturales contra las imágenes depresivas del dolor y las amenazas de la muerte: las que impurifican y traicionan, fuera del amor, las tentaciones de plenitud de una posturalidad contra la que se proyectan los conjuros sempiternos del tiempo y su transcurso. En el mismo poema «The nest of lovers» se proclamaba ya la condición de la alegría renovada, una vez licenciados definitivamente en el amor sereno de la esposa los viejos fantasmas extramatrimoniales de las transgresiones eróticas, como energía remota al dolor y a sus recuerdos: «... cuando ahora vivo la alegría nueva, / muy lejos del recuerdo, el dolor solo...». Así se anuncia también en el recorrido de evocaciones de un personal «Momento de renuncia», a cuya enumeración de imágenes de un erotismo envolvente[17] se sobrepone la nitidez definitiva del propósito regenerador: «Hay que limpiar el aire y hay que abrir / el amor sin espacio».

---

17. Peculiariza decisivamente la mayoría de estas historias de encuentros amorosos, en la narración poética de Claudio Rodríguez, el escenario y la ubicación diferenciada y recíprocamente intangente de los protagonistas del acontecimiento. El poeta contempla habitualmente desde la exterioridad los objetos de su deseo erótico. En «Momento de renuncia» se tematiza la situación diferida de espera y contemplación en una Plaza Mayor de Salamanca que simboliza, por personalísima idiosincrasia del poeta, el recinto de la máxima intensidad erótica: «... y te estoy esperando / junto al viento envidioso de la luz, / muy cerca de la plaza». Desde esta primera distancia fundadora, sorprende siempre en segundo lugar la peculiar adjetivación lúbrica de los atributos eróticos de la amada; esa espontaneidad de la impaciencia casi inexperta en el apasionamiento sexual de Claudio: «Los tobillos recién amanecidos» pero «sonando a horno», siempre amenazados por

Tal vez la motivación definitiva para este maduro desarraigo idílico de un Claudio Rodríguez liberado por fin de la oscura contaminación del resentimiento sobre sus objetos eróticos, lo aporta precisamente el borrado individual, o al menos el decisivo declive de la presencia en las mujeres objetos de su amor. El debilitamiento de la mujer en su sustantividad personal resulta patente en el confesado juego de transposiciones y desplazamientos de imágenes, desde el ser individual al simulacro universal de lo femenino que constituye la historia textual íntima del extraordinario poema «Lamento a Mari»: el nombre de mujer que simboliza en la mitología vasca la representación conciliadora de la fuerza generativa telúrica, de la madre tierra. La ambigüedad la pone en este caso la ubicación misma del poema

---

el abismo a la vez atractivo y excluyente que se sustancia en sombra de misterio: «... Es la primera curva / querida, vena a vena, / antes de entrar en el misterio». Sólo la recia urdimbre general de la sensibilidad de Claudio Rodríguez puede amparar, desde la sospecha equívoca a la que hemos aludido arriba, la adjetivación fantástica que asimila y encauza la selección de símbolos en el eros: «ese olor a sobaco que madura / con sudor que yo quiero y huele a trigo...»; creando series de imágenes que transparentan la inocente violencia de su sensibilidad erótica.

Vale seguramente aquí el dato anecdótico orientativo de la curiosa aura de erotismo que Claudio Rodríguez asoció con Salamanca desde sus años universitarios, cuando estudió allí el primer curso de Derecho. Rasgo este para mí siempre sintomático sobre el carácter y la fabulación mítica del poeta. Salamanca, exaltable por tantas otras razones culturales e históricas, destacó siempre en la imaginación de Claudio como una suerte de polo o centro comprimido de un erotismo compatible con la superficie de austeridad ascética. En la contribución del autor al volumen misceláneo *Salamanca y la cultura universal*, de 1992, que tituló «Entrando en Salamanca», destacaba Claudio la atmósfera de sensualidad nada menos que junto a la «Música callada» de progenie luisiana y del maestro Salinas. El propio autor me orientó así hacia ese texto y al fragmento concreto donde comparecen los mencionados síntomas de su imaginario personal: «Hay música callada, serenidad, sexualidad. El doctor Andrés Laguna —rememoraba Claudio— en 1566 hablaba de la *bendita planta* cuya virtud es que *las tetas las buelve como manzanas por San Juan»*. (loc. cit., págs. 154-5).

Son claves, como se ve, que comparecen en los pasos con más acendrado énfasis de la fantasía erótica en el poema —«el trino ágil del pezón moreno», étc—. Ante mí y sobre este texto ha evocado Claudio a propósito de la ciudad unamuniana, de la que quisiera «hacer cuerpo luz, / música de la luz, concha y vidriera» —diáfana alusión a la emblemática Casa de las Conchas—, la divulgada fama de la esplendorosa capital en su pequeña ciudad levítica de Zamora, por su tradición de vida disoluta, a la vez prostibularia y deprimida, en los años de la adolescencia del poeta. Curiosas y caprichosas selecciones fantásticas todas ellas en la imaginación de Claudio, quien buscaba así en la central plaza plateresca el meollo mítico de su conflictividad sentimental, en este poema manifiesta en términos de desistimiento y renuncia tardíos al amor.

en otra de las narraciones seriadas de amor, que en cada libro de Claudio Rodríguez disparaban la multiplicidad de los objetos reales bajo apariencias de historia única.

Un efecto de síntesis y de cruce espontáneo gobiernan este poema inicialmente mitológico —consta aquí la inspiración de Claudio en relación a la omnipotencia mítica de la Mari telúrica en el diccionario de mitología vasca de Barandiarán— del intenso tenor sentimental y erótico inducido en el ánimo de Claudio, en aquellos mismos días, por las evocaciones amorosas de «Momento de renuncia». Las declaraciones que el poeta me ha hecho en tal sentido, corroboradas por la afloración en los versos iniciales del tema tan frecuentado del «brief encounter», han de ponerse en relación con el dato determinante del corto e intensísimo momento de inspirada escritura —ya lo hemos dicho: no más de unos seis meses— en que se compusieron la mayoría de los textos de *Casi una leyenda*. La irrealidad personal de esta última confidencia simbólica en el repliegue nostálgico del amador tardío aparece paladinamente desde la iniciación del poema:

> *Casi es mejor que así llegue esta escena*
> *porque no eres figura sino aliento.*
> *La primavera vuelve mas no vuelve*
> *el amor, Mari. Y menos mal que ahora*
> *todo aparece y desaparece.* (pág. 59)

Mediante su voluntariosa salvación del entusiasmo en la imaginación erótica, lograda incluso al costoso precio de la sublimación esencialista y universal del objeto, el esfuerzo idílico del poeta recupera sus raíces antropológicas más genuinas y espontáneas en estas tardías estaciones del impulso amoroso. Tal vez el itinerario del trabajo del eros en la imaginación de Claudio Rodríguez ha sido excepcionalmente dilatado y tortuoso; pero la constancia de su esfuerzo regenerativo salva finalmente en naturalidad los formidables signos que a su imaginación le impuso el atormentado cerco de la instancia. Pues si el amor representa míticamente el instante infinito de tregua imaginaria contra el asedio del transcurso temporal y la amenaza nocturna de la muerte, sorprende aquí una vez más en Claudio su riguroso instinto de selección —o su incomensurable talento de gran poeta— en el ensayo de intensa despedida «Con los cinco pinares», despedida tal vez definitiva de las ternuras a su hermana Carmen.

La asociación mítica cultural, tan tópica como antropológicamente radicada entre Eros y Tánatos, se sirve para esta cancelación sublime de la culpa en la experiencia idílico-temática de uno de sus simbolismos más misteriosos y recónditos: el numinoso pinar nocturno, asociado a las representaciones de la amenaza siniestra y de la muerte desde su génesis subconsciente en la experiencia imaginaria del poeta, quien elucubraba ante mí confusamente respecto a la cifra simbólica que cuantifica aquí en número azaroso de cinco el fondo eterno de amenaza que para él asocian los pinares. La caprichosa concentración en cinco de ese número marca, en este caso, una de sus habituales presencias de alta sugestión poética, semejante a la del «tercer oleaje» favorito de «Nuevo día», o a la fantasía cromático-simbólica de «El cristalero azul».

Sólo bajo la constancia de esa implicación mítica recóndita se justifica la densa suma amenazante del tópico, que funda inicialmente el misterioso curso de la enunciación para la cita sobrecogedora más allá de la carne y de la muerte: «Con los cinco pinares de tu muerte y la mía / tú volverás. Escucha...». Pero aun así —por más que pesan ya insuperablemente desde estas alturas de la experiencia «la creencia y los años» con su «vileza macilenta, sin soledad ni ayuda»—, ni siquiera la conjura adversa de los peores símbolos —la reseca ruina del siniestro pinar— alcanza a desvanecer el fervor milagrosamente renovado en el anhelo idílico de la perpetuidad de la memoria hacia su hermana Carmen:

> *Es el amor que vuelve. ¿Y qué hacemos ahora*
> *si está la alondra del alba cantando en la resina*
> *de los cinco pinares de tu muerte y la mía?*
> *Fue demasiado pronto pero ahora no es tarde.* (pág. 61)

Y no hay más certero tiro sobre el centro del mito de la salvación del tiempo por el eros, que el que rescata Claudio al secreto mediante el portentoso verso final del poema: «el misterio que salva y la vida que vive!».

El carnaval de la muerte: cortejo regenerador y contradanza

Desde el punto de vista temático la muerte es un espacio culminante de la experiencia diurna, el signo de su negativo y de su frustración. La muerte, noche absoluta, inquieta a la imaginación sobre todo por su indiferenciado espacio temporal. La muerte, temáticamente, designa el límite intransgredible para la imaginación. Un espacio real desconfinado que se falsea al poblarlo de las imágenes que menos le corresponden; la fantasía poética colma el ámbito vacío de referencias mediante representaciones contradictorias proyectadas desde la experiencia postural diurna.

Hasta *Casi una leyenda*, Claudio no había afrontado explícita y circunstanciadamente el tematismo universal sobre la muerte; quiere decirse el de la muerte que alcanza a todos porque incluye primariamente al yo. Aquí no se trata ya de la muerte del otro, las viejas elegías por el amigo, por la hermana o la madre o por las cosas: la casa ida, el paredón o la techumbre en ruinas. En el apartado de su último libro, «Nunca vi muerte tan muerta», Claudio Rodríguez examina temáticamente la manifestación más alta de la voluntad idílica, la salvación sobre el vacío siempre inquietante de la muerte. Era cita obligada en una obra como ésta, que no ha elidido en su grandeza ética ninguna de las cuestiones vitales. Pero en esta última obra, por ahora, la superación de la agonía mortal se solventa asumiendo una de las actitudes culturales a disposición de la imaginación a la vez más espontáneas, populares y gozosas: el destino regenerativo de la especie, que encarna la imaginacióm carnavalesca de la muerte.

El individuo caduco se extingue y muere, llegado al límite de su experiencia y de su fuerza de resistencia vital, pero la especie se salva en los nuevos retoños nacidos para ocupar el limitado espacio de sus predecesores; es así como la muerte individual se frustra y devalúa: *muerte muerta.* Los «locos» del carnaval se golpean jocosamente, se hieren y hasta se matan simbólicamente con el instrumento sustitutorio de las jubilosas vejigas hinchadas de aire. Es el juego mítico que expresa la ley natural de la regeneración de las especies, determinante de la rotación circular de sus componentes individuales. Una filosofía sagaz y resignada que ha sido asumida culturalmente por la escenografía desenfadada del carnaval, de la que Claudio Rodríguez asume la mayoría de las facetas imaginarias para esta reflexión madura, positiva e idílica, sobre el extremo enigma negativo. Así, no es nada extraño que la primera composición del apartado adopte el símbolo vegetal más arquetípico de la regeneración floral de la primavera temprana: el almendro.

En «Los almendros de Marialba» celebra Claudio las imágenes cristianas de la resurrección de Cristo y de la carne, del tiempo sobre el infranqueable límite de la muerte en la imaginación del hombre, mediante la simbología de la renovación estacional de la naturaleza: «la nerviación de la hoja tierna como / el recuerdo sin quicios ni aleteos /... ¿todo es resurrección?». La imaginación idílica del poeta en este trance supremo de su voluntad perenne de salvación se sacia gustosamente de presencias fértiles y diurnas, vegetales, jamás completamente ensombrecidas bajo los reflejos fatales de la muerte:

> *...Hay que mirarlos*
> *con la mirada alta, sin recodos,*
> *esperando este viento tan temprano,*
> *esta noche marchita y compañera,*
> *este olor claro antes*
> *de entrar en el tempero de la lluvia,*
> *en el tallo muy fino de la muerte.* (págs. 73-74)

La asociación espontánea que aquí se subraya entre la vida y la muerte —de la muerte en la vida—, arrastra otro de sus revestimientos poéticos insoslayables en nuestra propia tradición cultural y literaria: la fórmula quevedesca de la cuna como sepultura y el transcurso de la vida como itinerario ansioso de la muerte. En la imaginación de Claudio Rodríguez, la cuna universal y metafísica aparece contagiada de su dimensión personal temática transfigurante: la obsesión simbólica del lecho en la memoria gozosa y trágica de su infancia: «Cuántas veces estuve junto a esta cuna fría, / con la luz enemiga, / con estambres muy dulces de sabor». La presencia del árbol y la memoria metamorfoseada de la cuna materna se entrecruzan en la potenciación transfigurante de lo natural inmediato —«junto a estas ramas sin piedad»—, para celebrar la ceremonia omnímoda de la renovación natural perpetuante: «esta salud de la madera nueva / que llega germinando / con la savia sin prisa de la muerte». Pero los evocadores almendros de Marialba —estribillo folclórico después de todo de la canción zamorana de «El tío Babú»[18]— crecen además junto al símbolo natural de la eterna presencia variable en curso hacia el océano mítico de la extinción: el omnipresente río-duradero de Claudio. Y los portadores simbólicos de la vida y la muerte se adensan y entretejen —conocimiento y muerte— en el cuerpo del poema:

> *Sin prisa, modelada*
> *con el río benigno*
> *entre el otoño del conocimiento*
> *y el ataúd de sombra tenue, al lado*
> *de estos almendros esperando siempre*
> *las futuras cosechas,*
> *¿todo es resurrección?*

---

18. El título del poema toma origen en la canción popular zamorana de tierras de Toro, titulada «El tío Babú», si bien afectada con decisivas modificaciones de resultado netamente simbólico y de implementación poética. La canción dice así:

> *Cómo llueve por Bardales,*
> *También por Valdelespino,*
> *Las albillas de Marialba*
> *Se las ha llevado el río.*
> *Tío Babú, tío Babú.*

El inocente canto agrícola ve trocada, en el poema de Claudio, la mención de las uvas albillas —a su vez causa y efecto asociativo del sugerente nombre propio de Marialba— por el de la blancura regeneradora en la primavera precoz de la flor del almendro. Símbolo regenerativo, el del almendro, que conoce tan amplias resonancias en la decisiva rueda estacional de los mitos agrícola y vegetal de Claudio Rodríguez. Renuevo temprano de la esperanza de vida que desbarata la apariencia mortal del árbol en invierno: cuna y sepultura, círculo y calendario, vida en la muerte y muerte derrotada: «Nunca vi muerte tan muerta».

A su vez, la metamorfosis lírica del fruto de las uvas albillas en la flor del almendro cumplía también con la vieja cita simbólica tematizada en «Un ramo por el río» de *Conjuros*, galanteo y eufemismo de la muerte —el ramo arrojado a la corriente y apedreado por los muchachos—, que al poeta le consta como tradición folclórica ya clásica, aunque importada en su propio tiempo a pueblos de Zamora a orillas del Duero.

A otro de los rituales carnavalescos de la desdramatización folclórica de la muerte, las danzas, convoca en estos poemas uno de los residuos oníricos más eficazmente sugestivos del misterio que ha retenido la memoria poética de Claudio, la voz protagonista de aquel viejo pregón rumoroso del «cristalero azul», identificado ya sin ambigüedades de origen mítico con el subtítulo tajante de «la muerte». Acomodado aquí de mala gana por el poeta —como en el caso del subtítulo de «el alma» bajo «A mi ropa tendida»—, bien que esta vez por empeño celoso de su amigo Carlos Bousoño, si allí lo fuera, como sabemos, a instancias de Aleixandre. Bajo el conjunto de sus temas tradicionales, folclóricos y cancioneriles como el escenario de la danza macabra, el autor ha dado entrada en su obra finalmente al desenlace más acertado y natural posible, el más adensado y jugoso respecto al tematismo pendiente y culminante de la muerte. A nadie debe extrañarle, porque la sabiduría sustancial de Claudio, su riguroso cálculo sobre la necesidad temática que ha dirigido toda la obra, ha venido moviéndose hasta el final a impulsos de la fusión naturalísima de su superior instinto poético y vital con las fuentes vivas de la sabiduría popular: las canciones de corro, la honda cultura sintética de los refranes. De tal manera que este definitivo tematismo actúa ahora, en el momento culminante y preciso de la experiencia, bajo el ropón chapado de las viejas figuras de la historia fantástica transmitidas de corro en corro, de voz en voz, hasta el sensible oído cultural de este poeta máximo. Es la sabiduría secreta de la danza y el conjuro carnavalesco, animado baile de campesinos de Brueghel[19], que quita velos de miedo insolidario al desenlace natural y conveniente a todos:

> *Entra en el baile*
> *sin funeral, con son de nacimiento*
> *hablando con los hombres pasajeros,*
> *cuando el camino llega hasta la cima*

---

19. La asociación con la imagen plástica de la sonriente campesina que, ondeando un grácil pañuelo —«dame la mano y deja / tu pañuelo en el aire»— bailaba animadamente en el cuadro de Brueghel *Danza de campesinos,* en el Museo de Viena, me fue comunicada en su día por el poeta. Esta campesina de la danza es otra de las figuras de la pintura universal que han alcanzado una dilatada fijación imaginativa en la fantasía visual de Claudio, como la tejedora en escorzo de *Las Hilanderas.*

y lo invisible es transparencia en llama
como el olor a hoguera de noviembre. (pág. 79)

Al frenético ritmo, logradísimo, de esta contradanza sublime confía el poeta la única noticia posible sobre la verdad del triunfo y el desquite definitivos sobre la muerte, cuyo precio es el vacío de la voz que la exprese y signifique: «Todo es oscuro, pero tú eres clara. / La vida impura pero tú eres pura». La grácil criatura femenina que, en la visión muy particular y secreta de Claudio, baila la danza indefinible sobre la pesadez inmóvil de lápidas y epitafios[20], es la seca memoria nominal de toda una existencia palpitante: «entra en el baile, / en cada letra de este nombre, en esta / lápida que es secreto y sacrificio». Imagen de la muerte mujer, doncella amable —«y tu cintura como agua de fuente, / cuando el amor apenas se ha perdido»—, protagonista ya única de las extremas seducciones —«... en relieve / de lascivia y espera»—; verdad sola del ritmo, de la vibración de una voz distante destinada a desvanecerse en un pregón remoto que se ha escuchado por la calle del sueño: «... ahí quedas, / ahí, muy sola, sola, / sola en el baile».

* * * * *

---

20. El misterioso tema de la lápida y el epitafio es una de esas sinuosidades temáticas secretas que caracterizan marginalmente la imaginación de Claudio. En este caso hay que recordar el críptico poema anterior «Sin epitafio», de una espacialidad significativa accidentada por caprichosos anacolutos y por hiatos de la imaginación, en los que la suma significativa parece confiada al balance conglomerado de los indicios temáticos: «deja / tanto misterio y tanta cercanía, / tanto secreto que es renacimiento», «... y ahora alumbra tu oficio / con su silencio fugitivo, en son / sereno como de agua...», antes siempre que a la construcción razonable y consciente de la sintaxis imaginativa.

Por lo demás, el breve poema actualiza rotundamente la tesis general del desquite sobre la muerte —no muerte, no epitafio; sino la vida del recuerdo y la «muerte tan muerta»— que preside este apartado con tan hondas energías revitalizadoras en la última obra del poeta. Pero la fuente suprema de esta resistencia, como en el poema quevedesco, consiste en lo extremo de la memoria imperecedera de un amor sublimado: el nombre no pronunciado, ni grabado sobre la lápida vacía de aquella hermana «herida», la femenina Carmen, «la armonía de dolor y gracia» y «son / sereno como de agua a mediodía». El rescate sublime de lo inseparable, en la ilusión ya ni siquiera humana y nunca más mortal del amor más hermoso y más culpable. Quizás, como dice alguno de sus críticos alertado por el mismo Rodríguez, quien gusta de recordar la cita del poema de Dylan Thomas «And death shall have no dominion», pudo prestarle la pauta de su ritmo y las voces; pero el sentimiento extremo del vivir y el cantar para prolongar eternamente la memoria gentil es sin duda la clave sentimental más arraigada de Claudio Rodríguez.

Dentro de la escenografía carnavalesca del retorno estacional perpetuo de la especie y las terribles bromas de la danza macabra convive, en las imágenes culturales de la tradición, un tercer componente responsable de cuadros con fascinación intensa y nauseabunda: la corrupción en el sepulcro. Poderosa inquietud de todos para la que el arte ha inventado sus brillantes eufemismos barrocos y románticos. El tránsito de las glorias del mundo, «in ictu oculi» o «solvet seclum», título del poema de Rodríguez, han atraído históricamente sobre los enigmas carnales de la corrupción en los sarcófagos escenas de rica plasticidad fétida en todas las tradiciones de la pintura, que entre nosotros culmina en las visiones penitenciales de Valdés Leal.

En «Solvet seclum», Claudio afronta sólo sesgadamente la escenografía del eufemismo. Se empieza, contrariamente, por representar bajo fórmulas imaginarias de intensa novedad luminosa y acústica la entrada del espíritu en los límites finales de la existencia, para asociar la antigua aspiración feliz de Claudio: la hora esperada del ágape: «No me voy como huido / porque ahora estoy junto a los de mi mesa». De esa manera, la escenografía simplemente plástica de la muerte representa el ingreso consolador en lo fluyente, el bálsamo aéreo o líquido de la relajación definitiva, de los naufragios dulces: «Es el agua, es el agua, la energía / y la velocidad del cierzo oscuro / con un latido amanecido en lumbre», cuando la materia carnal vuelve al todo de arcilla: «y la erosión, la sedimentación, / el limo ocre de la arcilla fina». En tales términos, el color para morir no podría ser otro para la esperanza sempiterna de Claudio que el de la claridad paradójica, tan suya, del mito persistente de la noche encendida: «mientras llega la noche y su color, / en la medida luminosa...». El color de la hora de la muerte entra en la tierra madre, ya nunca más adversa, tiñéndose con las tonalidades inequívocas de la regeneración y la esperanza, el verde claro y el azul salvador del cristalero:

entra en el suelo,
en horizontes de la roca madre
y se hace casi azul,
verde claro y caliente
como de valle en música. (pág. 81)

La conciencia mineral del propio cuerpo, su memoria de polvo con sentido, reconoce en esa llegada intensa de la luz el momento universal de la ignición y de la herrumbre universalizada sobre toda materia: disolución y oxidación, corrosión y aniquilamiento, donde se nutren las adivinaciones de la ciencia y se engrendra el delirio de la creación universal. Es la hora de todos, «cuando un copo de nieve quemó un cáliz»; pero es también para la compleja imaginación entretejida en el tapiz del poema de Claudio Rodríguez —éste nació nada menos que entre los viñedos albos muy próximos a Bonn en Alemania— la hora entreverada de los recuerdos fértiles, el cruce sin preámbulos del hábito temático de delicias jugosas: «El campo llano, con vertiente suave, / valiente en viñas». Y tras el símbolo carnoso de las uvas de vida —«el corazón del hombre»— fecundadas de transparencia y de luz, se menciona de nuevo el consolador destino de lo cíclico, la cadena regenerativa por la que los dolores de los individuos se enjugan en la memoria sobreviviente de la especie:

> *Cómo el sol entra en la uva*
> *y se estremece, y se hace luz en ella,*
> *y se maduran y se desamparan,*
> *se dan belleza y se abren*
> *a su muerte futura...*

Es muy intenso después, en la urdimbre del entretejido poemático del tapiz, —tan caro a Claudio en estos poemas culminantes de la complejidad ambigua, «El robo», «Lamento a Mari» o este mismo— el encuentro de la sombra y la luz, del peso y lo liviano, de los derechos lastrados con el anhelo volátil de la esperanza regenerativa: la bóveda sombría de los novísimos y los clarines de la resurrección sirven alternativamente pesadumbres e idilios a las imágenes del poema. Asistiremos a esa alternativa en los movimientos mayores del enunciado, pero podemos seguirla semejantemente también sobre el tejido en vibrante claroscuro de cada una de las imágenes que componen el retablo de consunción y ruina de la carne, en la portentosa evocación de las presencias grotescas del sepulcro en vida de todas estas criaturas y paramentos en la pintura de José Hernández, que tan profunda repercusión tuviera entonces sobre la fantasía funeral de Claudio. De esa manera ostentan los esqueletos los atributos secos de la «la cal y el sílice», e incluso el del añadido más innecesario de «la ceniza de la cobardía». Pero «tal servidumbre de la carne» se enjuga en la vecindad fantástica de la voz y del ala, que asocia hueso y flauta, cerebro con panal y que pone sonido de violín al quehacer del gusano y melodías al trabajo más ruin de la carcoma. Así cuando se menciona después sin paliativos el detalle macabro, tan hernandino, del «diente de oro en el osario vivo», la dignidad salvadora del canto le impone al poeta el necesario tributo idílico de una nueva marejada de la luz, para el remanso profundo de «la liturgia abisal del cuerpo en la hora / de la supremacía de un destello».

Las penetrantes leyes del contraste y de la antítesis en la imaginación de Claudio Rodríguez, su necesaria convivencia con la sombra y la luz, con la experiencia dura y la resurreción idílica, se espejan una vez más en estas imágenes definitivas del compromiso máximo temático, en la cita puntual de su poesía con la medida universal del hombre, con la extremidad de la hora de todos, negada a cuerpo gentil de lápida sin epitafio o de unas muertes pintadas con la fantasmagoría del cuerpo putrefacto de los vivos. Pocas noticias más abundantes sobre la bóveda encendida donde se consuma la ceremonia triste de la putrefacción, que la de su entidad de negativo del espacio —«una bóveda en llama sin espacio»—[21], formidable antesala de la imagen para el anun-

---

21. Resulta imprescindible, al considerar este conjunto de imágenes sobre la cámara sepulcral de «Solvet seclum», recordar la segura mediación en las mismas de las pinturas sobre la putrefracción y sus efectos de los pintores españoles del «realismo mágico» como Enrique Brinkmann y sobre todo José Hernández, que compusieron algunos años antes el tipo de figuras y escenas cuya convergencia con el poema de Claudio Rodríguez proclama el texto del poeta para el catálogo de una exposición retrospectiva de José Hernández, que circuló por varios museos españoles durante 1986. En el poema del prólogo, titulado «Entre lo fascinante y lo tremendo», Claudio Rodríguez nos orienta sobre otra fuente segura de imágenes de la corrupción en el sepulcro: su primitiva devoción adolescente por los símbolos «malditos» que reaparece con sorprendente congruencia en este otro extremo del arco poético, bajo la cita reiterada del poema «Une charogne» de Baudelaire. Las imágenes de mezcla de despojo y floración en el polvo de *Les fleurs du mal* constituyen así, de manera probada, otro estímulo decisivo para esta poética de la memoria, orientada hacia la recuperación tardía de la fascinación por una estética largamente latente pero al fin coherentemente activada y operante (Cfr. Claudio Rodríguez, «Entre lo fascinante y lo tremendo», en *José Hernández.Obra gráfica (1960-1986)*, Madrid, Ministerio de Cultura, 1986, págs. 23-24.

cio del misterio amoroso donde la muerte pierde su triste nombre: «con la putrefacción que es amor puro, / donde la muerte ya no tiene nombre». Siempre para volver a la cita, a la reconstitución salvadora del idilio en la síntesis suprema, la enseñanza tan largamente ensayada: la vida natural, la vida al paso, la vida que se prolonga transitando:

> *lejos del pensamiento en vano, de la vida*
> *que nunca hay que esperar*
> *sino estar en sazón*
> *de recibir, de hijos*
> *a hijos, en la aurora*
> *del polen?* (pág. 83)

Sólo con la obediencia al destino en la suprema ley del tránsito, en el desdén carnavalesco por la mezquindad ridícula de las apariencias privadas, la muerte desvela su hermosa cabellera de doncella, al mismo tiempo enlazada y exenta al destino de la destrucción: la verdad consoladora de «Secreta»: «Tú no sabías que la muerte es bella / y que se hizo en tu cuerpo». Rencillas de familia, calles ambiguas, lluvias prometedoras de la infancia sobre embozos del lecho en los sueños desiertos de caricias; luz implacable y tardes claras y malditas con las manos tendidas, el sacrificio del amor perdido y el nombre del incesto... Pero al fin, se impone la disciplina sublime del amor confiado en la memoria inmortal, esa alegría de voz en rima interna del poema del otro: «¿Y si la primavera es verdadera?». Con ella abre Claudio por enésima vez su feliz despedida: «Me voy alegre». Ésta, la última por ahora, todavía desde la continuidad suprema del idilio:

> *Tú no sabías que la muerte es bella,*
> *triste doncella.*

* * * * *

La irrupción súbita del tematismo de previsión y conjuro imaginarios de la muerte en *Casi una leyenda* se presenta bajo las apariencias de un latido contradictorio de proyección futura, que se diría opuesto al sentido retrospectivo y anafórico del recuerdo, la otra cantera temática principal en esta obra. Sin embargo el tematismo de la muerte no deja de ofrecerse a su vez, sobre su raíz constitutiva de impulso, como una nueva semantización que recubre con su novedad la fuente de constancias imaginarias tal vez más persistente y radical en todo el trayecto poético de la vocación simbólica de Claudio. La muerte representa aquí la nueva afloración —habría que decir incluso que idílica— del impulso sentimental constante hacia el hallazgo de lo absoluto, de identificación y de firmeza íntimas para la zozobra de un espíritu extremadamente vigoroso y autoconsciente, bajo el continuo asedio de las experiencias disgregantes de lo unitario. Estas se ofrecen tan pronto como formas de dispersión diurna de la experiencia o como figuras en último término antitéticas de conflicto ético, desbaratando las iniciativas de identificación limpiamente fraternas.

Ya hemos adelantado nosotros que nuestro asentimiento reticente a las constataciones de los críticos que han leído directamente en la figuración mortal de *Casi una leyenda* el sentimiento de aceptación resignada, se matizaba subrayando por nuestra parte la inocultable inmadurez de raíces idílicas en los habituales símbolos pelágicos de la muerte. La situación en esta actitud de respuesta desentendidamente convencional y literaria de la concertación idílica exenta a cualquier forma de verdadera zozobra depresiva ante la amenaza de muerte, no se habría modificado sustancialmente por tanto en la imaginación de Claudio Rodríguez, desde las famosas interrogaciones retóricas que estructuraban el ya lejano poema de despedida de *Don de la ebriedad*: «¿Es que voy a morir? Decidme, ¿cómo / veis a los hombres, a sus obras, almas / inmortales?... ¿Es que voy a vivir? ¿Tan pronto acaba / la ebriedad?».

Tal vez haya obrado en todo esto la indomeñable resistencia del imperativo de reequilibrado salvador que opera siempre en Claudio Rodríguez, hasta en sus momentos de más negativa tribulación. O tal vez deba expresarse como tenaz inmadurez de virtualidades nocturnas en la estructura de la imaginación constructora de mitos. En el momento de *Casi una leyenda,* nada definitivo se podía adelantar sobre la maduración última de sus mitos nocturnos, que han empezado a dar señales inequívocas de la imaginación abisal sólo con los poemas, aún inéditos, del verano de 1998. Pero si en todo caso, y tal como lo han previsto en el fondo la mayoría de los lectores de *Casi una leyenda*, el balance del simbolismo temático de la poesía de Claudio Rodríguez hubiera de ceñirse definitivamente al final pautado en aquél quinto libro, habríamos de convenir en que la entrega definitiva, su asimilación confortable de lo absoluto unitario, no habría encontrado trazas simbólicas persuasivamente definitivas en su mito poético, frente al poblado universo de accidentes de la pluralidad y de lo heterogéneo irreductible.

Anhelo inalcanzado de *identificación* y residencia dramática en el *desobramiento* del ser sobre estados de dispersión polémica, que incorporan las figuras de la adversación y de la antítesis: el impulso sin contenidos estables hacia lo *uno* absoluto y frente a la inmediatez enojosa de lo *diverso* que asedia, de lo vario que desorienta y de lo disjunto que llega a amenazar. Tales son, *unidad* y *diferencia*, las estructuras universales constitutivas en las que se desdobla el impulso necesario de representación simbólica de Claudio Rodríguez. En el fondo el poeta participa con ello, seguramente, de un esquema universal antropológico de la sensibilidad y la conciencia humanas, cuya configuración poética en mito imaginario en su caso especializa sólo secundariamente en componentes simbólicos y en imágenes y conceptos derivativos y personales la universalidad conflictiva de un fondo imaginario, residuo de conciencia.

Pero tal viene a ser —y lo repetimos aquí de nuevo— la consistencia efectiva de las emociones en poesía: común y transitiva en la medida en que participa y arraiga sobre estructuras sustanciales de la identificación y de las maneras de explorar y asimilarse la alteridad; pero también individual e intransferible fuera de las «figuras» específicas imaginarias y expresivas, temáticas y argumentativas, donde se sustancian las estructuras universales de la imaginación, en el mito y en la figuralidad peculiares de cada uno de los grandes creadores de universos poéticos.

El sentimiento difuso de *desobramiento*, de consistencia inquietante y de vacío en las representaciones fantásticas, que debiera aventurar el inviable proyecto mítico de transcribir el espesor inextenso de la noche, jalona con evidencias textuales obsesivas la construcción de *Casi una leyenda*. Incluso sin alterar la disposición definitiva del libro, podemos construir un recorrido de trazas numerosas que ilustran el sentimiento inconcluso de final. Desde la interrogación directísima de

«Calle sin nombre» —«¿ Y la palpitación oscura del destino, / aún no maduro hoy?»—, o las afloraciones en el mismo poema de ese estado confuso de dirección incierta para el paso: «caminando sin rumbo y con desconfianza», al que se acabaría renunciando: «¿Dónde, / dónde mis pasos? / Tú no andes más. Dí adiós». Como sintomática resulta del mismo modo la convocatoria al tematismo de la sombra con su espesor nocturno elástico e inexplorable dentro del poema siguiente, «Revelación de la sombra»:

> *Sin vejez y sin muerte la alta sombra*
> *que no es consuelo y menos pesadumbre,*
> *se ilumina y se cierne*
> *cercada ahora por la luz de puesta.* (pág. 17)

Porque la sombra es el medio, el elemento sobre el que se sustancian todos los desencuentros de la posturalidad incalculable en la noche de la imaginación, en la realidad imprevisible de la muerte. Todo acababa por ser, de esta manera, conciliable sólo en la celeridad de fugas y en la conciencia inasequible de presencias desvanecidas: «¿Por qué la luz maldice y la sombra perdona? / El viento va perdiendo su tiniebla madura / y tú te me vas yendo / y me estás acusando».

Algunos de los textos de la obra, examinados desde la perspectiva mítica, acaparan la simbolización de este tematismo terminal de la aporía exploratoria en el espacio constituido de la imaginación extrema. Tal sería el caso, por ejemplo, del poema titulado «La mañana del búho». La imposibilidad para el ave nocturna de ver bajo el esplendor plenario de la luz representa la alegoría del propio estado de conciencia incierta del poeta hacia un cálculo futuro de previsión inabordable. De este modo, una vez instalados en el continuo de la alegoría, la mayor parte de las atribuladas reflexiones reflejan la situación de desorientada perplejidad para el sondeo imaginativo del hombre: «¡Si lo que veo es lo invisible, es pura / iluminación, / es el origen del presentimiento!»; o bien cualquiera de las aproximaciones al negativo de toda forma de consistencia: «...Hay un sonido / de altura, moldeado / en figuras, en vaho / de eucalipto. No veo, no poseo»... «Este momento que no veré nunca. / Esta mañana que no verá nadie / porque no está creada». Encapsulado en el espesor inespacial del cálculo nocturno, el gran poeta avizora fórmulas que aproximan a la densidad impenetrable del objeto; aparece así, por ejemplo: «No hay espacio ni tiempo: el sacramento / de la materia».

El no ser como formante de la materia terminal constitutivamente vedada a la imaginación. Emplazado el avizorador sobre la coyuntura extrema de las previsiones de final, al «deseo de la claridad» le responde tan sólo un «silencio maldito» sin expectativas de compañía —«Y no hay manera de ir donde no hay nadie»—, edificado sólo «a sed de cita», tal como se nos instruye en el «Nocturno de la casa ida». Itinerario ciego de la imaginación —«Voy caminando fuera de camino»— para el que la vieja conciliación idílica de la inversión paradójica de la luz —«Ven noche mía, ven, ven como antes»— desemboca en el habitual irracionalismo del *no sé qué*: «...con no sé qué fecundidad, qué agua / ciega de llama», o «...se está abriendo / no sé qué gratitud». Constancia ya definitiva y madura sin fe de paradoja y sin expectativas ilusorias de escenarios idílicos; el fondo inasumible de la conciliación unitaria en el extremo del anhelo último no acaba de entregarse a la imaginación del poeta desvivido sin término en formas de diferencia. Consuelan solamente las viejas compañías de los símbolos culturales sobre el naufragio de la imaginación, la abdicación desvalida en las profundidades abisales:

Y no mires al mar porque todo lo sabe
cuando llega la hora
adonde nunca llega el pensamiento
pero sí el mar del alma,
pero sí este momento del aire entre mis manos,
de esta paz que me espera
cuando llega la hora
— dos horas antes de la medianoche—
del tercer oleaje, que es el mío. (pág. 32)

Desorientado sobre el borde de la orla de exclusión imaginativa de un más allá incompatible con las imágenes y las experiencias construidas, el destino exploratorio de la imaginación busca nuevos sentidos a su tendencia irreductible, incluso revirtiendo en sondeos al interior de las propias cavidades ciegas del cuerpo en el insuperable «Manuscrito de una respiración», o en la metáfora de la incursión sacrílega dentro de la bóveda simbólica de la catedral ritual en el poema «El robo». Hasta en la imaginación terminal del difuso claustro materno y de las vivencias oscuramente prenatales en la «Balada de un treinta de enero», sumidas en la noche absoluta « que no tendrá respiración siquiera». Y cuando las antiguas ilusiones en fuga confirman la hora triste de las renuncias y las despedidas del amor, la maestría melancólica del canto alcanza únicamente el desalojo de la posesión —«Estoy cantando lo que nunca es mío»— y la constancia de un arrastre certero pero de fuerza ajena, sin otros adelantos que el vacío: «Y me dejo llevar, me estais llevando / hacia la cita seca, sin vivienda, / hacia la espera sin adiós...», dice Claudio al final de su «Momento de renuncia».

Las penetrantes fórmulas imaginarias del desobramiento y de la exclusión a las coordenadas fantásticas de los cálculos espaciales y del tiempo convalidan la superioridad de los vislumbres terminales, los más abstractos, de Rodríguez sobre la figuración convencionalmente idílica y cultural de las escenografías tradicionales y folclóricas del sepulcro, la danza y las cabalgatas de postrimerías. Tal línea metafísica de inasequibilidad del término prevalece en la serie de poemas de «Nunca vi muerte tan muerta», allí donde se convocan las menciones de la muerte para aferrar con nombres convenidos el vértigo inexpresable de la impulsión conjurada hacia el no ser. Fórmulas reiteradas de vacío en «Los almendros de Marialba»: «Hay un suspiro donde ya no hay aire, / sólo el secreto de la melodía / haciéndose más pura y dolorosa... oigo la savia de la luz con nidos / en este cuerpo donde ya no hay nadie»; y conjuros de fuga y de abandono de lugares inciertos donde mora el olvido en el enigmático texto de «Sin epitafio»: «Levanta el vuelo entre los copos ciegos... Deja / a esta inocencia... Deja, deja / tanto misterio y tanta cercanía / tanto secreto... Vete... Levanta el vuelo. No entres...»

Pero ha de ser en «Solvet seclum», la composición de «écfrasis» colorista en que culmina el bodegón de imágenes convencionales de la muerte calculada y excluida, donde el poeta consigue convocar las imágenes de mayor impacto novedoso y, al tiempo —astuto cálculo—, las más insuficientes respecto a la distancia inaferrable del misterio: profundidad sin término de las aguas, erosión y sedimento de limos sin edad,

y la noche de corazón indiscernible penetrando el núcleo eterno de la
piedra con su desgaste de arcoiris:

> *Es el agua, es el agua, la energía*
> *y la velocidad del cierzo oscuro*
> *con un latido amanecido en lumbre,*
> *y la erosión, la sedimentación,*
> *el limo ocre con arcilla fina*
> *mientras llega la noche y su color.* (pág. 81)

Nuevamente el poeta recurre, para su significado sin noticia, al
vehículo supremo de sus ritmos y al caos fónico de la acumulación de
menciones, en este trance áridas y consistentes: «Es la disolución, la
oxidación... la corrosión en plena / adivinación / y la aniquilación en
plena creación». Todo para nombrar un estado innominable donde la
muerte menciona sólo los umbrales del más acá: «Donde la muerte ya
no tiene nombre»; al menos ningún nombre conocido: aquel «tú no
sabías» de «Secreta».

No deja de resultar paradójico, en fin, que vengamos denominando aquí a la muerte de *Casi una leyenda*, semántica y universalmente
tan amenazadora y adversa, como instancia idílica. Pero ya se sabe que,
en la acepción estructurante y narrativa que le hemos dado nosotros
al *idilio* en este libro —un homenaje indirecto a nuestro lejano maestro Ezio Raimondi—, el término designa principalmente las invencio-
nes de una voluntad conciliadora destinadas a la *reintegración*, a
enmendar las asechanzas *dispersantes* de la experiencia exploratoria
aciaga. Estructuralmente por tanto, la apelación mítica mortal cumple
aquí una función semejante a la que desempeñaba en su primera obra
la instancia resolutoria de la ebriedad: ambas constituyen recubrimientos semánticos diferenciados para un mismo impulso, único e idéntico, de la voluntad orientada a la conciliación unitaria e identificadora,
en contra de lo desasosegante diferencial en la experiencia.

Identificación y diferencia, impulso unitario de comprensión contra extroversión dispersante, anhelo de absoluto frente al desasosiego
adverso de una pluralidad con raíces hostiles en el conocimiento y en
la acción moral: la antítesis problemática y los recursos paradójicos de

la conciliación idílica. Una vez más, lo uno y lo diverso —universalidad y diferencia— como formantes radicales de la conciencia mítica con sus correspondientes despliegues figurales retórico-expresivos: el estrato profundo del mito general humano transformado en la semántica simbólica y en la figuralidad narrativa del mensaje peculiar de un poeta sublime, de los que alcanzan visión y forma singulares para los impulsos radicales del ser en la conciencia universal.

SEGUNDA PARTE

LOS ESQUEMAS FIGURALES
DE LA ARGUMENTACIÓN POÉTICA

Claudio Rodríguez (1998)

CAPÍTULO VI

DON DE LA EBRIEDAD, DEL COTEJO ALEGÓRICO A LA DISTORSIÓN FUNDANTE DE LA PARADOJA

Reducción unitaria de las diferencias: alegoría y paradoja

Al atribuir, en 1971, en su famoso prólogo a la edición de *Poesía* (1953-1966) de Claudio Rodríguez la alegoría como figuralidad dominante desde *Conjuros*, Carlos Bousoño no partía precisamente de *Don de la ebriedad*, si bien, como veremos, no hubiera sido una aproximación totalmente inadecuada. Lo que esa suspensión de juicio signifique tal vez es que en *Don de la ebriedad* las estructuras macrorretóricas de figuralidad esquemática no aparecen tan claras ni son tan decisivas argumentalmente como en la segunda obra del poeta. Junto a la presencia ocasional de manifestaciones del metaforismo textual continuado, sean o no alegorías propiamente tales y sobre todo sean o no «disémicas», como las calificaba Bousoño, se proyectan también sobre el esquema lógico-argumentativo directo y general de la *narratio* en los textos de *Don de la ebriedad* algunas otras formas figurales más marcadas de *amplificación* retórico-exornativa, que son a su vez absolutamente características en el estilo general de la enunciación lírica. Tal es el caso de algunas metáforas con larga permanencia y penetración simbólica en la obra futura de Rodríguez, que en realidad equivalen intensamente a desarrollos alegóricos de hondo calado en el mito general del poeta. Por ejemplo, la de la propia identidad y el cuerpo como «surco» de la creación iluminante concebida como reja hiriente de arado o «ropa tendida» al blanqueo del sol. El mismo concepto fundamental de «ebriedad», como estado de iluminación o de inspiración desvelada ante la conciencia metafísica de la metamorfosis transcendental unitaria, no es sino un traslado metafórico que se remonta a los mitos presocráticos y platónicos sobre el origen de la inspiración visionaria. Equivalentemente, el proceso reflexivo-analítico que se nos describe en la *narratio*, conceptualizado frecuentemente bajo los esquemas figurales de la animación como *prosopopeya*, dota a las entidades inertes del entorno de un proceso de intenciones y responsabilidades de signo claramente animado y en ocasiones estrictamente humano[1]. Lo mismo se podría ver en el procedimiento de *focalización* sintomática, practicado a partir de los objetos naturales del entorno real mediante la *sinécdoque* cuantitativa —la parte por el todo—, y en el ejercicio nada infrecuente de la *metonimia* de base cualitativo-causal: el efecto por la causa[2]. Asímismo, cada vez que una de las metáforas simbólicas se expande y alcanza desarrollos textuales y míticos más extensos, podría hablarse con propiedad de figuras alegóricas que planifican el ejercicio transfigurante del cotejo objetivo-subjetivo, característico —como hemos dicho ya— de la actitud simbólica y expresiva de la enunciación lírica. Sería el caso, por ejemplo, de las que desarrollan el conocido tópico de la belleza más intensa de la flor a causa

---

1. Fue mérito muy importante de Carlos Bousoño su temprana iniciativa de invocar una figura retórica, la alegoría, como esquema macrotextual que explicara unitariamente el estilo de Claudio Rodríguez a partir de *Conjuros*. Cfr. «La poesía de Claudio Rodríguez», prólogo a *Poesía*, Madrid, Ed. Nacional, 1971, especialmente págs. 13-14. Respecto de la personificación, así lo ha visto Jonathan Mayhew en el caso de *Conjuros*, como un mecanismo deconstructor de las distancias entre personas y cosas al servicio de su tesis sobre el proceso de igualación social, cfr. J. Mayhew, «The Motive for Metaphor: Claudio Rodríguez and the Rhetoric of Social Solidarity», cit. pág. 40.

2. Carole Bradford ha intuido sensitivamente la continuidad del proceso mítico figural a propósito del sistema expresivo de tropos como la metonimia, o semejantemente —como yo mismo lo veo con frecuencia— en la sinécdoque. La realidad trascendida y superada en la visión crítica o en la sublimación estética implicaría mecanismos de representatividad del tipo del todo por la parte, que pueden conjugarse con otras tendencias sustanciales como la de la pluralidad o tensión entre la unidad y la pluralidad fragmentaria. Cfr. Carole A. Bradford, «Trascendental Reality in the Poetry of Claudio Rodríguez», *cit.*, pág. 33. El mecanismo figural de focalización metonímica subraya por tanto, o incluso lo constituye en su estructura racional-perceptiva, el proceso mítico-imaginario de construcción arquetípico-simbólica: «There is a whole body of archetypical symbols in his poetry which often give us the key to different allegorical meanings. Rodríguez' speaker is like an archetypical hero on a quest for knowledge and enlightment» (pág. 134). En la interpretación de Bradford, el proceso de arquetipicidad desarrollado figuralmente en buena medida por las metonimias poemáticas se igualaría incluso con la responsabilidad mítico-figural atribuida a las alegorías en la conformación expresiva de los mitos temáticos de Rodríguez (pág. 144).

de su brevedad que, junto a la declaración inmediata de sus traslados simbólicos personales, comparece hacia la mitad del poema noveno del libro primero, a partir de «La flor vive / tan bella porque vive poco tiempo», etc...

Sin embargo la lectura estricta del continuo narrativo que constituye lo predominante en la exposición de *Don de la ebriedad*, no autoriza a extender o a implicar ninguna de esas coyunturas tropológicas locales a la dimensión de globalidad textual de la obra y de dominio simbólico del mito personal que exige y que formula el concepto de *esquema figural*. No cabe duda, que sobre el plano de la lectura literal la estructura causal-expositiva que determina y establece el orden expresivo de *Don de la ebriedad*, es el «cursus» habitual de la *narratio*; e igualmente que ninguna de las modalidades tropológicas que se han tanteado antes como alternativas, alcanza a asumir el nivel absoluto de dominio sobre los contenidos mítico-temáticos de la exposición de la obra, para que se le pueda atribuir por sí sola la condición de figuralidad esquemática macrotextual. Todo ello debió señalar sin duda el orden de dificultades que condujeron intuitivamente a Bousoño a no extender explícitamente a *Don de la ebriedad* el esquema figural de la alegoría como pauta macrorretórica para el despliegue del mito temático.

Lo que descentra la posibilidad de atribuir convincentemente a *Don de la ebriedad* los esquemas macroargumentativos de figuras como la alegoría, la metáfora o las otras variedades tropológicas antes apuntadas, es principalmente el grado constitutivo de *positivo paralelismo* que aquellas implican teóricamente. El relato sobre la vida de los animales que construye paradójicamente en apólogos y fábulas el equivalente alegórico con la vida y el comportamiento de los seres humanos, alcanza su sentido y su razón de ser merced a la posibilidad de establecer transferencias significativas directamente desde los intermediarios figurativos que aparecen en el texto, a los verdaderos destinatarios referenciales de la intención implícita narrativa. Lo mismo podría decirse de las alegorías constitutivas del auto sacramental o de los símiles y metáforas extensas, como las del agua o las militares de castillos y de asaltos en el simbolismo místico de Santa Teresa. Contrariamente a eso, ha de tenerse muy en cuenta también que el mito temático expuesto en el orden narrativo de *Don de la ebriedad* —la modalidad de la peculiar visión nocturna que justifica la *paradoja* del *veo porque no veo*— está caracterizado por su declinación referencial *negativa*. Recordemos ahora lo que establecíamos en el capítulo correspondiente a *Don de la ebriedad* en la primera parte, mítico-temática, de este libro.

El despliegue de la situación inicial de *cotejo* subjetivo-objetivo que conforma el proceso de construcción y de expresión del universo referencial en la poesía lírica, proyecta y precipita la imagen subjetiva, directa o invertida, correspondiente o deformada, que el análisis de los referentes y vivencias en la realidad construye en la conciencia del sujeto. Así puede surgir la alegoría como metáfora extensa que representa ese proceso de metamorfosis; es decir, de intimación subjetiva elaborada a partir de los datos de la representación objetiva compartida como verdad. Pero el mito temático del conocimiento cosmogónico en *Don de la ebriedad* expresaba —recordémoslo— una modificación especialmente drástica sobre el proceso habitual de las asimilaciones positivas.

Lo que en un grupo de representativas composiciones de la primera obra de Claudio tematizaba la inversión de la mirada habitual diurna, allegablemente fenoménica y convencional, era el negativo estricto de una creación abierta y manifiesta a la exploración sensitiva a causa de la misteriosa e inasequible iluminación de la noche en el acecho místico del poeta adolescente. Así se afirma ya en el primer poema de la obra: «...¿Quién hace menos creados / cada vez a los seres?», en virtud de una sustitución también paradójica de la luz contingente que alumbra lo diverso, lo irreductiblemente inasimilable de la realidad entre sus dispersos constituyentes, por el quimérico *rayo ardiente de oscuridad* que expresa paradójicamente el presentimiento, los tanteos hechos visión plenaria en el delirio de los místicos. En breve: la adquisición de la luz natural y común, la luz diurna, representa la pérdida de la luz reveladora de la noche oscura; en el mismo primer poema y poco más abajo: «Si tú la luz te la has llevado toda, / ¿cómo voy a esperar nada del alba?». Y esta fórmula torturada que expresa la *paradoja* del *veo porque no veo*, desarrolla el esquema figural que encauza el despliegue del mito de la revelación esencial unitaria a partir de las metamorfosis poéticas de lo plural, tangible y variado[3].

* * * *

El primer libro de *Don de la ebriedad* —la parte que contiene la mayoría de las composiciones más tardías y simbólicamente evolucionadas de toda la obra— desarrolla expositivamente el escenario simbólico y tematiza el esquema de la paradoja como figura general del mito temático de la visión esencial nocturna, sin implicarla activamente en formas textuales de esquema figural. Así, el poema segundo de la obra abordaba urgentemente la formulación del rebuscado mecanismo de la inversión: «Yo me pregunto a veces si la noche /

---

3. La intuición sobre la responsabilidad formular del esquema macroargumentativo de la paradoja en el estilo de Claudio no ha sido habitualmente señalada para *Don de la ebriedad*, sino para otros libros posteriores sobre todo para *Alianza y condena*, como evolución no explicada del dualismo manifiesto desde el título en la antítesis temática. Así lo percibía ya José Olivio Jiménez como «un enfrentamiento paradójico de opuestos». Cfr. *Diez años de poesía española, cit.*, pág. 166; mientras que, sobre esa misma obra, el agudo sentido estilístico de Sala Valldaura intuía el comportamiento paradójico dentro de las rigurosas tensiones, traducido estilísticamente en rasgos contextuales como el encabalgamiento abrupto, cfr. J.M. Sala Valldaura, «Algunas notas...», *cit.*, pág. 139. Pero han sido dos de los más asiduos especialistas norteamericanos sobre la poesía de Claudio Rodríguez, W.M. Mudrovic y J. Mayhew, quienes han abundado monográficamente en sus análisis sobre el formante esquemático de la paradoja en la construcción estilística de Claudio; siempre, eso sí, referido a *Alianza y condena*. Cfr. W.M. Mudrovic, «Claudio Rodríguez's *Alianza y condena*. Technique, Development and Unity», cit. pág. 254.

Seguramente es la condición no explícita en *Don de la ebriedad* de la paradoja como lema, equivalente al de *Alianza y condena,* señalado ya por Mudrovic en términos de la procedencia ocasional de algunos bienes a través de la adversidad, lo que ha arrojado la mayor opacidad hasta ahora sobre el esquema figural-argumentativo de la paradoja respecto a la primera obra de Claudio. Sin embargo, el paralelismo entre los dos esquemas argumentativos es rigurosamente estricto: *A través de un mal nos viene un bien*, de *Alianza,* se corresponde con *a través de la oscuridad nos viene la luz*, de *Don de la ebriedad*. Lema este último que se corresponde inmediatamente con la fórmula general implícita en la paradoja temática del primer libro de Claudio Rodríguez: *Veo porque no veo* y *No veo porque veo.*

Siguiendo a Mudrovic, Jonathan Mayhew en su artículo «The Dialectic of the Sign in Claudio Rodríguez's *Alianza y Condena*», en *Hispania*, 72 (1989), pág. 524, aunque sin insistir adecuadamente en ello, intuye también el alcance estilístico de la fórmula paradójica para la poética general de Claudio Rodríguez explícita en *Alianza.* La figura se generalizaría, según Mayhew, incluso a rasgo global y permanente en el estilo y la práctica lingüística del autor.

se cierra al mundo para abrirse o si algo / la abre tan de repente que nosotros / no llegamos a su alba...» Para dar paso inmediatamente, a la expresión obligada de la impotencia personal, del fracaso necesario e implícito ante lo constatable en la retorsión de la paradoja temática:

> *Mi tristeza tampoco llega a verla*
> *tal como es, quedándose en los astros*
> *cuando en ellos el día es manifiesto*
> *y no revela que en la noche hay campos*
> *de intensa amanecida apresurada*
> *no en germen, en plena luz, en albos pájaros.* (pág. 34)

Un poco más allá, dentro del mismo poema donde se explicita narrativamente el despliegue del mito paradójico, asistimos a la simbolización del reverso de los hábitos sensoriales y de la conciencia de orientación espacial imaginaria, subsiguiente a la entrada en el dominio paradójico de la luminosidad nocturna[4] que revela el absoluto metafísico:

> *Y es que en la noche hay siempre un fuego oculto,*
> *un resplandor aéreo, un día vano*
> *para nuestros sentidos, que gravitan*
> *hacia arriba y no ven ni oyen abajo.*

La bien trazada exposición —casi disciplinadamente didáctica, si no lo desmintiera el elevado énfasis hímnico de la voz en la ebriedad—

---

4. Juan Malpartida ha puesto en relación la imagen temática de la inversión luminosa en la poesía de Claudio Rodríguez con el tipo de pensamiento poético de la Einfühlung, en cuanto inversión paradójica que caracteriza a una extensa corriente de la estética filosófica contemporánea sustentada en las experiencias religiosas de la mística. María Zambrano, según Malpartida, sería la representante más próxima en esa vía al primer entusiasmo hímnico de Claudio. Cfr. J. Malpartida, «La mirada fundacional...», *cit.*, pág. 103. Véase sobre esta aproximación el estudio más exhaustivo de Luis García Jambrina, «Pensamiento y poesía según María Zambrano: una aplicación a la lectura de Claudio Rodríguez», en J.F. Ortega (ed.), *Philosophica Malacitana*, Málaga, 1991, págs. 131-142.

del peculiar mito temático bajo la figuralidad macrorretórica de la paradoja da cuenta y satisface calculadamente los principales entresijos y los despliegues necesarios del mito. Así, las equivalencias metafóricas definitivas de la inversión fenomenológica se abordan con explicitud en el poema sexto. El objeto de la revelación, de este haz de acendrados impulsos tan imperiosamente inciertos del deseo, es la conciencia de la unidad metafísica esencial, el principio de identidad unitaria que consolida todo ideal de causa, de intención y sentido en los objetos asequibles y variamente fenomenales de la creación:

> *Las imágenes, una que las centra*
> *en planetaria rotación, se borran*
> *y suben a un lugar por sus impulsos*
> *donde al surgir de nuevo toman forma.* (pág. 37)

Para atenuar poéticamente la abstracción esquemática de una formulación tan penetrante como escuetamente filosófica[5], la atinada sensibilidad del joven poeta puebla de presencias directas, naturales, el reticulado impecable y abstracto de la formulación del mito metafísico. Porque la variedad de apariencias plenarias y diurnas con que se adorna la animada pluralidad de lo creado, forma, sí, el deleitoso sustento para la animación de los sentidos, pero entorpece —dentro del mito de lo absoluto trascendente— el avizoramiento íntimo esencial, el don de descubrimiento inspirado que franquea el acceso a la verdad más alta y permanente, la que cuenta, y que el deseo simboliza tan sólo de forma abstracta bajo mención de lo Uno y de lo afirmativo. De ahí otro formante menos evidente para el sentimiento temático de culpa: el asombro ante la dispersión, el paradójico remordimiento ante la diversidad de los gozos abiertos en la naturaleza: «Misterio. / Hay demasiadas cosas infinitas. / Para culparme hay demasiadas cosas.»

---

5. Cfr. J. González Muela, «Claudio Rodríguez», en *La nueva poesía española*, cit., págs. 61-62. La tradición de esta línea de Claudio se remontaría hasta el pitagorismo a través de Fray Luis y el tomismo medieval; pero González Muela ha insistido acertadamente sobre la condición universalmente intuitiva de la «claritas», rastreable en temperamentos iluminados de todo tiempo.

Trascendido en los fervores de un deseo tan misterioso y alto —
y menos variado y corporal—, lo que hubiera podido ser para la transferencia directa el gozoso «Canto del caminar», se convierte en sobria
ascesis para la sensibilidad tan probadamente receptiva y tierna del poeta. Aquí, las sabrosas formas consagradas por la tradición de la ascética
castellana sobre la paradoja visual en el anhelo místico resuenan para
formar la tortuosa figura de la inversión diurna, que da en las epifanías
radiantes de la noche oscura del alma[6]. El «y quedéme no sabiendo /
toda ciencia trascendiendo» del maestro de la mística se hace notar
inevitable en la remontada formulación con la que Claudio Rodríguez
tantea, con acierto exquisito, las delicadas consistencias del tenue universo trascendental: «Ni aun hallando sabré: me han trasladado / la
visión, piedra a piedra, como a un templo».

A la hora de establecer la alegoría, la paradoja, o cualquier otra de
sus posibles alternativas figurales como esquema macrorretórico sobre
el que se despliega el mito temático fundacional de *Don de la ebriedad*,
conviene no perder de vista el dato que venimos constatando: la condición insistidamente *metalingüística* del contenido de esta primera obra.
Una cosa es, por tanto, asumir implícitamente el mecanismo parado-
jico de la inversión visual o el alegórico de la correspondencia implícita
directa, y otra la explicación de tales procedimientos argumentativos[7].

---

6. En el caso de Claudio Rodríguez, se debe recordar, sin embargo, la condición siempre docta
y diferidamente poética de su misticismo, según la corrección que exigía razonablemente González
Muela (ibíd., pág. 59), contra las tentaciones de aproximar de manera excesivamente inmediata las
formulaciones poéticas de Claudio a su importante cultura clásica sobre nuestros místicos literarios y al fondo no menos fervoroso y sólido de su espontánea creencia. En relación a estas zonas
oscilantes entre la vida y la poesía de Claudio Rodríguez, se mueve gustosamente con asiduidad
minuciosa Ángel L. Prieto de Paula en su tesis fundamental *La llama y la ceniza*. Mucho más parca
y cautelosamente reconoce también esa misma presencia la biografía de Dioniso Cañas, *Claudio
Rodríguez*, cit., pág. 83.

A mi modo de ver, la consideración de los esquemas figurales pueden conducir a ordenar
adecuadamente este tipo de debates críticos, en la medida en que se constituyen como índices
estabilizados de actitudes y ámbitos del pensamiento. Es a propósito de este espacio peculiar de
la estructura argumentativa de las paradojas sobre la luz y la oscuridad, donde afloran y pueden
ser mejor rastreadas las presencias más radicales a la conciencia, como ésta de la religiosidad mística.
Por el contrario, tales indicios aparecen más habitualmente reprimidos en sus concreciones temáticas en razón de los hábitos de originalidad literaria e incluso de pudor íntimo del autor.

En realidad, al menos en estos dos primeros cantos de la obra, son muy contadas las ocasiones en que podemos asistir cómodamente al desarrollo poético de casos de comportamiento textual de la metamorfosis bajo el control completo de la figuralidad macrotextual. Uno de los ejemplos más transparentes lo ofrece el poema tercero de la primera parte, donde se planea temáticamente el juego de transferencias sentimentales y de intercambios y equivalencias metafísicas entre el yo personal más íntimo del poeta y la entidad objetiva de una presencia natural, la encina castellana. La humilde encina desconoce las equivalencias trascendentes de su espontánea vitalidad —«no siente lo espontáneo de su sombra, / la sencillez del crecimiento; apenas / si conoce el terreno en que ha brotado»—; y como al hombre mismo, tan sólo le es factible anhelar, tantear con la imaginación en el espacio que iluminan, entre sombras, los inciertos poderes de su deseo: «...imagina/ para sus sueños una gran meseta. / Y con qué rapidez se identifica / con el paisaje, con el alma entera / de su frondosidad y de sí mismo».

Al árbol sólo le falta, para lograr en pleno la dirección certera de su impulso, superar su misma entidad circunstancial, su destino corpóreo de ser sobre la tierra: «Llegaría hasta el cielo si no fuera / porque aún su sazón es la del árbol». La transferencia metafórica personal comparece inmediata; aquí sí que funciona, aunque sea sólo secundaria e instrumentalmente, la construcción textual del paralelismo alegórico:

---

7. Asumimos aquí la denominación de metalenguaje en su acepción general de discurso reflexivamente explícito y orientador sobre las peculiaridades de su propio contenido. Tal es, en efecto, la función de poemas como el primero del libro, que hemos caracterizado como resumidores doctrinales y orientadores de conjunto sobre el contenido menos explícito y oscuro de los restantes textos de la obra. Nuestra reclamación de la función clarificante propia del metalenguaje para el conjunto textual de *Don de la ebriedad* tiene poco que ver, antes bien al contrario, con el tipo de especulaciones confesadamente metalingüísticas de un sector de la crítica norteamericana especializada en Claudio Rodríguez, que propende a interpretar sistemáticamente esta obra como declaración consciente y voluntaria del autor sobre las limitaciones referenciales del lenguaje para representar sus objetivos simbólicos. Para mí resulta obvio —y es asunto que he constrastado abiertamente con el propio poeta— que tales críticos confunden la «oscuridad» inherente a los objetos sublimes de la experiencia, con la « dificultad» que ellos pretenden atribuir a las supuestas impotencias referenciales del lenguaje; cuando precisamente la grandeza de los poetas como Claudio Rodríguez pudiera cifrarse más bien en una extraordinaria capacidad de alusividad expresiva que alcanza los recovecos más misteriosos y recónditos de la experiencia sobre la realidad. Esa es por lo menos, rotundamente, la voluntad consciente y confesada del autor.

Así estoy yo. Qué encina, de madera
más oscura quizá que la del roble,
levanta mi alegría, tan intensa
unos momentos antes del crepúsculo
y tan doblada ahora. (pág. 35)

Pero una alegoría desmontada figuralmente mediante la explicitación simultánea del *tertium* «disémico»: esa contradicción que late inocultable en la sugerente fórmula de Bousoño.

Tampoco el fondo esquemático figural de la paradoja, formante del mito temático de esta historia de desvelamientos esenciales nocturnos, se despliega sobre trasuntos textuales abiertos. Bajo la paradoja de esa luz de la noche propicia a la ebriedad transfigurante, el hombre va cumpliendo la ardorosa tarea de su asedio a la culminación de la metamorfosis:

...va el contenido ardor del pensamiento
filtrándose en las cosas, entreabriéndolas
para dejar su resplandor y luego
darle una nueva claridad en ellas.

La hora rotunda para el desenlace del idilio no ha sonado aún en este trance del calculado proceso de la narración. Por eso el júbilo forzado de las exclamaciones en la ficción del hallazgo, de la entrada en plenitud, que configuran lo que no puede ser sino el resignado instante de concluir el pacto idílico de la obra en los textos finales del libro tercero, se modera en la coyuntura todavía inicial de ese poema bajo lacerantes interrogaciones sobre la consistencia y alcance trascendentales del destino de todos:

Y es cierto, pues la encina ¿qué sabría
de la muerte sin mí?¿ Y acaso es cierta
su intimidad, su instinto, lo espontáneo
de su sombra más fiel que nadie? ¿Es cierta
mi vida así, en sus persistentes hojas
a medio descifrar la primavera? (pág. 35)

El esquema figural de la paradoja acoge y representa en *Don de la ebriedad* el centro peculiar, invertido, de la visión esencial del deseo. La oblicua resolución —doblemente negada— que entraña esta figura tan extremadamente artificiosa, presta el incremento de poder expresivo necesario para simbolizar un estado de experiencia anhelante e inconformista. La paradoja se radicaliza de ese modo como el centro expresivo que instrumenta la simbolización de un estado de la mente a la vez efusivo e invasor, capaz de descubrir en el mismo gesto del abrazo la caricia y la muerte: «...claridad sola / mortal como el abrazo de las hoces». Lo mismo que en la siembra fundadora de la luz percibe germinación y tormento, caricia y herida, riego consolador y arada dolorosa; o que genera las imágenes temáticas intensamente afectivas de la laceración y el flechamiento: «¿Qué puedo hacer sino seguir poniendo / la vida a mil lanzadas del espacio...?», o «El primer surco de hoy será mi cuerpo», y «...en la llanada hecha de espacio, / voy a servir de blanco a lo creado». La paradoja apunta idealmente por tanto al centro inmaterial, al punto sensible siempre espacialmente ilusorio donde cristaliza el desvivido movimiento universal de la inquietud de Claudio, el desbordamiento existencial del deseo, cuando el poeta supera el desequilibrio de la realidad: «nada está seguro bajo el cielo. / Nada resiste ya».

En el esquema fundante del cotejo lírico, el estado de incertidumbre existencial que demanda la lanzadera de la resonancia paradójica, emplaza esa situación de desequilibrio estable sobre las dos vertientes, objetiva y subjetiva, sobre las que se recoge el latido de lo incierto. No es sólo la realidad la que aparece alterada, también la resolución paradójica de las perplejidades personales revierte con frecuencia sobre esa zona interior, sicológica, de la ambigüedad equívoca de la razón. La densidad sobrecogida de las presencias se hace entonces peculiarmente castigo, acusación —«Si, para mi castigo: la soltura / del álamo a cualquier mirada»— y constatación del vacío inútil de la experiencia invalidada: «No toco nada. No me lavo en la tierra como el pájaro». El poeta en su *Canto del caminar* no halla para saber, porque los hábitos anteriores del hallazgo son solamente memorias de vacío bajo la situación invertida del deslumbramiento trascendental: «Ni aun hallando sabré: me han trasladado / la visión, piedra a piedra, como a un templo». Las propiedades habituales de las cosas, de los seres y de los estados íntimos, resultan trastocadas productivamente, intercambiadas y confundidas al servicio de la nueva necesidad de la visión. Elevación y abismaciones, transparencia de vuelo en bloques de quietud[8], sustancia compactada de la música, son estructuras todas ellas contradictorias a las que el poeta confía el espesor presentido de su abrazo imposible:

> *¡Qué hora: lanzar el cuerpo hacia lo alto!*
> *Riego activo por dentro y por encima*
> *transparente quietud, en bloques, hecha*
> *con delgadez de música distante.* (pág. 49)

Si la iluminación es el fruto final de la ceguera, la conciencia henchida de intensísimas verdades invertidas se hace pista de culpabilidad y archivo de delitos salvadores: los nuevos raptos míticos del fuego. Saber es culpa —«Soy culpable. Me lo gritan»—; saber que no se sabe cuando sólo se aferran las sustancias dispersas de la luz, fuera del rayo de la oscuridad. No elevan las montañas al desalojado, ni en su ciudad encuentra compañía, ni la noche entenebrece verdaderamente una búsqueda que no depende siquiera de la luz. Para quien busca como el joven poeta «un resplandor definitivo», ni la muerte desvive, ni el vivir purifica: «Que cuando caiga muera o no, qué importa», porque el afán se traza su des-

---

8. En los apartados temáticos de este estudio hemos ponderado e interpretado ya detalladamente la decisiva importancia sintomática que tienen los impulsos imaginarios de elevación y descenso en la constitución del mito temático de Claudio. Sin insistir ahora nuevamente sobre el trascendental significado de esa pulsión imaginaria, en sí misma interpretativamente diáfana (cfr. Ángel L. Prieto de Paula, *La llama y la ceniza*, cit., pág. 163), conviene que la recordemos en su condición de persistente continuidad entusiasta a prueba de decepciones y de fracasos. No se olvide, incluso, que la pulsión optimista de situación espacial que ya se acoge así en el mito temprano de *Don de la ebriedad*, no habrá de adquirir la culminación de su presencia temática hasta *El vuelo de la celebración*, según José Olivio Jiménez, «Claudio Rodríguez, entre la luz y el canto», *cit.*, págs. 114-117. Pero desde la perspectiva crítica actual de nuestro análisis sobre la figuralidad paradójica en el sistema de argumentación poética de *Don de la ebriedad*, los esquemas de impulso ascensional sin objeto determinado que constituyen los productos del entusiasmo adolescente de Claudio, subrayan con su presencia la misma expectativa abierta a la que se suma la condición fuertemente resonante del barrido simbólico de la paradoja.

tino de fondos insondables, de términos infinitos sin hallazgo posible, sin segura satisfacción; sólo ese caminar a ningún sitio, tan sólo la tendencia de la fuga, el eterno itinerario, la quimera de desear sin extinción.

* * * * *

En el tercer libro de *Don de la ebriedad*, donde se incluyen —según sabemos desde el capítulo correspondiente en la primera parte— la mayoría de las composiciones más antiguas e irracionalistas de la obra, se intensifica la presencia de los momentos y estaciones menos acomodados al esquema mítico y macrorretórico de la inversión paradójica; lo que califica claramente aquellas composiciones como fruto adolescente de un deseo inquieto y con objetos todavía difusos. Así los impulsos nocturnos de las composiciones más maduras en el desarrollo del mito, en la primera parte, que expresaban la inconcreción lastrante de la experiencia mediante el vehículo figural contradictorio de la paradoja, se ven desplazados en estos textos, anteriores en la creación pero sucesivos en el balance construido del libro, ante la expectativa de objetos más seguramente diurnos, con lo que el protagonismo expresivo del contradictorio recurso figural paradójico se ve paulatinamente modificado. No obstante, la incidencia del principio paradójico de negación sigue marcando estructuralmente, incluso en los indicios míticos de esta tercera parte, la constitución del discurso figural esquemáticamente antitético para el estado de zozobras del poeta en estado de ebriedad iluminada.

La inversión de los dos órdenes diacrónicos concomitantes en la obra —el de la prioridad en la génesis mítica y creativa de la mayoría de los poemas diurno-alegóricos de la tercera parte, frente al orden estructural, voluntario y consciente[9], que organizó el proceso narrado emplazando los desarrollos paradójicos más elaborados y difusos del mito

---

9. Remitimos aquí a la descripción de la cronología de los textos que hacíamos en el correspondiente capítulo sobre el mito temático de *Don de la ebriedad*; así como a los juegos de perspectiva que ello implica en relación inversa a la ordenación narrativa, que da como resultado el progreso del libro desde la visión paradójica nocturna a la alegoría diurna irracionalista.

en la parte inicial— descubre síntomas muy interesantes y reveladores en torno a las actitudes conscientes e intuitivas del ejercicio creador de Rodríguez a las alturas de aquel primer libro adolescente. El cruzamiento intencionalmente habilitado resulta claro: la narración cosmogónica que pretende organizar en historia *Don de la ebriedad*, elige el principio de progresión *idílica* que procede del caos nocturno a la diafanidad final diurna como proceso adquisitivo y optimista de la ebriedad; es decir, de la crisis a la redención, o de las sombras paradójicas a la epifanía alegórica, según un fragmento sucesivo en el esquema mítico característico del romanticismo abramsiano. Un orden narrativo de progresión del idilio que emplaza como desarrollos iniciales y embrionarios los productos poéticos más difusos y nocturnos del orden esquemático figural, retóricamente mucho más maduro y elaborado, de la negatividad paradójica.

Así la resolución idílico-narrativa de la primera experiencia confusa de la inversión paradójica empieza a constatarse en esta última parte, determinando la modificación del principio negativo de la paradoja. La transfiguración entusiasta de momentos con remontado vuelo de la metamorfosis, que fundaba la ebriedad en los poemas de la primera parte como estado de desbordamiento de lo objetivo real, no se ve contrariada totalmente, en la cuidada selección de poemas[10] que caracteriza también esta etapa de la obra, por el nuevo sentimiento emergente; pues la diferencia discriminadora no llega a manifestarse uniforme y masiva como situación opuesta a la ebriedad.

Pese a todo, el mito revelador de la ebriedad alcanza en este punto de la obra una cierta cima emotiva en sus consecuencias de conmoción sentimental favorecida por la calidad fervorosa de los poemas pri-

---

10. Ya se ha constatado en el correspondiente capítulo temático cómo es una sensata relación más allá de las apariencias lo que presta unidad convincente a este conjunto de poemas del tercer libro de *Don de la ebriedad*, caracterizado por la presencia mayoritaria de las composiciones más antiguas y vigorosamente irracionalistas, junto a otras en las que prevalece la modulación meditativa y la intención metateórica. La cronología contrastada de textos tan diferenciados entre sí, confirmada por las confidencias del propio autor, se manifiesta por tanto mucho menos poderosa que el instintivo control mítico del poeta; sean cuales sean las declaraciones de su «leyenda» de malditismo sobre las vivencias de aquellos años efectivamente turbulentos.

migenios en la elaboración intuitiva del mito. Donde en la primera parte germinaba la plenitud gozosa de la certidumbre metafórica en la visión paradójica nocturna, ahora en la tercera, con los poemas más directamente alegóricos y diurnos, dominan la desorientación y la melancolía ante la irreductible variedad antitética de las sombras circunstanciales abiertas por las luces de un día indeseado. De esa forma se acondicionan los momentos culminantes de la *crisis patética* —los poemas 1, 4 y 6 de la parte tercera—, posteriores narrativamente a la artificiosa *epifanía* inicial idílica de la revolución nocturna paradójica en la mayoría de textos —menos el sexto— de la primera parte; y a su vez anteriores en su fecha de composición a los poemas finales de la obra —el séptimo y sobre todo el octavo de la tercera parte—, que formulan el momento de *resolución* del desenlace idílico.

El primer poema del libro tercero, uno de los más antiguos en la génesis creativa, introduce el índice figural de las *antítesis*, al que se ha de acoger el progreso narrativo que desmonta en conflicto la solución paradójica inicial como mito integrado de la visión nocturna. El poeta se siente instalado en todas estas composiciones ante una conciencia diferente, mucho más neta y diurna de la visión. La plena luz, la maduración de la experiencia forzadamente diurna, le enfrenta al torbellino irreductible de la diversidad accidental del día, donde la constatación antitética puebla la nueva realidad de lacerantes límites diferenciales. Diferencia pues entre noche y día con sus dos mitos vinculados: el esencial nocturno y el de la pluralidad perspicua de los días. Pero diferencias también, distancias después de todo falaces ante el fondo esencial, entre cada constituyente problemático de la nueva realidad experta y todas y cada una de las demás circunstancias de su entorno confusamente diurno: «Lo que antes era exacto ahora no encuentra / su sitio. No lo encuentra y es de día». La fórmula narrativa es engañosa, porque, pareciendo querer subrayar un hito discriminante a partir del «ahora» del nuevo ciclo que se inicia en el tercer libro, procedía en realidad de una situación muy anterior en la experiencia creativa del mito tematizado en *Don de la ebriedad*. En realidad transcribe literalmente otra fórmula que comparecía en un poema anterior inédito publicado por García Jambrina y fechado hacia 1950. Se trata del titulado «Iniciación», donde aparecen los versos referidos: «Mañana, ayer... La sospecha / se convierte en prodigio / y lo que antes era exacto / ahora no encuentra su sitio. / Y es que es así: el horizonte / que nunca se ofrece el mismo»... Pero estos eran, como se ve, los versos iniciales del poema primero del libro tercero; afirmaciones diáfanas y terminantes que el autor aprovechó incidentalmente para situar a los lectores en el decurso construido de la narración mítica ante la mutación del escenario simbólico-figural que hasta ese momento había dominado la obra.

La nueva realidad diurna del mito que instauran categóricamente los versos de este poema, así como la figuralidad que ella misma introduce, organizan persistentemente la nueva argumentación *antitética*. Se trata del equivalente expresivo-retórico de la pluralidad de accidentes irreductibles a unidad de razón, base del castigo para la experiencia desterrada de la esperanza mítica del deseo metafísico nocturno. Sólo la tregua ilusoria de un poema de ubicación confesadamente accidental sobre el enamoramiento, el dedicado a Clara Miranda, propone el pacto convencional de la mirada real discernidora: «qué limpia escena / la del amor, que nunca ve en las cosas / la triste realidad de su apariencia». Pero en el texto sucesivo retorna nuevamente la inexorable discriminación entre las etapas de la nueva metamorfosis de los seres y las estaciones sin esperanza final de síntesis unitaria: «¿Podría / señalar cuándo hay savia o cuándo mosto, / cuándo los trillos cambian el paisaje / nuevamente y en la hora del retorno». Y en el siguiente, el iluminado escenario de presencias y trazas de una acuidad individual diáfana y distinta no disimula la tendencia de antaño: «Bien se conoce por el movimiento / que puede más la huida que la busca».

A la luz plenaria de esta conciencia discernidora de las formas extremas, el momento supremo de la iluminación inmóvil y definitiva — «la única vez de lo creado» del poema quinto— se calcula como pronóstico sin perfiles internos y sólo delimitado por el compás exterior de las antítesis. Ellas aportan ahora la única estructura asequible para un orden en el fondo privado de sutileza esencial, aunque suficientemente esquemático para organizar claramente sobre él la orientación de recuerdos y propósitos. Así se articula, como oposición de negaciones, la situación que inicia el poema siguiente: «No es se que me haya ido: nunca ha estado». Ahora la memoria del pasado del mito y la constancia presente de la realidad se configuran como oposición entre la plenitud de un *ayer* idealizado de mejoras idílicas, en contraste con las carencias del *ahora* que señala el instante problemático de crisis: «Ayer latía por sí mismo el campo. / Hoy le hace falta vid de otro misterio». Sin que se llegue a confundir no obstante, tras esta nueva composición de los tiempos, la condición previa únicamente sobre el plano de la sucesividad narrativa de esos momentos idealizados de la visión en la ebriedad nocturna, que respondían emotivamente a un sentimiento actual de crisis y pérdida de la «edad dorada» en la infancia feliz anterior a la culpa y a la experiencia del pecado. Frente al momento unitivo precedente de epifanía espontánea de la visión desde la inocencia, que se corresponde con la sentimentalidad de un tiempo biográfico anterior al proceso de escritura de la obra, Claudio Rodríguez fue construyendo más tarde las consistencias paradójicas de su visión nocturna en ebriedad. De ahí la ambivalencia emotiva que comunica el desenlace ensayado en los últimos poemas del libro, como suspensión en el absoluto del tiempo entre la ebriedad paradójica nocturna y la acuidad simbólica de las luces del día. Paradoja y antítesis neutralizadas en el orden planificado de la secuencia narrativa.

Pero las diferencias constatadas en la antítesis no son fuente satisfactoria de resignación. Todavía no ha culminado el compromiso idílico de las presencias sustantivas resignadamente consoladoras, que aflorará en el mito de Claudio solamente en *Conjuros*. A través de la constatación de la diferencia, la acuidad discernidora de las antítesis sirve para enmarcar una ilusión necesaria sobre la síntesis. Lo expresan con claridad en este libro las exclamaciones que abren el poema séptimo y penúltimo:

> *¡Qué diferencia de emoción existe*
> *entre el surco derecho y el izquierdo,*
> *entre esa rama baja y esa alta!*

Insuficiencia, en suma, de las diferencias antitéticas que vuelve a producir la nueva síntesis paradójica invertida respecto a la visión sustancial en la ebriedad nocturna: *no veo* (esencialmente) *porque veo* (fenoménica, diurnamente). Incluso irrealidad entre las ramas de máxima discrepancia de la antítesis, las que se abren sobre la vida y la muerte, que Claudio convoca en el poema de cierre de *Don de la ebriedad*, cuando la transfiguración ilusoria de la realidad dispuesta para el cotejo le hace temer por la proximidad de la muerte, —«...¿Qué me han hecho en la mirada? / ¿Es que voy a morir?...»—; mientras que la resolución de la sustancia única del anhelo en formas discernidas de identidad le amenaza desde la frustración de una existencia que representa el fin de la ebriedad: «...Y el sol, el fuego, el agua, / cómo dan posesión a estos mis ojos / ¿Es que voy a vivir?». La argumentación contraditoria de la paradoja gobierna implícitamente en suma, y dirige y produce la exasperación patética que propone la zozobra poemática. Es el resultado de una inversión en el orden de la revelación: donde al principio se proclamaría con la inocencia penetrante y poderosa del deseo aquel *veo porque no veo*, ahora, en la tercera parte, la construcción narrativa del idilio de la recuperación vital en la experiencia diurna ostenta la dificultad irreductible de las antítesis. Una intensa zozobra impotente en la acuidad discriminante de los contrastes —si antes había sido zozobra ilusionista de la irrealidad visionaria con las paradojas de la visión nocturna— ese no ver esencial de la ebriedad, precisamente porque se mira desde la normalidad realista de las luces del día.

La transfiguración es ya una segunda realidad en paralelo, cumplida y natural para la deslumbrada visión del poeta en trance fugazmente idílico de visión neutral fuera del tiempo y de las figuras; así puede exclamar: «Cómo veo los árboles ahora». Ni las hojas caedizas, ni las ramas obedientes al dictado del crecimiento son los mismos árboles ya transfigurados sobre la rama ideal de la alegoría en la ebriedad plenaria del poeta. Tampoco la brisa a la sazón caliente se percibe más como producto de la tierra, «sino falta / de ese dolor de vida con destino». Y la elevación de la mirada extática por encima de las formas del campo, del mar y las montañas alarma —¿retóricamente?— al contemplador sobrecogido, extrañado de sí, hasta el temor cercano de la muerte... ese estado de las «almas inmortales». Y se despliega en sus términos de extensión infinita la descripción del invocado éxtasis:

La mañana no es tal, es una amplia
llanura sin combate, casi eterna,
casi desconocida porque en cada
lugar donde antes era sombra el tiempo,
ahora la luz espera ser creada. (pág. 63)

Sucede el silencio, el vacío del aire desalojándose de sus atributos conocidos de ubicación espacial. Pero la deprivación directa de los rasgos familiares, el negativo simple, la adversación en el compás razonable de la antítesis no ha de entregar la plenitud de la abismación poética, del éxtasis en la ebriedad. En tales cumbres de la inversión del hábito de ver, de «desobramiento», ha de volver a ser la paradoja la que imponga su esfuerzo retórico de máxima tensión. Mediante la nitidez de sus instantáneas imágenes en el negativo redoblado de la contraposición resuelta en paradoja, el poeta ilustra y organiza aseguradamente las claves para el juego del lector más bisoño. El sobresalto enfático de Claudio en el poema ante el relámpago de la transfiguración cumplida es un indicativo retórico poderoso, a la vez enfáticamente inocente y eficaz:

> *...¿Qué me han hecho en la mirada?*
> *¿Es que voy a morir? Decidme, ¿cómo*
> *veis a los hombres, a sus obras, almas*
> *inmortales? Sí, ebrio estoy, sin duda.*

Y lo mismo los signos opuestos de salida del tránsito transfigurante, con los que la inocencia y la pasión sublime de aquel joven poeta proponía su cierre convencional de idilio:

> *¿Es que voy a vivir? ¿Tan pronto acaba*
> *la ebriedad? Ay, y cómo veo ahora*
> *los árboles, qué pocos días faltan.*

Aunque hay que contar siempre —y tal vez más aún bajo el fulgor del mito sin desgaste en el deseo adolescente— con la suprema médula sagrada de la pasión salvadora de Claudio, que desborda en vibraciones intensas los poderes de amor al alcance de las almas comunes. En función de eso, su voluntad de construcción narrativa de una evolución idílica de las situaciones del mito no puede ser valorada desde la convicción habitual del hombre débilmente conciliador[11]. ¿Quién puede

---

11. En general la crítica de Claudio Rodríguez no ha destacado hasta el presente, que yo sepa, el rasgo temático y constructivo que venimos caracterizando aquí como *idilio*, adaptando

saber actualmente hasta qué grado de potencia sublime el insondable fondo de fervores cordiales de Claudio, su voluntad intacta de salvación regeneradora, no es el venero que explica más convincentemente aquello de su poesía en lo que no se suele entrar: la condición eterna,

---

la sugerente utilización crítica de nuestro maestro Ezio Raimondi, (cfr. *Il romanzo senza idilio*, Turín, Einaudi, 1974). Con dicho término queremos aludir habitualmente en este libro a la marcada proclividad de Claudio Rodríguez para ajustar narrativamente la organización de las tensiones temáticas en sus obras dentro de un plan argumental de ajuste resolutivo perfectamente graduado. En la parte primera de esta obra hemos seguido el proceso temático que el *idilio* establece habitualmente como compromiso positivo: la resolución razonable y esperanzada contra las amenazas destructivas de la dispersión. Más tarde, sin embargo, esa proclividad idílica del poeta se irá debilitando ostensiblemente, sobre todo a partir de *El vuelo de la celebración*, como resultado del proceso de desengaño y experiencia adversa, salvados sólo en último extremo por la inabatible creencia redentora de Claudio.

Obviamente la constitución idílica de sus libros implica la fluctuación dramática de estados de ánimo, la presencia alternada de las opciones temáticas en lucha. La poesía de Claudio Rodríguez, ya desde *Conjuros*, aparece marcada por esta constante oscilación de alternativas antitéticas, positivas y negativas, desplegadas en una sucesión de transformaciones temáticas: la unidad metafísica nocturna frente a la pluralidad dispersa de lo diurno, la autenticidad empírica y moral como verdad opuesta a la mascarada de las apariencias, la solidaridad auténtica frente al pacto convencional insolidario, etc., etc. Sobre esa base conflictiva dialéctica, la voluntad constructiva del poeta va ordenando dosificadamente el proceso de argumentación temática; de tal manera que cada uno de sus libros presenta una cierta curva emotiva, una parábola argumental que construye la solución *idílica* primero y las crisis *agónicas* del idilio en sus obras más tardías. En nuestro estudio actual sobre los esquemas figurales de la argumentación poética, prestamos una atención muy destacada a este constituyente macrodispositivo fundamental en todas las obras del autor, que aparece estrechamente enlazado con la constitución semántica de sus mitos temáticos. En consecuencia, en cada uno de los capítulos sucesivos habrá de hacerse presente la consideración de este parámetro argumentativo fundamental.

La atención que reclamamos sobre el rasgo macroargumentativo de la composición idílica, ha sido lo que nos ha hecho partir de la afirmación previa de que como tal —es decir, bajo el protagonismo temático-dispositivo que nosotros le queremos atribuir— no ha sido monográfica y conscientemente destacado antes por la crítica. Lo que no quiere decir, sin embargo, que precisamente a causa de la singular incidencia de esa inflexión argumental y de su importancia en la fisonomía de las obras de Claudio, la crítica especializada no haya intuido en ocasiones tan destacado perfil de la argumentación en alguno de sus libros. Entre los ejemplos más avizoradores, José Olivio Jiménez en su conocido estudio sobre *El vuelo de la celebración*, apuntaba hacia el hábito de la distribución positiva de las piezas poemáticas contrastadas en *Alianza y condena*, obra para él profundamente antitética: «...eran los instantes en que el tono se encendía hacia el júbilo y la oda, los que justificarían y alcanzarían al fin la *alianza* sobre la *condena*. Recuérdese que, no sin razón, se colocaban hacia el término del libro los textos más exaltadores del espíritu en tal dirección». Cfr. «Claudio Rodríguez, entre la luz y el canto», *cit.*, pág. 113. Y es de justicia advertir, además, que la importante intuición crítica de Jiménez no resulta ocasional ni aislada,

inasequible al desgaste del tiempo[12]? Ciertamente, como se ha visto antes y se refrendará con cada nueva obra, el principio temático de redención idílica patente en las estructuras de la composición es un dato de voluntad constante en la obra de Rodríguez. A él resulta obligado referirse

---

sino que previamente la había contrastado sobre el itinerario de la obra general de Claudio, subrayando el esfuerzo de positividad moral que nosotros caracterizaremos como voluntad de salvación o ajuste idílico. Para Jiménez, ese impulso estructurante de la voluntad de mejora y salvación de Claudio alcanzaría nítidamente incluso a los momentos biográficamente más tempestuosos de su experiencia vital tematizados en *El vuelo de la celebración*. Cfr. «Para una antología esencial de Claudio Rodríguez», cit., pág. 108.

12. La extraordinaria complejidad conflictiva de las tensiones biográficas y sicológicas implicadas en el reajuste idílico por parte de un carácter tan disciplinado y a la vez tan densamente contradictorio como el de este fascinante poeta, ha sido afrontada por el historiador americano de nuestra poesía moderna Philip Silver. Si bien, en este caso, la propensión del propio interés sicológico de su carácter y tal vez incluso la experiencia de conocimiento personal de Claudio que testimonia Silver, le inclinan hacia una motivación profunda de los ajustes idílicos de Rodríguez que acaba resultando menos lineal, inmediata y voluntariamente optimista que la que le atribuía otro conocedor también íntimo de nuestro poeta, José Olivio Jiménez. Para Silver la evidente confección poética del idilio declara la «contradicción» o «paradoja» de la imposibilidad —de destino— de intervenir o de modificar a fondo el hiato entre el hombre y la naturaleza; es decir, el individuo y sus normas antropológicas de comportamiento. Cfr. «Claudio Rodríguez o la mirada sin dueño», en *La casa de Anteo*, cit., págs. 234-235.

Pero el destino seguramente inevitable de las afirmaciones críticas extremadamente matizadas y pudorosamente no-obvias, como son habitualmente las de Philip Silver, parece ser el de despertar resistencias y reservas. Así, respondiendo al complicado juego de la paradoja conflictiva de los reajustes idílicos de Claudio, Louis Bourne trataba de corregir el matizado ejercicio de riesgo crítico de Silver, reclamando en nombre de las evidencias textuales del final de *Conjuros* un sesgo menos problemático: «Se nota —dice— en varios poemas una aspiración de futuro que ni siquiera el fracaso acierta a limitar». Cfr. L. Bourne, «Plotino y las hermosas agresiones...», cit., pág. 3.

Por nuestra parte, parece claro que en el fondo las dos soluciones resultan admisibles; eso sí, bajo las perspectivas y el grado de interés respectivos a partir de los que ambas se constituyen. Nuestro examen sincrónico de la formación y evolución de la constante de salvación idílica descubierta en el trabajo compositivo de las obras de Claudio Rodríguez, afirma un grado mucho más aproblemático y superficial del joven poeta hacia las soluciones constructivas del optimismo en la voluntariedad. Una confianza en la capacidad de equilibrado idílico que evoluciona desde los móviles externamente argumentales de *Don de la ebriedad* a los de signo más arraigadamente moral en *Conjuros* y en *Alianza y condena*. Pero también es cierto, a favor de las deducciones mucho más problematizadas de Silver, que esa voluntariedad resolutiva del primer Claudio Rodríguez implicaba también necesariamente el acallamiento más o menos forzado de las tensiones que conforman en su carácter el claroscuro de una imaginación plasmada, desde el comienzo, en la articulación paradójica de su voluntad visionaria y moral.

tanto al reconstruir los accidentes en que se configura la sedimentación temática de sus mitos, como al examinar su correspondencia
paralela en los esquemas figurales de la argumentación de cada obra.
El modelo estructural del *idilio* no establece tan sólo unas determinadas enseñanzas semánticas, sean éstas de contenido cognitivo o
moral, sobre el programa consciente y los mensajes intencionales del
poeta. Desde el punto de vista de la figuralidad esquemática que ahora
nos ocupa, el idilio traduce también, y tal vez desde iniciativas mucho
más radicales, la actitud global de la sensibilidad que constriñe el enunciado a una determinada manera de comportamiento simbólico constante y homogénea[13]. Por eso la resolución idílica del dualismo
problemático en el caso de Claudio Rodríguez declara ante todo una
regularidad esquemático-dialéctica, una concepción dada del equilibrio,
casi una «geometría propia de las pasiones», antes incluso de ser un
propósito moral o de ideas generales inertes.

La condición radical y primaria de los esquemas de argumentación impone además su persistencia y su réplica isotópica en todos
los niveles textuales de la configuración de los enunciados. Antes
hemos aludido a la isotopía retórico-argumentativa y mítica; pero a
su vez, y dentro de cada uno de esos dos planos, son perceptibles
despliegues y reduplicaciones del esquema. En esa línea, Gonzalo
Sobejano estableció para poemas concretos un modelo esquemático-
dialéctico de composición que refleja otros esquemas estructurales
mítico-simbólicos presentes en la tradición romántica anglo-america-
na desde Abrams a Bloom, los cuales reproducen a su vez el
esquematismo dialéctico-problemático de toda crisis narrativa. Los tér-

---

13. Dionisio Cañas ha insinuado la condición de constante constructiva que tienen en la
poesía de Claudio determinadas estructuras dispositivas dialécticas, próximas a las que Sobejano
identificara como «integración», y que aquí estamos extendiendo a categoría resolutiva macrotextual bajo la determinación de *idilio*; partiendo de declaraciones del propio Rodríguez favorables al «control de la apariencia» y a la «aventura controlada de la creación poética». Cfr.
Dioniso Cañas, *Claudio Rodríguez*, cit., págs. 87-88. Esa propensión constructiva final a la
«concordia discors» se descubre explícita, para mí, en determinados análisis textuales de Cañas,
como el que realiza del poema «Porque no poseemos», en *Poesía y percepción*, cit., pág. 101.
Allí se explica ese final como un movimiento de repliegue dialéctico, «como queriendo recoger
velas», al servicio de «un acto de amor».

minos del esquema eurístico de Sobejano con tres momentos dialécticos: *advenimiento, epifanía* e *integración*[14], resultan acomodables por extensión[15] al esquema tripartito: *elevación nostálgica, crisis problemática y restauración idílica* que nosotros mismos proponemos ahora, según escalas de comportamiento más generales de la imaginación dispositiva de Claudio[16]. La actitud de conciliación constructiva

---

14. Cfr. Gonzalo Sobejano, «Impulso lírico y epifanía en la obra de Claudio Rodríguez», en AA.VV, *De los romances- villancico a la poesía de Claudio Rodríguez (Homenaje a G. Siebenmann)*, Madrid, J. Esteban, 1984, págs. 409-427. Véase una de las más explícitas y precisas formulaciones de las tres categorías o momentos dialécticos en la explicación de Sobejano: «La intensidad emotiva consiste en un *advenimiento*: por *contemplación* elevadora (ascensión) o por *acción* reconocedora (camino). La intensidad representativa se produce como una *epifanía*: don de la ebriedad, conjuro, alianza o vuelo celebratorio traen la aparición de la verdad en un *instante* que funde una *claridad* nueva... La intensidad trascendente podría definirse como una *integración* del sujeto y objeto; *desprendimiento* de la apariencia para integrar la verdad revelada e integrarse a ella en un acto de *unión*; y aquella despedida del engaño y esta conquista integradora de la verdad auguran un renacimiento» (págs. 410-411). Nuestra propia instrumentación del proceso dialéctico en Claudio Rodríguez se propone elevar dicho esquema a razón general fundante de su mito personal sicológico y poético, una actitud global de la sensibilidad como *impulso* síquico que es anterior a toda ocupación temática y que gobierna por tanto la diversidad de variantes cognitivas y morales.

15. Ampliar y generalizar debidamente, corregido y adaptado a las exigencias constitutivas de la inmensa mayoría de los textos, el acierto del esquema dialéctico inducido a partir de análisis sobre poemas puntuales por Gonzalo Sobejano, puede liberar las razonables objeciones de impropiedad que se le han formulado a la validez de tal esquema desde la experiencia discrepante de la estructura textual limitada de poemas distintos. Véanse por ejemplo, las respetuosas objeciones, indiscutibles que le dirigía Ángel L. Prieto de Paula (*La llama y la ceniza*, cit., pág. 144) en nombre de poemas de Claudio con diferente estructura.

16. Indirectamente nuestra propuesta de un proceso dialéctico de argumentación macrotextual entre los sucesivos despliegues del mito temático de Rodríguez se entrecruza con algunas de las más persistentes y minuciosas hipótesis parciales alternativas sobre variados aspectos de esta poética. Así, la tesis fundamental de Mudrovic, quien subraya temáticamente la idea de una rigurosa progresividad en el desarrollo de los temas, calculada y graduada según él a lo largo de cada obra. Dentro de ella sería asimilable, por ejemplo, con nuestra propia propuesta de la construcción convencional idílica, su interpretación como «síntesis» *catafórica* de las grandes odas finales de *Alianza y condena*. Cfr. W.M. Mudrovic, «Claudio Rodríguez's *Alianza y condena*: Technique, Development and Unity», *cit.*, págs. 248-250.

Por lo demás, son siempre las tensiones de las formas las que evidencian la forzada innaturalidad mítico-argumentativa que constituye la resolución idílica. Jonathan Mayhew las detectaba desde su propia perspectiva, y siempre dentro de los objetivos generales de su análisis, a partir de una cierta torsión paradójica del lenguaje que haría contrastar el final respecto del resto de la obra, por

predominante que determina el *idilio*, se revela como una más entre las posibilidades de despliegue y resolución de la dialéctica del conflicto, marcando alternativas y opciones que oscilan entre la positividad y el pesimismo.

Quizás lo más sugestivo de aquella primera obra de Claudio Rodríguez se encuentra en algunos de los textos primerizos de la parte tercera. Animado universo de la obra que acoge también, como decíamos, los momentos más azarosos y humanos de la que hubiera sido sin ellos llana fe paradójica. «Lo que antes era exacto ahora no encuentra / su sitio» del poema primero de esta tercera parte expresa, como señalaba antes, la fórmula de desajuste entre los componentes exterior e íntimo, objetivo y sentimental, diurno y nocturno, del cotejo analógico. La frustración apasionada, el desencuentro en la dispersa constitución casual del día, hallan su vía feliz de representación mediante el cotejo fundado en negativo del esquema de las antítesis para el desasosiego del vacío, de la respiración sin ámbito. El discurso convergente de las noches felices estalla ahora en alcances irrepresentables de la emoción desalojada; las soluciones irracionalistas aprendidas en los tempranos textos del simbolismo francés acreditan y reviven su sentido en la potencia sincera de la emoción que expresan. Corazón poderoso contra paisaje hondamente esencial: «Rugoso corazón a todas horas / brotando aquí y allá como semilla, / óyelo bien: no tiemblo»

Espacialidad mítica y argumentación poemática: universalidad e individualización estilísticas

El esquema discursivo del cotejo que, paralelamente a sus desarrollos temáticos en las operaciones mítico-simbólicas de la metamorfosis poética, funda la configuración directiva de la paradoja por

---

ejemplo en *Alianza y condena*. Cfr. J. Mayhew, «The Dialectic of the Sign in Claudio Rodríguez's *Alianza y condena*», *cit.*, pág. 516. Por nuestra parte, consideramos más realista y objetivo concretar el conjunto de tensiones diferenciales y de contradicciones paradójicas de la forma lingüística en la estructura global del nivel textual macroargumentativo, bajo la contraposición dialéctica entre la tesis problemática del dualismo antitético y su resolución en la concordia *idílica*.

negación y de la alegoría por paralelismo, establece a su vez e implica, como insinuábamos antes, la conformación de una peculiar *espacialidad mítica* fundamental en la primera poesía de Rodríguez. A ella tuvimos ocasión de referirnos ya al ocuparnos en la primera parte de este libro de la estructura peculiar de la sustancia mítica en *Don de la ebriedad*, pero ahora descubre una trascendencia especialmente significativa al tratarse de las macroestructuras de la composición. El cotejo poético implica el doble espacio *físico* del entorno de un mundo a interpretar y el *sicológico* o poético como ámbito transformado en la espacialidad de la metamorfosis que revela. En los primeros textos de la obra, el poema tercero perfilaba ya claramente la dialéctica fundante del cotejo poético y dejaba entrever las consistencias de ese doble espacio:

> *La encina, que conserva más un rayo*
> *de sol que todo un mes de primavera,*
> *no siente lo espontáneo de su sombra,*
> *la sencillez del crecimiento; apenas*
> *si conoce el terreno en que ha brotado.*

Es decir, mientras que en realidad el árbol existe sin la conciencia de su trascendencia solidaria, la identidad consciente del yo personal despierto con la revelación a la ebriedad, va trazándole rumbos y correspondencias a la red de destinos del universo[17]. Así, lo que en la expresión paradójica era la visión fundante en el negativo de la claridad

---

17. El mecanismo de *metamorfosis* de los objetos de la realidad resultante de la correlación fundada por el cotejo lírico, en términos de ósmosis subjetivo-objetiva, ha de ser reconocido en su condición de constituyente realísimo y fundamental de la imaginación poética de Claudio Rodríguez. Como tal, forma parte de su concepto central de integración y fusión personal con la realidad como «contemplación viva». En el caso concreto de la fusión identificadora con el árbol —la encina en el caso de este poema— Claudio describía así el proceso de identificación: « Yo quería penetrar, saber lo que es un árbol y poderlo expresar... Yo quiero convertirme, abandono mi personalidad y quiero convertirme yo en el árbol, en el objeto del poema... Quiero ser yo el árbol». De la entrevista con Curtis Miller, en *Anales de Literatura Española Contemporánea*, 1984, IX, 3-4, págs. 288-289.

nocturna, resulta ser ahora el espacio incierto, el de la metamorfosis, de la imaginación y del deseo —cuarto poema del primer libro—. Espacio inespacial —otra formulación de la experiencia paradójica abrasada— inconsistente en la medida en que rehusa como falaz y dispersante todo asidero firme de certezas:

> *Vedle surgir entre las nubes, vedle*
> *sin ocupar espacio deslumbrarme.*
> *No está en mí, está en el mundo, está ahí enfrente.* (pág. 36)

El espacio abierto por el tanteo ciego de la paradoja carece de nombres; es presentido y anhelado antes que poseído y familiar para una sentimentalidad absoluta, sin experiencia.

El deseo del poeta adolescente, que se sirve del poder alusivo casi como rebote a ciegas del irracionalismo paradójico, es una fuerza eterna, capaz de prestar unos poderes de visión a Claudio que antes le había dado a poetas como Shelley o a Rimbaud. Cuanto más fresco y descargado de referencias concretables, el anhelo resulta más invasor y penetrante, más comunicativo; pero también se hace más incierto, más torpe en los lenguajes interpuestos. El prodigio de la efusión: «Cuándo hablaré de tí sin voz de hombre / para no acabar nunca, como el río», es expresivamente la ejecución verbal de un aliento paradójico: hablar para no hablar, hablar desde el silencio. Superación del ámbito convencional: «Cuándo estaré bien fuera o bien en lo hondo / de lo que alrededor es un camino / limitándome, igual que el soto al ave»; y revelación, sobre todo, que funde y esencializa momentos y lugares en la oscilación incierta del sentimiento y en premoniciones inasequibles de la emoción: «Este rayo de sol, que es un sonido / en el órgano...». Deseo insaciable, fervor sin términos de remanso en evidencias ciertas logradas como posesión estable. Poderes de una juventud sin plazo cierto, alcances del milagro inefable fiado a la reverberación de la paradoja... Inspiración, no cabe otra palabra para aciertos tan hondos, tan sin por qué en la voz adolescente:

> *...Mi boca sólo llega al signo,*
> *sólo interpreta muy confusamente.*

Y es que hay duras verdades de un continuo
crecer, hay esperanzas que no logran
sobrepasar el tiempo y convertirlo
en seca fuente de llanura...(pág. 48)

En un Rimbaud temprano, tal como lo ha intuido persuasivamente
Philip Silver[18], pudo adquirir seguramente el adolescente andariego de
Zamora[19] las pautas de la compañía irracional para forjar las imágenes

---

18. Dentro de la cultura literaria reducida y elemental que en la Zamora de los primeros años
cincuenta pudiera alcanzar un buen estudiante de Bachillerato, hijo de familia acomodada y de un
padre refinado y culto, cabe esperar poco más allá que los clásicos: latinos y españoles y algún que
otro —más raro— francés. De ella se aprecian ecos en la métrica, en algunos calcos léxicos y en
determinadas imágenes de Claudio, señalados habitualmente por la crítica. Sobre los filósofos griegos
antiguos, los poetas naturalistas latinos, los místicos castellanos y la tradición castellanista de Unamuno
y Machado, véase Louis Bourne, «Plotino y las hermosas agresiones de Claudio Rodríguez», *cit.*,
págs. 3-4; y sobre todo la biografía de Dionisio Cañas, *Claudio Rodríguez*, cit., págs. 21-23. La
pista de Rimbaud como modelo vanguardista predominante entonces la ha declarado el mismo Claudio
y la repiten generalmente sus críticos, hasta ahora sin el minucioso análisis que exige su importancia.
Sólo Philip Silver ha insistido sobre el efecto modelizador que para la poesía del poeta adolescente
pudiera haber tenido el proceso de desvelamiento poético de un irracionalismo desautomatizado, tal
y como lo proclama el autor de *Le bateau ivre*. La propuesta de Silver ha sido discutida argumen-
tadamente por Jaime Siles, en «La palabra fundadora», cit., págs. 75-76; así como por un conocedor
tan avezado en la obra de Claudio como lo es Ángel L. Prieto de Paula, quien ha reducido a sus
justos términos la demasía de Silver en su propuesta concreta de un «automatismo» estrictamente
« surrealista» bajo el modelo de los poemas en prosa de Rimbaud. Con todo, resulta también innegable,
a favor de las reclamaciones más matizadas de irracionalismo recordadas por Silver, la persistente
continuidad de un entramado de imágenes desinhibidamente irracionalistas que elevan la tonalidad
claramente connotativa del discurso lírico de *Don de la ebriedad*. A lo que se ha de añadir la
modelización mítica del malditismo de Rimbaud sobre la ruptura rebelde de la huida tematizada
por el primer Claudio, con su correspondiente sentimiento de culpabilidad. En tales circunstancias
no cabe descalificar el meollo de las afirmaciones de Philip Silver: las continuadas presencias de
un fondo de irracionalismo poético de corte plenamente moderno e inspiración inmediatamente
rimbaudiana en la poesía de *Don de la ebriedad*, a lo que nosotros hemos de añadir el testimonio
incontrastable del magisterio rítmico de Rimbaud . Quede por lo demás aquí el testimonio del propio
Claudio Rodríguez al respecto: « en cuanto al irracionalismo de los primeros poemas Silver tiene
razón». Respecto al estímulo modelizador de Rimbaud, lo cierto es que nada nos encamina a ninguna
fuente mejor; por más que la fuerza imaginativa de Claudio no acostumbre a dejar calcos toscamente
explícitos, sino en todo caso —como sugiere también el mismo Silver— modelos de expansión
textual del metaforismo irracional. Cfr. Philip W. Silver, «Claudio Rodríguez o la mirada sin dueño»,
cit., págs. 220-239.

19. Sobre la cultura literaria, en parte dirigida y en parte casual como sucede siempre, del
bachiller adolescente que publicaba sus primeros poemas en diarios locales, García Jambrina ha

de este universo de espacios en permanente rechazo y huida desver-
tebrada[20]; pero sobre todo lo fue seguramente en las inmensidades de
su anhelo incierto, en la sed de infinito de su voz y en el deseo de transustanciación eterna de su mirada. *Don de la ebriedad* es un ejercicio

iluminado las atribuciones ya tradicionales de los autores presocráticos, los ejercicios de métrica
latina y francesa y los místicos castellanos. En cuanto al sector mucho menos preciso y no menos
influyente para la modalidad poética modernísima de Claudio, Jambrina conjetura, con el fundamento razonable de algún verso coincidente, la interesante pista de *La casa encendida* de Luis
Rosales como uno de los más tempranos estímulos, seguramente casuales, sobre el joven poeta
(Cfr. Luis García Jambrina, «La prehistoria literaria de Claudio Rodríguez», cit., págs 10 y 15).

Basándonos en una gran variedad de deducciones extraídas de sus primeros escritos académicos inéditos —el trabajo de 1953 sobre el ritmo de Rimbaud y la Memoria de Licenciatura
sobre los cantos de corro castellanos de 1957—, de nuestras propias preguntas y de las conferencias
y cursos universitarios que hemos oído a Claudio sobre la poesía moderna española, podemos
conjeturar asímismo su temprano conocimiento de Bécquer, Guillén, Gerardo Diego, Machado, Unamuno y García Lorca, cuyo *Romancero gitano* sabía de memoria, entre las primeras adquisiciones
de su cultura poética moderna.

En lo que se refiere a su conocimiento del romanticismo europeo, cuento con las confidencias
aseguradas sobre su lectura muy temprana de los *Cantos* de Leopardi en un libro propiedad de
su padre, así como la de los simbolistas franceses: Mallarmé, Verlaine y sobre todo Rimbaud,
sobre los que realizó sus tantas veces alegadas ejercitaciones métricas. Su conocimiento de Hölderlin en traducciones es probablemente más tardío, seguro ya en tiempo de la preparación de su
tesina de Licenciatura donde alude al gran lírico alemán con sintomáticos detalles de conocimiento
de causa. El tantas veces declarado y debatido caso de Rimbaud es comprobadamente el del
poeta moderno mejor conocido y estudiado por el zamorano, cuya influencia resulta más rastreable
no ya sólo en general como actitud de rebeldía y como esquema mítico de la fuga temática de
Don de la ebriedad, sino como pauta exactísima y específica para la construcción de los rítmos
textuales predominantes en el primer libro de Rodríguez. Así lo demuestra el trabajo desconocido
e inédito «Sobre el ritmo de Rimbaud», acabado en Marzo de 1953, al que hemos tenido acceso,
y que utilizamos ampliamente para construir el apartado final de este mismo capítulo. A él remitimos para dar por zanjado un caso de minuciosa influencia en la refinada y extensa cultura
literaria temprana del autor de *Don de la ebriedad*; aspectos estos cultos y razonables de aquel
extraordinario primer fruto de la inspiración ebria, que modifican muy sustancialmente las «leyendas» más generalizadas sobre el exagerado intuicionismo genial del joven Claudio, en el sentido
de una no menos genial capacidad completa de integración creativa.

20. Junto al influjo cierto y profundo de Rimbaud y al que Claudio sigue proclamando de
Verlaine, Mallarmé y Baudelaire, en las primeras composiciones de *Don de la ebriedad*, tal vez resulte inevitable plantearse el fenómeno de la influencia, por ahora perfectamente recubierta e inédita,
de su fiel y duradero amigo Vicente Aleixandre. El benéfico contacto entre Aleixandre y el joven
Claudio Rodríguez, no sobre *Don de la ebriedad* sino para la elaboración de todos sus primeros
libros, ha sido declarado con generosa reiteración por el mismo Claudio y recogido atinadamente
por su biógrafo Cañas (ver, *Claudio Rodríguez*, cit., sobre todo págs. 38 y ss. y 98-102). Sin embargo,

poético ilimitadamente abismado en progresión sorprendente; memorias de emoción, de intelección sensible y penetrante. Cada poema un paso... o infinitos; y cada paso una revelación jamás ociosa. Entrega de inquisiciones donde las respuestas tímidas e inocentes, como el poema sexto del libro primero —el texto me confiesa Claudio, en efecto, que sería el más antiguo de toda la obra— contarán siempre menos que el vigoroso interrogar apasionado de la paradoja dentro de los espacios ilimitados del presentimiento.

El desajuste del orden de la antítesis en la extenuación de la paradoja comprende sobre todo para Claudio Rodríguez la desvertebración del espacio exterior. La extrañeza del sentimiento íntimo, su desalojo apasionado, es el producto de un extravío en coordenadas nuevas, donde los ecos habituales se descentran y fallan desaparecidos en una espacialidad distinta: «Aún los senderos del espacio vuelven / a estar como en la tierra y se entrecruzan / lejos de la ciudad...» Espacio de la imaginación, mero ámbito de tendencia y de destino; espacio muy flexible y lábil al curso variable y desorientado de los anhelos —«...Y entre senderos / del espacio, ¿quién vuela?...»—. Moverse en este espacio comporta riesgos más que seguros; inestabilidad de paradoja activa: «Riesgos callados. Que también alguna / verdad arriesgue el alma ya visible».

* * * *

poco o nada se ha profundizado aún en la zona de incidencia problemática de los modelos poéticos del prestigioso amigo sobre el joven discípulo. Convendría observarlo sobre todo para clarificar en sus justos términos la indecisa cuestión de los alcances y límites de la imaginación irracionalista en la poesía de Claudio Rodríguez. Cuenta por una parte la demostrada tenacidad independiente y el espontáneo manantial de la voz y de la inspiración personales de Claudio; pero resulta inverosímil descontar por completo de su cultura poética y de su entonces joven conciencia literaria, tal como indirectamente se ha hecho hasta el presente, la gravitación del estímulo personal y de las lecturas difícilmente evitables del prestigioso amigo. Trabajo crítico éste, a no dudarlo, de deslindes difíciles y sutiles, que gravita seguramente sobre inciertos fondos de lo inconsciente y sobre la positividad y la negatividad de las pasiones de influencia y originalidad; pero por todo eso, precisamente, tanto más aleccionador y necesario.

Como el espacio el tiempo, según lo han intuido tantos gustos iniciados, y como yo mismo lo vengo desplegando desde hace tiempo en teoría. Tal como se percibía claramente ya sobre el plano mítico-temático, la rara madurez intuitiva de aquel joven poeta recaía necesariamente sobre los dos polos fundamentales del paisaje existencial. Semejante a la del espacio, la de este tiempo del desarraigo excepcional y transfigurante manifiesta una estructura inhabitual, a la vez difusa y originaria. «Será dentro del tiempo. / No la mía, / no la más importante: la primera. / Será la única vez de lo creado». Tiempo fuera del tiempo de la existencia para el poeta ebrio, el iluminado en conciencia absoluta, tiempo irreal de la paradoja; esencial y más revelador y verdadero porque no es tiempo ya.

Centro del desencuentro, el negativo esquemático de las antítesis esforzadas en paradoja simboliza el extrañamiento de todo referente ante el bloqueo espiritual de la orientación llanamente alegórica para los espíritus comunes, más asequibles al paralelismo metafórico de la alegoría y ajenos a la ebriedad. La honda modificación de esa metamorfosis paradójica desarrolla la centralidad de su tematismo en el poema sexto de la parte tercera, una vez que el poeta ha fijado la difusión de las coordenadas esquemáticas de la desorientación imaginativa: espacio y tiempo habituales excluidos ya por obra de la metamorfosis en las composiciones anteriores. En la transfiguración del iniciado no hay experiencia perdida, ni extravíos, ni olvido; es vida nueva y misteriosa fuera de la experiencia conocida: «No es que se me haya ido: nunca ha estado». Ámbito arcano de la creación inaccesible a la mirada dócil, pero que aporta el enriquecimiento más sublime con las retorsiones de sentido de la paradoja al goce del inspirado, persuadiéndole de la necesidad de su desobramiento sobrehumano:

Nadie ve aquí y palpitan las llamadas
y es necesario que se saque de ello
la forma, para que otra vez se forme
como en la lucha con su giro el viento. (pág. 61)

La monotonía del referente habitual, el paisaje siempre idéntico de los campos, inválido a estas alturas de la experiencia como objeto de la metamorfosis que funde lo vario fenoménico en lo universal esencial, inspira nuevamente las imágenes mejores. Portentosas escalas del vacío. Pero los nuevos ahondamientos paradójicos de la insatisfacción diurna exigen un cambio en el caminar, el abismarse nuevo de una experiencia sin anclajes en los hábitos que ofrecen un tiempo y un espacio ineficaces, no ya el de la experiencia habitual formada sobre el relieve viejo de las cosas: «Ayer latía por sí mismo el campo. / Hoy le hace falta vid de otro misterio». No hay solución prevista, sólo las imágenes más puras y desasidas de razón se convierten en expediente solitario para el sentimiento final desde las cimas del nuevo amor recién constituido: «Oh, más allá del aire y de la noche / (¡El cristalero azul, el cristalero / de la mañana!)...» El crescendo del adelantamiento en la visión alcanza así el séptimo poema, como el domingo —¿casualidad o cálculo?— de esta íntima creación poética de un mundo nuevo en el secreto del alma ensimismada.

La transfiguración de la apariencia, revelación de la euforia amorosa como de la contaminación sentimental que funda el esquema del cotejo metafórico, es por tanto la verdad común al esquema figural de la escritura y a las emociones culminativas de la ebriedad poética. No vale la pena especular aquí sobre la transferencia, vital o no, de los avatares de la biografía con relación a la génesis y al asentamiento del esquema evolucionado de la asimetría alegórica, traducida míticamente en paradojas nocturnas o que se restituye en acuidad de antítesis que expresan la pluralidad individual en las formas del día. Personalmente creo que el trayecto formal de evolución del proporcionalismo figural alegórico hasta su negativo paradójico se corresponde con otro proceso sicológico de reflexión —y la cronología de los textos a la que tantas veces nos referimos así lo confirma— mucho más amplio y profundo, y que ostenta facetas emocionales más variadas que las estrictamente correspondientes a la euforia transfigurante de los estados de ánimo pasajeros.

Don de la ebriedad por tanto, la obra primera y juvenil de Claudio Rodríguez, confirma así, en los términos del esquematismo figural más ajustado a la representación simbólica de mundo, los rasgos y las condiciones de valor definitivo que la crítica ha destacado en ella sobre fundamentos siempre heterogéneos, pero con unanimidad intuitiva. El cotejo lírico, con resultados de proporcionalidad alegórica, de discriminación antitética o de transfiguración paradójica, representa el hallazgo *natural* y espontáneo del sistema formal para simbolizar el modelo mítico de mundo que le interesaba entrañablemente a Claudio Rodríguez.

No poco del superior atractivo de esta primera obra reside también en la sinceridad espontánea, sin estrategias de efecto calculado, con que el autor despliega en ella las verdades más naturales de su apasionamiento. La selección del mundo referente es la más directa y entrañable: el paisaje castellano tan hondamente sentido en torno de la natal Zamora; un paisaje sin censos exhaustivos de detalles, sin demasías sentimentales regustadas aún. Paisaje sólo esencial y espontáneo presentado a impulsos fragmentarios aceleradamente yuxtapuestos, como Rimbaud, en un ritmo de pedales antes que de zancadas[21]. Un paisaje propicio a la transformación esencial de la metamorfosis extática para la paradoja nocturna y al énfasis del imposible hallazgo de un compromiso ante la variedad antitética de los objetos entrañables: el encañar del trigo, la fricación laboriosa de las mieses trilladas en la era, los tintes cárdenos sobre el atardecer de los oteros, los círculos ideales de más en más abiertos por el remontado vuelo del milano y de las aves mayores de meseta; y el correr pausado de los cursos fluviales esteparios encauzados en chopos, y el pesado rebatir de la avutarda...

El esquema del cotejo diferencial es así el rito vital y la figura necesaria en positivo para la identidad metafórica de las alegorías, como lo es también en negativo para las inversiones transfigurantes de la paradoja. Corazón y paisaje frente a frente; ansias indefinibles recién inauguradas cada día, medidas contra las presencias más familiares que se ven y se tocan: pasiones contaminando paisajes cotidianos y fondos

---

21. Aspecto éste del ritmo acelerado que había llamado ya la atención de Claudio Rodríguez en los poemas de verso libre de Rimbaud, así como la imagen de «velocipedista» atribuida por León-Bloy a Rimbaud en función precisamente del ritmo de aquellos poemas. En su trabajo inédito de 1953, «Anotaciones sobre el ritmo en Rimbaud», puede leerse en el apartado «La sucesión rítmica uniforme en los poemas de verso libre»: «Esos dos poemas en verso libre están orientados netamente hacia la sensación de vértigo, de rapidez de caída —«velocipediste assassin», llamó León Bloy a Rimbaud—. Esta sensación abismática...», etc...

de estado de ánimo resolviéndose en el añil remoto de unos cerros y sobre la luz tamizada de la nube ligera o del nubarrón bronco y pesado. El cotejo lírico objetivo-subjetivo con sus interpretaciones metafóricas subsiguientes era para Claudio Rodríguez cuestión casi de medio ambiente, de arraigada manera de vivir, de mirar y sentir. Forma espontánea, connatural al carácter y a la situación inicial de este poeta, como otras actitudes fundamentales de la figuración lo serán para otros. Actitud apegada al ser, de tal manera que ni siquiera toda una existencia tan abigarrada de accidentes como la de Claudio, tan trabajada por el apasionamiento de vario origen y de diferentes fondos circunstanciales de destino, ha llegado a desarraigar.

El cotejo subjetivo-objetivo, con el resultado inicial de la metamorfosis paradójica de la realidad y más tarde —a partir de *Conjuros*— con la estructura menos transfigurante del paralelismo alegórico, forman la vía espontánea en la que las peculiariedades de una visión de sí mismo y del mundo se encauzan y se funden en las formas mayores del poema. Es opción entre universales de la visión y de la concepción expresada de la realidad, arquetipicidad selecta y asumida entre fidelidades de destino, de la manera de ser, del modo de mirar, de las tonalidades de disponer y de decir. Pero Claudio Rodríguez, ya desde estos primeros poemas de *Don de la ebriedad*, no es únicamente un inocente vate arrebatado de fatalidad; hay en su voz poder apasionado de voluntad: entusiasma y contagia. Pero sabe elegir también con acierto, cuidadoso poeta, entre las imágenes que se le agolpan y entre los ritmos capaces de solemnizar su voz individual. Talento cuidadoso, sagaz cultura, atenta voluntad para el quehacer perfecto, modificando primorosamente —¿quién lo diría?— aquel rugido tan hondo del amor, aquel fatal exceso, sincerísimo, de su cordialidad apasionada.

* * * *

Aludir al esquema retórico-expresivo dominante o fijar según él, como acabamos de hacer ahora, las coordenadas espacio-temporales más radicales de la imaginación poética de un escritor, caracteriza y define los ámbitos mayores de su peculiaridad literaria, aquéllos en los que se constituye la cosmovisión simbólica en función de la que se determina, a su vez, la focalización expresiva. Pero con eso sólo no se habrá ultimado nada definitivo aún sobre la perfección estética en la realización textual de los poemas. El fundamento del interés artístico de cada pieza poemática arranca de su pertinencia a estructuras simbólico-expresivas antropológicas, pero no se realiza textualmente si no es en el total sin quiebras de las imágenes, de las formas verbales y de los ritmos que desplieguen válidamente el proyecto y la realización poemáticos.

De tal manera que la *universalidad* y la *singularidad* de cada poeta —por no hablar de los de cada poema en último término— no son extremos incompatibles sino necesariamente continuos y solidarios. El interés universal de la obra artística se constituye en la medida en que participa y expresa estructuras generales, universales, de la cosmovisión y de la representación comunicativa; es sólo así como puede conectar con la comprensión y con el interés de sus destinatarios. Además, esta manera de participación universal del mundo personal de cada creador poético no es ya de todas formas omnicomprensiva, ni siquiera a ese nivel, sino marcada y peculiarmente *selectiva*. El establecimiento de un universo mítico y de su esquema retórico configurante no actualiza nunca la totalidad de regímenes y de registros del atlas simbólico de la imaginación humana. Lo mismo que no hace sino determinar selectivamente una estrategia retórico-argumentativa de base figural entre la variedad de esquemas disponibles: el conjunto de todas esas virtualidades potenciales constituye la *sustancia universal simbólica de la forma interior*, en la que cada mito personal actualiza sólo determinados y muy característicos perfiles dominantes. A su vez, el sistema de estructuras expresivas retóricas y gramaticales constituye una reserva potencial de formas, una *capacitas* universal que se actualiza peculiarmente sólo a base de insistencias selectivas fuertemente recurrentes. Las construcciones de la gramática y las estructuras organizativas de la argumentación retórica, de las que los esquemas figurales son únicamente proyecciones, establecen así la disponibilidad que funda el perfil dominante del *cotejo alegórico* en Claudio Rodríguez, de la *antítesis* en Cernuda, de la *evidencia* en Guillén, del *énfasis apostrófico* en los momentos más naturales de Vallejo, o de la *hipérbole* en la épica monumental del *Canto general* de un poeta inmenso y oceánico como Neruda.

El mito personal y la figuralidad dominante de la voz poética participan por tanto de los universales antropológicos de la forma interior de la poesía, en la medida en que actualizan sesgos de las respectivas sustancias universales comprendidas bajo la simbolización poética. De esa manera, la índole de la disponibilidad seleccionada cuenta tanto sintomáticamente y decide de manera igualmente expresiva como el volumen desalojado de su negativo, de lo potencial intacto, que queda siempre implícito y presente en términos de virtualidad alternativa ante la conciencia antropológica del creador poético y de sus lectores.

Pero la dependencia de la sustancia potencial de los universales antropológicos simbólico-expresivos se prolonga semejantemente en la articulación individual de cada voz poética, y en consecuencia en cada momento individualizador de la ejecución poemática. Cada apuesta puntual arriesgada, cada momento de decisión configurante del texto —y todos lo son en los poemas sublimes— conllevan con el acierto que los singulariza en existencia única y en hallazgo primigenio, el negativo de todas sus variables potenciales omitidas en flotación inevitable, el recuerdo cultural de sus antecedentes próximos e incluso el tanteo instintivo de sus alternativas inéditas.

Tal es la doble vertiente del ser poético: indefectiblemente universal hacia sus fundamentos mítico-expresivos en las estructuras globales de su sustancia poética, al tiempo que individualizado y necesariamente único en la articulación actual de cada texto, acto de vida virginal y ente perfecto. La creación poética orienta hacia estructuras antropológicas de configuración simbólica y de organización expresiva de la afirmación sustancial, que son progresivamente convergentes en universalidad esencial, cerrada, escueta. Pero al desplegarse en formas de poema, aquel fondo primero sustancial, materia necesaria del sentimiento estético, se ve progresivamente impelido —articulado— hacia criaturas exigentemente singulares y en último término únicas e irrepetibles: las imágenes del poema conformadas en expresión y en ritmo inconfundibles.

La primera de las dos composiciones extensas que forman el libro segundo de *Don de la ebriedad*, permite ilustrar inicialmente la tensión diferencial a la que acabo de referirme. «Canto del despertar» reproduce una situación y circunstancias semejantes a las del poema auroral «Más allá» de *Cántico* de Guillén, libro cuyas analogías generales con la figuralidad y con el universo imaginario de las primeras obras de Claudio Rodríguez han sido destacadas frecuentemente por la crítica[22]. Condensación de epifanías: la primera luz dando forma a las cosas constituye una situación propicia para las convergencias, remotas aún no obstante en los mejores casos: «los seres amanecen, me señalan», «el campo eleva formas / de una aridez sublime», o «mi dolor me levanta y me hace cumbre». Pero a partir de esa proximidad fundadora todo son diferencias, todo es proceso de individualización en cada una de las composiciones, en la medida en que corresponden a dos sensibilidades diferenciadas y a circunstancias también distintas: la clausura inmóvil de un Guillén en su perpetua habitación-sepulcro diverge de la libertad eufórica de Rodríguez con su efusión cordial hacia el afuera. Guillén maduro, centro estático de la creación, contrasta con un Rodríguez inexperto en su primera obra, oferente de sí, andariego y abierto a todo; clave diferencial entre la concentración profunda del primero y el destino caminante de fugas y retornos abierto y zarandeado del más jóven.

En tales términos, la honrada superioridad poética de Claudio Rodríguez tal vez pueda decirse que consiste en los casos más llanos en un levantar sin caídas, nervio a nervio en cada decisión poemática, las emociones más universales y directas. Porque uno de los goznes de su alegoría, el paisaje que le ofrecen los objetos para la transfiguración, arroja cada vez su propia coyuntura en el paso obligado de las sensibilidades consolidadas en tradición: «Una luz que en el aire es aire apenas / viene desde el crepúsculo y separa / la intensa sombra de los arces blancos». Efusiones elementales de lo objetivo consagradas por el ritmo y salvadas para la forma: «Qué importa marzo coronando almendros». Imágenes sorprendentes para una sola vez: «Oh, la noche que lanza sus estrellas / desde almenas celestes...»; o recurrencia familiar de las metáforas más habituales encarnadas en mito: «¡Seguro blanco, / seguro blanco ofrece el pecho mío!». Un poeta muy joven

---

22. Cfr. J. Mayhew, «Order and Anarchy: Cosmic Song in Jorge Guillén and Claudio Rodríguez», *cit.*, págs. 259-274.

anegado en plenitudes de ebriedad, inocencia que cubre difícilmente la mala conciencia de la fuga traumática manifiesta en acusación desde las cosas. Resonancias eternas todas ellas del mito universal romántico de la poesía articulado en formas de limpio y sorprendente individualismo. Alquimia eterna de los poetas fuertes.

En los niveles temáticos y figurales de la macroestructura de los textos se inicia y se define ya no poco de la personalidad imaginaria y del interés poético de las formas artísticas personales. Allí es donde se sedimentan y estructuran los registros de la *forma interior* que intuyera el perspicaz instinto crítico-poético de Dámaso Alonso, y que nosotros estamos en condiciones de articular ahora con suficiente detalle tipológico en sus niveles estructurales y genéticos. Nos ayuda, como ya dijimos en el prefacio, una cultura científica, sicológica y lingüística sobre los formantes del texto artístico, que actualmente resulta habitual y cotidiana, pero que no lo era para los críticos protoformalistas en el tiempo y las circunstancias españolas y personales de Dámaso Alonso.

La forma interior poética considera por una parte los formantes sicológicos del mito personal, los *contenidos* imaginarios y sentimentales representables, los que se articulan definitivamente en la semántica poética que conforma el universo del autor y los mensajes del poema y la obra. Sólo en una explicación meramente teórica y especulativa urgida desde la utilidad simplificadora, la operatividad de los esquemas dispositivos macrorretóricos que facilitan y formulan el despliegue textual expresivo de las representaciones míticas puede concebirse como *sucesiva*. Pero ante la realidad de la génesis intuitiva de los textos, la experiencia del proceso creativo como estadio de la forma interior de Claudio Rodríguez nos pone en condiciones de afirmar que no son siempre necesariamente posteriores y sucesivos los índices figurales esquemáticos del impulso simbólico respecto al contenido de agregación imaginativo-simbólica. Por el contrario, los poetas han avisado frecuentemente sobre la capacidad inspiradora de tales intuiciones previas del *impulso* preformalizado: esas líneas acústicas de ritmo, el espectro espacial de una estructura del poema, la necesidad atractiva de un quiebro de la linealidad —¿gramatical, retórica?— en el impulso argumentativo, etc...etc... En suma, índices dispositivos del *impulso* global poético previos frecuentemente a las imágenes semantizadas de la «inventio».

El registro analítico de la forma interior poética que debe asumir una nueva estilística textual, tal como la pretendemos desplegar en nuestro análisis de la poesía de Claudio Rodríguez, ha de atender con el mayor cuidado a la variable estructura de la génesis poemática, combinando la dosificación y la iniciativa causal del contenido y la forma; o si se quiere, del mito y de las figuras expresivas que lo representan. Porque si bien parece inevitable constatar la prioridad espiritual del contenido *mítico*, de la representación simbólica del proyecto sicológico, sobre la variedad de las *formas de representación*, es decir, de las estructuras verbales que lo concretan en continuo textual expresivo; no puede afirmarse otro tanto sobre la prioridad de las *formas semánticas* del mito en relación a las *formas figurales* que lo sensibilizan y articulan a veces incluso con un carácter consciente prioritario[23].

Un orden semejante de ambivalencia genética entre los componentes estructurales del poema puede predicarse de los formantes macroestructurales y microestructurales de los textos constituidos. Lo habitual viene a ser también, en esta línea de formación de los textos, atender al despliegue de los constituyentes en la estructura de superficie o lineal-terminal del texto[24]. Pero eso en el caso de la génesis material del poema resulta frecuentemente conculcado. También aquí el testimonio habitual de las confidencias creativas de los artistas —y no sólo los poetas, sino también y mucho por lo que sé los pintores y seguramente también los músicos— apunta a cómo el detalle desasido, el momento intenso y puntual, antecede y genera en ocasiones a la intuición previa global más amplia y circunstanciadamente discursiva del texto, que acabará integrando aquel detalle concreto como su visible *tópico* generador[25].

---

23. Reiteramos en estas consideraciones críticas, lo que ya hemos adelantado sobre la peculiar estructura lingüística de la forma interior en el Prefacio Teórico de este libro.

24. Cfr. Ángel Luis Prieto de Paula, *La llama y la ceniza*, cit.

25. Tópico declarado por una gran cantidad de poetas, desde Schiller y Guillén a Claudio Rodríguez.

Isotopía correlativa entre las formas: el ritmo poemático

La calidad estilística del poema, que arranca de su constitución macroestructural, temática y argumentativa, se encarna y se realiza en la unidad global del ritmo. Junto a la calidad afectiva de los nombres puros, de las palabras que transfiguran y vivifican la visión, este factor absoluto del ritmo es sin duda lo esencial de la forma poética, fluído de cruce para la ósmosis de la forma interior y las formas externas poemáticas. Pues por ritmo entiende Claudio el trayecto integral emotivo de los textos[26], pero también el específico de cada una de las piezas que los componen, de sus unidades armónicas intencionadas[27]. Tal entendimiento preciso pero englobante y universal del factor poético de los ritmos, sobre el que Claudio había alcanzado ya conciencia absoluta a las alturas de *Don de la ebriedad*, se deja conocer inequívocamente en su ensayo *Anotaciones sobre el ritmo de Rimbaud*, un trabajo universitario de clase que firma y fecha Claudio en abril de 1953 para el profesor Carvallo Picazo.

Como tal ejercicio estilístico, el trabajo del joven estudiante, coincidente en el tiempo con el final de *Don de la ebriedad,* manifiesta una familiaridad profunda no sólo con la lectura detallada de la poesía de Rimbaud sino en general con la poesía francesa, desde Baudelaire y

---

26. En innumerables ocasiones ha ponderado Claudio Rodríguez su concepción del ritmo como el factor más importante de la poesía, a la par o incluso por encima del mensaje conceptual de su lírica primordialmente meditativa. Claro está que la importancia atribuida al factor rítmico se mide aquí con una compendiosa y amplia concepción del mismo como compuesto imaginativo-expresivo —movimiento interior del poeta—y no meramente acústico: «Mediante ese ritmo —afirma expresamente en unas declaraciones a Juan Carlos Suñén— vas dando con la sintaxis y atrapando las imágenes, orientando el poema... Hay una respiración en el poema, que es ese poso de dominio formal, pero está también la otra respiración, que es tuya, pero que se va, se entrega». Véase la entrevista de Claudio Rodríguez titulada «El hombre no puede ser libre», en *El Urogallo*, 1961, (62-63), pág, 10.

27. Cfr. Luis M. García Jambrina, «La trayectoria poética de Claudio Rodríguez (1953-1976): Análisis del ritmo», en *Studia Zamorensia Philologica*, VIII, 1987, págs. 97-118. En concordancia con nuestro propio entendimiento del ritmo isotópico y diastrático que recorre correspondencias entre los distintos niveles constituyentes del texto de los poemas, Jambrina declara su programa general de «analizar el ritmo de sus diferentes libros en relación con los contenidos y cosmovisión que en ellos se expresan» (pág. 98).

Verlaine a los surrealistas. Así lo prueban diversas precisiones concretas, como la que se hace sobre el ritmo tímbrico del alejandrino francés «desarrollado desde Hugo y llevado a sus últimas consecuencias por Rimbaud y la corriente surrealista»; o bien más adelante sobre las modalidades de visión fragmentada y continua, que enfrentarían —según Claudio Rodríguez— las conformaciones poemáticas de Rimbaud y Verlaine: «Rimbaud nunca ha poseído una imaginación, una visión continua. Todo en él son momentos de clarividencia. De aquí el que enuncie externamente un proceso anímico por mediación de las imágenes (No como Verlaine —añade—, para el que la vaguedad, la imprecisión, eran finalidades estéticas)» (pág.23).

Pero lo que convierte actualmente aquel interesante y vigororso ejercicio escolar sobre Rimbaud en un testimonio precioso sobre la cultura y la conciencia poética del propio Claudio Rodríguez, son los datos del mismo que resultan legítima y directamente transplantables a la conciencia estilística que realizaba, por aquellas mismas fechas, los retoques definitivos a *Don de la ebriedad*.

De las reflexiones de Claudio Rodríguez sobre el proceso de maduración poética de Rimbaud se desprenden las principales fórmulas que plasman el conjunto estilístico de *Don de la ebriedad*, comenzando por su característica más inmediata y dominante: la sustitución del ritmo que Claudio llama «aritmético», isodistributivo en términos de las pausas sintácticas y métricas, por el que denomina ritmo «tímbrico» o continuo, tendente al desajuste intencionado de las pausas de las dos sintaxis en competencia, la métrica y la gramatical. El encabalgamiento es, como se sabe, el fenómeno emblemático del conflicto entre sintaxis, tal como lo canonizara el formalista Osip Brink señalándolo como uno de los recursos más característicos de la poesía moderna; a su vez los encabalgamientos son el procedimiento rítmico de estilo más habitual en la elaboración estilística de *Don de la ebriedad*. Así se cumple efectivamente desde los primeros poemas, como el sexto del libro primero: «Las imágenes, una que las centra / en planetaria rotación...», o los más antiguos e irracionalistas del tercero, el titulado «(con Marzo)»: «Lo que antes era exacto ahora no encuentra / su sitio»; o en el cuarto: «Aún los senderos del espacio vuelven / a estar como en la tierra y se entrecruzan / lejos de la ciudad»...

En su análisis de Rimbaud, Claudio identificó claramente la convergencia isodistributiva pausal del «ritmo físico» como un dato de tosquedad tradicionalista cuya superación era obligada: «Este ritmo físico de los primeros poemas —de Rimbaud— a base del valor fisiológico funcional de la palabra y de la frase acentúa las pausas. Y hasta tal punto que, aun en esta primera etapa, se ve claramente la falta de organización y de unidad en el poema». Indirectamente se proclama en efecto, de esa manera, el protagonismo poético principal y englobante del aludido factor rítmico, el cual excede con mucho lo simplemente fragmentario y zonal acústico para insertarse en la pluralidad de formantes y en el ámbito espacial textualizado del poema. Para ello, incluye elementos tan diferenciados en la energía y la integralidad del texto, como son la situación poética o los efectos estéticos de sinestesia sensitiva y sentimentalidad: «En los poemas más tempranos —insiste Claudio a continuación— el sonido dependía de la situación poética, entonces marcadamente objetiva; se trataba de remotos balbuceos hacia el logro de un verso accesible a todos los sentidos».

La peculiar fragmentación sintáctico-rítmica que accidenta la continuidad de los enunciados contribuyendo al efecto de singularización de las imágenes, se configura por tanto como un rasgo común advertido por Rodríguez en el proceso de maduración poética del joven Rimbaud, que a su vez resultó absolutamente asimilado en el estilo genérico de *Don de la ebriedad*. En esto no vale la pena puntualizar minuciosamente las irrelevantes diferencias que se pueden espigar sobre la línea de crecimiento o de atenuación de las fracturas rítmico-sintácticas y los encabalgamientos que producen, dados los pocos años de gestación que distancian los primeros poemas de los últimos en la obra. Sobre todo, porque la tendencia a la fragmentación rítmico-sintáctica y al encabalgamiento han de constituirse duraderamente en la constante principal en el arte del ritmo ejercitado por Claudio Rodríguez a lo largo de toda la obra[28].

<hr/>

28. Para García Jambrina, *Don de la ebriedad* ofrece un nivel de presencia del rasgo de encabalgamiento inferior al del resto de la obra del poeta. Una afirmación no cuantificada en detalle por Jambrina, contra su hábito de objetivar porcentualmente otros fenómenos métricos como los

Si acaso, podemos constatar que el mayor predominio de la isodistribución rítmico-sintáctica se corresponde con el tono argumentativo de los poemas exegético-doctrinales del libro, que figuran además entre los menos irracionalistas y tardíos. Un ejemplo es el tan recordado comienzo de la obra, desde los ritmos pausados y equilibradamente serenos con que se propone la peculiar paradoja del descenso nocturno de la luz:

> *Siempre la claridad viene del cielo;*
> *es un don: no se halla entre las cosas*
> *sino muy por encima, y las ocupa*
> *haciendo de ello vida y labor propias.*
> *Así amanece el día; así la noche*
> *cierra el gran aposento de sus sombras.* (pág. 33)

Adviértase que en aquellos lugares de pausa versal o de hemistiquio donde se hayan omitido los signos de puntuación aparecen clasemas habituales de escisión sintáctica, tales como la conjunción adversativa «sino» o el gerundio modal «haciendo». Al mismo efecto general concurrirían después en el poema las dos series isodistributivas de tres versos (14-16 y 22-24), que alternan con los fragmentos más mesuradamente antidistributivos (7-13 y 20-21).

Pero un tratamiento tan cuidado y sustancial del ritmo poemático, que traduce deliberadamente a estilemas microestructurales la variedad racional y meditativa o el irracionalismo fragmentario de las visiones, común a Rimbaud y a Claudio, no se ciñe —como parece lógico— a la explotación monótona de las alternacias entre encabalgamientos y yux-

---

tipos de versos. De ahí que sea inadecuada, en este caso, su afirmación de que «el encabalgamiento es relativamente escaso en *Don de la ebriedad*» (Ibidem, pág. 108); por más que la importante diseminación de este rasgo rítmico-estilístico en el libro conozca las variaciones porcentuales según etapas internas de maduración estilística que denotan nuestros propios análisis. En lo que se refiere al grado proporcional de frecuencias relativas en la isodistribución rítmico-sintáctica normal y los encabalgamientos entre *Don de la ebriedad* y los siguientes libros de Claudio, la estimación intuitiva de Jambrina —que en cualquier caso deberá cuantificarse exactamente— corroboraría el paralelismo entre la evolución rítmica del Rimbaud y el Rodríguez adolescentes desde el predominio de la isodistribución métrico-sintáctica —mucho más numérica y machacona, en cualquier caso, en Rimbaud— al de la antidistribución versal.

taposiciones isodistributivas. Antes bien, la acendrada sabiduría métrica de Claudio Rodríguez cultiva un variado cortejo de efectos rítmicos perceptibles en los poemas de *Don de la ebriedad* y sobre los que advierte en su precoz e ilustrativo análisis de los ritmos en Rimbaud.

Una de las modulaciones de marcado rendimiento sobre la variedad rítmico-expresiva con que se desautomatiza y varía el curso simbólico y sentimental de los textos que habría de ser explotada intensivamente en su propia obra, la identificaba Claudio Rodríguez dentro del poeta francés en los efectos que el denominará de *truncamiento*. Estos son sintomáticos ya desde las primeras etapas evolucionadas de las poesías de Rimbaud; así la primera modalidad del truncamiento textual rítmico la describe Claudio Rodríguez en estos términos: «Tras un ritmo descriptivo, dinámicamente pausado, exteriorizado en formas casi siempre yuxtapuestas y a través de un modo verbal oscilante — presente, futuro— llegamos a la reducción, al truncamiento total e inesperado del ritmo. Este truncamiento se verifica en el último verso del poema». Y precisa: «Esta ruptura rítmica es una característica esencial en la poesía de Rimbaud. Y también el que tenga lugar mediante una proposición de tipo enunciativo y presente».

No hay sino que recorrer la serie de sorprendentes finales en la mayoría de los poemas *Don de la ebriedad*, para ejemplificar ese «truncamiento» enunciativo y universal del ritmo que nuestro poeta descubría en Rimbaud. Se trata del rotundo melódico en posición de cierre de «mortal como el abrazo de las hoces, / pero abrazo hasta el fin que nunca afloja»; o del contraste entre el presente continuo actual y el presente intemporal con que se cierra el poema segundo:

> *Así yo estoy sintiendo que las sombras*
> *abren su luz, la abren, la abren tanto,*
> *que la mañana surge sin principio*
> *ni fin, eterna ya desde el ocaso.* (pág. 34)

Evidenciada así enfáticamente en el contraste de sus truncamientos del ritmo, se alza la resonancia exenta de unos significados infinitos en la serie de los sugerentes endecasílabos de clausura a los que hemos hecho alusión ya en otros momentos del análisis de *Don de la ebriedad*: «...a medio descifrar la primavera», «...corpóreo como el sol cuando amanece», «...confundiendo el dolor aunque es de día», «... la triste realidad de su apariencia»; o el portentoso, en fin: «sombra de un canto ya casi corpóreo».

Emparentado con el recurso de tratamiento en el final del poema que comparten el joven Claudio y su modelo francés, se presenta el ritmo denominado de «nivelación», que conjunta el final truncado de ruptura con un principio «ex abrupto» bajo presupuestos previos nunca explícitos. A veces, final y principio se abrazan anafóricamente al repetir en términos aproximados o idénticos la misma frase. «...la frase final —dice— guarda una gran afinidad rítmica con la que abre el poema. Hasta tal punto que sucede que la mayoría de los poemas de *Les Illuminations* obedecen, en los extremos del ritmo, a dos leyes: expresado un principio que presupone algo de lo cual parte el poema y que es como lo que nos llega, como la continuación de una serie de sonidos anteriores, surge un final que rompe y, al mismo tiempo, une significativamente todo el cuerpo central». Tal principio constructivo, por otra parte bastante frecuentado en la poesía moderna en general, lo percibe Claudio en poemas de Rimbaud como «Nube» y lo incorpora también a su propia creación en composiciones como la séptima del libro primero, con el «ritornello» del comienzo: «¡Sólo por una vez que todo vuelva / a dar como si nunca diera tanto!»; también en la última composición de la obra, mediante el «ex abrupto» exclamativo: «Cómo veo los árboles ahora» y su recuperación no literal para el cierre: «...Ay, y cómo veo ahora / los árboles, qué pocos días faltan...»

El procedimiento que Claudio llama de «nivelación rítmica», habría de tener una larga persistencia más allá de su modo de componer el primer libro. Lo que se busca con él es el efecto de ponderación sagrada del poema exento, en sí, como una suerte de emanación increada y única. A esta tendencia estilística de Claudio hacia lo sacral y misterioso de la voz hecha texto —«ritmo afectivo puro», como de Rimbaud lo dirá en otro momento de su ensayo— contribuyen los ritmos de aceleración enfática, de «improptu» en el arranque de una marcha, que se da en el comienzo de la mayoría de sus propias composiciones en *Don de la ebriedad*. Recordemos, junto a las que mencionábamos antes, la súbita instantaneidad que impone el relacionante catafórico en «Así el deseo, como el alba clara...»; o bien el tono aceleradamente enfático y hasta exclamativo en el inicio de poemas tales como «Cuándo hablaré de ti sin voz de hombre», el ya citado: «¡Sólo por una vez que todo vuelva...! Semejantemente, la condición ilativa que ritmo y sintaxis posicional saben comunicar sobre aserciones en sí mismas absolutas y exentas, como la que introduce el poema séptimo de la primera parte: «No porque llueva seré digno. ¿Y cuándo...?».

En ocasiones, esa sensación de duración o dependencia de unos antecedentes no expresos, que induce una suerte de continuo expresivo silencioso, configura a su vez un halo de misterio para los acordes inaugurales de la voz. Tal sensación se vincula casi siempre al contenido mismo de los enunciados, que apuntan y se refieren a situaciones y tiempos antecedentes, como el hallazgo de modificaciones de la experiencia que proclama el comienzo del canto del caminar: «Nunca había sabido que mi paso / era distinto sobre tierra roja...»; situación vinculada muy de cerca con la ubicación temporal de partida que proclamaba el poema más antiguo subtitulado «(con Marzo)»: «Lo que antes era exacto ahora no encuentra / su sitio...»; o el «Todo es nuevo quizá para nosotros» del poema siguiente subtitulado «(Sigue marzo)». Por lo demás, en todas estas composiciones de la tercera parte, el enfoque estilísticamente temporalizado de sus comienzos rítmicos abruptos, y como dependientes en su continuidad de un pasado de eternidad absoluta y exenta, subraya la tematización temporal en el despliegue de la metamorfosis mítica que hemos constatado como factor característico del tematismo lírico en el apartado correspondiente de nuestro análisis. Recordemos la condición implícita y explícitamente temporal-ilativa de todos estos inicios: «Siempre me vienen sombras de algún canto / por el que sé que no me crees solo»; «Aún los senderos del espacio vuelven / a estar como en la tierra y se entrecruzan»; «No es que se me haya ido: nunca ha estado»; o bien «Cómo veo los árboles ahora» del poema último de la obra.

En términos generales, conviene subrayar una vez más, desde la perspectiva analítica que brindan las últimas observaciones microestilísticas sobre el comportamiento intencionalmente discontinuo y fragmentado de los ritmos en los poemas de *Don de la ebriedad*, la comprobada convergencia de las *formas* individuales poemáticas constituidas sobre los varios planos simbólico-temáticos, argumentativo-figural y verbal-expresivo, desde la rítmica del *impulso* poético unitario. En el caso concreto de la primera obra de Claudio Rodríguez, la sostenida tensión rítmica que estamos apreciando, siguiendo las reflexiones analíticas del poeta sobre Rimbaud, entre el principio global de conformación poemática y el juego de los accidentes y las modulaciones distorsionantes de la previsibilidad isodistributiva de los ritmos, traduce en el plano terminal de las realizaciones estilísticas del ritmo poemático la contrastada condición extensa, textual-alegórica e intensivo-fragmentativa, de las imágenes en que se despliega el mito cosmogónico del autor y las macroestructuras retórico-figurales sobre las que lo argumenta.

En el mismo sentido de corroborar sobre los términos microestructurales del estilo la isotopía estilística entre el tematismo y la argumentación figural macrorretórica, se suscita el tipo de fenómenos que el propio Claudio Rodríguez en sus comentarios sobre Rimbaud denominaba «ritmo afectivo puro». Consiste en introducir accidentes que provoquen suspensiones y discontinuidad fragmentaria en el continuo discursivo-alegórico por medio de ritmos enfáticos y exclamativos. Una vez más, el propio Claudio Rodríguez ha reconocido la identidad del rasgo en la progresión rítmica del estilo de Rimbaud como un procedimiento poemático de difícil y lenta asimilación dentro del ejercicio poético de su modelo francés: «Se trata —dice de este ritmo exclamativo de Rimbaud— de exclamaciones monosilábicas... que todavía no están incorporadas, de una manera irremediable, a la tonalidad y a la expresividad plenarias como en *Une saison en enfer*».

Equivalentemente al propio Rimbaud o al cercano Jorge Guillén del primer *Cántico*, la incidencia de los procedimientos de fragmentación exclamativa del ritmo apuntan llamativamente sobre los entusiasmos hímnicos de *Don de la ebriedad*. No obstante, las trazas escriturales de las exclamaciones y del énfasis interrogativo-retórico están más controladas seguramente en el libro de Claudio que en el júbilo fuertemente impostado del primer Guillén; lo mismo que en los desahogos monosilábicos de Rimbaud que Claudio percibía como fórmulas de elemental tosquedad en los primeros poemas del turbulento adolescente. Pero ese mismo «ritmo afectivo puro» señala claramente su presencia como uno de los procedimientos más sustantivos en la mayoría de los textos de *Don de la ebriedad*.

Por supuesto que dicha presencia es mucho más perceptible en los poemas irracionalistas, los más antiguos, de la tercera parte de la obra. Tal es el caso del texto con fuerte ritmo cinético que comienza «Aún los senderos del espacio vuelven...», donde, tras el comienzo de pausada diversidad narrativa, la aceleración rítmica se apoya crecientemente en sentencias absolutas, exentas en su yuxtaposición asindética: «La aventura ha servido para poco»; o en frases de estructura nominal característicamente elípticas y accidentadas por pausas versales y por estructuras sintácticas de significativa instantaneidad abrupta, como «...Sin mí el cerco, / el río, actor de la más vieja música»; o bien la demora anafórica inducida por reiteraciones como «el valle, el oferente valle, acaso / valle con señaleras criaturas», hasta alcanzar la fórmula expresa de la exclamación absoluta: «¡Tanto nos va en un riesgo! La mañana...».

Los sucesivos episodios poemáticos para fragmentar el ritmo en el cuerpo del texto se alternan aquí calculadamente, entre interludios de discursividad descriptiva, con la manifiesta voluntad estilística de cercenar desde la variedad de las imágenes fragmentarias la inercia narrativa del discurso continuo de la alegoría. Y de nuevo se suceden los reiterados recursos de las pausas versales, las yuxtaposiciones asindéticas, las nominalizaciones fuertemente elípticas, las acotaciones bajo signos expresos exclamativos y de interrogaciones enfáticas o las optaciones frásticas sin marcadores grafemáticos; así como los sabrosos recursos de la fragmentación enfática coloquial. Toda la variada antología estilística de los recursos mejor caracterizados en el «ritmo afectivo puro», que acumula el poema en pasos como el siguiente:

> *El cereal encaña y no se pierde.*
> *Riesgos callados. Que también alguna*
> *verdad arriesgue el alma ya visible.*
> *Que tu manera de coger la fruta*
> *sea la misma. Así. Y entre senderos*
> *del espacio, ¡quién vuela! O ahora o nunca.* (pág. 59)

De esta forma, la perfecta armonía entre el discurso continuo y la fragmentación contrapuntada va construyendo el ritmo general en crescendo «afectivo puro», que se solventa en fin mediante la sucesión de yuxtaposiciones gramaticales sin más cemento ilativo que el poder construido del ritmo acústico y de imágenes... hasta el desbordamiento en el clímax reiterativo de negaciones absolutas:

> *Mañana a costa de alas y de túnicas,*
> *cereal encañado (la primera*
> *senda sin otro viento que mi fuga),*
> *el tropismo solar del agavanzo,*
> *un ruido hacia la noche... Nunca. Nunca..*

Accidentada fragmentación de ritmos entrecortados para expresar su persistente poética en imágenes discontinuas de la referencia. Es la estilística de la forma exterior que jalona y constituye otro poema antiguo de esta misma parte tercera, el octavo, que se inicia: «No es que se me haya ido: nunca ha estado»: relacionantes coordinativos de conexión elíptica dudosa —«Pero buscar y no reconocerlo»...—, frases inconclusas en suspensiones de sentido —«y no alumbrarlo en un futuro vivo...»—, asalto súbito de interrogaciones —¿Cómo dejaré sólo este momento?»—, anáforas para construir los enlaces enfáticos — «...como en la lucha con su giro el viento. / Como en su lucha con su giro. No»—; insistencias enfáticas de adverbios negativos —«No, / no es que se haya entibiado»—, dísticos paralelísticos para diferenciar ramas de antítesis —«Ayer latía por sí mismo el campo. / Hoy le hace falta vid de otro misterio»—. Y reproduciendo la estructura general del texto que hemos conocido en nuestro examen anterior, se percibe también aquí el aquietamiento central sereno del ritmo y las imágenes: «Quizá el arroyo no aumente su calma... quizá el manantial...» etc. Por esa vía, la elevación del clímax vuelve a acogerse a la pluralidad de recursos conocidos de fragmentación y entrecruzamiento, en la lluvia fecunda de las imágenes servidas desde el mismo ritmo afectivo puro reconocido en Rimbaud:

> *¿Cómo te inmolaré más allá, firme*
> *talla con el estuco del recuerdo?*
> *Oh, más allá del aire y de la noche*
> *(¡El cristalero azul, el cristalero*
> *de la mañana!)...*

El tenor estilístico del ritmo descrito en los poemas más tempranos se mantiene de manera bastante uniforme y general en los textos posteriores de la obra. Si acaso, como antes señalábamos también respecto a las técnicas de la fragmentación de imágenes, la evolución temporal y temática hacia el tono reflexivo y meta-simbólico en la primera parte de las composiciones más meditativas y orientadoras hacia el contenido, deparó un progresivo adelgazamiento también de las presencias enfáticas y de las quiebras rítmicas. Porque todas estas formas despliegan el *impulso* poético y visionario hacia las macroestructuras temáticas y figural-argumentativas de la *forma interior* poética, instrumentadas a su vez mediante la articulación de estilemas puntuales de la *forma exterior* poemática.

* * * * *

Con su interpretación de Rimbaud, vuelve a señalarnos Rodríguez la dirección del próximo nivel del efecto poético al que se encaminan los procesos estilístico-rítmicos fragmentarios y enfáticos reseñados hasta aquí. En realidad la descripción de Claudio sobre la evolución progresiva y diacrónica del estilo poético de Rimbaud desvela los estratos sincrónicos acumulados en el intenso y maduro efecto rítmico de su propia poesía. Es así como de la fragmentación rítmica de las imágenes se alcanzan los resultados del que llamará Claudio el «ritmo instintivo»; allí donde «la música externa, aunque inseparable de la interna, tiene un relieve mucho menor, hasta tal punto que queda reemplazada instrumentalmente e inexistente a su través». De esa manera, la discontinuidad lógica entre las imágenes englobadas se salda en unidad de *impulso* como *ritmo instintivo*. Así describía Claudio el proceso aludido en el ensayo inédito sobre Rimbaud cuyo perfil analítico venimos desplegando como pauta de la realización estilística exterior del impulso poético en las composiciones de *Don de la ebriedad*. Al referirse a la discontinuidad de los poemas de una determinada etapa de Rimbaud añadía:

«Estos son formalmente discontinuos. Con frecuencia nada tiene que ver lógicamente una estrofa con la siguiente y el ritmo solamente toma cuerpo a fuerza de impulso. (Se nos impone el mencionar ya 'el ritmo instintivo', que va a ser la clave de estos poemas posteriores, tanto en verso como en prosa). Este ritmo instintivo guarda una estrecha relación con el intento de Rimbaud de inventar ese inaccesible verbo poético». A la hora del predominio estilístico del ritmo, éste, en cuanto complejo de realizaciones estilísticas, se convierte en el verdadero protagonista temático de las composiciones, el más certero mediador simbólico de los contenidos. La circunstancia de la «difuminación temática del objeto y predominio del ritmo» era percibida por el joven Rodríguez en composiciones como «Le coeur volé»: «...estos poemas, originariamente descriptivos y como tales directamente enunciados en un tiempo presente, van encontrándose cada vez más faltos de objeto; el objeto poético, motivo y móvil del ritmo, se borra». Según Claudio, todavía en poemas de Rimbaud como «Les mains de Jeanne-Marie», «Les voeurs de Charité», o «Les voyelles» es posible rastrear «una factura completa en cuanto a la temática»; siendo no obstante ya definitiva la debilitación temática a partir de los primeros poemas de 1870. Es decir, en términos del tratadista y crítico Jules de Gaultier, que Claudio conocía y había citado previamente, se produce el traslado de «la vibración emotiva a la vibración sonora»; y el propio autor confirma que la descripción genérica de Gaultier sobre la metamorfosis poética descrita en el ritmo «parece expuesta teniendo la obra de Rimbaud a la vista». Pero no resulta menos verdadero que tal descripción referencia el trayecto asimilado y fundido sincrónicamente por el mismo Rodríguez en el resultado rítmico-expresivo, altamente poético, del estilo de su primera y ya fascinante obra.

A ritmo instintivo puro, a acelerada progresión hímnica, obedece el poderoso arrastre del *impulso* poético en todos los textos de *Don de la ebriedad*, desde «Siempre la claridad viene del cielo», donde la condición meditativa e incluso temático-exegética madurada y profunda de la composición resulta compatible con la cuidada aceleración de los endecasílabos asonantados que se agrupan en conjuntos estróficos de seis versos. Así, en el primer grupo, la variedad acentual e incluso la rotundidad rítmica de los endecasílabos imponen la escansión versal que solemniza los ritmos hasta su cierre momentáneo en el dístico que acoge majestuosamente las alternativas luminosas de las hora del día y de la noche. De esa manera se crea la alternancia con el siguiente conjunto de seis versos, en el que los ritmos redobladamente enfáticos y fragmentados de las interrogaciones retóricas y las exclamaciones deshacen todas las expectativas regulares de las pausas versales bajo sus propias inercias de acentuación. Tras el contraste rítmico de la primera pareja estrófica, la siguiente sintetiza un momento de énfasis distendido exclamativo-interrogativo, con espacios de enunciación expositiva pausada. Y de esa forma, progresivamente, hasta el clímax en que se resuelve la enunciacion en los últimos cinco versos —esta vez no seis como antes—, compuesto por el martilleo en crescendo reiterativo —«mi boca / espera, y mi alma espera, y tú me esperas»— que precede al dístico final, yámbico-espondáico, desde el que se alza uno de los símbolos paradójicos más insistidos y profundos del mito personal de Claudio Rodríguez: «mortal como el abrazo de las hoces, / pero abrazo hasta el fin que nunca afloja».

Como en el caso general de todo gran texto poético, el ritmo «instintivo», fundador último según lo entiende el poeta del verdadero significado impulsivo del poema, se constituye como equilibrio de contrastes: ponderación contrapuntada de la enunciación reflexiva y del énfasis apasionado; contrastes a su vez entre la fragmentación de las imágenes y la construcción ilativa de los enunciados, así como entre los propios medios expresivos de la yuxtaposición y los del énfasis, etc. La verificación crítica circunstanciada de esa galería de recursos es tan sencilla como enojosa. Remitimos para su comprobación a la propia capacidad analítica de los lectores, como en todas las coyunturas semejantes de nuestro trabajo, que quiere pecar antes de elusivo que de obvio.

Si acaso, algún apunte más —de detalle— sobre la dosificación en alternancia equilibrada de los factores rítmicos por parte del primer Claudio Rodríguez: el frecuente reequilibrado entre el binarismo y los ritmos ternarios de las unidades geminadas[29]. Sirven de ejemplo las contraposiciones que gobiernan básicamente los ritmos en las rei-

---

29. El fenómeno rítmico de la segmentación o agrupación, según los casos, de los enunciados copulativos o antitéticos en series bimembres o trimembres ha sido atendido por García Jambrina, sobre todo en *Don de la ebriedad*, como rasgo microtextual rítmico-sintáctico más evidente y frecuente en el estilo de Claudio (Ver especialmente Íbidem págs. 106-107).

teraciones anafóricas: «no llegamos a su alba, al alba al raso», o en el de la antítesis natural simbólica: «ni la luna, ni el sol claro»; y la gradación ternaria para el cierre de la mitad del poema: «no en germen, en luz plena, en albos pájaros». Pero en lo sucesivo se multiplicarán las formas que prolongan el recurso general de variación rítmica: desestabilizar las expectativas redundantes. Se trata del juego contrastado entre los microestilemas sintácticos que inducen sensaciones rítmico-imaginativas de variación dentro del paralelismo de los dos dísticos sucesivos:

Algún vuelo estará quemando el aire,
no por ardiente sino por lejano.
Alguna limpidez de estrella bruñe
los pinos, bruñirá mi cuerpo al cabo. (pág. 34)

El juego de familiaridades y de sorpresas microestilísticas está ya bien dispuesto en el impulso rítmico para engastar dentro del cuerpo del poema, una vez más, otro destello simbólico sustancial: la imagen dolorida del cuerpo como surco arado o asaeteado por la luz descendente de la divinidad. Todo un continuo expresivo bipartito por la pausa versal, donde el impulso anapéstico del primer énfasis se flexiona en la serenidad yámbica alternada del ritmo heroico del segundo endecasílabo, quedando a su vez ese conjunto bajo el acento reforzado de la interrogación: «¿Qué puedo hacer sino seguir poniendo / la vida a mil lanzadas del espacio?».

Trimembración y dualismo sucesivo en antítesis instrumentan el ritmo sintáctico y conceptual de las explicaciones sucesivas, donde la noche descubre «un fuego oculto, / un resplandor aéreo, un día vano»; en tanto que la orientación de los sentidos se acoge a la referencialidad dual del movimiento imaginativo contrastado del vuelo y la radicación: «...para nuestros sentidos, que gravitan / hacia arriba y no ven ni oyen abajo». Una razón de tres y dos insistida, geminada, para remansar al final la unidad rítmica del poema, tras el dístico con el forzado símil suscitado por los clasemas de la comparación: «Como es la calma un yelmo para el río / así el dolor es brisa para el álamo». Razón rítmica del tres y el dos:

Así yo estoy sintiendo que las sombras
abren su luz, la abren, la abren tanto,
que la mañana surge sin principio
ni fin, eterna ya desde el ocaso.

De la plenitud rítmica del Rimbaud más evolucionado dijo por entonces Claudio Rodríguez que su «ritmo integrado por la violencia objetiva sufre las mismas evoluciones que el objeto; se pudiera decir, en cierto sentido que lo crea». Otro tanto sucede aquí con el tematismo de los objetos poéticos de Claudio. El ritmo del poema, la energía conjugada de todos los estilemas de la forma exterior y de la población de referentes producen la transfiguración de los objetos de la realidad en la carne rítmica del texto. Philip Silver, entre todos los críticos que han intuido este rasgo fundamental en la capacidad poética de Claudio, lo ha expresado penetrantemente. Pero la primera intuición más honda, la comprensión sobre la realidad de la fusión sustancial de palabras y objetos, ha salido una vez más del propio Claudio, quien afirmaba ya en su viejo escrito universitario de referencia: ...«La palabra creadora del poema intrínsecamente; tenga o no un periodo posibilidad lógica, es indudable que tiene posibilidad rítmica. Y el ritmo, la palabra como sonido, es lo que hace inteligible a la idea, lo que la (sic) da relieve. La palabra 'significa' en la medida que 'suena'. El discontinuum es fruto de la búsqueda del absoluto continuum».

La integración significativa del ritmo, que el joven Claudio Rodríguez describía en su temprano escrito como cima de la evolución estilística de Rimbaud, tal y como lo consagran las imágenes fulgurantes de «Le bateau ivre» y como se despliega ya resueltamente en el conjunto de «Une saison en Enfer», asume un intenso poder transfigurativo y fundante de absoluto: es «afección pura» en los términos en que Claudio calificaba ese estado de plenitud integrada de los ritmos, con el que se corresponden ya, con pocas excepciones, los poemas de *Don de la ebriedad.* Antes hemos hablado —en el apartado sobre la generación lírica del mito consmogónico de esta primera obra de Claudio, como expresión metamorfoseada de la realidad en el cotejo lírico— sobre el instante definitivo de la fusión transubstanciada entre objetos y lenguajes con el resultado de la forma interior. Lo definitivamente curioso, no obstante, es constatar la adecuación de estos términos críticos de Claudio a propósito de «Le bateau ivre» de Rimbaud con el estado absoluto de su propia creación contemporánea . Incluso de *ebriedad* llega a hablarse sobre Rimbaud, refiriéndose a ese estado de plenitud significativa, cuando el ritmo deviene un absoluto simbolismo y no meramente un dispositivo estilístico al servicio de la referencia poética:

«El ritmo depende únicamente del vocablo —nos dice Claudio de la plena fusión que ha adquirido 'Le bateau ivre'—, del movimiento de las vocales y las consonantes. La obsesión de una frase continua domina de un modo patológico este poema. Y esta obsesión es la causa del rompimiento temático y rítmico... En medio del alud verbal emerge aquel 'ritmo instintivo' y se prolonga *ebriamente* —adviértase la trasparencia de esta forma adverbial, el subrayado es nuestro— con un ímpetu asolador. La sensación de vértigo está lograda sin orden, por medio de impactos progresivos: el ritmo interjectivo invade todo este poema sin que realmente haya más que unas cuantas interjecciones formuladas de un modo gramatical. Las abundantes yuxtaposiciones contribuyen aún a dar mayor sensación de velocidad».

*   *   *   *   *

Con la situación descrita de plenitud simbólica en el «ritmo instintivo» coincidía ya, salvadas las diferencias, uno de los primeros poemas compuestos para *Don de la ebriedad*, el sexto de la parte primera, que con el primero, cuarto y sexto de la segunda forman, según señalábamos antes, el núcleo originario de textos de la obra, los más irracionalistas y de ritmo enfático más ebriamente «instintivos» . Todas las aclaraciones críticas que se han formulado sobre la cultura filosófica pitagórica implicada en esta composición, no llegan a satisfacer la entidad absoluta de su contenido; sencillamente porque no lo tiene. Quiero decir que en él no resulta, contra lo que el análisis racional o intelectual puede ofrecer, un bloque estable de unidad lógica, sino por el contrario la «dinamis» emocional instintiva del ritmo.

A tal respecto, parece desde luego engañosa la tonalidad doctrinal expositiva de los primeros versos sobre el comportamiento mítico de las imágenes. Aunque, bien mirado, se trata de una explicación falsamente doctrinal: en lo más hondo una especulación incongruente para provocar nuestra adhesión imaginativa a unas sensaciones de acelerada cenestesia, rotatorias y ascensionales:

> *Las imágenes, una que las centra*
> *en planetaria rotación, se borran*
> *y suben a un lugar por sus impulsos*
> *donde al subir de nuevo toman forma.* (pág. 37)

Pero a partir de aquí, triunfa únicamente el ritmo puro de las interrogaciones, construidas alternativamente según los tipos habituales y conocidos de trimembraciones y de oposición bimembre, a uno y otro lado de la pausa interna en el hemistiquio del verso medial:

> *Yo me pregunto qué sol, qué brote de hoja*
> *o qué seguridad de la caída*
> *llegan a la verdad, si está más próxima*
> *la rama del nogal que la del olmo,*
> *más la nube azulada que la roja.*

Incluso en el sucesivo espacio declarativo del texto predomina, sobre el contrapunto doctrinal, la intencionalidad manifiesta de introducir la anticadencia rítmica: «Quizá pueblo de llamas, las imágenes...», etc.

Todo son vaivenes del contenido móvil en este poema encaminado a subrayar la arquitectura emotiva del ritmo. De esa manera se explica la transición exclamativa a los espacios del «regio corazón como una tolva», cribando las imágenes dispersas de una felicidad siempre corta. Y es la razón de ser, no más que la emoción encarnada en los ritmos, de los fragmentos de imágenes poderosas — ¿nacidos cuándo y dónde en la reflexión previa al poema?; nunca podrá saberse— lo que le hace sentirse irracionalmente al poeta «muerto a fuerza de almas» y asociar imágenes de palomas alcanzadas por la garra «retráctil» de las águilas, o acusaciones de inmensidad de entorno y culpas por lo infinito. En realidad, no se trata de otra cosa sino del triunfo del ritmo puro, de su predominio constructivo sobre el significado. Tal es lo que se sustancia en estos primeros pasos poéticos del despliegue de una emoción cósmica, honda e inmensa, constituida por fragmentos electrizantes de imágenes incompletas e inconexas, que se extinguen en puntos suspensivos... Ritmo absoluto, instinto temático desde el ritmo en estos poemas ebrios de adolescencia en aceleración de fuga:

> *Aunque el alcohol eléctrico del rayo,*
> *aunque el mes que hace nido y no se posa,*
> *aunque el otoño, sí, aunque los relentes*
> *de humedad blanca... Vienes por tu sola*
> *calle de imagen, a pesar de ir sobre*
> *no sé qué Creador, qué paz remota...* (pág. 38)

La cima del proceso de experiencia poética de Rimbaud, «el ritmo instintivo» protagonista del mensaje emocional del texto, era el punto de partida para la cultura del joven zamorano, curtido en sagacidades de la métrica y dotado por su pasión de recitados andariegos de un instinto depurado y entusiasta del ritmo.

La asociación equivalente de ritmo y tematismo determina el protagonismo y la fisonomía mixta del *contenido* de los textos; al punto que no podemos deslindar fácilmente siempre las responsabilidades concretas de uno de los componentes por sí mismo sobre el efecto general conjunto. Ya hemos hablado antes del ritmo expositivo en clímax en la composición inicial del poema, que organiza su argumentación en tres unidades progresivas de seis y siete versos antes del repunte conclusivo de cinco. En los primeros se suceden por este orden: la enunciación conceptual bajo una sintaxis pautadamente discursiva; después una nueva estrofa (versos 7-14) enfática absoluta, con encabalgamientos regulares tensando el sentido de las sucesivas interrogaciones y exclamaciones retóricas y con hábil emplazamiento en clímax de la meseta rítmica trimembre —« y se cierne, y se aleja y, aún remota»—, para preludiar la distensión conclusiva del endecasílabo de desenlace clausular —«nada hay tan claro como sus impulsos»—, en el que coopera la tensión acentual enfática con la sugestión simbólica de los lexemas «claro» e «impulsos». A continuación, el énfasis vocativo sobre la claridad modifica la organización del ritmo sin encabalgamientos, serenándolo a través de la isodistribución versal-sintáctica apenas si perturbada por la tentativa de anaforismo reiterativo bimembre del verso, «Como yo, como todo lo que espera»; en todo caso de aquietamiento reflexivo. En fin, la cresta conclusiva del clímax funda, una vez más, la consolidación de su entidad rítmica de contraste sobre el efecto conjugado de las restricciones de una sintaxis doblemente adversativa —« Y, sin embargo»; «...abrazo de las hoces / pero abrazo hasta el fin...»— junto a los efectos combinados rítmico-sintácticos de la enumeración trimembre con encabalgamiento: «... mi boca / espera, / y mi alma espera, y tú me esperas» y el doble vocativo que sigue: «ebria persecución, claridad sola», antes del pareado isodistributivo fuerte y contradictoriamente engarzado y desvinculado por la restricción adversativa.

El modelo rítmico de esta composición de prólogo del libro se reitera, siempre con variantes microestructurales, en otros poemas con el mismo caracter discursivo-expositivo que ella. Más marcada es aún la condición expositiva de los ritmos combinados en el segundo texto, donde las elevaciones animadoras del clímax intermedio se confían una vez más al juego del paralelismo anafórico de las membraciones binarias y ternarias, como en el cierre del segundo conjunto clausular: « no en germen, en luz plena, en albos pájaros»; vehículos expresivos similares son las elevaciones enfáticas, como la interrogación retórica en que culmina la andadura regularísima de los dísticos paralelos previos —«Algún vuelo...», « Alguna limpidez»— con un nuevo dístico, el tercero, en el que se acumulan la inercia progresiva de los ritmos previos incrementados en la interrogación nada epistémica con el peso simbólico de una de las imágenes más lacerantemente adversas: «¿Qué puedo hacer sino seguir poniendo / la vida a mil lanzadas del espacio?». En todo caso, la culminación del clímax rítmico en esta segunda composición permite ilustrar bien la condición compuesta del efecto global del ritmo poemático: la doble sugerencia activa de elevación a través de las dos trimembraciones reforzada en ascenso por el incremento de lexemas tan diáfanos como «arriba» o del clasema ponderativo «tanto» en la segunda, junto a la condición expositiva continua de las dos frases denotadamente bipartidas por el efecto del encabalgamiento.

El cotejo meditativo sobre la encina y el propio ser se manifiesta así bajo el resultado de una organización exactamente bipartida del texto, confiada en casi toda su extensión a la linealidad expositivo-rítmica de las enunciaciones. Incluso las interrogaciones finales, tan necesarias para el desenlace del clímax, se amoldan a la entonación general sin disonancias emotivas, determinando el efecto total de la composición. Semejantemente, la tonalidad media expositiva gobierna desde la animación nunca decaída de las variaciones puntuales los poemas siguientes de esta primera parte, como el cuarto o el séptimo. Algo más se remontan los efectos del énfasis en las composiciones donde se produce la proyección apelativa del ritmo hacia el indeterminado *tú* de este primer libro —poema quinto: «Cuándo hablaré de ti sin voz de hombre»— o hacia alguna de sus figuraciones imaginarias, como la del ritual arador en el poema séptimo. Pero ni tan siquiera en la composición de cierre del primer libro —novena— la retórica apelación oblativa al universo de los semejantes, abierta e indeterminada, llega a romper abruptamente la mesura enunciativa que Rodríguez imprimió al conjunto de sus poemas más tardíos de aquilatada madurez mítica, adelantada como planteamiento conceptual del mito paradójico de la visión nocturna al primer libro de *Don de la ebriedad.*

El conocimiento aproximado de las composiciones que integraron la primera obra de Claudio Rodríguez, de apariencia estilística tan unitaria y compacta precisamente a causa de su remontada tonalidad rítmica y conceptual de himno cosmogónico, nos permite matizar también sobre este aspecto del ritmo poemático la perceptible evolución del irracionalismo enfático a partir de los poemas más antiguos, agrupados mayoritariamente en la tercera parte. De aquí se progresa hacia la mayor nitidez y la linealidad meditativa que caracteriza, bajo el dominio del mito, a las composiciones más tardías, emplazadas sin embargo con intención de claridad narrativa en el preámbulo expositivo del libro primero. En los textos tempranos, las perplejidades emocionales de la ebriedad dan como resultado rítmico global una disposición más irregular y accidentada respecto de la perfecta regularidad y el paralelismo que hemos percibido en la estructuración de los ritmos poemáticos de los poemas más racionales, maduros y expositivos. Es decir, el mismo proceso de decrecimiento que se observa en el irracionalismo metafórico y simbólico, queda así corroborado y reforzado por la acción rítmica en las composiciones de *Don de la ebriedad.*

El caso particular del poema sexto del libro primero —como sabemos, el único de los más antiguos en su composición emplazados en la primera parte— confirma nuestras conjeturas. Por una parte, el predominio del contenido doctrinal pitagórico que se acumula en su primera mitad, sobre la rotación planetaria de las imágenes plurales y su proceso ascensional de integración unitaria, explica la ponderada decisión de Claudio —más allá de sus propias cultivadas apariencias y declaraciones «en la ebriedad de la leyenda»— de emplazarlo entre los poemas expositivo-doctrinales que desarrollan conceptualmente el mito. Pero más tarde, alcanzado trabajosamente el ápice de las efusiones subjetivas —«¡Oh, regio corazón como una tolva...»—, ritmo y sintaxis se entrelazan en un crescendo de desbordamiento sentimental que excede a las fragmentaciones y al sistematismo razonables: un anonadamiento que se implanta sobre las elisiones discursivas que agrupan con abrupta intensidad poética imágenes escondidamente equivalentes y sucesiones emocionales inexplicadas: «tal a la paloma / lo retráctil del águila. Misterio. / Hay demasiadas cosas infinitas. / Para culparme hay demasiadas cosas». Véase, si no, la explotación rítmica sistemática de las suspensiones de sentido en el vibrante crescendo del clímax, sin parangones enfáticos en ninguna otra de las composiciones tardías de este libro primero:

> *Aunque el alcohol eléctrico del rayo,*
> *aunque el mes que hace nido y no se posa,*
> *aunque el otoño, sí, aunque los relentes*
> *de humedad blanca... Vienes por tu sola*
> *calle de imagen, a pesar de ir sobre*
> *no sé qué Creador, qué paz remota...* (pág. 38)

Incertidumbre ponderadamente patética de la sintaxis y cenestesia de las imágenes fragmentadas al servicio del impulso progresivo del ritmo. Todo lo sostiene aquí la inercia expresiva del énfasis versal y estrófico, su misterioso significado emocional. Un ritmo enérgicamente acelerado el de los primeros poemas irracionalistas para aumentar el negativo de los hallazgos: «Lo que antes era exacto ahora no encuentra / su sitio»... «¿ Y aún no se yergue / todo para besar? ¿No se ilimitan / las estrellas para algo más hermoso / que un recaer oculto?»... Un ritmo salteado entre certezas frágiles y rápidos desengaños: ...«porque ahora / puedo, y ahora está allí...Pero no: brisas», etc... Acelerados ritmos para cubrir vacíos de la frustración: «¡Y que no pueda ver mi ciudad virgen / ni mi piedra molar sin golondrinas»... Ritmos para encauzar el irracionalismo referencial de las mejores imágenes: « Oh, plumas timoneras. Mordedura / de la celeridad»..., que sobrenadan ingrávidas entre el incierto fluido de la ebriedad extraviada: « Yo que pensaba en otras lejanías / desde mi niebla firme»... para acumularse poderosamente en confusión sonora de avenidas de voz:

> *De qué manera nos devuelve el eco*
> *las nerviaciones de las hojas vivas,*
> *la plenitud, el religioso humo,*
> *el granizo en asalto de avenidas».* (pág. 56)

Tan poderosos son los efectos confiados al ritmo, supliendo no sólo la incertidumbre de los fugitivos constituyentes imaginarios del mito sino incluso la inordenación caótica de la sintaxis para traducir las emociones de desencuentro y desarraigo, que todos estos primeros poemas de la inspiración cosmogónica de Claudio Rodríguez compiten estimulantemente en el gusto y la imaginación de sus lectores con los momentos mejor ordenados y plásticos de la visión paradójica del mito. Alegamos el subyugante elemento rítmico, capaz de suplir las elipsis irracionalistas de una sintaxis fuertemente sincopada en los poemas cuarto y sexto de la tercera parte. Razón progresiva del ritmo poemático que revela su protagonismo sobre cualesquiera otras razones del contenido. Valga en este punto la broma para corroborarlo: se preguntaba en cierta ocasión Claudio en mi presencia si el agavanzo, que ni él ni yo habíamos visto nunca, tendría o no ese tropismo solar que se le atribuía en el poema y que resulta tan favorable en cualquier caso para la acentuación melódica del endecasílabo:

> *Mañana a costa de alas y de túnicas,*
> *cereal encañado (la primera*
> *senda sin otro viento que mi fuga),*
> *el tropismo solar del agavanzo,*
> *un ruido hacia la noche... Nunca. Nunca.* (pág. 59)

Más allá de las diferencias internas observables en el comportamiento poético y rítmico, después de todo poco distanciado, del creador de estos poemas, interesa subrayar su capacidad de modulación métrica, personal y versátil al tiempo, destinada a ajustar perfiles del tematismo y modalidades de la enunciación diferenciados. Por ejemplo, las distancias rítmico-estilísticas no son muy marcadas en los dos poemas narrativos que componen el libro segundo, pese a ser « Canto del despertar» uno de los primeros compuestos y « Canto del caminar» uno de los últimos[30].

«Velocipedista asesino» es la caracterización que el talante rítmico de Rimbaud le inspirara a Leon Bloy según el escrito universitario de Claudio Rodríguez. Muchos años después, el propio Claudio la recordaba conmigo verbalmente, atribuyendo la frase con las peores intenciones al siempre mesurado Paul Claudel: son las tortuosas vueltas y revueltas intencionadas de la memoria espontánea. En cualquier caso, no debe olvidarse, al hablar del conjunto de estilemas terminales de la forma de *Don de la ebriedad* que se integran y sustancian en el total del ritmo poemático, la condición fundamental de poesía compuesta y memorizada al paso; mejor aún al paso vivo y hasta a la carrera (es sorprendente escuchar el vivísimo ritmo con que Claudio recita todavía hoy su recuerdo de aquellos poemas). Una celeridad que determina la índole concreta y la importancia decisiva del ritmo entusiasta, de la subyugante orquestación hímnica de la voz, que sobresale y domina cualquier nivel de forma interior subyacente del significado poético en la forma externa, poemática, de *Don de la ebriedad.*

La experiencia métrica acumulada en las clases de latín y de griego en un bachillerato estudiado con particular aprovechamiento, la observación tan meticulosamente ejercitada sobre la métrica de los simbolistas franceses, sobre todo de Rimbaud; sin olvidar su familiaridad predilecta con las formas poéticas de los místicos sublimes y de

---

30. Recuerdo aquí nuevamente la confidencia personal de Claudio, coincidente en líneas generales con la cronología que el propio poeta comunicó también a Jonathan Mayhew, Cfr. *Claudio Rodríguez and the Language of Poetic Visión*, cit., pág. 144

los demás clásicos españoles, y sin desdeñar seguramente tampoco la rítmica «andariega» del moderno Machado y quizá incluso la áspera e hirsuta de Unamuno; todos son componentes que se acumulan como seguro azar en las innatas condiciones poéticas de Claudio Rodríguez. Una propensión que debuta con su extraordinaria y precoz inteligencia sobre los ritmos, unida a un peculiar poder selectivo y fragmentador en su experiencia antologizadora de imágenes. De esa manera, la atrevida selección —atrevida precisamente por no nueva— del verso familiar endecasílabo y de las sugerentes rimas asonantadas del romance establecen la medida perfecta de la amplitud enfática y de la recurrencia tímbrica que confieren al ritmo de *Don de la ebriedad* su poderoso, arrebatador y solemne énfasis hímnico.

CAPÍTULO VII

CONJUROS: ÉNFASIS Y ACONDICIONAMIENTO ALEGÓRICO DE LA CONVERGENCIA

Énfasis y alegoría en la retórica temporal de *Conjuros*

El título de la segunda obra de Claudio Rodríguez, *Conjuros*, de 1958, invoca por sí mismo una intención retórica perfectamente configurada: la que incorporan las figuras del *énfasis* y más en concreto la *imprecación*[1]. La voz del enunciador se proyecta con intenciones mágicas en el conjuro sobre un ser de la realidad, rectamente un sujeto de acción y metafóricamente cualquier otro objeto inanimado, solicitando del mismo la ejecución de un acto o la modificación de un estado, que regularmente suele coincidir con el cumplimiento de una necesidad o deseo del propio enunciador. Como veremos, no todas las composiciones de esta obra corresponden al esquema de la imprecación, sobre todo las muy importantes agrupadas en el libro cuarto; pero desde luego son mayoría las que lo cumplen. La voluntad explícita y consciente del autor ha optado en este caso por una configuración formal del énfasis que adopta su correlato figural en el imperativo, en la imprecación, una de las modalidades mayores de la figuralidad lírica, que acentúa el

---

1. La figuralidad imprecativa es lo más explícito y perceptible en este libro, sobre todo a partir de que el propio Claudio la alude y destaca en el título. La radicación concreta y telúrica del ser trascendental en entidades existenciales palpables y visibles predispone al poeta para nombrar las presencias familiares más habituales. Pero tras el intenso periodo de ensimismamiento esencial que representaba la edad pretérita de *Don de la ebriedad*, el reencuentro con las presencias familiares exigía de la escritura poética el suplemento figural del énfasis. Dionisio Cañas ha enraizado también en la circunstancia biográfica y vital de dicho reencuentro la razón de ser enfática de este segundo libro: «*Conjuros* es un libro de invocación al pasado real de aquel *querer ver* existencial... pero también es una llamada al pasado del ser, a una visión ya idealizada de lo que debió ser lo ya vivido». Cfr. *Claudio Rodríguez*, cit., págs. 47-48.

énfasis apelativo y que por sí misma define espontáneamente el estilo de las más representativas composiciones de autores con poderosa voz apasionada, como Vallejo y Neruda.

El título, *Conjuros*, resulta extraordinariamente expresivo también, en sí mismo, sobre la intencionalidad poética que animaba a Claudio Rodríguez: su voluntad de transfiguración de la realidad sobre todo en sus zonas más inertes y anodinas. El conjuro es el imperativo mágico, la fórmula religiosa imprecativa capaz de «humanizar» las ideas abstractas y las zonas menos ostensibles y más desapercibidas de la realidad. El título *Conjuros* y el proceso retórico apelativo al que alude, no fueron ocasionales en las preocupaciones ni en la configuración de las ideas poéticas del autor durante el tiempo de realización artística de esta obra. Un documento de gran interés al respecto, la memoria de licenciatura que Claudio Rodríguez ha querido mantener inédita hasta el presente, sobre *El elemento mágico en las canciones infantiles de corro castellanas*[2], implica repetidamente la condición mágica y la alta intensidad poética del conjuro. Para el autor, las canciones infantiles de corro, incluso las más inocentes, incorporan verdaderos residuos má-

---

2. La Memoria de Licenciatura de Claudio Rodríguez, elaborada contemporáneamente a la composición de *Conjuros*, ambienta en general —más que inspira directamente— sobre el entendimiento del lenguaje poético como mediación mágica o conjuratoria, según el propio poeta, respecto del ser más vivo y directo de la realidad. El poderoso énfasis expresivo vinculado al adensamiento en la consistencia de los ritmos poéticos, factores ambos fundamentales en la fisonomía literaria de la segunda obra de Rodríguez, comparte el latido de alusividad mágica de la palabra y el canto que la mentalidad infantil instrumentaliza para significar el fervoroso poder de sus vivencias del mundo. Sin embargo, más allá de eso y de forma concreta, aquel documento teórico inédito de Claudio Rodríguez tiene un valor explícito menos relevante sobre la obra poética contemporánea de su autor —a pesar de su razonable extensión de sesentaitantas holandesas no numeradas— que el otro texto anterior de reflexión teórica, las *Anotaciones sobre el ritmo en Rimbaud* de 1953, que utilizábamos nosotros antes para aclarar decisivamente las circunstancias temáticas y sobre todo rítmico-formales de *Don de la ebriedad*.

La Memoria de Claudio, pese al entusiasmo y decisión con que se plantean sus objetivos y al valor explicativo con que la recuerda y valora todavía su autor actualmente, adolece de una falta de incidencia casi absoluta de las escasas fuentes populares que moviliza y examina sobre las composiciones contemporáneas de *Conjuros*. Encontramos únicamente en las composiciones populares recogidas en ella la fuente para unos pocos versos e imágenes concretas del poema «Lo que no se marchita» de *El vuelo de la celebración*.

gicos de las fórmulas conjuratorias de transfiguración y metamorfosis sentimental, de las que se sirve la mente del niño en rapidísima transformación para expresar su contextura peculiar y mágica del mundo. Veamos uno de los fragmentos más representativos al respecto:

> *«En cuanto a lo expresivo, la primera consecuencia de la personificación de la realidad es la abundancia de fórmulas imperativas, de conjuros en una palabra, de expresiones propiciatorias e imprecatorias (al modo religioso, sí), propias del ámbito mágico que se respira.* Dilthey en su Teoría de las concepciones del mundo *(Trad. y comentario de Julián Marías, Rev. de Occidente, 1944) supone que 'la personificación hace más comprensible, por humanización, la idea del mundo'. Pero esta consideración no para aquí: como lo exterior ha entrado a formar parte de la vida real interna, se está al borde de un artificialismo físico, de la que Freud denominaba 'vuelta infantil al totemismo'.»*

Con independencia de la exactitud o no, para el punto de vista folclorista o antropológico, de esta atribución de la fórmula conjuratoria a la estructura retórico-textual de la mayoría de las canciones infantiles de corro —lo que no parece ser así en las que el propio Claudio recogía y conservaba en su memoria—, tanto el texto anterior como el conjunto de las observaciones recogidas en aquel ensayo proclaman la indudable presencia de lo mágico-conjuratorio en el ámbito de las preocupaciones y vivencias del poeta por entonces. En todo ello, no son desde luego secundarios los hechos de focalización sobre lo mágico en los procesos de constitución ingenua de la imagen del mundo precisamente a través de la tierna contemplación sensible de los niños; así como las claras transferencias del proceso mágico transfigurativo infantil hacia el propio movimiento poético de concepción y de representación expresiva del mundo, tal y como lo concebía Claudio Rodríguez antes y después de la propia obra de *Conjuros*.

Otro testimonio complementario sobre la persistencia del valor conjuratorio del énfasis en los años de la composición de esta obra, lo ofrece el que el término «conjuros» figurara en todas las alternativas de titulación del libro discutidas por el autor con Vicente Aleixandre,

tal como hemos indicado ya, recordando la confidencia de Claudio Rodríguez. El acierto del gran poeta amigo, al aconsejar a Claudio que
seleccionara exclusivamente la raíz temática de la fórmula figural del
énfasis, ofrece otro testimonio elocuente de la atención con que el
maestro seguía cuidadosamente la obra del que intuía ya entonces
como uno de los valores máximos para la continuidad futura de la lírica castellana.

Sucede asimismo que la voluntad enfática de Claudio Rodríguez,
que trataba de profundizar y de dar más libertad en esta segunda obra
al poderoso subrayado sentimental de la piedad y del vigor solidarios,
raramente prácticados en su juvenil *Don de la ebriedad*, hubo de co-
existir en *Conjuros* con la persistencia figural del esquema básico de
la amplificación metafórica, la cual, al desplazarse muy frecuentemente
hasta la extensión global del texto completo del proceso narrado-tema-
tizado[3], induce el ámbito de la cosmovisión alegórica.

La voluntad coyuntural enfática, patente en las figuras de la *imprecación*, se ve obligada por tanto a compartir la constitución figural de
estos poemas con la conformación constitutiva del cotejo alegórico,
cuando no pierde totalmente el protagonismo argumentativo a favor de
él. Razón por la cual hemos mantenido el esquema figural alegórico junto
al énfasis en el título de este apartado. Con ello, tratamos de destacar

---

3. José Luis Cano ha señalado el tipo de construcción metafórica expandida, colindante siempre
pero nunca completamente idéntica a la figura de la alegoría, ya sea la propiamente tal o la peculiaridad
que Bousoño identificó problemáticamente bajo el añadido contradictorio de «disémica». Cano
pensaba en poemas de *Conjuros* tan estrictamente alegóricos o metafórico-textuales como «Incidente en los Jerónimos», a propósito de los cuales resulta más fácil asimilar tipificaciones de Bousoño
como la de «imagen visionaria continuada», que la de «alegoría disémica» propiamente tal: «En
realidad —dice— es raro el poema de *Conjuros* que no contiene una imagen visionaria continuada.
Lo que ocurre es que a veces el plano real domina de tal modo y posee un relieve tan vivo y
jugoso que no nos damos cuenta de la imagen visionaria». Es decir, Cano significa que la supuesta
condición explícitamente disémica de las alegorías de *Conjuros* queda desvanecida en muchas de
estas composiciones; si bien reconoce después que son bastantes también los casos de poemas
—e «Incidente en los Jerónimos» sería uno de ellos— en los que un mínimo indicio textual al
final de la composición sirve para apuntar y restituir la ambivalencia general, metafórica y realista,
del proceso de simbolización del enunciado. Cfr. José Luis Cano, «La poesía de Claudio Rodríguez
de *Conjuros* a *Alianza y condena*», en *Poesía española contemporánea. Las generaciones de Post-
guerra*, Madrid, Guadarrama, 1974, pág. 155.

explícitamente cómo la transfiguración metafórica asume la expresión figural del estilo más genuino de Rodríguez, una suerte de «destino» estético de su voz poética, según lo señalaba la intuición de Carlos Bousoño. Las importantes modificaciones del esquema figural de *Conjuros* se corresponden evidentemente con la no menos decisiva transformación del mito temático, el cual despliega en esta nueva obra la situación inmodificada del *cotejo* subjetivo-objetivo consiguiente a la exploración postural de la realidad en el itinerario de *repliegue*, situación exploratoria y expresiva del cotejo característica en su conjunto de la actitud simbólica y expresiva que constituye los mensajes propios de la poesía lírica[4].

En su segunda obra, Claudio Rodríguez reforzó aún más conscientemente su concepción inicial de la poesía como *cotejo* subjetivo-objetivo para simbolizar la experiencia transfigurada de la realidad. El precioso testimonio que siempre prestan las confidencias y declaraciones personales del poeta para corroborar las proyecciones analíticas de la interpretación, se ve reforzado en este punto, cuando se trata de un documento madurado del propio Claudio Rodríguez en su Memoria de licenciatura fechada en 1957; esto es, un año antes de la publicación de *Conjuros*. En la mentalidad poderosamente transubstanciadora de la experiencia de Claudio Rodríguez, la transfiguración poética limita, según sabemos, con una actitud global y asumidamente personalizada de la inocencia infantil; dentro de ella, el objetivo básico en las «funciones» de conceptualización y de expresión del niño consiste en el proceso de ajuste y conformación subjetivo-objetiva de la experiencia, en el que se constituye sustancialmente para Claudio su propia idea de la actividad y el destino poéticos. Transcribimos

---

4. La transformación poética, mítica y expresivo-estilística, cumplida por Claudio Rodríguez en *Conjuros* nos parece, con Sala Valldaura, muy consistente; frente a lo que proclaman los defensores a ultranza del continuismo estilístico expresivo. Naturalmente que en el volumen global del estilo de un autor, y tanto más aún en el de alguien con tan escasos pruritos innovadores como Claudio Rodríguez, se pueden descubrir siempre elementos de permanencia. Todo depende, por tanto, de la perspectiva con que se juzgue ese recipiente medio lleno o medio vacío de la continuidad o el cambio estilístico. Lo indudable sin embargo es que, como sostiene Sala, las diferencias en el vaciado o en el llenado del vaso del estilo de Claudio —para seguir en nuestro propio símil— son mucho más marcadas entre *Don* y *Conjuros*, que entre esta última y *Alianza*. Cfr. J.M. Sala Valldaura, «Algunas notas», cit., pág. 130.

el texto correspondiente de la Memoria inédita, en el primer apartado titulado «La *palabra* y el *nombre*»:

> «*El conocimiento de los límites entre la vida interna o psíquica y la vida externa o física no es innato. A este estado Baldwin lo llamaba 'proyectivo' y, sin duda, corresponde a una etapa primitiva, lejana, de una cultura. La tendencia infantil a no distinguir claramente lo objetivo de lo subjetivo es el cimiento sobre el que se asienta su visión mágica del mundo. En la edad en que se centra nuestro estudio, el niño se vierte enteramente hacia las cosas. Sus contenidos de conciencia, aparte de ser localizados de diferente manera que los nuestros, no forman parte de su indudable actividad creadora. Aún más, sus representaciones no son, en modo alguno, de índole conceptual, sino que existen en cuanto que son emotivas. Por lo tanto, está ausente en ellas la relación de causalidad (incluso la conciencia de la propia existencia). Fruto de esta realidad es que, durante la primera fase del aprendizaje de la canción, el niño se convierta en un vivo eco de los sonidos que oye y que sus primeras palabras sean fórmulas onomatopéyicas nacidas por imitación de la naturaleza. Bühler denuncia este hecho diciendo que la función representativa —enunciativa— del lenguaje aparece marcada más tarde que la expresiva.*
>
> *Este materialismo o sensualismo del lenguaje huella de una manera profunda las canciones y los juegos infantiles. Como se considera el 'nombre' propiedad de la cosa, hasta condición de su existencia, no es extraño que la 'palabra' carezca de validez. Se confunde el significante con el significado. Sully ha llegado a sostener que todo objeto, a los ojos del niño, posee un nombre como íntimo absoluto, es decir un nombre que forma parte de la naturaleza misma del objeto que designa*».

En el capítulo correspondiente a *Conjuros* en la primera parte, hemos ilustrado ya pormenorizadamente el alcance de la decisión poética de Claudio Rodríguez al radicar y normalizar en un sentido más melancólico y realista la correspondencia entre los referentes objetivos y sus trasuntos míticos. Es decir; en el itinerario de retorno mítico que tematiza *Conjuros, las cosas ahora tienden a ser lo que son*, al contrario del proceso anterior de inversión paradójica que funcionaba dentro del mito idealista de la iluminación metafísica nocturna en virtud del que *las cosas* (nocturnas y esencialmente) *son lo que no son* (diurna y fenoménicamente).

Una modificación tan drástica del mito temático no significa que el proceso de radicación del trasunto lírico-subjetivo de los referentes anule el trayecto de la metamorfosis poética. Lo que sucede es que ahora, en *Conjuros*, se simplifica bajo forma de proporcionalidad analógica, metafórico-alegórica, el proceso de inversiones de sentido inherente al anterior esquema paradójico, que afirmaba por vía de negación de la evidencia, tal como lo hemos visto actuar en *Don de la ebriedad*. En consecuencia, la variedad de metáforas que alcanzan desarrollo esquemático-textual alegórico en *Conjuros*, aporta un animado panorama de transfiguraciones fuertemente poéticas, que no se contraen sin embargo al redoblamiento de la paradoja como en la obra anterior.

Lo que permanece inmodificado en el tránsito de estos dos primeros libros, es el énfasis globalizador rítmico con que se suele expandir la transfiguración metafórica del cotejo lírico hasta alcanzar las dimensiones de los textos completos. Es esa amplitud de la tendencia en la voluntad conformadora del mito, la que autoriza y exige el esquema de *alegoría* como sucesión metafórica, narrativa o descriptiva, en lugar de la *constelación* o *suma de metáforas*, para significar un grado mayor de continuidad textual-argumentativa, frente a la yuxtaposición de imágenes fragmentadas que había caracterizado momentos anteriores del estilo[5]. Así se manifiesta decisivo aquel rasgo de *progreso y expansión* textual del esquema metafórico de transfiguración que define universalmente las metamorfosis poéticas. Philip Silver ha encauzado problemáticamente hacia la referencia confesada de Rimbaud esta tendencia de dominio textual de la metáfora irracionalizante. Por mi parte, ahora, quisiera reforzar el interés explicativo del ámbito figural-textual identificado por Silver[6], extendiéndolo a otros momentos de la producción poética de Claudio Rodríguez.

5. Remitimos, una vez más, al conocido diagnóstico estilístico de Carlos Bousoño en su *Prólogo* de 1971, cit., págs. 9-35.

6. Cfr. Philip Silver, «Claudio Rodríguez o la mirada sin dueño», cit., pág. 222.

Una cuestión teórico-poética que nos propone *Conjuros*, tal vez la más decisiva y profunda, es la de la incardinación radical de la figuralidad en conexión con *tipos sicológicos*, entendidos éstos como impulsos inconscientes y por tanto no sometidos a iniciativas de la voluntariedad positiva. De ese modo la estructura figural de la alegoría, que Carlos Bousoño señalaba como la organización fundamental de la enunciación poética predominante según él a partir de *Conjuros*, se ofrecería resolutivamente como la manifestación formal-retórica más genuina del tipo sicológico que comparece peculiarmente en la poesía de Claudio Rodríguez[7].

Como suele ser característico en la cuidada organización de Claudio para todas sus obras, el primer poema «A la respiración de la llanura», compuesto además ya entre los primeros del nuevo libro, en 1953, según carta de Vicente Aleixandre, trata de constituirse en proposición ejemplar de la obra bajo todos sus aspectos. De acuerdo con ese propósito, muestra su estricta correspondencia con el campo temático del poema que cierra la obra —posiblemente también uno de los últimos compuestos, a tenor de sus correspondencias temáticas con otros de *Alianza y condena*— el titulado «Pinar amanecido». La respiración de la llanura, tierra, meseta, es a la vez la forma más extrema y esencial del ser —tesis, una vez más, del por tantos conceptos próximo *Aire Nuestro* guilleniano— y la que figura entre las menos representables, entre las más sutiles: aire, respiración y aliento creativo. El poeta zamorano quiere dar en este texto de prólogo con

---

7. El subrayado de la conexión entre las figuras retórico-temáticas del énfasis y el peculiar perfil sicológico emocional del autor en *Conjuros* resulta bastante evidente y, en consecuencia, ha sido regularmente evidenciado por la crítica. En una de sus expresiones más globalizadoras y elocuentes, José Luis Cano conectaba estas formas vocativas con el desbordamiento de la euforia solidaria y cordial; ese fondo tan curiosamente complejo y problemático de la sicología de Claudio Rodríguez: «... *Conjuros* es un libro de amor: es un alma enamorada la que allí dialoga con cosas y seres y expresa su asombro y su gozo en frecuentes vocativos que encienden y alzan cada poema a un clima de fervor». Cfr. J.L. Cano, *Poesía contemporánea española*, cit., pág. 156. Por su parte, Prieto de Paula se hacía cargo acertadamente de la complejidad inherente al sentimiento de exaltación entusiasta en *Conjuros*; advirtiendo sobre el fondo sicológico muy vario, hasta incluso lo polarmente contradictorio, en el que se generan los entusiasmos apasionados de Claudio Rodríguez en esta segunda obra.

la respiración de sus paisajes familiares, la quintaesencia mejor preservada de todo un anecdotario entrañable de sentimientos, formas y figuras. A la profunda sagacidad artística del poeta no se le ocultaba que pudiera constituirse en un riesgo de debilidad sentimental y de desmesura autocomplaciente, en los términos en que un crítico tan favorable y leal a Claudio como el mismo Bousoño se sintió en la obligación de disculpar en el gusto de este libro, con relación a las ideas que alentaban por entonces en el caedizo realismo social de los cincuenta[8].

Pero el adelgazamiento practicado por Claudio de la presencia referencial del objeto alegórico: paisaje, tierra natal, llanura..., conlleva el resultado de una cierta volatilidad de la sustancia referencial, que se hace patente así en el nacimiento enunciativo del poema. La respiración de los objetos se desliza para ensamblarse con la respiración del propio enunciador, transfundida poéticamente en elemento indispensable de su misma esencia sentimental: «...y respiraría / hondo como estos árboles, sin ruido». Mientras que más adelante se convierte en una deliberada indistinción cósmica de voces poéticamente muy feliz. Así se funda y difu-

---

8. Resulta decisiva, sobre todo en relación a *Conjuros*, la cuestión de grado en la independencia del humanismo solidario de Claudio Rodríguez respecto a la solidaridad polémica que caracterizó la poesía social; sin olvidar que ésta constituía el contexto literario más pertinaz y omnipresente del que partía Claudio en España al componer su segunda obra. Prieto de Paula asumió la espinosa tarea de conjugar entre las matizaciones sutiles de los otros críticos aquellas que, como las de Siles o Dionisio Cañas, propendían resueltamente hacia la incidencia palpable de la voz social en *Conjuros*, frente a las que como la suya o la de Guillermo Carnero se inclinan a valorar el resultado opuesto (ibíd., pág. 125). Con el mayor respeto sea dicho por mi parte, como siempre, creo que en tal encrucijada crítica corremos todos el riesgo de involucrarnos en una de esas zonas hipercríticas tan frecuentes en las que acaba por esterilizarse el trabajo de la exégesis.

Ni lo que a este respecto dice Siles en «La palabra fundadora» *(cit.*, pág. 77) deja de ser perfectamente legítimo y asumible para la independencia poética de Claudio Rodríguez, con la leve inflexión evidente de *Conjuros*; ni resulta menos cierto tampoco lo que afirma Dionisio Cañas en el texto de «La mirada auroral...» (pág. 127) que cita el propio Prieto, en punto al grado de opacidad poética que la irresistible sombra contrastada de la temática social arroja sobre este segundo libro de Rodríguez, peculiarizándolo como un «momento de duda» respecto al resto de su obra. En todo caso, parece también acertada la afirmación de Carnero de que las actitudes distanciadoras y personales de Claudio en esta obra o en *Las brasas* de Brines, favorecen la superación al cabo muy deseada de la poesía social de los cincuenta. Cfr. Guillermo Carnero, «La poética de la poesía social en la posguerra», en *Leviatán*, 13 (1983), pág. 130.

mina toda referencia discriminante entre la palabra del poeta y las resonancias transfiguradas en el respirar del llano; ...«Tened calma / los que me respiráis, hombres y cosas / Soy vuestro. Sois también vosotros míos». El moderno irracionalismo sentimental de la voz del poeta, el que le granjea a su palabra aquel poder de conmoción nunca fallida de las voces poéticas mayores, vuelve a exhibir en estos mismos vaivenes e incertidumbres del sentimiento la poderosa compatibilidad entre los desencadenamientos sentimentales de la pasión y la refrenada distancia de las sensibilidades poéticas exquisitas. Un cruce que construye siempre el ideal perfecto del poema. Alcances últimos del apasionamiento más agudo que desembocan en el anhelo irracional de ser hostia oferente, saturación colmada del aliento trascendental. Y todo ello expresado en el ajustado ritmo de la rima consonante. Véase el final de este logrado poema-prólogo:

...pero algo me levanta al día puro,
me comunica un corazón inmenso,
como el de la meseta, y mi conjuro
es el del aire, tenso
por la respiración del campo henchida
muy cerca de mi alma en el momento
en que pongo la vida
al voraz paso de cualquier aliento. (pág. 70)

El doble plano necesario de la simbolización en que se descompone el esquema referencial de la alegoría, queda de esta manera confundido mediante las formas de tránsito incierto de la respiración: de aire sustancial de la meseta a aliento asumido del hombre. La timidez esquemática de la disemia alegórica, tan peculiar en Claudio Rodríguez según Bousoño[9], se ve así notablemente perturbada y desdibujada en el desleimiento del protagonismo enunciativo del poema. Pero este deliberado nivel de la fusión identificadora constituye a su vez una de las peculiaridades estéticas más defendibles en este texto, contraviniendo

---

9. Cfr. Carlos Bousoño, *Introducción*, cit., págs. 11 y ss.

a la inevitable condición de homogeneidad esquemática compartimentada de la alegoría. Es precisamente la rigidez connatural al esquema de la figura alegórica, lo que pone quizás actualmente en mayor riesgo —según el gusto hoy ya incomparablemente menos «realista» en poesía— el interés de un libro como *Conjuros*, publicado en 1958; es decir, en momentos de un acendrado realismo social generalizado a moda, que extremaba el sentimiento tradicional castellano de las mejores obras en la tradición emotiva de Unamuno y Machado[10].

* * * * *

Como si fuera sensible a la problemática figural de la visión y de la enunciación suscitada desde el texto anterior, el poema siguiente «A las estrellas» despliega con meticulosidad el conflicto del doble ámbito, interno y exterior objetivo, en las referencias de la alegoría. Tras el conjuro temático de entrada: «¡Que mi estrella no sea la que más res-

---

10. La pudorosa y amable cultura poética de José Luis Cano ha corroborado la incidencia de acentos de la tradición castellanista de Machado sobre *Conjuros* o sobre composiciones de *Alianza y condena* todavía próximas a la ambientación del libro anterior, como pudiera serlo «Ciudad de meseta»; éste, como el de las coincidencias con Guillén en otros tematismos y momentos de su obra, supone uno de los puntos en que la lectura de mis páginas por Claudio se ha esforzado más por subrayar el acento de su independencia. El análisis de Cano destacaba el predominio de las convergencias espirituales de la escenografía fantástica entre ambos autores, asentadas sobre un tono de humanización cordial de la poesía. Cfr. José Luis Cano, *Poesía española contemporánea*, cit., págs. 160-161. Sintomático asimismo al respecto, sobre la inevitable convergencia temática y espiritual entre el castellanismo de *Conjuros* y *Campos de Castilla*, resultan los incidentes de «ansiedad de la influencia» entre Claudio y Machado, según lo testimonia el anecdotario al que he aludido en varias ocasiones en relación a los títulos de este libro, tal como fueron debatidos entre su autor y Vicente Aleixandre: *Conjuros de Castilla*, *Poemas del alto Duero*, *Poemas de la meseta*, etc... El elemento de decisión más poderoso para excluir la mención de Castilla, de la Meseta o del Duero en el título de la obra, según el consejo de Aleixandre, era desvincularla al máximo de la proximidad de Machado. No es difícil imaginar cómo la poderosa intuición del fiel testigo contemporáneo de la composición de estos poemas que era Aleixandre, se había ido apercibiendo de la tensión intertextual en la que Claudio Rodríguez había conseguido felizmente afirmar, a lo largo de un delicado proceso de creación de cuatro años, su mitología temática personal y los perfiles de sus propios escenarios fantásticos sobre unos contenidos referenciales que habían exigido un permanente ejercicio de control intertextual absolutamente evidente, con la obligada gravitación de Antonio Machado.

plandezca / sino la más lejana», se inicia el despliegue de la situación glosada, minucioso incluso hasta el peligro de lo impoético: «...Antes era sencillo: tierra, y sin más, cielo. / Yo con mi impulso abajo y ellas siempre distantes». Se trata de dar cabida de nuevo a la imagen sacrificial muy divulgada en la primera poesía de Rodríguez, proclive siempre a sentirse a sí mismo como hostia y como pecho abierto al flechamiento sentimental en la llanura: «A qué lanzada al raso tan cercano / seguro blanco ofrece el pecho mío».

El horizonte objetivo, en este caso el horizonte final de las estrellas, se constituye dentro del poema en un referente grandioso para la reflexión extática del contemplador, que por momentos alcanza alturas de resonancia leopardiana. Pero junto a esa distinta meta, no falta el término contrario, el que introduce la perspectiva interna y con ella el itinerario del cotejo alegórico:

Ah, qué eterno camino se conpleta
dentro del corazón del hombre. Sin embargo, ahora nada
se puede contener, y hay un sonido
misterioso en la noche, y hay en cada
ímpetu del espacio un corpóreo latido. (págs. 71-72)

Pero la matriz de las polaridades en el cotejo alegórico no resulta siempre tan nítida y discreta en todas las composiciones de *Conjuros*. Ya en el poema siguiente «Día de sol», el estado íntimo de ánimo se contrae y confunde con la situación externa de abandono al riego descendente de la luz. El conjuro ahora se concentra en la invitación a los demás hombres para compartir el gozo de la gracia divina, un diseño mítico o universal connaturalizado para la poesía moderna desde la figuración olímpica de Hölderlin. En la sobria austeridad castellana del paisaje sentimental de Claudio Rodríguez, a la vez íntimo y exterior, las imágenes grandiosas de las cumbres alpinas vislumbradas por la imaginación del romántico alemán se ven acomodadas sensatamente a la circunstancia personal de la condición connatural al diseño espacial imaginario de exploración mesetaria.

Análoga coincidencia de planos registra la suplementación alegórica del tema también expresivamente hölderliniano —de un Hölderlin que no podemos asegurar si por entonces ya leído en traducción, aunque sí mencionado con profundo conocimiento de causa, según hemos constatado antes, en su Memoria de Licenciatura fechada en 1957— en «A las puertas de la ciudad». El término de reflexión íntima en este caso se constituye más bien en secuencia consecutiva, no simultáneamente como en la fusión de las alegorías más puras. El poema narra y sitúa un cambio interior en la salida del ensimismamiento cósmico de la ebriedad extática: el encuentro solidario en los otros, los amigos que pueblan festivamente el interior de la vieja ciudad[11]. «La bien cercada» Zamora al fondo, real y metafórica; o cualquier otro de los pueblos y lugares merodeados en sus caminatas castellanas. Situación que guarda curiosas semejanzas también, como la de la luz descendente de los poemas anteriores, con el popular retorno patrio de Hölderlin a las puertas de la dulce Lindau.

Se advierten convergencias con el gran lírico alemán en los versos de Claudio; si bien, resultan inevitables en todas estas etapas del mito universal iniciático, que se configuran primero como ensimismamiento olímpico del entusiasmo metafísico expansivo, para retraerse más tarde en melancólicos retornos del poeta exhausto tras la plenitud ardiente de la ebriedad iluminada. Obligatoriamente también, le faltaba aquí sosiego a Claudio, como le faltó la esperanza verdadera del encuentro sencillo y familiar en contraposición al fervor romántico de Hölderlin. Ni tan siquiera en este conjuro de acogida se promete a sí mismo el zamorano aquellos otros encuentros absolutos del afecto, la disolución total de las distancias con que se solazaba íntimamente el iluminado romántico. La euforia ocasional de Claudio Rodríguez es en este poema, como en su propia vida, ganancia momentánea muy limitada en el tiempo de su inquietud inextinguible; don de una ebriedad cordial ensombrecida siempre al fondo por un destino tempestuoso, aunque se proponga con toda su fe el espejismo idílico de la culminación de la concordia: «¡De par en par las puertas! Voy. Y entro / tan seguro, tan llano».

---

11. Dionisio Cañas ha constituido un absoluto mítico-poético sobre este filón de Claudio como poeta sagrado, radiante en su retorno cordial después de haber ardido en las llamaradas de la ebriedad metafísica: «Ebrio de misterio, sabe que lo suyo es hacer decible aquello que no le es comunicado sino desde la mudez. El poeta es, por su secreta sabiduría, un rey de la Naturaleza, pero cuando llega a la ciudad se convierte en un mendigo». Cfr. D. Cañas, *Claudio Rodríguez*, cit., pág. 11.

La tensión entre el énfasis conjuratorio y la alegoría simbólica por la preponderancia en ritmos, en sentimientos y en imágenes dentro de la extensión de cada texto seguirá manifestando alternativas varias en los restantes poemas de este libro primero de *Conjuros*. Así es casi completa la superposición alegórica de planos simultáneos en «El canto de Linos», donde la más aparente pintura descriptiva de las labores agrícolas va ofreciendo la pauta sobre la que se ordena la mención de la intensa crisis espiritual. Un tematismo básico en todos estos poemas de adiós a los éxtasis antiguos del ensimismamiento adolescente en la ebriedad, que encuentra su figura ejemplar en las restricciones concesivas: «Por mucho que haga sol no seréis puros / y ya no hay tiempo». Las imágenes siempre antepuestas, con el regusto de hechos y perfiles convividos de los trabajos y de los días para el atareado recolector frustrado, como en el mito de Tántalo o Prometeo menor que es este Linos, forman un tejido semántico sin fisuras, que ciega la historia paralela del corazón a cualquier otra lectura que no fuera la transustanciación alegórica, desarrollada por encima de las negaciones en preterición: «No digas más que tu cosecha, / aunque esté en tu corral, al pié de casa, / no será nunca tuya».

En esta etapa de reflexión ya distanciada respecto del estado báquico de perplejidad que animaba la llama poética en *Don de ebriedad*, las nuevas alegorías más puras y completas de «El canto de Linos» se manifiestan menos inspiradas y más difusamente organizadas que aquellas otras primeras donde se mantenía la distancia disémica mediante el aislamiento de los planos. En las nuevas composiciones, «Con media azumbre de vino» o «Al ruido del Duero», la contagiosa progresión de las ansias crece a impulsos poderosos de ritmos enormemente naturales, con lo que se repone en parte la candidez de los furores poéticos en el vate entregado a la fatalidad de su destino. Tal vez, no obstante, aquella primera grandeza transcendental de la metamorfosis cósmica en los nacientes versos de *Don de la ebriedad* se haya remansado más confiadamente en las nuevas horas del conjuro cordial y solidario; más allá incluso del efectismo enfático de ritmos e imprecaciones. En todo caso, puede elegirse —y el hombre elige siempre— entre la trabajosa altura del vuelo metafísico y el remanso cordial de los varios consuelos que se fingen los hombres abatidos.

Los poderes del énfasis resonarán supremos, en el meollo mismo del mito central poético y biográfico de Claudio Rodríguez, bajo el conjuro que inaugura el poema «Con media azumbre de vino»:

> *¡Nunca serenos! ¡Siempre*
> *con vino encima! ¿Quién va a aguarlo ahora*
> *que estamos en el pueblo y lo bebemos*
> *en paz? Y sin especias,*
> *no en el sabor la fuerza, media azumbre*
> *de vino peleón, doncel o albillo,*
> *tinto de Toro. Cuánto necesita*
> *mi juventud; mi corazón qué poco.* (pág. 78)

Objeto y sentimiento se confunden aquí en la eufonía del ritmo que pide sólo canto, entonación vital, vivencia de entusiasmo, ebriedad sonora de la voz subjetiva desasida en las menciones claras y parcas del nombre que asocia mágica y sentimentalmente; pasión del enunciado con sus ritmos eufóricos irrefrenables: inspiración activa de poeta. Hasta las exclamaciones más inocentes cobran ahora fuerza de entusiasmo esencial en la alta convicción del conjuro poético: «...¡Todos, / pisad todos la sola uva del mundo! / el corazón del hombre!». Y otro tanto en la andadura enfática de «Cosecha eterna», con el impulso que invita de nuevo a pisar la tierra, como antes la uva del corazón. Ritmo y tema continuos los del rotundo son del caminante al paso, que se corresponden con una de las más francas vivencias de la juventud solitaria y andariega del poeta[12].

Pero para énfasis poderoso, el del ritmo poético que mima las crecientes del susurro del río familiar, el duradero Duero vecino de la

---

12. Véase la glosa de Arturo del Villar sobre el alcance de este núcleo persistente de la simbolización imaginaria de Claudio Rodríguez, al que hemos atendido también nosotros en su expansión mítico-temática desde sus primeras afloraciones en el «Canto del caminar» de *Don de la ebriedad*. Cfr. Arturo del Villar, «El don de la claridad de Claudio Rodríguez», cit., pág. 22. Por esta veta simbólica del corazón, vena unitaria de la humanidad sangrante, corre uno de los cursos más activos del sentimiento de fusión sentimental entre lo íntimo, recónditamente doliente y sangriento, y lo natural exterior pleno de consuelos, que conforma un caudal poderoso de la energía mítica bajo perpetua metamorfosis poética.

infancia y compañero eterno de la andadura maldita del poeta. Del conjuro rumoroso al resonar del Duero, graduado en poderosos clímax expresivos, se aguarda el renacimiento de la fidelidad a la historia personal más empeñada, la que persiste a través de las jornadas duras y la que sobrevive a las caídas:

> *...Y si algún día*
> *la soledad, el ver al hombre en venta,*
> *el vino, el mal amor o el desaliento*
> *asaltan lo que bien has hecho tuyo,*
> *ponte como hoy en pié de guerra, guarda*
> *todas mis puertas y ventanas como*
> *tú has hecho desde siempre,*
> *tú, a quien estoy oyendo igual que entonces,*
> *tú, río de mi tierra, tú, río Duradero.* (págs. 81-82)

Ni siquiera las figuras del énfasis, la imprecación o las aún más patéticas deprecaciones, pueden garantizar completamente la autenticidad del latido apasionado de la voz del poeta en los casos en que la alegoría cristaliza en sus formas absolutas. Así sucede en el poema de cierre de esta primera parte, «A mi ropa tendida», subtitulado — impropiamente por esta sola vez— según el consejo de Aleixandre: «el alma». Un símbolo habitual, como sabemos, al que Claudio Rodríguez confía la expresión del sentimiento autocompasivo. Algo se resiente sin duda en ejemplos como éste la altura del entusiasmo lírico, mantenida con acendrada intensidad moral a lo largo de la obra sobre la base de una impostación extenuante de la espontaneidad patética. El complejo despliegue explicativo del simbolismo alcanza aquí hasta lo confuso en ciertos pasos y roza lo obvio otras veces; pero salva en todo caso estos poemas la ternura de la compasión apasionada. La alegoría que iluminó certezas y que se desdobló en vacilaciones paradójicas bajo la ebriedad de los primeros años, se desvanece ahora, de nuevo insuficiente, cada vez que trata de afirmarse como estructura única, connatural al cotejo de las exploraciones vitales del poeta; pero nunca más ya la voluntad del énfasis poemático para rescatar y añadir energía al flujo remansado de las alegorías.

* * * * *

La coincidencia de las figuras sumadas del énfasis y de la alegoría contribuye en el libro primero a subrayar evidencias vehementes sobre la vitalidad sentimental de las realidades en presencia: del palpitar de la llanura a la gravitación del cielo estrellado, de la importancia de la caricia cálida del riego solar a la exaltación de los instantes del nuevo saludo solidario para los vecinos de siempre; o del movimiento exultante de ritmos regocijados, al calor de los vinos de la tierra, hasta el fondo de compañía fundida en el rumor del Duero duradero. A partir de este punto sin embargo, el subrayado temático del énfasis ilumina otros rasgos en los objetos del tiempo; ya que los tiempos —tiempo en presencia, pretérito nostálgico de pasado, y tiempo de futuro con eternidad exenta al transcurso de la duración— se perfilan como verdaderos objetos temáticos en el segundo libro de *Conjuros.*

De ese modo se organizan los contenidos de la nostalgia sobre el transcurso del tiempo: dulce melancolía teñida por pasiones a la vez elementales y penetrantes del sentimiento del paisaje. La viga sobreviviente de la techumbre arruinada de la casa —«A una viga de mesón»— motiva el apóstrofe que traduce la mezcla de convicción profunda y de impotencia ante un proceso vital inexorable, ajeno a los alcances del yo: «¡Si veo las estrellas, si esta viga / deja pasar la luz y no sostiene / ya ni la casa!». La reflexión melancólica que suscita el objeto, convoca al espíritu del hombre para transcender hasta el plano de las constataciones más tristes sobre la futilidad de los afanes y las ilusiones humanas, capaces de construir con entusiasmo un día lo que a la postre se desvanecerá bajo el inexorable destino de la ruina, del irresistible tránsito del tiempo: «...Viga / de par en par al resplandor que viene / y a la dura faena / del hombre, que ha metido / tantos sueños bajo ella, tanta buena / esperanza...». El objeto en presencia, por su misma incompletez constitutiva de viga aislada, de inútil trabazón para un techo derruido, queda transfigurado por la proyección poética de su destino de «contrafuerte del cielo»; al mismo tiempo que el conjuro, la exhortación enfática a aquella viga metafóricamente transpuesta a sustento del cielo, debilita necesariamente su entidad expresiva de imprecación quimérica, de deseo imposible.

Toda clase de riesgos de exceso amenazan a la melancolía poética. Claudio Rodríguez se ha arrojado tal vez con más vehemencia de verdad a ella que ningún otro espíritu sutil entre nosotros desde el Romanticismo de Bécquer: quizás como él, únicamente Machado en la poesía y Azorín en la prosa. En las heridas sensibles, en la nostalgia por el pasar del tiempo que aporta siempre el tematismo poético de las ruinas, lo que eleva a nuestro poeta invariablemente es el apasionado nivel del enfoque temático, capaz de disimular sus candores más obvios. Y lo mismo acontece con sus reflexiones en «A las golondrinas», donde el virtuosismo mimético de unos ritmos acelerados de sugerente cenestesia, a partir ya del «impromptu» del comienzo imperioso de las anáforas, introducen el tema «in medias res»: «¿Y me rozáis la frente, / y entráis por los solares igual que por el cielo / y hacéis el nido aquí ruidosamente...?». Exclamaciones e interrogaciones a los testigos fugaces de este instante del cotejo reflexivo que aportan la modalidad del énfasis; raptos de la celeridad en las imprecaciones puramente retóricas del conjuro: «¡Que no os sienta / este cuerpo, que no oigan nada puro / estos oídos!...¡Acribilladlo ahora!... ¿Dónde, dónde me escondo?» Todo tiende hacia la radicalización elusiva de la presencia en la nostalgia de un tiempo sin retorno.

Con la melancolía temporal de estos *Conjuros* se constata la resonancia sentimental de las cosas inertes, de las presencias muertas contra las que se estrella toda ilusión humana de permanencia y eternidad. Límite de la pared de adobe paradójicamente más duradera que el hombre, como la viera Silver[13], precisamente a partir de la contradicción de que no vive; y límite igualmente el de la golondrina porque marcha en bandadas paradójicas de seres sin individualidad para el observador que reflexiona: ellas, que van y vuelven renovadas pero esencialmente idénticas en su puntualidad de cita, en su rigor de rito.

---

13. Acertadamente ha destacado Philip Silver, en el movimiento figural contradictoriamente «paradójico» que incluye la argumentación temática de este poema, otra de las constantes simbólicas fundamentales de la poesía de Claudio: «clave —dice el crítico americano— de toda su poética». Cfr. Philip Silver, «Claudio Rodríguez o la mirada sin dueño», *cit.*, págs. 236-237. En adecuada correspondencia con la implicación figurativa de la alegoría personal-objetual que implica el trabajo simbólico de las paradojas reclamadas por Silver, Dionisio Cañas recordaba muy oportunamente también sobre este texto el momento en que Rodríguez, rememorando a Keats, confesaba la tendencia de todo gran poeta verdadero a devenir objeto, él mismo, del poema. Cfr. *Poesía y percepción*, cit., pág. 93.

Por eso prefiero y creo preferibles estos apasionados destellos instantáneos de la emoción de Claudio Rodríguez, y no aquellos otros poemas que contienen exposiciones más construidamente argumentadas de la vivencia alegórica personal, como la que se contiene en el paseo narrado en «Dando una vuelta por mi calle»[14].

La situación evocativa que preside este poema se repite entre guiños confidentes de unas mucho más entrañables estrecheces en «Primeros fríos»: «¿Quién nos calentará la vida ahora / si se nos quedó corto / el abrigo de invierno?»; con la productiva fricación sentimental de las sensaciones convividas sobre el calor del hogar y los intensos fríos de Castilla. El conjuro reclama llanamente por eso las casi desvanecidas imágenes del pasado: «¡Todas a mí mis plazas, mis campañas, / mis golondrinas! / ¡Toda a mí mi infancia antes de que esté lejos!».

Conjuros para el pasado que se enlazan con el mito del *beatus ille...* en «Alto jornal»; quimera sobre lo apacible, serenidad nunca alcanzada en la inquietud esencial de las vivencias tiernas de Claudio Rodríguez. Imagen de una experiencia de quietud plenaria ajena a él mismo por definición: «vuelve a su casa alegre y siente que alguien / empuña su aldabón, y no es en vano»[15]. Y como la fugacidad traidora del presente se resistía antes a los conjuros que trataban de fijarla en inválidas formas de imprecación retórica, ahora, para el pasado que nunca vuelve en total plenitud, el poeta se sabe confinado entre las presencias fugitivas de una memoria estéril e ilusoria, como la de

---

14. Jonathan Mayhew ha puesto en conexión la temática divagatoria del poema con su forma argumentativa, según él hábilmente conseguida en el proceso de vacilaciones y ritmos accidentadamente conversacionales de su elocución. Cfr. Jonathan Mayhew, «The Motive for Metaphor: Claudio Rodríguez´s *Conjuros* and the Rhetoric of Social Solidarity», en *Symposium*, 43,1 (1989), pág. 44.

15. Contra el parecer más generalizado de la crítica, la aguda sensibilidad de José Olivio Jiménez ha exaltado el poema «Alto jornal» como uno de los más destacados en *Conjuros*, coincidiendo en ello, por lo que a mí personalmente me consta, con la valoración del propio Claudio. Se funda su opinión en datos personales de gusto, por ejemplo su recuerdo de la fluida intensidad de la composición para él análoga a determinados textos de Martí; y sobre todo en la interesante intuición que hace de este poema una suerte de epítome de la estructura temático-formal y de la situación espiritual y moral fundante del total de *Conjuros*, donde el nivel previo metafísico flexiona y «se ha inclinado hacia la tesitura moral». Cfr. José Olivio Jiménez, «Para una antología esencial...», cit., pág. 106.

la lluvia: «Y qué importa que impida / la trilla o queme el trigo / si nos hizo creer que era la vida». Aquel final de «Lluvia de verano», cierre del libro segundo.

La ineficacia del conjuro es plena, méramente retórica, cuando el tiempo se torna dimensión imposible para las experiencias del sujeto. El cerro de Montamarta proclama, desde la metáfora del discurso prestado por la voz del poeta, su imposible tangencia inanimada con los ceros del tiempo. Angustia mineral, desolación inerte de aquel «inmenso volcán hacia los aires»; los cruces con la vivencia transferida del hombre se petrifican en la hondura imposible de unas sequedades de eternidad geológica distantes al corazón, indiferentes. Y otro tanto sucede cuando se considera la alteridad insalvable de la nube remota, sin las alegorías que la apropien metafóricamente, en el poema que, con «El cerro de Montamarta dice», completa el breve libro tercero de *Conjuros*, «A la nube aquella».

Ya hemos visto en el apartado correspondiente a *Conjuros*, dentro de la primera parte temática de nuestro libro, cómo la muerte insinúa su impronta de término atajante en la última parte de la obra. Formalmente esa fugitiva presencia temática se anuncia entre metáforas sutiles de vibración de luces recordadas y de oreos delgados en la «Visión a la hora de la siesta»: la vida tejedora y las parcas cortando el hilo de la labor. Pero la fugitiva insinuación se hace crónica detallada y expresa en la ejemplar alegoría del poema «Incidente en los Jerónimos». La desbordada narración del grajo aprisionado «con el sol del membrillo, el de setiembre» entre muros y cúpula, extenuándose hasta el último aliento, propone una serena reflexión alegórica en torno a las aporías postreras del hombre y a la impotencia de sus previsiones sobre el final inexorable.

El grito que nos sitúa «ex abrupto» en el texto, no localiza por sí mismo ni la urgencia del hombre ni la del grajo; es la voz de los dos y la de todos: «¡Que ahora va de verdad, que va mi vida / en ello!». A partir de aquí la alegoría se despliega en dos ramas muy desiguales: es detallada en pormenores de presentimiento la mención en el texto del debatirse agónico del pájaro con el riquísimo engaste de sus memorias vistas, próximas siempre a los recuerdos vivos del caminante de la tierra; mientras que resultan simples intuiciones implícitas las transferencias del incidente alegórico a la vida humana. Trasponemos, es cierto, a cada paso los términos separados: la entrada por el ventanal hacia la sagrada bóveda de la niñez alude con claridad a los balances consagrados de las evocaciones más ceremoniosas y solemnes[16] en el recuerdo de las postrimerías; y es la misma sed de perduración la que proclama la tregua requerida por el grajo y la que siente el corazón inquieto de los hombres. Como también es idéntica la certidumbre sobre el final: «¡Prometo / no tocar nada, pero que esto dure! / No durará. Dejadme / donde ahora estoy, en el crucero hermoso / de juventud...». Mejor dicho, el único patetismo retrospectivo lo pone aquí razonablemente la experiencia articulando en voz el desesperado debatirse de la agonía muscular del pájaro cercado. Y sin embargo, en el artificioso enfoque de la razón alegórica de lo narrado, se asiste únicamente al desarrollo recto de la agonía animal: ...«¿Quién me ha metido / en el cañón de cada pluma la áspera / médula gris del desaliento... / Qué marejada, qué borrasca inmensa / bate mi quilla, quiebra mi plumaje / timonero...»[17].

El conjuro general contra el inquietante enigma de futuro y de muerte es la pasión de vida. Otros poemas del libro articulan el mito dulcificador contra el reseco tiempo de futuro. A modas de la época sin duda, pero sin duda también a la cordialidad salvadora de Rodríguez, responde su solución de más alto consuelo: la solidaridad, la compañía, el encuentro de los semejantes, la comunión con todos los vecinos. A partir de «La contrata de mozos» comparece en *Conjuros* la serie de poemas de solidaridad[18]. Composición familiar muy convivida que se extrema en figu-

16. También Dionisio Cañas ha asociado la solemne arquitectura del poema y de su escenografía fantástica a la inversión en una atmósfera de sacralidad solemne vinculada a los antecedentes de la mirada contemplativa en poetas como Valéry. Cfr. *Poesía y percepción*, cit., págs. 108-109.

17. El tortuoso alternarse en el protagonismo enunciativo en el texto de la doble perspectiva que introduce la confusión entre el sujeto enunciador y el del enunciado, se refleja en las variantes finales del poema que, como recordaba J. Mayhew, ha pasado de una primera versión donde la disemia alegórica quedaba de manifiesto: «un grajo, un hombre a tierra»; a la posterior lectura definitiva de «un grajo aquí, ya a tierra». Cfr. J. Mayhew, «The Motive for Metaphor», *cit.*, pág. 49.

18. El poema «La contrata de mozos» es el texto de *Conjuros* que señala el ápice más directo y explícito en la incidencia de la llamada «poesía social». Ya hemos recogido en una nota anterior, con carácter general, las perplejidades de la crítica sobre el grado de influencia o de independencia libre de Claudio Rodríguez en relación al intertexto social español. Tratando de

ras de *narración* cargadas de sinceros alientos solidarios, capaces de paliar las debilidades de una tentación de abigarramiento pintoresco arraigada en los gustos del lugar y la época. El conjuro lo aporta el grito de espe-

---

no caer ahora en el defecto que he achacado antes a otros, creo que resulta necesario y evidente para el total de *Conjuros* —incluso de este mismo poema— destacar una vez más la absoluta independencia de Rodríguez. Las razones para esa singularidad del temperamento personal del poeta son las mismas, a mi modo de ver, que las que animan siempre su irrepetible independencia creativa: su respeto supremo por el don recibido de la palabra poética como fatalidad de destino, que no se doblega ni se sacrifica ante nada; ni tan siquiera al poderoso cerco de la conciencia política. Un don más encontrado que buscado en el caso de Claudio y hasta tal vez incluso, con el tiempo, más secretamente sufrido que calurosamente cultivado.

Así me parece que sea todo siempre en el destino personal y poético de este hombre poeta. Su sorprendente capacidad de acierto en las circunstancias más dispares y hasta contrarias, que se atribuye elementalmente a don de destino y a fatalidad de inspiración, requiere sin duda una explicación sicológica más circunstanciada y convincente. En la aclaración de razones profundas, creo que ha de contar aquí de forma destacada el comportamiento de los mecanismos síquicos generadores de complejos temáticos, como el de la contradictoria vocación autodestructiva que inspira en Claudio las liturgias místicas de la oblación, el flechamiento y la arada divina; lo mismo que también este otro mito de la fraternidad solidaria, correlativo al de la ceremonia sacrificial de la hostia. En ese contexto, el desplazamiento íntimo de la afectividad de Claudio al fondo sentimental de las emociones naturales de la fraternidad solidaria, a la vez espontáneas e ingenuas, es sin duda una actitud arraigada y sincera en la fantasmagoría sentimental consciente del poeta. Pero es también una «máscara» cordial supeditada, en un segundo repliegue, a una conciencia activa y superior de destino y de facultad poética. Sobre esa base de convicción, que se manifiesta a la propia conciencia de Rodríguez como sorpresa ante unas facultades excepcionales compatibles con el hábito estable de una certeza con forma de destino, Claudio ensaya y pone en práctica sincera todas las opciones vitales de su fantasía. En ellas conviven animadamente actitudes de realidad, como éstas por las que se trasmuta cordialmente en sensibilidad y hábitos de juventud rural, junto a cristalizaciones míticas como la de su transfiguración mítica del robo sacrílego. Un cáliz, como se ha dicho ya núcleo simbólico de incidencia muy poderosa entre los mitos de su imaginación, que acaba por ser también metamorfoseado como fórmula del misterioso sexo femenino, árido y mineralizado en el poema tardío «Ahí mismo» de *El vuelo de la celebración*; es decir, en el momento de madurez en que el símbolo inicial eufemístico se atreve a desvelar conscientemente el término verdadero de su tabú sexual.

En relación a las cuestiones centrales para *Conjuros* y *Alianza* de la solidaridad cordial con los convecinos y los amigos de juventud, los hábitos de sublimación poética habituales en Claudio le llevaban a soslayar en la práctica las formulaciones ante todo apoéticas de la poesía social. Sean cuales fueren las raíces de un mismo movimiento de adhesión cordial —razones de ética convencional política en los poetas de consigna social y razones de moralidad íntima en Claudio Rodríguez—, los resultados artísticos bien diferenciados entre él y los poetas sociales proclaman la irreductible voluntad de no supeditar su convicción última y sublime a las por entonces asfixiantes «condiciones» de la conciencia literaria. Precisamente un testigo muy próximo y experto de aquel

ranza: «¡Nadie recoja su corazón aún!», y la certeza visionaria de una redención siempre remota en la voz conmovida del poeta: «Tened calma, los oigo. Ahí, ahí vienen». Se participa en la tragedia general ahondando la verdad conocida de la espera: «Y así seguimos mientras cae la tarde, / mientras sobre la plaza caen las sombras»[19].

En «Un ramo por el río» la extremada pericia en todo lance del escenario campesino del «peatón celeste» que podría ser el mismo Claudio, se estiliza poéticamente en la pintura del retablo de la ceremonia conjuratoria con el eufemismo floral para la muerte: el conjuro del ramo sobre el río puesto por los más jóvenes. El inocente gesto solidario y colectivo, a su vez, constituye el conjuro de compañía que minimiza el miedo de la muerte: ...«ved que es cosa / de niños! Tanto miedo / para esto». Y mediante la lapidación del ramo arrastrado por la morosa corriente se simboliza el poder supremo del calor vecinal, la fuerza del contagio afectuoso en la proximidad bien convivida. Poco importa que sea una fiesta sólo de año en año, porque un año es un plazo capaz para ensayar la vida:

---

proceso intertextual de la escritura de *Conjuros* dentro el marco social de la poesía de los cincuenta como es José Olivio Jiménez ha marcado, sobre todo, las diferencias que peculiarizan la independencia y superioridad de Claudio. La frescura inmarchitable de sus sentimientos sociales de solidaridad cordial arrancaría del hecho de haber desdeñado cualesquiera «anteojeras dogmáticas», discurriendo, según Jiménez, por «las fases sucesivas de un proceso en el que la conciencia moral se impone tanto como la decisión objetivadora y trascendental del espíritu». Cfr. José Olivio Jiménez, «Claudio Rodríguez, entre la luz y el canto: sobre *El vuelo de la celebración*», cit., pág. 113.

19. Philip Silver ha formulado un análisis intelectual e internamente histórico-literario sobre el tipo de diferencias en la problematización poética en que se manifiesta la conciencia social, que aflora diferencialmente entre *Conjuros* y su intertexto poético contemporáneo, desde la perspectiva necesariamente distante de extranjero respecto a su cultura española apasionada. Silver asume la compartida explicación de que la poesía social procedía de las fuentes que él llama de la «izquierda republicana» de Unamuno y Machado, mientras que la inspiración intelectual que nutriría, para él, la conciencia social de los poetas del 50, como Brines o Rodríguez en *Conjuros*, sería la tradición de pensamiento procedente de un «centro republicano» que tiene a Ortega como su pensador fundamental y que habría encontrado en la templanza intelectualizada de poetas como Guillén o Salinas su expresión antecedente más aproximada. Así se propició que, según Silver, fueran ellos, los del 50, «los primeros poetas desde la guerra civil que se han sentido libres para escoger pasarse o no sin los dogmas de Derecha e Izquierda, poner el poema primero y leer los versos de antes de la guerra, de los poetas exiliados... sin prejuicios sociales». Cfr. Philip W. Silver, «Nueva poesía española: la generación Rodríguez-Brines», en *Ínsula*, 270 (1969), pág. 14.

...Ya no se ve. Dios sabe
si volverá, pero este año
será de primavera en nuestro pueblo. (pág. 115)

«El baile de Águedas» cuenta con poco más de fondo colorido que la evocativa y recia convocatoria popular del título; pero aun así no desmerece, bajo su estructura alegórica, de la tonalidad común popularista que anima en la verdad todos estos poemas. Solicitud ahora del poeta al baile solidario, a la danza de todos, de la que él queda excluido como forastero y extraño por los años gastados en los antiguos saberes altaneros de la ebriedad: «Águedas, aguedicas, / decidles que me dejen / bailar con ellos». Porque en el fondo a todos amenazan las mismas sombras inaplazables: «...óyeme tú, que sabes / que se acaba la fiesta y no la puedes / guardar en casa como un limpio apero, / y se te va, y ya nunca...».

En el conjunto de todos estos poemas de solidaridad es donde mejor se percibe el doble juego alusivo que es connatural a las alegorías. Así la escena muy reconocible de «La contrata de mozos» simboliza una situación universal del destino del hombre: la necesidad de vender las propias fuerzas, la pujanza vigorosa de la juventud para el trabajo en la heredad extraña. La penosa cuestión de destino es la que constituye en tales casos la sacudida moral de todos estos textos; y no la animación pintoresquista de unas escenas que, por sí mismas, acabarían en la inanidad de lo meramente decorativo y costumbrista. Lo mismo se puede decir de la situación general comprometida en «El baile de Águedas», donde el desarrollo mítico del alejamiento y la voluntad de retorno solidario adquieren amplitud esquemática de iluminación antropológica sobre actitudes y sentimientos innatos en el hombre, merced al diáfano funcionamiento del trasunto generalizador alegórico[20].

---

20. Téngase en cuenta que el manejo figural de las alegorías forma parte de los mecanismos de sublimación de la diferencia referencial, que Claudio Rodríguez cultiva y practica rigurosamente como instancia innegociable de su voluntad poética de metamorfosis. En tal sentido, Jonathan Mayhew ha acertado al acogerse a un horizonte semiótico mucho más lato que el meramente semántico-referencial explícito, para ilustrar de manera convincente la intuición que separa y distingue a Claudio de su intertexto contemporáneo de «poesía social». Es fecundo partir, como hace

Como es habitual en el cuidado cálculo de sus libros, «Pinar amanecido», el poema con el que se cierra la obra, aspira a constituirse en síntesis ejemplar de todo ese discurso. Aquí la eficacia del conjuro, redoblada retóricamente en la prohibición preteritiva, se impone sobre la debilitada presuposición alegórica. Cuenta sobre todo la voz del ritmo en el conjuro, la animación sonora de las imprecaciones. Y la suma introduce por las líneas del verso un creciente rumor de entusiasmo y misterio poético. Alentado impulso en esa veta fervorosa del ritmo del conjuro, que combate difícilmente los repuntes del mensaje pesimista al término del idilio[21]:

> ...Viajero
> sigue cantando la amistad dichosa
> en el pinar amaneciente...
> ...Tú nunca
> digas por estas tierras
> que hay poco amor y mucho miedo siempre. (pág. 122)

En síntesis, la fórmula del conjuro encauza, bajo el énfasis retórico de su dramatismo convencional, la tensión emotiva que dota a la poesía de Claudio Rodríguez en todas sus épocas de su atractiva intensidad patética, fluctuando entre la amenaza íntima del desgarro

---

Mayhew, del principio de Burke que expone la superioridad de toda forma de «identificación», como lo es la aproximación solidaria, cuando se ha generado previamente —y sería el caso de la conciencia superadora del «destino» poético que funciona imperativamente en Claudio Rodríguez— sobre una conciencia de «diferencia». En la tesis general de Mayhew, la conciencia poética de emoción arraiga un principio de distancia diferencial, que establecería el resultado de una superioridad sentimental verdaderamente sublime. Cfr. Jonathan Mayhew, «The Motive for Metaphor», cit., págs. 37-38.

21. Las impulsiones fervorosas del conjuro no alcanzan a difuminar en este último texto del libro la gravitación del fondo contraidílico de amenazas que palpita en los últimos versos del poema, a los que Jonathan Mayhew les concedió ya acertadamente un marcado relieve de anticadencia argumentativa (Ibíd., págs. 51 y 54). De ellos ha deducido Philip Silver la condición culminante de amenazada sombra universal, generosa y cruel, que ostenta la poesía grandiosa de Rodríguez: «Verse cara a cara con la verdad cegadora de esta poética, con la herida ontológica que no se restaña, es enfrentarse con la muerte... como silencio planetario, absoluta indiferencia cósmica». Cfr. Philip Silver, «Claudio Rodríguez o la mirada sin dueño», cit., pág. 236.

trágico y la firme voluntad de salvación mediante el compromiso del idilio narrativo. El esquema figural retórico del énfasis optativo o imperativo, en exclamaciones o interrogaciones existenciales no epistémicas, traduce al espacio mítico y emocional de la segunda obra de Rodríguez las antiguas zozobras emocionales de la ebriedad. El peligro no arranca ahora ya de las añejas quimeras imaginativas del deseo proyectado hacia las plenitudes inasequibles de lo absoluto, sino de las amenazas realísimas de la muerte o de la soledad, que afloran en el momento en que el poeta ha radicado en tierra sus anhelos. Lo limitado que se alcanza contra lo infinito que se anhela, la tragedia segura que se constata —la muerte, el miedo, la miseria, la soledad— frente a la solución quimérica de su conjuro; así crece y se concreta, de obra en obra, la presencia del *dualismo problemático* que los mejores críticos del poeta han intuido como la médula conformante de su impulso radical[22], desplegada en estructuras simultáneas e interactivas semánticas y sintácticas, míticas y argumentativas. El menadismo eufórico de la ebriedad adolescente fingió en otro tiempo atajar las tribulaciones del dualismo con la quimera paradójica nocturna y las convergencias ilusorias en el idilio de *Don de la ebriedad*. Ahora en *Conjuros*, el dualismo desestabilizador patético empieza a oponerle sus sólidos obstáculos al entusiasmo idílico; el conjuro comparece así como la alternativa a las amenazas de lo adverso y trágico. A lo largo de la galería de convenios retóricos de la obra se va minando la confianza en el poder resolutivo eficaz del conjuro; de ahí que en la composi-

---

22. Tal vez ha sido Prieto de Paula, también en esto, el crítico que ha insistido más asiduamente en la dialéctica de opuestos como el paradigma medular del impulso que regula las figuras míticas del tematismo y las fórmulas expresivas en la poesía de Rodríguez. Concretamente, en su interpretación de *Conjuros*, Prieto atribuía al dramatismo de esa tensión de «opósitos» no ya, como nosotros, la razón de ser de los esquemas figurales del énfasis del conjuro en concreto, sino la sustancia general de la intensa expresividad patética que comparece en la variedad de recursos expresivos enfáticos de los poemas de Claudio: «La coexistencia de la cara y la cruz del vivir —argumenta en la conclusión de su capítulo sobre *Conjuros*— se encarna en un sostenido diálogo entre alegría e ilusión, mediante la técnica lírica del contrapunto. Así se va conformando una relación dialéctica de opósitos, que se manifiesta en explosión interjectiva, entre vocativos e imprecaciones, apóstrofes y formas verbales imperativas, haciendo de cada poema una explosión simultánea y radial de brillos múltiples». Cfr. Ángel Luis Prieto de Paula, *La llama y la ceniza*, cit., pág. 158.

ción final de «Pinar amanecido» la fórmula conjuratoria asuma la instancia de la preterición, que proclama una realidad contraria a la que formula.

La construcción figural de *Conjuros* ilustra ejemplarmente el comportamiento recíproco entre la pauta retórico-estructural deliberada y querida: la impostación del énfasis en la figura de la *imprecación*, junto a la del *cotejo alegórico* establemente asentado bajo las convergencias resignadas del reconocimiento en el regreso y manifiesto en la nueva facilidad del texto de cada poema acotado y ajustado por su extensión y título. Una estructura que expresa y despliega la actitud general exploratoria de la lírica, con el matiz suplementario de la identificación convergente tematizado en el mito de los reencuentros iguales que se gradúan en el trayecto mítico del retorno. En el desarrollo de su programa literario, siempre fiel a las etapas de la propia maduración vital, Claudio Rodríguez se propuso profundizar en el periodo de *Conjuros* las consecuencias éticas del conocimiento poéticamente transfigurado de la realidad, que la paradoja había velado con sorprendente originalidad en su primer libro *Don de la ebriedad*. El vehículo expresivo para verificar ese programa espontáneo de reforzamiento sentimental sobre los objetos inmediatos de exploración y de radicalización ética solidaria se lo ofrecieron las estructuras figurales de unas alegorías reforzadas emotivamente, en el caso de la trabajada cordialidad de este poeta, por las figuras del énfasis y de la imprecación. En esa coyuntura, la tradición rítmico-expresiva de la propia poesía y las inercias de intimidad espontánea del sentimiento retorizado de Rodríguez van desplegando la variedad de manifestaciones del énfasis que exhibe la obra. Pero simultánea a la presencia textual subrayada en el título del libro del figuralismo retórico del énfasis, la estructura figurativa del cotejo alegórico prolonga y refuerza sus hábitos de presencias habituales. Así se consolida el proporcionalismo alegórico como la estructura retórico-figural correspondiente al comportamiento adquisitivo de la imaginación de Claudio. Estructuras de la argumentación y actitudes significativo-simbólicas sustanciales que se proyectan felices o se frustran hacia su plasmación en el texto, conjugando la necesaria armonía de lo universal y de lo único en la configuración estética del poema.

El ritmo textual y sus estilemas poemáticos intensos

El registro de los estilemas sintagmáticos intensos de *Conjuros* refleja y corrobora las determinaciones del planteamiento artístico de la macrofiguralidad. Al acrecentarse las presencias objetivas de los referentes en el cotejo alegórico, decrece proporcionalmente aquella suerte de testigos irracionales de la metamorfosis que poblaban el estilo poemático de *Don de la ebriedad*. Los atisbos del peculiar irracionalismo metafórico identificado por Carlos Bousoño como ápice en los poderes de transfiguración de la poesía de Claudio no desaparecen en esta segunda obra, pero desde luego resultan mucho menos frecuentes. En consecuencia, las imágenes que depositan sus apariciones en los textos entran ahora en clara función de complementariedad estilística adjetiva, introduciendo el efecto de unas afloraciones instantáneas y aisladas del poder transfigurante del discurso poético dentro del «cursus» general alegórico del estilo, mucho más controlado ya en *Conjuros* por la lógica expositiva de la discursividad real.

Como compensación, las nuevas formulaciones de la imagen, más directas y distanciadas entre sí en el cuerpo del poema, ganan en esta segunda obra una intensidad de evidencia entrañable que favorece la falsa impresión, inmediata y superficial, de continuidad estilística desde el libro precedente. Y sin embargo la lectura atenta y detallada de *Conjuros* corrobora absolutamente las diferencias en términos de densidad de los trasuntos irracionalistas de la metamorfosis. Desde el primer poema las situaciones se han invertido claramente: que la llanura respire y nos respire es una atribución lineal de animación prosopopéyica, que no alcanza el grado de retorsión paradójica a la racionalidad naturalista presente en las composiciones de retoricidad argumentativa más compleja de *Don de la ebriedad*. Así aquel otro ver más diáfano y paradójico en la ausencia de luz que presidía muchas situaciones paradójico-alegóricas del libro primero. A partir de ahí, el despliegue de las intuiciones de la nueva fórmula de transposición transparente no excede casi en ningún extremo los términos racionales de una proyección metafórica estrictamente controlada: «... Mire / quien mire, ¿no verá en las estaciones / un rastro como de aire que se alienta?»; o bien: «Por eso la mañana aún es un vuelo / creciente y alto sobre / los montes, y un impulso a ras del suelo»; y lo mismo: «pero algo me levanta al día puro, / me comunica un corazón inmenso, / como el de la meseta...». Meros trasuntos poéticos, como se ve, de una sensibilización de lo real que no quiere invertir la pauta naturalista de su lógica.

Claro que en ese proporcionalismo nunca paradójicamente secante de los planos de la convergencia alegórica, los toques aislados de transgresión irracionalista resultan ahora más perceptibles por contraste, al tiempo que exhiben un grado superior de densidad simbólica causada por el acrisolamiento familiar de sus parámetros de vuelo imaginativo mejor reconocible. Es el caso de aquel «taller claro de muerte» de «A la respiración en la llanura», o bien la imagen recién fundada del palomar y las palomas, tan grata o tan siniestra, que ha de alcanzar calado persistente en el futuro de los símbolos dominantes en la imaginación del poeta, y que encontramos ya en el segundo poema «A la estrellas»: «¿Qué palomares de aire me abren los olmos?». Complicada entre el trasunto directo de la transposición metafórica de las altas estrellas y la portentosa transustanciación irracional del recuerdo del «aire de la almena» sanjuanista, sobreviene el remontado efecto imaginario de aquel otro estilema poderoso en esta misma composición: «Oid: ¿quién nos sitia acaso las celestes almenas?». Todo ello entre una continuidad de las estructuras ya familiares de la orientación imaginaria espacio-temporal en el peculiar escenario mítico de Claudio Rodríguez: «Pero en la sombra hay luz y en la mañana / se hunde una oculta noche cerrando llano y río»; así como de las situaciones simbólicas más arraigadas en las imágenes personales de *Don de la ebriedad*: las incisiones en surco o en lanzada de la luz descendente. Imágenes que al fijar su continuidad de presencia entre los atributos más frecuentados en las metamorfosis del poema, confirman su entidad central de constituyentes míticos en el universo imaginario y en los arsenales retóricos de la expresividad de Claudio. Así funciona, por ejemplo, en el mismo poema «A las estrellas» la reiterada imagen de la protección fetal del grano guarecido bajo la cutícula protectora de la vaina: «...siguen viviendo apenas / como el grano en la vaina, que es su límite oscuro».

Pero lo que en definitiva persiste y llega a dominar la lógica del nuevo cuerpo poemático es la serena expresión, económica, recta y naturalísima. En consecuencia, el tenor estilístico constata continuadamente los fundamentos de su referencialidad implícita en momentos del mismo poema como: «... y hay un sonido / misterioso en la noche, y hay en cada / ímpetu del espacio un corpóreo latido». Así cualquier transfiguración, incluso las imaginativamente más desarrolladas y violentas, afianza su calado simbólico en las reconocibles coordenadas del mecanismo metafórico proporcionalista, sin la distancia remota de las antiguas retorsiones paradójicas: «¿Dónde están las montañas? ¿Dónde las altas cumbres / si está más cerca siempre mi llanura / de las estrellas...».

En ocasiones la nueva radicación más natural y directa de las nuevas imágenes idiosincrásicas de Claudio llega a rozar incluso riegos notables de desarme poético. Véanse si no en qué se traduce la figura imaginativa del descenso solar y el flechamiento hacia el final del poema «A las estrellas»: «Y así, marcadme, estrellas, como a una res. ¡Que el fuego / me purifique»; o en el siguiente titulado «Día de sol». Lo mismo en el desarrollo más completo de la imagen tópica dentro del texto que cierra el libro primero de *Conjuros*, «A mi ropa tendida», a partir de la presencia misma del subtítulo redundante de («El alma»). Evidentemente, con el abandono notorio de la imaginación irracionalista, el descenso de la tensión poética declinaba estilísticamente en todas estas primeras composiciones relativamente naturalistas de *Conjuros*, en cuanto que predominan los tanteos de la radicación cotidiana: banalidad de las imágenes, riesgos de ociosidad en el ajuste expansivo de la reflexión meditativa —«Como al atardecer el cerro es nuestra ropa»—, y un para mí siempre molesto amparo, escasamente poético, en la dramatización coloquial de ciertas impostaciones del discurso: «¡Si hay algún valiente, / que se la ponga! Sé que le ahogaría», etc, etc.

Todo ello no llega a desmerecer sin embargo los hallazgos estilísticos, imaginarios y sentimentales prometidos desde la nueva urdimbre recrecidamente naturalista que se configura como cantera peculiar, con marcado desarrollo futuro, en el estilo de Claudio: la que se introduce en la entraña sentimental de lo vecino y sabe extraer el mejor jugo y paladeado del fruto cotidiano. La que evidencian los siguientes versos del poema «Día de sol»:

Repón tu apero, corazón, colono
de este terreno mío.¡Que sea hoy el aviente,
que sea hoy el espadar del lino
y se nos mulla y quede limpio el grano!

En correspondencia con la menor densidad de los estilemas me-
tafórico-irracionalistas intensos en el continuo discursivo de *Conjuros*, aumenta correlativamente el protagonismo textual de la sintaxis
argumentativa encargada de representar el proceso reflexivo de la «meditación», que sustituye en este segundo libro a las tendencias, entusiastas, fragmentarias y exclamativas, del énfasis manifestadas antes
en *Don de la ebriedad*. Los nexos de la discursividad hipotáctica aparecen ahora perfectamente ajustados, estructurando el enunciado sobre las reglas gramaticales de la restricción lógica, en alternancia con
los vocativos, las fórmulas imperativas y las imprecisiones encargadas de confirmar el conjuro conductor de la apelación en los distintos
poemas. Un fragmento que puede ejemplificar este tipo de organización argumentativa, con antecedentes muy directos en los modelos estructurales de nuestra poesía clásica, lo ofrece por ejemplo el arranque
del poema «A la nube aquella»:

Si llegase a la nube pasajera
la tensión de mis ojos, ¿cómo iría
su resplandor dejándome en la tierra?
¿Cómo me dejaría oscurecido
si es clara su labor, y su materia
es casi luz, está al menos en lo alto?
¡Arrancad esa límpida osamenta
dejando ver un corazón aéreo,
fuerte con su latido de tormenta!
Qué vida y muerte fulminantes. ¡Sea
también así en mi cuerpo!... (pág. 103)

El juego progresivo de la condicionalidad irreal con las interrogaciones enfáticas seriadas y después con las exclamaciones imperativas
y optativas, supone un esquema de discursividad retórica de rigurosa
condición tradicional. Otras muchas estructuras similares que combinan

la enunciación y el énfasis sintáctico, podrían ser multiplicadas aquí como ejemplos habituales del estilo.

La argumentación y formulación textuales del conjuro asume por tanto habitualmente un «cursus» que imita la reflexión en voz alta. Una presencia de voz que se desdobla a veces en fórmulas de diálogo interno con los interlocutores inertes conjurados, como en el poema «A las golondrinas»; o bien con la propia conciencia desdoblada enunciativamente, real en casos como «A las puertas de la ciudad» o alegóricamente en «A mi ropa tendida». Pudiendo aparecer también un interlocutor solitario o más frecuentemente plural, como en «A la respiración en la llanura», etc. Esta suerte de animados diálogos interiores en el seno de los textos de *Conjuros*, como alternativa enfática a la enunciación monologante, alcanza en ocasiones fórmulas de animación espontánea de extraordinaria vivacidad, cual aquellas en las que el proceso de enunciación simula incluso cambios de orientación, arrepentimientos o contradicciones. Véase por ejemplo en «Día de sol»:

> *No pasó de ella. Os dejo,*
> *ahí os quedáis. Quisiera...*
> *¡Pero ni un día más! Os aconsejo*
> *que ya que así estáis bien estad siquiera*
> *con llaneza y con fe. ¿Por qué ha venido*
> *esta mañana a mí a darme tal guerra...?* (pág. 73)

Modelos de animación coloquial que son característicos de *Conjuros* y que imitan con fidelidad perfiles habituales en el comportamiento expresivo espontáneo del propio Claudio.

* * * * *

La constitución del ritmo integral poemático en la segunda obra de Claudio Rodríguez guarda una especial relación de coincidencia con el cuidadoso cálculo de la construcción dialéctico-argumentativa de los textos; de forma que resulta particularmente perceptible el peso de la diferenciación argumentativa entre principio, cuerpo y final de cada poema. Plano de continuidad en la estructuración del texto que subraya el orden natural progresivo del despliegue del *impulso* inicial en las dos formas, interior y externa, que lo desarrollan.

En el libro primero de *Conjuros*, se agrupan textos en los que se ve implicada una tendencia expansiva y durativa de la exposición, una continuidad rítmico-enunciativa que ha favorecido en determinados críticos y lectores como Carlos Bousoño la propuesta alegórica. En este caso, la evidencia de la alegoría estaría fundada en el factor aludido de progresividad *expansiva* de la enunciación simbólica, antes incluso que en la condición propiamente translativa o metafórico-expandida entre los dos planos, real y simbólico, que debe concurrir simultáneamente en la constitución canónica de las alegorías clásicas. La tendencia rítmico-constructiva de las composiciones de esta primera parte es la opuesta a la de concentración metonímica o sintomática del simbolismo que agrupa homogéneamente a un buen número de textos del libro segundo, como «A una viga de mesón» o «Ante una pared de adobe». En estos otros predomina la focalización temática reconcentrada bajo el esquema de parte-todo o de síntoma real individualizado frente a extensión universalizable.

La condición manifiestamente planificada y exenta de los comienzos de poema se plasma en fórmulas expresivas muy variadas, pero que evidencian en conjunto su condición intencional de marcadores estilísticos conscientes. En ocasiones es el «conjuro» principal del texto, bajo estructuras expresivo-retóricas del énfasis como son las exclamaciones, lo que se anticipa constituyendo el acorde de comienzo. Así se cumple en los dos primeros poemas de esta primera parte: «¡Dejad de respirar y que os respire / la tierra, que os incendie en sus pulmones / maravillosos!»; y en la optación exclamativa dirigida «A las estrellas»: «¡Que mi estrella no sea la que más resplandezca / sino la más lejana!». En otros casos, lo que se anticipa es una afirmación sustantiva sintácticamente distanciada y exenta del cuerpo sucesivo de la enunciación. A veces será una sentencia, una afirmación categórica casi apotegmática, como en «El canto de Linos» — «Por mucho que haga sol no seréis puros / y ya no hay tiempo»—, mientras que otras veces se trata de enfatizar el comienzo «in medias res», como en el caso de «Cosecha eterna»: «Y cualquier día se alzará la tierra». Esta modalidad de comienzo con el recurso ilativo elemental de la conjunción copulativa se repite en otros principios de extensión algo más amplia, pero con la misma voluntad de sorprender desde la precipitación del asunto «in medias res». Es el caso del poema inmediatamente sucesivo «Al ruido de Duero», que se inicia: «Y como yo veía / que era tan popular entre las calles / pasé el puente y, adios, dejé atrás todo». La misma intención de comienzo «ex abrupto» la testimonia el poema «A mi ropa tendida», el último de este libro primero: «Me la están refregando, alguien la aclara»; puesto que en él la doble deixis catafórica del pronombre reiterativo *la* sin antecedente —si no pensamos en el título— establece eficazmente el juego enfático del comienzo «in medias res».

Sólo en dos casos de este primer libro, el comienzo poemático no se configura según alguna de estas fórmulas fragmentarias con marcada sustantividad estilística. Uno es el del poema «A las puertas de la ciudad», donde predomina en conjunto la tonalidad narrativa, aunque la rápida puesta en situación a cargo de la perífrasis durativa encargada de introducir la expresión —«Voy a esperar un poco / a que se ponga el sol...»— suscita con extraordinaria eficacia el efecto de tiempo interior implicado dentro de la explicación temática de la temporalidad narrativa externa; un juego textual éste del que tanto disfruta Claudio en poetas como Antonio Machado. El segundo caso de inicio difuminado en el cuerpo de la enunciación es el del poema «Con media azumbre de vino», si bien aquí se puede pensar contrariamente en un despliegue rítmico más extenso de los poderosos acentos iniciales, que prolongan el entusiasmo enunciativo protagonista de todo el poema. Recuérdese el arranque del arrebatador «impromptu» del conjuro: «¡Nunca serenos! ¡Siempre / con vino encima!», etc.

Tan sintomática como la construida intención estilística de los comienzos poemáticos se revela la de los finales. En terminos generales, resultan también muy definidores sobre el estilo de Claudio Rodríguez los efectos de contrastes y anticlímax rítmicos confiados frecuentemente a súbitas expresiones de despedida o a retorsiones expositivas de la argumentación introducidas por medio de fórmulas de arrepentimiento, de negación o mediante el fuerte efecto irónico de la figura retórica de la preterición. Son fórmulas coloquiales de cierre de la enunciación o despedida las que encontramos en el rápido ajuste fragmentario sobre el último verso de «Día de sol»: «Tapad vuestra semilla. Alzad la tierra. / Quizá así maduréis y habréis cumplido». Y aún más explícitamente el final de «Con media azumbre de vino»: «Ante esta media azumbre, gracias, gracias / una vez más y adiós, adiós por siempre. / No volverá el amigo fiel de entonces». En «Cosecha eterna» el efecto de anticlímax rítmico se expresa mediante la restricción adversativa combinada con un difuso conjuro imperativo: «Pero ya qué más da. La culpa es nuestra / y quién iba a decirlo, pero vedlo: / mirad a nuestros pies alta la tierra». Sin embargo, la expresión retórica más marcada entre las negativas para estos anticlímax finales del ritmo la provee el uso reiterado de pretericiones, como en «El canto de Linos»: «...No digas más que tu cosecha, / aunque esté en tu corral, al pie de casa, no será nunca tuya»; anunciando la fórmula a que se acogerá orquestadamente el ritmo de cierre de la obra en el último poema de la obra:

> ...Viajero,
> sigue cantando la amistad dichosa
> en el pinar amaneciente. Nunca
> creas esto que he dicho:
> canta y canta. Tú, nunca
> digas por estas tierras
> que hay poco amor y mucho miedo siempre. (pág. 122)

En otros casos, como en los poemas «A las estrellas», «A las puertas de la ciudad» y «Al ruido del Duero», el marcador de cierre textual consiste en la reiteración de alguna de las formas enfáticas —imperativas y otras— del cambio, constituyendo una de esas estructuras circulares en espejo, que acotan y sujetan manifiesta e intencionalmente la construcción rítmica de los textos. Pues no otra es la intencionalidad estilística del autor con este género de manipulaciones de la construcción rítmica: intensificar las sensaciones de unidad textual cerrada y construida de cada poema.

Acotados tan sólida y cerradamente por los marcadores textuales de principio y final, el desarrollo del cuerpo textual en las composiciones de la obra favorece la reunión de un bloque compacto de continuidad temática sobre el que puede constituirse la atribución alegórica.

Sin embargo, observado cada poema en detalle, podemos constatar la ausencia característica de una voluntad de traslación sistemática del sentido, que es lo que funda las alegorías. Para empezar, el tipo de metaforismo de *personificación* que constituye el cuerpo textual de un poema como «A la respiración en la llanura», con la atribución de un aliento monumental al seno de la tierra pisada por el caminante, se distancia reiteradamente en su formulación de la unidad y el simbolismo misterioso sin fisuras de la transferencia alegórica. Antes bien, predomina en el poderoso ritmo que decide el impulso textual, un fragmentarismo enfático exclamativo donde se cruzan alternadamente los planos de la experiencia estrictamente humana del caminante observador con la personificación poética del protagonismo inmenso de la llanura.

Un tenor semejante se constata respecto al modo en que accidentan las formas intensas microtextuales del estilo la continuidad del bloque de alegorismo estricto en el resto de composiciones del libro primero. La animación prosopográfica de las estrellas y de la elevación del suelo en el segundo poema no encierra en sí ningún programa de constancia simbólico-alegórica. Se trata más bien de la ponderación poética, fuertemente impostada en un vibrante ritmo sentimental con claras consecuencias de transfiguración exornativa, de una 'fisis' que nunca llega a cancelar el plano de las referencias naturales. Respecto «A las puertas de la ciudad», no alcanzamos a descubrir la alegoría en el punto de partida, absolutamente objetivo, de las perplejidades biográficas del autor ante la situación poetizada de su retorno efectivo a Zamora.

En tales términos, la peculiar «disemia» que suplementaba obligatoriamente para Bousoño la atribución de simbolismo alegórico a las composiciones de *Conjuros*, se sustancia más bien en valencias de los estilemas terminales con predominio directo y naturalista, potenciadas poéticamente por los artificios emotivos de ponderación metafórica y de asociacionismo sintagmático irracionalista centrado en las licencias de subcategorización anómala. Evidentemente cualquier situación individual ofrece posibilidades de generalización universalizable, como la del retorno patrio o la de quien, como en «El canto de Linos», tiende a pensar que la consecución de algún bien se debe en exclusiva a la retribución de sus esfuerzos. Sin embargo, en la construcción peculiar de tales casos, se trataría antes de un alegorismo demasiado genérico y obvio, predicable de cualquier situación concreta en cualquier género de hechos.

Todavía nos parece más débil e incierta, a la luz del refuerzo de los estilemas terminales elocutivos, la voluntad alegórica del autor en la configuración argumentativa de composiciones como «Con media azumbre de vino» o «Cosecha eterna». El núcleo simbólico de ambos textos, las imágenes de la uva-corazón y del vino-sangre, o la de la tierra pisada-vientre materno heñido, se ofrece por una parte absolutamente desplegado y explícito sobre la doble vertiente, real y simbólica, de su circulación metafórica. Pero además, en ninguno de los dos textos se configura dicho simbolismo nuclear en constituyente único del tematismo, sino en una más —tal vez la dominante en todo caso— de las metáforas sustantivas que concurren fragmentariamente a conformar la metamorfosis poética irracionalista del fondo de realidad. Porque es en definitiva esa realidad natural, intensamente sentida y entrañablemente ponderada y transfigurada poéticamente, la que constituye el fundamento de la inspiración poética de Rodríguez.

La mejor prueba de ese déficit simbólico en la intención compositiva del poeta la proporciona la anécdota del subtítulo «el alma» sugerido por Aleixandre para la composición «A mi ropa tendida». Actualmente, Claudio Rodríguez confiesa su perplejidad de entonces sobre la interpretación alegórica que hizo Aleixandre, y que motivó el redoblamiento del subtítulo. Una ambivalencia bastante simplista de la que no había sido consciente el propio poeta, y sobre la que después y actualmente se muestra radicalmente escéptico. En todo caso, la condición de equivalencia simbólica de aquellas prendas tan convividas ofrecidas al sol por las realísimas lavanderas que observaba diariamente Claudio en su trabajo, participa del impulso universal de sacralidad transfigurante —«Todo es sagrado ya y hasta parece / sencillo prosperar en esta tierra»... había exclamado en «El canto de Linos»—, que decide la percepción totalizadora de la mirada poética. En definitiva, el supuesto plano alegórico de *Conjuros* no se ve cumplido cabalmente en las yuxtaposiciones simbólicas «ad hoc» del tematismo natural de cada poema, sino en el de la transcendentalización universalista del impulso global de la metamorfosis lírica. Otra cuestión de límites entre las «formas».

* * * * *

Los poderosos ritmos poemáticos de *Conjuros* siguen siendo en definitiva la instancia que conduce estilísticamente las iniciativas expresivo-temáticas de los esquemas figurales del énfasis que formulan la urgencia imprecativa. No hay poema del libro en realidad que no se acoja al exquisito cuidado de ese ritmo, que conjunta y asume contenido y expresión, reflexión y enunciado; desde las optaciones exclamativas del poema «A la respiración en la llanura» hasta el ritmo sintáctico tonal de las negaciones abiertas y las pretericiones que acabamos de citar y con las que concluye la obra en «Pinar amanecido». Pero en ciertos poemas esa instancia poética global del ritmo poemático, a la que tan fiel y universalmente se pliega siempre Claudio Rodríguez, alcanza un protagonismo tan exaltado que llega a convertirse casi en el significante temático del énfasis. A tal respecto es obligado recordar de nuevo los poderosos ritmos con que debuta la voz del entusiasmo báquico en el poema «Con media azumbre de vino»:

> *¡Nunca serenos! ¡Siempre*
> *con vino encima! ¿Quién va a aguarlo ahora*
> *que estamos en el pueblo y lo bebemos*
> *en paz? Y sin especias,*
> *no en el sabor la fuerza, media azumbre*
> *de vino peleón, doncel o albillo,*
> *tinto de Toro. Cuánto necesita*
> *mi juventud; mi corazón, qué poco.* (pag. 78)

Las estructuras rítmico-expresivas a las que se confía el excelente resultado de la animada andadura del ritmo, combinan los recursos tradicionales de la alternancia entre exclamaciones e interrogaciones enfáticas junto a las treguas aseverativas de la tensión. Todo ello modificado peculiarmente por la escansión frástica siempre en conflicto con el impulso de autonomía versal; pues más que formas de encabalgamiento suave o abrupto, la frecuente distribución entre hemistiquios versales de las unidades de aseveración gramatical señala la pauta de modernización rítmico-enunciativa más frecuente por Claudio a lo largo de toda su obra.

La constitución de un ritmo poemático amplísimo y mantenido sin caídas alcanza auténtica condición protagonista en la mayoría de los textos de *Conjuros*, como el del poema «Al ruido del Duero», donde se tematiza muy precisamente el paralelismo simbólico entre el fervor sonoro de las crecidas rítmicas del poema y el rumor universal de las aguas de un Duero referente, desbordado a torrente crucial de vidas en compañía. Expresión e imágenes de avenida subiendo de la ribera hasta el otero que centra la ciudad, tras la prontitud enfática del comienzo «in medias res»:

> *Pero hasta aquí me llega, quitádmelo, estoy siempre*
> *oyendo el ruido aquel y subo y subo,*
> *ando de pueblo en pueblo, pongo el oído*
> *al vuelo del pardal, al sol, al aire,*
> *yo qué sé, al cielo, al pecho de las mozas...* (pág. 81)

Pluralidad de apelaciones a una escucha del rumor incesantemente inmenso, que acompaña persistente y continuo el transcurrir de vidas y de historias plasmadas en apelaciones imperativas evidenciadas pluralmente por el redoblado efecto de las exclamaciones y las anáforas:

> *¡Oíd cómo tanto tiempo y tanta empresa*
> *hacen un solo ruido!*
> *¡Oíd cómo hemos tenido día tras día*
> *tanta pureza al lado nuestro, en casa,*
> *y hemos seguido sordos!*

Ritmo fundido, pluralidad sonora bien acoplada de rumores externos referentes y del creciente rítmico interior de la enunciación poemática:

> *...Oh, río,*
> *fundador de ciudades,*
> *sonando en todo menos en tu lecho,*
> *haz que tu ruido sea nuestro canto,*
> *nuestro taller en vida. Y si algún día*
> *la soledad, el ver al hombre en venta,*
> *el vino, el mal amor o el desaliento*

asaltan lo que bien has hecho tuyo,
ponte como hoy en pie de guerra, guarda
todas mis puertas y ventanas como
tú has hecho desde siempre,
tú, a quien estoy oyendo igual que entonces,
tú, río de mi tierra, tú, río Duradero. (págs. 82-83)

Ocioso me parece en un análisis no precisamente propedéutico sino destinado a lectores iniciados, alargarme a subrayar en detalle sobre estos versos —o en los muchos lugares estilísticamente equivalentes de *Conjuros*— las estructuras fónico-acústicas, gramaticales y retóricas que dan por resultado las logradísimas sensaciones de clímax. Gradaciones textuales, gramaticales y rítmicas que constituyen el rotundo efecto retórico-imaginario de unos poemas que tratan de asimilar la sensación de movilidad acelerada en el conjuro, tal como el titulado «A las golondrinas»; o aquellos otros que acompañan fielmente con la andadura en clímax mantenido del significante la narración de un proceso culminante de agonía y de muerte, cual «Incidente en los Jerónimos».

La metamorfosis estilística y la densidad ficcional del testimonio lírico

Los ejemplos analizados antes introducen una tensión categorial importante a propósito de los entendimientos más habituales de la liricidad poética y del realismo referencial característico de la literatura testimonialista de la poesía social. Sobre *Conjuros* se ha discutido, como sabemos, la profundidad y penetración que la poesía social coetánea alcanzó en sus enunciados, sobre todo en algunos como «La contrata de mozos» o «El baile de Águedas» y «Pinar amanecido». Por lo menos, parece inevitable asumir de *Conjuros* que se trata del momento de la obra de Claudio en el que la referencialidad alcanza las fórmulas más directamente naturalistas; es decir, cuando el cotejo objetivo-subjetivo constituyente de la modalidad enunciático-mimética convencionalizada como poesía lírica trasluce una entrada más desnudamente objetiva, si no un predominio de las entidades referenciales de la realidad, en relación con las dosis de idealización y estilización aportadas desde la peculiar analítica personal subjetiva que funda los efectos de *metamorfosis* en el enunciado.

Con todo, los análisis sobre la estructura de la argumentación en *Conjuros* que hemos realizado hasta aquí —de los que, según resulta habitual, no desdicen tampoco en este sentido los excursos y catas practicadas más ocasionalmente sobre la prolongación homogénea del estilo en las formas de la microestructura—, abonan las sensaciones de una fuerte modificación subjetiva de los estándares objetivos del realismo a cargo del estilo poético de Rodríguez. Ni tan siquiera, pues, en la etapa de producción lírica que todos convienen en considerar más próxima al realismo objetivo del testimonio social, la constitución densamente lírica del estilo y la visión poética de Claudio dejaban de asociar poderosísimas dosis de transfiguración, de *metamorfosis*, sobre las referencias objetivas a las formas de realidad incorporadas en el enunciado lírico. Conviene añadir a lo anterior que el fenómeno peculiar de la metamorfosis que defendemos aquí en concreto sobre la poesía de Claudio Rodríguez, es sin duda un fenómeno mucho más general y constitutivo de la enunciación lírica, en la que la estructura fundante del *cotejo* determina a través de la metamorfosis de signo subjetivo del referente el peculiar efecto de *ficcionalidad lírica* en la operación literaria de mímesis.

Volviendo a nuestros análisis, si los estilemas del ritmo poemático y de la gradación enunciativa en clímax constituyen los principales expedientes formales de la figuralidad enfática del *conjuro*, las fórmulas expresivas de la representación simbólica serán las que vehiculen estilísticamente la realización poética del peculiar metaforismo extenso al que Bousoño calificaba gráfica y contradictoriamente —según sabemos—de *alegoría disémica*, el segundo de los modelos figurales dominantes en la simbolización del libro de *Conjuros*.

Ya hemos señalado en distintos lugares, de acuerdo con la descripción de los mejores críticos de Claudio Rodríguez, el tránsito que se produce desde la exaltación hímnica del anhelo metafísico e inciertamente nocturno de *Don de la ebriedad* a la radicación postural y terrestre de la meditación actuada en *Conjuros*. En consecuencia, el análisis atento de los procedimientos y rasgos expresivos intensos microtex-

tuales ilustra importantes aspectos estilísticos en este tematismo fundamental de la nueva radicación relativamente naturalista de la experiencia, siempre afectada por los efectos peculiarmente «ficcionales» de la
metamorfosis y expresado macrosintácticamente, segun hemos visto, por
el esquema de las metáforas textuales extensas y de las alegorías, disémicas o puras.

Un poema como «Cosecha eterna» evidencia desde su mismo título y con el desarrollo textual de su enunciado completo el doble
campo, real y metafórico, sobre el que se desarrolla la metamorfosis
simbólica. La labor de los campos y la maduración y siega de esta
cosecha propone el símil peculiar, plasmado en toques coloristas y en
detalles característicos, que simboliza la otra recolección gozosa, la
moral, la de restitución y cumplimiento de la justicia solidaria. La
imagen de la tierra como fértil vientre materno fecundado propone el
paralelismo de los dos procesos simbólicos simultáneos. Primero como
cocción y trasunto de esperanza:

> ¡Pronto, pisadla ahora,
> que sube, que se sale,
> la leche, la esperanza
> del hombre, que ya cuece
> el sobrio guiso de la vida! (pág. 79)

e inmediatamente después bajo la imagen temática más habitual de la
cosecha:

> ...y ved bien, a pesar nuestro,
> cómo llega la hora de la trilla
> y se tienden las parvas,
> así nos llegará el mes de agosto,
> del feraz acarreo,
> y romperá hacia el sol nuestro fiel grano
> porque algún día se alzará la tierra.

Todo el poema desarrolla e integra en el efecto de aproximación
al yo y de garantías referenciales objetivas propio de la metamorfosis
lírica el tipo de detalles formantes de las alegorías de la siembra, la

cosecha y la recolección. Primero las preguntas sobre el sembrador: «¿Quién con su mano eterna / nos siembra claro y nos recoge espeso?»; después la mención obligada de la siembra a voleo de los seres creados: «nuestra semilla al viento», para dar entrada a las habituales metáforas del arado, aquí modificadas por cierto en una nueva imagen poderosa: «... ¡Ved, ved nuestro surco / avanzar como la ola, / vedle romper contra el inmenso escollo / del tiempo...». Y todo ello bajo el dominio del crecimiento imaginativo del símbolo universal de la madretierra, vientre feraz sobre el que los hombres, sus hijos, imprimen con su paso y su trabajo el heñimiento que da forma a la masa de su sustento honrado:

> ...¡A la tierra,
> a esta mujer mal paridera, demos
> nuestra salud, el agua
> de la salud del hombre! ¡Que a sus hijos
> nos sienta así, nos sienta
> heñirla sin dolor su vientre a salvo. (págs. 79-80)

Pero a partir de aquí se reproduce el animado surtidor de imágenes que complican con su presencia la estricta pureza de la alegoría. Porque lo que se abre paso hasta la superficie del texto, es la compleja metamorfosis del término espiritual traspuesto por el simbolismo alegórico de la cosecha, bajo expresiones de referencialidad misteriosa que se concretan en fórmulas de reverencia sagrada como la del sonoro endecasílabo: «Sagrado es desde hoy el menor gesto». La alegoría estricta exige, a partir de la experiencia transparente del plano significativo natural, una cierta unidad temática del vehículo simbólico, que en el caso de la segunda parte de «Cosecha eterna» queda fragmentada en variedad de imágenes familiares: el baile y la verbena fraterna, la respiración de la tierra, el rumoroso trote del redil lejano, la camisa guardada y la ropa puesta al sol, nuevas menciones del símbolo del riego y del jornal del hombre...; así hacia la poderosa representación dominante de la elevación final del vientre fecundado de la tierra.

A la vista de todo ello, cabría plantearse si el modelo retórico estricto, clásico y medieval, de las alegorías puras puede tener cabida en el desarrollo previsible, de la poesía meditativa moderna, con sus formas entreveradas de transustanciación referencial y de metamorfosis poética. La complejidad del simbolismo traspuesto en los poemas de Claudio Rodríguez, representativos por lo demás del tipo habitual de enunciados en la poesía contemporánea, obliga a descartarlo. Las exquisitas complicaciones y matices que exige la metamorfosis literaria moderna se avienen mal con el ingenuo esquematismo diáfano posible en los libros alegóricos medievales o con la elementalidad simbólica de las fábulas didácticas neoclásicas. Así, un poema casi puramente alegórico tras la intervención explícita del subtítulo como es «A mi ropa tendida», cuyo cuerpo textual está ocupado mayoritariamente por los símbolos naturales directos del metaforismo mítico tan familiar en Claudio de la ropa oreada al sol, sostiene muy trabajosamente la pretensión alegórica que se le trata de atribuir sin la referencia al trasunto simbólico espiritual añadido en el subtítulo «(El alma)». Declaración que acabamos de ver como, contra el parecer del propio Claudio, imaginó necesaria para la comprensión del poeta Vicente Aleixandre[23].

Ante las evidencias de complejidad de la metamorfosis subjetivo-objetiva, Claudio Rodríguez deja constancia simultánea de la doble presencia del metaforismo. Recuérdense por ejemplo los siguientes versos, que formulan un comprimido epítome de los planos complejos de simbolización que conviven en el poema «A las estrellas»:

23. El riguroso sentido del análisis le lleva a Prieto de Paula a identificar en las composiciones de *Conjuros* la misma interferencia alternada que hemos detectado nosotros entre los planos real y simbólico, constitutivos de la alegoría; quedando por tanto desautorizada en términos estrictos la atribución indiscriminada de esa figura retórica específica como esquema que pueda definir la modalidad enunciativa en las composiciones de la obra. Concretamente es a partir del análisis de las alternancias e interferencias de planos en el texto del poema «A mi ropa tendida», considerado con razón —sobre todo a partir del accidente «a posteriori» del subtítulo aleixandriano— como uno de los más estrictamente alegóricos del libro: «Ni los códigos están verdaderamente separados en el poema, ni existe una correspondencia lógica en todos los casos». E insiste más adelante: «En general ha de admitirse que no están claramente diferenciadas las barreras entre los planos, desproporcionados en cuanto al número de elementos que los componen (a favor del más concreto o costumbrista), y que existen nexos relacionantes dentro de un mismo sintagma, o entonaciones que hacen imposible la lectura restringida, aun cuando no haya palabra alguna que pertenezca a la ladera abstracta». Ibid., pág.140.

¿Dónde están las montañas? ¿Dónde las altas cumbres
si está más cerca siempre mi llanura
de las estrellas? ¿Dónde están las lumbres
de un corazón tan fuerte, tan hondo de ternura
que llegue en todo su latido al cielo?
Esto es sagrado. Cuanto miro y huelo
es sagrado. ¡No toque nadie!... (pág. 72)

Se advierte aquí la reiteración del mismo sentimiento resultante: la sensación del plano de lo sagrado que sobreviene a la conciencia deslumbrada tras las apariencias inmediatas, menesterosas e intrascendentes de los escenarios cotidianos. En tales términos, toda evidencia sensitiva: la viga del arruinado mesón, el paredón de adobe sin contorno, el baile del día de Águedas; todo revela al espectador sensible la metamorfosis sorprendente y sagrada que la contemplación reflexiva del hombre es capaz de descubrir, encariñadamente, en las cosas y en los actos más comunes y humildes a través del cristal metafórico del alegorismo simbólico.

Acabamos de hablar de metamorfosis encariñada de las cosas sensibles, de los humildes testigos de la realidad en torno cotidiana. Aludimos con ello a una de las fuentes mejor percibidas por el público y la crítica en *Conjuros*. En efecto, alguno de los más reconocidos estilemas de la obra son los que expresan los aciertos encargados de transparentar lo trascendente en todo ese universo de circunstancias. Por esta vía de la metamorfosis espiritualizada de lo cotidiano se ventea la sublimidad de las metamorfosis alegóricas: «...Mire / quien mire, ¿no verá en las estaciones / un rastro como de aire que se alienta?»; y el estilo verbal debe ajustarse al máximo para representar tan sutiles traslados sobre lo material: «Por eso la mañana aún es un vuelo / creciente y alto sobre / los montes...», se dice en el alba madrugadora de «A la respiración en la llanura»; o bien sobre el latido impalpable que se deja sentir muy tenuemente en las densidades sagradas de la noche: «... y hay un sonido / misterioso en la noche, y hay en cada / ímpetu del espacio un corpóreo latido», tal y como se alcanza a formular en el poema «A las estrellas».

La persistente selección practicada por las metamorfosis subjetivistas de Claudio sobre los constituyentes naturales de la simbolización alegórica[24] suele centrarse preferentemente en *Conjuros* sobre aspectos de una realidad entrañablemente rural y hasta si se quiere corpóreamente rústica. Peculiaridad que no ha dejado de granjearle a esta poesía de tan amplias raíces tradicionales innumerables solidaridades y entusiasmos lectores subyugados por la «diferencia» de signo naturalista que, excepcionalmente, adensa sus presencias en el proceso de la metamorfosis referencial del estilo poético de Claudio. En eso se han ponderado sin límite, a partir de esta segunda obra, los aciertos alusivos del estilo para expresar sentimientos y vivencias muy sinceras y enraizadas —hasta lo laborioso en ocasiones— dentro de una sentimentalidad cordialmente artesanal y campesina. Una filiación emotiva que se recrea especialmente en la propiedad de los nombres y en las palpitaciones vivacísimas de los sentimientos. Como en «Día de sol»:

> *Repón tu apero, corazón, colono*
> *de este terreno mío. ¡Que sea hoy el aviente,*
> *que sea hoy el espadar del lino*
> *y se nos mulla y quede limpio el grano!* (pág. 73)

Los nombres naturales, al conjuro de la entrada de su capacidad de conducción del factor objetivo de la metamorfosis en el portentoso ropaje de estos ritmos, descubren o se ven contagiados en su entalladura poématica como equivalentes de conjuros míticos sustanciales en la imaginación[25]. Recuérdense los singulares acentos de revelación familiar que el engaste en el animado ritmo progresivo de «Con media

---

24. Sobre el difícil ajuste de la alegoría estricta al esquema argumentativo de los poemas de Claudio, remitimos a nuestras consideraciones en la nota anterior, suscitadas desde la estructura de este mismo poema.

25. En su Memoria de Licenciatura contemporánea a la elaboración de *Conjuros*, varias veces mencionada ya en este capítulo, insistía Claudio Rodríguez en el valor conjuratorio y mágico que los términos propios, las palabras naturales arrancadas en su caso desde el medio directo de campos y talleres, llegan a alcanzar como propiedad «analogista» del ser mismo de los objetos de la realidad. La cosa estaba particularmente clara para Claudio en el caso del lenguaje infantil: «Este sensualismo nominal —decía en la tesina mencionada— ('realismo' lo llama Piaget) traía consigo, pensé, la falta de distinción entre el poder del nombre y la cosa. Por consiguiente, el nombre atrae. Estamos en pleno territorio mágico. El nombre recibe una cargazón, una sazón tal de realidad que

azumbre de vino» introduce en el nombre común de los caldos donceles, albillos o peleones, o del tinto de Toro; o aquellas otras entrañables vaharadas de emoción natural fecundadas de historia, que amplia la simple mención de los topónimos, como el de la tierra de Osma en el poema «Ante una pared de adobe».

La intensidad de todas estas citas para un imaginario cultural castellano, denso en sensaciones de sobria rotundidad determina, según hemos visto, que en el caso de muchos de estos ejercicios de trascendencia alegórica, sean las animadas escenas del natural las que se impongan a la atención selectiva en el balance de la metamorfosis lírica de los textos. Así resultaba en «La contrata de mozos», cuando el interés de los momentos más fecundos y acertados del estilo se concentra sobre la lograda familiaridad rural del pregón «deshonroso» en la «lonja servil», y no en el fondo intelectual de las alegorías populistas sobre el futuro quimérico de una sociedad solidaria.

Junto a la facultad evocativa del léxico directo, la mesurada capacidad naturalista que marca su predominio relativo en las metamor-

---

se llega hasta el punto de la creencia en nombres-tabú, nombres cargados de hechicería en el pleno sentido de la palabra».

Bajo la vivencia directa y activísima de un entendimiento fetichista y casi mágico del nombre de las cosas, Claudio Rodríguez ha practicado siempre, y tanto más durante los años de la composición de *Conjuros,* la aproximación a la consistencia estructural de los seres mediante la vecindad espontánea de sus nombres. De ahí que señalara en el conocido prefacio a la colección *Desde mis poemas* hacia «la distancia esencial del lenguaje ante las cosas», como uno de los mayores riesgos de la poesía versolibrista moderna. Pues la palabra en el poema, recogida de la voz y de la propiedad vital de sus protagonistas bajo «la velocidad y la armonía, los talleres, el crisol y el olor de los metales, y de los pueblos, y aquellas mañanas tan remediadoras, después de la luz...», esa palabra precisa y verdadera encaja vivamente en la entraña misteriosa y distante de unos seres automatizados y tan débiles efectivamente con el desgaste del trato habitual y racionalizado. La voz del poema rescata el nombre de la cosa como «la forma de la materia, de su actividad que se serena, o late de una manera fulminante, como un asalto que hay que fulminar, tejer» (*Introducción,* ed. cit., págs. 12-17).

En sus balances reflexivos actuales sobre el esfuerzo creativo de *Conjuros,* los recuerdos más fieles del poeta siguen enfocando hacia esa familiaridad tan estudiada y sentida con el léxico espontáneo y exacto de los protagonistas: labriegos, lugareños, artesanos, etc... en cada situación emotiva. Claudio se siente así, hoy como entonces, un hijo predilecto de su tierra y de su tiempo, un privilegiado conocedor no tanto de regustos localistas en el léxico sino de sus equivalencias mágicas en la constitución entrañable de la sustancia telúrica, de las resonancias espiritualizadas sobre las fibras de lo material.

fosis de *Conjuros*, le viene comunicada sutilmente por la mayor densidad expresiva de las novedades métricas que incorpora Rodríguez en su segunda obra: silvas tradicionales de endecasílabos y heptasílabos cuya concrección de la insistencia fónica en la rima consonante aparece sabiamente burlada por una hábil combinación distorsionada de las dos sintaxis: la métrica versal y la frástica[26]. La fórmula liberadora respecto a la clasicidad musical del ritmo silábico y de las rimas en la silva se debe aquí invariablemente, como en *Don de la ebriedad*, a la tensa modernidad del encabalgamiento.

* * * * *

El poder de sugerencia fantástica que la propiedad del estilo infunde en todas estas animadas escenas y pinturas populares, alcanza una intensidad de acierto tan destacada en la obra, que el compendio de todas esas imágenes ha llegado a fundar, contra toda evidencia objetiva que favorece en su caso la ponderación peculiar de las metamorfosis, la valoración de *Conjuros* como libro de escenografía naturalista. A favor de esta impresión, Claudio suele anotar que el tránsito de *Don de la ebriedad* a *Conjuros* lo marca su aprendizaje de la observación concreta, realizada en fórmulas de estilo como la del sabroso léxico apropiado y la de la métrica consistente: desplazamiento de los nombres y las intuiciones más genéricas —el árbol, la flor o los nombres de objetos e instrumentos— por las percepciones y las designaciones más específicas —el arce, el tordo, el bieldo...—. Y junto a esa designación más detallista hay que advertir también el predominio en la obra de fragmentos de reflexión moral y social, que anticipan aspectos de profundización en los ámbitos del conocimiento y la experiencia que perdurarán como figuras del contenido a partir de *Alianza y condena*.

En los textos de *Conjuros* subsiste al mismo tiempo una representativa presencia de momentos elocutivos de muy acendrado énfasis estilístico, en los que los aciertos poéticos puntuales e intensos subra-

---

26. Véase la síntesis bien calculada sobre las peculiaridades métricas de *Conjuros*, en Luis García Jambrina, «La trayectoria poética de Claudio Rodríguez: análisis del ritmo», cit. Igualmente, Ángel Luis Prieto de Paula, *La llama y la ceniza*, cit.,págs.128-129.

yan eficazmente los acontecimientos y entidades de la realidad común en sus perfiles de sublimación simbólica menos evidentes y habituales. Es en esas iniciativas de transustanciación simbólica de la metamorfosis natural, donde se descubren quizás algunos de los ápices más remontados del estilo terminal elocutivo de *Conjuros*. Imágenes como la de aquellos «palomares del aire» abiertos por los olmos, o las sugerencias inefables que se transforman en «las celestes almenas» del poema «A las estrellas», o el recorrido de la intuición esencial cuando «los sentidos / son una luz hacia lo verdadero», en una composición tan llena de contenido naturalista como es «Con media azumbre de vino»; libres asociaciones de la fantasía canalizadas por el acierto alusivo puntual de los estilemas intensos, que dignifican y elevan el simbolismo de los objetos más humildes transfigurándolos en símbolos sustanciales, como la carcomida viga del mesón traspuesta a techumbre universal para el amparo de una humanidad fraterna.

Las formas de «amplificatio» que añaden tales ejercicios de metamorfosis lírica como prolongación del aura espiritual en objetos y presencias comunes, subrayan estilísticamente algunos de los hallazgos más felices de la poeticidad. Como aquella «hora del refranero blanco», cuando se transfigura la emoción de los encuentros familiares en torno «Al fuego del hogar»; o la visión apenas entrevista de aquel otro «blanco pordiosero de la niebla» en «Primeros fríos», pronóstico de uno de los momentos futuros con más alta sugerencia entre las resonancias poéticas de Claudio: el fascinante pregón del «cristalero azul de la mañana». En todos estos ejemplos es visible la contaminación elocutiva entre los planos tangentes en los que se realiza la metamorfosis de la realidad inmediata en sus trasuntos trascendentales. Una fusión que se verifica habitualmente mediante yuxtaposiciones de contigüidad simbólica, sin acudir a los relacionantes canónicos del símil, que se da sólo en casos muy contados de amplio desarrollo textual, como en la correlación: «Como el Duero en abril... así nosotros» de «A las puertas de la ciudad».

El sostenido ejercicio estilístico que expresa el tenso avizoramiento de la meditación transfigurante, otro expediente más en el efecto de la metamorfosis estilizadora de las formas reales, asume a veces en *Conjuros* la perspectiva de la voz personal del narrador glosando los comportamientos metafóricos de los sujetos inconscientes de la meta-morfosis. Entonces crece el valor de las fórmulas de reflexión distante, en las que los protagonistas naturales ejercen su cumplimiento impe-rativo de un destino que, sólo para la perspectiva del espectador de la metamorfosis, se encauza bajo formas intencionales necesarias. Así como al raudo vuelo iterativo de las golondrinas la voz reflexiva lo emplaza ante la pregunta que sondea su sentido trascendental:

> *¿Qué estáis buscando aún si el hombre ignora*
> *que vivís junto a él y a la obra suya*
> *dais vuestra azul tarea*
> *beneficiando su labor, su grano*
> *y sus cosechas?...* (pág. 89)

Mientras que a la tierra que forma la pared arruinada de adobe, se la vivifica metafóricamente a través del diálogo que inquiere de ella la formación misma de su voz:

> *¿a qué sol te secaste, con qué manos*
> *como estas mías tan feraz te hicieron,*
> *con cuántos sueños nuestros te empajaron?* (pág. 90)

El conjunto de los rasgos intencionales intensos del estilo termi-nal elocutivo que realizan y ultiman expresivamente la *forma interior*, animan en *Conjuros* la discursividad constitutiva de la consistencia tex-tual cerrada de cada poema. Reflexión alegórica sobre la trascenden-cia sintomática de lo próximo y cotidiano, amplificado y ennoblecido al servicio de la metamorfosis imaginaria; o sobre la transparente pátina de lo sublime que se adhiere a la epidermis sencilla de las cosas más espontáneas y comunes, como sólo son capaces de descubrirla los hombres de corazón sencillo y como la expresan únicamente los poetas de poderosa voz.

Pero a estas alturas ya de nuestras advertencias sobre el peculiar juego estilístico de *Conjuros*, que transforma y ennoblece poéticamente los objetos, lances y personajes más objetivos y realistas de este libro —el más objetivo y testimonial, social si así se quiere, de la obra ge-neral de Claudio— en arquetipos simbólicos, protocolos meditativos o bien simplemente en entidades poéticas embellecidas por la *metamorfosis* lírica; creo que conviene sacar las importantes deducciones teóricas sobre el contenido de este término tradicional de *metamorfosis*. Se trata de una designación y concepto crítico seguramente más abordado metafóricamente en cuanto tal por la crítica literaria tradicional y reciente, que en el sentido mucho más estricto que quisiéramos descubrirle aquí nosotros de sinónimo específico para la discutida *ficcionalidad* de la poesía lírica.

Es cuestión, como se sabe, de amplísimo debate histórico en la Poética de la ficcionalidad peculiar de la poesía lírica, que no es necesariamente *verosímil* en el sentido aristotélico que alojaba la ficción literaria de epopeyas y tragedia en el espacio ejemplar de los «mundos» lógicos alternativos del real, sino que por el contrario suele referirse a vivencias y reflexiones personalizadas sobre sentimientos y creencias reales y verdaderas del poeta. Dentro de mi propia bibliografía anterior, creo haber contribuido pioneramente sobre este matiz del peculiar valor ficcional de la literariedad lírica, dentro del rebrote relativamente reciente que ha reabierto hace pocos años la crítica postestructuralista[27]. Entre nosotros, Tomás Albaladejo, que ha sido el único teórico en aportar una propuesta lingüística articulada en todos los planos —sintáctico, semántico y pragmático— que obliga a considerar la descripción de las peculiaridades constitutivas de la *ficcionalidad*, destacaba la tradición a partir de Leibniz y Baumgarten de una línea de pensamiento teórico que había especulado sobre la singularidad del efecto estilístico e imaginario que vengo denominando aquí *metamorfosis* para el caso de la líri-

---

27. Los primeros encuentros con la ficcionalidad o «metamorfosis» peculiares de la poesía lírica, dentro de mi propia obra, se produjeron en ocasión de afrontar en teorizadores renacentistas como Minturno y Cascales la conciencia de peculiaridad dialéctica del género frente a los nombres más divulgados de épica y dramática. Ver, *Introducción a la Poética clasicista: Cascales*, Barcelona, Planeta, 1975, págs. 370-378, en la segunda edición de Madrid, Taurus, 1988, págs. 408-415; así como *Formación de la Teoría literaria moderna*, Madrid, Cupsa, 1977, vol.I, págs. 94-100 y 166-169. La idea ha ido madurando casi inadvertidamente dentro de mi propio pensamiento, bajo la influencia indirecta de la reflexión de Tomás Albaladejo sobre la «teoría de los mundos posibles» y sobre todo de su lectura de Leibnitz y Baumgarten en este punto, hasta alcanzar un grado de consciencia teórica próximo al que formulo en estas páginas, en mi *Teoría de la Literatura*, Madrid, Cátedra, 1988, págs. 340-341 (2ª ed., 1994, págs. 441-442).

ca[28]. Insertaba así Albaladejo en el plano de la filosofía y la estética racionalista moderna la línea de observaciones y de hallazgos que yo mismo venía realizando, al menos desde 1973, sobre la constitución de una conciencia específica en la tradición poético-retórica clasicista en torno al artificio literario peculiar de la poesía lírica. Este resulta asimilable como efecto estilístico-fantástico de *amplificatio* o *metamorfosis* estética al conjunto de efectos desautomatizantes y ejemplares de la *ficción verosímil* propia de las producciones literarias con *fábula*; es decir, presentación verosímil de acontecimientos no reales a cargo de «caracteres» —personajes— fundamentalmente no históricos.

Del examen macroestilístico de la lírica de Claudio Rodríguez que practico en esta obra —e insisto en el factor de oportunidad de suscitar la cuestión sobre la metamorfosis poética desrealizante precisamente a propósito del libro considerado más realista del autor—, resulta claro el parentesco entre los procedimientos lingüístico-textuales —fono-acústicos, sintáctico-semánticos y pragmáticos— destinados a producir los efectos imaginativos de *ficcionalidad* en la narración fantástica y de *metamorfosis* en la lírica sintomática o testimonialista. Se trata en uno y otro caso de un conglomerado de procedimientos expresivos con el resultado común de producir un tipo de *estilización* del enunciado, que los receptores identifican y asumen como diferencial y artístico respecto al tipo de simbolizaciones del lenguaje comunicativo.

El efecto globalmente desrealizante que produce la ponderación lírica, del tipo de la que practica regularmente Claudio Rodríguez en cualquiera de sus poemas, le impone a los textos de lenguaje un género de tensiones de excepcionalidad simbólica mucho más drástica y anómala de las que requiere la convención ficcional del realismo narrativo, e incluso que la de los niveles más fantásticos de la ficción narrativa. Por todo ello, podemos considerar al género de *estilizaciones amplificativas* de la simbolización referencial de la poesía lírica que venimos denominando y ejemplificando aquí en términos de *metamorfosis*, como un *esquema genérico de estilización ejemplar simbólica*, arquetípica o

---

28. Cfr. Tomás Albaladejo, *Teoría de los mundos posibles y macroestructura narrativa*, Alicante, Universidad, 1986, y *Semántica de la narración: la ficción realista*, Madrid, Taurus, 1992.

desrealizante según se quiera, que resulte previo y englobante del constitutivo de la *ficción narrativa* verosímil.

Mediante nuestra propuesta teórica de la *metamorfosis* literaria como procedimiento general y englobante del género de *modificaciones estilizadoras* del simbolismo-referencial de los enunciados literarios, que incluyen al efecto pragmático-fantástico de la *ficcionalidad* verosímil como la más generalizada y característica de sus especies, creo que aportamos una nueva fórmula clarificadora para la tradición crítica intuitiva del pensamiento literario. En ella se viene tratando de descubrir y etiquetar el conjunto de rasgos generales de *literariedad* —textual-inmanentes y comunicativo-imaginarios— que sean capaces de establecer la continuidad largamente intuida por el pensamiento literario entre la desrealización ejemplar sintomática del subjetivismo lírico y la ficcionalidad verosímil del objetivismo épico-narrativo. Pero ha sido una vez más el seguimiento crítico minucioso de las fecundas iniciativas de la imaginación y el lenguaje de Claudio Rodríguez, lo que ha prestado carne de imágenes y contenido de delicias expresivas a otra esquemática fórmula del pensamiento crítico: *metamorfosis*.

CAPÍTULO VIII

ALIANZA Y CONDENA:
LA EXPERIENCIA FRACTURADA EN
ANTÍTESIS Y EL ÉXTASIS MENOR DE LAS SINÉCDOQUES

**Continuidad del esquema fundante de la alegoría
y su desagregación metafórica: los poemas panorámicos
de la transición estilística entre *Conjuros* y *Alianza***

Entre *Conjuros* y *Alianza y condena* transcurre un periodo decisivo
de profunda actividad biográfica y poética, con importantes huellas para
la maduración personal y artística de Claudio Rodríguez, según lo hemos
constatado ya en nuestro examen del despliegue mítico. Poéticamente,
la evolución produce el vector progresivo de un ahondamiento muy
considerable en la densidad abstracta y esquemática de las imágenes y
de las sensaciones fijadas en el contenido de los textos. Por esa vía el
poema se enriquece y multiplica en sugerencias, accidentando la uni-
formidad expositiva del cotejo alegórico en una rica multiplicidad de
planos de referencia y de resonancias de la vivencia interior. Tal estilización de la sintaxis rítmica del poema y de la condición susurrante
de los enunciados se corresponde con el tematismo que, como veíamos
en el apartado correspondiente, testimonia en las dos etapas diferenciadas de la obra un acrecentamiento, una radicalización del patetismo
personal de la *diferencia* del autor, de su aislamiento ensimismado en
el ejercicio del conocimiento poético. El armisticio social de la *alianza*
se descubre siempre precario en el doloroso continuo de la contienda
humana, frente a cuya negatividad eleva Claudio en los momentos de
mayor euforia las propuestas idílicas de una fraternidad ilusoria vehi-
culadas por una sutilísima renovación de los instrumentos expresivos de
la forma.

La enunciación poética asume y condiciona al tiempo, como veremos, todos estos extremos de la temática y el contenido espiritual de

las vivencias míticas. La articulación macrorretórica del cambio se percibe como dominio de la tendencia que continúa siendo sensible en la organización retórico-figural de los poemas más próximos de la obra al momento creativo de *Conjuros*: la accidentada discontinuidad del esquema alegórico. Hemos visto ya que en *Conjuros* persistía el esquema alegórico como prolongación del procedimiento inicial del cotejo íntimo-exterior. En la modificación de esa persistencia básica, la alegoría había asumido un existir expresivamente efectivo, conjugado con las figuras patéticas del énfasis sentimental y especialmente de las exclamaciones imprecativas. Ahora, en *Alianza y condena*, el proceso evolutivo del cotejo alegórico adopta manifestaciones aún más intensamente modificadoras: el sustrato semántico que sustenta y condiciona la unidad estructural de la argumentación alegórica, se fragmenta y se desarrolla en agregaciones seriadas de imágenes que enriquecen la variedad de estilo[1]. La nueva cohesión textual se funda en esquemas lógico-asociativos de semejanza y contraste muy variados, que accidentan y flexibilizan positivamente la riqueza imaginaria de los nuevos textos.

Estas afirmaciones sobre la fragmentación, o por lo menos la impurificación del mecanismo argumentativo fundamental de la alegoría, no tratan de corregir sustancialmente la atribución de dicho esquema figural como rasgo estilístico mayor y macrorretórico, también de *Alianza y condena*, tal y como lo destacara Bousoño con carácter general. Antes bien generalidad metafórico-alegórica del estilema figural argumentativo puede seguir siendo atribuida, tras nuestro análisis, a la impresión global que produce el procedimiento macrorretórico fundamental sobre todo en el libro primero. Lo que ocurre es que un análisis algo más exigente y

---

1. Analistas de la obra de Claudio como Prieto de Paula y José Olivio Jiménez han percibido ya este rasgo de la fragmentación alegórica, pero sólo a partir de *El vuelo de la celebración*. En concreto, Prieto aludía a dicha organización característica de la figuralidad para marcar en la cuarta obra de Rodríguez el final del predominio estilístico de la alegoría. Cfr. *La llama y la ceniza*, cit., pág. 199. Por su parte José Olivio Jiménez anuncia la inocultable modificación del rasgo figural argumentativo macrorretórico como un principio accidental de quiebra dentro de su percepción de fidelidad y de continuidad sustancial en el estilo de Rodríguez. Cfr. «Claudio Rodríguez entre la luz y el canto», cit., pág. 109. Pero la decisiva modificación de la figuralidad estilística, confirmada en *El vuelo*, se gestaba ya muy tempranamente y palpablemente, como lo demuestran nuestros análisis, en los poemas más antiguos de *Alianza y condena*.

detallado impone las matizaciones imprescindibles capaces de dar cuenta de la variedad en los procesos accidentales de singularización que concurren, como hechos de naturaleza, dentro de las distintas etapas y momentos que se integran en el total de los poemas de la obra[2]. Creo, en consecuencia, que conviene proceder previamente a una evaluación matizada del funcionamiento de la alegoría en este libro, como recurso general de la argumentación poética.

Distintos críticos, a partir de Gustav Siebenmann[3] y entre ellos muy singularmente Prieto de Paula[4] y Carole Bradford[5], han destacado la condición fundacional de signo metafórico que ejerce la interacción

---

2. Cotejando la evolución estilística de Claudio Rodríguez hasta *Alianza y condena*, Carlos Bousoño había exaltado en 1971 el líquido oscilante en el vaso a medio llenar del estilo de Claudio, percibiendo con toda propiedad las estructuras del cambio: «Cada uno de los tres libros que de él han aparecido significa un cambio importante en la modulación de su estilo». Cfr. «La poesía de Claudio Rodríguez», Prólogo a *Poesía*, cit., pág. 10. Verdad que resulta perfectamente compatible hasta cierto punto por todo lo que acabamos de observar nosotros, con la afirmación contraria de otro penetrante crítico de Claudio, Sala Valldaura, quien favorecía en sus propias observaciones la metáfora del líquido restante en la copa a medio llenar; es decir, los fundamentos estilísticos de continuidad: «el lenguaje —afirmaba Sala— no sufre grandes variaciones; la expresión de la obra poética de Claudio Rodríguez avanza en profundidad y conserva, por lo tanto, los recursos retóricos empleados anteriormente», cfr. José María Sala Valldaura, «Algunas notas...», cit., pág. 136. No se oculta, en las oscilaciones inevitables dentro de esta clase de apreciaciones demasiado genéricas, la falta de un más minucioso rigor, para empezar, en la precisión descriptiva del estilo, pues las fórmulas altamente genéricas de los balances son responsables de su reversibilidad. Por ello nos parece imprescindible globalizar analíticamente los procesos de persistencia y de cambio estilístico no sólo en los términos microstructurales poco concluyentes sino, como lo venimos haciendo en este libro, en las estructuras mayores, macrorretóricas, de la argumentación estilística; tal y como las avizora el análisis macrorretórico de los procesos de argumentación textual, en las estructuras primarias y dominantes del modelo analítico de *forma interior*.

3. Parece haber sido Gustav Siebenmann el primero en señalar el juego textual constructivo en el que se inserta la llamada «metáfora previa» como presupuesto de contraste que organiza el sentido del cuerpo del poema. Ver en tal clave sus análisis de los poemas de esta primera parte de *Alianza*, como «Gestos». Cfr. Gustav Siebenmann, *Los estilos poéticos en España desde 1900*, Madrid, Gredos, 1973, págs. 465 y ss.

4. Cfr. Ángel Luis Prieto de Paula, *La llama y la ceniza*, cit., pág. 165.

5. Para Carole Bradford, la interacción simultánea entre lo presupuesto implícito de la que desde Siebenmann se viene llamando «metáfora previa», y lo textual explícito es lo que favorece la alta «economía» estilística con que se incrementa ya diferencialmente la intensidad poética de composiciones de *Alianza* como «Espuma» o «Salvación del peligro», cfr. Carole A. Bradford, «Trascendental Reality in the poetry of Claudio Rodríguez», cit., pág. 138.

simbólica entre los títulos y el cuerpo expositivo de los textos en los poemas de *Alianza y condena*. Así se observa desde el principio en «Brujas a mediodía», que incluso adelanta y desarrolla en su subtítulo («Hacia el conocimiento») la realidad de base metafórica para la relación narrativa que funda: las crónicas folclóricas e inquisitoriales sobre las brujas, que ocupan el plano narrativo más directo y explícito del texto como trasunto del verdadero tema de reflexión real en el poema, el cual significa la condición a menudo sorprendente de las revelaciones hondas del conocimiento. Y sin embargo, lo mismo que constituía ya una práctica generalizada en el metaforismo de *Conjuros*, la alternancia de uno y otro plano en el afloramiento textual impide hablar con propiedad, también aquí, de una narración puramente alegórica[6]. En el texto de «Brujas» son frecuentes las animadas pinturas directas del aquelarre y de la escenografía popular de las historias folclóricas, como por ejemplo en estos versos:

> *Y huele*
> *a toca negra y aceitosa, a pura*
> *bruja este mediodía de septiembre;*
> *y en los pliegues del aire,*
> *en los altares del espacio, hay vicios*
> *enterrados, lugares*
> *donde se compra el corazón, siniestras*
> *recetas para amores...* (pág. 128)

---

6. A la distancia actual del tiempo transcurrido desde los años de su composición, Claudio Rodríguez acostumbra a primar en su explicación personal sobre la génesis de este poema las vertientes más naturales y costumbristas sobre las que implican, inocultablemente, la transferencia alegórica a la esfera del conocimiento, para él actualmente mucho más turbia y contradictoria. Es desde la lectura intensa y sabrosa de procesos inquisitoriales y de relatos sobre aquelarres y prácticas de brujería, como explica el autor la lenta transformación, para él mismo casi incontrolable, del texto desplegado colectivamente a la evidencia explícita de la «disemia» referencial temática. He de prevenir no obstante —desde mi propia experiencia en otros casos y coyunturas semejantes a éste— que la actual interpretación predominantemente vitalista y emotiva de Claudio Rodríguez pudiera no corresponderse exactamente con la intencionalidad genética contemporánea a la elaboración de aquellos poemas. Quede sin embargo el testimonio de cómo rememora el propio poeta actualmente el origen nebuloso y las transformaciones casi incontroladas de los procesos de elaboración textual, que desembocan en el peculiar alegorismo «disémico» de los textos de *Alianza y condena*.

Pero también, y casi a reglón seguido, se restituye nítidamente el contrapunto real de las equivalencias, deshaciendo el continuo del plano de presencias puramente simbólicas que exige, en puridad, la definición retórica de las alegorías: «... contemplamos / el hondo estrago y el tenaz progreso / de las cosas...». O bien se funden ambas perspectivas en una sucesividad de apreciación no fácilmente discernible; viniendo así a alternarse el naturalismo de los retablos de sabor más reconocible, convencional y costumbrista con el subrayado de sus equivalencias reflexivas sobre la fisonomía objetiva de los fenómenos de experiencia. Por ejemplo en el comienzo de la sección segunda de este primer poema:

> *La flor del monte, la manteca añeja,*
> *el ombligo de niño, la verbena*
> *de la mañana de San Juan, el manco*
> *muñeco, la resina,*
> *buena para caderas de mujer,*
> *el azafrán, el cardo bajo la olla*
> *de Talavera con pimienta y vino,*
> *todo lo que es cosa de brujas, cosa*
> *natural, hoy no es nada*
> *junto a este aquelarre*
> *de imágenes que, ahora,*
> *cuando los seres dejan poca sombra*
> *da un reflejo: la vida.* (págs. 128-129)

Incluso en la continuación, y aun en fragmentos donde la refracción de la línea de realidad en el plano simbólico de las metáforas persiste recrecida en un chisporroteo vivaz de transfiguraciones simbólicas, el referente alegórico del aquelarre y los cuentos de brujas llega a desaparecer; dejando paso así a otros juegos de imágenes metafóricas con los que no mantiene ninguna continuidad semántica en común, a no ser el tono melancólico de desgaste y decadencia. Por ejemplo, en la potente fórmula simbólica de la «sutura» entre la realidad y sus equivalencias transfiguradas en el «sorteo» de los sentidos[7], con su cotejo

---

7. La potente carga imaginativa que se acumula en el cuadro de Claudio favorece el análisis trascendentalista de Dionisio Cañas sobre esta punzante fórmula estilística. El relieve que la no-

de metamorfosis fantásticas inmediatas en la «fina arenilla / que ya no huele dulce sino a sal», o en el «sueño en la cal viva / del sueño aquel»... Y así sucesivamente, apelando a la sugerencia simbólica del palpitar del nido en el calor nocturno «entre las ruinas del sol»; o cuando, al alterarse la dirección del enunciado, comparecen las nuevas figuras de la desafección y el fraude bajo sus distintos ropajes metafóricos: aquellos mercados de «las altas sisas», aquellas «aduanas» de la infamia donde se adulteran los vinos con el agua y donde se mercadea el contrabando de la harina y la carne.

Menos todavía cabe hablar de la continuidad temático-metafórica que exige la alegoría con plenitud de sentido, en la construcción simbólica del poema «Gestos». El doble plano explícito e implícito, aludido y sobreentendido, constitutivo de la alegoría, no se da aquí; sino en todo caso la relación de causa-efecto propia de la metonimia. El gesto, efectivamente, simboliza para el poeta un trasunto de la mentalidad general y del esquinado carácter de los españoles, demasiado «gesteros pero tan poco alegres». Sin embargo la presentación de la equivalencia simbólica en el doble plano de los actos sintomáticos y de su significación sobreentendida vuelve a ofrecerse alternativamente, patente y simultánea, tal y como sucede en «Brujas a mediodía». Incluso en «Gestos» se focaliza de forma más sensible que en el poema anterior el discurso chispeante[8], que evidencia la doble faz del proceso simbólico: «Una mirada, un gesto, / cambiarán nuestra raza...»; «Nosotros, tan gesteros pero tan poco alegres, / raza que sólo supo...», etc. Y en el despliegue del énfasis que desarrolla la voluntad idílica de la mejora

---

ción de transición comunicativa tiene para la fenomenología de Dilthey esfuerza la glosa de Cañas sobre el decisivo término de *sutura* en la poesía de Rodríguez, elevándola incluso a símbolo fundante de la relación poética: «Esta conexión que Dilthey llama también 'nexo vital', 'trabazón de vida' y que Claudio Rodríguez identifica en su poesía como *sutura* o *costura*, es esencialmente el origen de la poesía». Cfr. *Claudio Rodríguez*, cit., pág. 8. La «sutura» simboliza por tanto el principio de convergencias de sentido en lo unitario esencial, que pone en la paz íntima de la búsqueda metafísica —la del poeta y la de la reflexión sustancial de cualquier hombre— la desorientación dentro de lo fugitivo y diverso característico de la pluralidad diurna dispersante.

8. Gustav Siebenmann intuyó, desde el estilo de este poema, el rasgo de fragmentación metafórica del continuo alegórico que nosotros analizamos detalladamente aquí, como nota constitutiva del estilo general de todo este libro. Ver por ejemplo: «De ahí resulta la enorme libertad que puede permitirse Rodríguez en la metaforización secundaria, captando con cada detalle *ges-*

utópica, es el gesto también el signo al que le correspondería protago-
nizar las modificaciones de la hostilidad histórica hacia la fraternidad
abierta del futuro:

> *...Tan silencioso*
> *como el vuelo del búho, un gesto claro,*
> *de sencillo bautizo,*
> *dirá, en un aire nuevo,*
> *mi nueva significación, su nuevo*
> *uso ...* (pág. 132)

La destitución del procedimiento alegórico resulta aún más absoluta
en el proceso de argumentación poética que constituye el enunciado del
texto sucesivo, «Porque no poseemos» (págs. 136-138), donde es muy
débil ya la base traslaticia del sentido que se incorpora a la idea de la
mirada como sustituto inmaterial de la posesión tactil. En todo caso, lo
que por momentos transfigura la alusividad directa del discurso, es el juego
parcial y localizado en las transferencias metafóricas sobre pasos alternativos y discontinuos. Así actúa la frecuente «amplificatio» poética que
pone acentos de intencionalidad humana, sentimental y reflexiva en la
actividad de la mirada; tal y como acontece en el fragmento que se inicia
en «Quiere (la mirada) acuñar las cosas, / detener su hosca prisa / de
adiós...» etc...etc. Tampoco se construye alegoría propiamente en el
enunciado del poema, de simbolización casi totalmente abierta y directa,
«Por tierra de lobos» (pág. 139); incluso en este caso la estructura temático-semántica que construye la relación entre el título y el cuerpo del
enunciado, es de una transparencia tan absolutamente común y convencional que casi no podrían considerarse en ella los efectos sorprendentes
característicos de la ponderación conceptuosa del artificio metafórico.

---

tual, por atrevido y alejado que parezca, una faceta pormenorizada del complejo fenómeno de la
comunicación». Y aunque no corroboraríamos después totalmente el detalle concreto de la residen-
ciación exclusivamente lexicalista del efecto global estilístico, tal y como lo propone Siebenmann,
sí destacamos en su análisis la persistencia del efecto disgregativo del discurso, que el crítico alemán
emplaza en «la semántica sorpresiva» del estilo. Cfr. Gustav Siebenmann, *Los estilos poéticos en
España,* cit., pág. 446.

El esquema de singularización ejemplar que sustenta la construcción narrativa de la historia poemática sobre «Eugenio de Luelmo», no tiene pretensiones de desarrollar tampoco el tránsito alegórico de la significación. En la figura y la actividad menuda y cotidiana de Eugenio se columbran trascendencias sublimes de valor ejemplar que sería una desmesura considerar, en cuanto tales, afectadas por intenciones enunciativas simbólicas de refracción del significado, como las que construyen la índole temática extensa de la alegoría; ni tan siquiera las más restringidas y puntuales de la metáfora temática. Mientras que tampoco el artificio enunciativo que se maneja en el poema final del libro primero «Noche en el barrio» (págs. 146-147), despliega un grado de alegorismo intenso tras la imagen fuertemente enfatizada de la personificación confidente de la noche.

Entre todos los poemas de este primer libro tal vez sea el titulado «Cáscaras» el que representa más absolutamente la instrumentación expresivo-retórica del simbolismo temático bajo la estructura de la alegoría. El título de la composición introduce el archilexema que globaliza el plano simbolizador referencial del conjunto de representaciones objetivas, barreras de lo superficial que dificultan la translación simbólica. Formalmente, la pureza alegórica de la construcción poética viene determinada por el desarrollo exclusivo del «tertium» simbólico, sin las equivalencias translaticias demasiado explícitas con relación al verdadero contenido intencional encubierto, que hemos visto que alternaba en otros textos con el referido «tertium» significante alegórico. Éste comparece como tal fugazmente aludido en el encabezamiento del enunciado, para dar paso inmediatamente a la sucesión en cascada de los símbolos sociales del disimulo y el encubrimiento. Recordemos el comienzo de la letanía alegórica:

El nombre de las cosas, que es mentira
y es caridad, el traje
que cubre el cuerpo amado
para que no muramos en la calle
ante él...
...el precinto y los cascos,
la cautela del sobre, que protege
traición o amor, dinero o trampa,

la inmensa cicatriz que oculta la honda herida,
son nuestro ruin amparo. (pág. 136)

Y se enumeran inmediatamente en acelerada corriente caótica, a borbotones, las más variadas formas del caparazón hipócrita que cela la verdad al entendimiento directo y sano del intercambio franco entre los hombres: «Los sindicatos, las cooperativas, / los montepíos, los concursos; / ese prieto vendaje / de la costumbre, que nos tapa el ojo / para que no ceguemos»; y también la golosina que nos templa la boca y nos distrae a diario alienando la obligación de indagar en las pulpas más dolorosas. Todas «son un engaño / venenoso y piadoso»: desleales centinelas de lo convenional que nunca darán la alarma ante la irrupción del auténtico acecho, «...la contraseña que conduce / a la terrible munición, a la verdad que mata».

El indignado encono del arrebato hostil en que se afirma la protesta poética de Claudio, se recrea en la fértil evocación de las trampas habituales de la apariencia, de los cerriles testigos de la indignación; dando paso de esa manera a las animadas enumeraciones caóticas subrayadas por la cacofonía de las rimas internas, que jalonan y dinamizan el cuerpo del poema:

La cáscara y la máscara,
los cuarteles, los foros y los claustros,
diplomas y patentes, halos, galas,
las más burdas mentiras..., etc (pág. 137)

Y ni tan siquiera el conjuro final en que se resuelven tan animadas letanías, trasciende drásticamente el plano de realidad directa de la prédica moral.

La concentración de los referentes temáticos problematiza semejantemente la pureza alegórica del discurso contenido en el bloque de poemas de elaboración mucho más tardía que se agrupan en el libro segundo[9]. En «Espuma» (pág. 151), es la contemplación objetiva de la

---

9. Respecto a la justificación de las atribuciones cronológicas que hacemos, está confirmada en las declaraciones que nos ha confiado el propio autor, así como en deducciones extraídas de

evanescencia del elemento natural la que asocia pensamientos trascendentales; el doble plano referencial y simbólico absolutamente explícito en paralelo es generado, además, no ya desde uno de los dos parámetros, el narrativo, según es lo propio de la alegoría, sino desde un solo centro temático-simbólico de concentración esencial, la espuma. Una estructura que favorece más bien el tipo de referencia reconcentrada «intensa» característica de la metáfora. En este y en los otros poemas relativamente contemporáneos en su génesis con estructura simbólica semejante, como «Gorrión» (pág. 154) o «Girasol», la apariencia alegórica puede venir de la extensión textual y de la variedad de las emociones y sugerencias conceptuales desplegadas a partir de la instantánea y mínima presencia de lo real, que actúa como la contrapartida desencadenante del asociacionismo metafórico. Sensación que incluso crece a medida que se va haciendo más dilatada la dimensión textual de los enunciados poéticos, tanto en los que mantienen la concentración máxima en el referente real de la sugerencia como en los muy tardíos: «Frente al mar» (págs. 161-162) y «Viento de primavera» (págs. 152-153), o en aquellos otros donde la anécdota objetiva referencial se presenta más procesual y prolongada, como sucede en «Lluvia y gracia» (pág. 155).

Respecto a lo que venimos mencionando, el poema «Nieve en la noche», correspondiente según el recuerdo del autor al primer conjunto de textos con marcas evidentes de la evolución respecto del mito epopéyico y las formas anteriores, es quizás uno de los que se aproximan en mayor grado —no siendo ni tan siquiera él mismo ejemplo absoluto de alegoría pura— al conjunto de requisitos que integran la definición estricta de la alegoría. Por una parte están los datos que se refieren al protagonismo textual del plano traslaticio: la narración extensa de la nevada —«Yo quiero ver qué arrugas / oculta esta doncella / máscara» etc.—; contrastando con la correspondiente elisión —tan

---

los datos del rico material manuscrito para esta obra que se nos ha facilitado consultar. En cuanto al alcance de la localización concreta que establecemos ahora y de sus consecuencias estilísticas, véase Ángel Luis Prieto de Paula, *La llama y la ceniza*, cit. El detalle de la cronología de las principales etapas de *Alianza y condena* lo hemos proporcionado en nota hacia el final del capítulo temático de la primera parte.

sólo atenuación en este caso— de las reflexiones asociadas a la escenografía anecdótica del tema, que establecen el fondo referencial efectivo del interés: «Es la feria / de la mentira». Precisamente el mayor grado de elisión temática a cargo de la continuidad del plano alegórico en este texto es lo que refuerza y determina en él las evidencias de modificación con respecto al fondo imaginario característico del dramatismo angustioso de Claudio Rodríguez. «Nieve en la noche» comparte esta condición con alguno de los poemas más antiguos, con los que la pericia del autor y de Vicente Aleixandre acertaron a agruparlo en esta segunda mitad del libro, sobre todo con «Ciudad de meseta» y su intenso fondo de amenaza y pesimismo cernido sobre el panorama global de la vista de la ciudad. Pero a partir de esa semejanza, se perfilan todavía más nítidas las diferencias que venimos caracterizando como debilitamiento y elisión del constituyente referencial externo de la alegoría, a favor de la intensificación de las resultantes sicológicas íntimas, muy difusas y por ello tanto más misteriosamente matizadas y productivas sobre el lado poético.

Datos muy semejantes de impureza alegórica estricta descubriría también el examen pormenorizado sobre el grupo de poemas muy tardíos en la gestación de la obra que integran la mayoría del libro tercero: simples detalles referenciales amplificados en las metáforas de «Una luz» (pág. 183) y «Un bien» (pág. 184); e incluso más pormenorizado y extenso desarrollo en este plano secundario de las equivalencias experienciales lo ofrecen «Un olor» (pág. 174) y «Como el son de las hojas del álamo» (pág. 178). Por su parte los poemas que tematizan la narración de una historia o un diálogo externo de evidencias vividas — «En invierno es mejor un cuento triste» (pág. 169), o la «suite» de las «albadas» amorosas «Sin leyes» (pág. 180) y «Amanecida» (pág. 181)— , se presentan casi totalmente carentes ya del plano de transfiguración simbólica exigido por la alegoría. Sólo un poema, como en el caso ya visto de «Nieve en la noche», afirma su estructura excepcional dentro de este libro tercero; nos referimos a la narración simbólica de «Ajeno» (pág. 171), que podría representar el desarrollo relativamente fiel de las alegorías del desamor —«Largo se le hace el día a quien no ama»— en su descripción del discurrir diurno del hombre sin vida en sí, que «nunca habitará su casa».

Una vez más, también a propósito de *Alianza y condena*, nos hemos visto obligados a volver sobre la genérica atribución que hacía Bousoño de la translación alegórica como esquema figural básico en el estilo de Claudio. Los desajustes puntuales que vamos encontrando entre aquella atribución genérica y las estructuras individuales de cada poema concreto, no alcanzan a desvirtuar completamente, sin embargo, la intuición básica que encerraba la globalización retórica del crítico. En efecto, casi nunca causa quiebra en la concepción del enunciado lírico de Claudio Rodríguez el modelo ejemplar de *metamorfosis transfigurante*[10], construida entre los dos planos que entran en juego en la situación fundadora del ejercicio de cotejo lírico de cada poema. Insistimos: estrictamente la alegoría clásica, como enunciación de un continuo metafórico en el que se explicita únicamente el plano natural, no se cumple en la poesía de Claudio Rodríguez, como en general —podríamos añadir— tampoco en el conjunto de la poesía moderna. Pero si se descuenta tal asimilación rigurosa del concepto de alegoría, históricamente inusual ya en la práctica literaria, podría asumirse que la metamorfosis alegórica de extensión textual representa un esquema figural performativo aproximado a la exposición dilatada del *cotejo de signo metafórico* al que se ajustan, con las obligadas holguras, la mayoría de los poemas de *Alianza*.

* * * * *

Proliferación fragmentada de metáforas madurísimas para matizar la sutileza. La importante sustancia poética signada en la poesía de Claudio Rodríguez como transfiguración y metamorfosis de los referentes objetivos determina el perfil estilístico más perceptible dentro de la masa de imágenes establecidas en el poema bajo la genérica estructura de la transfiguración metafórica. Es por eso por lo que en el título de este apartado hablábamos de la desagregación en multiplicidades metafóricas del esquema simbólico que exigiría en pureza la estructura extensa

---

10. Cfr. Carlos Bousoño, «La poesía de Claudio Rodríguez», cit., págs. 18-21.

de la alegoría, como característica esquemático-figural en la argumentación de *Alianza y condena*.

El nuevo asociacionismo de constelaciones metafóricas que impone su dominio en el tercer libro de Claudio Rodríguez, sobre la más relativa homogeneidad del metáforfismo alegórico de *Conjuros*, ofrece una base oscilante de continuidad figural no incopatible genéricamente con las estructuras de la alegoría. Pero al mismo tiempo, como ya hemos dicho, la enunciación poética se descubre ahora muy animada y enriquecida también gracias a la desagregación del rígido esquematismo unitario de la alegoría, sustituido a estas alturas por un continuo de metáforas mucho más escindido, polivalente y rico en facetas imaginativas y sentimentales. En este punto, es la calidad del talento inventivo del poeta la que garantiza absolutamente el interés y la belleza de las imágenes metafóricas que se conglomeran en el agregado textual, y la que legitima las razones estéticas en la estructuración asociativa del nuevo continuo. A través de esa irrefrenable fecundidad creadora de imágenes, *Alianza y condena* ofrece pruebas contundentes y absolutas sobre la maduración en el autor de una experiencia y una calidad poéticas realmente superiores.

Simultáneamente a la constitución figural del esquema simbólico de la enunciación, el intenso crecimiento afectivo del ritmo poemático, que compone el otro formante mayor de la poesía de Claudio Rodríguez, sutiliza en esta nueva obra sus mecanismos expresivos de presencia. Las figuras de intensificación enfática, temáticamente protagonistas en *Conjuros*, asumen en *Alianza y condena* una variedad mucho más sutil y susurrada de instancias expresivas. Son ellas las que, sin menoscabar el intenso atractivo permanente de la presencia sentimental característica de toda la poesía de Rodríguez, ahondan y esencializan la condición de los sentimientos de autocompasión y de cordialidad solidaria, sobre los que gira también parcialmente la sensibilidad del autor en esta obra.

«Brujas a mediodía», el poema-programa que encabeza habitualmente la organización de todas las obras de Claudio Rodríguez, nos provee ya de penetrantes testimonios sobre la sutilización de los objetos simbólicos en esta nueva etapa de plenitud poética. Nada quieto y estable, ninguna fenomenología directa y nítidamente asumible garantiza el interés de auténtica verdad; solamente los nóumenos tejen el ser de los sentimientos profundos para la poesía. El poema lo expresa a través del chisporreteo inquieto y casi juguetón de los cuentos de brujas: ...«Cada / forma de vida tiene / un punto de cocción, un meteoro / de burbujas...». Transfondo de la verdad sutil y privilegio de la inquietud inconformista que no reside sólo en la inhabilidad de los sentidos de la que hablaban ya los presocráticos, sino también —y quizás más decisivamente— en el secretismo íntimo de las cosas, en los misteriosos intersticios de una realidad poblada de sorpresas. El doble espacio subjetivo-objetivo del compás alegórico que fundaba la estructura de la metamorfosis sentimental poética de la realidad en libros anteriores, reaparece como pauta que organiza la experiencia esencial:

> *...No es tan sólo el cuerpo,*
> *con su leyenda de torpeza, lo que*
> *nos engaña: en la misma*
> *constitución de la materia, en tanta*
> *claridad que es estafa,*
> *guiños, mejunjes, trémulo*
> *carmín, nos trastornan. Y huele*
> *a toca negra y aceitosa, a pura*
> *bruja este mediodía de septiembre.* (págs. 127-128)

Y como para animar el ojeo que espera, se despliega el delicado abanico de emociones paralelas, reinsistidas, sobre el borde sutil de la verdad extrema, la reservada, la oculta «en los pliegues del aire, / en los altares del espacio»: vicios enterrados, siniestras recetas de amoríos, las encías resecas que nos burlan los jugos de los días y los renglones torcidos del arrepentimiento; toda la variedad de sensaciones recónditas que representan al vivo «el hondo estrago y el tenaz progreso / de las cosas» en su perenne vértigo de celeridad y fuga inasequible.

Al «aquelarre de imágenes» convoca, desde la enunciación retórica, no ya la monotonía predecible de la alegoría ordenada, sino la acumulación enumerativa, sin forma estable, del imprevisible flujo metafórico: los ingredientes viejos en la labor de brujas —«La flor del monte, la manteca añeja, / el ombligo de niño, la verbena...» etc., etc...— inválidos para el trasunto de la verdad recóndita; el milagro de los cuerpos en el acto de amar, que no es forma de verdad sino de dicha; la sutura intangible reflejo del pacto fugaz entre nuestros sentidos y las cosas: «fina arenilla / que ya no huele...». Y además: «escombros / de un sueño en la cal viva», ruido nocturno, áureo retablo de la doctrina vieja, «mercados / de altas sisas», aduanas por las que discurren la carne y las heridas que componen el polvo del poema... La lectura —la mía y la de cualquiera potencialmente— descompone adrede formas gramaticales, relaciones diferentes de la sintaxis que otorgan valencias de distinta función a los significados. Se trata de forzar la yuxtaposición estética más certera entre los efectos imaginativos en esta sinestesia caótica de la expresión feliz del fondo último: la verdad profunda que recela en las cosas y que se nos entreabre sólo por fugaces instantes «entre pellizcos / de brujas». Polifonía de destellos, caudal múltiple del metaforismo.

La sutilización de la verdad que va ganando en los nuevos textos la creciente reflexiva y expresiva del poeta, impone para empezar la restricción en el enfoque, el abandono de la historia dilatada de la alegoría por el instante más intenso del símbolo, la concentración tenaz en el detalle fértil: es el ámbito nuevo del poema segundo sobre los gestos. En el sistema familiar de los gestos más propios de la raza se proyecta la lluvia variada de las asociaciones: significados recónditos de ese tentar en el espacio incierto de un entorno vibrátil en busca «de valor y compañía», guiño de figurilla de baraja «más luminoso aún que la palabra». Misterio de la identidad gestual de operaciones muy contrarias —abrir como cerrar, encender y apagar, brazo que siega y brazo que asesina—; gestualidad nativa de pueblos con historia, que cuando se trata de la nuestra española resulta poco pacífica y dócil para el gusto de Claudio. Necesidad de gestos renovados, nuevos gestos para no recordar los anteriores: gestos sin eclosión ni énfasis, pausados y silenciosos «como el vuelo del búho»; gestos limpios para un bautismo puro en las aguas vivificadoras de la significación nueva y capaz, que regenere pero que no sepulte por completo para la melancolía del poeta el testimonio de los viejos gestos, los gestos compañeros de la infancia, siquiera sea para el hallazgo melancólico; vestigios fósiles con el temblor del beso «de una raza extinguida».

La renovada concepción de la metamorfosis, ahora sobre perfiles y alcances de más delicada sutileza no inmediata al hallazgo y más densa y fragmentadamente metafórica, se prolonga a los dos poemas siguientes. Así, «Porque no poseemos» ilustra desde una variada acumulación de facetas metafóricas el predominio de la capacidad transfigurante, regeneradoramente poética en el ámbito acogedor subjetivo. La mirada tiene el poder penetrante de alterar la certeza innane de las visiones amortiguadas —«la mirada, ya no me trae aquella / sencillez»— en el resurgir sorprendente de las criaturas brillantes de la metamorfosis. De ese modo, con la representación de alcances tan sutiles de la vibración poética, la potencia alusiva del juego de metáforas alcanza alturas de perfección sin fallas.

La voz ya segura del poeta y la certera madurez de su mirada —¿dónde están las simplistas apelaciones acusatorias contra las supuestas repeticiones en el complejísimo universo poético de Claudio Rodríguez?— nos prolongan por un laberinto de intersticios extremadamente sutiles, desalojadamente espaciales y maravillosos, de delicadas metáforas en cascada incesante de fecundidad. Actos y seres intrascendentes y comunes, como la mirada habitual, reciben ropajes y pliegues sutilísimos de transfiguración poética[11] saltando entre la animada variedad de las metáforas sucesivas: la mirada transfigurante unta su aceite de juventud sobre los goznes luminosos con que entreabre la realidad portentosa como alcoba fecunda; pasos y despojos, nidos y tormentas que jamás la retienen, quedan atrás en sus exploraciones. A su conjuro comparece la fatiga de los abrazos extenuados, el jugueteo de niños todavía felices a la orilla del Tormes y el fluir de las cosas que se ofrecen cambiadas, ya no inertes, «con muescas y clavijas, / con ceños y asperezas». Pero siempre, aun en este juego de regeneración apasionada del chisporroteo metafórico, queda garantizada la serena andadura del fluir poemático, el contrapunto del melancólico flujo de los ritmos y la familiaridad feliz de las imágenes sentimentales favoritas del poeta:

---

11. A propósito de cualquiera de los textos de Claudio Rodríguez en los que se aborda la problemática de la percepción como parte y forma del proceso general temático del conocimiento, resultan iluminadoras las apreciaciones de Dionisio Cañas en su tesis *Poesía y percepción*; bien sea sobre los alcances más propiamente temáticos, o bien, como en este caso, a propósito de sus secuelas de instrumentación textual estilística. Cfr., Dionisio Cañas *Poesía y percepción*, cit., pág. 88.

...Mana, fuente
de rica vena, mi mirada, mi única
salvación, sella, graba,
como en un árbol los enamorados,
la locura armoniosa de la vida
en tus veloces aguas pasajeras. (pág. 134)

La plenitud de las metamorfosis y el poder transfigurante de la mirada poderosa son frutos de alto hallazgo poético, término diferido, conquista extrema. Cuando la realidad se rinde interesante —«La misteriosa juventud constante / de lo que existe, su maravillosa / eternidad...»—, cuando se entrega con el botín de sus mejores horas, de las plenarias y más consoladoras, la vida del hombre ha conocido ya y ha superado infinitas estaciones de apatía: «Hacía tiempo... me era lo mismo / ver flor que llaga, cepo que caricia». Fracasó el interés de los cantares directos de consigna, del contagio de los amores en una compañía de tradición que daña —«ese medallón de barro seco / de la codicia»; aquí ha sonado la hora de la compañía infeliz a la espera de los momentos álgidos de la revelación, del instante triunfal de la mirada pura: ...«la hora / en que nuestra mirada / se agracia y se adoncella». Ni siquiera la propia, la exclusiva, la habitual y convivida; sino la otra, la misteriosamente universal y transfigurante, «esa mirada que no tiene dueño»[12].

La fragmentación del orden lineal progresivo del continuo alegórico en esta multiplicación polifacética de las metáforas en cascada cumple un objetivo conceptual perfectamente identificable, patente en estos textos de transición entre *Conjuros* y *Alianza* que suponen la

---

12. Cfr. Philip Silver, «Claudio Rodríguez o la mirada sin dueño», p, 238. El fino análisis de Silver argumenta hacia ese fondo metafísico de la intuición común indefinible sugerida por el inmortal endecasílabo de Claudio: «... en lugar de compenetrarse y fundirse con las cosas, guarda las distancia de su mirada con un control ejemplar. O, más bien, cuando de verdad se cumple lo que Claudio Rodríguez denomina 'la contemplación viva', el poeta se despersonaliza hasta tal punto que se vuelve mirada pura, incorpórea. Como si la única manera de frenar su natural codicia humana fuera convertirse todo él en una mirada sin dueño». La penetrante interpretación de Silver ha tenido en cuenta y parafrasea atentamente las declaraciones conscientes de Claudio sobre esa fórmula fundamental de su poética, extraída del texto del Soneto Órfico número trece de Rilke. Cfr. Claudio Rodríguez, «Hacia la contemplación poética», en ABC, 22 de febrero, 1987, pág.3.

culminación de su primer dominio de la imaginación referencial irónica y del estilo fundante del cotejo metafórico; signando de ese modo la cima de la madurez poética en la imaginación del autor. El fértil acarreo de las imágenes transfiguradas y enriquecidas en su densidad poética por la metáfora significa, por lo menos, la fungibilidad esencial de la variación dentro de la conciencia transfigurada de la poesía. Los densos amasijos de imágenes animadas en variedad polifacética subrayan la impresión de identidad esencial en los seres poéticos, la unificación de sus valencias sentimentales básicas. La variedad tensamente axiológica de las experiencias utilitarias más comunes sobre los seres y los hechos de la realidad se desvanece así en esta animada demostración de los poemas que abren *Alianza y condena*, identificada y resuelta en sus metamorfósis de transcendencia esencial poética.

Después de los seguros itinerarios de las narraciones alegóricas que sirvieron de pauta a la metamorfosis poética en la obra anterior, la atención ya experta de un poeta mucho más avezado, más versado y desgastado en la autenticidad de los contrastes dolorosos que aquel otro muchacho ébrio por las sorpresas de la revelación, ha llegado a conquistar los poderes definitivos y renovados —¿dónde lo simplemente repetido?— de la visión profunda, de las intuitivas capacidades de reflexión: el agudo saber de la reconcentración de la mirada poética transformadora. Una capacidad de intelección y un poder de nombrar ya exentos a la necesidad de transmigrar, porque se adhieren con válida facilidad a los objetos, a cualquiera de ellos entrañable; y porque estalla en la proliferación de formantes sentimentales sorprendentes, que despabilan vetas de realidad profunda en la lluvia de las metáforas fecundantes del texto.

El itinerario expresivo figural que marca la obra de Claudio Rodríguez, de *Don de la ebriedad* hasta *Alianza y condena*, corrobora e ilustra el recorrido de honda maduración de los poderes poéticos. La pujante precocidad de la paradoja alegórica en aquel primer gran libro de 1953 y las alegorías llanas del segundo ganan ahora en perfección de facetas imaginativas, tal como se exhiben sobre las metamorfosis metafóricas del nuevo libro de 1965. El riesgo principal en esta navegación del curso metafórico pudiera ser la monotonía o los destemplamientos ocasionales de la tensión intensa en las cuerdas sonoras del poema. Conocimos,

¿cómo no?, algunas caídas de la tensión poética extrema en *Don de la ebriedad*; eran inevitables en una obra tan niña. Muchas no fueron con todo, y nunca torpes: simples baches de perfección o hendiduras locales en una piel perfecta. Pero ahora no más; en *Alianza y condena*, la intensidad de alcance poético de Claudio Rodríguez aquieta y fija el pulso de sus trascursos y se ceba sobre la variedad feraz de las revelaciones de detalle, en las facetas innumerables del pulso de cada cosa desvelado sutilmente en carne de metáforas[13].

* * * * *

El análisis macroestructural de la figuralidad argumentativa que hemos practicado sobre el importante grupo de los poemas de transición del primer libro de *Alianza y condena*, monumentales ya en su entidad hímnica, aporta al balance general del estilo la culminación de la línea impuesta por el autor desde su primera obra y largamente ejercitada ya en *Conjuros*. A conclusión muy semejante nos enfrenta el seguimiento que realizaremos ahora sobre los estilemas de la forma

---

13. Nuestra propia valoración en este punto, sobre la línea de crecimiento y de intensificación poética que se percibe entre las dos primeras obras de Rodríguez y este tercer momento superior —o incluso para muchos realmente definitivo y supremo— de *Alianza y condena*, viene a coincidir con las opiniones de los más solventes analistas de la obra de Claudio. Para la atención de algunos, como Sala Valldaura, la supremacía la define el reforzamiento dramático de la experiencia sentimental, que se identifica acertadamente con «el crecimiento de la *ideología* poética del autor». Cfr., «Algunas notas...», cit., pág. 132. Otros conocedores distinguidos de la obra de Claudio como José Luis Cano, Silver o José Olivio Jiménez globalizarán en términos más extensos los argumentos y testimonios convergentes en esa apreciación del aumento de la perfección poética en la tercera obra de Claudio. Por su parte, Jaime Siles apuntaba sagazmente hacia datos constitutivos, macroestilísticos, como los de «concepción y estructura» para afirmar la superior perfección de *Alianza*, dentro de su estudio «La palabra fundadora», cit., pág. 77; siendo también los datos globales de concepción y estilo los que llevaban a Cano a una análoga persuasión sobre la superioridad poética de esta tercera obra (cfr. *Poesía española contemporánea*, cit., pág. 164). En *Alianza* destacaba José Olivio Jiménez, asimismo: «el volumen de mayor ambición y complejidad de su autor, que marca su ingreso en la madurez espiritual y expresiva» (cfr. «Para una antología esencial de Claudio Rodríguez», cit., pág. 102); después de haber precisado previamente: «... que habrá de quedar como uno de los dos o tres libros indispensables de su promoción y, a mi parecer, como el de mayor riqueza y complejidad de los suyos». Cfr. «Claudio Rodríguez entre la luz y el canto: sobre *El vuelo de la celebración*», cit., pág. 109.

exterior. En algún sentido, más que de cambio podríamos hablar aquí de intensificación depurada, de plenitud reconcentrada en unos procedimientos de estilo largamente ensayados. Frente a la corporalidad directa y sensitiva de las fórmulas estilísticas que referenciaban las viejas imágenes y su proliferación abigarrada en el texto, las imágenes nuevas encauzan hacia las terminaciones estilísticas de la forma exterior las sugerencias de un universo simbólico relativamente estable bajo representaciones sutiles y moduladas. Y hay que empezar aquí una vez más por el principio, por el primer gran poema del libro y uno de los más antiguos en la composición, «Brujas a mediodía», pues instrumenta de la manera más alta las instancias expresivas del estilo. «Brujas a mediodía» es tal vez la composición más tensa en estilemas impactantes de toda la obra; o por lo menos resulta ser la que representa concentradamente, dentro del bloque de panorámicas monumentales que integran los poemas del primer libro, el tratamiento fragmentado de la alegoría continuada en imágenes terminales con modulada estilización abstracta, tal como lo señalábamos antes al plantear la maduración macroestructural de los dispositivos argumentativo-figurales con alcance textual.

El agregado de imágenes intensas, microestilísticas, que peculiariza brillantemente el empedrado textual fantástico del enunciado en este primer poema de *Alianza*, procede en meticulosa proporción de la mezcla de imágenes, así como del talento espontáneo con que el cuidadoso Claudio sabe afectar incomparablemente la prontitud y animación rítmica de sus textos. La adquisición de la cultura popular subyacente, en este caso sobre la escenografía fantástica de los peculiares gabinetes y costumbres de las hechiceras y brujas descritos en los procesos inquisitoriales, requería meses y aun años de exhaustiva información, que Claudio confiesa haber invertido gozosamente leyendo ese ingente material historiográfico. Un deslumbramiento de rancios detalles de la costumbre, de pormenores curiosos arrumbados en sabidurías y supersticiones centenarias de cuentos y de consejas, nutre la selección feliz de improntas populares. Claudio los entalla milagrosamente en la andadura ligera de su mezcla nuevamente ensayada de endecasílabos y heptasílabos:

No son cosas de viejas
ni de agujas sin ojo o alfileres
sin cabeza. No salta,
como sal en la lumbre, este sencillo
sortilegio, este viejo
maleficio. Ni hisopo
para rociar ni vela
de cera vírgen necesita. (pág. 127)

Al mismo tiempo dinamiza la riqueza de representaciones fantásticas de las imágenes, siempre bajo el habitual magisterio rítmico del encabalgamiento y las fragmentaciones sintácticas. Es la fórmula permanente del poeta, quien con las alternaciones de metros que conviven ahora en el texto, levanta la capacidad emotiva de la figuración fantástica a niveles puntuales de jugosa delicia.

La fecundidad eufórica de la imaginación en este poema culminante se expande en detalles estilísticos incluso hasta las zonas de menor consistencia e intensidad lírica e imaginativa del texto, como son los espacios de la argumentación meditativa. La secreta puntualidad de las revelaciones decisivas, el ápice instantáneo de las epifanías deslumbrantes sobre los secretos del mundo, lo expresa el poeta incomparablemente trasponiéndolo a las vivaces imágenes de su oculto juego: «...Cada / forma de vida tiene / un punto de cocción, un meteoro / de burbujas». En esa búsqueda del conocimiento, los sentidos se entregan al «sorteo» aleatorio de la verdad, mientras el ser-objeto de la revelación «se cuaja» sobrenadando la urdimbre, ese «vivo estambre» del instante irreal que lo revela como efecto inhabitual y portentoso de alguna hechicería. Igual que el propio cuerpo, sentidos y razón se engañan «con su leyenda de torpeza». La colaboración a la falacia habitual, neutra e incluso técnicamente innovada de la realidad objetiva —«...en la misma / constitución de la materia»—, se anima pronto en el cristal quebrado de la alegoría desmembrada en una muchedumbre de instantes metafóricos, lluvia de facetas de lo engañoso: «... en tanta / claridad que es estafa, / guiños, mejunjes, trémulo / carmín...».

El esquema textual de la desmembración metafórica practicada en *Alianza y condena* sobre la tendencia anterior mucho más continua y plana de los fértiles espacios alegóricos, encuentra por tanto en esta fecunda multiplicidad de nuevas metáforas terminales, elocutivas, de la forma exterior, un campo de variaciones estilísticas sobre el que se prodigan los maduros poderes visionarios y expresivos de Claudio Rodríguez, ya en plenitud literaria de la forma y la experiencia. Representación poemática perfectamente lograda del espontáneo flujo de las imágenes reveladoras, que ofrecen en su conjunto jugosos cuadros del hechizo y del aquelarre, compatibles con esquemas estilizadamente intelectuales de las metamorfosis metafóricas; bodegones de intensos detalles imprevisibles ajustados al enunciado y a la experiencia por el meticuloso laboreo previo del poeta, que discurren naturalísimos en el texto a favor del fecundo instinto de pluralidad de ritmos formadores. Intensos cruces de planos conceptuales y visionarios —«Como quien lee en un renglón tachado / el arrepentimiento de una vida»—, animación corpórea de los trasuntos cada vez más sutiles de la imaginación mediante la rotundidad redoblada de los adjetivos necesarios —«... el hondo estrago y el tenaz progreso / de las cosas...»—; y sobre todo un fecundo hallazgo del nombre propio y los ritmos exacto que acompasa cada experiencia fugitiva:

> ahora, a mediodía, cuando hace
> calor y está apagado
> el sabor, contemplamos
> el hondo estrago y el tenaz progreso
> de las cosas, su eterno
> delirio, mientras chillan
> las golondrinas de la huida. (pág. 128)

La fórmula estilística de Claudio es ahora reconociblemente personal, y se descubre ya en este grupo inicial de poemas culminantes inagotable y fecunda bajo sus infinitas variaciones de encaje textual. Es así como de nuevo, después, la fértil enumeración juguetona costumbrista de los detalles acarreados hasta el primer plano del bodegón imaginario de las brujas, redobla el virtuosismo de su acumulación caótica en un clímax textual más intenso aún y todavía mejor logrado, que desemboca en un nuevo desenlace confidencial para el trasunto experto. Ahora, eso sí, quebrándose en el ritmo constructivo inverso del golpe súbito, de la comunicación instantánea del secreto: «la vida». El nuevo crescendo animado del ritmo lo proponen las fórmulas habituales en todo efecto de estilo: las iteraciones y las redundancias, plena y fallida. Primero la bipolaridad versal de los hemistiquios absolutos: «La flor del monte, la manteca añeja»; e inmediatamente la alternativa del encabalgamiento que prolonga el segundo hemistiquio desigual del nuevo endecasílabo: «el ombligo de niño, la verbena / de la mañana de San Juan, el manco / muñeco, la resina, / buena para caderas de mujer». Lo mismo para una nueva sucesión de bucles en espejo, que van a dar aquí, como la muerte, en el límite abrupto de la vida:

> *el azafrán, el cardo bajo la olla*
> *de Talavera con pimiento y vino,*
> *todo lo que es cosa de brujas, cosa*
> *natural, hoy no es nada*
> *junto a este aquelarre*
> *de imágenes que, ahora,*
> *cuando los seres dejan poca sombra,*
> *da un reflejo: la vida.*

Construcción rigurosa del poema, medida en sus exactas andaduras de ritmo; además de un saber muy sustancioso de los garantes últimos de la forma exterior, el lexema y la palabra esencial: el paladeo exacto de unos regustos rancios que proceden de fondos de la inocente costumbre inveterada. Pero también, el contraste seco con las valencias exactas y profundas de los términos de la significación meditativa, a la hora de confesar las más hondas verdades:

> *¿Por qué quien ama nunca*
> *busca verdad, sino que busca dicha?*
> *¿Cómo sin la verdad*
> *puede existir la dicha? He aquí todo.* (pág. 129)

Con *Alianza y condena*, en general, aquella sorprendente capacidad precoz de Claudio Rodríguez que deslumbraba bajo la energía adolescente de los impulsos hímnicos del deseo, se reconcentra sobre emplazamientos mucho más concretos e inmediatos de la experiencia, pero sin perder un punto de su pulsión creativa. La expansión ilimitada de las antiguas imágenes ebrias se concreta ahora en la plenitud alusiva de unas renovadas menciones léxicas con precisión madura ya implacable. Así surge inmediatamente en el poema, por ejemplo, la fórmula feliz de la «sutura», esa intuición filosófica esencial, enriquecida y ensanchada a verdad cotidiana de experiencia mediante el recamado amplificativo de sus equivalencias metafóricas:

> *Pero nosotros nunca*
> *tocamos la sutura,*
> *esa costura (a veces un remiendo,*
> *a veces un bordado),* .
> *entre nuestros sentidos y las cosas.* (pág. 129)

La doble felicidad en la imagen de la «sutura» y del lexema que expresa ese contenido archiléxico de la representación global del texto, ilustra el proceso de redondeo y perfección en este poema, uno de los mejores de todo el libro; a la vez rítmica e imaginativamente esbelto e impulsado bajo un control de enunciación nunca defraudado en la superficie. De esa manera, el acierto global —macroestructural: inventivo y dispositivo— de la concepión madura de la forma interior resulta inmediato y perceptible en la rotundidad de sus terminales elocutivas, imaginarias y sentimentales, de la forma externa. El dato es metodológicamente muy ilustrativo de cómo una intuición original simbólica se despliega en sus estructuras textuales, temáticas y argumentativas, a lo largo de los procesos de producción del texto y sobre la extensión de todo su enunciado. Brevemente expresado: el ejercicio de doble dirección de la forma, entre la macroestructura de la *forma interior* y las afloraciones conscientes e intensas, microestilísticas, de la *forma externa* poemática.

En concreto, dentro, del proceso que ilustra nuestro caso presente, la desagregación del esquema general simbólico de las alegorías en compuestos metafóricos en todos estos primeros textos estilísticamente plenarios de *Alianza y condena*, que hemos presentado en nuestros análisis primero macroestructurales de forma interior y ahora microestilísticos sobre la forma externa, favorecen la percepción de la continuidad y de los cambios entre las estructuras de la enunciación poética. Las formulaciones elocutivas terminales de la forma exterior refrendan de ese modo el despliegue de la génesis macroestructural, temática y argumentativa, del poema. Al realizarlo además desde una variedad tan eficaz y rica de testigos fantásticos y de fórmulas estilísticas en todos los niveles, textos como «Brujas a mediodía» subrayan y manifiestan su propia perfección dentro del conjunto complejo comunicado del doble itinerario simbólico de sus formas.

La concentración de componentes intensos metafóricos acuñados como estilemas elocutivos de la forma exterior desciende proporcionalmente en las restantes composiciones del libro primero. Era algo casi obligado, dada la tensión del esfuerzo poético alcanzada en el primer canto magistral, un calculado y mantenido acorde inicial perfecto de la obra que no resulta fácil de sostener. En «Gestos», los nuevos estilemas terminales de naturaleza metafórica se distribuyen con mayor pausa a lo largo de la composición. Obviamente, como se ha señalado ya de modo reiterado, cada uno de estos textos constituye una suerte de metáfora global o distendida a partir de su título, una especie de «metáfora doble» como la han identificado ya los críticos de Claudio desde de Siebenmann. La gesticulación o la cáscara son, en sí mismos, índices simbólicos convencionalizados que transparentan hábitos personales de comportamiento sintomático en la falacia general de las relaciones humanas dentro del pacto y la hipocresía social.

Sin embargo en *Alianza y condena* aparece ya patente —y es lo realmente decisivo—, por encima de soterradas continuidades de la imagen en el espacio sicológicamente indeciso entre subconsciente y conciencia de la forma interior y de las fórmulas que las expresan en acuñaciones estilísticas sobre la forma externa poemática, la traza de una selección innovadora y mucho más aquilatada de los correlatos formales de la metamorfosis. En el poema sobre la mirada «Porque no poseemos», el cambio radical en el ámbito de la contemplación, ahora ya más interiormente circunspecta y más acogida a escenarios íntimos, determina una selección nueva de las imágenes puntuales intensas y de su expresión terminal elocutiva. Metamorfosis quintaesenciadas, nuevas geometrías de lo simbólico, sobre los objetos más inconcretables y sutiles de la percepción del sentimiento:

> *...con esa membrana*
> *delicada del aire,*
> *aunque fuera tan solo*

con la sutil ternura
del velo que separa las celdillas
de la granada. (pág. 133)

En esta obra culminan, en efecto, modificaciones muy profundas en la maduración de la experiencia vital y poética del autor; y son ellas, en consecuencia, las que determinan y seleccionan la nueva fisonomía del estilo. En su conjunto, las nuevas exigencias de interiorización meditativa de la mirada abren una curiosa espacialización íntima constituida y cubierta por una progenie hasta ahora inédita de imágenes puntuales de la forma exterior, que habían de alcanzar muy prolongada pervivencia en el universo imaginario de Claudio Rodríguez. Los nuevos símbolos y las nuevas formas estilísticas sintácticas y lexicalizadas que los expresan, se encarnan en estructuras temáticas de fijación personal casi obsesiva dentro de la imaginación del poeta; como la de las celdillas y los panales frutales que prolongan hasta aquí funcionalmente el espacio imaginario de la antigua simbología fetal del grano protegido y caliente bajo la cutícula de su vaina. Y sobre todo la recién creada familia simbólica que tan largo dominio había de alcanzar en la imaginación de Claudio, sobre cerraduras, goznes y puertas de cajas fuertes y sagrarios. Símbolos terminales intensos y fórmulas elocutivas con hondo calado mítico, que comparecen por primera vez en este poema sobre las acertadas afloraciones estilísticas de la mirada:

...Quiere untar su aceite,
denso de juventud y de fatiga,
en tantos goznes luminosos que abre
la realidad, entrar
dejando allí, en alcobas tan fecundas,
su poso y su despojo,
su nido y su tormenta,
sin poder habitarlas.

Son siempre estilemas culminativos del estilo, ápices en la linealidad superficial de unos textos generados complejísimamente en el profundo seno tabular de sus estructuras constitutivas temáticas y expresivas. Los nuevos estilemas metafóricos terminales apuntan hacia los espesores subconscientes de los mitos antropológicos de la imaginación de Claudio en permanente dinámica de confirmación consciente en la metamorfosis creadora. La nueva galería de las formulaciones terminales metafóricas despliega y simboliza un espacio de reflexiones cada vez más íntimo y concentrado de lexemas: nombres de enseres en interiores de alcobas amadas y aborrecidas, intimidad de sagrarios y concavidad de cálices vaginales, pliegues casi cubistas en los dobleces del aire, cavidades oscuramente tenebrosas y adversas vibrando en la fascinación vertiginosa de la atracción y de la culpa, la familiaridad amada y la transgresión. El vasto espacio despejado de los paisajes exteriores del deseo postural adolescente, con sus descripciones alegóricas extensas, se ve sustituido ahora bajo la creciente intimidad de todas estas densas afloraciones elocutivas, en la estilización intensa de las nuevas imágenes y sus nombres. Tal como acontece en el proceso de simbolización de ciertos pintores abstractos, la mirada madura del antiguo contemplador de paisajes se ha filtrado por algún poro de la antigua línea del horizonte, instalándose así en el dominio inextenso y monocromo de una luz o una sombra puramente interiores, con todas sus coordenadas de espacio extraviadas y subvertidas.

El recorrido practicado sobre los estilemas más reconocibles de la forma exterior en el grupo de majestuosos poemas de transición del primer libro de *Alianza y condena* confirma en todo la apreciación intuitiva de ápice culminante en la maduración poética, mítica y expresiva, que crítica y lectores suelen atribuir a esta tercera obra en la evolución del universo poético de Claudio Rodríguez. El antiguo espacio literario de la alegoría con su bipartición de las estaciones del simbolismo, ha evolucionado hacia la deliciosa contaminación, realísima, de los espacios referenciales del mito. Universo e intimidad, paisaje y cuerpo, trazan los peculiares cruces de sensaciones y sentimientos maduros en los que se va encarnando reconociblemente la peculiar espacialidad de la construcción imaginaria de Claudio Rodríguez: se trata del fundamento sólido de un estilo personal de ser y de sentir, de ver y de decir, tan independiente y singular como personal y constante. Pero que no se confunda ese perfil tan personal, vigoroso y constante de la intuición y del estilo no débilmente automático, predecible o reiterativo: la fecundidad expresiva de Claudio Rodríguez en esta obra, desde las macroestructuras figurales de la forma interior a sus afloraciones textuales externas en estilemas intensos, renueva todos sus dispositivos sin la menor señal de apatía o de enojo; siempre con la pujante eficacia de su absoluta necesidad poética.

Itinerario figural del proceso poético: de la particularización entrañable de la sinécdoque a la restricción polémica de las antítesis

Hasta aquí hemos tratado de integrar los esquemas figurales de la argumentación de la forma interior dentro de la constitución inherente a la estructura del contenido. La macrorretórica de la enunciación poética no es por tanto, contra lo que un pensamiento elementalista y meramente exornativo de la retórica haya podido sugerir, una manifestación superficial de estilo, sino una estructura constitutiva de la expresión. En *Alianza y condena*, libro fundamental como vamos viendo sobre el cambio y la maduración de la simbolización —visión y voz— poética de Rodríguez, acabamos de detectar en los poemas iniciales del libro primero[14] el síntoma profundo que representa la desagregación de la continuidad alegórica. Pero las innovaciones estilísticas que nos proponen los poemas de los libros segundo y tercero de esta obra, permiten profundizar aún más detalladamente en otras capas íntimas y sintomáticas a propósito del afinamiento de la visión y de los sentimientos

---

14. Al ponderar estilísticamente el alcance del género de valencias referenciales y emotivas del léxico más naturalista de Rodríguez, bajo el que se formula el grupo de poemas aludidos, conviene recordar la oportuna apreciación de González Muela, quien proponía un itinerario de inversión connotativo-poética según el orden del proceso formativo semántico: cosa-referente, significado-representación semántica, palabra-lexema; indicando la concentración autodeíctica poético-autónoma en el lexema mismo: «... la mirada del poeta no ve primero la cosa y luego su significado y luego su expresión, sino al revés. La poesía de Claudio Rodríguez nos da la impresión de una imagen invertida ante la que hay que poner un espejo si queremos entenderla, si queremos ver la realidad... el objeto —constata más adelante, a propósito del significativo río Duradero— no se percibe con los ojos, sino con el oído». Cfr. J. González Muela, *La nueva poesía española*, Madrid, Alcalá, 1973, págs. 68-70.

temáticos del autor sobre la realidad, tal y como llegan a plasmarla los esquemas figurales dominantes.

Téngase en cuenta siempre que, cuando hablamos de manera deliberadamente englobante y unitaria sobre los esquemas macrorretóricos figurales del despliegue argumentativo de la forma interior, nos estamos refiriendo a un conjunto siempre plural de momentos enunciativos, los textos de los poemas, distendidos en el tiempo y por lo tanto variados en la intención y en las estrategias compositivas del autor. Lo que vale lo mismo respecto de la pluralidad de facetas y de formas simbólicas en las que se despliega y se distiende el núcleo solo genéticamente unitario del mito personal temático. En esa perspectiva, los diversos poemas de *Alianza y condena* se constituyen en un conjunto planificado y organizado sólo «a posteriori» por la voluntad simbolizadora del autor. Así se explican por una parte las afinidades y convergencias en la morfología temática y argumentativa de los individuos poemáticos que forman los diferentes libros y grupos de textos dentro de la obra, pero también se manifiesta contrariamente la diversidad de instancias intencionales que se sucedieron durante los siete años de elaboración del poemario.

Bajo tales condiciones, la organización temático-argumentativa relativamente alegórica y distendida de los poemas del libro primero que hemos examinado antes, representa un esquema —y un tiempo de creación— alternativo a la concentración focalizada —metonímica o según unos más propiamente de sinécdoque— en la mayoría de las de composiciones de referencialidad temática directa del libro segundo. Todo ello sin olvidar, a su vez, la decisiva gravitación de la tensión antitética que despliega figuralmente la mitología social fundante de la obra: las promesas eufóricas de la alianza cordial y fraterna frustrada bajo las evidencias «condenadas» de las convenciones mezquinas de la defensa. Por esa vía, los despliegues textuales en narración alegorizante del metaforismo y las concreciones sintomáticas de las sinécdoques se descubren compatibles con el dominio general del contraste antitético, según la variedad de planos, operaciones y momentos en que se sustancia el complejo argumentativo de la forma interior en el conjunto de la obra.

El rasgo más general y abarcante, la verdadera razón de ser y causa del cambio conceptual y sentimental que motiva las progresivas modificaciones retórico-enunciativas del esquematismo figural, podría concebirse dentro de un movimiento de maduración espiritual y literaria en busca de la sinceridad como fidelidad íntima y como clarividencia analítico-objetiva[15]. En ese proceso, Rodríguez propende a *concentrar* en el plano de las estructuras de realidad sus observaciones sobre referentes crecientemente sintomáticos, mientras que en el nivel de las estructuras retórico-formales se resuelve bajo el correspondiente y mesurado control del artificio figural. En consecuencia la *sinécdoque*, reducción antonomásica de los fenómenos a sus raíces simbólicas esenciales[16], y el *símil* como fórmula explícita del cotejo que economiza la fusión constitutiva metafórica, se convierten en las estructuras figurales por excelencia dentro del proceso de maduración ética y artística del autor en *Alianza y condena*[17]. Pero la claridad de visión y la depuración de la economía figural en la poesía de Claudio Rodríguez se manifiestan paralelas en el resultado construido del libro con el proceso de desalojo creciente de la convergencia alegórica. Así la *condena de la*

---

15. Cfr. José Ángel Valente, *Las palabras de la tribu*, Madrid, Siglo XXI, 1971.

16. José Olivio Jiménez asimilaba la peculiar focalización temática de Claudio sobre los contenidos mínimos, sintomáticos, de muchas composiciones de este libro, en términos de rectificación arquetípica emocional del sintomatismo de los conceptos intelectuales: «Pero la inteligencia, no en estado puro sino como rectificación de la emoción, acude siempre para obligar a la mirada a no pasar muy de largo en sus andanzas, sino a detenerse aún en lo mínimo e iluminarlo desde dentro en su más oculta verdad». Cfr. José Olivio Jiménez, *Diez años de poesía española*, cit., pág. 72.

17. Son pocos los críticos que han ponderado rigurosamente la decisiva importancia estilística del rasgo de desplazamiento tropológico que aquí estamos glosando. Una de las mejores excepciones pudiera ser la de Carole A. Bradford, quien para poemas como «Espuma» o «Girasol» de la segunda parte de *Alianza y condena* ha subrayado la responsabilidad performativa del rasgo tropológico figural, que ella etiqueta como de desplazamiento metonímico. Nosotros preferimos asumirlo en el caso de la mayoría de los poemas afectados como sinécdoque, acogiéndonos a la tradicional relación cuantitativa de «pars pro toto» predominante en la estructura tropológica de esta figura, antes que en las consabidamente metonímicas: causales y de continente por contenido simbolizado. Respecto a las tradicionales relaciones del «símbolo por la cosa simbolizada», se atribuyen primeramente a transiciones mucho más específicas, inmediatas y explícitas que las muy generalizadas que se tendrían que aplicar aquí a la transferencia simbólica del gorrión, la espuma o el girasol. Un género de desplazamientos simbólicos tan dilatados deja vacío el efecto tropológico concreto de la pretendida «metonimia», al predicarse en tales circunstancias sobre cualquier valencia y estructura del simbolismo o arquetipicidad del lenguaje entendida en la forma amplia y laxa. Sin contar con que es tradición

alianza que tematiza este tercer paso definitivo de la experiencia de Claudio Rodríguez, se significa formalmente, como veremos en el apartado siguiente, en el descubrimiento de la *negación*, de las *antítesis* inevitables que constituyen el fondo de la realidad y que rigen inexorablemente el torcido trazo de sus historias.

Cualquier anécdota mínima, el incidente más inicial y ajeno como la espuma o el picoteo de un gorrión, o bien la apresurada fuga del campesino ante el turbión de lluvia, establece el plano reconcentrado de historia que precipita el transfondo reflexivo; por ejemplo, la inconsciencia de quien se alegra de que se sequen sus ropas de un agua que vivifica y da sentido a su propio trabajo, en «Lluvia y gracia» (pág. 155). Y es que cualquier fugaz accidente cotidiano, las presencias metonímicas más simples y habituales, se teñirán de luz simbólica al verse contagiados por el aura sentimental íntima. De la misma manera se interpreta la lección de sencillez del girasol humilde —«con tu postura de perdón»— para un alma enardecida en el contagio de la «campaña soleada», o la «loca empresa» que alentaron antaño las dilatadas alegorías de los vastos paisajes, reducida ahora por efecto de la sinécdoque al tamaño justo de la humildad del hombre en las edades en que va de vencida, como el sol que traspone; un ejemplo para el corazón que se formula en «Mala puesta».

La candidez de la nieve bajo el resplandor nocturno es asimismo pauta estimulante para combatir en el interior la falsedad lejana a la

---

en los tratadistas modernos de Retórica a partir de Lausberg, atribuir genéricamente a «sinécdoque» todas las variedades de simbolización. Véase esa atribución, por ejemplo, en Helena Beristáin, *Diccionario de Retórica y Poética*, México, Porrúa, 1985, pág. 239.

Pero quiero insistir, positivamente, en que lo importante con todo para la cuestión mayor de la decisiva figuralidad estilística es la percepción de la alta responsabilidad artístico-performativa del desplazamiento tropológico-simbólico de «pars pro toto» —«parts convey a whole» como lo formula Bradford—. Cfr. Carole A. Bradford, «Trascendental Reality...», cit., pág. 133: «specific details convey general universal concepts; parts convey a whole. Metonymy is often combined with extense metaphor so that the whole is symbolized in the part. In «Espuma», form symbolizes the regenerative principle of the sea and, by extension, the entire life cycle. In «Girasol» the sunflower becomes a symbol of physical and spiritual renewal, while yet retaining its concrete value». Ver nuevas insistencias categóricas sobre «Espuma» en pág. 137.

inocencia —«Nieve en la noche»—. Lo mismo que «la verdad de la piedra» en los cantiles de «milenaria permanencia» que componen con el eterno mar de «implacable poderío» el paisaje de «Frente al mar», establece un término de comparación reconcentrada que sobrepasa las dimensiones del contemplador sobrecogido: «...demasiada criatura, / demasiada hermosura para el hombre».

Pero el itinerario compositivo hacia la sinécdoque como fórmula figural que organiza la argumentación del impulso de focalización mítico-temática se verifica sobre todo en la transición que diferencia los libros segundo y tercero. El debilitado alegorismo que relaciona los dos términos del cotejo se adelgaza aún más aquí, en el libro tercero, para significar el paralelismo entre las series exterior e íntima, cuando ni siquiera se encuentran propiamente las fórmulas más exteriores del símil elemental. La causa me parece que puede residir en el fenómeno que también Carlos Bousoño identificara como «inversión del proceso alegórico», que para su análisis se evidenciaba entre *Conjuros* y *Alianza y condena*. En muchos poemas de este tercer libro —y tal vez nunca masivamente antes del mismo— se consuma el adelgazamiento progresivo de la dimensión referencial de la anécdota externa, en contraste creciente con la focalización protagonista temática de la situación íntima sentimental.

El diseño esquemático que traduce la primera forma del desplazamiento de la perspectiva lírica, con sus correspondientes modificaciones de la entidad semántico-simbólica de las partes implicadas en el cotejo, se identifica con el esquema figural de la *sinécdoque*. La focalización lírica determina básicamente los desplazamientos cuantitativos de la parte por el todo o del individuo por la especie propios de la sinécdoque; una nueva tendencia esquemática perceptible ya, como acabamos de señalar, en la mayoría de los contenidos temáticos del libro segundo. De la inspiración en las vastas perspectivas del paisaje castellano que conocíamos en *Don de la ebriedad*, se pasa a la concentración simbólica sobre retazos mínimos en poemas como «Gorrión» o «Girasol»; de la anécdota externa en «Lluvia y gracia» a la «trémula impotencia» de la luz crepuscular que se difumina en «Mala puesta», etc., etc. Pero de todos estos estímulos menores el poeta deduce con solvencia las emociones más reveladoras, porque a la grandiosidad de tonos de las vastas perspectivas anteriores la sustituye ahora la hondura de la reflexión, la densidad íntima de los sentimientos[18].

El expediente de la *sinécdoque* en el libro tercero se descubre aún más intensamente agrupado hasta rozar en ocasiones el nivel de necesidad esencial de la *antonomasia*. Por lo pronto el clasema *un,* de singularización ejemplarizante, figura explícitamente incluso en los títulos: «Un suceso», «Hacia un recuerdo», «Un momento», «Un olor», «Una luz», «Un bien». Sin acontecimientos externos, sin otra existencia ajena a la vida íntima del poeta, como es el caso del deslumbramiento por la disimulada atracción femenina en el incidente de «Un suceso»: «...y me emociono / disimulando ciencia e inocencia...», el lance social diario y las observaciones menudas cotidianas, propician la concentración interior que realiza la espontánea cordialidad de la sinécdoque.

En la mayoría de los poemas de este libro cuyos títulos no hemos mencionado antes, se reproduce con resultados muy semejantes a los anteriores el mecanismo reductor de la sinécdoque. Así en «Cielo» (pág. 170), donde la naturaleza semántica del sustantivo resiste en el uso común el predeterminante, lo que se extiende al texto es sólo la expresión de un estado personal de ánimo y de conciencia. El panorama del cielo se reduce casi exclusivamente al término convencional del acto de mirar. A su vez, el temprano poema «Hacia un recuerdo» empieza suscitando la representación del argumento opuesto, pero pronto se orienta a reafirmar explícitamente el itinerario de la sinécdoque. En la evocación de este animado viaje por las tierras de la vieja España, de la Castilla protagonista de las emociones que fundaran otrora la poesía de Rodríguez, recuperamos por momentos los antiguos poderes de evocación

---

18. Cfr. José Olivio Jiménez, *Diez años de poesía española*, loc. cit., pág. 72. El procedimiento figural de la focalización por medio de las metonimias y las sinécdoques no es exclusivo ni totalmente nuevo en *Alianza y condena*, algunas formas de singularización ejemplarizante figuraban ya incluso en *Don de la ebriedad* —recuérdese la reflexión sobre la encina en el fragmento tercero del primer libro—, y aparecen todavía más frecuentes dentro de *Conjuros* en poemas como «A una viga de mesón» y «Ante una pared de adobe», o en la ejemplaridad alegórica del grajo-hombre moribundo de «Incidente en los Jerónimos». Sin embargo, ni en relación al alto grado de concentración simbólica del referente ejemplar, ni por la cantidad de los poemas con esta estructura macrorretórica presentes en una misma obra, puede predicarse con propiedad antes de *Alianza y condena* la figuralidad de la sinécdoque como estructura argumentativa con verdadero predominio sintomático en la articulación expresiva de las concreciones temáticas dominantes de la forma interior.

sobre un terruño labrado por la historia y con la profundidad del ser del alma. Para empezar, en ello nos sitúa ya plenamente el aire campesino sintéticamente lírico con el arranque de la canción tradicional: «Bien sé yo cómo luce / la flor por la Sanabria, / cerca de Portugal...». Se renueva así la densa atmósfera emocionada de los paisajes antiguos del sentimiento, pero todo ello ya sin el primitivo regusto en los detalles sino con la emoción arrebujada en torno a la intimidad esencial de los objetos tiernos, de las horas de luz. Ya no hay espera anhelante al dictado de la inspiración que vendrá de las cosas, sino vida interior, suma de los reencuentros que descuentan lo más familiar y reconocible. Lo que destaca precisamente en un poema como éste es que sea el propio autor quien despliegue los mecanismos del tejido temático, en una declaración metalingüística a la vez eficaz y esencialmente poética:

> *No es el recuerdo tuyo. Hoy es tan sólo*
> *la empresa, la aventura*
> *no la memoria lo que busco. Es esa*
> *tensión de la distancia,*
> *el fiel kilometraje. No, no quiero*
> *la duración, la garantía de una*
> *imagen, hoy holgada y ya mañana*
> *fruncida ...* (pág. 172)

Ni duración ni medida concreta de una distancia definida en el ser de las cosas, en sus fisonomías y detalles. Sólo tensión y sentimiento inextenso de espacio, reencuentro con la luz sin alegatos. Un descartar de cosas, de la cacharrería tópica de nombres y de enseres; y un hallazgo asumido en fórmulas sustanciales, del cemento común más homogéneo a materias y a hombres.

Y como siempre sucede tratándose de los ensayos de exploración de la realidad en este poeta, junto a la expresión del espacio, la del tiempo en otra de las composiciones más antiguas de la obra, «Un momento» (pág 174). Donde se buscaba antes la emoción sustancial, la síntesis quintaesenciada de las viejas vivencias, se trata de aprehender ahora lo absoluto en el instante de la revelación. A despecho de días de infortunio y de tiempos inhábiles, el caprichoso instante —«aún lunes y tan lejos / de la flor del jornal»— depara insospechadamente el ápice perfecto para la vibración de una amistad. El inesperado acento sutil tras la monotonía de una charanga insufrible: «...Tras tanto / concierto de cuartel, he aquí la música / del corazón por un momento. Algo / luce tan de repente que nos ciega, / pero sentimos que no luce en vano». Espacio-tiempo esencial de la síntesis lírica apto para el milagro inefable de los sentimientos: «luz en la luz».

La quintaesencia del ser de las cosas participada por el mecanismo esquemático de la sinécdoque culmina la plenitud poética de un Claudio Rodríguez que ha vencido ya, tras su impulso esencial, todas las tentaciones menores de la casuística entrañable en detalles y anécdotas. Un poema tal vez demasiado adusto como es «Tiempo mezquino» (pág. 175) reconcentra, para menoscabarla, la vengativa formulación de su negatividad mediante la atenuación indirecta de los oscuros fondos del sentimiento que convoca; cifras sólo esenciales y sintomáticas que se extenúan en el acarreo informe de una oscura síntesis de sensaciones globalmente simbólicas: «Un sabor a almendra amarga / queda, un sabor a carcoma; / sabor a traición, a cuerpo / vendido, a caricia pocha». Y al igual que la hora de la despedida hace voluntario balance de recuerdos en la unidad del gesto de «Adiós» (pág. 176); así también la otra huida contra los detalles del recuerdo escapa de la crisis minuciosa para constituirse en fórmula general del sentimiento: «Cualquier cosa valiera por mi vida / esta tarde. Cualquier cosa pequeña / si alguna hay...». Por lo mismo la noche, la degración de lo distinto de las formas, adquiere calidades simbólicas de luz igualitaria, de borrado esencial, en el poema que cierra la trilogía apasionada de esta crisis del desengaño: «Noche abierta» (pág. 177).

Mediante el enfoque concentrador de la sinécdoque Claudio Rodríguez consigue enriquecer, sutil y penetrantemente, el ensanchamiento de las experiencias íntimas de la emoción:

El dolor verdadero no hace ruido:
deja un susurro como el de las hojas
del álamo mecidas por el viento,
un rumor entrañable, de tan honda
vibración, tan sensible al menor roce,
que puede hacerse soledad, discordia,
injusticia o despecho... (pág. 178)

Al punto que frecuentemente no sabríamos separar aquí los términos metafóricos del cotejo; ni tan siquiera acertaríamos a decir con propiedad cuál es la rama clara de un símil transparente —si la sensible y exterior o la sentimental e íntima— a la que alude la enunciación:

...Estoy oyendo
su murmurado son, que no alborota
sino que da armonía, tan buido
y sutil, tan timbrado de espaciosa
serenidad, en medio de esta tarde.

Porque después de todo la referencia de las cosas externas, perceptible bajo su concentración en figura de sinécdoque, establece los únicos jalones que convienen a las ocultas singularidades de la historia interior de unas vidas distintas, tanto más generalizables y simbólicamente poderosas cuanto más se haya depurado su imagen esencial: «...Dolor que oigo / muy recogidamente, como a fronda / mecida, sin buscar señas, palabras / o significación...». Así en «Un olor» el poeta despliega paladinamente el recorrido físico de las sensaciones sutiles, las que tocan en el perfil del cuerpo los límites delgados de la *alianza* entre complementarios donde se ostenta la flor del sentimiento. Porque no pueden ser sino incorpóreas auras y refinadas esencias poderosas las que actúen sobre el delgado estambre de todas estas pasiones líricas: la más liviana participación, la reducida y representativa, la parte más pequeña de los todos, la señal y la marca, el fruto de la sinécdoque o metonimia:

¿Qué clara contraseña
me ha abierto lo escondido? ¿Qué aire viene
y con delicadeza cautelosa
deja en el cuerpo su honda carga y toca
con tino vehemente ese secreto
quicio de los sentidos donde tiembla
la nueva acción, la nueva
alianza?... (pág.179)

Filo de olor tan sólo, equivalente de las memorias transcurridas, de contundentes rememoraciones fundidas en pormenor de sombras y de detalles sucios y siniestros —«en medio de hospitales, / de bancos y autobuses...»—, que este aura de síntesis avala y neutraliza:

> *¿Qué materia ha cuajado*
> *en la ligera ráfaga que ahora*
> *trae lo perdido y trae*
> *lo ganado, trae tiempo*
> *y trae recuerdo, y trae*
> *libertad y condena?*

Lo que cuenta es que al fondo quede, en el poema, claridad infinita del aliento del alma, quintaesencia oreada sobre los recovecos de una vida compleja, de un alma poderosa tan rica en claroscuros; conciencia recuperada ya a estas horas por las sabias palabras de los versos en algunas de las imágenes más penetrantes y corrosivas a que se ha elevado la voz de este poeta: «...a este aire / íntimo de erosión, que cala a fondo».

El estado de ánimo que establecen estos trasuntos mínimos, el que escoge el último refugio del átomo esencial en el corazón selectivo de la sinécdoque, no puede ser sino el de la persistencia combativa de la euforia. Lo proclaman así las valencias elegidas de los símbolos en la situación de luz de «Amanecida», el trasunto más diáfano para la resonancia renacida de sentirse vivir: «...¿cómo / puedo dudar, no bendecir el alba / si aún en mi cuerpo hay juventud y hay / en mis labios amor?». Incluso en los momentos más aciagos —«en esta hora / de dolor» de «Lo que no es sueño»— resurge siempre, bajo la trasposición consoladora de la sinécdoque, el arrimo de la pasión vivificante que aporta los consuelos, las convicciones para la resistencia necesaria: «...y aun ahora / que estamos en derrota, nunca en doma, / el dolor es la nube, / la alegría el espacio». Es la poesía honda de las cosas menores rescatadas a su evidencia sustancial por la intensa luz de la sinécdoque. Simbólicas quintaesencias de ambición compleja, las únicas capaces de mantener la tensión del apasionamiento en una vida como la del poeta, tan socavada en los fundamentos inagotables del entusiasmo.

Al fondo amenaza ya el contrastado juego de las adversaciones negras en esta tercera obra todavía intermedia dentro del itinerario poético y vital de Claudio Rodríguez. Amenaza la antítesis con sus poderes pésimos de restricciones a la ilusión; la antítesis que ha probado su fuerza inconciliable contra la añeja tradición de las alegorías que gobernaba antes, tesoneramente, la ilusión del poeta y su esperanza. En adelante las construcciones adversativas y los juegos de exasperación antitética de los contrastes irán definiendo la traza definitiva para la deserción cada vez más generalizada de Claudio en los trabajos humanos del entusiasmo y el tesón. Pero todavía no. En la cuenta final de la ruda emboscada que marca ya contrarios en *Alianza y condena*, lo que el poeta pretende al fin que prevalezca es la cifra del bien, el acogimiento todavía posible del consuelo a las venturas mínimas del instante fecundo y del detalle reparador que se acoge a la intensidad reconcentrada, ejemplar, de la sinécdoque: en una brizna de aire, en la oscilación familiar de un tono de la luz —«Esta luz cobre, la que más ayuda»— que acaba siendo para siempre «...lo que pido / para mi amor y para mi sosiego»; en todo ello se afirma la consistencia mínima, elemental, del bien, la raíz melancólica que alienta los quebrantados restos aún encendidos, pese a todo, del poder transfigurante del entusiasmo en poesía.

Resentida ya largamente por la vida la inocencia de los primeros éxtasis, barrenada la convergencia de las alegorías más puras y más sabias por los corrosivos vicios del engaño menor, del desgaste cruel de cada día poderoso ya incluso contra las sublimidades del poeta, el repliegue de la voz y la mirada hacia el espacio mínimo del síntoma —de la parte extensible al todo de la sinécdoque— es lo que trata de prolongar en esta hora siempre melancólica del desengaño y los dolores la calidad poética de la esperanza.

* * * * *

A los procesos de focalización y de readaptación retóricas de la realidad cotejada que representan las reducciones de la sinécdoque, les había precedido ya necesariamente el progresivo desgaste en la asimilación de los paisajes exteriores de la realidad y del mundo. La tenue melancolía que siempre ha formado en el trasfondo de la visión dramática de Rodríguez comunicándole no pocos de sus mejores atractivos, se adensa en esta tercera obra culminante hasta consolidarse en un claroscuro de la experiencia ambientalmente adversa[19], previa a la voluntad irreductible de salvación, según detalles y momentos en los que se revelan paradójicos y menores los milagros del consuelo[20]. En tal sentido *Alianza y condena* no confirma todavía —pese a lo que podría sugerir la asimilación negativa de su título, prometida ya desde el último poema de *Conjuros* «Pinar amanecido»— la quiebra total del entusiasmo positivo. Éste se ve salvado invariablemente por las invasiones intermitentes de recuerdo positivado y sobre todo por la voluntad de convocar al final, masivamente, los mitos idílicos de la infancia y la fraternidad. Pero puede ya asegurarse que a partir de esta tercera obra ha arraigado definitivamente en el corazón del poeta la experiencia del desaliento, que apuntaba en *Conjuros* bajo formas aún tenues de destitución extrema del idilio.

Sobre la polaridad exterior implícita en el cotejo poético que constituye la situación lírica fundante, se instala el nuevo bloque de la experiencia del dolor y la miseria que tiñen intensamente la madurez del ánimo del poeta, el cual se esfuerza de manera denodada, pese a todo, en preservar la fidelidad intacta para las ilusiones benéficas del niño y del adolescente[21]. La gravitación ensombrecida de esa conciencia glo-

---

19. Cfr. Jonathan J. Mayhew, («The Dialectic of the Sign in Claudio Rodríguez´s *Alianza y condena*», cit., pág. 521) ha destacado, ya desde el propio análisis del título, el incremento de negatividad en la experiencia que caracteriza efectivamente esta obra. Respecto al análisis antitético en concreto de los símbolos de *Alianza*: mentira/caridad, sangre/cirio, cicatriz/herida., etc, cfr. Emilio Miró, «*Alianza y condena*», en Cuadernos Hispanoamericanos, 201 (1966), pág. 811.

20. Testimonio crítico perspicaz de esa nueva alternancia «zigzagueante» en la obra entre pesimismo y optimismo, es el de José Olivio Jiménez, «Para una antología esencial...», cit., pág. 102: «La alianza y la condena avisan, desde el nuevo título, de ese ritmo dialéctico zigzagueante que nerviosamente estructura el conjunto... Y de ahí —añade— su complejidad apuntada: ese carácter como de lectura minuciosa de la realidad toda, con sus flancos extenuantes pero también con sus vertientes opacas que los poemas en su sucesión y alternancia acaban por propiciar».

21. En el tiempo transcurrido durante la composición de esta obra, la correspondencia cruzada entre el poeta y Vicente Aleixandre acuñó los términos convencionalizados que diferenciaban entre poemas «malditos» y poemas «susurrados». Confidencias que decantan efectivamente la realidad de esa doble experiencia alternativa y simultánea, cuyo resultado textual viene a ser la dialéctica de antítesis y adversaciones que caracteriza a *Alianza*. Cfr. Dionisio Cañas, «Claudio Rodríguez», cit., pág. 52. Me parece, con todo, que los contrastes patentes en la obra y en su título se hallan en el fondo sintetizados por Claudio bajo el principio de salvación, de signo mucho más sustancial y reservadamente metafísico —«este dualismo es, en el fondo, una identificación»— que escapaba al reduccionismo demasiado ecléctico con que Aleixandre asumía el matizado mensaje del joven alumno. Veinticinco años más tarde, una declaración del mismo Claudio sobre este rasgo decisivo de su

bal vigorosamente reprimida se manifiesta en la estructura macrorretórica de la forma interior bajo la presencia de la dialéctica constitutiva de la *adversación* y de la *antítesis*. Por el momento, no se trata aún de un balance exhaustivo de negatividad, con lo que la contrariedad no alcanza a constituirse bajo ninguna forma clara de estructura retórica de las más artificiosas y estilísticamente marcadas como el *sarcasmo*. Porque en realidad, con todas sus retracciones, el cotejo alegórico o similar no ha dejado de ser todavía la estructura figural constitutiva de la expresividad poética connatural a Claudio Rodríguez, en correlación isotópica con las estructuras semántico-extensionales en que se concreta su visión del mundo.

Dos poemas opuestos y correlativos como son «Mala puesta» y «Amanecida» permiten ilustrar las actitudes generales que integran la dialéctica de la contraposición adversativa. La realidad polémica contrapuesta de la luz y de la sombra en las transiciones crepusculares se configura en símbolos de la lucha agónica entre las ilusiones de la infancia y las amenazas sombrías de la experiencia. Siguiendo el orden en que el propio Rodríguez los emplaza en el libro, «Mala puesta» incorpora la amenaza del véspero: «La luz entusiasmada de conquista / pierde confianza ahora, / trémula de impotencia...»; y con ella la quiebra de las esperanzadas ilusiones alentadas por la plenitud entusiasta de la fantasía: «¿Quién nos habló de la honda / piedad del cielo?...». Crecientemente abismados en la sima de la amenaza siniestra de unas realidades inexorables, los «restos de la audaz forja / de la luz» constituyen el fondo de derrota que subsiste para la reminiscencia ilusionada.

Pero la oscuridad no es nunca suma total y cierre a la esperanza en esta agonía de opuestos: cualquier luz de consuelo, cualquier aliento mínimo regeneran el tesón de existir. Bastan las simples promesas del oreo en el poema «Amanecida» (pág. 181): «...Nubes / de pardo ceniciento, azul turquesa, / por un momento traen quietud, levantan / la vida y

---

evolución estética introduce en perspectiva la necesaria complejidad de factores que preservan la ambigüedad imprescindible en la formulación demasiado plana de una elemental antítesis formal: «La alianza y la condena. La imaginación y la duración compartidas, cara a cara: la sencillez en torno a la complejidad de la vida. O el instinto de acompañamiento, de asimiento, a pesar de la impotencia». Cfr. Claudio Rodríguez, Introducción «A manera de comentario», cit., págs. 18 y ss.

engrandecen su pequeña / luz», para que se renueve el idilio salvador del alba de la infancia: «...¿cómo / puedo dudar, no bendecir el alba, / si aún en mi cuerpo hay juventud y hay / en mis labios amor?».

El creciente poder configurador de las nuevas formas de la amenaza se plasma en el adensamiento de unas estructuras que tematizan por sí mismas el enfrentamiento entre los contrarios naturales. Día y noche son una pauta que se prolonga en otras antítesis polémicas como la de la tierra y el mar en el poema «Frente al mar», sin subrayado expreso del contrapunto adversativo pero en permanente testimonio recíproco de límite: «...Frente a la tierra / rojiza... se abre el Mediterráneo»; «Aquí / la verdad de la piedra... junto / al mar, que es demasiada criatura, / demasiada hermosura para el hombre». La fascinación de los elementos opuestos y contiguos dificulta la atribución de esperanza y de caos; pero subsisten, con todo, la vibración polémica, las incertidumbres de la diferencia:

> *...Entre piedras y entre espumas,*
> *¿qué es rendición y qué supremacía?*
> *¿Qué nos serena, qué nos atormenta:*
> *el mar tenso o la tierra desolada?* (pág. 162)

La contraposición temática de contrarios que esquematizan los contrastes entre la luz y la sombra o la tierra y el mar, funda su realidad de contenido referencial bajo la naturaleza más genérica de la figura de la antítesis y el esquema gramatical de la adversación. En puridad, antes aún que todas esas diferencias, lo que se plasma a través del contraste temático y formal es el impulso polémico que impone la conciencia de lo diferente frente a la conciliación del primigenio mito unitario. Si aquél lo habían engendrado los poderes ilusorios del deseo, la presencia mítica tardía de las antítesis la introduce ahora el espinoso peso de la experiencia dolorida, de la mal resignada asimilación de lo irreductible a idilio y a concordia. La gravedad de las dos masas contrastadas de la tierra y del mar en denso enfrentamiento de tensiones, que antes examinábamos en su relieve simbólico con el poema «Frente al mar», se convierte en un esquema general de organización del mundo extensamente difundido en muchos otros textos de *Alianza y con-*

dena. Tal es la índole de su presencia simbólica y esquemática en la historia de Eugenio de Luelmo: «Pero tú no reflejas, como el agua; / como tierra posees»; o la de la imposible fusión entre los elementos cuyo roce genera las formas de la espuma, en la composición con ese mismo título:

> *...El dolor encarcelado*
> *del mar, se salva en fibra tan ligera;*
> *bajo la quilla, frente al dique, donde*
> *existe amor surcado, como en tierra*
> *la flor, nace la espuma...* (pág. 151)

Es tal la gravitación simbólica en estas imágenes temáticas del esquema contrastado de la antítesis, que su incidencia no se excusa bajo la negación, ni siquiera ante la vista de un paisaje tan de tierra adentro como el de las ciudades mesetarias; por ejemplo en «Ciudad de meseta»: ...«Aquí no hay costas, mares, / norte ni sur; aquí todo es materia / de cosecha...». Así la ciudad de la llanura mítica, el espacio de la honda intensidad natal, revela su cifra más secreta de dimensión unánime, como el dominio de la inocencia eterna exento al contraste variado de las experiencias vividas sobre lo diferente irreductible.

Precisamente es este poema, «Ciudad de meseta», el que desarrolla de forma paladina el esquema figural de lo antitético irreductible, encauzado en el tematismo maldito de la «alianza» convenida que frustra las fraternidades imposibles de naturaleza. Y tal vez sea en la conciencia diferencial de ese desarrollo antitético, que se despliega a partir del tematismo general de la resistencia insolidaria a la fraternidad característico de *Conjuros*, donde se deban buscar las razones de diferencia que determinaron la probable segregación de este poema del libro precedente, sobre la que ya hemos dado nuestros argumentos circunstanciales fundados en la situación de los manuscritos. También pudieran radicar en esa misma conciencia diferencial del formante antitético las razones para introducir la variación sobre un tematismo previo a modificar —asumiendo la conjetura de que el poema hubiera sido elaborado hacia la terminación de *Conjuros*— en el momento de decidir su destino a la nueva obra futura, como nos consta por la correspondencia de Aleixandre. Tema y figura del afrontamiento irreductible, del contraste insalvable pese a su tradición sagrada de abrazo y acogida, la alianza se manifiesta bajo antítesis formales a lo largo de todo el poema:

> *Es la alianza: este aire*
> *montaraz, con tensión de compañía.*
> *Y a saber qué distancia*
> *hay de hombre a hombre, de una vida a otra,*
> *qué planetaria dimensión separa*
> *dos latidos, qué inmensa lejanía*
> *hay entre dos miradas*
> *o de la boca al beso.* (pág. 163)

El estricto esquematismo de la antítesis es el que gobierna sobre todo las expresiones temáticas culminantes del pacto convencional movido por la intolerancia recíproca, tal como lo refleja el plano antagónico de la ciudad. Donde hubiera podido fundarse el recinto de compañía solidaria, se da tan sólo el espacio de la forzosa conveniencia para unas vidas fríamente yuxtapuestas en vecindad. Recordemos una vez más las magistrales antítesis directivas en el texto del tematismo de la insolidaridad: «Jamás casas: barracas, / jamás calles: trincheras, / jamás jornal: soldada... he aquí lo que nos hizo / vivir en vecindad, no en compañía». Mientras que son las fórmulas gramaticales de la adversación las que dominan como refuerzo inevitable —tal vez incluso hasta inconscientemente— la sintaxis que expresa las imágenes finales de la visión transfigurada de la ciudad simbólica: «Esto no es monumento /..., sino luz de alta planicie»; «Aquí no hay costas, mares,... aquí todo es materia...»; «adios al cerro / que no es baluarte, sino compañía». De esa manera, la fusión culminante de tantas apariencias diversas en la eternidad plenaria del absoluto del «voraz espacio» ha de partir, necesariamente, de las fórmulas antitéticas del contraste y de la negación, para construir desde ellas la apoteosis final de la destitución de contrarios, donde culmina la esperanza quimérica de la suprema unidad definitiva en el allanamiento de la devastación:

> *...Porque todo*
> *se rinde en derredor y no hay fronteras,*

ni distancia, ni historia.
Sólo el voraz espacio y el relente de octubre
sobre estos altos campos
de nuestra tierra. (pág. 164)

La neutralidad ética e imaginativa de los esquemas figurales considerados en sí mismos se ve teñida de valencias sentimentales y de densidad de concepto cuando se identifica —a la vez se contagia y se expresa «a simultáneo»— con la consistencia semántico-simbólica del tematismo. Tal es el caso que nos ocupa ahora de las antítesis y de la adversación excluyente, uno de los movimientos esquemáticos más persistentemente conscientes y llamativos en la reflexión poética de Claudio Rodríguez. Recuérdese al respecto la reiterada presencia del estupor ante la identidad de los gestos, que propician las actividades más contrarias de la intención y del espíritu. Es el gesto siempre común de la entrega y del robo, el de abrir y cerrar en el poema «Gestos», que recuerda la antigua perplejidad ante el ademán similar del abrazo y la muerte en el movimiento de la hoz, o incluso las semejanzas contradictorias con el movimiento análogo del brazo en el voleo de la sementera. Y sin embargo las valencias significativas cuyo subrayado prevalece en todas las construcciones de la antítesis, son las que establecen la negatividad de la experiencia. Así se sustancia la negatividad, por ejemplo, en la imagen del sobre en el poema «Cáscaras», que nacido para proteger el recato del amor puede favorecer lo mismo el mensaje de la traición; y son igualmente antítesis las fórmulas favoritas para expresar la intensa desolación bajo las disyuntivas que se acumulan en el poema «Dinero» (pág. 158): «...¿a qué la madriguera / de estas palabras que si dan aliento / no dan dinero? ¿Prometen pan o armas /... propiedad o desahucio?».

Diluidos ya los pujantes impulsos afirmativos ebrios de la ilusión y del deseo, la experiencia del existir bajo rachas alternadas de esperanza y de abatimiento, de caída y de regeneración, se impone paulatinamente como actitud experta de síntesis de la vida. Un sentimiento temático que descubre en el mecanismo figural de las antítesis su cauce argumentativo más idóneo para constituir el despliegue sintético del impulso en la forma interior. De ahí el destacado protagonismo que alcanzan las figuras del contraste antitético en su variedad posible de despliegues cada vez que predomina la reflexión retrospectiva en los balances de vida y experiencia, como en el poema «Un olor». La «clara contraseña» que aporta ese olor inesperado y misterioso para franquear con una comprensión de valor unitario la confusa densidad de lo heterogéneo, construye su inestable sustancia tanteando entre formas de antítesis; ante ese soplo de aire «transido de familiaridad y de sorpresa» simultáneas, que reverdece la imprecisa materia que afirma la aproximación de su sustancia remota entre formas de contradicción:

> *¿Qué materia ha cuajado*
> *en la ligera ráfaga que ahora*
> *trae lo perdido y trae*
> *lo ganado, trae tiempo*
> *y trae recuerdo, y trae*
> *libertad y condena?* (pág. 179)

Por todo ello, resulta redobladamente ejemplar y sintomática la relación recíproca que contrae el tematismo de la experiencia disgregada con la figuralidad de base contradictoria y antitética; de tal manera que, como proclama al texto en su final, el esquema figural de la adversación y de la antítesis encarna el vehículo más eficaz de una síntesis superior del sentimiento, que es trasunto de la vida ya experta: «...y me trabaja silenciosamente / dándome aroma y tufo. / A este olor que es mi vida»[22].

Anótese por último, para salir de estas facetas de la adversación que son también constitutivas de la estructura semántica de los temas, la contraposición que comparece con las despedidas: alguien parte y alguien queda. Es el tema de «Adiós», otro de estos accesos inadvertidos de la gravitación de desgarros y pesimismo en el mundo poético ya maduro de *Alianza y condena*. En este nuevo lance extremo, el poeta acoge su

---

22. José Olivio Jiménez destaca que el poema resulta «representativo del clima general del libro», marcando «la dual reacción emocional del hombre frente a la vida». La experiencia edificada por contrastes contradictorios representa la conversión de la antigua claridad que era don y regalo del cielo a las certezas verdaderamente aprendidas en la vida». Cfr. José Olivio Jiménez, «Para una antología esencial...», cit., pág. 105.

galantería a las melancolías del pesimismo: «Queda / tú con las cosas nuestras, tú, que puedes, / que yo me iré donde la noche quiera».

Junto a todas estas presencias implícitas de la contraposición antitética, no faltan los esquemas polémicos adversativos de la restricción y la exclusión, como en la conclusión implícita de «Ajeno», el poema sobre el vacío del desamor: «...Mentirá al sacar la llave. / Entrará. Y nunca habitará su casa». Y de forma todavía más expresa en el texto siguiente —otra nueva geminación, entre tantas, producto de la despabilada vigilia de este poeta tan inesperadamente minucioso— «Hacia un recuerdo» (págs. 172-173). No se busca el recuerdo sino la andanza y la aventura, no los lugares concretos del espacio sino el recorrido de la celeridad distante, no la garantía de una imagen fungible después de todo sino el reencuentro con reminiscencias inextinguibles de sensaciones y de olores perdidos: «No, hoy no / lucho ya con tu cuerpo / sino con el camino que a él me lleva». Porque todas las consistencias del entusiasmo, los fervores de antaño, empiezan a ostentar irisaciones de la sospecha o incluso fondos de adversidad inevitables que declaran y plasman sus quintaesencias en la transformación depuradora de la sinécdoque, en el juego elusivo. Ingente fondo de adversidades va apesadumbrando sin tregua, progresivamente, la realidad; y la ilusión ha de sobrevivir en la resistencia. La adversación se torna salvavidas de lo sustancial: «...No tan sólo / tu carne... sino el calibre puro, el área misma».

El poema «Noche abierta» (pág. 177) ofrece el esquema de restricción adversativa más diáfano y de limpio desarrollo en todo el libro. La bienvenida o la condena a la noche dependen de la doble actitud posible en el alma asegurada y en la inquieta: «Bienvenida la noche para quien va seguro / y con los ojos claros mira sereno el campo, /... Pero a quien anda a tientas y ve sombra.../ enemiga es la noche y su piedad acoso»; aunque el alma comparece nuevamente inclinada antes a la zozobra que a la serenidad frente a la amenaza. Por eso se prolongan tan sólo sus perfiles más amedrentadores —«Y aún más en este páramo de la alta Rioja»—, quedando aquel primer supuesto de la actitud serena ante la noche como un fondo ejemplar de la sabiduría escasamente alcanzable para las zozobras históricas del hombre. Ejemplar es aquí la despedida, la salutación azarosa de los riesgos, inseparables compañeros del afán: «Bienvenida la noche con su peligro hermoso».

La determinación personal de sobreponerse a los fondos abrumadores de la experiencia asume en ocasiones estructuras de *ponderación concesiva*, nunca próximas sin embargo a los artificios retóricos anejos más propios y eficaces de la *ironía* o la *preterición* en grado máximo. En tales casos, la ponderación de la dificultad a superar establece el tono más común de triunfo y de superioridad idílica del esfuerzo entusiasta sobre la magnitud del mal y los peligros. El último fondo de confianzas idílicas que se venía manteniendo en la reducción referencial de las sinécdoques a sus objetos mínimos, a sus fundamentos más íntimos y piadosos, se abre paso simultáneamente en muchos textos mediante el denodado esfuerzo regenerador que apuesta por la esperanza. Un espíritu que encuentra su fórmula final en poemas como «Lo que no es sueño», uno de los que se constituyen en nucleo de resistencia idílica, según lo hemos destacado ya en la primera parte temática de este estudio. El juego de contrarios compone el trabado discurso de estoica persuasión que es el poema, tomando conciencia de que se parte de las más tristes horas, de los momentos extremos del dolor en la postración absoluta: «Déjame que te hable, en esta hora / de dolor, con alegres / palabras». Es el programa que pondera la potente amenaza, que mide el fondo denso de la frustración y ensaya los conjuros capaces de remontarla:

> *...Pero tú oye, déjame*
> *decirte que, a pesar*
> *de tanta vida deplorable, sí,*
> *a pesar y aun ahora*
> *que estamos en derrota, nunca en doma,*
> *el dolor es la nube,*
> *la alegría, el espacio;*
> *el dolor es el huesped,*
> *la alegría, la casa.* (pág. 182)

El paradigma de contraposición entre entidades que arma la adversación, queda definido en los casos como el de estos versos, que evidencian la alta condensación de la experiencia atribulada del poeta. El efecto de ponderación de la fórmula irónica concesiva refuerza el patetismo agudo de los contrarios; cuanto mayor sea el riesgo, mayor la gloria:

Déjame que, con vieja
sabiduría, diga:
a pesar, a pesar
de todos los pesares
y aunque sea muy dolorosa, y aunque
sea a veces inmunda, siempre, siempre,
la más honda verdad es la alegría.

Un equivalente retórico de todas estas formas de intensificación sintáctico-argumentativas de la antítesis, como lo es la estructura de frase concesiva, podría ser el diseño figural de la paradoja, que determinados críticos de Claudio Rodríguez como Mudrovic y Mayhew detectaron acertadamente en las estructuras míticas y expresivas que organizan algunos de los enunciados del libro tercero de *Alianza*[23]. En el lema del texto programático que cierra dicho libro, «Un bien» —«por el mal nos viene un bien»—, se reproduce el esquema de la fórmula paradójica que fundaba el enunciado medular de *Don de la ebriedad*: «por la oscuridad nos viene la luz»; o bien si queremos representar todos estos mensajes bajo criterios más estrictamente paradójicos: «tengo un bien porque no tengo un bien» y «veo porque no veo» respectivamente. Recuérdese su despliegue en el texto: «A veces, mal vestido un bien nos viene; / casi sin ropa, sin acento, como / de una raza bastarda».

Sin necesidad de compartir las tesis generales de Mudrovic sobre el contenido temático y referencial supuestamente biográfico que el mencionado crítico trata de extrapolar del esquema figural paradójico, me parece sin embargo de justicia destacar aquí su temprana perspicacia —el artículo es rigurosamente contemporáneo, 1979, de la publicación de *Allegories of Reading* de Paul de Man— en ponderar el interés sintomático del tipo de lectura crítica macrorretórica que de Man denominaba «alegórica». Siguiendo confesadamente la intuición de Mu-

---

23. Cfr. William M. Mudrovic, «Claudio Rodríguez's *Alianza y condena*: Technique, Development and Unity», cit., pág. 254: «The fundamental technique of 'Libro tercero' is one of the major achievements of *Alianza y condena*. Rodríguez builds the poems of this section around a paradox which might be condensed in the statemente, *From evil, arises good*».

drovic[24], Jonathan Mayhew ensayó después una interpretación, según él ambiguamente relativista, de Claudio Rodríguez[25], a partir del despliegue de una presuposición temática organizada según el modelo figural de la paradoja. El esquema paradójico en tal caso lo representaría, según Mayhew, el principio de «inocencia» como excepción en un mundo de apariencias engañosas.

* * * * *

La pericia extrema de sobrevivir en el gozo destinaba al poeta a discernir el camino de los mitos idílicos del retorno a los días luminosos en la óptima infancia y la hospitalidad. Camino de consuelo, necesidad fatal de la alegría... «que nos llega / ...como llega a la orilla / la ola: / irremediablemente». En el ápice, Claudio estaba disponiendo el don de su entusiasmo para el advenimiento de las grandes odas, la expresión de los mitos necesarios.

El seguimiento crítico de la figuralidad argumentativa que venimos desarrollando en esta segunda parte, ilustra la sorprendente homogeneidad constructiva entre los despliegues sincrónicos del *impulso* simbólico; a saber, los mitos y las formas que los argumentan. En Rodríguez dicha correlación se manifiesta a través de la isotopía simultánea que se descubre entre las modificaciones temáticas del mito de conciencia y los reajustes correspondientes sobre el esquema inicial rígido del cotejo alegórico: en su forma progresiva de disgregación en metáforas consteladas, en la focalización del repliegue reductor de la sinécdoque, e incluso en la pugna de las adversaciones donde se resuelven las antítesis. En esa suma de tensiones retóricas se constata la solidaridad natural del proceso creativo poético: el que contempla simultánea e indistintamente los temas desde las formas que los desarrollan y hace de ellas cristalizaciones necesarias de la representación temática. Al fondo de ese

---

24. Cfr. Jonathan Mayhew, «The Dialectic of Sign in Claudio Rodríguez's *Alianza y condena*», cit., pág. 520.

25. Ibíd., pág. 524: «Rodríguez's poetry from his earliest poems through his most recent works, is characterized by its use of paradoxical language».

juego de solidaridades isotópicas en el proceso creativo, se columbran las singulares convergencias de naturaleza que desacreditan como artificiales los reticulados y las casillas que discriminan, en la reflexión teórica, niveles y compartimentos. Todo lo cual no resulta ser en el análisis consciente de la forma sino el continuo expansivo de la conciencia, recorriendo la íntima espacialidad síquica y expresiva de la universalidad antropológica.

El mantenido aliento de las dos odas a la niñez y a la hospitalidad estaba destinado por el poeta, según hemos visto ya en el capítulo temático de este libro, a contraponer la construcción del idilio esperanzado, una vez más, contra el crecimiento omnímodo de la experiencia en las adversidades. Creo que se puede decir, incluso, que seguramente un esfuerzo de fe tan reiterado como el de estos remates idílicos tenía su origen en la determinación absoluta de cerrar para siempre el don de la esperanza, agotando sus mejores canteras míticas. Lo que me parece a mí muy evidente, al menos, es que el énfasis optimista de Claudio, sobre estas orlas terminales de su pasión salvadora, estaba ya severamente herido y como desgastado en el continuo combate de la antítesis; dolorosamente limitado para alentar un programa optimista de reducción de adversaciones.

Ese fondo de inercia, conformado con honda penetración como «destino de niñez» y lema fijo de fondo a prueba de derrotas maduras, reaparece a cada momento sobre todas las superficies familiares, imponiéndose a la fase amenazadora contrastada en la antítesis: en la «voraz respiración del día», en el humo, en las miradas más habituales... Él es el que nos salva al fin de nuestros própios hábitos del miedo, encarnados en la frustración de tantos vencimientos; ese delgado temblor que nos toca el corazón bajo la ropa e impulsa a reiterar un fondo de íntima fidelidad cada vez menos ágil. Es en esos instantes leves cuando «nada hay que nos aleje / de nuestro hondo oficio de inocencia» y cuando más animoso «se abre nuestro pulmón trémulo al alba»; cuando, como el poeta, llegamos a sentir en los ojos algún destello digno, algún resto rebelde «de oscuro señorío».

En esa reiteración infinita de antiguos mitos sobre el itinerario de la niñez contemplados desde los ojos del hombre experto, todo refleja las injurias del tiempo que se expresan bajo estructuras de adversación:

el sucederse de historias menudas sin historia —«miraron y no vieron...
desearon, vivieron»—, o la estratificación de la tristeza —«La puesta
/ del sol, fue sólo puesta / del corazón»—. Únicamente acompaña,
sobrevivida, la memoria del niño por la calle simbólica —«¿Por qué todo
es infancia?»—. El poeta levanta, ya extenuado, sus conjuros del tiempo; una esperanza endeble sobre la masa del relativismo antitético, a la
que salva tan sólo en el cerco de luz de la poesía el valeroso despliegue
de las imágenes, último canto al fin del ánimo patético:

> *Mas ya la luz se amasa,*
> *poco a poco enrojece; el viento templa*
> *y en sus cosechas vibra*
> *un grano de alianza, un cabeceo*
> *de los inmensos pastos del futuro.* (pág. 189)

Aquellos contados corazones que no se marchitan nunca por completo como el de Claudio Rodríguez, reconocen la presencia sempiterna
de la infancia, su mirada fresca pronta a maravillarse y la claridad de
un espíritu propenso al regocijo. Para ellos «todo es infancia»; y sobre
esa presencia viven y perduran a lo largo de todas la rémoras y sisas
que la experiencia le impone al existir. A la masa de imágenes crueles
de la experiencia contrapuesta en antítesis irreconciliables, que se desgrana con grises pesadumbres en la tercera parte de la oda ponderando
el cargo negativo, se contraponen en el tramo final las esforzadas razones del absoluto idílico sobre la adversidad, de la victoria sobre la
congoja. Inocentes razones patéticas para sustentar las ilusiones del
hombre asendereado, pero regeneradoras para la fiel continuidad del niño
interior que no se olvida: botas de siete leguas, zapatos en la ventana
para la Epifanía de las ilusiones, ajados trajes viejos de comunión... Es
la sola heredad —«la única hacienda»— digna de perpetuarse con la vida
del hombre, porque ella aporta el consuelo generoso de dar las gracias
sin objeto y la certeza oculta de que seguimos fieles a «nuestro oficio
de felicidad / sin distancia ni tiempo». Y tras tantas tormentas que
habrán precipitado la constancia fatal de las antítesis y la lucha de
opuestos, después de las desbandadas y las derrotas diarias de la vida,
el experimentado dueño todavía de algún mito de infancia encuentra

incrementadas sus razones idílicas para saludar un sol eterno sin temores de ocaso:

> *Es el momento ahora*
> *en el que, quién lo diría, alto, ciego, renace*
> *el sol primaveral de la inocencia,*
> *ya sin ocaso sobre nuestra tierra.* (pág.191)

Siendo, como sabemos, la «Oda a la niñez» uno de los trabajos tempranos de *Alianza* —el primer texto ya mecanografiado lleva la fecha del invierno de 1960— y siendo «Oda a la hospitalidad», confesadamente, una de las más tardías composiciones del libro, escrita probablemente en los últimos meses de 1964, la condición común en ambos poemas de compartir la voluntad temática, argumentativa y rítmica del mismo modelo genérico de la oda brinda la ocasión de examinar contrastadamente el perfil estilístico de adquisiciones y desalojos alcanzados a lo largo de esta etapa de intensa modificación en la madurez de Claudio Rodríguez. Conste además que, según es fácil de colegir, son los estilemas superficiales de la elocución, los rasgos intencionales más palpables de la forma exterior: imágenes y transfiguraciones metafóricas puntuales así como las afloraciones léxicas intensas, los testimonios más lábiles y sensibles en los programas de renovación masiva de la simbolización de la realidad a cargo de la forma poética.

Por lo pronto, aparece de manera inmediata entre ambos textos la diferencia radical de perspectiva: las recuperaciones simbólicas y emocionales del recuerdo temático en la primera «Oda a la niñez»; otra composición más —téngase en cuenta— entre el grupo de los grandiosos textos sinfónicos del libro primero, que incorporan y signan incluso con sus rasgos de continuidad la voluntad de trascender definitivamente el universo castellano, referencial y mítico, de *Conjuros*. En la tesitura opuesta cronológica y estilística, «Oda a la hospitalidad» manifiesta en su tenor argumentativo mucho más despojado y escueto, más rápido y directo en el ritmo de la «narratio», el negativo del abigarramiento metafórico e imaginario de la etapa anterior; sobre su continuo textual se afirman los huecos perceptibles del hábito simbólico reconocido del poeta. Más que presencias de estilemas marcados, la voluntad de estilo en esta oda tardía se percibe por las ausencias puntuales asumidas desde las intenciones de economía. Y junto al dominio formal de la depuración, las primeras raíces austeras de la nueva imaginación más íntima.

Así lo marca ya inicialmente la diferenciada actitud estilística de los exordios respectivos. El énfasis interrogativo al mes mítico de la germinación vegetal se mantiene prácticamente intacto —la primera versión del endecasílabo tercero era «con viento seco de meseta puesta»— en los tres primeros versos de la «Oda a la niñez»; contrastando con la buscada linealidad progresiva de las aseveraciones en la «narratio» de la «Oda a la hospitalidad». Y esta primera diferencia del impulso enfático se prolonga después en la oda más temprana a cargo de los incentivos deícticos —«Siempre ahora»—, en los imperativos reiterados de conjuro —«vuelve, vuelve / este destino de niñez»— y en la orquestación intensamente anafórica de la seriación de los circunstantes de lugar: «en la calle, en esta voraz respiración»... etc. Así progresa sin quiebras ni contrastes el impulso rítmico de este saludo tan genuino y familiarmente reconocible del entusiasmo hímnico de Claudio, incluso a prueba de unas imágenes correspondientes a los nuevos escenarios de su existencia urbana en la industriosa Nottingham: ...«ahora hacemos confuso vocerío por ciudades, / por fábricas, por barrios / de vecindad»; y poco más adelante, otro primer trasunto simbólico de las metáforas de mineralización y de aridez caliza llamadas a escenificar imágenes muy persistentes en la nueva mitología de la desolación que se inicia con *Alianza*: «...y tantos / sucios ladrillos sin salud se cuecen / de intimidad de lecho y guiso». Pero los términos y las imágenes que dominan pese a todo, imprimiendo su evidencia emotiva en el cemento muy familiar de la impulsión entusiasta del ritmo, son los prometedores alientos aurorales de la fertilidad vital con sus renuevos: «esta / voraz respiración del día», «el laboreo del hombre», la algarabía de un «confuso vocerío», el tan reconocible «hondo oficio de inocencia», o aquel otro «pulmón trémulo de alba» y hasta el «oscuro señorío» en los ojos de los momentos de entonación solemne[26].

---

26. La intensa efusividad retórica del impulso mantenido del ritmo, que marca diferencialmente en ambos poemas, el tenor emocional de los exordios, se prolongaba recrecida en otra estrofa intensa que más tarde fue censurada estilísticamente y eliminada en las copias mecanográficas contemporáneas a la definitiva y conservada de la «Oda a la hospitalidad». Dado el interés sintomático

Todo orienta, por el contrario, hacia la consolidación futura de la depuración narrativa del ritmo y a un mucho más austero y esquemático esqueleto fantástico de imágenes. La sangre siempre tibia que humanizaba primero las imágenes de la uva-corazón, experimenta una transustanciación adversa en «la agria / leche de nuestras leyes»; y bajo esa reconocible unidad del impulso estilístico, las tortuosas metáforas se allanan a la claridad esquemática del símil, al tiempo que sus constituyentes se revisten de la sustancia más cotidiana y popular: «Como la ropa atrae a la polilla... así una casa le seduce». La nueva óptica integrada, definitivamente deshabitada por las tentaciones anhelantes del infinito de la ebriedad, se concentra ahora en la profundidad del enigma sentimental de las entidades familiares y domésticas: puertas, ventanas, tejas e incluso el detalle de un «mobiliario, de diseño tan / poco

---

para el contraste de los cambios estilísticos de Claudio Rodríguez a lo largo de la elaboración de *Alianza*, transcribimos aquí el estado del fragmento excluído:

> *Pronto llegará el día*
> *del valor, de la limpia*
> *saña. Ved, ved las frescas*
> *riendas en nuestras manos*
> *alentando el galope fabuloso*
> *de la inocencia.*
> *Pronto llegará el día*
> *en que nadie hablará en torno, sitiando*
> *bandera eterna, almendro en flor y en fuego*
> *que no se rinde y da en nuestra ventana,*
> *se acuesta en nuestro lecho*
> *a salvo ¡Ahí, en los aires,*
> *la insurrección de la ternura!*

Es necesario señalar a propósito de estas imágenes el punto de debilidad convencional en el arrebatamiento apasionado que predomina en las mismas: «el día del valor», «la limpia saña», las «frescas riendas» en ese prolongado «golpe fabuloso / de la inocencia». Más adelante será el anuncio tan consabido del advenimiento redentor: «pronto llegará el día...» incluso con «bandera eterna» y «la insurrección de la ternura», orlada de las marcas explícitas del énfasis exclamativo. Se trata del tenor común de ciertos desahogos espontáneos del imaginario de Claudio poblado de resonancias épicas en los trabajos manuscritos al comienzo de su traslado a Inglaterra. Fue este tipo de demasías del entusiasmo convencional, habitualmente denominado «civil», el primero en desaparecer masivamente, junto a los exabruptos de contenido sexual o erótico, en las revisiones crecientemente intimistas y líricas para la versión definitiva de la obra.

amigo»[27]; todo ya despojado, incompatible con las antiguas fórmulas encendidas de la metamorfosis, impulsado tan sólo, todo, hacia la penetrante sutileza de su equivalencia trascendental, abstracta: «fundación, servidumbre».

La diferencia radical entre las respectivas orientaciones de las imágenes terminales del estilo se mantiene, según era esperable, en la continuación de ambos poemas. Si acaso, queda incluso potenciada la continuidad de la imaginación de «Oda a la niñez» con los símbolos en que se desplegaba el espacio mítico de *Conjuros*, en la digresión ponderativa que constituye el segundo canto de esta primera oda. El peculiar merodeo de la memoria sentimental de Claudio por la calle y el barrio de su infancia natal se tiñen de acentos de sombría exclusión —«Arrinconadas vidas dejan por estos barrios»—, que desembocan en el acaloramiento de imágenes indignadas en la fervorosa retórica de la protesta social:

> *...Culpa ha sido*
> *de todos el que oyesen*
> *tan sólo el ciego pulso*
> *de la injusticia, la sangrienta marcha*
> *del casco frío del rencor.*

Y si el «tempo» alusivo de las imágenes inmediatas —«la puesta de sol fue sólo puesta / del corazón»— desdice efectivamente, desde la profundidad de su experiencia sutil, de la cantinela retórica que antecede, es porque ellas mismas son el fruto logrado de un tardío ejercicio de depuración, tal y como nos lo evidencia en los manuscritos conservados la evolución de esta inspirada fórmula a partir de unas primeras sugerencias mucho menos sutiles[28]. Y lo mismo se puede decir de los

---

27. Los detalles de muy austera contaminación fantástica en esta descripción de componentes y enseres inmediatos, urbanos y domésticos —la puerta que «rechina / con cruel desconfianza», la ventana cegada como muro por la «esclavitud de su cristal», o «las tejas / ya sin musgo y sin fe»— resultan alojados, o como poco son correspondientes y compatibles, en el nuevo espacio mítico de la adversidad inerte y mineralizada, cuya presencia teníamos la oportunidad de detectar en la nota anterior bajo algunas de sus primeras afloraciones simbólicas.

28. La acertada formulación que comentamos, aparece tan sólo en la continuidad de la retórica social predominante en el estilo de la primera versión de este poema. Véase ese fragmento

sucesivos puentes anafóricos en el interior del mito evolucionado de *Alianza*, que incorporan otras tantas imágenes muy depuradas respecto a la formulación de su génesis conceptual, como la de la pasión por la distancia acelerada más que por la carne semántica del hallazgo anhelante —«Siempre al salir pensamos / en la distancia, nunca / en la compañía»—, tan próximo a la experiencia fundadora del poema «Hacia un recuerdo» y cuyo fundamento primero había sido la apasionada deprecación: «Maldito quien se aleja de lo que ama / quien mira la distancia y no la compañía. / Ah, buen(o) es cualquier sitio / para hacer amistades: aquí mismo, antes de entrar, de que nos dejen solos». A más que segura censura metalingüística de Claudio contra el contagio de los textos evitados de la retórica efectista y hueca de la pasión «social», responde sin duda la observación al paso muy tardía —tan sólo aparece como incrustación marginal en la última y casi definitiva de las dos copias manuscritas del poema, contemporáneas de la versión correspondiente de la «Oda a la hospitalidad»— «Mucho (miedo) polvo / entre los pliegues de la propaganda / hay». Otra mención menos explícita del famoso dicterio contra los compañeros «tan ricos de propaganda y de canción tan pobres»[29].

---

fundacional que había de ser después objeto de duraderos ensayos manuscritos de modificación:

Ellos que eran destellos generosos
fueron nocturna sombra,
y si el sol se les puso fue porque iba
su corazón de puesta.¡Tierra que no produce
por temor a la luz!

29. Como testimonio del tono de enunciación apasionadamente efectista y retórica, cuya eliminación en la primitiva escritura de este poema sugería a Claudio Rodríguez la reflexión de punzante censura que destacamos en el texto, ofrecemos aquí el fragmento eliminado, emplazado originalmente en el espacio escueto de la aludida reflexión:

¡No por más tiempo! Ahora
sobre este asfalto cosechero, en torno
de la alta sencillez de la faena [tarea] diaria,
algo ronda. Oye, oye,
un feroz merodeo,
un [ventear] acechar como de lobo en celo,
una agria bocanada [...],
un baboseo de saliva cálida [...],

Pero no cabe olvidar, a pesar de todo, que ese hontanar de solidez poética nutría la suntuosidad imaginaria que convierte a esta serie de poemas, vueltos hacia el pasado castellano y dramático de *Conjuros,* en uno de los momentos más fastuosamente imaginativos de la obra de Claudio. Tras de cualquier insinuación de ahora se agazapan infinitos tanteos anteriores sobre configuraciones fantásticas con alta sugerencia evocativa, como aquella afloración de la imagen de las calles largamente ensayada en otros textos, desembocando en claridad por su apertura al campo —«Y nuestras calles, / claras como si dieran a los campos»— o la del «cabeceo / de los inmensos pastos del futuro», un movimiento familiar desde los paseos remotos de la ebriedad, que descubre finalmente su alojamiento simbólico más denso en nuevas figuras de la «alianza».

Lo que resuelven algunas veces las modificaciones de unos textos por otros en el proceso de acondicionamiento poético que componen las correcciones de «Oda a la niñez», son esos momentos de espontáneo desahogo apasionado que impresionan por su tosca ferocidad, no exenta sin embargo de un vigoroso poder de apasionamiento. Así en el apartado tercero se mantuvo prácticamente intacta, desde la primera versión de 1960, la acertada formulación aseverativa del comienzo y del texto final. El fragmento sustituido ostenta la vigorosa capacidad de ensayo desatado del apasionamiento, en este caso de un romanticismo fúnebre[30]; el que lo sustituye en el texto publicado confirma contrariamente las superiores capacidades de control poéti-

---

un amor arropado...
Algo que hoy es sustento y que fue hambre,
un sol ladrón y huido que vuelve para siempre,
un olor que es la vida,
ese color que deja aire en el aire,
la pechuga en el vuelo,
esta estela infinita del gesto de los hombres...

Exclusiones fecundas en todo caso, porque no sólo mejora el ritmo de lo sustancial en el poema, sino que deja abiertos y en el aire, como bien puede verse, la simiente de los nuevos poemas; aquí concretamente de «Gestos» y «Un olor».

30. Resulta a la vez interesante y poderosamente primitiva la imaginación de Claudio en este más que seguro desahogo de la versión de 1960, que libera un complejo de representaciones fan-

co grácil y de madurez en el sentido de las armonías del estilo. Se consolida aquí también el trueque de unas representaciones vitales y feraces por ese otro mundo de imágenes de creciente aridez; por ejemplo, las palabras que «quisieron / ser panales y son / telas de araña», o las imágenes fabriles de desecación y de albañilería más representativas de la evolución simbólica de Claudio en «Oda a la hospitalidad», como aquella de: «¿Mas alguien puede / hacer de su pasado / simple materia de revestimiento: / cera, laca, barniz, lo que muy pronto / se marchita...?». Pero persiste el movimiento familiar del ritmo móvil y enriquecido, dentro de la seriación enumerativa que constituye en este caso el centro de la sustitución.

La experiencia de las *adversaciones*, la imagen tan cruel de los opuestos cruzados fatalmente en *antítesis* sin remedio de encuentro y de acomodo, acaba por alarmar el corazón luminoso del poeta. La experiencia del mundo ha ido helando las fibras más seguras... y hace falta continuar; pero existir amando como siempre, como el niño que no puede cambiar y que no extingue su pureza inocente. Aquel joven poder transformador de la fuerza interior adolescente, recién salido apenas de los sueños de infancia, aquellas ilusiones de la alegoría que sobreviven maltrechas en la reconcentración de la sinécdoque, encienden aún en estas últimas odas las razones más puras de la ilusión, las que se resisten a extinguirse bajo el asalto adverso, definitivamente inertes en el absoluto negativo del silencio.

El recorrido que hemos practicado sobre los estilemas más reconocibles de la forma exterior en el grupo de majestuosos poemas de

---

tásticas muy espontáneas, confiadas a la íntima seguridad del poeta en su futura censura conceptual y estética. Todo, ha dicho, es infancia, y enumera:

> *hasta la bocanada, agria de moho del aire*
> *que respiramos ahora*
> *al pie del cementerio de este arrabal, oreando*
> *los huesos [nacederos] de los muertos, ya niños*
> *en sus cunas tremendas*
> *ebrias de vida, a flor de [losa] hierba el vómito*
> *de la primera leche, que inundará los cielos*
> *horrible, y tierra, y blanca,*
> *feroz como los lodos encendidos*
> *de las palomas.*

transición del primer libro de *Alianza y condena*, confirma en todo la apreciación intuitiva de ápice culminante en la maduración poética, mítica y expresiva, que crítica y lectores suelen atribuir a esta tercera obra en la evolución del universo poético de Claudio Rodríguez. El antiguo espacio literario de la alegoría, con su perfecta bipartición de las estaciones del simbolismo, ha evolucionado hacia la deliciosa contaminación, realísima, de los espacios referenciales del mito. Universo e intimidad, paisaje y cuerpo, trazan los peculiares cruces de sensaciones y sentimientos maduros en los que se va encarnando reconociblemente la peculiar espacialidad de la construcción poética de Claudio Rodríguez: es el fundamento sólido de un estilo personal de ser y de sentir, de ver y de decir, tan independiente como personal y constante. Pero que no se confunda ese perfil tan vigoroso de la intuición y del estilo con lo débilmente automático, predecible o reiterativo: la fecundidad expresiva de Claudio Rodríguez en esta obra, desde las macroestructuras figurales de la forma interior a sus afloraciones textuales externas en estilemas intensos, renueva sus dispositivos sin la menor señal de apatía o de enojo; siempre con la pujante eficacia de una absoluta necesidad poética.

Espacio textual para el contacto imbricado entre las formas: el trayecto de la forma interior a la forma externa en la génesis manuscrita de *Alianza y condena*

De todas las obras de Claudio Rodríguez, *Alianza y condena* es aquella de la que el autor ha preservado una más rica y minuciosa traza manuscrita de elaboración. Más incompleto, aunque también ilustrativo y rico en sus propios límites, es lo conservado de *El vuelo de la celebración*. De las tres obras restantes nada queda, si bien —según algún comentario de la esposa del poeta— la copia manuscrita de *Don de la ebriedad* pudiera hallarse en manos de un compañero de pensión de Claudio en los últimos meses de 1953 en Madrid, sin que hasta el presente conste noticia alguna que lo confirme. De *Conjuros* se conserva exclusivamente un juego de copias mecanográficas, nada relevante, enviado por Claudio a su esposa desde Inglaterra y análogo al entregado en su día a la editorial Cantalapiedra de Torrelavega. Los manuscritos previos de *Conjuros* al igual que todo el material relativo a *Casi una leyenda* pueden darse por definitivamente desaparecidos, destruidos por el propio autor, quien pese a su excelente preparación filológica y crítica, ha manifestado siempre un absoluto desinterés rayano en el desdén —actitud generosa— por preservar este tipo de materiales. Nuestro propio acceso con toda comodidad a tan preciosos instrumentos críticos nos ha sido brindado cordialmente y sin limitaciones por el matrimonio Rodríguez.

La índole de nuestro estudio sobre la forma interior en la poesía de Rodríguez —unida a la inusual extensión que ya alcanza— desaconseja un análisis minucioso de los manuscritos de *Alianza y condena*. Tarea estilística de tan alto interés como de extenso discurso, que sería especialmente ilustrativa y relevante para la analítica de la forma exterior, según los hábitos críticos y los registros metodológicos ya canónicos en este tipo de estudios literarios sobre la creación progresiva y las variantes poemáticas. Sin embargo, tratando de ceñirnos nosotros lo más escueta y estríctamente que podamos a lo fundamental para nuestra ilustración crítica de la estructura y génesis de la forma interior poética, seguiremos en la pauta de los manuscritos tan sólo aquellos trayectos creativos que ilustren más necesariamente la transferencia entre el espacio y las estructuras de la forma interior poética y los correspondientes dominios de la forma externa poemática.

En líneas generales, el tipo de documentos preservados hace descar las informaciones que han circulado convencionalmente hasta ahora sobre los hábitos de elaboración de sus poemas por parte de Claudio. Por ejemplo el comentario divulgado sobre todo por Francisco Brines según lo observado en sus visitas inglesas a Claudio Rodríguez en los años de elaboración de *Alianza y condena*. Se recordará que, según esa versión, el poeta procedía a fijar sobre la página en blanco versos aislados, sintagmas o incluso términos particularmente evocativos de las imágenes dominantes; y sólo ulteriormente se produciría el rellenado discursivo de esos huecos hasta totalizar el cuerpo del poema. Con tal esquema de procedimiento creativo, serían los formantes intensos microestructurales los que se constituirían en soportes genéticos de la macroestructura textual, y no a la inversa.

Lo que llevamos expuesto ya en esta segunda parte del libro sobre las dos primeras obras ha desacreditado, en términos generales, esa difundida descripción de los procedimientos en la génesis poética de Claudio. En los análisis practicados hasta ahora —aunque limitados siempre, no obstante, por razones de extensión— sobre el vidrioso espacio textual de transferencia entre las dos estructuras y sus formas correspondientes, hemos podido constatar la inviabilidad de verificar en el discurso de Claudio Rodríguez el discurso genético expansivo de lo particular-intenso a las estructuras poemáticas extensas. Nuestro acceso posterior al arsenal completo de los manuscritos conservados de *Alianza* ratifica nuestras deducciones especulativas previas. Por más que disponemos de una trayectoria muy rica de testimonios manuscritos sobre el crecimiento y evolución de la mayoría de los poemas, nada evidencia la viabilidad efectiva del procedimiento hasta aquí divulgado a partir del testimonio presencial de Brines. A menos que tuviéramos que suponer la sistemática destrucción de todas esas plantillas previas, sin que ninguna se haya deslizado considerable la gran variedad de papeles conservados por Claudio en la carpeta de materiales sobre esta obra.

Claudio Rodríguez, como la mayoría de los escritores, ha cultivado siempre el hábito de anotar diariamente, al paso, observaciones útiles y giros expresivos llamativos para él; esto es tan cierto como escasamente peculiar en el caso de nuestro poeta. Si acaso señalar, además, que esos cuadernos —sistemáticamente destruidos hasta ahora— acaban conformando un bloque cerrado y apesadumbrante en realidad, que Rodríguez atiende muy secundariamente cuando cuajan en él las horas intensísimas del conjuro de la «palpitación», las solemnidades verdaderas en Claudio de la inspiración sublime. Entonces el poema progresa por pequeños incrementos de principio a fin de su composición; son ensayos reiterados que vuelven a incorporar en limpio lo consolidado en los intentos manuscritos previos. Es sin duda alguna esta forma de crecimiento progresivo de un discurso lógico del poema, en términos iniciales incluso perfectamente coherentes y organizados, la que ratifican los centenares de ensayos manuscritos con la génesis de los textos de *Alianza y condena*.

Son excepcionales por tanto los manuscritos que atestiguan un origen contrario; como dos de los tres únicos textos mecanografiados que quedan del poema «Girasol». En ellos espigamos alguna observación que pueda resultar interesante; por ejemplo, «esa velocidad interna (la llamada... el fruto)», o bien «con tu postura de perdón», escrito al márgen: «de rodillas». Una de las hojas manuscritas más enriquecidas —o torturadas— con ese género de listas sobre alternativas marginales es la de la más antigua versión inicial del poema «Tiempo mezquino», que en su primera página registra por dos veces el título «Un tiempo». Aquí leemos series como: «mi enemigo / de nacimiento / como la lluvia lava la hoja / como el cordel de un chalán / el balance del terror / quieto, sufrido, acostumbrado / sostenido como en un muelle». Otra: «ignoran / disloca / cobra / yo de tan poca bolsa / loza». Otra: «reprocha / estopa / broma / tosca / de curva proa / negocia / coja / reino de lisonja / migas / ropa / traidora / y mi gloria». En el márgen contrario: «cebada de propaganda / de canción postiza / sonroja / rapiña / pobre encuesta / saldo / verdugo / intercambian regalos / todo de buen surtido / horma / escote / el carmín rico de tanta pérdida / la gaviota reidora, los concursos / como una carcajada dolorosa». Pistas, como se ve, casi todas desaparecidas en el resultado definitivo del texto[31].

Con todo, son todavía mucho menos frecuentes los restos conservados de hojas manuscritas sobre los que pueda verificarse la repetida

---

31. Me parece relevante trascribir ese estado manuscrito del poema, para que se aprecien las enormes distancias que median casi siempre entre las tentativas iniciales, impetuosas y espontáneas, y los resultados últimos, tan medidos y reajustados por el exigente rigor poético de Claudio Rodríguez. Incluso se puede percibir en este caso la génesis de algunas de las imágenes con mejor ritmo, que acabarían incorporadas no a éste sino a otros textos también antiguos de *Alianza*: «...las mañanas aquellas pobres de vestuario / como la muerte...», de «Por tierra de lobos»:

Un tiempo
Con el viento del Norte, que conserva
el vino, me ha venido aquella historia
negra como un pecado. Mal andaban
[los]mis pies entonces y peor mi boca
[en]por aquella ciudad de escaso censo,
de risas y de misas: como obra
de [un]cordel de chalán sus viejas calles
quietas, sufridas, con costumbre añosa
de rapiña, de pobre encuesta, de agrio
saldo, hasta hoy sin rescate. Dura horma
la de sus días, pobres de vestuario

noticia de quienes han hablado de páginas en blanco salteadas de palabras y fórmulas iniciales de imágenes. Tal vez el único caso en que se pueda rastrear, a partir de la situación última de los manuscritos, esos niveles iniciales de la estratificación textual sea el del poema «Hacia un recuerdo». Sobre la primera hoja conservada se ven diseminados significativos indicios, junto a las alternativas del título «Distancia del recuerdo» (tachado) y «Un recuerdo». La mayoría son fórmulas de comienzo que acaban definiéndose en su versión más duradera — «Y a saber qué reposo / habrá por esas tierras / las de la gran claridad de trigo y trino»—, antes de la evocativa solución final, nunca recogida por cierto entre las numerosas tentativas manuscritas de este texto. Lo llamativo aquí es que también se anotaba poco más arriba la fórmula aproximada de lo que había de resultar el cierre definitivo del poema: «este sol que madura / lo que no dura», y «en estas tierras donde el sol madura / lo que no dura»[32]. Junto a esto, además, otras dos anotaciones dispersas sore el blanco de la hoja —«este tráfico oscuro» y «Yo luché con tu cuerpo»— orientan hacia el fondo de celeridad y de polémica amorosa que, muy matizado, persiste en la estructura definitiva del

---

como la muerte. Pero en ella, hermosa
a veces luce la amistad y a veces
el amor...

Sobre la cínica fórmula vengativa, terrible, que se incorporaría al resultado final de este poema: «...Te beso ahora / y te traiciono ahora sobre / tu cuerpo. ¿Quién no negocia / con lo poco que posee?», se ha visto ya antes, entre las anotaciones marginales que hemos transcrito de esta hoja, el elocuente indicio que supone el lexema «negocia», escrito con bolígrafo de color azul distinto del color negro del texto que copiamos en esta nota. El bolígrafo azul es el empleado para la hoja manuscrita siguiente en la que aparece ya formulada la antipática expresión, a partir de indicios y alternativas tan expresivas como «Aquí te tengo, aquí te beso / y te traiciono./ Aquí te beso, y aquí te...».

32. No debe considerarse sin embargo excepcional dentro de los hábitos creativos de Claudio Rodríguez, esta previsión de los versos finales de un texto ya desde los bocetos iniciales más sucintos. Sucede así también, por ejemplo, entre otros casos similares, en el último verso del poema «Sin leyes»: «Nunca la luz fue tan temprana». Los comienzos y los finales del texto definen para Claudio Rodríguez el perfil de la andadura rítmica del poema, que acaba siendo en verdad el móvil más decisivo para la inspiración de este poeta sensitivo. Raras veces, según lo testimonia la inmensa mayoría de los manuscritos conservados, el primer esbozo de una composición no arranca ya de principios definitivos, con los primeros versos perfectos e invariables.

texto: «No, hoy no / lucho ya con tu cuerpo, / sino con el camino que a él me lleva».

En semejantes condiciones, poco puede extrañar que el otro texto sobre el que los manuscritos conservados permiten descubrir una previsión estructural de su decurso textual completo, sea el más extenso y uno de los más maduros y tardíos de toda la obra, «Oda a la hospitalidad». Pese a que son relativamente escasos los manuscritos conservados de esta extensa composición: cuatro hojas y todas con ensayos parciales sobre el primer esbozo, se descubren claramente los indicios de los que han de ser los tres movimientos textuales y las partes definitivas del poema. Para empezar, no es extraño dentro del hábito creativo de Claudio, que arranca por lo común de una primera formulación ya definitiva del primer verso, encontrar en esa inicial hoja ensayos todavía remotos sobre el símil que se desarrollaría como entrada más tarde en el poema:

> *Como la [luz] atrae a la polilla*
> *y el amor sus fantasmas,*
> *así esta casa me seduce, y no*
> *por ser panal o ancla.*

Lo sorprendente es que, más abajo, se lee casi perfecta la fórmula que habría de iniciar la segunda parte del texto:

> *Pero hoy, como la lluvia*
> *lava la hoja, esta mañana clara*
> *limpia de [herrumbre] polvo, orín y de oropeles tanto*
> *y lo hace de dolor y de alegrías...*

Y otro tanto después, respecto a la intensa pauta rítmica que inicia el canto tercero de la oda. En el manuscrito escuetamente: «Es la hospitalidad, es la [semilla] el orígen», y tachado: «la hospitalidad, semilla de la fiesta», reescribiéndose sólo «de la fiesta».

El procedimiento habitual compositivo de Claudio Rodríguez, como va viéndose, es el del crecimiento progresivo de la escritura de los versos, ordenadamente de principio a fin. La intuición temática fundacional del contenido a desarrollar como germen de la composición del poema parece innegable, si atendemos a la regularidad con que los rótulos temáticos aparecen ya en las primeras tentativas de cada texto la mayor parte de las veces. Se trata del título definitivo o de fórmulas muy aproximadas a él, que con frecuencia resultan ser fieles trasuntos del contenido[33]. Después sigue, en la práctica totalidad de los casos —tal como lo testimonia el rastro manuscrito de cada poema—, el despliegue progresivo de la argumentación del tópico temático inicial. El poeta lo inicia, como vemos, con un primer impulso que introduce decididamente una tirada inicial de uno a varios versos. Cuando se alcanza después el punto de agotamiento del fragmento memorizado, se procede a ensayar nuevas alternativas hasta conseguir el resultado deseado que se juzga —siempre con absoluto tino— definitivamente feliz. Así progresa la composición de los poemas en impulsos sucesivos, reescribiendo a cada nueva versión el total alcanzado del texto. Se corrobora de esta manera el sistematismo en el comportamiento poético de Claudio a partir de la concepción reflexiva del semantismo macroestructural temático. Simultáneamente es la impulsión creciente y acumulativa de las inercias rítmicas, también las macrotextuales, lo que dicta los impulsos decisivos a la fisonomía de la argumentación poemática.

El testimonio de la génesis manuscrita de los numerosos poemas conservados del libro *Alianza y condena* confirma el perfil ordenado y progresivo de la innata precisión de Claudio Rodríguez. La precedencia genética de la forma interior extensa poemática aparece madurada pri-

---

33. Así lo demuestran, efectivamente, incluso los títulos de poemas en los que se aprecia mayor distancia y evolución con el asumido al final. Por ejemplo: «Gestos» es «El espacio y el gesto»; «Cáscaras» procede de «Cáscaras en invierno», con el añadido de la cita decisiva de Shakespeare que acabaría siendo título de uno de los poemas más comprometidos para el mito personal del autor en esta obra, «En invierno es mejor un cuento triste». «Por tierra de lobos» empezó titulándose «A campo abierto» y «Lluvia y gracia» fue «La gracia», «Gracia de la tierra» y «Lluvia». El itinerario hasta el neutro título final del complejo y divagante poema «Nieve en la noche» pasó sucesivamente por las progresivas construcciones manuscritas: «Nieve», «Copo de nieve», «Mala nieve», «El piojo de la nieve», «Nieve en mala hora» y «Nieve a destiempo». Y frente al indirecto lema shakespereano de «En invierno es mejor un cuento triste», resultan mucho más fieles al contenido del poema los títulos previos de «El perdón» o «Historia de un perdón»; asímismo, de «Como el son de las hojas del álamo» parece mucho más descriptivo sobre el contenido de la composición «Un dolor». Por último, el críptico lema temático de «Lo que no es sueño» fue titulado en sus despliegues manuscritos previos: «Sin palabras», «Lo duradero» y «La duración».

mero hasta la confirmación de su intuición subconsciente mítica en la unidad de consistencia poemática de cada texto, siendo más tarde desplegada mediante impulsos también globales de la pulsión rítmica constitutiva. La inspiración por tanto no se genera en Claudio Rodríguez —contra lo que han querido sugerir algunas improvisaciones impresionistas— a partir de detalles localizados y estilemas felices pero «intensos», que se mantendrían sobre la estructura lineal terminal de la forma exterior del texto; por el contrario, se parte de la maduración impulsiva de la voluntad sicológica simbólica y se progresa sobre el impulso fundante del ritmo como forma y contenido del poema.

El despliegue del impulso temático y argumentativo que desarrolla la forma interior en las macroestructuras progresivamente compuestas del poema alcanza, en una *segunda etapa,* el nivel en el que se sustancian las alternativas y selecciones estilísticas de la *forma exterior.* A esa escala de tentativas y sustituciones, los procedimientos de elaboración poética de Claudio Rodríguez no son llamativamente peculiares, tal como lo testimonian las huellas de correcciones puntuales en los manuscritos. Se trata, eso sí, de tentativas muy intensas y abundantes que deciden las elecciones probablemente afortunadas. Asímismo se constatan los habituales retoques de sustitución léxica y de sintagmas intensos como consecuencia de las lecturas finales del poema ya construido, especialmente sobre los estadios mecanográficos finales.

Analizar aquí exhaustivamente las peculiaridades y tendencias predominantes en el estilo de Claudio Rodríguez de todas esas operaciones microestilísticas de la forma exterior sobrepasaría con mucho, como hemos indicado ya en coyunturas anteriores análogas, el alcance y la extensión de un estudio como el nuestro; aunque ilustraría peculiaridades muy llamativas en los procedimientos simbólicos de la fantasía del poeta. Veamos algún ejemplo. La elección de la fórmula final «sonrisa» en el tercer verso del poema «Espuma» da como resultado una imagen de resonancias lejanamente amorosas: «Como quien mira una sonrisa, aquella / por la que da su vida y le es fatiga y amparo, miro ahora la modesta / espuma». Pero en el primer esbozo del poema no aparecía esa imagen sino otra mucho más trivial: «Como quien mira una ventana...», seleccionada además entre una serie de alternativas al margen: «persona, mujer, cuerpo», que apuntan todas ellas al núcleo referencial último de sonrisa. La selección de «ventana» entre todas esas variantes —a partir de la primera hoja, el término elegido será «rostro»— no resulta simbólicamente inocua en este caso, si recordamos aspectos fundamentales en la evolución literaria del mito de Claudio, como la premonitoria contemplación de la muchacha-hermana ensartada por el rayo de luz tras la ventana de Burgos, cercana a la catedral, en «Visión a la hora de la siesta» de *Conjuros*; o bien el reconocimiento de la propia imagen reflejada sobre los cristales de la ventana en la calle familiar, en cualquiera de los merodeos y rondas exteriores del fugitivo culpable, eterno rechazado del hogar y del nido. Véase cómo la selección en este caso de una determinada alternativa intensa léxica de la forma externa decide sobre resonancias simbólicas del significado mítico excavadas en el infinito bloque de contextualidad de la forma interior.

En líneas generales se puede concluir que, observado cualquiera de los estados intermedios de los poemas, según lo testimonian los manuscritos, no se conocen casos en que las alternativas excluidas resulten superiores a las seleccionadas: ni en el acierto profundo de su entidad simbólica, ni en la animación más epidérmica de las imágenes fantásticas, ni en la soltura conceptual y sonora del ritmo. Lo que viene a corroborar la segura capacidad de elección estética y de maestría estilística —el poeta suele hablar aquí modestamente de «vigilancia»— que ha consagrado la poesía de Claudio Rodríguez. Procediendo casi al azar entre los millares de ejemplos posibles, compárese con la animada soltura y la ligereza creativa de su resultado final publicado, la pesadez enunciativa que presidía una de las últimas transformaciones mecanográficas del fragmento central en el poema «Dinero», el que comienza en «Porque el dinero a veces es el propio sueño»:

> ...A veces,
> la caridad es robo y la estafa es limosna,
> y el monopolio de la mentira, da fervor,
> juventud, multiplica los amigos
> (los amigos que olvidan por dos reales)
> y falsifica nidos vacíos de canciones,
> puebla [solares](la patria, la tierra) con taquillas siempre
> con la confianza del poder. Del poder de la miel
> que cristaliza luz, calor, y es oro,

tesoro. Del dinero que a veces es acción,
cambio, imaginación, aunque hoy sea rutina,
atrofia, no alegría, sino frivolidad,
impunidad, [no] y ley. ¿Voy a vender, entonces,
estas palabras? ¿Voy a bailar en esta
escena de esclavitud con la doncella
moneda de anchas caderas? Rico de tanta pérdida..., etc[34]

En el tortuoso y exigente trayecto de selección entre microcomponentes poemáticos es donde el poeta ha ido cincelando —sobre la neutralidad innane de la referencialidad conceptual— el bloque conmovedor de sus relieves sugestivos. Son ellos los que comunican espacios confinantes en las estructuras míticas de la imaginación[35]. Muchas veces

---

34. Algunas de las formulaciones de esta variante inédita, como la pregunta «¿Voy a vender, entonces, / estas palabras?», podrían favorecer la conjetura interpretativa que del poema «Dinero» hiciera la sobria y acertada lectura de Prieto de Paula, en términos de enunciado metapoético. Cfr. Ángel Luis Prieto de Paula, *La llama y la ceniza*, cit., pág.176: «reflexión sobre el poema en sí y el valor de la palabra creadora». En todo caso habría que adjetivar el término del valor como «valor social» escaso.

35. Son innumerables los ejemplos posibles que, desde la explicitud de pasos intermedios ostentada por los manuscritos, ilustran el proceso de mejoras fantásticas a partir del juego de selecciones estilísticas microcomposicionales que afectan al bloque de la sustancia mítica macroestructural. Limitándonos al primer poema de *Alianza*, en «Brujas a mediodía», cotéjese el penetrante fragmento definitivo:

> *La vida no es un reflejo*
> *pero ¿cuál es su imagen?*
> *Un cuerpo encima de otro*
> *¿siente resurrección o muerte? ¿Cómo*
> *envenenar, lavar*
> *este aire que no es nuestro pulmón?*
> *¿Por qué quien ama nunca*
> *busca verdad, sino que busca dicha?*
> *¿Cómo sin la verdad*
> *puede existir la dicha? He aquí todo.* (pág.129)

Los indicios previos en los sucesivos manuscritos se inician con una intuición esquemática en la que incluso afirmaciones absolutas se transforman sin más en negaciones: «La vida es un reflejo, pero cuál es la imagen?»; en tanto que la intensidad meditativa de las imágenes y las reflexiones eróticas que accidentan y animan últimamente la entidad poética del texto, exhiben el escueto cañamazo de sus anodinos antecedentes:

> *¿Cómo romper este cristal que nunca*
> *es nuestro cuerpo?*

se trata de cruces entre nombres de seres y de objetos con propiedades sentimentales inconciliablemente discontinuas, surgidos del efecto de las

¿Cómo lavar o envenenar este aire
que no es nuestro pulmón y enterrar tantas
banderas que no son la patria?

En el paso sucesivo manuscrito correspondiente a este fragmento todo se mantiene bajo la misma forma, excepto la sustitución de «este cristal» por «esta pasión». Modificación nada irrelevante a la larga, pues, en su contacto imaginativo con «cuerpo», el eje de asociación pasión-cuerpo anuncia la proximidad de la imagen erótica resultante de los cuerpos en el acto de amar. Pero en este punto queda interrumpido el proceso formador de la imagen en la serie de manuscritos conservados, incluso en las dos copias mecanográficas finales. Hay que llegar a la copia definitiva del libro completo, preparada seguramente ya con destino a la edición, para leer la solución definitiva. Pero la maraña de asociaciones imaginarias que concurren y forman el paso poemático anterior, vuelve a surgir en un fragmento casi inmediatamente sucesivo del poema:

un eco en otro eco, los escombros
de un sueño en la cal viva
del sueño aquel por el que yo di un mundo
y lo seguiré dando.

Aparte del calco sintagmático sobre la imagen de «un cuerpo encima de otro» de la fórmula «un eco en otro eco», que se registra ya desde la primera aparición del fragmento en la escritura progresiva del poema, dentro de la solución definitiva publicada está ausente toda transparencia de la alusión erótica al cuerpo de la amada bajo la reveladora imagen de mineralización onírica, cuyo eje está constituido por «la cal viva/ del sueño». Es sin embargo la prehistoria manuscrita del texto la que permite descubrir los itinerarios racionales de estos sugestivos productos de la metamorfosis fantástica. Véase el estado de este núcleo de imágenes en la primera aparición manuscrita:

un eco en otro eco, un cuerpo muerto
en sus resucitados miembros, una
[flor] carne en el mismo espacio
de aquella carne por la que [yo]dí un mundo
y lo daré [otra vez ahora]mil veces.

Hay que advertir aquí sobre la continuidad asociativa fantástica que establece la metamorfosis lógica del «cuerpo muerto» con la «cal viva» de los huesos; un símbolo éste dentro de la nueva serie mítica de imágenes de aridez mineral, que comparece a lo largo de la evolución de *Alianza y condena*, desplazando en la imaginación del poeta al anterior universo de las sustancias de vida vegetal. A su vez la continuidad asociativa, hasta tópica en la expresión literaria de la sentimentalidad amorosa, de la construcción: dar la vida o algo muy valioso por la enamorada o en este caso por su carne —opuesto asociativo a la cal de hueso—, justifica la metamorfosis onírica mucho más elegante del sueño de cal por el que se diera un mundo, según habría de evolucionar hasta el texto definitivo y publicado.

El momento decisivo dentro del proceso de contaminaciones asociativas entre imágenes en la fantasía que ajusta la aparición de las formas poéticas definitivas, lo representa la sustitución elisiones en el discurso lógico original. En otros casos es la combinatoria tensamente fantástica de las variantes alternativas la que decide sobre la afloración del registro fascinante en la convergencia mítica[36]. Por fin, la sintaxis frástica y el insuperable instinto de la fragmentación versal de ritmos y de metros van orientando suplementariamente el bloque de la conmovedora persuasión estilística.

*   *   *   *   *

en el manuscrito sucesivo de la palabra «cuerpo» por el reiterado lexema «carne» del manuscrito anterior, que transcribíamos. La formulación resultante: «un / cuerpo en el mismo espacio / del cuerpo aquel por el que yo dí un mundo», hacía ya inminente la transformación definitiva para «un cuerpo encima de otro», desplazado luego más arriba en el poema para desalojar textualmente este «amontonamiento» de «cuerpos» léxicos. Una anotación al márgen sobre la primera transcripción mecanográfica del estado del último manuscrito, alternativa al sintagma de escasa tensión poética «en sus resucitados miembros», reza ya: «el cuerpo encima de otro, siente su resurrección y su muerte». Animado retablo de trayectos por los que la peculiar lógica asociativa de la imaginación poética asalta y metamorfosea en imágenes de atractivo onirismo las vías más directas y apoéticas de la lógica racional.

36. Cuentan absolutamente para todos esos recorridos de la combinatoria imaginaria que decide sobre las alternativas entre estilemas intensos —puntuales y microtextuales—, las proyecciones siempre congruentes con la mecánica constitutiva mítica de la forma interior. A veces se trata de decisiones relativamente superficiales que son fácilmente integrables en sus cauces manifiestos, debidos incluso a la inercia de prejuicios y de censuras íntimas o hasta sociales y legales en los primeros años de la actividad literaria de Claudio. Esa sería, sin exceder el espacio de los primeros poemas de la obra, la sustitución que da origen a una de las imágenes más caprichosas del poema «Gestos», la de la «casera mueca de las figurillas / de la baraja», que se sobrepuso pronto a la fórmula previa tachada en la primera versión manuscrita del poema «Como esa santa Mónica risueña». Las previsiones de censura, íntima o social, son efectivamente una constante que justifica con frecuencia las sustituciones manuscritas, sobre todo las que se refieren a los peculiares tabúes sexuales de Claudio sobre algunos de sus no infrecuentes exabruptos apoéticos en el terreno siempre resbaladizo del erotismo. Junto a las sexuales, el abandono progresivo de las imágenes de resonancia política y patriótica, demasiado presentes en los primeros poemas de la transición desde *Conjuros*, representa otro sector importante para las decisiones de variación de Claudio; siendo mucho más numerosas las que se vinculan, como éstas, a la esfera de lo religioso.

Pero en la mayoría de los casos, la geología imaginaria de las razones que gravitan sobre la decisión sustitutiva o integradora, son menos evidentes; como que se gestan en espesores oscuros de la sicología subconsciente donde se constituyen las densidades del impulso simbólico en la forma interior. Mucho de todo ello se condensa sobre la inquietante imagen que cierra esta composición; aquella impactante y hasta intempestiva de la quijada fósil con la huella en flor del beso trémulo:

...Yo sólo, si es posible,
pido, cuando me llegue la hora mala,

La aleccionadora experiencia que brinda la observación atenta del bloque de manuscritos disponibles sobre el proceso de gestación estilística de los poemas de *Alianza y condena*, evidencia también la realidad inolvidable del intenso trayecto diacrónico experimentado por la maduración del autor a lo largo de aquellos decisivos años en Inglaterra. A esa misma perspectiva de consolidación en la maestría poética van asomándose necesariamente a lo largo de nuestro estudio otros aspectos y coyunturas fundamentales del análisis; pero en el caso de la actual, la mejora no se refiere sólo a lo más inmediato y obvio en el ejercicio de corrección progresiva sobre el texto de cada poema. Nuestra observación sobre el crecimiento consolidado de la maestría artística se refiere a cómo el trabajo de perfeccionamiento, a partir de los primeros resultados de las formulaciones poéticas, deja huellas textuales mucho más patentes y resolutivas en el caso de los textos antiguos. Por el contrario, la experiencia cobrada con ese ejercicio se fue depurando progresivamente en las composiciones más tardías, con unos aciertos de selección

---

> la hora de echar de menos tantos gestos queridos,
> tener fuerza, encontrarlos
> como quien halla un fósil
> (acaso una quijada aún con el beso trémulo)
> de una raza extinguida. (pág.132)

En este caso, la rica secuencia de versiones progresivas de los manuscritos permite especificar exactamente el momento de iluminación inicial de la imagen. Se trata de una nota marginal en el ángulo inferior izquierdo de una copia ya bastante evolucionada del poema, en la que Claudio Rodríguez formula atormentadamente entre vacilaciones y tachaduras: «[un] fósil quizá una quijada [que no sonríe] con un beso intacto [sino muda] de una raza perdida». A partir de ese momento, solamente tras algunos ensayos intermedios que no llegan a alcanzar ese lugar poemático del cierre, encontramos ya incorporada la anotación anterior a la formulación definitiva del poema. La explicación inconsciente más plausible —que el propio Claudio no desautoriza— establece la evocación de la quijada fósil a un eco textual de las menciones previas del gesto del abrazo —«la rotación inmensa del abrazo / para medir su órbita»—, junto a cuya primera aparición en la escritura del texto interrumpido precisamente en ese verso, encontramos formulada la acotación marginal. Siendo, a su vez, el gesto del abrazo un símbolo de ambigüedad obsesiva ya desde *Don de la ebriedad*, con la idea de muerte que representa el movimiento de la hoz y la guadaña. De esa manera, la quijada fratricida de Caín se constituye en otro residuo ambiguo para la atmósfera de muerte que venía convocada implícitamente desde el final del canto primero del poema: «¿Por qué es el mismo el giro del brazo cuando siembra / que cuando siega, / el del amor que el del asesinato». Únicamente faltaba para la imagen última del poema contaminar la quijada hostil con el perfume lírico del beso.

y de enfoque iniciales que aligeran ostensiblemente la densidad y el volumen de las correcciones posteriores.

Nos consta que el poema «Por tierra de lobos», junto a «Ciudad de Meseta» y «Un momento», es el más antiguo de *Alianza y condena*. La primera copia conservada de la composición en el tipo de folio habitual para sus primeros trabajos ingleses de Nottinghan, mecanografiado y fechado en Invierno de 1959, aparece remitido por el poeta a su entonces prometida, Clara Miranda, con el siguiente recado significativo: «Para ti siempre. Díme si te gusta porque me temo que no». Efectivamente los temores de Claudio en este caso estaban justificados, pues lo que acabaría siendo uno de los grandiosos poemas de *Alianza* —una de esas monumentales panorámicas logradas a base de distancia sobre la ciudad y de sus peores pesadillas culpables—, resultaba en aquella primera versión un texto desigual, accidentado con desahogos directos y demasiados espontáneos, con imágenes enfáticas de contenido político y social gastadamente tópico[37].

---

37. Dado el interés objetivo de esta variante inicial de tan decisivo poema, y para facilitar el seguimiento en detalle del cotejo analítico que realizamos en el texto, transcribimos a continuación aquella primera versión:

> *Arrodillado sobre mis días perdidos*
> *contemplo hoy mi trabajo como a esa*
> *ciudad lejana. ¿Y tú me culpas de ello,*
> *corazón, duro amo?*
> *Que aligere y no coma,*
> *que nuestra recua vaya de vacío*
> *por si nos llega algo*
> *que cobije a los hombres.*
> *Como siempre, ¿eso quieres?*
> *Mira caer el sol tras de las casas.*
> *Mira cómo el amor sobre el oficio*
> *nuestro de recordar, aún brilla. Mucho*
> *hemos perdido.*
> *Arrodillado sobre mis días de ceniza*
> *hundo mi vida en ellos, y la mancho*
> *pero no la sacudo, la alzo y siento*
> *que está aquí, y oigo, oigo*
> *su música.*
> *¡Música de cuartel, desparejado*

Tal como hemos visto en otros textos del autor, aparecen perfectamente calculadas aquí desde el principio las unidades mayores de la argumentación poemática con la acertada andadura rítmica y expresiva del impulso que las introduce. Es lo que se mantiene desde aquella

concierto!¿Quién me tañe
la juventud?
Ya dí el aire a los muertos,
bajo, bajo y me lavo
en esta tierra, y me trabajo el cielo
a nuestros pies.¡Que salte
por nuestras calles, gorrioncillos míos,
sonido mío, pasos
de mi vivir!
Nunca espereis que vuelvan
aquellas tardes, cuando se ponía
el sol, no el corazón.
No espereis las mañanas
de nuestra patria.

Erguido sobre mis días alegres
sigo la marcha. No podré habitarte,
ciudad cercana: siempre seré el huésped,
nunca el vecino.
Ah, cuánta eternidad
ha cuajado en nosotros,
cuántas estrellas suenan
bajo estos dedos sucios,
en esta boca mal coplera. Y solo
para ir de camino.
Ahora ya el sol tramonta. De esos cerros
viene un olor que es frío aquí en el llano.
Tal vez, valiendo lo que vale un día,
sea mejor que el de hoy acabe pronto.
¡Que no acabe! ¡Yo sigo
de hinojos sobre mis días de dolor,
sobre mis años de vileza, pero
que no se haga de noche!
No me importó otras veces
la alta noche,
recordadlo. Sé que era peligroso
ver esas carnes, blandas de jodienda
pero caseras de ternura, oliendo
al azul de plazuela,

primitiva versión de 1959 hasta la publicada en el 65 —diferencias en la escansión al márgen— con las fórmulas iniciales de cada parte correlacionadas anafóricamente: «Arrodillado sobre mis días perdidos / contemplo hoy...» y «Erguido sobre mis días alegres / sigo la marcha...» Una base de constancia textual muy sólida, por tanto, constatada en la macroestructura del texto, que se corresponde a su vez con el seguro cálculo de la base temática a desarrollar y de su más eficaz disposición argumentativa; constituyentes todos ellos básicos de la forma interior. No obstante, inmediatamente se advierten también en infinidad de pequeños detalles microestilísticos —métrico-rítmicos, léxicos y gramaticales— momentos menos afortunados en los que se relaja el tenso control de la inspiración inicial. Así —y cotejése con el amplio respiro de universalidad hímnica en que se modificaría este comienzo en el texto definitivo— la elementalidad de los términos de la respuesta a las acusaciones íntimas del corazón, en las que Claudio asume una inmatizada y añeja transfiguración en voz de arriero:

> Que aligere y no coma,
> que nuestra recua vaya de vacío
> por si nos llega algo
> que cobije a los hombres.

Fue muy temprana la reacción de Claudio ante el momento de inflexión que representan las imágenes de los dos primeros versos, frente a la formidable entonación hímnica que exigía la amplitud panorámica de la visión evocativa. En el primer ensayo manuscrito que sigue al texto

---

> con el meneo puro de los juegos,
> aún con el casto dale
> que dale a la comba.¡Al corro, al corro!
> Sé que eran peligrosas las campanas
> a las claras del alba.
> Pero hoy es distinto. Hay mucho miedo.
> Algo ronda. No, no, así, sin vosotros,
> no sé qué hacer. Quisiera
> entrar con luz en la ciudad. Vivienda
> no me importa; con que oiga...
> (aquí se interrumpe el texto)

remitido a la novia, aparece ya la seriación de impulsos que dan lugar a la eficacísima inserción poética: «Que recuerde y cante...». Más débiles son las trazas que completan la espléndida panorámica sucesiva en el texto publicado sobre las actitudes urbanas y sociales de la jauría: «En manada no astutos...», etc...; sólo la insinuación de unas pocas imágenes de futuro feliz, llamadas a inscribirse en contextos mucho más matizados de alguna otra de estas panorámicas monumentales de la hostilidad conciudadana. Así la obsesionante «música de cuartel» que se reencontrará en «los conciertos de cuartel» y en «los cuarteles, los foros y los claustros» de «Cáscaras»; o las primeras alertas sobre el baño de aquel otro simpático «granuja astuto» del poema «Gorrión» —« y me lavo / en esta tierra... a nuestros pies !Que salte / por nuestras calles, gorrioncillos míos, / sonido mío, pasos de mi vivir!»—. Y también la primera sembradura quizás para la imagen tanteada en numerosas variantes manuscritas en diversas composiciones sobre la puesta del sol como puesta del corazón, que aquí se formula desmedradamente en una yuxtaposición más lógica que poética: «aquellas tardes, cuando se ponía / el sol no el corazón». Por lo demás, la sugerencia intensamente evocativa de «las mañanas» que cierra la primera parte del poema —«No espereis las mañanas / de nuestra patria»—, acota infinitamente en esta primera presencia la portentosa capacidad de aliento para el impulso rítmico que ha de adquirir cuando desemboque en el inspiradísimo despliegue de acumulaciones evocativas en el texto definitivo, el que se inicia con el verso «Las mañanas aquellas, pobres de vestuario».

Un proceso análogo se registra en la segunda parte del poema. El acierto de la situación inicial correlativa con el principio: «Erguido sobre mis días alegres»... etc, se mantiene desde aquel primer boceto de 1959 hasta la versión publicada. Después irán alternándose los versos y las imágenes más productivas, que se mantienen junto a otros momentos en que la intensidad poética se debilita y que acabarán siendo cancelados por el poeta. Tampoco falta, igual que en la primera parte del texto, el tipo de hallazgos muy felices que el poeta desplazaría en sus progresivos ensayos hasta encontrarles el acomodo más propicio; en esta ocasión se trata de los dos versos: «Tal vez, valiendo lo que vale un día, / sea mejor que el de hoy acabe pronto».

Otras veces será el intencionado enmascaramiento para el arranque espontáneo, hasta lo directamente brutal en algún caso; como la evocación de las niñas jugando al corro: «...esas carnes, blandas de jodienda / pero caseras de ternura, oliendo / al azul de plazuela, / con el meneo puro de los juegos», que Claudio sustituiría por la críptica sugerencia de unas imágenes sexuales hondamente difusas: aquel «trato» erótico hecho de «gestos desvencijados» con cuerpos toscamente inexpertos: «sobre cuerpos de vario / surtido y con tan poca / gracia para actuar». Sorprende siempre en Claudio esta doble faceta de su carácter, que le puede precipitar al desahogo salaz de un erotismo descarnado —en un texto, no se olvide, que él no daba aún ni mucho menos como definitivo—, pero que después lo encumbra sobre la distancia poética sublime de todos los celajes convenientes y hasta en determinados casos del contrapunto exquisito. Si me he permitido descubrir aquí este punto llamativo del texto manuscrito, es porque resulta significativo como rasgo de la personalidad y del comportamiento creativo de Claudio en otras muchas encrucijadas de sus textos. Esa extraña mezcla de su talante entre el atrevimiento transgresor y la retirada púdica, hasta pacata, que los lectores —recuerdo una conversación con Philip Silver— han detectado en casos tan llamativos como la variante de «Brujas a mediodía» entre «mean» y «hacen pis», y que la evolución manuscrita de los poemas corrobora y refuerza en una gran cantidad de indicios que no me parece oportuno ilustrar aquí más extensamente[38].

Un segundo caso de corrección y de sustitución muy llamativo y sintomático en el contexto que estamos examinando, el de la transfor-

---

38. Para referirnos a un solo detalle significativo y relativamente inocente entre los numerosos casos manuscritos de transgresiones iniciales del erotismo obsceno, encubiertas después sistemáticamente por el impecable ejercicio de correcciones, proponemos aquí el tratamiento de la mención de «sobaco», una zona del cuerpo femenino que resulta altamente significativa para el erotismo del poeta, según alusiones tan diáfanas como la de «Momento de renuncia» en su último libro *Casi una leyenda*. Recuérdese:

> *ese olor a sobaco que madura*
> *con sudor que yo quiero y huele a trigo*
> *salino, a brea, a fiebre de madera,*
> *a ilusión de la infancia ...»* (pág.55)

Pero esta afloración consentida tardía de un desencadenante personal del erotismo tan difícilmente

mación de la escueta e inocua sugerencia de crítica social: «Sé que eran peligrosas las campanas a las claras del alba», orienta sobre el otro fondo igualmente frecuentado de censura y manipulación, que deparaba aquel momento de intensa protesta social de un Claudio en quien empezaban a extenuarse los fondos idílicos del retorno cordial y del hallazgo fraterno. A partir de la mención emotivamente neutral del tañido de campanas se desarrolla en el texto el intenso redoble de

---

convencional registra ya una interesante aparición previa en la génesis manuscrita del poema «Hacia un recuerdo» de *Alianza y condena*, en la seriación de sensaciones que organiza la conocida optación:

> *...Quiero ver aquel terreno,*
> *pisar la ruta inolvidable, oir*
> *el canto de la luz aquella, ver*
> *cómo el amor, las lluvias*
> *tempranas hoy han hecho*
> *estos lodos, vivir... etc.* (pág.172)

La primera de las formulaciones progresivas de esta parte del texto acogía la enumeración de sensaciones según el orden canónico de sentidos: vista, oido, olfato... Y en ese instante precisamente se desliza la sugerencia erótica censurada mediante el término metafórico:

> *Quiero ver ese terreno*
> *[andar]pisar el rumbo inolvidable, alzar*
> *cada[bendita] pequeña piedra, oler la axila*
> *de la espiga, recorrer el tráfico*
> *fabuloso, sentir*
> *la desenvoltura de la brisa*
> *que allí corre.*

la versión manuscrita inmediatamente sucesiva, reacondiciona el orden de las sensaciones completando la alusión al oído con una variante «oir / el pulso de la luz aquella», pero se detiene justamente y finaliza ante las dudas suscitadas previamente por la sintomática transgresión léxica reveladora. Sin embargo en el siguiente ensayo manuscrito, el intenso erotismo del primer atrevimiento queda reforzado mediante la integración del término ya sin eufemismos metafóricos a su contorno femenino: «oler, / como la tuya, cada / axila»; y tanto más cuando la alusión léxica, que hasta aquí ha funcionado sobre su valencia eufemística de axila, recupera y aumenta la robustez transgresora del término en una imagen descarnada que aquí anotamos, y que permite por fin el afloramiento léxico de «sobaco». Alcanzado ese punto de desahogo espontáneo, las sucesivas versiones del fragmento van recuperando primero el eufemismo metaforizante de «la axila / de cada espiga» y «cada axila de espiga», que figura ya tanto en la última versión manuscrita como en la primera y única copia mecanografiada restante, fechada en Enero de 1962, y en cuyo márgen derecho figura de nuevo la variante manuscrita «cada axila de mujer»; antes de desaparecer por completo en la versión editada.

las rimas internas encargadas de plasmar una de las más abiertas letanías anticlericales del poeta:

> *...Y los misales,*
> *y las iglesias parroquiales,*
> *y la sotana y la badana...* (pág. 141)

Un conjunto de desarrollos temáticos sobre toques fantásticos siempre muy leves e imprecisos en el boceto original da lugar a la transformación de un texto inicial, que en su propia génesis pudiera haber sido una reflexión melancólica sobre su situación de desarraigo y soledad en Nottingham, en una pintura acérrima de la vida social en «Ciudad de meseta», su Zamora natal. De esa manera, con el origen en una serie de intuiciones críticas escasamente radicadas en referentes vivos de la propia tierra, la depuración adversa desde el contraste distanciado de Inglaterra y los incidentes poéticos y personales que a Claudio le acontecían durante sus frecuentes visitas de vacaciones a España y a Zamora, fuesen originandose el núcleo crítico de espléndida palpitación indignada en estos poemas castellanos de censura social.

Si «Por tierra de lobos» representa un caso relativamente equilibrado de sustituciones, con ganancias y pérdidas en la extensión —nunca para la calidad poética siempre mejorada— de los textos respectivos, la historia interna de los manuscritos para el poema sucesivo en el libro, «Eugenio de Luelmo», permite ilustrar el proceso de despliegue imaginativo que, partiendo de un esbozo inicial breve de veintitrés versos —el texto mecanográfico sobre un tipo de folio alargado semejante al de la primera redacción de «Por tierra de lobos» y fechado al márgen por Claudio en verano de 1959— se va transformando en un poema extenso[39]. Aquí la hondura íntima de las reflexiones tardías adheridas a la intensa depuración lírica de la melancolía —como aquel primer y último pudor por poseer la vida tras el adiós del justo— obligan a pensar

---

39. Para permitir los cotejos que implica nuestro análisis, remitimos aquí el primer texto mecanografiado de la versión de 1959, que transcribíamos en la nota 12 del capítulo correspondiente a *Alianza y condena* en la primera parte de este libro.

en ejercicios poéticos de la hora más madura del poeta, próximo ya el ápice de plenitud esquemática de «Frente al mar».

Y sin embargo aparecen inscritos en el bloque directo y elemental de aquella primera forma de imaginación la mayoría de los despuntes embrionarios para las imágenes narrativas y prosopográficas que se han de desplegar después con intensa maestría en la extensión del texto definitivo, a la vez sintéticamente intenso y lírico y profusamente sugestivo en imágenes desarrolladas. Pero también el núcleo reflexivo de la doblez temática se anticipa y persiste en el esbozo: «Nunca supo que el río es mal vecino...», se decía al comienzo de la versión más inmediata «en memoria...», y «¿Cómo iba / a saber que su Duero / es mal vecino?» se preguntaba Claudio al final de la composición definitiva. La síntesis de la valoración meditativa que categoriza el anecdotario de una muerte sencilla en esta composición, ese núcleo genético más íntimo y concentrado —tópico— de la macroestructura interna que produce el impulso fundante hacia los exteriores de la forma, se transmite así poderosamente reconcentrado en unidad, salvando y otorgándole necesidad sustantiva a la animada fuga de imágenes con que se enriquece figurativamente la fantasía temática de la emoción entrañable.

Pasando a los detalles: la *sangre* bulliciosa de Eugenio alimentada por el «pulso gris» del agua «del hondo río de destino» —« y en su sangre aún suena / el pulso gris del agua»—, obligaba a sentir como mucho más indigna la sangre propia, y tal vez incluso a asociar la desembocadura de su «eficacia... sin ensayo» —¡qué intensa humanización en la raíz abstracta, tan de Claudio!— en el agua infinita de la muerte simbólica siempre marina: «el negocio / del mar que eran sus gestos, ola a ola»; al tiempo que la reseña tan escasamente radicada descubre su naturalización simbólica —« y muerte, y nacimiento / al mismo tiempo»— ahincando sus asociaciones espontáneas de origen de la vida y de término mítico en la difusión ilimitada de las aguas del mar. Después se nos impone automáticamente aquella aceleración permanente en el ir y venir del hombrecillo sin negocio trascendental a la primera mención, neutral, en el viejo poema: «siempre anduvo por las calles, con todos, / y nadie pudo detener la saña / feraz de su inocencia». Sobre este fondo primario y esquemático de asociaciones evocativas se sobrepone el torrente de imágenes del acierto fantástico definitivo: «y ese gran peligro / de su ternura, de su modo de ir / por las calles»; y más tarde: «Esa velocidad conquistadora / de su vida, su sangre de lagartija, de águila y de perro, / se nos metían en el cuerpo como / música caminera». Incluso a veces la sembradura de retoños simbólicos que fundan inicialmente los estímulos de la primera voz retornan o remiten a figuras temáticas de un pasado habitual salvando el rebote sobre los textos inmediatos, como aquel «limpio jornal» cotidiano del héroe que revive la historia de la vida del justo desplegada en la imagen generadora del poema «Alto jornal».

Otra vez la impresión dominante de la celeridad, de la viveza impaciente en los gestos ya irrecuperables del amigo ante la presencia de su cadáver inerte, se asocia con una de las primeras apariciones en la poesía de Claudio del símbolo subconsciente de la *cal*. Una cal altamente simbólica en este caso como instrumento natural del oficio de escayolista de Eugenio, que ha de marcar un amplio predominio en la modificación de los mitos regenerados de la primera fertilidad vegetal hacia la mitología derivativa de la desecación mineral del pesimismo adverso. Arideces calizas que acompañan a la desolación imaginaria del desalojo del otro puntal simbólico del mito: el del nido y el calor del fruto protegido tras la cutícula, tal como se desarraigan de la imaginación mítica del poeta a partir de *Alianza*. La corrección mecanográfica en el verso denuncia así, sencillamente, la afloración solemne del decisivo testigo simbólico, aquí recién nacido pero con tan definitiva persistencia en la poesía de Claudio Rodríguez: «...Ved que ahora / su hombría de [pura casta] de alta cal, su pura casta». Respecto al penetrante verso « su oficio de humildad y compañía», reconocemos difícilmente en su formulación inicial demasiado directa y elemental el acierto del resultado enunciativo que habrá de brotar con mayor eficacia tras el retoque sintáctico y el nuevo ajuste métrico en el colofón de la primera parte: «Él cuyo oficio sin horario / era la compañía».

En el encabezamiento de uno de los dos manuscritos progresivos de la segunda parte en que se divide el poema definitivo, puede leerse una interrogación metapoética de Claudio: «¿Quién puede modelar con el recuerdo?». Y es que, en efecto, la composición más tardía en esta parte arroja algunos de los mayores logros evocativos del poema, elaborados —a diferencia de los de la parte primera— sobre muy escasos indicios: apenas si la pana del penúltimo verso: «trémulos aún del roce de su pana», y otra vez la presencia de la cal del oficio. La profundidad oportuna del lema manuscrito a que nos referimos sobre la metamorfosis evocativa, corrobora la fecunda situación de distanciamiento sentimental generado desde el formidable acierto de este conjunto de inserciones tardías, que llegaron a hacer de un puñado de reacciones demasiado apegadas a la limitada estatura de la vivencia personal un índice destilado de exactas formulaciones sobre la indignación y la melancolía.

Así el tambor del asma de Eugenio orea el mapa panorámico de la vieja ciudad guerrera, la bien cercada con los muros pactistas de la alianza atajada por la condena de las separaciones de trinchera: por cierto que, en esto,[40] se superpone la experiencia temática que acaparó la síntesis del título, sin duda con exceso desfavorable para la enjundia del total de su contenido efectivo. Y así luego también, la misma maduración de la distancia sentimental depura una de las más emotivas selecciones prosopográficas de la elegía personal moderna en lengua castellana, lograda desde la alternancia de los ritmos y la constitución de la sintaxis: primero el armonioso caos acelerado de la acumulación sintética: «Allí todo era llama»..., etc...; después, el remansamiento del detalle sobre su peculiar modo de andar, incluso con el marchamo de la voz personal en el controlado extravío digresivo —«(tan distinto / del que monta a caballo o del marino)»—; y más tarde, de nuevo, las aceleraciones del tempo rítmico y de la sintaxis: «Esa

---

40. El magmático entretejido del núcleo de símbolos y de representaciones imaginarias que convivían en el tiempo de intensa reelaboración lírica de este conjunto poemático, se refleja en sutiles apariciones cruzadas de símbolos dominantes, como la siguiente afloración del poderoso símbolo polifacético de la «cáscara», impuesto por contagio de la unidad mítica dominante —luego eliminada— sobre esta punzante evocación de la ciudad atajante de meseta. El verso sobre las leyes «de las que él hizo *injertos* para poblar su agrio vacío» rezaba primero resueltamente: —desde la más temprana formulación manuscrita— «de las que él hizo *cáscaras* para poner en su agrio / vacío»; y solamente después: «de las que él hizo *cáscaras* para *injertar* en su agrio vacío». He ahí en el cruce decisivo, la metamorfosis de uno de los resultados expresivos con más misterioso lirismo del poema.

velocidad conquistadora», etc., etc. Concentraciones, enfoques menudos de la prosopografía y la etopeya singulares, que se remansan en nueva elevación generalizada de la reflexión metapoética: la distancia eternamente en pugna entre las inminencias cotidianas y su honda trascendencia ejemplar, cuando la tienen. Recordamos aquí con sus pequeñas variantes, la primera formulación manuscrita, de la conclusión totalizadora:

> *Ciegos para el misterio*
> *y, por lo tanto, tuertos*
> *para lo real, ricos de tanta imagen*
> *y de tanto recuerdo ¿cómo vamos*
> *ahora a celebrar, lo que es [puro suceso]suceso puro*
> *noticia sin historia, hazaña sin trabajo?*[41]

---

41. El tenor y la estructura de los manuscritos progresivos en esta fase del poema evidencian la primera intención de Rodríguez de cerrar la composición con esta elevación en clímax. En ese caso, se uniformaría la extensión y la estructura en dos partes de esta elegía personal con las del conjunto de composiciones destinadas a constituir la acendrada entonación hímnica del libro primero. La génesis manuscrita resulta ilustrativa en este punto, ya que el apostrofe a Eugenio, que empieza conduciendo el énfasis culminante de cierre en las primeras hojas manuscritas, se transforma más tarde en impulsado acorde de comienzo hímnico, ante la tentación de extender y de redondear seguramente las imágenes de culminación mítica sobre la simbología marina de la muerte y del río. Por lo que tienen de sintomáticos todos esos ensayos, luego definitivamente anulados, sobre el modo de correspondencia entre la forma interior poética y la resolución de la forma poemática, transcribiré a continuación dos versiones manuscritas de los mismos. Primero la inicial, que buscaba constituirse en la conclusión del poema con una de sus abruptas despedidas sintéticas, tan características:

> *Rico por tanta pérdida*
> *[déjame que te hable]deja que hable de ti,Eugenio, «tío Parrondo»:*
> *aunque me aleje de tu cielo, de*
> *tu eterno linaje.[Deja que ahora]Deja, deja*
> *que facture este poema*
> *entre mi ropa oscura.[Fui] Soy feliz*
> *[contigo]a tu lado; y eso es todo.*

En contraste, véanse varias reducciones del apóstrofe epitáfico bajo la condición de clímax creciente que había de resultar definitiva:

> *[La tierra no refleja]*
> *Tú sabías, Eugenio, «tío Parrondo»*
> *que el decir adiós*

Las difuminadas imágenes finales en la primera versión del poema, que hablan de la crecida del río y el corazón de aquel fértil paladín de la humildad cordial, invadiendo —anegando— el ánimo de sus amigos, encuentran su correspondiente despliegue ahora ya casi sin el mantenimiento de ningún testigo léxico ni recuerdo de residuos de imagen. El habitual plano dialéctico del texto, con los tres movimientos característicos del sistema argumentativo de Claudio Rodríguez, se ha ido desplegando entre las fechas del verano del 59 y de Mayo del 62 que constan en las dos copias mecanográficas. Constancia pues, en líneas estructurales básicas, temáticas y argumentativas, en que se configuraba inicialmente la voluntad tematizada del impulso simbólico de la forma interior; y junto a eso, un ejercicio progresivo y continuo de la «amplificatio» poética. Con él se ensaya el mejor acoplamiento elocutivo para el surtidor de las nuevas imágenes que completan sus tanteos de lexicalización externa de la forma; pero se revela también, desde el impredecible giro interior de sus asociaciones,

---

es como un asesinato. Tú sabías
[cuándo] cómo crecen los nombres de las cosas
[en el altar del aire]
y más aún en tu río
traidor.

En esta formulación inicial se percibe ya la génesis de los momentos poéticos decisivos en la parte tercera; como la reflexión sobre posesiones y reflejo de la tierra y el agua —«Pero tú no reflejas, como el agua, / como tierra, posees»— o el hábito inveterado en el entrañable sujeto de saludar afablemente a todos en su continuo ir y venir de callejeo «...y la lengua / ya tonta de decir adiós, «adiós». Asímismo la transfiguración del peligro efectivo de la vecindad húmeda del río a la casa de Eugenio, perjudicial para su enfermedad respiratoria, transfigurada poéticamente en traición fatal del numen de compañía «duradera». En este último género de cruces se origina otra variante híbrida de comienzo y de la fórmula primera de despedida, que habría de desaparecer definitivamente en la elección final de Claudio:

Tú sabías, Eugenio, «tío Parrondo»,
que el decir «adiós» es
como un asesinato. Al pie del [río] Duero
dijiste esa palabra. Deja, deja
que la digan ahora los amigos
de tu mismo linaje. Deja, deja
que facture este poema
entre mi ropa blanca. Fuí feliz
contigo: y eso es todo.

la densidad de su trayecto genético a partir de las profundidades míticas, conscientes e inconscientes, de la forma interior.

La imagen de la llave universal entrando en todas las cerraduras del mundo con que culmina el poema a Eugenio de Luelmo, parece satisfacer así la concepción orquestal y de monumentalidad arquitectónica exigida por el poeta para cerrar con la solemnidad debida este himno elegiaco. Seguramente Claudio había dado aquí inconscientemente con otro de sus fondos míticos más decisivos y de mayor propagación en el futuro: ese universo peculiar de los mecanismos de clausura, de llaves, candados y cerraduras, sobre los que nos consta que Rodríguez llegó a interesarse obsesivamente años más tarde, haciéndose con toda suerte de minuciosos informes que aflorarían temáticamente en los momentos esenciales de su poema mayor, tan preñado de claves míticas, «El robo». Pero la imagen de la llave entrando en la cerradura para despedir la historia de algún proceso cerrado de iniciación o de aventura, tal y como aquí funciona estructuralmente, se transfiere a emplazamientos y función muy análogos al que acabamos de ver, en algún otro momeno poético posterior de esta misma obra, como el final del poema «Ajeno».

Sin embargo en el caso de «Ajeno» estamos ya ante un texto de la etapa de Cambridge, cuyo primer desarrollo mecanográfico conservado —con la misma imagen final de la llave que el poema a Luelmo— está fechado en Enero de 1962. Es por tanto posible, en lo que se refiere a la imagen de la llave en concreto, que sea desde este texto desde el que el gesto esquemático de cierre —«y ahora, al regresar, saca la llave, entra... Mas nunca habitará su casa»— se propagase a la fórmula de despedida para «Eugenio de Luelmo», que debió de ser una de las últimas incorporaciones sobre el texto casi definitivo del poema, según el estado de la copia fechada en Mayo del mismo año 62. Pero la historia creativa de «Ajeno» que permiten reconstruir los manuscritos, diseña una voluntad muy distinta —incluso opuesta— a la que delinea la composición acumulativa e integradora del periodo de Nottingham en la que se mueve mayoritariamente la gestación del poema a «Eugenio de Luelmo», y en general la monumentalidad acre y desesperada del conjunto de poemas panorámicos edificados sobre el recuerdo de la condena de la ciudad castellana convencional.

El ejemplo de la composición «Ajeno» define la segunda línea de esquematismo sustancial «susurrado», que convive en *Alianza* con la de los primeros poemas de elevación grandiosa. Siendo este hallazgo del intimismo no ya una pérdida de intensidad de voz, sino tal vez al contrario el feliz descubrimiento de una alternativa de exploraciones íntimas y entrañables. No se trata ya de un simple ejercicio de sustituciones según un gusto perfeccionado, como hemos constatado antes en la evolución manuscrita de «Por tierra de lobos»; ni mucho menos tampoco las copiosas adiciones características, prosopográficas y etopéyicas, que acabamos de analizar sobre la historia manuscrita de Eugenio de Luelmo. Lo que resulta en este tercer ejemplo, es un itinerario de despojo a toda concesión grandilocuente, la práctica poética de una intensidad sugerida con el susurro, desde el aquietamiento neutral de la sintaxis y la elocuencia austera de unas imágenes despojadas y sustantivas que se expresan con la misma desolación que nombran[42].

---

42. Como en el caso de los poemas anteriores, transcribo aquí el texto completo de la versión mecanográfica inicial del poema «Ajeno», para más cómodo seguimiento de nuestro análisis:

> [El] Ajeno
> Largo se le hace el día a quien no ama
> y él lo sabe. Y él oye ese tañido
> lóbrego de su cuerpo, su cascada
> canción, siempre sonando a lejanía.
> Sabe que su honda herida nunca sana,
> no la secará el sol, y aún le supura
> casi sin darse cuenta, ahora que el alba,
> con peligrosa generosidad,
> le refresca y le yergue. Está tan clara
> su calle cual si fuera a dar al campo
> y él la pasea con pie oscuro y mala
> ley, porque sabe que cojea pronto,
> a la primera fatiga. Cierra, abraza,
> prisionero por no querer, su propia
> soledad, pero ríe, triunfa, halaga,
> se pone en el ojal la violeta
> festiva, se acostumbra a la subasta
> ruin de sus horas y se encuentra a salvo,
> más seguro que nadie porque nada
> poseerá, y bien sabe que nunca
> vivirá aquí, en la tierra. Por las fábricas,

Se repite otra vez, en este caso, la situación certera de un arranque definitivamente calculado que se mantiene a través de todas las versiones sucesivas; con ello se afianza nuestra seguridad sobre el crecimiento progresivo de la forma exterior poemática a partir de un núcleo muy firme de certidumbre rítmico-temática constituido en génesis de la forma interior. Se trata de los inalterables cuatro versos iniciales del poema, que definen nuclearmente el origen temático y sentimental del impulso enunciativo. Primera eliminación: el efectismo excesivamente patético de un género de imágenes sobre la herida abierta y supurante al que abocaba con oscura proclividad el ánimo solitario del poeta, tras el paréntesis de reconciliación y retorno idílicos de *Conjuros*, en los primeros meses distanciados de Nottingham: entre su instalación en el otoño de 1958 y su boda en 1959 —«Sabe que su honda herida nunca sana, / no la secará el sol, y aún le supura, casi sin darse cuenta»—. Lo sustituye la escueta narración de los dos pasos de la salida. Después, básicamente idénticas, las primeras sensaciones refrescantes del alba temprana. Si acaso, el significativo retoque que elimina el motivo antaño familiar de la claridad en la calle simbólica; algo trompicado para la dicción: «Está tan clara / su calle cual si fuera a dar al campo». Lo que se busca claramente aquí es la eficacia plástica confiada al esque-

---

templos, mercados, tiendas, oficinas,
cuarteles, donde toca, donde pasa,
[oye el inmenso pulso desbocado
de la injusticia, la sangrienta marcha
del casco frío del rencor. Y él sabe,
sabe por qué los oye. Cuán amargas
las viejas ceremonias de la vida
en sus altares silenciosos. Cuánta
noche para tan sólo una mañana.]

Jamás podremos conocerle. ¿Cómo
podemos conocer a quien no ama?
Jamás podremos perdonarle. Largo,
largo se le hace el día, larga, larga
la noche mientras siente la victoria
del mundo en el fracaso de su alma
y ahora, al regresar, saca la llave,
entra... Mas nunca habitará su casa.

matismo externo de la narración; así se simplifica con acierto también, de prueba en prueba, el ciego símbolo moral de la cojera.

Una acotación al márgen de inconfundible acuñación personal: «la honda estafa de su vivir», sintetiza la pulpa imaginaria que nutre el extenso fragmento descriptivo de casi seis versos, suprimido después por el poeta en el despliegue manuscrito sobre la propuesta mecanográfica inicial, tras algunos tanteos intermedios como el siguiente: «Ve el agrio cortinaje, la quincalla / de su perdida juventud; la viga / sin flor ni fe de su vivir». De lo que se prescinde sin titubeos aquí y en la eliminación extensa sucesiva de nueve versos y medio —desde «Por las fábricas...» hasta «tan sólo una mañana»—, es de cualquier memoria temática de la protesta contra las hipocresías condenadas de la alianza. El poeta empieza a censurar drásticamente las resonancias más épicas de su anterior poder de conmoción indignada. Tal vez la creciente autocensura sobre la propia indignidad —hay momentos manuscritos de la nueva etapa en que el poeta lamenta el «estercolero» de su cuerpo— y la absolución cordial, idílica, hacia el fondo sentimental inocente de sí mismo y los otros empiezan a desplazar hacia el insondable universo simbólico de lo íntimo, universal y personal, el antiguo escenario externo de la censura histórica y social. Un descubrimiento portentoso se nos promete; abarca tanta profundidad la mirada interior del místico como la exploración externa de los viajeros más extrovertidos.

* * * * *

El análisis de la génesis manuscrita de algunas composiciones representativas de *Alianza y condena* ha confirmado nuestra impresión crítica relativa al dominio genético del núcleo de difusión temática y rítmica enunciativa de la forma interior, conformado en impulso unitario con amplitud macroestructural y previo a su especialización en estructuras de conciencia temático-formales. El detalle expresivo o la anécdota intensa referencial llegan a constituirse en origen del tópico generativo del impulso solamente en el supuesto de que la reflexión consciente del autor los hubiera seleccionado previamente como tales, porque cumplían las condiciones de idoneidad de ajuste mítico. Especialmente peculiarizante en este sentido sobre el comportamiento creativo habitual de Claudio Rodríguez es el rasgo reiterado casi sin excepción de la perfecta madurez de las imágenes y expresiones en el encabezamiento de todos los poemas, que incorporan regularmente elementos definitivos de la temática y el ritmo textual.

La condición progresiva de la escritura del poema por parte de Claudio Rodríguez, tal y como lo evidencia el ejercicio de crecimiento constante de los manuscritos, desarrolla congruentemente el plan temático y rítmico-argumentativo de la forma interior. Dentro de ese designio de desarrollo progresivo del plan textual, los incidentes puntuales: inserciones de secundariedad asociativa temática, eliminaciones, adiciones y complejos de imágenes, estilemas intensos y simples sustituciones léxicas y gramaticales, etc..., se comportan como ingredientes del tanteo constitutivo del estilo. Así se ajustan elocutivamente las decisiones puntuales de inspiración hacia su integración concordante con la *inventio-dispositio* de la forma interior. Por supuesto que frente al hábito meditativo y consecuente de Rodríguez, que determina como normal el procedimiento de composición descrito, el conocimiento de la génesis manuscrita de los textos habilita algunos ejemplos a primera vista discrepantes. Tal sería el caso de un par de poemas agrupados en *Alianza y condena*, cuya génesis extensa estaba previamente bosquejada en ensayos abortados de poemas, inconclusos o desestimados globalmente e inéditos. Examinaremos dos de esos casos excepcionales que pueden resultar interesantes: «Noche abierta» y «Lluvia y gracia».

El apóstrofe de bienaventuranza, intensamente impostado desde el ritmo majestuoso del alejandrino, que se formula en la primera estrofa de «Noche abierta», aparece como tentativa muy antigua entre los ensayos manuscritos conservados de varias composiciones de *Alianza y condena*. Teniendo en cuenta que el testimonio constatado de Claudio Rodríguez emplaza esta composición, junto a la mayoría de las que forman con ella el libro tercero, en el núcleo penúltimo de la obra, sorprende que la primera aparición del germen textual se encuentre mecanografiada ya sobre uno de los folios extralargos que Claudio solía enviar a Clara Miranda con los progresos de los primeros poemas de *Alianza*, en el primer invierno de su estancia en Nottingham entre 1958 y 1959. Concretamente la copia mecanográfica a que nos referimos, aparece como la parte tercera de un poema que ha quedado inédito y está fechada en Diciembre de 1958. Véase, de ella, la correspondiente mención contextuada:

> *Es de noche.*
> *Bienvenida la noche para el que va seguro*
> *y con los ojos sanos mira tranquilo el ceño*
> *feroz del firmamento, la ola en tromba*
> *de los espacios. Nunca*
> *necesites el campo entero, bien andante.*

Tras de no menos de tres intentos manuscritos frustrados[43] sobre este núcleo poemático, volvemos a encontrar una nueva reformulación manuscrita de los versos en cuestión al dorso de la tercera copia mecanográfica, la definitiva, del poema «Dinero», compuesto según todos los indicios en un momento inmediatamente anterior al de «Noche abierta»; en todo caso siempre ya en el periodo de profunda evolución poética de Cambridge. Aquí comparece, no sólo la versión casi definitiva de la primera estrofa, sino incluso la inversión de la bienaventuranza en términos iniciales inequívocamente próximos a los que habrían de completar luego el texto. Dada la importancia sintomática de esta versión diferida entre el origen antiguo del texto de 1958 y la versión publicada, optamos por darla a conocer:

---

43. El fragmento frustrado en que se integran los alejandrinos de referencia fue duradera y reiteradamente reelaborado por Claudio Rodríguez en tres versiones manuscritas, que dan lugar no sólo a contextos temáticos muy diferentes sino a modificaciones de esta breve fórmula impulsiva de bendición. Véase una:

> *[sé que nunca]*
> *hay una hora tardía.*
> *Bienvenida la noche para el que va seguro*
> *y con los ojos sanos mira tranquilo el [tiempo]campo*
> *[y el susurro del humo*
> *de la hoguera en el campo]*
> *y ve el humo tan íntimo*
> *[de las hogueras del otoño]*
> *del otoño, y no oye*
> *[el] susurro [de la] a ceniza.*

Bienvenida la noche para el que va seguro
y con los ojos limpios mira tranquilo el campo,
[la ciudad y su casa]
y con la vida limpia mira tranquilo el cielo,
[sin ver el ceño duro]
su ciudad y su casa, su familia y su obra
[Aunque nadie comprenda que no]
Que no conozca como yo ahora mismo,
el miedo de la noche, el duro ceño del
cielo,[el reproche] la condena de su tierra,
la suciedad y la malevolencia
de su familia y la honda miseria de su obra.
Bienvenida la noche, aun a pesar del alba,
...para el que...

De esa manera se explica seguramente que el autor no haya conservado entre sus manuscritos sino una sola copia definitiva del texto tal y como fué finalmente publicado.

El caso del poema «Lluvia y gracia» resulta aún más radicalmente sintomático. Fruto sin duda de una anécdota intrascendente observada al paso y reflexionada más tarde en su hondura simbólica, figuró inicialmente como ejemplo que corrobora el «miedo a la gran aventura» al final de la tercera parte de la «Oda a la niñez», en la copia mecanográfica inicial fechada en el invierno de 1960. Siendo un desarrollo anecdótico sin duda desproporcionado respecto del principio que pretende ilustrar, apareció segregado del texto en las dos versiones mecanográficas muy posteriores, cuyo formato resulta aproximable al de la versión definitiva de la tardía «Oda a la hospitalidad» hacia 1964. El fragmento segregado es el siguiente:

Ved cómo corre aquel [pobre] hombre ahora
que comienza a llover, y aún está lejos
la ciudad, y no siente
el castigo del agua porque él, sin darse cuenta,
ya está a salvo, y sigue
y huye, y está limpio
ya para siempre,
y al llegar a cubierto, (en el bar de la esquina),

entra mojado y libre, y se cobija,
y respira tranquilo en su ignorancia
al ver cómo su ropa
poco a poco se seca...

Pese a los muchos retoques estilísticos que han de mejorar esta escueta narración y la no muy diáfana argumentación de la tesis que implica, hasta el resultado definitivamente publicado, lo sustancial del poema estaba ya presente en el primer esbozo. Incluso para la situación de partida en la eficaz estampa del viaje en autobús con sus pintorescos ocupantes a la llegada de Palencia, cuenta sin duda la presencia de la mención —«el ruido / del autobús que por fin llega»— que permaneció en el mismo apartado del texto; y así lo reflejan los primeros tanteos manuscritos de la imagen inicial sobre los márgenes de una copia mecanográfica fechada en el invierno de 1962.

Repetimos que, en términos absolutamente mayoritarios, los hábitos de creación de Claudio Rodríguez que nos confirman los estados de la elaboración manuscrita de los textos, corroboran masivamente el perfil de progresividad a impulsos sucesivos a partir de un primer núcleo estable y absolutamente maduro de formulación temática y rítmico-dispositiva. La constancia con que el poeta repite sistemáticamente en la escritura de cada texto lo ya consolidado en las versiones previas del mismo, apenas sin modificaciones del principio, corrobora el «modus operandi» de Rodríguez a partir de una conciencia previa perfectamente madurada de la entidad temática y formal de sus poemas. Pero la constancia casi general de su procedimiento de actuación poética no descarta que, en el caso de diversos textos como los dos anteriores, aparezcan oscilaciones y hasta cambios de rumbo manifiestos respecto a las previsiones y al desarrollo previamente previsto de la forma interior.

A ese respecto, debemos referirnos primeramente al caso de alguno de los poemas últimos y por ahora inéditos que Rodríguez destina a un libro futuro, cuyo título tiene ya decidido. Se trata de un poema largamente gestado sobre otra de las pasiones entrañables de Claudio: los ancianos. En los círculos próximos al poeta se especuló hasta lo fabuloso, hacia 1994, sobre la intensa preparación de lecturas filosóficas y reflexión del autor para el que se preveía como un poema-libro o como mínimo un poema muy extenso. Pues bien, todas esas previsiones se han resuelto en un texto breve con poco más de veinte versos. Después —me consta personalmente por las confidencias de Claudio— que, tras la terminación de ese y otros tres o cuatro textos más, el poeta madura una intuición nebulosa, casi un presentimento que va cobrando forma, lenta y meditadamente, hacia un difuso fondo de poema, con su primera versión casi definitiva en el verano de 1998 en Zarauz.

La forma interior de los textos de Claudio Rodríguez se constituye por tanto, según todo lo sugiere, a impulsos nada fortuitos ni precipitados de estímulos o casualidades inmediatas. Los detalles ocasionales para la inspiración, que efectivamente existen en todos los casos y que pueden incluso emigrar de unas tentativas de poemas a otras, acaban viéndose regularmente integrados y asumidos en los bien construidos planes textuales del autor, que incluyen previsiones globales temáticas y rítmico-formales. Respecto a los ejemplos de textos confesadamente modificados como el «Canto a Mari» de *Casi una leyenda*, que habría evolucionado, según el testimonio de Claudio Rodríguez, del proyecto inicial de ser un poema amoroso a una suerte de despedida telúrica del amor en la mitología vasca de la madre tierra, acaba tan elaboradamente integrado en la forma progresiva del texto, que resulta muy difícil la percepción de «arrepentimientos» y ensamblajes en la factura definitiva de la composición.

En poemas cuya génesis manuscrita permite observar el afloramiento de la nueva inspiración que modifica el desarrollo previo, el resultado textual temático, argumentativo y estético suele traducirse bajo una impresión de redoblado misterio interesante. Los ejemplos podrían ser abundantes; como el decidido cambio de sesgo que experimentan los poemas «Por tierra de lobos» o «Cáscaras». En ambos contrasta el arranque más bien apegado a las nuevas circunstancias meditativas desde la óptica de Nottingham frente a la brillante indignación crítica contra la hipocresía social reencontrada en su Zamora, a la que el poeta volvía frecuentemente en los periodos vacacionales ingleses. Ya hemos visto cómo en el caso de «Cáscaras» se produjo la sustitución de un texto perfectamente elaborado con una muy sintomática densidad mítica, hacia las formidables fórmulas publicadas de indignación social que ocupan el segundo canto del poema.

Quizás el ejemplo más significativo a este respecto lo ofrece el poema «Nieve en la noche». El misterio del texto arranca, como sucede en otros equivalentes del autor, del cruce entre una primera línea de tematismo descriptivo sobre la nevada nocturna contaminada metafóricamente con la imagen recurrente de la cáscara y la máscara hipócrita, y las afloraciones textuales de la escenografía amorosa del coloquio nocturno, atormentado en este caso por el encuentro de ambas corrientes textuales temáticas en la imagen central perturbadora de la falsedad y la hipocresía.

La atractiva fórmula inicial de la «doncella máscara» en el texto definitivo y publicado no puede ser interpretada en tal contexto sino como recubrimiento simbólico de la capa de nieve sobre la ciudad. Pero al mismo tiempo todas estas presencias prosopográficas —también las capas de la nieve se configuran con su «rostro inocente»— traducen la presencia femenina hostil en la situación amorosa; al principio mantenida entre la confusión de las vivencias temáticas amalgamadas, y más tarde abriéndose paso hacia la evidencia textual en el desenlace del texto. Por cierto que, en este caso, el arranque manuscrito del primer verso resulta mucho más nítido sobre la compleja situación entrecruzada. Cuando el poema se titulaba aún simplemente «Nieve», el verso primero era «Esta máscara que cubre un rostro enemigo». La presencia más directa de las referencias prosopográficas del primer verso habría de persistir intacta hasta en seis formulaciones progresivas de la primera parte del poema. Sólo en la séptima y tras la inserción modificada del título como «Mala nieve», aparece la fórmula definitiva, felizmente poética, de «Yo quiero ver / qué arrugas oculta esta doncella máscara». Pero en tal tentativa de eludir la referencialidad prosopográfica directa, la misma aflora incluso reforzada en la continuación inmediata. Véase la situación en que ese momento manuscrito intenso resultó finalmente soterrado:

> *Yo quiero ver qué arrugas*
> *oculta esta doncella*
> *máscara. Qué [estrago] honda plaga,*
> *qué tiña, se disfraza*
> *bajo [blanca apariencia] un rostro inocente.*
> *Ligero copo, hostil*
> *al canto, cae sin música.*

En la misma hoja donde se formula el estado del poema que reproducimos, figura al márgen izquierdo un interesante desarrollo inmediato, que prolonga textualmente el estado transcrito anterior y sus dos ensayos posteriores. Lo llamativo es que en él, inmediatamente a continuación de la mención del engaño compartido de creer que es mediodía en plena noche, se suscita la presencia de la voz compañera de una incierta amada-enemiga, que formula la advertencia convencional sobre la llegada del día en la tradición poética de las «albadas» amorosas, tan cultivadas por Claudio y por Valente:

Tanta luz es ceguera
y creemos que ahora
es mediodía a plena
noche. Alguien dice [dentro, desde]
de la casa: «despierta
que ya amanece». Y todo
su amor, la [vida entera] herida abierta
de sus años, de pronto
se cicatriza, deja
de supurar mirando
la nieve. Y hay leyendas
del cielo en cada pobre
[historia] cosa suya. Leyendas
sin cántico, mudas, copo
a copo [invaden, ciegan].

Como en tantas otras situaciones amorosas de amenaza y de sufrimiento conflictivo, aparejadas para el poeta a símbolos siniestros de heridas supurantes y de cicatrices mal cerradas, la pericia poética de Claudio Rodríguez, su superior prudencia reflexiva y exactitud poética, asume una vez más en este caso la iniciativa habitual de la «amplificación» de un circunstante estético para encubrir la hosca amenaza vital del abismo problemático. Asistimos así, en consecuencia, a la magistral pintura de la caída morosa de la nieve sobre una ciudad-escenografía constituida por la nueva materia inerte tan penetrantemente simbólica de andamiajes, escayolas, molduras y cal nueva; al tiempo que se matizan y difuminan las tangencias personales de las prosopografías anteriores.

Por esa vía de supresiones, modificaciones y ensamblajes del discurso advienen las tortuosas interferencias entre planos alusivos que desembocan en el ambiguo atractivo del diálogo final de este poema; aunque sobre el mismo aclaran bastante las explicitaciones de su primera y única fórmula manuscrita previa a la publicada:

> *Y borró [nuestras calles] los caminos*
> *Y tú dices [alguien dice]: »despierta,*
> *que amanece». Y es de noche*
> *muy noche. Dices: «cierra*
> *las ventanas». Y [no] yo quiero*
> *perder de nuevo ante esta*
> *nevada.[No no quiero / puedo](«Sí, sí quiero /que tú lo veas»)*
> *alzarle la careta*
> *a este rostro enemigo*
> *que me engaña a mi puerta: («a sabiendas», al márgen)*
> *[una oscuridad blanca](«la inocencia que vuelve»)*
> *y un [el]pie que deja huella.*

La tortuosa progresión creativa de este poema permite ejemplificar un caso extremo de desarrollo de la forma interior a partir de un núcleo fuertemente problemático y con frecuencia incluso reprimido, como resulta ser habitualmente el complejo mítico-amoroso en su cruce con el desarrollo temático de una circunstancia advenida: la anécdota de la nevada sobre la ciudad como trasunto metafórico del símbolo de la «cáscara» y la «máscara». Las fórmulas textuales de transacción sobre el predominio y el recubrimiento entre ambos constituyentes temáticos, dentro del trayecto tabular de constitución y en la extensión última del poema, ilustran asímismo aspectos no meramente terminales sobre el espacio de transición e interacción entre las dos formas, la interior poética y la externa poemática. Lo sorprendente y definitivo, con todo, en tales casos es la constancia de perfección poética que nunca falta en la poesía de Claudio, transformando y metamorfoseando con una certidumbre sin altibajos el impulso primario de la conmoción apasionada en las formulaciones exquisitas del continuo poético de la forma.

CAPÍTULO IX

EL VUELO DE LA CELEBRACIÓN: FRAGMENTACIÓN, CONCENTRACIÓN Y NARRATIO LÍRICA

Escisión desfundamentadora y síntesis paradójica: nuevo recurso al irracionalismo metafórico y a la concentración de las sinécdoques

Entre 1965 y 1976 transcurre un largo periodo lleno de dolorosos accidentes bien conocidos en la biografía de Claudio Rodríguez. Etapa de lenta producción literaria y, por el contrario, de intensa reconcentración en la profundidad vital de la experiencia dolorosa. El hombre ve definitivamente extraviados los viejos medios de enraizarse ilusoriamente en la realidad: el entusiasmo literario para soñar con los frutos del énfasis apelativo y con los procedimientos retóricos irrecuperables ya para la desvalida experiencia. Solamente sobre entidades y porciones de la existencia cada vez más insólitas y reconcentradas se consigue experimentar el latido poético.

El abandono progresivo de las cosas, la falsedad de un mundo poblado de aristas irremediables y sembrado por el desinterés y el desaliento se sirve de los procedimientos retóricos de fragmentación anticipados en la etapa anterior de retracción con *Alianza y condena*: a saber, la reconcentración del enfoque objetivo mediante la sinécdoque de la parte por el todo y la correlativa sustitución del metaforismo compuesto como agregado más adecuado a la dimensión estricta y a la exquisitez menos directa de los nuevos objetos temáticos, en perjuicio de las alegorías dilatadas. Pero el desolado incremento de los poderes poéticos y las laceraciones y límites de la experiencia reconcentrada ahincan y metamorfosean los anteriores poderes de construcción figural poética[1]. La focalización de las nuevas vetas del interés en los objetos

---

1. El rasgo reiterado de la escisión metafórica es nuevamente perceptible en el estilo de este libro y resulta, según lugares de la obra y momentos dados de su elaboración poética, una de las

distorsiona su espacialidad peculiar extendiéndose a la topografía más íntima y desajustada de la herida, la mentira y el miedo; y para moverse en las nuevas galerías insólitas, donde el irracionalismo activa unas capacidades de significación poética inasequibles para el orden de la experiencia convencional, se convoca la alusividad distorsionada de las subcategorizaciones lógicas: la animación de lo inanimado, la personificación activa de lo inerte y de lo simplemente abstracto e intelectual, de los miedos y de las prevenciones. Todo un peculiar mundo retraído y restrictivo en el que se va refugiando progresivamente la decepción de Claudio; mientras las vetas cada vez más rebuscadas de su fiel voluntad de salvación hacen de la apertura simbólica del metaforismo controladamente irracional su más fundado esquema de significación.

A su vez, el expediente formal de la retórica descubre una vez más su estricto correlato con la maduración intensificada del tematismo; no siendo por tanto unos y otros, los contenidos y sus formas, sino fieles respuestas al impulso inicial y a la evolución de los sentimientos apasionados y del melancólico concepto sobre el mundo que conformará crecientemente la visión emotiva trágica del autor. Así, el entusiasmo extático que se había participado como anhelo de la verdad unificante y en los contenidos éticos sublimes de la solidaridad y la lucha agónica por los valores entrañables del hombre en compa-

---

características más representativas del estilo. El desmontaje del metaforismo distendido de las alegorías por el rasgo de acumulación yuxtapuesta de metáforas discretas con poderosa carga de irracionalismo alusivo no es ya, como sabemos por nuestro análisis de *Alianza y condena*, una novedad figural absoluta de *El vuelo de la celebración*. Sin embargo el grado de intensificación de su práctica exasperada en los poemas más dramáticos del libro y sobre todo la perfección sugerente que alcanza en su constitución la técnica del «fundido» sintético entre imágenes-base parcialmente elididas han llevado al excelente observador tropológico Prieto de Paula a destacar, como nosotros mismos, la maduración de este rasgo intenso de figuralidad estilística como una de las características formales más definidas del libro: «Una de las notas específicas de *El vuelo de la celebración* es la ruptura de la *coherencia tropológica*. Si tenemos en cuenta que en el título anterior la estructura metafórica de los poemas era de una complejidad reductible a entramado lógico, ahora existe una mayor dificultad para el acceso a las significaciones últimas... Y no es que de nuevo se acuda a lo irracional como materia y modo literarios, sino que todos los anteriores recursos se combinan y usan libremente, sin criterios establecidos con antelación. Entramos ahora en un espacio estético casi manierista, aunque se mantenga siempre la tensión entre la palabra y el objeto poético». Cfr. Ángel Luis Prieto de Paula, *La llama y la ceniza*, cit., pág.198.

ñía, se tuerce ahora y se reconcentra buscando resquicios inhabituales dentro de un paisaje humano íntimamente atormentado; sin excluir sus pobladores más quiméricos y abstractos, sus destrucciones, sus miedos, sus mentiras y sus raras sonrisas. Se acendra con ello la significación de las sensaciones y el principio de vida de los elementos que las inducen, como el simple zumo de un vegetal o el pétalo lacerante de una herida.

* * * *

En todo este proceso de ahicamiento en el dolor y la desesperanza, Claudio Rodríguez opta por mantenerse fiel a un tematismo más o menos obsesivo, tanto en sus registros idílicos progresivamente extenuados cuanto, sobre todo, en los siempre crecientes de condena y desolación. El expediente argumentativo de la renovación poética, perceptible en la familiaridad nunca mecánica de los símbolos y en la constancia de límites temáticos que concretan el espacio del universo mítico, se manifiesta como productivo virtuosismo en los procedimientos irracionalistas de *escisión* y *anomalía subcategorizadora* de los formantes metafóricos. El mecanismo irracionalista de la *escisión* confirma en esta cuarta obra de Claudio la tendencia «disémica» de sus alegorías, en los términos peculiares en que Bousoño las avizoraba sobre los libros anteriores.

Por eso la herida de la hermana será herida y flor al mismo tiempo; un contraste que se produce y prolonga mantenido en el desgranarse poético de sus allegados y secuelas, siempre proporcionalmente mezclados. Así también la cama con sus ropas —otra de las constantes simbólicas más conmovedoras para el mito personal del poeta— es cama y es ruina alternativamente; nueva escisión, una metamorfosis persistente que nunca se deshace resolviéndose con el predominio de su plano traslaticio, sino que se prolonga en una suerte desasosegante de dualismo con efectos irracionales iluminantemente poéticos.

En la conocida simbología del lecho familiar de infancia desarrollada en el poema primero, «Aventura de una destrucción», bajo su simbolismo habitual de entraña íntima desolada, los atributos de los dos espacios, el de la referencialidad objetiva y el de los trasuntos metafóricos de la desolación, se entretejen en una dualidad de efectos emocionales extraordinariamente conmovedora. Recordemos los versos que centran el entrecruzamiento textual de constituyentes de la escisión referencial:

> *No volveré a dormir en este daño, en esta*
> *ruina,*
> *arropado entre escombros, sin embozo,*
> *sin amor ni familia,*
> *entre la escoria viva.* (pág. 202)

La elisión en este punto del lexema directivo de la simbología real, el lecho, está sobradamente compensada por la densa gravitación contextual temática de dicho elemento de referencia, cuya alusión explícita jalona el texto desde el principio —«La cama temblorosa / donde la pesadilla se hizo carne», o bien «Y mi cama fue nido / y ahora es alimaña». De tal manera que en la nueva presencia del término referencial, elidido esta vez en el texto antes transcrito, es precisamente su presencia indirecta y su sustitución por el trasunto metafórico «daño», lo que potencia sustantivamente el efecto de la deixis fantástica. Y por lo mismo, la atenuada mención explícita de las referencias directas y objetivas —«...sin embozo, / sin amor ni familia»—, entre el panorama de los efectos de la destrucción, cada vez con más amplia presencia textual —«en esta ruina, / arropado entre escombros... / entre la escoria viva»— propicia la consagración de los efectos trágicos de desarraigo y de desolación sentimental.

A medida que crece la alusividad emotiva del término real, se produce también el correspondiente reforzamiento de los efectos corrosivos y patéticos en el plano del término metafórico transformado. Es el otro caso, al que aludíamos antes, de la fatal herida en el cuerpo amado de la hermana y su metamorfosis nunca elusiva en flor. Al igual que quizás no existe en toda la poética de Claudio Rodríguez un testimonio más próximo y conmovido sobre el dolor inmediato y la ternura que el que aportan estos poemas, tal vez no exista fórmula simbólica con unos poderes de conmoción sentimental semejantes a este fundido metafórico de la herida con la flor, en el poema «Herida»:

¿Y está la herida ya sin su hondo pétalo,
sin tibieza,
sino fecunda con su mismo polen,
cosida a mano, casi como un suspiro,
con el veneno de su melodía,
con el recogimiento de su fruto,
consolando, arropando
mi vida? (pág. 205)

Son muy próximas y a la vez desasosegantes las semejanzas entre la herida y la corola entreabierta de la flor; herida profunda enrojecida de «hondo pétalo» mortal y sin tibieza, flor y herida fecundas en el polen del polvo desconsolado, que mediante la contaminación invasora de la imagen de su sutura repugnante —«cosida a mano»— convoca a la vez, con doble estremecimiento, la plaga mortal y la flor martirizada. Al mismo tiempo se prolonga el desconcierto ante la terrible evocación de la ruina alevosa y pútrida de la muerte, introduciendo las propiedades inversas al aroma dulce de las flores: el tufo venenoso que exhala el abismo moralmente insondable de la herida.

Desenfocada, desmesurada a términos de compañía vital por el irracionalismo de la asociación metafórica, esta herida infinita adquirirá el protagonismo de los seres dotados de movimiento y acción; y sin embargo no llega a definir presencia alguna este trasunto del cuerpo muerto. Antes bien consigue un relieve fundamentalmente metafórico en las consecuencias sentimentales del texto, que se trata de cercar y definir en la intensidad de su presencia dolorosa. Una amplia galería de sentimientos posiblemente análogos, construidos con la retórica similar de unas asociaciones imposibles entre espacios de significación habitual inacoplables. Todo está dicho aquí por vía negativa, porque a nada es similar; a todo lo supera este dolor extremo: «No es lo de siempre...», etc.; cuando cualesquiera formas de indignación conocidas, cualquier horror posible, cuenta ya con su alojamiento imaginado en la sufrida experiencia del poeta: «el tallo hueco, / nudoso, como el de la avena, de / la injusticia»...; «el color canela / de la flaqueza de los maliciosos»; o «el esqueleto en flor, /rumoroso, del odio».

La invasión penetrante de la herida trasustanciada a dimensiones envolventes de masa sombría de compañía y tristeza simbóliza sus incertidumbres, su vaguedad dolorosa inefable, a través de la inestabilidad de lo escindido, de la aceleración de la sustancia del concepto entre series irreconciliables de cotejos metafóricos. También en las alternativas que introducen las adversaciones en series, tanto más desconcertantes y poéticamente productivas cuanto más alejadas de la lógica de opuestos naturales que podrían fundar unas antítesis aquí remotas e imprevisibles: «Aún no hay sudor, sino desenvoltura; / aún no hay amor, sino las pobres cuentas / del engaño vacío». Y es que tanto la exclusión adversativa como la asimilación inapropiada de los constructos simbólicos que asocian componentes de subcategorización imcompatible, representan iniciativas equivalentes para el impulso del poeta hacia los sentimientos, que escapan a todo lo habitual reconocible y que se nos aproximan con olfato de cielo y sabores y olores de luz desasosegante:

> *Cómo el olor del cielo,*
> *la luz hoy cruda, amarga,*
> *de la ciudad, me sanan*
> *la herida que supura con su aliento.* (pág. 206)

En el poema «Aventura de una destrucción», la presencia inevitable de las nuevas formas de la metamorfosis de lo real y de las síntesis simbólicas irracionalistas se abren paso incluso por encima del propósito de claridad programática que siempre anima el cálculo constructivo del autor en todos sus poemas inagurales. Las metáforas son, bajo tales supuestos, expresivas y diáfanas: «Y mi cama fue nido / y ahora es alimaña /... No volveré a dormir en este daño, en esta / ruina / arropado entre escombros, sin embozo, / sin amor ni familia / entre la escoria viva». Pero se van oscureciendo a medida que se dispersan las coordenadas estables de su incardinación, al adentrarse en espacios oníricos como el de «El sueño de una pesadilla»:

> *El tiempo está entre tus manos:*
> *tócalo, tócalo. Ahora anochece y hay*
> *pus en el olor del cuerpo, hay alta marea*
> *en el mar del dormir, y el surco abierto*
> *entre las sábanas.* (pág. 203)

La eficacia poética de todas estas viejas imágenes irracionalistas es sin embargo muy poderosa. En el discurso nuevo de *El vuelo de la celebración*, el atrevimiento de las excepciones bizarras a los órdenes de la razón y del hábito se incorpora consolidando un acervo de imágenes nuevas poderosísimas y naturalizándose en resultados estéticos de fuerte persuasión. Tal como en el comienzo de «Herida», donde el ritmo de sonidos e imágenes corrobora con el logro de sus resultados expresivos la plenitud de la desolación emocional. Todo se anima en esos versos, todo cobra corporeidad en las menciones prosopográficas de sensaciones y de sentimientos: la injusticia tiene el tallo hueco y nudoso como el de la avena, y la flaqueza de los maliciosos o el desencanto de los desdichados se tiñe con el color de la canela; mientras que el odio puede crujir desde su rumoroso esqueleto en flor o el vacío engañoso ajusta sus cuentas mezquinas. En ese animado bosque de la imaginación irracional simbólica, la propiedad —esta vez la herida dolorosa— se transforma en el sujeto activo que se independiza metafóricamente de su elemento rector para retornar a él como hija pródiga que regresa y se abraza:

> *Sin rendijas ni vendas*
> *vienes tú, herida mía, con tanta noche entera,*
> *muy caminada,*
> *sin poderte abrazar. Y tú me abrazas.* (págs. 205-206)

Bajo esta animación imaginativa de emociones y de sentimientos, el rico desdoblamiento del espíritu aherrojado llega a ilustrar a base de metáforas las más varias etapas y movimientos de su historia interior. Así el momento siempre regenerativo de la entrada en el día mitiga, incluso desde su luz cruda y amarga de ciudad, la peculiar herida de un sentimiento vital irreconducible a esperanza y fortuna; una herida sin labios que habla a solas con sus cicatrices hacia su seguro destino de gangrena. Herida al fin amada, única compañera vivificadora y doloroso sentido de una vida tensa entre el desgarro y el tormento más duro.

Todo lo puede, significativamente, la movilización irracional de este surtidor de metáforas que alcanzan a recabar los fondos más extraviados del dolor y el hastío. Fondos de frustracción cruel que eran reales y muy exigentes en los avatares biográficos del autor por aquellos años, y que por eso prestan un desconocido poder poético de patetismo a las fórmulas metafóricas que tratan de expresarlos. Retórica iluminada por tanto desde la honda conmoción de los sentimientos cuya figura verbal se trata de construir y de plasmar, y no al revés. Ejercicio de esquemas y de fórmulas irracionales puestos en circulación a partir de las exigencias referenciales íntimas del simbolismo y desde las profundidades sígnicas reflejas y manieristas del surrealismo.

En el poema «Un rezo», cuarto del sobrecogedor políptico inicial «Herida en cuatro tiempos» que abre la obra, se aborda e incluso se cumple la identificación difusa de la herida con la desolación moribunda de su alma, de su impulso vital ya sin aliento junto a la hermana muerta; seguramente la constancia problemática más soterrada entre las capitales en el complejo mítico de Claudio. Aquel momento extremo que pone pavor al corazón y quiebra para siempre la voluntad de proyectar y de vivir: «Ha sido poco a poco, / con la sutura de la soledad / y el espacio sin trampa, sin rutina / de tu muerte y la mía», connaturaliza la imagen de una inversión simbólica decisiva en el imaginario mítico de Claudio: la de la almendra en su vaina, del fruto sazonado bajo su cáscara protectora, la misma sustancia simbólica que fuera, aún antes, en los primeros libros, la del grano fecundo palpitando seguro y cálido detrás de la cutícula. Pero aquí, en esta culminación inmensa del dolor entre las impurezas triviales del destino, la inversión dolorosa es absoluta y completa simbólicamente el círculo de la imagen fundamental. Allí donde en la almendra y la semilla hubo siempre vida a la espera y latido fecundo para la compañía, tan sólo queda ahora quebranto sin remedio, un truncamiento sin modificación posible idílica, porque la corteza antes prometedora de la almendra es madera cerrada de ataúd: «porque tú eres la almendra / dentro del ataúd. Siempre madura». Y es que con la irrupción extraña de lo definitavamente trágico del destino, la escisión de la experiencia desaloja sus viejos tanteos sobre el conocimiento, para rendirse ya definitiva y sabiamente al cortejo sublime del metaforismo irracionalista de los símbolos terminales.

* * * * *

La condición seguramente «a noticia» y puntual de la inspiración trágica de la que parten los poemas de «Herida en cuatro tiempos», permite afirmar que su inserción en la obra atestigua una presencia de calidad poética y de tensión emocional excepcionales, en contraste evidente con la línea de evolución temática y formal mucho más sosegada y habitual de las restantes composiciones del libro primero. En especial los ocho textos siguientes de la primera parte componen un mosaico de formas temáticas de continuidad, cuya serena prolongación —siempre exquisitamente variada, eso sí, según el hábito creativo quintaesenciado de Claudio Rodríguez— la hemos constatado con nuestros análisis en la primera parte de esta obra.

Desde el punto de vista de las estrategias retóricas de la argumentación, la prolongación modificada del tematismo asume también una clara continuidad en cuanto a los mecanismos del esquematismo figural argumentativo. La focalización reconcentrada del enunciado sobre motivos temáticos muy concretos pero con inmediata proyección y generalización simbólica, presenta en estos textos una pauta de continuidad macrorretórica con los hábitos anteriores, ya muy estabilizados en obras precedentes. Pero a su vez, este bloque de poemas construye un neto contraste con la tensión de escisiones y rupturas imaginarias que argumentaba tan vehementemente la disemia seriada del patetismo irracionalista en las composiciones anteriores de «Herida en cuatro tiempos».

Los ocho poemas exhiben el mismo tenor cordial y constructivamente idílico dentro de la melancolía general del sentimiento que registra la obra. En consecuencia son los que testimonian el fondo de continuidad estilística menos accidentado, en contraste con las gravísimas crisis personales responsables del patetismo desesperado que se configura a través del metaforismo irracionalista de los «cuatro tiempos» de la «Herida» inicial. Un contraste al que sirve formalmente, como hemos dicho antes, la focalización reductiva o individualizadora de la sinécdoque, como el esquema retórico más inmediatamente perceptible. Mediante la sinécdoque se prolonga en la figuración argumentativa el proceso de maduración simbólica del tematismo, pues la focalización de las sinécdoques, como recordaremos, era una de los alternativas retóricas fundantes del discurso poético que se identifica ya en *Alianza y condena*.

La fina arena «tan desnuda y tan desamparada», imagen modesta y mínima que pone a prueba ejemplar «la vanagloria oscura de la piedra»; la doblemente humilde y secundaria «sombra de la amapola» que comunica al compañero herido trinos y conmoción a ras de tierra, o el reiterado juego de los elementos menos protagonistas como la espuma y las amarras en el espectáculo del embarcadero; el accidente trivial —tan lleno no obstante de transferencias de lo sustancial simbólico— que proponen las irrelevantes cabriolas del papel al viento, el ballet de la inútil hoja de periódico o del papel de estraza o de seda sucios y desechados; ...Ocasionalidades de la existencia habitual que se ven elevadas a fundación de símbolo de compañía y de consuelo por la voluntad del poeta, sumido ya en la experiencia de un desgarro de inadaptación a los males del mundo e incluso a sus escasos bienes. Escuálidos avatares y apenas si la gloria exclusivamente interior de un tono familiar reconocido en que se desenlazan los gozos de la infancia sembrada de añoranzas y el íntimo consuelo de un «resplandor del cielo», que quiere ser previsión inocente del otoño futuro.

El rasgo predominante que tal vez introduce en todos estos textos una nota de madurez diferencial respecto a los poemas de la obra anterior que mostraban una focalización equivalente en la sinécdoque, pudiera consistir en una nueva implementación de la presencia del yo personal, la cual contagia y metaforiza prosopográficamente las realidades inertes, la lágrima o el viento. Todo ello, unido a la elevación de los objetos a rango de persona gramatical y término del enunciado, propicia el fluido sentimiento de comunicación de los poemas. De todo lo cual acaban siendo representativos los artificios formales con que se representa la imagen del viento en el poema final de este primer libro, cuya penetrante continuidad simbólica destacábamos también en el apartado mítico-temático de nuestros análisis: fuerza sutil capaz de traspasar el cuerpo, iluminándole «ese camino / nunca sabido: el de la claridad». Ese viento metamorfoseado en agente de la interacción real alcanza virtualidad «muy silenciosamente» sobre la propia vida y sus estados de ánimo; al punto que con él no importa incluso, dice Claudio, que se nos comunique la vivencia de herida en esos fondos de la melancolía: «porque contigo no me importa nunca / que algo me nuble el alma».

En su conjunto, el movimiento figural predominante en este grupo de textos es el de *convergencia,* que viene a subrayar desde la disposición argumentativa el tematismo de *identificación* predominante explícitamente en la motivación de esta galería de símbolos. En «Sombra de la amapola» destacaba esa misma condición esencial de presencia animosa y compañía común:

> *...tú, con tu sombra, sin desesperanza,*
> *estás acompañando*
> *mi olvido sin semilla.*
> *Te estoy acompañando.*
> *No estás sola.* (pág. 209)

Y en «Ciruelo silvestre» (pág. 211) se acentúa especialmente ese mismo fondo de identificación «...porque tú, tan sencillo, me das secreto y cuánta compañía»; mientras que el rasgo de compañía temática es lo que se «concreta» sobre todo en el fiel compañero del maestro Aleixandre como el desarrollo más ampliamente discursivo de la antigua composición «Perro de poeta»[2].

---

2. Como hemos aludido en varias ocasiones de manera muy determinante a la clasificación de Aleixandre previa a la organización textual de *El vuelo de la celebración,* transcribimos aquí la hoja manuscrita con el orden que Aleixandre daba a los poemas y con los interesantes detalles de sus observaciones y catalogaciones: «*La contemplación viva,* general / *Arena,* concreto / *Lo que no se marchita* (corro) general / *Sin adiós* (orilla) amoroso / *Cantata del miedo* (corro), general (solo) / *Música callada,* amoroso / *Hacia la luz* ((leo) Cernuda), concreto? / *Tan sólo una sonrisa,* concreto o amoroso / *Hilando,* general o concreto / *Sin nombre* (vieja), general / *Hermana mentira,* general o amoroso / *Mientras tú duermes,* amoroso /*Sombra de la amapola,* concreto / *La ventana del jugo,* general / *Un viento,* concreto o general, *Lágrima,* concreto / *Una aparición,* general / *Ciruelo silvestre,* concreto / *Salvación del peligro,* general o amoroso / *Herida en cuatro tiempos,* general aparte / *Perro de poeta,* concreto / *Ballet del papel,* concreto / *Elegía desde Simancas,* general, aparte? / *Voz sin pérdida,* amoroso / *Ahí mismo,* amoroso / *Noviembre,* general».

Asimismo me parece particularmente interesante e ilustrativo para los lectores y los estudiosos futuros de la obra de Claudio Rodríguez transcribir también el contenido de otro inventario poético, previo sin duda al anterior y de mano del propio Claudio, por los interesantes matices de focalización temática que esta otra lista proporciona —Así: «Sexo» por «Ahí mismo», etc.— y porque anuncia seguramente la incorporación tardía a la obra de poemas que no figuran en ella, como «Arena» —antes comentado en su ausencia—, «Elegía desde Simancas», «Perro de poeta» —poema antiguo sobre cuya incorporación hemos tratado— «Ballet del papel», «Hilando», «La ventana del

El esquema de la identificación unitiva introduce habitualmente un desarrollo constante y subrayado en todos estos textos, incluso en los que no incorporan la fórmula literal de compañía. Así a la «Arena», polvo regenerador de la limpieza del cuerpo y del espíritu porque es «la vanagloria oscura de la piedra», se la conjura expresamente para que cumpla el cometido moral de la depuración transfigurante:

> *Vuela tú, vuela*
> *pequeña arena mía,*
> *canta en mi cuerpo, en cada poro, entra*
> *en mi vida, por favor, ahora que necesito*
> *tu cadencia, ya muy latiendo en luz,*
> *con el misterio de la melodía*
> *de tu serenidad,*
> *de tu honda ternura.* (pág. 208)

Es ese diseño mítico entre la realidad y la vida interior hasta el cáñamo trenzado de las «Amarras» (pág. 210), el que se transfigura en estados de ánimo diversos en su tono sentimental aunque comúnmente unitivos: «Cómo se trenza y cómo nos acoge / el nervio, la cintura de la cuerda, / tan íntima de sal». Y hasta la danza juguetona de las cabriolas del papel callejero a merced de los vaivenes del aire —aquella feliz ondulación de sonidos continuos y de rimas internas en «las siluetas de las servilletas de papel de seda»— acaba sirviendo la figura

---

jugo», «Mientras tú duermes», «Sombra de la amapola» y «Salvación del peligro». A destacar también la génesis agrupada de las cuatro composiciones de «Herida en cuatro tiempos».

Damos a continuación la lista de Claudio Rodríguez en el mismo orden en que figuran los poemas, y añadiendo por nuestra parte el título definitivo en el inventario de Aleixandre: 1. *Sonrisa*, «Tan sólo una sonrisa» / 2. *Mirada*, «La contemplación viva» / 3. *Voz*, «Voz sin pérdida» / 4. *Sexo*, «Ahí mismo» / 5. *Noviembre*, «Noviembre» / 6. *Viento*, «Un viento» / 7. *Coro* «Lo que no se marchita» / 8. *Cantata*, «Cantata del miedo» / 9. *Música callada*, «Música callada» / 10. *Salmo* (en signo de llave y dos) seguramente dos de las cuatro composiciones de «Herida en cuatro tiempos», (por exclusión «Un rezo» y «Herida») / 11. *Mundo de mierda*, (por exclusión) «Hermana mentira» / 12. *Sin adiós*, «Sin adiós» / 13 y 14. *Responso (salmo) en dos voces* (signo de llave que comprende *Ceremonia*, «Aventura de una destrucción» y *Sueño de pesadilla*, «El sueño de una pesadilla») / 15. *Lágrima*, «Lágrima» / 16. *Luz*, «Hacia la luz» / 17. *Ciruelo silvestre*, «Ciruelo silvestre» / 18, *Amanece*, (por exclusión) «Sin noche» / 19. *Rey del humo*, «Una aparición».

incrustada evocativamente en «...mi niñez perdida y ahora recién ganada / tan delicadamente, gracias a este rocío / de estos papeles...». Por no hablar ya de la «Lágrima» (pág. 214) con su capacidad de «ascender» hasta el dolor del poeta y de «modelar», silenciosa y amiga, la imagen más segura de su destino de tristeza cumplida. La lágrima limpia y que a su vez transforma, depura y modifica una realidad en torno que resulta así más tolerable: «Y este certero engaño / de la mirada, / transfigurada por tu transparencia / me da confianza y arrepentimiento».

Todos estos agentes menores se ven agrandados por la *sinécdoque* y se interiorizan por obra del conjuro de la *imprecación*, junto al resultado de la fantasía *prosopográfica* que los dota *alegóricamente*, siendo seres inanimados, con unos poderes de diálogo y de acción identificadora que les niegan las subcategorizaciones de la experiencia externa al mito. Pero de todos ellos tal vez sea el viento el símbolo que mejor evidencia el diseño formal de la voluntad integradora y unitiva. Como tal lo analizábamos en la parte temática en su calidad de contrapeso idílico, del desengaño y la desagregación trágica, capaz de introducir ahora una corriente de calidad consoladora dentro de los poemas de la «Herida». El cotejo metafórico entre la propia intimidad y el viento deja en principio abierta una amplia gama de violencias simbólicas: desde las más extremamente destructoras a las más constructivas, integradoras y amables, las que se conjugan regularmente con su presencia en el mito personal de la solución idílica en Claudio Rodríguez. En el poema «Un viento» se cumple una vez más el papel regenerador y vivificante que implica el movimiento sentimental-imaginario de la integración. Lo proclama así ya la abrupta imprecación de entrada: «Dejad que el viento me traspase el cuerpo / y lo ilumine». Mientras todas las notas confirman y acumulan los aportes para ese sentimiento global de redención hacia el vislumbre íntimo:

> ...*Viento sur, salino,*
> *muy soleado y muy recién lavado*
> *de intimidad y de redención, y de*
> *impaciencia. Entra, entra en mi lumbre,*
> *ábreme ese camino*
> *nunca sabido: el de la claridad.* (pág. 217)

El lugar del encuentro en que se integran el elemento externo y la intimidad, es de nuevo el canal unitivo de la respiración, tan altamente simbólico como sabemos en la constitución del mito personal de Claudio: la respiración externa de las cosas, como en el primer poema de *Conjuros* «A la respiración en la llanura», la que funda y describe el ámbito simbólico de espacio —«Suena con sed de espacio, / viento de junio...»—, y la respiración del propio aliento por la que el alma exhala sus anhelos más íntimos de salvación. El fruto del encuentro entre ambas respiraciones, la cósmica y la íntima, no ha de ser tampoco esta vez otro sino la iluminación del conocimiento como modo de entrada en la *unidad.* Se rompe así el sentimiento de *disgregación* y de desdoblamiento inexorable entre el propio deseo y el destino, que el poeta ha conocido sólo en las horas peores; cuando la fatalidad irreversible lo había reducido al extremo impotente de abandonarse a las evidencias más duras de la escisión.

La nueva apelación a los poderes de regeneración mítica del símbolo constante supone, como tuvimos ocasión también de constatar en la parte temática del análisis, la culminación del movimiento parcial y lacerado de regeneración idílica, dentro de un libro que en su integridad temática ha erosionado definitivamente el compromiso esperanzado del idilio. Este poema al viento está emplazado, y no casualmente, como colofón del grupo de composiciones más optimistas de una obra iniciada con el pesado lastre trágico de los cuatro momentos de «Herida en cuatro tiempos», y que se cerrará, no lo olvidemos, con la melancolía de la historia de todos sin esperanzas de reconciliación moral integradora en la «Elegía desde Simancas». Por eso la floración luminosa y aún fértil de las imágenes del poema reverdece para el balance idílico las memorias del entusiasmo, hacia el reconocimiento en unidad del yo y del mundo, en el secreto de la comunicación íntima que se defiende de los obstáculos de la variedad y que engendra el anhelo mítico de la identificación unitaria:

> *Y cómo alzas mi vida*
> *muy silenciosamente,*
> *muy de mañana y amorosamente*
> *con esa puerta luminosa y cierta*
> *que se me abre serena...*

Lógicamente se trata en este caso de una historia desplegada en mayor extensión que las reconcentradas anécdotas temáticas focalizadas por las otras sinécdoques; de ahí que el criterio clasificador que conocíamos antes en Aleixandre, fluctuaba sobre este poema entre la condición «concreta» de su título y la amplitud «general» abarcada por la complejidad aplicativa del tematismo[3].

Una vez más, en el caso del universo mítico de Claudio y de los movimientos esquemáticos de la argumentación poética que elige para comunicarlo, nos emplazamos ante la constancia renovada de ese impulso masivo de la forma interior. A través de la diversidad de sus modulaciones temáticas y de la variedad cambiante de sus líneas retóricas, el mito de la experiencia torna y retorna al centro permanente de su constancia sustancial, al símbolo de la unidad, de la comprensión de sí servida desde el logro de la forma interior.

Madurez de la metamorfosis poética: la complejidad en los planos del metaforismo

Las fechas casi seguras en que se compusieron los poemas de «Herida en cuatro tiempos» —con posterioridad al 31 de julio de 1974— permiten establecer un momento de superior dominio del autor en la consecución estilística de las poderosas imágenes irracionalistas que hemos examinado anteriormente. Teniendo en cuenta la publicación ya próxima del libro, en 1976, y la posible condición tardía de algunos poemas que no figuraban aún en un primer inventario manuscrito de Claudio Rodríguez, donde aparecen por el contrario separados en dos grupos los cuatro textos que compusieran definitivamente «Herida», podemos especular con las fechas en torno a 1975 para implantar un

---

3. La organización de este conjunto de textos estructurados con la figuralidad macrorretórica de las sinécdoques cuenta con el documento especialmente interesante y explícito, que es el manuscrito de Aleixandre descrito en la nota anterior, que establece su impresión receptora, y que fue seguramente la falsilla sobre la que los dos poetas decidieron conjuntamente la organización definitiva de los poemas en libro, tal como habían hecho ya antes con *Alianza y condena*. El criterio de Aleixandre fija las diferencias en tres categorías de textos: «general», «concreto» y «amoroso».

nuevo momento intenso de crecimiento y maduración en la imaginación poética de Claudio.

En el referido inventario previo no figuraba por ejemplo «La ventana del jugo», una composición a mi juicio arquetípica sobre el proceso de renovación del imaginario irracional de Claudio; y como éste, los poemas igualmente sintomáticos «Salvación del peligro», «Hilando»

Todos los textos agrupados en este apartado aparecen efectivamente calificados por Aleixandre bajo la rúbrica de poemas «concretos». Únicamente oscila el criterio sobre el poema «Un viento», calificado como «concreto o general» y colocado en consecuencia como cierre y transición del primer libro. No aparece censada en esta lista la composición «Amarras», seguramente una de las últimas en la cronología de la obra, dedicada a Juan Carlos y Amparo Molero e inspirada y tal vez compuesta durante una estancia del poeta en el Cantábrico con posterioridad al inventario definitivo del libro. Por otra parte, el políptico previo de «Herida en cuatro tiempos» aparece calificado como «general, aparte», al igual que «Elegía desde Simancas»; si bien en este último caso Aleixandre añadía en su lista un signo de interrogación, cuya resolución seguramente conjunta por los dos poetas dio lugar a la definitiva segregación de la «Elegía» en apartado autónomo, el cuarto y último de la obra, quinto en la edición primera, que separaba como libro primero aparte las cuatro composiciones de «Herida en cuatro tiempos».

Aunque no figuran fechas de composición en los manuscritos que conservamos, según el hábito creciente del poeta, no obstante el tenor emotivo común a este conjunto de composiciones «concretas» dominadas por la sinécdoque, marca sutiles diferencias de matiz que abonan la suposición sobre las diferencias cronológicas y de la situación emocional y activa que acabamos de conjeturar, entre todas ellas y «Amarras». Predomina en estos poemas una tonalidad afectiva de gozo sereno, potenciada —o determinante, según se quiera ver— por la linealidad directa de las sencillas imágenes. De ese modo se marca el sutil contraste con el punto de amargura melancólica que proclama la reflexión de «Amarras»: «Tiembla el cordaje sin zozobra en / el pretil del muelle, / cuando mi vida se ata sin rotura, / ya sin retorno al fin y toca fondo»; y la calculada ambigüedad simbólica de algunas de las imágenes, como las del final: «¿Y donde, dónde la oración del mar / y su blasfemia?».

En abono de nuestras observaciones y conjeturas sobre los momentos de composición en relación con su temática «concreta» y con la figuralidad macrorretórica predominante, resultan igualmente reveladores los datos que nos proporciona la traza manuscrita del único poema fechado de la serie, «Perro de poeta». Conservamos de él una copia mecanografiada con fecha de «Nottingham, Marzo de 1959»; es decir, se trata en realidad de uno de los primeros textos del periodo de elaboración de *Alianza y condena* —entre 1958 que se publica *Conjuros* y 1965, año de publicación de *Alianza*—. El poema aparece en *El vuelo de la celebración* casi sin variantes respecto del manuscrito sobre otra copia mecanografiada distinta y posterior, que retoca los versos finales: «viendo sobre tu lomo la mano *leal, curtida*, / y te silbo, y te hablo, y acaricio». Las más que seguras razones circunstanciales que persuadieron a Aleixandre y a Claudio Rodríguez a incluir este viejo poema en la serie de los «concretos» de esta parte, aclaran todas las diferencias de madurez en el estilo y de entonación figural que disuenan en este texto, raramente mediocre en la obra de Claudio y algo divagante respecto de la reconcentración, temática y figural, que se percibe en los restantes de la serie.

o «Elegía desde Simancas». El momento de intensa renovación de los procedimientos estilísticos para la drástica evolución de las imágenes que estamos tratando de documentar en torno a los años de la profunda crisis biográfica del poeta entre 1974 y 1976, representa una nueva etapa decisiva en la paulatina y orgánica evolución del estilo poético de Claudio Rodríguez, tal como nosotros la venimos siguiendo, jalonando y documentando.

Muchas de las consistencias estilísticas concretas en este intenso ejercicio de evolución del imaginario y del nuevo metaforismo de Claudio Rodríguez, hemos tenido ocasión de reseñarlas ya antes en nuestro análisis estilístico de la emotividad patética que testimonia el políptico «Herida en cuatro tiempos», tras del que el sagaz criterio temático-estilístico de Aleixandre inventarió los ocho poemas «concretos» de focalización temática instrumentada formalmente por la sinécdoque. El conjunto de estos ocho textos, desde un ejercicio de naturalidad e inmediatez imaginativa del estilo, construye, como también hemos visto antes, un excelente registro de contraste alternativo al patetismo terrible de la «Herida». Pero como quiera que los testimonios de esta nueva metamorfosis del espacio simbólico en el universo del poeta se extienden a un amplio número de composiciones de la obra, nos parece que sea éste el momento de observar críticamente el alcance estilístico de la modificación en el metaforismo.

Ya he anunciado antes que el poema del libro segundo «La ventana del jugo» constituye una de las muestras más radicales y extremas de la nueva espacialidad poética de la imaginación. Junto a él, otros textos agrupados en el mismo libro, como «Hilando» o «Hacia la luz», pueden proveer al análisis de determinados logros sintomáticos. Pero son sobre todo las composiciones del libro tercero con contenido más o menos centrado en torno a las historias de amor y de erotismo, donde se manifiesta una entrada masiva de la nueva espacialidad simbólica y de las emociones e imágenes protagonistas de la redoblada metamorfosis en los nuevos escenarios de la imaginación y de las sensaciones.

Téngase en cuenta que, frente a la condición exterior y fenoménica de los espacios habituales sobre los que se desenvuelven las historias temáticas del libro segundo, referenciadas por los procedimientos habituales de la *narratio* poética, la especialidad propia de la intimidad afectiva que caracteriza la escenografía de los poemas amorosos de Claudio Rodríguez, impone la invención de una dimensionalidad íntima diferente. Sobre ella se ha de desplegar la variedad de planos de fundido emocional, así como la fecundísima combinatoria de formantes inéditos en la elevación de los nuevos soportes del afecto y de la fantasía.

Para ilustrar la nueva dimensión sensitiva y emocional a la que me vengo refiriendo, nada mejor que proponer ejemplos de fórmulas puntuales afortunadas de síntesis fantástica y sentimental, como el endecasílabo inical del poema «Hilando»: «Tanta serenidad es ya dolor»; o bien el último verso igualmente endecasílabo de «Salvación del peligro»: «Miserable el momento si no es canto». Se trata de acuñaciones memorables a menudo tanteadas desde muchos años antes, de aciertos culminantes ya habituales en el poeta para momentos decisivos de los clímax del ritmo poemático. Eficaces ascesis de remontada sublimidad antológica para promociones de lectores y de críticos. El esquema común en los dos ejemplos señalados es el de la síntesis sensitiva por contraste: entre «serenidad» y «dolor», de los que se predica ya el alumbramiento del contacto. Para el final de «Salvación del peligro» —mucho más ajustado con todo a las regulaciones de la contigüidad lógica que el anterior— la amenaza a conjurar está determinada por la densa carga de intertextualidad poética que instrumentan los lexemas contrastados de «miseria» y de «canto». Por lo demás, el bien mensurado espacio de la écfrasis en el poema «Hilando» apenas si consiente —o si exigía— mayores tensiones del fundido simbólico en el cuerpo del texto, como no sean las que proponen el correlato terminal de esta nueva y doble alegoría pictórico-poética:

> *Con la velocidad del cielo ido,*
> *con el taller, con*
> *el ritmo de las mareas de las calles,*
> *está aquí, sin mentira,*
> *con un amor tan mudo y con retorno,*
> *con su celebración y con su servidumbre.* (pág. 230)

El poema «Hacia la luz», sobre cuya constitución «general» o «concreta» vacilaba con fundamento Vicente Aleixandre en su inventario, resulta ser tal vez uno de los ejemplos donde puede seguirse con mayor nitidez el progreso de contaminación metafórico-sintética sobre entidades contrastadas[4]. Las evidencias de desajuste lógico entre los dos sujetos diferenciados las aportan aquí la posturalidad adquisitiva íntima del cuerpo y el momento exterior y objetivo de la luz cenicienta en la amanecida levantina. Ellas fundan la propuesta inasequible —que no llegamos a retener con todo como irrazonable— de la situación inicial: «Y para ver hay que elevar el cuerpo, / la vida entera entrando en la mirada / hacia esta luz...». El principio de la asociación mediante opuestos extrae aquí efectos de fundamento antimetafórico a través de la negación del mismo esquema metafórico-asociativo sobre el que se practican relaciones de subcategorización no sólo anómalas, en este caso, sino entre propiedades inasimilables como son los perfumes de lo visible: «Es el olor del cielo, / es el aroma de la claridad». Un procedimiento asimilativo que hemos llamado antimetafórico porque se funda sobre semas o propiedades incompatibles, pero que afecta una fidelidad al esquema funcional de la metáfora a base de las consabidas relaciones de contigüidad sémica entre semantemas diferentes. El grado de tensión y de sorpresa «catacrética», en todos estos constructos simbólicos fuertemente irracionalistas, procede de la condición no relacionable e incluso ostentadamente incompatible del sema relacional seleccionado.

En varias ocasiones hemos declarado ya al poema «La ventana del jugo» como el ejemplo tal vez más extremadamente representativo en este nuevo momento estético de fusión de imágenes. Contacto simbólico que se hace presente ya en las primeras afirmaciones del texto, cuando se llama equívocamente «jugo» a la mirada, el elemento personal activo en esta dialéctica sensitiva entre la mirada y el jugo vegetal:

> *La semilla*
> *de la mirada, el jugo*
> *de estos ojos de ciego*
> *que miran hacia el cielo,*
> *te buscan.*

---

4. Son interesantes los tempranos análisis de los constituyentes imaginario-espaciales del impulso ascensional dominante en la organización rítmica-poemática de este texto, que realizan tanto J.Olivio Jiménez, en «Claudio Rodríguez entre la luz y el canto», cit., págs.116-118, como Ángel L. Prieto de Paula, en *La llama y la ceniza*, cit., págs.207-209.

A lo que hay que añadir además, según las pistas significativas que proporciona la génesis manuscrita del poema, el enmascaramiento simbólico del protagonista recto de la ingestión del jugo, los labios, adjetivados como «ciegos» —y de ahí su metamorfosis posterior en ojos y en mirada—en la versión más embrionaria del texto que conservamos[5], donde no se menciona todavía la boca y no se registra traza traslaticia alguna para los labios, la boca y la ingestión hasta los equívocos términos de visualidad a los que pasan en la versión última, metamorfoseada, del texto[6].

Nuevas metamorfosis surgidas asimismo del contacto simbólico vienen a complicar el sentido de las imágenes sucesivas del poema, a partir de las reconocibles prosopopeyas sobre la naranja femenina a la

---

5. Para cotejar este y otros detalles a los que aludiremos a continuación, transcribo aquí el texto de la primera versión del poema. Se trata de una copia mecanografiada de dieciocho versos, que sin embargo ofrecía ya, a diferencia de otras posteriores, el título que había de resultar definitivo:

> *La ventana del jugo*
> *Abriéndose los labios, aún muy ciegos*
> *hacia tu jugo o hacia tu caricia,*
> *hacia el sabor o la saliva, no sé si maligna*
> *o con (sin) moho, o con destello*
> *con (junto) el cristal ardiendo, rezumando, bailando*
> *en la boca que espera, (tú me habitas)*
> *volando, palpitando*
> *con el agua, con*
> *esperanza. Abre*
> *tu pulpa,*
> *ácida en el limón, dulce en la fresa,*
> *azul noche de marzo*
> *en la manzana. Tú entra sin rapiña*
> *atrévete, en la sombra de mi boca,*
> *en la corteza de mi paladar,*
> *en el destino de mi vida que ahora*
> *busca tu sed a abrirme las ventana (sic)*
> *con tu azúcar, tu sal, tu ebriedad. Con tu alba (aire).*

6. La transición entre la imagen más directa de los labios y la transformación irracionalista de aquellos en ojos de ciego, la testimonia otra copia manuscrita de este texto —la última probablemente de los cuatro que conservamos y la más próxima en la base mecanografiada de partida al estado textual publicado—. Aquí, por cierto, se ensayan alternativas respecto al título tales como

que conjura, transfiriéndola abruptamente en la enumeración, el protagonismo activo de los labios-mirada: «abre tu mano»:

> *Da tu sabor. De una*
> *vez abre tu mano, viva*
> *naranja, entraña*
> *del aire, humilde*
> *cintura fina*
> *y bravía.* (pág. 228)

Junto a la transfiguración de la naranja, la sucesiva del jugo y su actividad dentro de la cavidad de la boca no deja de ofrecer elementos de muy calculado equivoco. Si antes asistimos a la adjetivación fantástica cruzada de la mirada como jugo, ahora se invierten las proporciones llamando precisamente «fruto» no al zumo sino al cuerpo, a la boca que ingiere:

> *...Entra en el fruto*
> *de la materia, nunca carcomida*
> *y siempre sorprendida*
> *por tí, viejo ladrón que estás robando*
> *y el mismo tiempo dando*
> *fecundidad, y libertad, y alba.*

Los formantes responsables de las metamorfosis fantásticas más inesperadas en estas imágenes son la condición «nunca carcomida» de la materia cuerpo-boca y la transustanciación del zumo ingerido como

---

«La mañana del jugo» y «El vuelo del jugo», que habían de reaparecer fundidas —como tantas veces sucede con los títulos en la obra de Claudio— en «La mañana del buho» de *Casi una leyenda*. Véase la vacilación de imágenes a la que aludimos, en las variaciones manuscritas al comienzo del texto:

> *La semilla (siembra)*
> *de la mirada, el jugo*
> *de estos ojos de viejo (labios de ciego)*
> *que miran hacia el cielo (verso tachado)*
> *te buscan.*

«viejo ladrón». La génesis de ambos estadios de la imagen global se deriva, indirecta pero inequívocamente, de una serie de formas interpuestas que dejan su huella en distintas etapas de la evolución manuscrita del poema. En la primera versión transcrita en la nota precedente, se hablaba de la entrada del jugo en la cavidad de la boca como «rapiña», de donde procede inmediatamente la asociación del jugo como «ladrón» y su actividad dentro de la bóveda sagrada de la iglesia, que se vincula a una de las imágenes obsesivas y con mayores consecuencias en la mitología personal del poeta. De hecho, uno de los cuatro textos previos sobre este poema, el totalmente manuscrito, llevaba el título «Jugo ladrón». En el mismo contexto de la copia más antigua, la mención de la entrada del jugo «... en la sombra de mi boca, / en la corteza de mi paladar», explica la misteriosa afloración de la metamorfosis —«la materia, nunca carcomida»— que figura en el texto final resultante. Asimismo la explicación causal lógica del atributo «nunca carcomida» referido al cielo del paladar, se tiene en otro texto posterior —éste manuscrito— donde se construye explícitamente el nexo causativo: «... Entra en el fruto / de la materia, nunca carcomida, / porque tú le estás dando / fecundidad, y olor (libertad) y alba».

La estrofa intermedia del poema que agrupa un parágrafo gramatical sobre las propiedades del jugo —concordado en género: «ácido en el limón», etc.—, reconstruye de manera más diáfana en el más antiguo de los manuscritos la lógica de la afirmación fuertemente metaforizada en el texto definitivo del poema: «De una vez abre tu mano», bajo la forma continua: «Abre tu pulpa, / ácido (ácida) en el limón, dulce en la brisa, / azul noche de marzo en la manzana», que representa una atribución de propiedades absolutamente naturales a la «pulpa». En cuanto a la tercera modalidad de la pulpa o el jugo, que se añade en el texto, el primer manuscrito al que nos venimos refiriendo señala una opción mucho más natural que la muy transfigurada que acabó imponiéndose —«azul noche de marzo / en la brea»—: «azul noche de marzo / en la manzana». Sobre la última de las propiedades del zumo aludida en los dos versos finales de la estrofa intermedia: «sabio cristal ardiendo / rezumando en la vida», no recaen mayores problemas de ambigüedad, como no sea el que podría derivarse del nuevo cruce que suscita «cristal»: una propiedad poéticamente razonable para designar la liquidez cristalina del zumo, pero al mismo tiempo asociación equívoca con el material del vaso o la botella que lo contienen[7].

La serie de conjuros al jugo incorporados en la última estrofa del poema ensaya nuevas transposiciones para elevar estilísticamente, a niveles transcendentes de la conciencia poética, la anécdota en sí misma habitual y común de la ingestión del zumo. En márgenes de sentido bastante inmediatos se mueven las metamorfosis de la boca y la garganta como «calles oscuras» de la ciudad del cuerpo regadas por la lluvia del jugo:

> *Da, entre calles oscuras,*
> *tu verdad, tu inocencia olorosa,*
> *tu lluvia luminosa.*[8]

El salto abrupto entre la lógica de esa primera afirmación y los conjuros siguientes se reduce a explicación plausible —como se aclara en la nota anterior— por la mención finalmente admitida de «verdad» en uno de los manuscritos intermedios; en tanto que la nueva exhortación al zumo: «abre tu pulpa», encuentra también su encadenamiento lógico como reinsistencia del lejano «da tu sabor» de la primera estrofa. También se debe a la eliminación en el texto resultante de las asociaciones por contraste el resultado de las imágenes contiguas, con

---

7. En dos de los textos previos se hallan modificaciones significativas y en algún grado clarificadoras en torno a estos dos versos. En la que venimos dando como segunda formulación previa del poema, leemos la descripción directa del acto de beber: «sabio (hondo) cristal ardiendo, rezumando, bailando / en la boca que espera, en el destino de la entrega, / en la esencia más fina: la lluvia luminosa / recién amanecida» (verso tachado). A su vez en el que consideramos último de los cuatro manuscritos, que en su base mecanográfica reproduce casi exactamente el texto publicado, encontramos sobre estos dos versos numerosas tentativas de variables: una ilegible para «cristal, después ardiendo (en todo), luego rezumando (bailando)»; así como el frustrado verso que se añade a «rezumando en la vida ...(con un estilo de desobediencia)».

8. El estadio referencial previo directo de la mención del cuerpo y del líquido —agua— todavía no lluvia, se daba en el texto mecanografiado segundo: «Sí (tachado), agua pura volando y palpitando / en este cuerpo oscuro / dame ya tu verdad». Formulación desaparecida en el resultado final, que a su vez explica, mediante la contraposición verdad-mentira, la aparición —sin ella abrupta— en el texto publicado de: «Y a mí tú no me vengas / con mentiras...».

poderoso efecto irracionalista, de la «rapiña» y el zumo «hijo de la luz».
Véase la génesis lógica del contraste entre «hijo de la luz» y «la sombra de mi boca» en el contexto correspondiente a la copia mecanografiada segunda:

> *...Sin rapiña*
> *tú, tan rico en azúcar,*
> *como si fueras hijo de la luz,*
> *entras ahora en la sombra de mi boca,*
> *en la corteza de mi paladar,*
> *en la cosecha de mi vida que ahora*
> *busca tu sed, tu libertad, tu alba.*

Por último, el desarrollo del contraste natural entre el conjuro negativo contra la oscuridad —«no entres en mi cuerpo con rapiña»— y su
adversación diáfana, lógica y positiva —«entra como naranja»—, arranca de una de las últimas imágenes —«libertad» y «alba»— convocadas
por el final transcrito más arriba del texto segundo, junto a la restricción expresa bajo el clasema adversativo «sino», que figura en la versión manuscrita tercera, donde se desarrolla sintácticamente el
enfrentamiento implícito que resulta en el texto publicado de la contraposición —no entres / entra— en los dos periodos sucesivos. Véase el
nítido encadenamiento lógico-sintáctico de las imágenes en el atormentado texto manuscrito al que hacemos referencia:

> *No entres*
> *(en mi vida) en mi cuerpo,*
> *como ladrón, acariciando el agua*
> *como si fueras hijo de la luz,*
> *sino*
> *(tú jugo de mi vida),*
> *naranja recién*
> *(exprimida) amanecida, exprimida*
> *agua pura volando y entregándose*
> *sonora*
> *(siempre)*
> *ahora y siempre.*

En resumen, «la ventana del jugo» resulta un texto altamente ilustrativo sobre el tipo de operaciones que estamos estudiando de intensificación estilística de la metamorfosis imaginaria. La densa elaboración poemática del contenido inicial relativamene directo y objetivo de una anécdota temática trivial alumbra, a través del proceso de contaminaciones parciales entre opuestos y de transferencias entre propiedades y semas incompatibles, un resultado textual a la vez elaboradísimo y enigmático, siempre en la orla oscilante de las sugerencias irracionalistas. Porque tal es, en último término, el sentido de la creación y de la metamorfosis poética: subrayar bajo las manipulaciones de la forma la continuidad trascendental entre lo sublime y lo automatizado y trivial. En el caso de este poema, el acto natural y cotidiano de beber un zumo de fruta se ve elevado a la condición excepcional de acontecimiento poético.

* * * * *

Hemos seleccionado el poema «La ventana del jugo» para ilustrar el proceso complejo de las metamorfosis que transforman la referencia de un acontecimiento elemental en un enunciado poblado de sugestivas ambigüedades y de enigmas productivos de sentido. Siendo este texto tal vez el más abstruso y rerepresentativo de todo el libro sobre el incremento poético del metaforismo irracionalista perceptible en este intenso momento creativo de Claudio Rodríguez. Pero todo lo anterior no tiene que ver en ningún caso más que con la ilustración del juego de la forma; no con la entidad trascendental y el encanto del poema, al menos no con mis personales preferencias. Porque el portentoso alcance de selección y de elaboración de imágenes y de ritmos que Claudio exhibe ya a estas alturas de su maestría, prueban su necesidad y su rendimiento redoblados sólo cuando se miden con la expresión de las emociones más sutiles y las reflexiones más penetrantes e inaferrables.

Así un poema de tan sagradas reminiscencias clásicas como es «Música callada» impone, a partir de la sutileza fundadora de sus referencias emotivas inasequibles, el juego imaginativo manifiesto en continuos cambios en la ocupación de los interiores de la materia, desde los que se produce la focalización inhabitual de los procesos. La invocación inicial de un suelo entarimado en el escenario del evento sentimental nos emplaza ante el sentimiento del espacio medular de los objetos inertes, animado en sus átomos como aquel «Tablero de la mesa» de Jorge Guillén. Y así, sin conexiones lógicas explícitas, se produce la transición poética inmediata a un espacio inmaterial de música, de viento y de pleamar, en cuyo seno se siente alojado el contemplador: «Y estoy dentro / de esa música, de ese / viento, de esa alta marea». Nosotros lo intuimos, a la vez, como interior y externo al temblor de la madera evocativa, cuyas propiedades objetivas fijadas adivinamos en todo caso obedientes tan sólo a la razón poética[9].

La salvación lírica para esta constelación de itinerarios de la espacialidad emotiva de la fantasía, en permanente modificación, la propicia sobre todo una sensible selección de las imágenes, cuyos laberínticos mecanismos asociativos estamos ilustrando con ejemplos como éste. En cualquier momento, la condición incluso demasiado lógica de inesperadas reflexiones se anima en la fecundidad imaginaria de algunas desembocaduras con incalculable fertilidad irracional:

> *Y oigo de mil maneras*
> *y con mil voces lo que no se escucha.*
> *Lo que el hombre no oye. Y toco el quicio*
> *muy secreto del aire, y va creciendo*
> *la armonía, junto con el dolor.* (pág. 244)

Tanto más cuando se despliega, como en los versos que siguen, alguna de las peculiares bóvedas íntimas de la idiosincrasia mítica del poeta, como la del nido interior en el bloque fervoroso del granito; un equivalente de las nuevas palpitaciones internas de la aridez experta inerte, que fueron antes tierna germinación del grano y el embrión bajo cutícula de espiga:

---

9 Por ejemplo, en la caracterización poética del entarimado de castaño, aparece dentro de la versión definitiva del texto la caprichosa adjetivación «nunca ciego», que viene a reforzar poéticamente la evanescencia y a diluir simultáneamente el grado de referencialidad descriptiva en los detalles. En el único texto mecanografiado con escasas variantes que conservamos de este poema, se puede leer una solución, descartada, de tan sólida referencialidad realista como es: «en las estrías de este suelo (tan resistente) / de castaño»; y entre paréntesis al margen: «(la madera de castaño es resistente)».

Y oigo la piedra, su erosión, su cántico
interior, sin golondrinas
desdeñosas, sin nidos,
porque el nido está dentro, en el granito,
y ahí calienta, y alumbra, hoy en junio,
la cal viva.

Son los pobladores habituales —la erosión de la piedra o el nido de golondrinas— del espacio imaginativo de Claudio Rodríguez: como es la misma dimensional peculiar, el ahincamiento en el hondón vaginal en cualesquiera de sus cálculos imaginativos de espesores. Pero la simbología peculiar de este universo consistente y estable se renueva incesantemente ocupando ámbitos correlativos y distintos del mito. Ha llegado para la imaginación del poeta la hora de la aridez mineral, ya tan pesadamente presentida, la calcificación de las palpitantes cavidades uterinas en el poema «Ahí mismo». Lo mismo que asalta ahora y constituye en «Música callada» todas estas fórmulas simbólicas renovadas para la construcción permanente del mundo de la imaginación.

Tal vez por eso, cuando aflora después en el poema la vertiente temática del amor y su diálogo consabido, el escenario de la escrutación reconquista su mejor pasado de imágenes íntimas de germinación en las estaciones de la vida vegetal:

...Tú ven, ven, oye conmigo,
oye la silenciosa
reproducción del polen, el embrión
audaz de la semilla, su germinación,
la flor crecida entre aventura hermosa,
abriéndose hacia el fruto.

No obstante, hasta estos ámbitos tan consagrados de la experiencia hecha y constituida se adentra el perpetuo barrenar de la fantasía modificadora de Claudio, su despierta curiosidad hacia los menores resquicios de la diferencia y de la modificación por el contraste. Por ejemplo, en esta nueva imaginación del espesor uterino donde germina el fruto:

...Pero el fruto
es soledad, vacila, se protege;
con su aceite interior teje su canto
delicado, y de su halo
hace piel o hace cáscara.
Hace distancia que es sonido. ¡Cómo
suenan la almendra, la manzana, el trigo! (pág. 245)

Desde aquí, sin más anuncio visible de transición, al viejo espacio paralelo de los paseos por la calle perpetua de la infancia, para alcanzar referencias homólogas que transiten al cabello y la vena, «tan querida, / tan generosa y cruel con su latido», del paisaje siempre sorprendente del cuerpo amado. Y después, la renovada rueda de las imágenes de animación transgresora establecida sobre semas contradictorios, entrecruzados, como en el productivo clímax final de este mismo poema:

¿Qué más? ¿Qué más? ¿Es que oiremos tan sólo,
después de tanto amor y de tanto fracaso
la música de la sombra y el sonido del sueño?

El ámbito imaginario y los componentes fantásticos que lo constituyen poblándolo: he ahí todo el espacio que persigue con implacable deseo de aventura, de renovación continua, el impulso poético y sus tanteos de formas adecuadas. Universo espacial, ámbito íntimo del cálculo imaginario, de la necesidad de unas dimensiones adecuadas a la proyección siempre incierta e inextinguible del deseo de referencias simbólicas. Por muy decisivo que sea en el trabajo de la imaginación el acarreo de imágenes renovadas en las metamorfosis de los constituyentes, todavía resulta más fascinante y sustancial aún en los grandes poetas —y Claudio Rodríguez está probando serlo— su capacidad para ensoñar y sugerir los ámbitos ideales del alojamiento imaginario[10]. Lo

---

10. El rasgo más sorprendente y característico tal como lo venimos constatando en el progreso desconcertante de la imaginación espacial de Claudio, según se manifiesta en estos poemas tardíos de *El vuelo de la celebración*, es el desplazamiento entre planos: exterior e íntimo, o espacial y temporal. Un poema arquetípico de tal juego es «Voz sin pérdida», titulado en todos los manus-

mismo da que sea el espacio feliz e infinito que reclama la euforia de las horas felices, que estos otros recintos a menudo angustiosos, en el libro tercero de *El vuelo de la celebración*, que emparedan y cercan la ansiedad ya expertísima de un Claudio sitiado por la angustia. Así lo

---

critos del poeta e incluso en su primera publicación como poema aislado «Voz luminosa». La transferencia en este caso supone la comunicación entre lo natural, acústico-temporal, y una peculiar visualización metafórica establecida sobre coordenadas visual-espaciales. Así la voz se define inmediatamente:

> ...*es casi luz, almendra*
> *abierta de misterio y de lujuria*
> ...*latiendo*
> *tan desnuda que limpia la alegría,*
> *con su esmalte y sus ángulos,*
> *sus superficies bien pulimentadas,*
> *no con arrugas...*

En los manuscritos conservados y en las notas abundantes de composición para este texto, advertimos que el trabajo de metamorfosis procede siempre como una secuencia de retoques por transposición intensa de las imágenes exteriores objetivas a los trasuntos del espacio metafórico; conservando, eso sí, determinados semas o propiedades en el ámbito resultante del espacio referencial traspuesto. En todo caso, se practica un proceso habitual de elipsis sobre los conectores encargados por naturaleza de jalonar los límites entre los universos simbólicos implicados en la transferencia. Por ejemplo, la desconcertante imagen con que finaliza sugerentemente el texto antes copiado: «con sus superficies bien pulimentadas, / no con arrugas», procede de una metáfora de asociación directa salida del contexto de la contemplación marina, que reaparecerá ocasionalmente, difuminada de manera análoga, en otros momentos del poema. En los tres manuscritos conservados y hasta en la primera publicación aislada del texto, aparece el símil desarrollado «no con arrugas / como las del agua», elidido a causa de la imprecisión —arrugas por ola— del término comparativo y de su relativa carencia de fecundidad sugestiva poética.

Por lo demás, la persistente presencia, en la continuación, del enunciado metamorfoseado del plano de la voz, no es otra cosa que el resultado de las elisiones practicadas entre los abundantes correlatos sobre planos naturales distintos en el conjunto de símiles, tal como lo atestiguan el estado y las oscilaciones del más antiguo de los tres manuscritos completos que conservamos de este poema. De esa manera, la elisión de una serie de ingredientes necesarios para la continuidad lógica de la argumentación da lugar a la transición abrupta del periodo que se inicia con «Su oscuridad, su vuelo». Véase lo elidido en el mencionado manuscrito:

> *No es el rumor, sino el temblor del agua*
> *(como el olor de tu voz cuando anochece)(atardece)* (verso tachado)
> *como el olor nocturno a hoja de olmo blanco.*
> *Su oscuridad, su nube, etc.*

También el último verso de este periodo: «entre tu voz y la ciudad y el tráfico...» descubre su génesis de manipulación transfigurada sobre la referencia a las circunstancias prosaicas en las que se desarrolló el episodio amoroso. El rastro sobre la desconcertante mención del tráfico en el

proclamaba incoscientemente el sentimiento opresivo dominante en el poema titulado «Hermana mentira», bajo su significativo «leit-motiv»:

poema, resulta contextuado en otra hoja manuscrita llena de apuntes y ensayos muy interesantes sobre las circunstancias concretas de la génesis del texto. El fragmento elidido viene a continuación de los versos preservados:

> *He oído y he creído en muchas voces*
> *aunque no en las palabras.*
> *Y es que (porque) la lumbre del amor, su gracia estremecida,*
> *la red de los sentidos, la ceguera del alma,*
> *la claridad de este día de marzo,*
> *la íntima pureza*
> *de los almendros, casi en despoblado*
> *(aún entre coches)* (verso tachado).

El mismo esquema de elaboración poética hecho sobre acertadas elisiones a partir de enunciados poéticamente triviales, en los que con frecuencia se parte además de una serie de vivencias objetivas, explica algunas de las mejores imágenes metamorfoseadas del trayecto íntimo y autónomo de la voz. Recordemos entre las más sorprendentes la que encierra el verso que encabeza la segunda claúsula de la estrofa inicial: «Su terreno rocoso, casi de serranía», que figura en uno de los ensayos manuscritos bajo la precisión prosaica y ocasional: «Su terreno rocoso (como el de Cazorla) (tachado), casi de serranía»; y a continuación: «su olor embravecido y firme, como el del laurel / cerca del mar Cantábrico». Otra de las contaminaciones de imágenes más logradas del texto resultante: «en el camino / hacia la cadera de tu entonación», tiene su origen en la anotación ocasional desvinculada del texto: «La curva de la (cintura) cadera de tu entonación»; mientras que en otro lugar de la misma hoja encontramos el sumario del recorrido causal que sirve de pauta al proceso poetizado: «Mi camino hacia ella / el cielo de la boca / el velo / del paladar», y que en ese bosquejo manuscrito desarrolla del modo siguiente la inspiración de los dos momentos finales del poema en los que se alude al recorrido interior del enamorado y de la voz en la boca de la mujer:

> *Como respiro tu aire luminoso*
> *su gracia y su (fatiga) fugacidad, en el latido (como al húmedo)*
> *demasiado cercano*
> *de tu voz que me alumbra y me camina,*
> *que me acoge y me alienta, pasanso por el (cielo) velo*
> *(de la boca, por el velo*
> *casto del)* (dos versos tachados)
> *blanco*
> *mohoso del paladar; por el cielo*
> *salvador (salvador) de (tu) la boca.*

Respecto al conjuro y las optaciones con que se despide el poema en su última estrofa; nos limitaremos a transcribir aquí ordenadamente las etapas de la elaboración manuscrita. Primer manuscrito incompleto:

> *Sin el amor, los años*
> *ahí: en palabras. Aunque mientan ellas,*
> *oigo (el sonido verdadero) transparente por el, tuyo*

«¿Por qué me está mirando / el aire?»... Y todavía después: «¿por qué me está acusando / el aire?»[11]. Pues el espacio, el ámbito, es el que informa y determina la iluminación de los objetos singulares, de las imágenes de la fantasía. Es el sentido de la metamorfosis eufórica por el canto que proclama cons-

---

cientemente el poema «Salvación del peligro», desde su primera fase decisiva: «Esta iluminación de la materia», hasta la culminación en clímax de su portentosa letanía rítmica de ocupantes del universo eufórico ensanchado e iluminado por la voz del poeta: «Miserable el momento

---

tan guilleniano del «aire nuestro» en los dos poemas sucesivos de esta tercera parte de *El vuelo*. Respiración sonora de la amada en «Voz sin pérdida» y el aire como cerco de un espacio opresivo en «Hermana mentira». En una hoja manuscrita previa a las tres copias progresivas del texto que se conservan —una manuscrita y dos mecanografiadas con variantes— encontramos la siguiente anotación muy sintomática de Claudio: «la propia respiración como amiga (íntima)... la inocencia del cuerpo». Y más abajo: «Porque ni siquiera eres mi soledad. Calla y no mientas»; tras de lo que se copian casi sin variantes los diez primeros versos del poema definitivo.

No obstante, lo más significativo que depara el cotejo de los tres manuscritos de «Hermana mentira» respecto a su resultado último publicado, en relación al fenómeno de la introspección neurótica concentrada en el espacio íntimo de las cavidades del cuerpo y de la respiración, consiste precisamente en la eliminación de esas alusiones, que sin embargo estaban presentes en la composición «Voz sin pérdida» —recuérdese: «entre el pulmón y la laringe: siempre / con la luz dentro»—. En tal sentido las exhortaciones a callar con que se inica el parágrafo central de este poema: «Tú cállate o habla / sin posible desvío... y no te quejes», reconstituyen la plenitud de su sentido lógico —que no quiere decir en este caso, ni mucho menos, poético— al reponer el contexto elidido del primer manuscrito:

> *Calla, calla. No cuentes el cuento*
> *de las esquinas de*
> *tu pulmón, de tu palabra, del aire del suspiro.*
> *En un clima templado*
> *o cálido*
> *crece el naranjo, que calma la sed,*
> *y la mostaza negra (muy rojiza) con semillas*
> *rojizas, en las viejas paredes*
> *tiza, carbón en las paredes... etc.*

Por último, sobre la situación temática del cerco y el recelo del aire opresivo, e incluso sobre la raíz misteriosa del título invariable del poema desde su primera versión, proyectan ilustraciones no desdeñables los tanteos marginales para el último parágrafo en el original manuscrito:

> *¿Por qué me está mirando*
> *el aire, ahora que no necesito*
> *su (mentira) (y al margen como alternativas: engaño?, trampa? vileza?)*
> *se morirá conmigo entre quimeras*
> *sí la mía, tan desconocida*
> *y (amiga) (hermana) hermana mía*
> *Cállate, cállate. No cuentes y no mientas*
> *Pero ¿Porqué me está mirando el aire?*

si no es canto»[12]. Una vez más, la sagacidad crítica de Sala Valldaura
ha acertado a destacar la condición mítico-espacial que predomina en
cualquiera de estas anécdotas de historia amorosa o heroica, monumentales o mínimas, exteriores o tan íntimas y secretas como la del recorrido exploratorio de «Ahí mismo»[13].

* * * *

Así el espacio, o mejor dicho el entrecruzamiento de multitud de
espacios-tiempo, resulta ser en el fondo el protagonista decisivo y determinante del imponente tono de grandeza que sobrecoge en la «Elegía desde Simancas». La doble noticia de Claudio y de Aleixandre sobre
el progreso de la composición de este poema confirman su incorpora-

---

sí el mío. El mercado, el aceite
del engaño, la fresa
de la vileza —(y más abajo)
el aire
su vileza o su fe
—engaño.

12. Resulta curioso constatar en casos como el de este modélico endecasílabo, tan exaltado
a cima del hallazgo alusivo por todos los críticos del poeta, la condición relativamente casual y
accidental de su poder de rotundidad poética exenta. Una vez más, en este ejemplo, resulta admirable y decisiva la capacidad de reflexión analítica de Claudio Rodríguez, depurando con su incomparable seguridad los impulsos previos de sus primeras afirmaciones espontáneas, a veces en
demasía apasionadas y otras en exceso divagatorias, como hubiera podido resultar aquí sin el drástico
tino eliminador del poeta. El portentoso endecasílabo exento, magistral síntesis de cierre del poema,
y, como tal, relativamente desasido de la argumentación temática del resto de la composición,
aparecía integrado en una «coda» bastante anodina en su primera afloración en la copia mecanográfica que se conserva:

Miserable el momento si no es canto.
Qué huella entre mi cuerpo
y [su promesa en]las cosas salvadas, ofrecidas a
mi amor vivo.

13. Cfr. José A. Sala Valldura, «Algunas notas sobre la poesía de Claudio Rodríguez», cit.,
pág. 133, caracteriza al poema mencionado como «viaje por el camino erótico a la inocencia de
lo natural». Sobre el valor diferencial de la poesía amorosa de *El vuelo de la celebración* en relación
a la tradición temática del «eros» en Claudio Rodríguez, cfr. José Luis García Martín, *La segunda
generación poética de posguerra*, Badajoz, Publicaciones de la Diputación, 1986, págs. 281 y ss.

ción muy tardía al libro, seguramente el último texto escrito; así como su más que seguro destino como broche final del libro cuarto. Un conjunto de circunstancias que previenen sobre la intensidad globalizadora del esfuerzo y de la voluntad creativa de Claudio Rodríguez en este poema que es, como veremos, una densa conjunción culminante de testimonios de síntesis personal, simbólica y estilística.

Por lo pronto, «Elegía desde Simancas» ilustra con grandiosidad orquestal casi sinfónica la iniciativa de complicación de perspectivas y de cruce y contaminación entre planos espaciales, que venimos considerando aquí como una de las manifestaciones más productivas en el auge de la maestría estilística del autor en torno a 1975. El castillo de Simancas, escenario de la intensa meditación histórica y retablo de jugosos símbolos personales para Claudio, se presenta en ocasiones bajo planos de contemplación panorámica y exterior en desordenada interacción implícita —cuidadosamente calculada no obstante dentro de la estrategia imaginativa de la composición— con momentos y perspectivas de contemplación de su fascinante escenografía interior. Tal es ya el comienzo de la «Elegía», que exhibe grandiosamente la transición abrupta de las dos perspectivas: la externa, con la recuperación asociada de los viejos mitos solares del alba precoz entre la sinfonía espacial de bóvedas y de ábsides, trasciende su coyuntura temporal concreta, transida como está de testigos escritos de la historia; galería de tiempos y de acciones memorables y anodinas, esforzadas y miserables:

> *Ya bien mediado abril, cuando la luz no acaba*
> *nunca,*
> *y menos aún de noche,*
> *noche tan de alba que nos resucita,*
> *y nos camina*
> *desde esta piedra bien pulimentada,*
> *respiramos la historia, aquí, en Simancas.*
> *Y se va iluminando*
> *la curva de los muebles,*
> *las fibras de papel ardiendo en la peña madre,*
> *el ábside de los pergaminos,*
> *la bóveda de las letras.*

No más que la ley del ritmo poemático constituye aquí la pauta para tan lograda selección de imágenes, trasuntos sintomáticos que resultan del cruce entre el universo simbólico de la escritura de historia y los tecnicismos evocativos de la imaginación arquitectónica del espacio.

Tampoco cambia la motivación posterior en el continuo desplazamiento de planos de referencia: desde la arquitectura interior del gran archivo habitado de legajos y de pergaminos con los nombres sangrientos de la historia, hasta el exterior del añoso cristal mal recocido que trasluce en sus poros transparencias de encinas. Y sin más transición, posteriormente, la pureza de cualquier pan accidental en las vivencias periféricas del acontecimiento cantado; corteza casual asociada con la iluminación virginal de la mañana y limpia miga en acorde evocativo con un tañido puro, el contraste con las formas expertas de la crueldad histórica transida en esqueleto de asperezas, en sabores y olores cáusticos y añejos. Emoción intensa del cuerpo metafórico de la dureza histórica frente a la pasión del campo abierto con luz purificante. La penetración alusiva del poeta alcanza cumbres descriptivas en este conjunto de imágenes desde su familiaridad de afloraciones ya lejanas:

> *...la mirada ocre*
> *de la envidia,*
> *el hombro de la soberbia, los labios secos de la injusticia,*
> *la cal de sosa, el polvo del deseo,*
> *con un silencio que estremece y dura*
> *entre la vértebras de la historia, en la hoja*
> *caduca y traspasada en cada vena*
> *por la luz que acompaña*
> *y ciega, y purifica el tiempo*
> *sobre estos campos, con su ciencia íntima*
> *bajo este cielo que es sabiduría.*

Seguro azar el de todas estas selecciones, tan motivadas, de unos símbolos entrañados en la necesidad de un universo imaginativo perfecto, como lo es ya a estas alturas de su obra poética el de Claudio Rodríguez. La familiaridad de mi lectura continua de su poesía y el conocimiento directo de su elaboración de manuscritos me han familiarizado muy a fondo con la condición felizmente aleatoria de muchas de estas evocaciones; pero también sabemos por lo mismo del exquisito tino de sus selecciones afirmadas sobre la instintiva seguridad de las tonalidades verbales y emotivas que concurren en la irracionalidad de cada ajuste. Ni lo arbitrario asociativo ni lo improporcional son responsables de una inordinación tan bien graduada en todas estas acumulaciones caóticas de olores rancios y áridos materiales. Son sabores añejos del cuero y el pergamino de una historia terrible, junto al presentimiento del propio cuerpo imaginado en ángulo de pulmón y fibra de la hoja venosa. Selectísimo tino del amontonamiento nunca casual de los materiales certeros de la evocación.

Segunda parte. De nuevo la mañana, ahora sobre sus luces más seguras: «...alta de sienes, / tan sencilla, amasada / en la cornisa de la media luz». La nueva galería depurada de las imágenes compuestas de otro tiempo para convocar en símiles feraces «la imagen de los siglos» y la representación evocada de la propia historia personal. Fusión sin transiciones de imágenes de constancias concretas —los nidos de paloma y de halcón colgando bajo los matacanes de las torres—, con los recuerdos transformados en muy antiguas visiones de pesadilla —los gallos sobre el paño de altar cerca de Burgo de Osma, «la camisa ofrecida y humilde... en la orilla derecha del Pisuerga—. Y para concluir, el aire sustancial, el material de la síntesis de vida: aire exterior e interno, aire escrutado sobre la agonía sonora del pulmón y la boca.

Refugio de la historia. Tercera parte. El poeta fugitivo, andariego, recala frecuentemente en el Archivo histórico. Frescas aún las imágenes a plena luz del camino a pie entre Logroño y Burgos o en la tensión del fiel kilometraje que separa Palencia de Valladolid. Las rúas interiores de armarios y legajos constatan la supervivencia secular de las imágenes que el poeta ha traído consigo de su camino al raso, de los ásperos sabores con sus tactos, de los olores penetrantes y humildes: el del sebo, el del cuero, el tan sudado del colchón de lana apelmazada. Las historias de brujas, sus procesos y los «casos» de todos los claros varones de Castilla yacen leídos entre todos estos amasijos de olores desechados, de sabores inútiles perdidos. Calles de amor culpable entre el tráfico jamás familiar de las ciudades, y calles vivas con las palabras de la historia «color rojizo oscuro». Confusión muy certera de elementos cruzados, los perfiles exactos de una vida secreta e interior de los cuerpos; pleamar en el poema de los ritmos y plenitud desbordada del sentimiento: «Calla, calla». Ni luz de historia ni sombra de leyenda; sólo la verdad perenne del canto cierto. El eterno cantar sin fin y sin rescate: la voz privilegiada del poeta que convoca, desde la segura familiaridad de lo sufrido, el cénit meridiano de la luz sobre el sudor de aradas fundadoras por entre los crucifijos de los campos:

> *Aquí ya no hay historia ni siquiera leyenda;*
> *sólo tiempo hecho canto*
> *y luz que abre los brazos recién crucificada*
> *bajo este cielo siempre en mediodía.*

Viejas imágenes de la historia personal de Claudio y formas ya indelebles de un universo con nombres de emociones. Lo portentoso en esta bien calculada fábrica del poema monumental sobre la historia de historias, lo aporta la reconocible eficacia instintiva del corte y del hallazgo en su perfil justo de las imágenes, su exacta multiplicidad hacia la selección de apariencias abiertas e infinitas. Y sobre todo la segura dinámica con que se yuxtaponen sin confusión de caos los variados escenarios emplazados en dimensiones interiores y externas, corpóreos y cosmológicos, del múltiple universo espacial al fin rendido a su centralidad de orbe poético.

Narraciones sobre el desencuentro paradójico: figuras y formas de la narratio

El vuelo de la celebración prolonga el mito general del conocimiento y del hallazgo hasta sus extensiones más extenuadas. La *meditación reflexiva* es el proceso de ahincamiento sobre la resistencia del secreto, y la *narración lírica* la forma argumentativa que lo despliega[14]. A partir

---

14. Como en tantos otros aspectos de la obra y el estilo de Claudio Rodríguez, ha sido Ángel Luis Prieto de Paula quien ha avizorado más temprana y penetrantemente en dimensiones de la poesía de Rodríguez que, como ésta de la «narratio lírica» en *El vuelo de la celebración*, destacamos ahora nosotros en toda su decisiva significación argumentativo-estilística. Sin aludir directamente al

del cotejo lírico permanente entre una *intimidad* crecientemente bloqueada en sus desencuentros dolorosos con la experiencia y una verdad externa y diferente, absoluta y plenaria, primero deseada como epifanía metafórica y más tarde concebida como objeto moral de hallazgo bajo las formas de fraternidad, compañía y amor, la poesía de Claudio Rodríguez se concentra en transcribir las sucesivas etapas de una frustracción madura. Un anhelo inalcanzable, que en *El vuelo de la celebración* llega a asumir a veces acentos de desalentada tensión, si bien no de escisión ni de abandono tan definitivos en las elegías iniciales y final de la obra. Y si los pasos en esa progresiva aminoración del conocimiento han podido cifrarse en la sustitución del ideal de epifanía por la realidad asumida como búsqueda, y de la escrutación de lo *uno esencial* se había pasado antes a la numeración entrañable de lo variado y lo diverso, estas otras estaciones nuevas en el despliegue del esquema general del cotejo exploratorio glosan ya la condición *incomunicada* de los objetos evanescentes: el miedo como formante necesario del conocimiento profundo, lo inmarchitable sólo en la edad de la infancia, la dolorosa serenidad que descubre una figura velazqueña, el aura vivificadora destilada por la melancolía decadente del otoño, la mirada y la historia que se presiente simplemente al paso en

término, véase la precisa caracterización del proceso macroargumentativo de la *narratio* que referenciaba Prieto, en todo el alcance de su condición de esquema directivo de la argumentación poemática. Así, a propósito de la cantidad de textos descriptivos: «Llama la atención en este libro la abundancia y la extraordinaria precisión de las descripciones. Ya en la obra anterior el poeta mostraba su mimo expresivo en este paciente ejercicio de la exactitud. En los dos primeros títulos ello no ocurría: entre el estupor y el éxtasis, el poeta no podía demorarse en el retrato de las cosas, arrebatado como estaba por claridades tan indomeñables. Es ahora cuando el pausado desenvolvimiento descriptivo tiende, muchas veces, a reproducir la silueta de lo descrito, mediante sucesivas acotaciones que forjan la forma exacta del objeto lírico». Cfr., *La llama y la ceniza*, cit., pág.190. Más adelante en su estudio, llegado a los ejercicios de admirable precisión y fundido líricos de las imágenes del cuerpo amado, en las escenas eróticas de esta parte tercera de la obra, que nosotros estamos identificando como momentos culminantes de la «narratio» lírica, manifiesta Prieto: «Nunca había llegado Rodríguez a tanto en este afán de desgranar, destruir nebulosas y objetivar poéticamente su visión del mundo, todo ello en una disposición estudiada: tras la enumeración de objetos (metal, lino, cerro) tangibles, se pasa a referencias más abstractas (felicidad, delicadeza, música), para volver a las concreciones (roca, escayola, cemento, zinc, níquel...), concluyendo en osadas y conocidas metáforas de negativa faz (pliegues de la astucia, avispas del odio, peldaños de la desconfianza) y, como remate, en las referencias a la persona amada». Ibid., pág.210.

el cruce con una desconocida, la aparición de la traza evanescente del Rey del Humo en el dormitar brumoso de un amanecer desolado de taberna, etc... No se trata de presencias concretables sino de historias desvanecidas; por eso la estructura macrorretórica correspondiente al peculiar sesgo «general» del tematismo, del que se percatara perspicazmente Aleixandre, es la de la *narratio* con su cortejo figural de formas de *amplificación*.

Las historias de resistencia creciente y de desencuentro que se despliegan a lo largo del apartado segundo de la obra, acogen a las estrategias de la forma esa inconcreción temática de los objetos que acabamos de señalar como característica de su desdibujada entidad semántica. Por lo mismo que las situaciones temáticas en el tercer libro, amoroso, de este poemario maduro favorecen por su propia tradición historias accidentales de resistencia y desencuentro. Bien sea esa distancia debida a razones puramente biográficas y existenciales o bien, como es el caso en la mayoría de los poemas del mencionado libro, a formas más terminales de inasequibilidad para la fusión amorosa. De esa manera, el conflicto sentimental no reviste estructuras distantes, ni en el fondo distintas, en su asimilación simultánea de la compleja condición de amor y de odio reconcentrados dentro del peculiar entendimiento y vivencia por Claudio de la pasión del eros, respecto al sentimiento desvivido de unidad.

El miedo, tema del poema primero, condiciona la narración a su propia naturaleza de tamiz inaccesible, de corte con la familiaridad efusiva y directa de las cosas; la sombra que previene sobre el misterio palpitante dentro de la ilusión de poseer sin resistencia lo uno. Un principio recónditamente ordenador por tanto de la experiencia, nada menos que, como declara el texto, su parámetro más convenido y visible:

> *Es el tiempo, es el miedo*
> *los que más nos enseñan*
> *nuestra miseria y nuestra riqueza.* (pág. 221)

Objeto entreverado del desprecio y del canto, cómplice entrañable y maldecido, el miedo es el haz y el envés necesario para que maduren las vivencias sobre la imposibilidad esencial de la experiencia como relato. Esa móvil espera, ese elemento tardío que es el miedo como pura paradoja.

A su vez, volver a considerar el valor de la infancia dentro del mito del conocimiento y la experiencia supone la necesidad de contar nuevamente la vieja historia del origen de la memoria idílica; y tanto más cuando lo que se evoca, se dice desde la observación del niño desdoblado en el corro de niños. De esa manera se estructura la narración de «Lo que no se marchita», desplegando la demora de esos alcances aurorales sumamente inciertos del mito en un cuerpo de historia necesaria que moviliza recursos de narración reconocibles. Cuanto antes, la doble evidencia de la entidad fundadora y de su trasunto simbólico: «Esos niños que cantan y levantan... no son muro sino puerta abierta»; para declarar seguidamente el recuerdo melancólico de aquella edad feliz que ha precedido a la revuelta de las cosas contra sus nombres, al desdibujamiento del lazo de solidaridad donde resplandecía la feliz sencillez de lo unitario, de lo integrado y continuo; antes de romperse y dispersarse con las cegueras de la pesadumbre adulta en variedad de sombras y apariencias:

> *Aquí no hay cerraduras,*
> *ni clavazón, ni herrajes,*
> *ni timbres, ni aún ni quicios,*
> *sino inocencia, libertad, destino.* (pág. 225)

Para probarlo, se despliegan con la simplicidad rotunda de lo absoluto los argumentos de la analogía mítica, de las sencillas convergencias en paz que gobiernan el misterioso encuentro entre cosas y nombres —«Estos niños que al cielo llaman cielo / porque es muy alto»—; entre los mitos fundantes y los objetos de la vida entorno, por cuya virtud el sueño azul puede jugar con el ratón gracioso entre las patas de los muebles «generosos y horribles de la infancia» —patas de muebles turbiamente obsesivas en imágenes censuradas de manuscritos, donde las niñas, según Claudio, amamantaron en sueños precoces a sus muñecos—; mientras que los armarios nunca abiertos aromatizan las evocaciones con el almacén de sus pueriles misterios de una densidad inagotable. Bajo el impulso de ese contagio tan productivamente fabulador, la propia voz del poeta se proyecta en logros muy fecundos de transfiguración metafórica, como los juegos caprichosos con los números de «piernas flojas, menos el tres», o la imaginación amedentrada del modo en que «susurra la ceniza en los dientes del lobo»[15]. El mito de la regeneración por la infancia va desgranando en la narración de este poema el total de sus aledaños idílicos. El engañoso aliciente de una proximidad prometedora de encuentro y de integración: el propósito de preservar al menos la inocencia en los otros —aquel estribillo «Hay que salvarla»—, en esta niña Reyes de luminosa torpeza.

En los poemas sucesivos: «La ventana del jugo» (págs. 228-229) e «Hilando» (pág. 230), la narración no selecciona objetos de mayor generalidad y desarrollo argumental; por el contrario, se ejercita sobre ámbitos referenciales menos distendidos, más quintaesenciados en acentos intensos que el anterior. De hecho Vicente Aleixandre había dudado en relación al poema «Hilando» en el momento de clasificarlo como «general o concreto». La narración reproduce en tales textos el mismo movimiento simbólico de la voluntad para integrar la realidad en el propio depósito íntimo de la experiencia. Desde la trivialidad del acto de tragar el jugo de la fruta, amplificada a operación simbólica casi sublime —«Entra como naranja / recién amanecida y exprimida, / agua pura volando y entregándose, / aún con dolor, ahora»—, a la ponderación de la distancia siempre misteriosa en las presencias velazqueñas: «Tanta serenidad es ya dolor». Mientras que en la composición «Noviembre» (págs. 231-232) se nos participa muy pronto la raíz delicada de sus equivalencias simbólicas de entrega y de hallazgo amoroso sublime: «Llega otra vez noviembre, que es el mes que más quiero / porque sé su secreto, porque me da más vida». Lo que pone noviembre es el aura incorpórea y el momento delicadísimo de luz para que el amor germine y se renueve en salvación de encuentro.

---

15. Resulta destacable sobre esta composición que el poeta recupere, al menos parcialmente, materiales artísticos de experiencia muy anteriores, incorporándolos en una modalidad de discurso poético mucho más evolucionada que la del momento de creación de aquéllos. Si, como veíamos antes, «Perro de poeta» había sido compuesta en 1959, los materiales folclóricos con que se construyen algunas de las más eficaces imágenes de este otro texto, proceden —según lo mostrábamos ya en el capítulo correspondiente de la primera parte— de la investigación sobre los cantos de corro para su Memoria de Licenciatura de 1957.

La doble diafanidad luminosa y sentimental que aporta el mes de noviembre, establece el canal necesario para el contacto regenerador con la realidad lejana de la amada, impedida usualmente en la distancia de su diferencia: «La calidad de su aire, que es canción, / casi revelación, / y sus mañanas tan remediadoras». Los símbolos recuperados son los ya familiares de la boca que es «calle» hacia el interior, hacia la «casa del cuerpo». Así la mediación de la luz y del aire cumplen su trayecto simbólico de acceso, de invasión redentora como en una historia de iniciación: «...Qué / luz tan íntima. Me entra y me da música / sin pausas / en el momento mismo en el que te amo». Trasuntos que conducen el ánimo del poema a ese umbral secreto y reservado, tan misteriosamente transfigurado por Claudio, de la intimidad trémula del sexo femenino; a «esa puerta donde llama el dios», que reconoceremos en la metamorfosis de su latido dentro de las composiciones amorosas de la parte tercera, sobre todo en el poema «Ahí mismo» (pág. 250).

Corroborando el comportamiento de difuminado mítico sobre las entidades simbólicas objetivas, que ya identificábamos en el apartado correspondiente de la primera parte como uno de los procedimientos característicos en la intensa modificación de la mitología tradicional de Claudio en esta obra, las actitudes de la *narratio* contribuyen de manera particularmente eficaz a la implantación de tal efecto sobre los textos. En determinados poemas de este segundo libro como «El rey del humo» o «Hilando», la razonable riqueza de momentos preservados en la evolución de los manuscritos permite seguir con seguridad satisfactoria las iniciativas de formación textual del autor, que dan como resultado la peculiar incertidumbre de todas esas historias a la vez misteriosas y esenciales. Atenderemos en primer lugar a alguna de las fases más caracterizadas en la génesis textual de la vivencia narrada en «El rey del humo». La historia corresponde efectivamente a una anécdota real, una escena de taberna con una de esas criaturas desheredadas que pueblan la mitología más entrañable de Claudio. La rareza del lance y la desenvoltura misteriosa del mendigo impresionaron muy viva y simpáticamente al poeta y a sus amigos, entre los que se encontraba su esposa Clara. Sobre la condición histórica de esta anécdota real quizás el escrito más objetivo sea la siguiente versión manuscrita, la primera sin duda y la más escueta entre las conservadas:

El Rey del humo.
A cuerpo limpio un día
la sencillez es el mejor asombro,
como quien lava.
....
    El Rey del humo
A cuerpo limpio, un día
llega un hombre, a mi lado,
con apetito humilde
de humo. Sus arrugas
luminosas, su
suciedad tan noble, y, en este momento,
su desprecio hacia mí.
No sé su nombre
pero lo sabré siempre. Pero él bien sabe,
esa ternura musical del cielo,
el sonido del cuerpo
el andar por las calles, la luz
de la mano cuando mendiga [y se presenta]
[el resplandor de]
como una ola se ofrece
como un surco.

Adviértase sin embargo que en la narración esquemática de esta escena típica de aparición objetiva y de respuesta sentimental, no figuraba aún nada en relación a las actuaciones sorprendentes y misteriosas del desconocido, que justifican el título seleccionado ya de «El Rey del humo». La bizarra declaración del extraño protagonista se verá adelantada, por el contrario, al primer término de la narración en la versión sucesiva —todavía embrionaria— que conservamos, la titulada «Leyenda verdadera», y que por esa misma condición de curiosidad genética y lejanía respecto a la estructura del texto publicado, nos inclinamos a ofrecer también a los lectores:

    Leyenda verdadera.
«Yo soy el Rey del humo,
pero vereis un palomar ahora o nunca»
[pero cierran mañana]

dijo, con un aliento muy oscuro,
era Junio, Era [un]el tres de diciembre
casi al amanecer
[pero cierran mañana]

Muy libre, muy seguro, sin fatiga,
ya viejo, con arrugas
[abiertas]
luminosas,
Con su respiración tan inocente
llegó, muy [desatado]bien atado
de su cuerpo que olía
mal a alquitrán
[a sudor y a llaneza
con daño y con sudor]
Llegó. No sé su nombre
Pero lo sabré siempre. Y él bien sabe
esa ternura musical del cielo
y la luz que se ofrece.

La colación de detalles entre los dos textos exhibe ya algunas coincidencias que irán consolidándose hacia el poema definitivo. Primero sobre la fisonomía del aparecido: el «apetito humilde», luego «de humo», y las «arrugas luminosas» del primer texto; o la «respiración tan inocente» del segundo, y las precisiones oscilantes sobre lo bien atado —después lo bien ceñido y arrimado— del cuerpo. Después, la parte del despliegue narrativo correspondiente a las reacciones íntimas del narrador: «No sé su nombre / pero lo sabré siempre».

Tampoco resultan absolutamente nuevos, contra las primeras apariencias en los textos anteriores, el sorprendente pregón del desconocido y las cabalísticas imágenes de la casa que el vagabundo diseña con su dedo sobre el plato vacío. La casa con su «camino de piedra estremecida» del poema final era seguramente el «palomar» mencionado en el segundo texto y que los trasnochadores no podrían ver ya según el curioso Rey al día siguiente, porque no abriría la taberna. En cuanto a lo que el vagabundo traslucía saber, aparece primero en las dos versiones antiguas la coincidencia de un endecasílabo de muy rancia cadencia en la memoria rítmica de Rodríguez —«Pero él bien sabe / esa ternura musical del cielo»—, que no se mantendría en este caso como tal, pese a todo, hasta la resolución definitiva del texto; sino que constituye la génesis segura del chispeante diálogo absurdo entre la figura de la aparición y el narrador, a propósito del susurro interior del vaso en la versión última publicada. Un animado diálogo sobre absurdos de profunda entraña surrealista, que habría ido consolidando su naturalidad irracional en sucesivas modulaciones de la historia. Así, en la tercera, todavía muy próxima «a la ternura musical del cielo»:

> ...*diciendo: «hay un silencio*
> *nocturno y siempre hay nubes*
> *volando ahora».*
> *[¿De qué color? Yo dije. Estás mintiendo]*
> *[¿De éste, me respondió.*
> *Sacó un plato[no dijo nada]y dibujó*
> *en la entraña*
> *de la materia*
> *y respiró y se fue diciendo:*
> *Yo soy el Rey del humo».*

La integración del melodioso endecasílabo perdido con el desarrollo del dibujo inexistente de la casa y el contenido conversado no es mera conjetura plausible; como tal comparece en la escena final de una cuarta versión manuscrita, muy próxima ya al sucesivo despliegue mecanográfico y después publicado del texto:

> *Llegó. No sé su nombre,*
> *pero lo sabré siempre.*
> *Y dijo: «Hay un sonido*
> *dentro del vaso»...*
> *—¿De qué color?» Yo dije— estás mintiendo.*
> *Sacó un plato pequeño, y dibujó en la entraña*
> *de materia y con humo, al soplar,*
> *con sus uñas maduras,[algo torcidas]cariñosas*
> *[la realidad de un camino]*
> *una casa, un camino de piedra estremecida,*
> *como los niños.*

—[¿Veis?]¿Ves?
—[¿Ois?] ¿Oyes la ternura musical del cielo?
sopló sobre el dibujo», etc...

En los intersticios fantásticos narrativos, prosopográficos y escenográficos de este cuerpo textual de la narración, la imaginación madura y evolucionada del poeta ha ido censurando de manera sutil pero muy perceptible, como el endecasílabo cabalístico o las referencias externas puntuales de fechas y estaciones, todas las trazas habituales en las imágenes idiosincrásicas sobre la fisonomía y los gestos del tierno desvalido, tan lleno de perceptibles contagios con la simpática gestualidad del viejo amigo Luelmo: olores de alquitrán mezclado con llaneza, manos mendigas tendidas como olas o surcos, etc..., etc... En su lugar, el meticuloso ejercicio de adquisición de las imágenes nuevas alineadas con la abstracción esquemática de una comunicación más simbólica que visual y más desecada que jugosa y viva: «con resplandor muy mudo de su paso», «con la desecación sobria y altiva / de sus manos tan sucias, / con sus dientes nublados, / a oscuras, en el polen de la boca»; o la modificación en sustancia calcárea de la pregunta mágica: «¿No oyes el viento de la piedra ahora?». La eficacia implacable de la nueva *narratio* en esta alta estación meditativa de *El vuelo de la celebración* subraya y acondiciona, desde la nitidez clarividente de su esquematismo, la maduración crecientemente abstracta del nuevo instrumental simbólico del mito.

Análogo tenor de abstracción despojada de los jugosos divertículos entrañables de antaño ostentan las otras modalidades descriptivas de la *narratio* que afloran en este segundo libro de *El vuelo de la celebración*. Entre ellas destacamos el admirable ejercicio de «écfrasis» lírica de «Hilando», una paráfrasis intensamente subjetiva del cuadro *Las hilanderas* de Velázquez. La condición marcadamente narrativa que supone la transferencia a sucesividad temporalizada sobre el decurso del texto de la simultaneidad espacial existente entre los formantes sincrónicos de la escena del cuadro, la declaran las primeras tentativas de titular el poema que conocemos por los manuscritos: «Un cuento» reza la versión primera y embrionaria, mientras que la segunda conservada lleva el título sorprendente de «Casi una leyenda». De tal manera que el título definitivo, «Hilando», con su dedicatoria «(A la hilandera, a media espalda, de Velázquez)» no aparecen sino en una copia mecanográfica tardía.

El abundante material manuscrito de este poema que nos ha llegado excepcionalmente, comprende incluso un primer boceto dictado a Clara Miranda, y muy distante aún de la forma definitiva del poema, aunque adopte una apariencia versificada. Incluso se ha conservado raramente también una hoja con alguna anotación previa de Claudio, que contiene los datos siguientes: «arremango: parte de ropa plegada, que se recoge en la cintura al arremangarse» —y más abajo— «ropa bien aclarada» / escorzo de espalda / airoso y torneado (de la devanadera (hilandera)». Dado el interés de aquel primer boceto del material narrativo para inferir las subsiguientes manipulaciones estilísticas de la «écfrasis» poemática, lo transcribimos:

> *Un cuento.*
> *Tanta serenidad es ya dolor:*
> *estoy viendo junto a la luz del aire*
> *la camisa que es música recién lavada*
> *la resonancia de la espalda[madura]*
> *madura, está muy bien ceñida,*
> *[y torneada] alegre hacia el alba del brazo*
> *que ilumina el hilo y el*
> *ovillo y el viento de la piel y el nido del*
> *sobaco armonioso y la nuca tan breve*
> *cantando a medias su delicadeza.*

Como en tantas otras ocasiones, advertimos ya en este primitivo boceto transcrito por la esposa la perfecta maduración previa del arranque poemático de la inspiración en el poeta. Aquí se trata de la misteriosa pero sugerente fórmula de respuesta íntima sentimental al imponente mensaje plástico del cuadro: «Tanta serenidad es ya dolor», otro más de esos insuperables endecasílabos de Claudio llamados milagrosamente a ser eternos. Por otra parte, el fragmento descriptivo correspondiente a este primer boceto participa y confirma el procedimiento general creativo que hemos observado en todos los manuscritos del poeta: la creación a impulsos progresivos, rigurosamente de principio a final, al dictado de las pulsiones rítmicas constitutivas de la fisonomía básica del poema. En efecto, los detalles aquilatados en este primer manuscrito se corresponden sustancialmente con la descripción de la primera parte del texto.

Como es natural, en los intensos ejercicios de refinamiento lírico sobre aquel primer dictado descriptivo —probablemente espontáneo y directo ante el cuadro— han ido desapareciendo y transformándose no sólo los incisos localizadores —como «estoy viendo»— o el orden sintáctico más neutral de la referenciación narrativa —así como «la camisa que es música recién lavada /la resonancia de la espalda», etc...—, sino que se advierte también alguna interesante supresión relativa a los pudores míticos, personales y poéticos, ingenuamente celados por Claudio. Particularmente representativa es, en este caso, la desaparición del término «sobaco», uno de los lexemas más íntimos y fundamentales —hemos tenido ocasión de destacarlo ya sobre otros poemas— en la mitología erótica del autor. Y eso que aquí la invocación tan peculiar del tabú erótico estaba justificada tanto por la sugerencia objetiva de la figura del cuadro, cuanto por la propiedad de su asociación poética con el «nido» —otro de los constituyentes simbólicos generales de tierna protección materna y anhelo de acogida, no esencialmente sexuales aunque resultan serlo derivativamente—; recordemos: «y el nido del / sobaco armonioso».

En cualquier caso, sobre la virtud estilística de la *narratio* lírica de Rodríguez, son siempre más ilustrativas y elocuentes las adiciones que instauran los fundidos líricos, sugerentes a partir de los primeros materiales impetuosos de la inspiración. En tal sentido, la evolución manuscrita de los textos —cuando se dispone abundantemente de ellos, como en «Hilando»— revela las rigurosas operaciones sobre los materiales de la forma que, tuteladas por el control inteligente y sensitivo del gusto, desembocan en la milagrosa exactitud exultante de los ritmos y en las iluminaciones plenas de sugerencia fantástica de las imágenes[16].

---

16. Ofrecemos solamente la transcripción del comienzo de la segunda de las copias manuscritas de este poema con letra de Clara Miranda y probablemente procedente de otro ejercicio de dictado espontáneo y directo del poeta en el propio Museo del Prado, o ante alguna de las reproducciones que siempre han estado presentes —ahora mismo— en el gabinete doméstico del matrimonio Rodríguez. La reproducción completa de aquella página de apuntes sobre la respuesta

El alcance del frecuente tipo de transformaciones de la narración que venimos denominando como «fundido» para aludir a la sugerencia por contacto entre imágenes primarias por lo común ojetivas y escuetas, alcanza un grado máximo en la inspiración del poema «Sin noche», la tierna composición dedicada a la tía de Clara, Juana, en cuya casa vivió largamente el matrimonio y a la que el poeta tributó una ternura y una gratitud serenas y sin límites, sentimientos en poderosa medida derivativos y compensatorios de la tormentosa vinculación afectiva con su propia madre y con la casa familiar de infancia. La idea directiva del poema «Sin noche», la de la *entrada* confiada en el espacio de solidez sentimental de la anciana tía, aparecía desarrollada en una primera versión muy diferente, casi un poema distinto titulado «Nido pasado», cuya reducción intensificada da lugar a la primera estrofa del poema definitivo[17]. Resultando asimismo sobre el fenómeno asociativo del «fundido» genético, que sea el final de aquella primera versión tan distante

---

espontánea de Claudio al estímulo del cuadro velazqueño, no le ha parecido oportuna al poeta. Pero el solo comienzo que reproducimos ilustra algún ejemplo en el proceso de ajuste de los «fundidos» metafóricos en las imágenes y en la sintaxis, a los que aludimos arriba. La evolución compositiva entre los estados sucesivos del texto aporta detalles significativos en el proceso de la representación descriptiva a la peculiar *narratio* lírica:

> *Casi una leyenda*
> *Si no es hoy es mañana*
> *tanta serenidad es ya dolor,*
> *estoy viendo junto a la luz del aire*
> *la camisa que es música. Sí, el milagro*
> *se ha hecho junto al temblor seguro de*
> *tu pelo. [Está lloviendo]Hoy no llueve...*

Entre las iluminaciones añadidas se identifica ahora la génesis de algunas de las sugerencias que han de ser resolutivas en el poema; así por ejemplo, la alusión ocasional al «milagro» —«Sí, el milagro / se ha hecho junto al temblor seguro de / tu pelo»—, que deparará al final la segura demarcación ecfrástica del portento visual: «Este es el campo / del milagro: helo aquí».

17. Dado su interés de variación a la vez distanciada como resultado constituido en texto del poema y de indudable base temática generadora de la inspiración, consideramos interesante reproducir íntegro el texto mencionado:

> *Nido pasado*
> *¿Quién compra harina en tanta claridad*
> *del mercado y sin prisa? Entra seguro*
> *en estas manos algo envejecidas,*
> *en sus arrugas que nos dan remanso*

«de esta humildad sin noche» lo que daría origen al fondo de inspiración genérica del poema definitivo exaltado a la síntesis del título.

Pero tal vez el desarrollo más objetivo y circunstanciado de la «narratio» para desarrollar la historia de una de estas aventuras vitales con mínimo contenido de la anécdota referente —esta vez bajo el modelo del soneto «A une passante» de Baudelaire—, es el que encontramos en «La contemplación viva». También aquí, como en «Lo que no se marchita», la síntesis temática del texto asume la alegoría del movimiento simbólico. La mirada confidente de la mujer sorprendida al paso en una calle de Ávila se constituye en el símbolo, seguramente quimérico, de una de esas peculiares aventuras sólo interiores de Claudio sobre comunicación y experiencia amorosa —«la más / arriesgada y entera /

---

y resina, junto a la pesadumbre
sin llanto, con alegre
fijeza.
Entra seguro, entra palmo a palmo
en la vida recién lavada, así,
en la luz abrileña de la aguja
en la llama del hilo,
en la madeja duradera.
Así, sin mudanzas,[sin ahorro]y sin fraudes,
sin ruido, a flor de labio,
entra en el alma de esta mujer, agua
amanecida, ropa
tendida al aire y al sol radiante.
Así, así: entra seguro
en la harina, en el limpio poderío
de esta sobria vejez bien amasada,
de esta humildad sin noche.

Quedan las imágenes de las manos arrugadas con su remanso de la saludable «resina» simbólica tan entrañable siempre en el mito personal del poeta, y con su mensaje de estable alegría: «junto a la pesadumbre /sin llanto, con alegre fijeza». Queda también la fragancia «recién lavada» de una «vida» que pasará a la «ropa» más concreta del poema definitivo y con su compañía de la «luz abrileña» —sin abril— de la aguja, de la «llama» transmutada en «calor» del hilo y «la madeja —de lana— duradera». Y quedará también el «agua amanecida» perpetuada en el «agua dulce» del poema final. Entre tanto han cambiado la anécdota circunstancial pero insistente —¿tal vez la del primer momento de inspiración?— de la compra de harina en el mercado, que se amasa en el pan de una sobria vejez sin sombras y sin noche; y advendrían más tarde la condición «fecundadora» de la mirada y el vuelo de la alondra y hasta la ponderación temática del accidente adverso de la caída ocasional de los dientes, para representar la luz y el vuelo predominantes en la fresca virginidad del triunfo definitivo del texto.

aventura»—, intensas siempre para el anhelo íntimo de la fantasía pero intranscendentes en realidad, inexistentes para la historia externa y objetiva. La mirada tal vez anodina de la mujer destaca para el poeta precisamente por «su misteriosa cercanía», con tal intensidad de confidencia sentimental en una historia que sugiere por lo inevitablemente ajena, que con ella la desconocida hace entrega del «secreto, / no el placer, de su vida». No importan en el relato —valga la preterición perfectamente lograda en el pergeño de la descripción eficacísima: «Bien veo que es morena, / baja, floja de carnes»— las fugaces imágenes del cuerpo; lo que cuenta y lo que prevalece es el encuentro mismo, la voluntad de entendimiento que «hace crecer mi libertad, mi rebeldía, mi gratitud». Un saber descubierto que enciende nuevamente la lección sobre el milagro del miedo universal y cósmico contenido en el insignificante vaso del agua o en cualquiera de los actos y momentos anodinos que celan la trascendencia esencial unitaria —aquella «unidad cósmica» que transfigura y potencia cualquier indicio irrelevante en la poética, que Claudio gusta descubrir en sus explicaciones de poetas como Rubén Darío y Unamuno—. Todo lo que se presenta como diverso y desasido: «Hay quien toca el mantel, mas no la mesa; / el vaso, mas no el agua».

El fugaz cruce entre las miradas, tema y tono más que problablemente brindado como guiño cultural de Claudio a su antigua devoción baudelairiana[18], repone las esperanzas idílicas del mito erótico de la contemplación exterior, tan característico de Aleixandre y asumido por Claudio en sus escenas narradas, como la de «Un suceso» de *Alianza y condena* (págs. 167-168) o «Tan sólo una sonrisa» (págs. 241-242).

---

18. Me refiero, obviamente, al famoso soneto de *Las flores del mal* titulado «A une passante», modelo en ningún caso escamoteado por Rodríguez al tematismo de todos estos poemas de «mirada» sin continuidad amorosa, cuyo ejemplo más dilatadamente narrativo sería el emblemático texto «La contemplación viva». Incluso el buscado contraste de la fisonomía de las dos mujeres; la de Baudelaire: «Longue, mince, en grand deuil...», mientras que la heroína vulgar de «La contemplación viva» casi al gusto de Claudio —«Bien veo que es morena, / baja, floja de carnes»—, viene a crear una suerte de claro subrayado irónico que pondera ácidamente la independencia creativa del poeta dentro del bien poblado —y distanciado— bloque de su cultura literaria muy débilmente exento a la influencia como tal.

En este nuevo afloramiento temático de la historia, quimérica y sólo posible, nunca cumplida, se confirman al tiempo las sintomáticas preferencias y los terrores cósmicos de este espíritu atormentado: «Lástima de saber en estos ojos / tan pasajeros, en vez de en los labios. / Porque los labios roban / y los ojos imploran». Y como en paralelo con el modelo de narración desarrollado en el poema precedente sobre el mito de infancia; también éste cierra su vocación idílica con el deseo abierto y melancólico de la proyección regeneradora a partir de la vivencia trascendida, que alcanza de esa forma toda su capacidad de síntoma alegórico:

> *Cuando todo se vaya, cuando yo me haya ido*
> *quedará esta mirada*
> *que pidió, y dió, sin tiempo.* (pág. 234).

La homología de todos estos movimientos imaginativos que, bajo la variada apariencia de diversidad temática, van construyendo los avatares hondamente erosionados del mito de la experiencia, confirma y refuerza el destacado papel del esquema de narración latamente alegórica que formulan los textos con sus historias varias. Por eso el intenso poema «Hacia la luz», tras su contenido más puntualmente meditativo[19], confirma el subrayado común con el texto precedente de su esquema figurativo de la comunicación como trayecto relacional. No basta ya con acechar sumisos la iluminación, cuenta sobre todo el proyectar la mirada con acierto y con fe:

> *Y para ver hay que elevar el cuerpo,*
> *la vida entera entrando en la mirada*
> *hacia esta luz, tan misteriosa y tan sencilla,*
> *hacia esta palabra verdadera.* (pág. 235)

---

19. De hecho, en la tipología de Aleixandre a la que corresponde la ordenación de los poemas en libro, aparece «Hacia la luz» como un texto de desarrollo temático «concreto» con interrogación. Fue la ulterior resolución adversa de esa interrogante por parte de Aleixandre o del propio Claudio, lo que decidió su segregación de los otros poemas «concretos» del libro primero, de contenido focalizado e intenso dominado por el esquema figural de la sinécdoque.

Para concluir provisionalmente sobre el papel estructural argumentativo de la *narratio*, que se ve muy acrecido y desarrollado en el conjunto de poemas de este libro, conviene destacar por lo pronto su naturaleza de intensificación estructural novedosa a costa de la *amplificatio* metafórica en el estilo de Claudio Rodríguez. Y junto a ello, marcar también la importancia de innovación y de progreso que hay que atribuir siempre a los ejercicios de esta opción narrativo-meditativa dentro de la evolución de nuestra lírica moderna. Un esquema de argumentación lírica que impuso en su momento el emblemático signo de la asimilación de la poesía anglosajona, y que entre nosotros tendría sus orígenes tal vez más estimulantes y seguros en Luis Cernuda y quizás también, aunque menos reconocida, en Pedro Salinas. En ambos funcionaba como proceso de asimilación consciente de la línea poética de la modernidad lírica en lengua inglesa, que recorre de Whitmann a Eliot y que tiene sus antecedentes en la lectura por los poetas metafísicos ingleses de nuestros autores místicos y de espiritualidad[20]. En el caso de Salinas se denota clara y consciente así cuando la practicaba en libros como *La voz a ti debida*, pero también cuando la elogiaba, en su epistolario con Guillén, como el máximo hallazgo de validez futura en la renovación estilística del último *Cántico* y en los primeros tanteos de lo que iba naciendo como el embrión de «el otro *Cántico*», es decir *Clamor*.

La importancia modificadora para el estilo de la lírica moderna española que representó la impronta de la narración meditativa en los poemas líricos, como éstos de Claudio o los contemporáneos de Valente y Gil de Biedma, debe ser atendida más allá de sus apariencias de espontaneidad engañosa propia del esquema retórico narrativo que asume. En concreto Claudio Rodríguez se la representa ante sí mismo

---

20. Tesis ilustrativa entre nosotros pioneramente por José Ángel Valente en *Las palabras de la tribu*, ed. cit., págs.111-123, si bien sustentada en su caso sobre una trayectoria moderna de la poesía metafísica que incluirá sobre todo a Unamuno y a Cernuda. Habría que añadir a todo ello el interesante cambio de enunciación poética que corre entre Salinas y la enunciación tardía —a partir ya de la última edición mexicana de *Cántico*— descubierta y practicada con entusiasmo por Guillén como definitivo síntoma del estilo «moderno» de la poesía. Véase también el antecedente académico de su tesis que cita el propio Valente: Louis L.Matz, *The Poetry of Meditation*, New Haven, Yale University Press, 1955.

—y así me lo ha insistido especialmente— como el vehículo sobre el que se hace presente en su obra la huella de sus lecturas místicas, con Santa Teresa al frente y, en general, de los escritores morales de nuestro Siglo de Oro. Para la forma del poemario de Claudio, la *narratio* supone una sensible pauta de distensión discursiva, que aquieta y normaliza la voz y las imágenes permitiendo los ejercicios puntuales de profundidad alusiva y de sutileza extrema con que se modificaría, en esta obra, la textura simbólica del imaginario del autor, en contraste con la intensidad patética de las imágenes acuciadas bellísimamente por el énfasis trágico en las elegías iniciales del libro.

* * * * *

El despliegue de la *narratio* para referenciar las facetas del tortuoso proceso de la relación y la comunicación implicadas en el esquema referencial del cotejo lírico, subjetivo-objetivo, encuentra su contenido tal vez más apropiado en la tercera parte de la obra dentro del núcleo de los poemas amorosos. El centro simbólicamente más llamativo en el contenido de todas esas narraciones lo constituye el peculiar tematismo de la impenetrabilidad, o de la árida y desecante metamorfosis de la intimidad corporal de la mujer, tal como lo hemos hecho notar ya en la parte mítico-temática de nuestro estudio a propósito de estos mismos textos. De esa manera, el sentimiento mortificante de bloqueo externo, real o metafórico, se naturaliza estilísticamente y apunta a uno de sus centros vitales mediante la tematización narrativa de las relaciones amorosas y sus dificultades.

En el primer poema «Tan sólo una sonrisa», el conjunto de formantes que construyen el núcleo simbólico central de la *narratio*, se plasma en una densa red de trazas textuales. Para empezar, la frecuentada contraposición entre los símbolos del aislamiento —las altas tapias— y los de la comunicación —las diáfanas ventanas— emplaza inconfundiblemente el objeto final de la narración:

> *Cuando el remordimiento llega al conocimiento,*
> *altas tapias por fuera*
> *y ventanas por dentro, llega a veces*

una sonrisa pasajera, como
la tuya de ahora. (pág. 241)

Presentación narrativa eficaz del conocimiento como recinto difícil y murado al que se accede tan sólo mediante la persistencia en las ascesis dolorosas del fracaso y la renuncia —el remordimiento es el símbolo ocasional en este verso—; siendo la sonrisa precisamente la ayuda externa que alicienta la nueva aventura del conocimiento, en este caso el impulso de penetrar en las cavidades interiores del cuerpo:

tengo la silenciosa
llave febril con la que estoy entrando,
sin claridad y sin fijeza,
y quizá a deshora,
en tu boca entornada...

De una parte, pues, se ordenan los símbolos para el deseo de acceder en el esquema fantástico sobre el que se despliega la narración: las ventanas y la llave; y por otra, la presencia invencible de la oclusión comunicativa. Tan sólo los aledaños a visitar, la resistencia debida al deseo diferente del otro y, en todo caso, al poder de tantas convenciones éticas y sociales. Así la descripción del espacio corporal permitido a la conquista en este fugaz cruce no menciona, tampoco por esta vez, sino el umbral de los dominios de la renuncia: «me hacen vivir en ellos: /en tus encías, en tus dientes, no /en tus ojos». Por eso se cumple al cabo el desenlace previsto para esta historia, la única salida posible de la narración: la separación, el final de un acontecimiento únicamente íntimo, sin entidad externa sustentable, una historia meramente posible.

Los poderes absolutos de la narración retórica han desatado ya, a estas alturas, cualquier ligazón con el diálogo. El poeta vive su solipsismo enfrentado a las presencias que él mismo asume y construye, sin descender a la prueba frustrante de la admisión por el *otro* circuido de las convenciones. Así se producirán las lánguidas escenas con el predominio aleixandreano de la posesión por la mirada contemplando a la amada, inmóvil y sin respuesta en «Mientras tu duermes», cuando la distancia inerte de la mujer suspendida en el remoto mundo de los sueños «me dan camino a la contemplación». De tal manera que, garantizado incluso sobre los seguros afectos de una amada que sin embargo es un *otro* irreductible, el poeta da rienda suelta a los impulsos incontrastables de su propia delicia como exigencia de la información narrativa: «Y déjame que ande / lo que estoy viendo y amo». Así el diálogo a solas, sin otro interlocutor que el sentimiento íntimo construido, se configura en compañía narrativa perfecta. La paradoja anuda de este modo un nuevo episodio en la historia mítica de Claudio. Si en *Don de la ebriedad* su fórmula podría ser: *veo porque no veo*; con el paso del tiempo se ha ido invirtiendo en un *no veo porque creo*, que en este caso se traduciría en el lema moral del *poseo cuando no poseo*.

En virtud de la persistencia de la paradoja en la situación espiritual de experiencia y de búsqueda, la posesión plenaria del poeta *necesita de la desposesión* en esta historia para radicalizarse en transgresión narrable, para que nazcan los hondos sentimientos de destino patético a los que la naturaleza más íntima y fatal de su siquismo le tuvo inclinado tal vez desde el nacimiento. Claudio Rodríguez profundiza así, narrando episodios dispersos de su historia total, la paradoja de todo destino trágico, la raíz contradictoria del patetismo: la necesidad de un dolor sincero para dar alimento a los placeres extremos de la narración. Vivir tan sólo para el temblor del límite —y vivir por él— no para su remedio o para su olvido; necesitar a fondo la historia de una resistencia en el conocimiento, la distancia invencible en la fraternidad o la fusión absoluta y perfecta en el amor, como imposibles que nutran el sentimiento dulcísimo de la narración melancólica: el deslumbramiento íntimo de la plenitud del yo cercado y delimitado. Delicia extrema de la *paradoja* por la presencia inasequible, fundamentando la única forma de narración interesante.

Porque, clave de toda narración, desde el final nos contempla el límite formidable de la muerte. Y así para la vida apasionada toda presencia resulta insuficiente, pues lo que desalienta es el deseo de posesión eterna, de saber absoluto con nosotros. Porque tenemos limitada la muerte, nos sentimos excluidos de la visión eterna de lo Uno y de su afirmación total y sempiterna. Lo mismo nos apartamos en realidad de los demás consuelos, el de la fraternidad e incluso el del amor, cuando se cumple un determinado desgaste del impulso erótico entusiasta; por más que ensayemos a menudo la estratagema idílica de los deseos menores: narraciones que formulan historias de consuelo, siempre desacreditadas por la historia final, la sin remedio. La historia desgarrada y su reequilibrado idílico desde las necesidades de la narración es la historia de la paradoja vital, de la que Claudio ha hecho personalmente su tarea esforzada y gloriosa de narración.

Para poblar ese continuo tan tenue de la conciencia insuficiente es preciso, en el caso de la narración lírica, avizorar las presencias sutiles, las consistencias sólo evanescentes y como al vuelo. Así la narración poética de Claudio se mide a veces con efluvios de la presencia imposible, de la satisfacción irrealizable: murmullos, ecos de «Música callada»: ...«Y estoy dentro / de esa música, de ese viento, / de esa alta marea... Rumor de pasos, / con sigilo sorprendente ahora / en las estrías de este suelo...». El poeta, se ha dicho, es un visionario ciego o un auditivo extremo, que atisba entre los huecos sordos del vacío.

La historia del amor sobreviene y se afirma narrativamente como el estímulo para lo mejor, como la condición óptima que alicienta y penetra el secreto del ruido: «Oigo... en esta fiesta de tus labios, de / tu carne que es susurro y es cadencia / desde las uñas de los pies, sonando a marejada». Porque el amor, tal es la condición intuida de su ser interesante para la historia narrada, no es más que una pequeña parte del destino, pero la única con todo que acoge y que preserva del latir angustioso de un tiempo inexorable: «No sólo estamos asombrados, mudos, casi ciegos / frente a tanto misterio, sino sordos». Por eso, sobre el anecdotario de amor de este poema, sobre el rumor de su diálogo magistralmente empapado en ternura, se sobrepone la respiración exigente de los mitos sobre el desgaste del tiempo, dotando de entidad secretamente interesante a la historia narrada, que es así con las cuentas del tiempo una historia de todos, la historia universal del mito de la narración adensada de final y nostalgia. Variedad dolorosa o melancólica de los rumores, sin esperanza del origen único de la voz, que se proyecta hacia el remoto origen de los mitos:

¿Es que oiremos tan sólo,
después de tanto amor y de tanto fracaso
la música de la sombra y el sonido del sueño?

Constitución inviable de la verdad total, cruce irreconocible de diferentes objetivos, verdad en la paradoja y su historia contada... narración altamente lírica, posibilidad exclusiva del poema.

Entre las imágenes más poéticamente punzantes y poderosas en esta historia del imposible alcance de la paradoja, la de la oclusión íntima del *nido en el granito* de «Música callada», que antes hemos transcrito como símbolo de la clausura o encapsulamiento mineral del latido vivo, resulta sin duda el esquema simbólico de construcción de la mitología amorosa en estas horas ya álgidas del laberinto de la soledad. En «Voz sin pérdida» la metamorfosis de la voz en la integralidad de la persona amada se encauza ya anticipadamente sobre el pedregoso paisaje de la aridez universal que contornea el latido más íntimo del hallazgo sexual:

> *Su terreno rocoso, casi de serranía,*
> *el timbre embravecido y firme, conmovido, escondido*
> *en ese cielo de tu boca, en ese*
> *velo del paladar, tan oloroso...* (pág. 248)

Pero es en el poema central de esta historia amorosa narrada, en la celebración poética de la ceremonia culminante del eros, en «Ahí mismo», donde confluyen y se adensan todos los símbolos de la mineralidad inflexible que desecan el encuentro plenario con los órganos palpitantes y sus cálidos fluidos: «...al entrar en tu cuerpo, en tu secreto, / en la caverna que es altar y arcilla, / y erosión». Creo que en muy pocos momentos como en esta dura geología de imágenes, la potencia de metamorfosis poética de Claudio ha cristalizado en formas tan expresivas y ricamente sintomáticas; tal vez porque en muy pocos instantes como en éste la afloración inconsciente de la profundidad de los sentimientos míticos ha escapado tan deslumbrantemente al control razonable de las narraciones.

Frente a tales extremos de la metamorfosis, ni siquiera el reacondicionamiento en el espesor más corporal y vivo de las sensaciones llega a desacomodar la transparencia mítica del sentimiento de desambientación y, en el fondo, de distancia desolada. Porque incluso las imágenes con que más adelante se trata de restituir la sublimación mítica narrada a sus referentes carnales como historia, no alcanzan a liberarse de una última pátina de inadecuación natural distante. La diferencia imaginativa que media entre la realidad del ámbito referente y «la honda ternura de esta bóveda / de esta caverna abierta al resplandor», simboliza la abismada profundidad que alcanza el hiato entre el ideal y la vivencia experta en el mito reductor de la metamorfosis de la verdad: la esencia mítica regeneradora del amor. En tales condiciones ¿es extraño que el poemario erótico de este libro se clausure —«Sin adiós» (pág. 253)— con uno de sus habituales reacondicionamientos idílicos sobre la condición diferencial en el escenario del amor?

* * * * *

La alternativa opuesta a la focalización reconcentrada de las sinécdoques en los poemas «concretos» del libro primero, la representa, como acabamos de ver, la *narratio* meditativa; una estructura expositiva a la que se acogen los poemas de la segunda y tercera parte de la obra, que Aleixandre censaba como «generales» y como «amorosos». La diferencia es que el tematismo más reconcentrado de los objetos «concretos» se desliza bajo esta estructura expositiva y se distiende en contenidos mucho más diluidos, fantásticos y evanescentes, transformándose en historias dilatadas de hombres o de sentimientos y en emociones humanizadas mediante la *prosopopeya*. A consecuencia de ello, las estructuras de figuralidad metafórica estricta aparecen mucho más difusas, concentrándose en toques de *amplificatio* bien focalizada, que suelen constituirse como correlatos de desdoblamientos de oblicuidad metafórica respecto a la función directa y lineal en la exposición enunciativa.

La «Cantata del miedo», con el despliegue más extenso de todos estos desarrollos de la *narratio*, profundiza la esencia de una emoción de límites imprecisos decisivamente implicada en la miseria y la grandeza del hombre. Las figuras de *personificación* de la emoción intangible del miedo consolidan una imagen antropomórfica, muy similar y amiga:

> *...vienes tú, miedo mío, amigo mío,*
> *con tu boca cerrada,*
> *con tus manos tan acariciadoras,*

con tu modo de andar emocionado,
enamorado, como si te arrimaras
en vez de irte. (págs. 221-222)

Una figura del miedo tan individualizadoramente humana, que no alcanzamos a determinar si se trata antes de algún referente real de la alegoría, de alguna experiencia directa personal transportada al nivel de los trasuntos. Aquella «nariz lasciva» o la «frente serena, sin arrugas», que evocan arbitrariamente el «agua rebelde y fría» o los ojos muy negros y redondos, pueden ser en efecto términos de la experiencia cotidiana sobre el prototipo de gentes del entorno, o simples caprichos imaginativos de la construcción arquetípica del creador. Pero el poeta descarta las asociaciones con la fisonomía del sentimiento que acaba de idear —«Qué importa tu figura»—, para formular diferida y oblicuamente su vivencia íntima del miedo.

Representar sensiblemente todas estas criaturas inmateriales de la fantasía, tan dinámicamente mutantes, obliga a quebrar límites sustantivos y a peregrinar entre metáforas discontinuas: el miedo está en el vaso del agua, sobre el cuerpo de la mujer —«porque el cuerpo da miedo al contemplarlo»—, y redoblado en el acto de amor cuando «se oye / la disciplina de las estrellas». Así se espigan momentos personales peculiarmente asociados al miedo, como el chirriar de goznes de las puertas o el estremecimiento sobrecogido que acompaña las caminatas al amanecer con las luces grisáceas de la humedad del alba pegadas a los huesos.

A la figuración prosopopéyica que establece la personificación de las ideas y las emociones suele darse asociada la modificación frecuente del término apelado, que pasa de ser el impreciso tercer destinatario de las narraciones al objeto temático focalizado en segunda persona. De ese modo, el miedo es el término de las solicitudes imprecadas en el tercer movimiento del poema: «Vamos, amigo mío, miedo mío. / Mentiroso como los pecadores, / ten valor, ten valor. / Intenta seducirme...» etc., etc. Un diálogo por fuerza imaginario y compuesto de actos innaturales siempre fronterizos con el irracionalismo, que se sirven del trasunto metafórico en la fulguración del ápice inalcanzable: «Quiero verte las lágrimas, / aunque sean de sidra o de vinagre, / nunca de miel doméstica».

Las emociones contrarias a la del miedo que suscita la alegría diáfana de los juegos de niños, tema de «Lo que no se marchita», se articulan enunciativamente sin embargo en estructuras de composición figural de la *narratio* extraordinariamente similares a las de aquel otro sentimiento. La *amplificatio* lírica se constituye en este caso sobre figuras de trasunto metafórico de apertura y de luz:

> *Estos niños que cantan y levantan*
> *la vida*
> *en los corros del mundo*
> *que no son muro sino puerta abierta...*
>
> *Aquí no hay cerraduras,*
> *ni clavazón, ni herrajes,*
> *ni timbres, ni aún ni quicios,*
> *sino inocencia, libertad, destino.*

Mientras que la fuente para el metaforismo del poeta trata de identificarse con el origen de la visión inocente y optimista, siempre traspuesta en juego, de la mirada del niño; sus sueños pueden jugar con un ratón entre los muebles «generosos y horribles de la infancia», quebrar una ilusión en la temible pata de la mesa —ese nivel alucinatorio del recuerdo de la mirada infantil doméstica de Claudio—, o colgar un nido virginal tras el respaldo de la silla cotidiana. Atesorar todo el miedo clausurándolo detrás de las temibles puertas del armario de casa, o imaginarse caprichosamente a los números jugando a saltar la comba con torpeza «...porque tienen las piernas / flojas, menos el tres».

Y también como antes en la «Cantata del miedo», la niña Reyes de «Lo que no se marchita» vuelve a ser convocada apelativamente en la culminación del énfasis rítmico de la construcción poética, para solicitarla en compañía de gracia, en proximidad dulce de ternura donde contarle un cuento en los momentos de perpetuación salvadora de la inocencia —«Hay que salvarla... Hay que salvarte. Ven»—. Antes de recapitular, también aquí, torciendo —tercera vez— la dirección de la voz narrativa, que se proyecta al final hacia las optaciones del futuro —«que pueda... entrar en este corro, / en esta casa abierta para siempre»— con que Claudio Rodríguez renueva en el texto su alta sabiduría de la canción redonda y bien conclusa.

Extensión de la *narratio* constituida en prosopopeya cuando lo exige la índole del objeto, siembra ocasional de la *amplificatio* lírica con base en las transposiciones metafóricas, alternaciones del término apelado en la experiencia enunciativa; es decir, todo el conjunto de estructuras figurales que han conformado la fisonomía unitaria de las composiciones previas sobre objetos bien distintos. Un conjunto de formas que se reitera con escasas variaciones en los poemas agrupados en esta segunda parte, corroborando la certera intuición autoconsciente del poeta sobre la estructura figural que conduce o que determina la entidad del contenido temático.

Así se constituye el enigmático cruce metafórico que entreteje los planos principales metaforizados en el sentimiento-sensación del jugo ácido, que entra como revulsivo sentimental en el «fruto de la materia», y que acaba por ser el propio cuerpo en la confidencia lírica representada por «La ventana del jugo». De modo semejante, se expresa y se significa «...el campo del milagro...» en la hilandera de espaldas de Velázquez, mezcla de mucho amor y del retorno de la celebración, en el poema «Hilando». Y bajo esa constitución estilística de la forma se capta la quintaesencia de la tierna revelación remediadora de la luz de «Noviembre», transfigurando los sutiles detalles que traducen el síntoma espiritual. Como la cautelosa geometría de una tela de araña, símil metafórico de estado de ánimo sensibilizado a punta de transferencias figurales sobre la llanura de la *narratio*, al que se acoge invariablemente el desideratum de la despedida: «Que no me deje a oscuras / tu codiciosa luz olvidadiza y cárdena / mientras llega el invierno».

En los poemas donde campea esta dosificación de la *narratio*, la disposición figural última de la argumentación rítmica del texto condiciona las fluctuaciones temáticas de la fuente real del acontecimiento. En casos como «La contemplación viva», cuando es muy objetiva y neta la presencia del acontecimiento, la elevación del énfasis sentimental se fija sobre la fidelidad de las aristas más sensibles, las que pululan en la periferia de cualquier cruce instantáneo y casual capaz de producir la «misteriosa cercanía» entre los transeúntes ocasionales de «esta calle de Ávila con luz de mediodía / entre gris y cobriza». En tales coyunturas, la enunciación se reconcentra sobre el perfil revelador del acontecimiento en sí; resultando muy tenues y ocasionales los trasuntos y las inducciones, meros destellos como «...la fertilidad que huye». Por el contrario, en las composiciones inmediatas «Hacia la luz» y «Sin noche», la mayor condensación fenoménica del tema esfuerza la proliferación de los transportes metafóricos de la *amplificatio* retórica: «Es el olor del cielo, / es el aroma de la claridad, /... para abrir / las puertas de la contemplación, / la columna del alma, / la floración temprana del recuerdo». Por último en el poema «Una aparición» el interés poético de la *narratio* se impone por sí mismo, desplegando y graduando la fascinación sugerente del vagoroso tono comunicado al misterio del visitante, desvanecido en el humo de su propia leyenda: «...Adiós. / Yo soy el Rey del Humo».

Adherida dolorosa o resignadamente, según horas e impulsos, a las evidencias de una realidad crecientemente abierta y sin secretos para la experiencia, la enunciación lírica de Claudio Rodríguez deserta de las primeras gracias de la interpretación alegórica y de la amplificación trasfigurante. Esta elegía culminante se concentra en el poder poético de la realidad escueta y de la historia narrada en su sencillo orden natural. En *El vuelo de la celebración* asistimos a la progresiva implantación de la modalidad maduramente enunciativa de unos hechos de realidad restringidos a veces por la sinécdoque a sus emblemas elementales de concentración, o transfigurados en el caso de las formas más veladas y espirituales por el trabajo animador de la personificación prosopopéyica. La metáfora discontinua individual como expediente de la amplificación transfigurante conoce en esta obra madura las alternativas que van, desde la multiplicación obsesiva con fines de enmascaramiento del dolor en las composiciones de «Herida en cuatro tiempos», hasta la depuración de su presencia diluida en narración de historia en los poemas de los libros segundo y tercero, donde, sobre las presencias sutiles y el amor, la narración lírica extrema el inventario de sus figuras necesarias.

CAPÍTULO X

CASI UNA LEYENDA. LA ABISMACIÓN DEL COTEJO: DIFERENCIA Y SÍNTESIS DE LA CATACRESIS

Esquemas de fragmentación de la experiencia: la radicalización antitética

El último libro publicado por Claudio Rodríguez hasta ahora, *Casi una leyenda*, apareció en 1991, dieciséis años después del anterior. Creo que en razón de la densidad y contenido de ambas obras, y sobre todo de la última, no cabe siquiera hablar de elaboración lenta, sino de existencia discontinua; tanto más si consta el testimonio del autor, declarado ya en la primera parte de este libro, sobre las circunstancias singulares de ejecución intensa de la mayoría de las composiciones, con las excepciones seguras del poema inicial retrospectivo «Calle sin nombre» y los anticipos publicados de los poemas capitales «El robo» (1984) y «Solvet seclum» (1986). La crisis espiritual y biográfica en que se sumió años antes ya la existencia del poeta se ha consolidado en un estado de lúcida diferencia, de arraigada e interesante conciencia aporística de destrucción fragmentada[1], de soledad personal, de entidad en-

---

1. La ruptura de cualquier forma de continuidad figural del discurso, bien sea la fragmentación metafórica de las alegorías o la que introducen las estructuras antitéticas de organización del enunciado, traduce el síntoma global temático de la creciente perplejidad reductiva del universo de certezas, que constituye una línea de fracturas míticas constantes a lo largo del desarrollo de la obra de Rodríguez. En el momento en que culmina la crisis meditativa que desemboca en *Casi una leyenda*, el poeta expresaba incluso explícita y reflexivamente el tipo de fragmentaciones de la experiencia constituida en tematismo y corroborada por las estructuras figurales de la organización discursiva: «El libro —declaraba sintomáticamente Claudio Rodríguez a Dionisio Cañas poco después de su publicación— es como un mosaico, un friso o un panal donde los temas se van unificando, conjugando y al mismo tiempo destruyéndose. Lo que decían los griegos de lo órgico, que es el elemento que destruye, frente a lo pánico, que es lo que une». Cfr. Claudio Rodríguez, entrevista con Dionisio Cañas, en *Cambio 16*, 10 de Junio, 1991, pág.. 104.

simismada compatible sin embargo con la honda cordialidad hacia el entorno de los otros.

La experiencia de Claudio en estos dieciséis años, que comprenden —no se olvide— el desarrollo completo de su madurez, problematiza radicalmente sus concepciones sobre la realidad y la existencia. Los críticos saludaron alborozadamente el último libro de Rodríguez como el testimonio de un esforzado renacimiento del milagro del entusiasmo salvador en el poeta, que habría llegado a plantearse incluso explícitamente la superación del pesimismo ante la muerte. Efectivamente determinados momentos y poemas concretos de la obra vuelven a tematizar la sorpresa del hombre —siempre desesperanzada y mustia no obstante— ante la pervivencia tardía de restos del entusiasmo y de la novedad ebria, si bien se trata antes de la celebración reflexiva de la memoria que de cualquier forma inmediata de fervor vital. Por eso el diseño de los esquemas figurales predominantes alerta respecto a la pugna del fondo inextinguible pero ya sobrecogedoramente esforzado de la vocación poética, que se hace patente formalmente en la tensión extrema de la *catacresis* del metaforismo irracionalista. La figuralidad esquemática por tanto, más que ninguna manifestación del tematismo explícito, testimonia y traduce la quiebra de una visión uniforme y positiva de la realidad, que se manifiesta en los esquemas expresivos y figurales de la adversación y de la *antítesis*[2].

La fragmentación de la experiencia por vía de contraposición antitética es la primera figura con que el poeta saluda a los lectores en el comienzo del libro, dentro de un primer texto que sabemos constituye siempre el meditado y selecto prefacio del autor sobre el contenido de la obra. Cualquier entidad habitual, aquí es la calle y la lluvia de «Calle sin nombre», bifurca su presencia —como constatábamos ya en la traducción temática del rasgo— en un *antes* y un *ahora*, radicalmente contrastados:

---

2. Intuitivamente subrayó precisamente ya este rasgo figural Philip Silver en su comprimido balance segundo a *Casi una leyenda*, cuando afirmaba que «para el lector la llave maestra ha de ser la antítesis». Cfr., Philip Silver, «Poesía última de Claudio Rodriguez: *Casi una leyenda*», en la miscelánea de la *Revista Hispánica moderna*, *Claudio Rodríguez*, Nueva York, Hispanic Institute, Columbia University, 1994, pág.. 113.

...junto al acoso de la lluvia que antes
era secreto muy fecundo y ahora me está lavando
el recuerdo, sonando sin lealtad,
enemiga y serena en esta calle? (pág. 11)

Con la frustracción y el sufrimiento, la vieja ebriedad extática del poeta ha adquirido la dimensión degradante e histórica del tiempo; el antes y el ahora... y la tensión doblegada frente al mañana. Así inmediatamente después de los versos anteriores se sucede la inquisición inquietante y patética sobre un futuro que nos coloca a su propia merced: «¿Y la palpitación oscura del destino, / aún no maduro hoy?».

Una vez más el tematismo del poema recubre semánticamente un esquema figural con el que se entrecruza. En el caso de «Calle sin nombre» el nuevo recorrido tardío de la simbólica calle —otra presencia mítica constante en la obra de Claudio Rodríguez— entabla el examen de un contraste en presencia entre lo actual y lo pasado, que se confabula en todas las figuras: en la interrogación retórica con las presencias del «¿ubi sunt?» sobre las golondrinas —«¿dónde está, dónde / ese nido secreto de alas amanecidas...?»—, o en las ventanas de unas «casas transparentes» que lucen «la herencia de sus cicatrices». Rastros todos del tiempo trazados sobre la epidermis neutra de las cosas al correr de la existencia, que conservan ya memoria experta del antes y el ahora, incluso los trasuntos más tenues y menudos: el amanecer, la lluvia con el chapoteo de las huellas, la forja de los balcones familiares y las tejas soleadas:

ya no importan como antes,
el canto vivo en forja
del contorno de hierro en los balcones,
las tejas soleadas
ni el azul mate oscuro
del cemento y del cielo. (pág. 12)

En el discurrir de este paseo por las presencias de la propia vida, los mínimos accidentes tan amorosamente talonados y familiares de la calle emblemática jalonan en memoria diferenciada de momentos —«¿Hay que dejar que el paso, como el agua, / se desnude y se lave / algunas veces seco, ágil o mal templado; / otras veces, como ahora, /tan poco compañero...»— forjados sobre la conciencia del existir contrastado en el deterioro y la degradación: «caminando sin rumbo y con desconfianza / entre un pueblo engañado, envilecido, / con vida sin tempero, / con libertad sin canto?». El mito del paseo por la calle simbólica esquematiza la inflexión de los tiempos, del éxtasis inicial a la experiencia madura desvalida:

> *Me está hablando esta acera como un ala*
> *y esta pared en sombra que me fija y me talla*
> *con la cal sin tomillo y sin vuelo sin suerte*
> *la juventud perdida. Hay que seguir. Más lejos...* (pág. 13)

Mientras que la simultaneidad del presente en contraste, esquematizada en la figura de la antítesis, es la pauta argumentativa que configura la evidencia temática para centrar el contenido lírico: la superposición sobre la memoria de la mirada y del antiguo rostro que los cristales mudos pueden reflejar, de una imagen presente largamente probada ya de la experiencia:

> *y antes de que me vaya*
> *quiero ver esa cara ahí a media ventana,*
> *trasparente y callada*
> *junto al asombro de su intimidad...*
> *...Quiero ver esa cara. Y verme en ella.*

En esta convergencia entre el contenido referencial temático y el esquema figural de la discontinuidad antitética, el anhelo de la presencia como identificación perenne forma la ilusión utópica del mito de la voluntad: «Tú deja que esta calle / siga hablando por tí, aunque nunca vuelvas».

La transición del tiempo irrefrenable contradice la fidelidad amorosa en los viejos testigos eternos de los éxtasis en la ebriedad. Lo que la calle simbólica tenía de presencia invariable en el poema anterior, lo trae de nuevo el requiebro a las sombras del atardecer —otro lema maduro en la palpitante experiencia de Claudio Rodríguez— con el poema «Revelación de la sombra». La eternidad invariable de las formas de realidad que simboliza la sombra del ocaso —«Sin vejez y sin muerte la alta sombra / que no es consuelo y menos pesadumbre, / se ilumina y se cierne...»— denota automáticamente el contraste de la oscilación del tránsito:

> *Si yo pudiera darte la creencia,*
> *el poderío limpio, deslumbrado,*
> *de esta tarde serena...* (pág. 18)

Lastrados por la densidad plenaria de una conciencia inevitablemente experta, cualesquiera hallazgos imponen la tensión fundadora de la antítesis, el automatismo de un reconocimiento evocativo que conlleva las primeras noticias, el origen de la experiencia junto a las incidencias nuevas. Se ha destacado frecuentemente —¿maliciosamente?— que *Casi una leyenda* es un libro poblado de autocitas[3]; lo que quiere decir nada menos que el reconocimiento personal del mundo ha recorrido en Claudio el espacio a la vez inmensamente profundo y familiar de la experiencia entera de una vida muy densa, un mito circular, completo y autoconsciente, que reconoce en la sombra consoladora del hoy el esplendor iluso del pasado. Por eso, desde el impulso, es el mito lo que induce en este caso la figura: la experiencia distanciada se expresa

---

3. La relación completa de «autorreferencias» en un libro como *Casi una leyenda*, en el que la memoria desempeña el papel protagonista de verdadera «poética», resulta muy abundante. Entre las más ostensibles y fundamentales aparece el recuerdo de la misteriosa imagen-pregón del «cristalero azul» de *Don de la ebriedad*, rescatado ahora a su atractiva ambigüedad simbólica —Claudio me ha hablado al respecto en algún momento de un trasunto de Dios— mediante la identificación de la muerte. Y otro tanto, sobre las productivas interrogaciones del poema de cierre de aquella primera obra, recordadas en «El manuscrito de una respiración» bajo la forma: «¿Es que voy a vivir después de tanta revelación?»; o sobre la relación exclamativa entre los «¡Ovarios trémulos!» de *Don de la ebriedad* y estos «¡Ovarios lúcidos!» de *Casi una leyenda*. A parte de los calcos menos específicos a los que aludimos en los dos capítulos de nuestro estudio sobre *Casi una leyenda*, téngase en cuenta el asiduo rastreo realizado por Jonathan Mayhew en su artículo «*Casi una leyenda*»: repetición y renovación en el último libro de Claudio Rodríguez», en *Ínsula*, 541 (1992), pág..11. Pasa revista, por ejemplo, a menciones como «las imágenes, una que las centra...» de *Don de la ebriedad*; o bien aquel otro «resplandor definitivo» que comparecía en el «Canto del caminar» y que aflora fielmente en el poema «Nuevo día» de la última obra de Rodríguez, etc., etc...

necesaria y naturalmente, sencillamente, como antítesis a cada nueva constatación de los términos familiares del mito: «¿Por qué la luz maldice y la sombra perdona?». Y la distancia, cualquier extrañamiento, se formula obligatoriamente como iluminación acusadora de diferencias: «y tú te me vas yendo / y me estás acusando, / me estás iluminando. Quieta, quieta». A cada nuevo encuentro, siendo ya sólo reconocimiento evocativo, resuena el acorde sentimental vibrante y puro del tránsito inestable de las cosas: conocidas, reconocidas y evocadas. Necesaria distancia, despojo sustancial de cualquier pertenencia, transición consciente de las antítesis: la irreductible diferencia que funda la nostalgia poética en la experiencia circular, redonda y absoluta del poeta en *Casi una leyenda*.

* * * * *

El esquema de la contradicción, latente como sospecha dolorosa de la infirmidad (enfermedad) de los seres en el tiempo, comparece también traspasando al protagonista simbólico que es siempre el ave para Claudio Rodríguez en «La mañana del búho», una reiteración —casi una autocita— de la angustiosa reflexión final del grajo de «Incidente en los Jerónimos» en el libro *Conjuros*. El mismo dato de la autocita como «rifacimento», tan característico y deliberado efectivamente en *Casi una leyenda*, representa el principio constructivo de la constatación diferencial que configura la antítesis. La simbólica antítesis en la visión de la mañana radiante dentro de la pupila del ave nocturna construye por sí misma la desconcertante figura contradictoria de la paradoja máxima, casi el *oxímoron* en el sobresalto transferido simbólicamente por el poeta al azorado corazón del ave: «¡Si lo que veo es lo invisible, es pura / iluminación, / es el origen del presentimiento!».

La visión cegadora como resultado de la conciencia experta, tema simbólico de esta composición, podría ser expandida macroestructuralmente como lema temático del total del libro. Un contenido semántico por tanto que se ajusta y demanda el esquema figural del contraste antitético. En su condición de síntesis madura, la estilizada y abstracta correspondencia de imágenes que se corresponden con la animada escenografía arquitectónica anterior, se constituye, como el microcosmos de los Jerónimos, bajo formas de netos contrastes antitéticos. Tal las oposiciones entre presencia /ausencia y ancla /vuelo:

> *¿Y qué voy a saber si a lo mejor mañana*
> *es nuevo día?*
> *Cuánta presencia que es renacimiento,*
> *y es renuncia, y es ancla*
> *del piadoso naufragio*
> *de mi ilusión de libertad, mi vuelo...* (pág. 20)

Luz y materia —«No hay espacio ni tiempo: el sacramento / de la materia»—; luz casi material, densa atmósfera visual del espacio angustioso, como el pájaro cegado de ansiedades la percibe, misterio luminoso: «junto al hondo rocío / del polvo de la luz, del misterio que alumbra / este aire seguro». Lo irreconciliable se hace fórmula ideal para la experiencia del deslumbramiento. Lujuria de la desilusión, pesadez de unas alas inútiles para el vuelo imposible, materia-luz de un día inalterable, referencia de huida: «...Día /que nunca será mío y que está entrando / en mi subida hacia la oscuridad!». Y ese ver contrastado se radicaliza incluso hasta organizar en antítesis el capricho de todas las selecciones, empezando por las no sometidas al contraste de luz y oscuridad. Por ejemplo, la yuxtaposición:

> *¡El manantial temprano y el lucero*
> *de la mañana!*
> *Y el placer, la lujuria, el ruin amparo*
> *de la desilusión...* (pág. 22)

Dominando la experiencia insatisfactoria del vacío, de lo que no culmina en presencia sino en carencia y fuga del paisaje más familiar, que nunca más llegará a sentirse como definitiva plenitud, las antítesis entre presencia y carencia se constituyen frecuentemente en el paradigma de contrastes dominantes para organizar la exposición de emociones temáticas, como en la primera mitad del «Nocturno de la casa ida». Hora de puesta de la luz, vaporoso e insustancial aliento de los aires:... «apenas / si una cadencia a pino joven, a humo / de caserío...»; andanza en soledad y sin destino, tarea sin objeto: «Y no hay manera de salvar la vida /. Y no hay manera de ir donde no hay nadie». Hondo anhelo sin término, tendencia hacia la nada incluso sin espacio para configurarse como camino: «Voy caminando a sed de cita, a falta / de luz. / Voy caminando fuera de camino». Indiferencia entre noche y día —«Y qué más da...»—. Perplejidad, hastío derrotado, relajación que percibe el entorno más familiar poblado de presencias de lo extraño bajo formas de restricción adversativa: «Es lo de siempre pero todo es nuevo». Suspiros en el espacio exento al aire y secretos que se clarifican: «Hay un suspiro donde ya no hay aire, / hay un secreto haciéndose más claro». La experiencia descompuesta y desilusionada del poeta se proyecta en el irracionalismo de unas antítesis suspendidas.

Tan sólo las coordenadas estables del contraste en el tiempo, del tránsito entre el entonces y el ahora, introducen órdenes de diafanidad diacrítica en la masa eterna, intemporal, de la experiencia de síntesis amasada en angustia dentro del magma unitario de una congoja cósmica que tiñe y ahoga por momentos los poderes constantes de la voluntad de salvación del poeta, la alacridad diáfana de sus visiones:

> *¡Si se me cae encima como entonces*
> *y lo que era infinito y aventura*
> *y la velocidad de la inocencia*
> *y el resplandor de lo que fue prodigio*
> *y que me dio serenidad y ahora*
> *tanta alegría prisionera!... Quiero*
> *sostenerlo un momento, levantarlo*
> *con la mirada, hasta*
> *con la respiración, con el latido,*
> *cielo a cielo,*
> *vida a vida.* (pág. 24)

Sólo con el atormentado renacer del impulso poético de salvación en el entusiasmo rítmico que domina las invocaciones de la segunda mitad del texto —«Ven noche mía, ven, ven como antes...» etc...—, crece la afirmación de las formas integrales y exentas. La plenitud radiante de la metamorfosis de lo absoluto se impone sobre el efecto desafirmador del contraste antitético, al negativo de las adversaciones.

La casa amada o sus restos entrañables encuentran una vez más, en el hábil residuo de voz en el entusiasmo del poeta, las fórmulas de satisfacción insuperables; energía de imagen y poder envolvente de la voz y del ritmo, perfectamente compatibles —y por ello tanto más patéticos— con el hábito frustrado de una experiencia doblegada y herida. Casa y noche, resguardo y ámbito universal, penetrándose en una pugna cósmica de contrarios en la imaginación sobrecogida del poeta: «Esta casa, esta noche / que se penetran y se están hiriendo / con no sé qué fecundidad, qué agua / ciega de llama». Restricciones de espacios en antítesis polémica —de nuevo la desorientación disgregadora de la variedad de diferencias imponiéndose al instinto mítico de salvación— en la unicidad del absoluto objeto del anhelo, salvada por la voz que convoca a la mágica danza del solsticio en una página de inigualable aliento poético.

El entusiasmo y la fe de salvación se sobreponen una vez más en la necesidad poética de Claudio Rodríguez contra el deterioro vulnerado de la experiencia. Son estos los momentos en que se justifica la voluntad reencontrada de belleza y de bien en una existencia muy probada ya por la adversidad moral y la experiencia de lo diferencial divagante. Merced a estos tardíos esfuerzos del idilio, se perfilaría un agonizante renacer del entusiasmo, el reconocimiento memorioso de los éxtasis en la ebriedad adolescente. Pero yo creo, sin embargo, que la excelente intención de algunos bien intencionados críticos de Claudio le hace mejor servicio seguramente a la estabilidad de su vida ciudadana y civil, que a la grandeza de su poesía y aun a la fascinación inevitable de su dramático destino existencial.

En toda la obra madura de Rodríguez se va evidenciando el dominio de un apesadumbramiento trágico y esencial de la experiencia, que hace tanto más admirablemente patéticas y sublimes, más grandiosamente trascendentales en el hombre engallado con lo definitivo del destino, las sacudidas de su penetrante voz poética para reabrir las fuentes de una luz salvadora cada vez con orígenes más remotos. La fórmula esquemática de la *ponderación concesiva* concierta la unidad sicológica en todo este movimiento del espíritu, ilustrando la simultánea homología de semántica y sintaxis en la unidad de la forma interior. Así el auge angustioso del sufrimiento *pondera* y subraya la importancia del impulso opuesto y perenne, inabatible, de salvación en todos estos casos; y ese esquema ponderativo-concesivo y domina la sincronía de las representaciones temáticas de conciencia y los esquemas argumentativos que las formulan, de la macroestructura a las fórmulas terminales del microtexto. El radiante final del «Nocturno de la casa ida» sería uno de esos momentos de superación culminante; mientras que en «Nuevo día» comparece la misma voluntad, tal vez con un énfasis lírico menos remontado y sonoro, más fluyente y sereno hacia los fulgores del éxtasis.

En uno y otro caso, sin embargo, la base antitética se constituye en necesario punto de referencia y de partida lógico. La constatación del desaliento y la ruina son base imprescindible para impulsar el proyecto entusiasta de la voz de la esperanza: «Después de tantos días sin camino y sin casa /... llega el de hoy». El ayer frente al hoy establecen así el esquema de contraste a partir del cual procederá el canto de grave consuelo solitario, ya que no de ilusión esperanzada:

> Cuando ayer el aliento era misterio
> y la mirada seca, sin resina,
> buscaba un resplandor definitivo,
> llega tan delicada y tan sencilla,
> tan serena de nueva levadura
> esta mañana...

La negatividad voraz de la experiencia astillada se sirve en estos poemas de la adversación y de la antítesis excluyente como de la estructura argumentativa que mejor cuadra y expresa la actitud fundamental del ánimo de Claudio Rodríguez configurada en concreciones temáticas. Pero los restos del ensueño esforzado de los éxtasis ebrios se abren paso todavía en los textos de la primera parte de Casi una leyenda con su propio impulso afirmativo. Aquí es la extensa rama reactiva, rama fecunda en frutos de poesía, la que se desarrolla desde el cruce de las antítesis y a partir del entronque adversativo. En esas extensiones del ensueño esforzado, la poesía de Claudio alcanza cumbres de fertilidad poética en la síntesis simbólica. Aludíamos antes a la andadura ágil de los ritmos y el éxtasis en las exhortaciones del «Nocturno»:

> ...suene el olor a ala y a pétalo de trébol,
> y la penumbra revivida, suenen
> el arpa y el laúd junto al destello

de las sábanas, junto
al ojo y a la yema
de un solo de violín, ágil de infancia; (pág. 28)

Trabajo de abismación unitaria del sentimiento lírico confiado a la *amplificatio* y construido sobre todo a base de metáforas de muy pura tensión, de imágenes jugosas, con un acierto rítmico que conforma el trasunto de fascinantes ecos de profundidad sentimental. Es la labor ya sabia, aunque siempre honestamente entregada y austera, del hallazgo estilístico apoyado en la feracidad de las imágenes. El espontáneo flujo de la transfiguración poética de los referentes reales, fundidos o interpretados sintéticamente desde las más ricas sinuosidades de la sensibilidad y el ánimo del poeta. De esa veta proceden las serenas imágenes que modulan el paisaje de «Nuevo día»:

Es la sorpresa de la claridad
la inocencia de la contemplación,
el secreto que abre con moldura y asombro
la primera nevada y la primera lluvia
lavando el avellano y el olivo
ya muy cerca del mar. (pág. 31)

Y todavía suena más eficaz el efecto poético de convergencia y fusión en los tonos más agitados y patéticos de la inquietud y del desvelo; y hasta en los de la indignación y de la cólera en otros momentos. Así el «cursus» del último poema de esta primera parte, «Manuscrito de una respiración», rescata sus más sólidos efectos del fondo inquieto y contrastado de la azacanada experiencia sobrevenida después de la revelación visionaria: «¿Es que voy a vivir después de tanta /revelación?», se preguntaba el poeta al extremo de una cadena aúrea de la memoria que proviene de *Don de la ebriedad*. Duras imágenes de la laceración sufrida de los cuerpos:

La oscuridad del tórax, la cal de uva del labio,
la penumbra del hueso y la penumbra
de la saliva,
la médula espinal mal sostenida

por sus alas que duelen
cuando comienza a clarear y llega
un temblor de inocencia. (pág. 34)

Hay una remembranza ya muy vieja en todos estos momentos del éxtasis en ebriedad plenaria, que se mantiene como severa práctica de una lealtad idílica de salvación. La presencia en todas las cosas —el «duradero» río en torno de la sobria Zamora— de una claridad descendida y celeste, que fue deslumbrando la visión ebria y que contagia el nombre de los seres en torno cuando se hacen imágenes del poema. Después, el recrecimiento de los accidentes del ser, que funda la dimensión dolorida y frustrante de la experiencia. A la lectura limpia en cotejo alternado de la alegoría la han relegado ahora a lejano mito feliz de juventud las experiencias de la entropía y de la fragmentación de la realidad. Antítesis y adversación, incompatibilidad y oxímoron conforman la fase ponderativa de fondo que acaba produciendo la nueva matriz culminante de la fusión simbólica.

Cabe cuestionarse una vez más en estas encrucijadas del estilo y de la construcción poéticas, sobre el papel de los esquemas figurales que confirman las estructuras básicas y mayores de la organización argumentativa del discurso poético. Paul de Man los concibió como determinantes en la imposibilidad de liberar la elección y el acierto simbólico del discurso; yo, por mi parte, los juzgo también decisivos y representativos en sentido contrario: como esquemas básicos universales; es decir, de optatividad limitada en inventarios cerrados bajo el despliegue dialéctico. Por ellos se encauzan las actitudes fundamentales de la experiencia del mundo y de su representación verbal.

Estas estructuras macrorretóricas del texto, *esquemas de (o para) las palabras* según la vieja Retórica, emplazan y determinan la consistencia expresa de los mitos imaginativos, y son decisivas a su vez para definir las actitudes poéticas más abarcantes del mito referencial de los enunciados literarios, como lo estamos viendo en este caso en el juego de destitución sintético-metafórica de las antítesis previas y el efecto de elisión simbólica del cotejo subjetivo-objetivo en esta semántica culminante y difusa de las imágenes líricas terminales que predominan en *Casi una leyenda*, según lo hemos elevado ya antes a condición de balance dentro del capítulo final de la primera parte. Pero este primer nivel más general y constitutivo de los textos, el de la macrosintaxis de la argumentación retórica, con sus correspondencias e interdeterminaciones en la materia semántica que configura la representación imaginativa y la constitución temática, prolonga su articulación estilística en los elementos progresivos hacia el nivel del microtexto, desarrollando la imagen de continuidad armónica y sincronía de los planos y los momentos de la constitución expresiva textual que decide y conforma el continuo de la *forma interior*. El desarrollo de la poesía de Claudio Rodríguez nos permite determinar ahora los deslindes más concretos de la responsabilidad lírica de esa forma interior, al ilustrar en pormenor, a partir de la unidad indesglosable del *impulso*, la interacción simultánea de todos los componentes temáticos y retóricos, macro y microestructurales, en la constitución del efecto poético global.

* * * * *

En el libro *Casi una leyenda* destaca un testimonio singular del tipo de conflictos que ilustran el proceso general de fragmentación de la experiencia y que, a su vez, motivan la modificación del esquema expresivo que venimos constatando en este apartado como adversación o contraposición antitética, en términos de estructura necesaria y previa de las imágenes de síntesis simbólica. Se trata del grupo de poemas de contenido amoroso subtitulado con el lema tradicional «De amor ha sido la falta». Ya en el texto-prefacio, el hallazgo del sentimiento redescubierto se presenta dentro de la mención de unas emociones atribuladamente farragosas, casi en la línea de la enumeración caótica de pasiones antitéticas que establecían la definición topica del amor en antítesis dentro de la poesía petrarquista: «Aquí ya está, el milagro, / aquí, a medio camino / entre la bendición, entre el silencio, / y la fecundación / y la lujuria / y la luz sin fatiga»; lo mismo que en el poema «The nest of lovers», la mención de la pasión rememorada se levantaba precisamente sobre un estado inicial de postración y de ruina espiritual.

El amor como producto de ruptura con lo razonable: «Es el amor que no tiene sentido». Este amor redescubierto del poeta, perceptible precisamente por vía de contraste con el estado de decadencia habitual de las restantes emociones: «cuando ahora vivo la alegría nueva / muy lejos del recuerdo, el dolor solo», constituye un impulso con fundamentos ya muy frágiles después de todo y de breve recorrido poético. Recuérdese el texto inmediato, «Momento de renuncia», donde ni siquiera la intensa recuperación de los móviles eróticos del amor, que se actualiza con acertado énfasis expresivo —«...el trino ágil del pezón moreno, / y el ombligo que aclara / tanto beso...»—, llega a salvar la situación postrada del ánimo en despedida: «...estoy perdiendo cada vez más alma / aunque gane en sentido. / Estoy cantando lo que nunca es mío». Renuncia la más dura y definitiva, despedida al eco sentimental sin la capacidad de resonar ya en los fondos del alma y casi del instinto, extenuados por el desvalimiento universal del ser, que se manifiesta en imágenes de destitución de las consistencias múltiples en una suerte de naufragio integrativo, unitario como la destrucción sin restos:

> *Y me dejo llevar, me estáis llevando*
> *hacia la cita seca, sin vivienda,*
> *hacia la espera sin adiós, muy lejos*
> *del amor verdadero, que es el vuestro.* (pág. 57)

La situación de invariable contraste entre la euforia prototípica del amor y este estado de mórbida decadencia, próximo a la postración extrema de la extinción disolutiva, introduce la situación de la antítesis previa dentro de una ambientación contextual. El punto de partida diferencial no implica siempre la explicitud necesaria del molde formal de los esquemas adversativos, sino tan sólo en casos muy contados, como en el principio del lamento telúrico a la gran madre tierra, la fuente de todo amor y de toda regeneración, la Mari vasca:

> *Casi es mejor que así llegue esta escena*
> *porque no eres figura sino aliento.*
> *La primavera vuelve mas no vuelve*
> *el amor, Mari...* (pág. 59)

El amor sobrio es el amor irremediablemente desengañado, sin resquicios para el aliciente, para la estafa ocasional del mar de fondo:

«... Y ya no hay celos / que den savia al amor, ni ingenuidad / que dé más libertad a la belleza». Un amor cuyo acendramiento espiritual se cifra en carne de extinción infecunda, de ternura extenuada: «Y menos mal que voy tan de mañana / que el cuerpo no se entrega, está perdido». Inesperada sorpresa vecina de la paradoja:

> *¿Quién nos lo iba a decir? ¿Y quién sabía,*
> *tras la delicadeza envejecida,*
> *cuando ya sin dolor no hay ilusión,*
> *cuando la luz herida se va a ciegas*
> *en esta plaza nunca fugitiva*
> *que la pureza era la pureza,*
> *que la verdad no fue nuestra verdad?*

El protagonismo temático de la memoria experta presta profundidad dolorida de abismo irremediable a este lamento telúrico, universal, de un corazón y un instinto gastados en la vida, casi sin otros ecos ya registrables que las inercias memoriosas. Esplendor de pasado, miseria del ahora, en una lamentación confidencial inmensa con las fuerzas generadoras de la tierra:

> *Ya no hay amor y no hay desconfianza,*
> *salvación misteriosa. Es la miseria*
> *serena, alegre, cuando aún hace frío*
> *de alto páramo, Mari, y luce el día*
> *con la ceniza en lluvia, con destello*
> *de vergüenza en tu cara y en la mía,*
> *con sombra que maldice la desgracia.* (pág. 60)

Hay densidad irremovible, miserable y sombría en el presente experto que rememora alegrías pasadas y fondos hondamente vitales del entusiasmo, como las únicas luces desde las que alumbrar la expresión de una dicha vacía —decible solamente—, ensombrecida por los más negros símbolos del presagio funesto. No en vano, sobre el final de este apartado amoroso vuelve a cernirse la memoria siniestra del pinar: «Con los cinco pinares de tu muerte y la mía / tú volverás». Memoria sin engaños posibles de azares salvadores en la pasión duradera y culpable, que se hace sensible en el balance de la antítesis implícita y necesaria de pasado y presente. Expresión de un anhelo inviable, sin fondo verdadero de repetición:

> *Si yo pudiera darte la creencia y los años,*
> *la visión renovada esta tarde de otoño*
> *deslumbrada y segura sin recuerdo cobarde,*
> *vileza macilenta, sin soledad ni ayuda...* (pág. 61)

Porque ante la densidad del símbolo mortal de los pinares se tambalea una vez más aquí el impulso nunca desfallecido de Claudio hacia la salvación de todos sus presentes, el conjuro de redención futura de la esperanza, la misión del poeta: «Es el amor que vuelve».

La dolorida restricción al entusiasmo amoroso en las fórmulas adversativas y el juego contrastado de las antítesis componen, en los poemas de la serie amorosa, un reflejo formal del ánimo atribulado del poeta. En el extraño y profundo poema final de este apartado «Con los cinco pinares», la tensión de la antítesis se desenlaza en línea llana de extenuación total entre la vida y la esperanza. Más allá de los ecos ocasionales de saludo y bienvenida, la crítica más inmediata intuyó en la demorada publicación del libro de Rodríguez el anuncio de una tensión extrema[4], el signo de una apuesta en el filo del desbordamiento, el poderoso esfuerzo final de un compromiso idílico que ha prolongado ya cumplidamente sus posibilidades de perdurar; un esfuerzo denodado de la voluntad idílica, rescatada por la sabiduría de la tensión formal y por la devoción moral de la creencia.

---

4. Por ejemplo, Crespo Refoyo iniciaba su comentario al poema funeral «Solvet seclum» de *Casi una leyenda* insinuando la intuición de un acorde de despedida entre el poeta y su obra: «Acaso —y muy de verdad lo pensamos— con *Casi una leyenda* el poeta entona su responso, o cuando menos, una despedida que también es testamento», Cfr. «Claudio Rodríguez entre el Apocalipsis y las ciencias naturales», cit., pág.. 617.

Tensión catacrética en los extremos de la metamorfosis: interludios patéticos y suite de la muerte

Como suele ocurrir en todos los libros de Claudio Rodríguez, sobre todo desde *Alianza y condena*, los esquemas constitutivos de la figuración expresiva se escinden en dos modalidades distintas y por alguna vía complementarias. Así lo hemos visto cumplirse regularmente desde que en *Conjuros* la alegoría constitutiva del cotejo referencial lírico se veía acompañada y hasta cierto punto recubierta por figuras del énfasis apelativo como la imprecación. Ahora, en *Casi una leyenda*, advertimos que el movimiento macroargumentativo contrastado y adversativo de las antítesis, la extrema tensión patética de una experiencia fragmentada y definitivamente hendida de la realidad, busca formas de estilización microtextuales para potenciarse expresivamente, elidiéndose bajo figuras intensas de metaforismo y de mención indirecta extremadamente tensas e irracionalistas en las que culmina la metamorfosis. La figura tradicional que expresa la voluntad enfática en las tensiones metafóricas es la *catacresis*, que actúa potenciando la divergencia entre las dos ramas que constituyen la asimilación figurada de la metáfora. También se da, según Fontanier, como figura «extensiva»(parte III, cap. 7) en la sinécdoque y en la metonimia, con el mismo efecto general de reforzamiento de la tensión abierta por la distancia entre las realidades a cotejo relacionadas por el tropo.

De esa manera las catacresis, que refuerzan en el espacio microcomponencial de los estilemas intensos la separación entre los elementos contrastados por el cotejo antitético habitual, cumplen simultáneamente su papel dispositivo de refuerzo para el efecto de desdibujado semántico de signo abstractamente unitario en la metamorfosis poética. La catacresis restrictiva de las antítesis desempeña una función opuesta, por tanto, a la catacresis de condición últimamente asimilativa, la cual actúa como acicate «ponderativo» o «amplificativo» en la metáfora. Sin embargo su efecto perlocutivo poético es siempre el mismo: intensificar la sorpresa imaginaría y emocional de las metamorfosis simbólicas.

Las secciones de *Casi una leyenda* más sensiblemente caracterizadas por esta intensificación estilística de la catacresis en la exasperación transfigurante simbólica de las metáforas son los dos «Interludios» y la parte final, subtitulada con regusto también sacado de la tradición cancioneril «Nunca vi muerte tan muerta». Sobre todo el extenso poema que constituye en solitario el primer «Interludio mayor», titulado «El robo», puede representar, a mi juicio, el momento retórico-estilístico más tenso e irracionalmente velado de toda la obra de Claudio Rodríguez: el ápice temático y de trasunto sentimental donde las necesidades de penetración y arraigo simbólico alcanzan su máxima tensión, plasmada en la radicalización estilística de la imaginación catacrética.

Desde el comienzo de la narración simbólica, la vía indirecta que confunde y subvierte órdenes y dimensiones del espacio, se ofrece como la única fórmula capaz de representar la densidad a la vez trascendental y ejemplar en ese robo de lo sagrado historiado por la leyenda zamorana. Símbolo de la otra rapiña mitológica de la verdad del fuego, la leyenda tematizada en el poema «El robo» establece uno de los formantes más decisivos en el mito de la conformación y trasgresión de lo sagrado y lo erótico en la imaginación de Claudio Rodríguez[5]. Así es como, por ejemplo, la curvatura del «rincón de la mano» se ve magnificada mediante la amplificación catacrética a dimensiones simbólico-míticas de techumbre universal de la codicia:

---

5. El propio Claudio Rodríguez ha confirmado en alguna de sus declaraciones el fundamento legendario-alegórico del poema al que aludimos en el texto: «Me baso en una leyenda de la catedral de Zamora. Una persona había entrado a robar y en el momento de huir la ventana se estrechó y se quedó aprisionado. Para mí, esto simboliza el oficio del poeta, es Prometeo, la incapacidad del hombre para conocer la verdad. Es un ladrón pero queda condenado». Cfr. Claudio Rodríguez, Declaraciones a Itziar Elizondo, en *El Mundo*, 23 de Mayo, 1991, pág. 31. La vinculación simbólica de la leyenda zamorana con el mensaje alegórico atribuido aparece firme y mantenida, a diferencia de otros casos de oscilaciones más o menos caprichosas en las auto-interpretaciones del autor; Claudio reiteraría esa asociación, en términos muy semejantes, dentro de la entrevista con Juan Carlos Suñén titulada «El hombre no puede ser libre», en *El Urogallo*, 62-63, (1991): «Está basado en una leyenda de Zamora. Para mí era como un correlato de la experiencia del poeta, de la poesía. El ladrón entra en la catedral y cuando alcanza la verdad, su robo, descubre que no puede escapar con él, porque es simbólico, es interior, le aprisiona y le condena». Al poema «El robo» pensó titularlo el autor «Casi una leyenda», que venía acariciando al menos desde la composición «Hilando» de *El vuelo de la celebración* —así aparece en alguna de las primeras elaboraciones manuscritas con letra de Clara Miranda—. El título «Casi una leyenda» aparecía en la publicación previa de un primer esbozo de «El robo» en *Fin de siglo*, 8 (1984), págs. 29-30.

> *Ahora es el momento del acoso,*
> *del asedio en silencio,*
> *del rincón de la mano con su curva*
> *y su techumbre de codicia...* (pág. 39)

La peculiar capacidad de focalización obsesiva de una imagen particular, fragmentada, dentro del total de una escena o de la integralidad histórica de una narración, que ha caracterizado crecientemente la fantasía imaginativa de Claudio Rodríguez, reconcentra ahora la presencia obsesiva en el poema de las imágenes de la mano ladrona y de los movimientos ágiles de sus dedos representados con toda meticulosidad y pormenor. En tales presencias, la alianza entre la imagen de la focalización fantástica obsesiva con el efecto amplificativo de las catacresis figurales produce la galería de figuras expresivas, que pueden identificarse a lo largo del texto como el jalonamiento imaginario y retórico que crea y acompaña las etapas y momentos del «clímax» de la historia.

La intensificación catacrética de la metamorfosis imaginativa se acoge aquí unas veces al trámite retórico más inmediato y elemental de la personificación prosopográfica, atribuyéndole la autonomía animada de sus intenciones: «y los dedos astutos ya maduros / con el temblor de su sagacidad». Pero es en otras incidencias donde la distancia asociativa catacrética con el «tertium comparationis» precipita las imágenes más oscuras y a la vez más numinosamente atractivas, como la que pone en relación la actividad afanosa del hurto con el espacio de resonancia simbólica de la bóveda; un ámbito fantástico siempre recrecido en la imaginación referencial de Claudio: «mientras los dedos suenan, se hacen ágiles / y hasta familiares con bóveda de humo». El incremento imaginario del resultado de distancia asociativa en este caso procede de la elisión de los testigos fantástico-sintagmáticos[6]. Un efecto de la

---

6. En casos como éste nos alcanza la reserva metodológica que hemos asumido como estrategia crítica para presentar nuestra lectura. Reconstruir meticulosamente todos los pasos latentes y patentes en cada uno de los estilemas de mayor efecto expresivo e imaginario de Claudio Rodríguez resulta sencillamente inviable en la práctica, en razón de la extensión —cuando no lo fuera también de la obviedad— de lo que se logra hacer críticamente manifiesto y explícito. Por ejem-

metamorfosis transfigurante que se reduce notablemente en aquellas otras construcciones donde los elementos interpuestos se hacen patentes, por más caprichosa y mediatizada que resulte ser la base estrictamente lógica de su vinculación:

> *entre escombros y ruinas donde crece la malva*
> *tan impaciente como*
> *la media luna delicada en nácar*
> *de la uña tocada,*
> *del juego de la yema de los dedos.* (págs. 43-44)

Bajo la alusividad indirecta e incierta de la tensión catacrética sobre los enigmas simbólicos, todo gana en poderes de iluminación fantástica dentro de esta cabalgata del acecho, en la escenografía tenebrosa del recinto sagrado donde el sacrilegio se consuma. Refracción simbólica que afecta, por ejemplo, a la evocación del aceite de lámpara votiva, equívocamente útil también para engrasar las ganzúas alevosas: «El aceite es muy íntimo y rebelde, / tan sospechoso como el pulso. Déjalo, / deja que se resbale y que se esconda, / deja que nos ampare y nos anime». La tensión extrema de la aventura siniestra alcanza significación bajo el delirio de unas «manos húmedas de oro», que se alinean en el plano extraviado de la focalización deformante de las situaciones metafóricas con el espacio exento de la encina escuchando «la señal de la liebre / el raíl», o con el caprichoso «alambre / junto al cauce del río». Nunca como en estos momentos cruciales de la tensión inspirada había confiado tanto Claudio Rodríguez en el alcance errático de la sugerencia metamorfoseadora poética; con fómulas no obstante sabiamente extraídas a los inmó-

---

plo, en el caso actual de la selección de «bóveda» como referente asociativo verdaderamente distante al gesto de los dedos, parece plausible que pudiera gravitar aquí también la proximidad cotextual de la primera incidencia catacrética del símbolo manual del hurto, de la que antes nos hacíamos eco en el texto: «del rincón de la mano con su curva / y su techumbre de codicia». El recrecimiento de la distancia asociativa entre los términos de las dos construcciones lo impone, en ese caso, la diferencia entre la mano del primer ejemplo y los dedos del que ahora comentamos; siendo entonces mucho más inmediata la aproximación entre la concavidad ansiosa de la mano ladrona, que en la primera incidencia se caracterizaba como «curva» y «techumbre», y la figura de la «bóveda» que aporta la afloración más tardía de aquella asociación.

viles juegos del misterio: «junto al cauce del río hoy muy templado, / te doy las piedras blancas del destino. / Grábalas con tu aliento...».

El poderoso efecto imaginario de las narraciones poéticas como ésta, ostenta en todo caso el antecedente inolvidable de un conocimiento previo, meticuloso hasta lo verdaderamente obsesivo: aquella primera complicidad tan espontánea e inmediata con los elementos naturales del paisaje, que se fundaba en la familiaridad de sus observaciones y convivencia cotidiana con el escenario y las labores del campo. Con el paso del tiempo y la concentración de su interés en nuevos dominios temáticos, como éste de la cerrajería tan necesario para el despliegue narrativo sobre el mito larga y parsimoniosamente acariciado del robo sacrílego, la primera inclinación espontánea del interés sobre los referentes del entorno ha llegado a transformarse en investigaciones monográficas de años. Así me consta por confidencia personal del poeta y su esposa en el caso de su curiosidad, altamente simbólica, por los asuntos de cerraduras y cajas fuertes durante los meses de elaboración de este poema, que resulta ser por otra parte tan decisivamente simbólico. Diafanidad mítica, como se ve, en la fascinada inclinación de Claudio hacia el ámbito celado de las cerraduras laberínticas, receptáculos lubricados del numinoso aceite para la penetración agresiva de las llaves, uno de los centros misteriosos más sensibles, sin duda, en el mito personal dominante de Claudio Rodríguez; otro recubrimiento fantástico del esquema mítico de la protección violada.

Curiosidades de años y consultas técnicas reiteradas van conformando así el resultado de una extraordinaria escenografía mecánica de la imaginación, como la que asombra desde las descripciones míticamente sensibles de este texto. Tránsito simbólico desde el universo externo sustentado en la historia del emboscamiento del fugitivo en el campo de la abuela paterna próximo a la estación férrea de Zamora, hasta el interior laberíntico de flejes y resortes mecánicos de cerradura; lo mismo que en otros poemas de la madurez tardía de Rodríguez el torturado acceso o el registro de cavidades íntimas ajenas o personales. En tales circunstancias de elaborada sedimentación de los referentes simbólicos traducidos paulatinamente a las adquisiciones expresivas de la forma, se inicia la intensa movilización catacrética de las metáforas que conforman la metamorfosis poética de unos incidentes de la realidad en sí mismos irrelevantes, o incluso abyectos. La familiaridad muy elaborada en la imaginación infunde prosopografía sentimental a los agentes inertes: «el del hierro solemne y el acero perverso», en tales términos de transfiguración que determinan que una inocua «soldadura» pueda modificarse hasta desvelar su manipulación «cruel». Tales fórmulas de animación prosopográfica denotan la familiaridad fantástica con un universo en principio neutral de entidades reales, al que convocan misteriosas proclividades del destino simbólico. Desde ellas se produce luego el proceso de fabulación fantástica entretejida por la doble metamorfosis sicológica y verbal, hasta urdir esas bóvedas imaginarias de la forma, edificadas por el poder transfigurante del cotejo aproximador entre los objetos inertes y las ensoñadas propiedades transubstanciadas en la metamorfosis:

> *No es el dolor sino es el sacrilegio*
> *entre el metal y el alma*
> *mientras la alondra nueva canta en las heridas*
> *secas y solas de la cerradura.* (pág. 42)

En ocasiones, la difusa tensión simbólica de todo este acendrado metaforismo catacrético se ve clarificada a través de la constancia de los símbolos más habituales en el atlas personal de la imaginación del poeta. Es el caso por ejemplo de la calidad limpiadora, regenerativa, de la lluvia expandida a la áspera y fina arena, expediente simbólico que reconocemos ya como tendencia habitual de regeneración desculpabilizadora en el universo mítico de Rodríguez: «No te laves las manos y no cojas arena / porque la arena está pidiendo noche». Lo mismo que también el ventanal simbólico, que convoca aquel otro acceso al cerrado recinto donde agonizó el ave de «Incidente en los Jerónimos»; aquí localizado en los versos: «No has podido salir de la marea / de esta ventana milagrosa y cierta / que te ahoga y te ahorca». Pero el avance hacia las densidades más cerradas del proceso mítico es la constante garantizada en este ápice extremo, en este trance sublime de la voluntad poética del autor, del que nacen los expedientes con mayor rendimiento imaginativo:

…«donde crece la malva / tan impaciente como / la media luna delicada en nácar / de la uña tocada».

La tensión catacrética de la *amplificatio* imaginaria y elocutiva de las metamorfosis comunica al texto un indudable nivel de comprensión, no inmediatamente lógico. Sin embargo ese mismo grado de densidad poética de las metamorfosis microtextuales no resulta impostado ni artificial. La tortuosa andadura de la *narratio* no aparece por ello frustrada y gratuita, sino que se justifica como la consecuencia de una lograda tensión de la metamorfosis misteriosa, donde se enumera adecuadamente la densidad a la vez legendaria y ejemplar de la narración poética.

Son varias las líneas expositivas que organizany se combaten en la historia de «El robo», y que han de ser retenidas para su comprensión narrativa y para calibrar, contrariamente, los alcances de sus «destrucciones» con resultado de elvada poesía. La primera es sin duda el proceso lógico de la rapiña sacrílega, el itinerario de acceso hasta el centro del altar y la salida del profanador, frustrada según la leyenda por la angostura del tragaluz. Pero, junto a ella, no deja de prestar utilidad informativa el juego de la narración como trasunto que justifica las reflexiones incidentales del sujeto de la enunciación, el cual va identificando por momentos las suyas propias con las atribuciones emocionales intuidas en el protagonista activo de la leyenda.

Lo destacable es que todas esas inferencias atribuidas a la tercera persona responden al mismo esquema de balance diacrónico antitético —pasado / presente—, que hemos identificado antes como el mecanismo general básico en la argumentación imaginaria y expresiva del autor en esta obra; procedimiento en todo caso previo al proceso de disolución del dualismo diferencial en la globalidad poética de las imágenes microtextuales. Todo gira en la historia en torno a la intensidad perturbadora del instante presente de la transgresión; pero el pasado del ladrón sacrílego se ilumina con el recuerdo de las emociones habituales en el propio Claudio, implantando así la sugestiva ambivalencia mítica de la leyenda:

> *Tú recuerda como antes un olor a castaño,*
> *a frambuesa, a cerezo, a caña dulce,*
> *a la armonía de la ropa al raso*
> *te alumbró, te dio techo, calle, adivinación*

y hasta hoy libertad
entre perfidia y bienaventuranza.
Ahora es el momento de la llave,
de la honda cerradura. Acierta o vete. (pág. 40)

Identificación y ambigüedad en la que colabora no poco la convergencia de las estructuras míticas antitéticas habituales[7], junto al reconocible balance sustancial de los símbolos directivos del mito:

Buscaste casa donde no hubo nadie,
cerca del río,
pero el destino ya había hecho duro
resplandor en las alas de la infancia. (pág. 43)

La tensión catacrética entre los términos real y figurado de la relación metafórica con resultado de diseminación sémica en la constitución de las imágenes poemáticas, se extrema también en los trances más misteriosos del poema «Balada del treinta de Enero», que tiene, como veíamos ya desde la perspectiva temática, claras correspondencias con «El robo», dentro del segundo interludio de la obra. El robo simboliza la adquisición de la experiencia dolorosa en la que se castiga al transgresor —el ladrón sacrílego de la leyenda, el homicida emboscado de la segunda historia entretejida o el mismo Claudio— inmovilizándolo en la ventana de la leyenda, metáfora de una suerte de interrupción del tránsito natal

---

7. La estructura temporal antitética que organiza el flujo del doble discurso íntimo del autor y de su personaje, afirma su capacidad directiva sobre las variaciones e inversiones que conoce según los avatares de la historia. De ese modo resulta la pauta para su inversión, según el esquema actualidad / pasado a que se acoge el siguiente fragmento:

¿Y tú qué esperas? ¿Qué temes ahora?
¿La claridad de nuevo, el riesgo, la torpeza
o la audacia serena de tu rebeldía
junto a la alevosía de la noche
y la estrategia de la sombra en niebla
de aquellas lilas que fueron tu ayuda
con olor a azucena
donde te refugiaste y poco a poco
huiste de tu muerte... (págs. 41-42)

hacia la luz del afuera; mientras que esta otra «Balada» aporta el trayecto que funda el nacimiento a la vida, el origen de la luz. En ese tránsito, la recuperación de unas sensaciones difusas y evocables se confía a fórmulas intuitivas del metaforismo con muy difícil equivalencia en momentos anteriores de la obra de Claudio Rodríguez; ni tan siquiera en los iniciales de *Don de la ebriedad,* considerados ya por Philip Silver como de acendrado irracionalismo surrealista. Véase una muestra en el conjunto de construcciones metafóricas que aproximan al sentimiento auroral en el origen de la vida:

> *Y oigo las aristas de la espiga,*
> *el coro de los sueños y la luz despiadada,*
> *preso de tanta lejanía hacia*
> *el viento del oeste y el polvo del cristal,*
> *la pobreza en ceniza,*
> *tanta alegría hacia la claridad,*
> *tanta honda invernada.* (págs. 67-68)

Las imágenes construyen en estos niveles máximos de la tensión catacrética un universo impredecible. No se trata ya de los recursos metafóricos, tan frecuentados por Claudio y por otros poetas, de la animación o de la subcategorización anómala, como las prosopografías de atribuir o negar respiración, ambiguamente, a la noche o al cuerpo en vilo; otras formas más sutiles aún de existencia alternativa rescatan estas felices asociaciones a los fondos de la imaginación colectiva en las canciones y los juegos de corro: «Y los niños jugando a nieve y nieve en la plaza / del aire, / con transparente redención». Y junto a ello, el «óvalo azul» atribuido a la traición, o «el deslumbramiento de las manos» que se multiplican llamando de puerta en puerta por calles de ensoñaciones enigmáticas. Constelación de imágenes singulares con intensos destellos microtextuales de plenitud absoluta, inasimilables pero engarzados en el sentido unitario del poema[8]. Éste se conforma, por tales

---

8. A destacar incluso, cómo alguna de las metamorfosis metafóricas más intrincadas descubren sus valencias precisamente contrastando los momentos diferentes de su inversión distanciada en este texto. Por ejemplo, el sentido pudoroso que alcanzan las imágenes obligadamente eufemís-

medios, en acorde de una ecuación que penetra con ayuda del ritmo dentro de la ensoñación sugerente de los espacios poéticos: «con la fragilidad del sueño arrepentido / entre las ramas bajas del cerezo».

La tensión significativa a que se asoman los estilemas catacréticos en estos dos grandes poemas simbólicos, relativos a otros tantos momentos cruciales de la constitución de los mitos iniciales del conocimiento y la experiencia, no defrauda ni pone nunca en riesgo el hábil entramado de la intuición poética. Ni siquiera en estas alturas máximas de la elevación visionaria de la metamorfosis lírica deja de ser Rodríguez un poeta directo y esencial, con abrumadores poderes de comunicación intuitiva. El profundo respeto de Claudio por los momentos en los que se resuelve su voluntad de creación, ha propiciado que su tránsito biográfico del entusiasmo ebrio a la melancolía experta no afecte gravemente a la digna tensión de la lealtad comunicativa, de la misma manera que no ha llegado a subvertir el fondo moral de su necesidad de salvación. De ahí la calidad de textos temáticos y formalmente culminantes que nosotros atribuimos a los que componen los interludios de su último libro.

La apelación extrema al recurso estilístico retórico-figural de la intensificación catacrética para exasperar el poder de absoluto resolutivo de sus imágenes, en estos dos clímax terminales de la necesidad de significación, respeta el límite convencional de la persuasión significativa para desvanecer en potencia simbólica los «fundidos» estilísti-

---

ticas del espacio de salida del claustro materno, o bien su equivalencia reversible del ingreso del propio poeta en el recinto ignoto al que le convocan los golpes numinosos del enmascarado Salieri, que van desde la oscura simbología del comienzo: «... Desde estas piedras / que se estremecen al juntarse igual / que cruz o clavo / de cuatro puntas», al presentimiento último del parto ya inminente: «Y estoy viendo / una crucifixión de espaldas», que traduce una experiencia biográfica muy intensa entrecruzada con la historia principal del poema, según suele constituirse en el procedimiento habitual de la construcción textual como «tapestry» o entrelazado de hilos evocativos en su hábito poético maduro, de creciente sugestión numinosa y ausencia de diafanidades unívocas. Concretamente el conjunto de sugerencias y ecos vinculados al ámbito semántico de la crucifixión que aparecen aludidos en este poema, se relacionan con el cruce evocativo de una vivencia trascendente en la memoria personal del poeta —o si se quiere, de una imagen alucinatoria—, que fué una visión del Crucificado proyectada sobre la pared en la que se recostaba Claudio tras una de sus largas caminatas en Medinaceli. El intenso recuerdo de aquel momento de revelación personal comparece así, entrecruzado con otros caudales de imágenes en el cuerpo del poema, creando ese mixto de sugerencia extrema y de ambigüedad indescifrable.

cos en que culmina su madurez en la metamorfosis. Ni sombra pues de capricho gratuito, ni de comodidad feliz o fracasada en estos elevados impulsos de la palabra y la imaginación poética, que se emplazan en las orlas extremas de la vivencia. La catacresis se revela por tanto como el móvil estilístico que tensa cada una de las fórmulas metafóricas microtextuales sobre las que se contrae en Claudio Rodríguez la perfecta visión madura de la metamorfosis de la imaginación poética; aunque también la propia catacresis se mantenga dentro del sobrio control de persuasión poética con que el autor rige sagazmente sus capacidades de confidencia y de visión sublime.

* * * * *

En los poemas de la suite final sobre la muerte, la tensión catacrética comparte con otros expedientes microtextuales expresivos la instrumentación retórica de esta otra etapa extrema de la experiencia liminar. El primer poema «Los almendros de Marialba» representa la mirada más diáfana sobre el paso definitivo de los seres por la existencia. La milagrosa resurrección de la vida en las nerviaciones y en las flores del almendro, ni siquiera alentadas todavía por el delgado fervor de primavera, se basta para desvanecer cualquier negro presagio del hombre veterano. De ese modo los almendros de Marialba aportan, incluso por acústica y eufonía de vocales, un antídoto de resurrección contra la sombra tétrica, un aliento vital de imágenes transparentes frente al ensombrecimiento de la muerte:

> *...Y hoy*
> *cómo respiro este deslumbramiento,*
> *esta salud de la madera nueva*
> *que llega germinando*
> *con la savia sin prisa de la muerte.*

Es la alacridad impetuosa de un impulso necesario, sin premeditación, de primavera; puro azar cinético sembrado de improviso y a reparo del cálculo inexorable de la experiencia lenta y de las certezas más tristes y sombrías que trae el conocimiento: «...entre el otoño del conocimiento /y el ataúd de sombra tenue, al lado /de estos almendros...».

En cierto modo, con este poema sobre los almendros de Marialba, Claudio Rodríguez ensaya una vía de simbolización alternativa a la del metaforismo irracionalista, para significar estilísticamente la extinción del ánimo al borde de la muerte: la que fía sobre todo en el poder evocativo propio de la sugerencia limpia de las imágenes más diáfanas. No en balde, el otro intento más acertado para simbolizar la llamada universal de la última hora en esta suite de poemas recurre a la recuperación del pregón transparente que pulula por las calles del sueño, el del «cristalero azul». No hay apenas concesión[9] a las asociaciones indirectas del enunciado irracionalista en esta convocatoria llana y diáfana de las imágenes y los ritmos más transparentes de los almendros en flor de Marialba:

> *Hay un suspiro donde ya no hay aire,*
> *sólo el secreto de la melodía*
> *haciéndose más pura y dolorosa*
> *de estos almendros que crecieron antes*
> *de que inocencia y sufrimiento fueran*
> *la flor segura.* (pág. 75)

Entre la sugerencia llana y luminosa de este gran poema y la danza de la muerte surrealista a que convoca «El cristalero azul», el texto

---

9. En la poesía siempre inspirada de Claudio Rodríguez, tan abierta a la transfiguración sensible de la metamorfosis lírica de lo real, la neutralidad objetiva de la referenciación parece inconcebible. Tal es el caso también en este poema, donde se pueden espigar algunos momentos elaborados y sublimes de la transfiguración imaginaria de signo metafórico en los «quicios» y «aleteos» del recuerdo, en «el tallo muy fino de la muerte», o en aquel otro estar del río «benigno / entre el otoño del conocimiento / y el ataúd de sombra tenue...». La situación habitual de la imaginación de Claudio, su «don» a estas alturas ya connaturalizado, reside en sus poderes espontáneos de transfiguración visionaria, que le dictan inexorablemente poblar o no poblar de nidos los momentos de luz. También actúa así en aquel otro «oigo la savia de la luz con nidos», cuando poco antes presintiera «... la emoción del suelo / junto a la luz sin nidos». Determinar por tanto, como lo acabamos de hacer, la mayor ligereza de la metamorfosis catacrética en un determinado poema supone considerar términos estilísticos correlativos de intensidad transustanciadora metafórica; o bien, y éste es seguramente el caso de «Los almendros de Marialba», afrontar un sesgo particularmemte diurno, abierto y fluido de la imaginación temática.

intermedio titulado «Sin epitafio» actúa, sin alcanzar extremosidades demasiado tensas, sobre el poder de sugerencia de las menciones indirectas y de la simbología críptica. De esa manera, la presencia de la muerte queda grabada en cada uno de los espacios que se insta a evitar: «Levanta el vuelo entre los copos ciegos / de cada letra. Deja a esta inocencia que se está grabando / en el centro del alma. Deja, deja / tanto misterio y tanta cercanía». Pero es en «El cristalero azul», subtitulado «La muerte», donde el reclamo a la tensión enigmática de las fórmulas metafóricas atrae virtualidades de simbolización nunca inferiores a las que nos ha brindado el tímido discurrir de las aguas y los albores florales del poema sobre los almendros de Marialba. La sugerente autocita del pregón callejero induce la fantástica imagen de la carnavalesca danza animada de sombras inconexas:

> «¡El cristalero azul, el cristalero
> de la mañana!» Y te vas cojeando,
> silbando. Entra en el baile
> sin funeral, con son de nacimiento,
> hablando con los hombres pasajeros
> cuando el camino llega hasta la cima
> y lo invisible es trasparencia en llama
> como el olor a hoguera de noviembre. (pág. 79)

El cuerpo de la misma danza y la animación quimérica de sus figuras están constituidos estilísticamente con la masa de unas imágenes desenlazadas, símbolos y metáforas queridamente disgregados e inconexos al servicio del efecto final de animación dinámica del ritmo, de su fluencia báquica y caprichosa, de una aceleración en el movimiento de la enunciación textual sin pauta de destino, donde se mezclan los retazos del epitafio y la lápida hollada del poema anterior con la cabalgata de los nuevos y los viejos fantasmas.

El conjunto de composiciones del apartado final sobre la muerte de *Casi una leyenda* nos permite ilustrar aspectos estilísticos de la forma interior poética, que aportan clarificaciones muy sustanciosas sobre el debatido principio de la correlación tópica fondo / forma. Seguramente que sería exagerado en el caso de Claudio Rodríguez hablar, como se hizo en el del carácter mucho menos benévolo de Góngora, de un «ángel de la luz» y de otro «de las tinieblas» conviviendo sobre el mismo pie sicológico de poeta. Pero sin llegar a tan abismal contraste de momentos absolutos del autor en la transfiguración creativa, no cabe duda de que, sobre el mito personal de Claudio, es necesario diferenciar en todo tiempo las zonas gloriosas y radiantes abiertas por impulsos idílicos de plenitud en la ebriedad y de salvación solidaria, frente a las bóvedas enrarecidas de la sicología y la vivencia que nutren las metamorfosis adversas de sus fantasías acusadoras: la casa, las sábanas, el pinar, etc., etc. En todo ello nos apoyamos cada vez que hemos tenido que constatar en nuestros análisis el *dualismo simbólico* constitutivo dentro del mito personal de Claudio Rodríguez.

Lo aleccionador del caso, para el tipo de cuestiones que ahora estamos sopesando sobre las isotopías y solidaridades temático-expresivas en la forma interior, lo significa la evidencia también *dualista* del poeta en los comportamientos del estilo. La metamorfosis poética de este Claudio definitivo, que emplaza clarividentemente las saetas de su anhelo de vislumbres extremos en la nebulosa incierta de una revelación absoluta del sentido instalada sobre la desecación mineral de una bóveda ígnea de postrimerías, propende a veces hacia la apertura de las fórmulas albas y aéreas. Son los momentos jubilares de la claridad móvil y diurna; entonces la forma tiende a aligerar su pesadumbre, a entregarse sin torturas extremas catacréticas a metáforas transparentes y a conceptos albos bajo el impulso rítmico intenso y festivo. Mas cuando sobre el ánimo del poeta se concentran los instantes de presión angustiosa, comparecen entonces las densidades mayores, borrascosas, del estilo: las antítesis se extreman afilándose en el contraste de sus líneas de fricción y de quiebra, las metáforas reclaman su asociacionismo más denso con el precipitarse de las enumeraciones caóticas. Entonces los términos asociativos que producen el resultado de las metamorfosis se distancian y difuminan bajo la catacresis. Hay siempre, por tanto, en este ápice glorioso e inseguro de la mayor clarividencia sobre un espacio incierto de futuro, un poeta diurno en la acuidad luminosa de sus símbolos de gozo, aunque los adquiera en peculiares nocturnos míticos con cargo al futuro juego de la paradoja. Pero hay también en este creador un fondo nativo de amenazas y miedos en permanente flotación subconsciente sobre el esplendor diáfano, que se consolida ahora en un cortejo de fórmulas digestivas en variables escenografías nocturnas, bajo bóvedas angustiosas enrarecidas por la deflagración del aire, por la imposibilidad para el aliento vivo. Primero fue la luna en los pinares o los escenarios de muerte de interiores arquitectónicos — aparecen bóvedas con cielo y capiteles que decoran universos personales conclusos—; pero en la hora tardía en que resuenan ya sin eufemismos de distancia las despedidas verdaderas la bóveda se abisma en su genuino signo de postrimerías, de cámara sepulcral difusamente imaginada en el desorden digestivo de los atributos simbólicos. De esa manera, la articulación expresiva de la forma se hace nuevamente borrosa.

La laboriosidad idílica de Claudio Rodríguez, su indeclinable tendencia a la conciliación salvadora no es sino la consecuencia perceptible de su dualismo permanente sobre la conformación de la obra. Nunca se sabe en casos como el de este poeta, qué llegó más temprano si la noche o el día. El mito de la tierra feliz y de la edad dorada hunde siempre sus raíces en los áridos suelos de la miseria; se trata de la necesidad sicológica de compensar. No vale la pena especular sobre cuál sería en origen el fondo generador sobre la salvación o la condena en la imaginación de Claudio. En todo caso, no es este lugar para cuestionárselo. Vale sólo constatar que el fondo vital ambivalente de su conciencia se despliega relativamente indemne a propósito de todo tematismo, incluso en esos trances tan duros de los primeros saludos, todavía ficticios, a la muerte. En esa ambivalencia contrastan los instantes primaverales, abiertos y diurnos como «Los almendros de Marialba», con los momentos más tupidamente densos y barrocos de la visión en «Solvet seclum».

* * * * *

El cuidadoso borrado poético de los conectores que conducen la solidaridad lógica de las imágenes y la expresión unitarias entre las desdibujadas entidades previas, desintegradas aún más hacia la significación de lo absoluto en su desleída presencia dentro de la danza macabra, se refuerza merced a la distancia recrecida entre los difusos constituyentes de la vinculación relacional catacrética. El viejo espectáculo fúnebre de la putrefacción, del desvanecimiento de las consistencias en la descomposición de los sepulcros, arma el correlato perfecto entre temas y esquemas de figuras. En este caso las desintegraciones de la cámara sepulcral que espeja confusamente el poema «Solvet seclum», establecen una correspondencia de extrema maestría y validez poéticas con el diseño estructural de discontinuidades tensas, que exige la distancia entre analogados metafóricos impuesta por la catacresis. Todo ello, entre el denso conjunto de enumeraciones de sumandos caóticos en el cuerpo del poema. Recordemos alguna:

> *Es la disolución, la oxidación,*
> *el milagro olvidado*
> *cuando un copo de nieve quemó un cáliz*
> *y la pobreza de la hoja nocturna,*
> *y los cimientos y los manantiales,*
> *la corrosión en plena*
> *adivinación*
> *y la aniquilación en plena creación,*
> *entre delirio y ciencia.* (págs. 81-82)

La destitución de todo orden coherente entre la visión y la forma que la expresa, encuentran una de sus formulaciones más adecuadas y perfectas en esta formidable pintura de la destrucción con la que Claudio Rodríguez ha querido significar y comunicar el estado de ánimo que precipitaba su silencio. Toda una existencia interpretando simbólicamente la realidad iluminada por la primera claridad, celeste y en buen orden, se desvanece en el ahondamiento progresivo dentro del espacio del desaliento. Las formas figurales integradas ceden el paso a las disgregadas y dispersas, la visión realista contigua y congruente se confunde bajo el irracionalismo fragmentario de las criaturas nuevas de la metamorfosis y, por último, bajo la tensión extrema que da en un simbolismo de la descomposición magistralmente apto para expresar tan sólo las formas terminales de la pesadilla tras el orden vital. Ni siquiera el dolor acerbo, ni el aldabonazo terrible del destino, sino la visión tenebrosa de un mundo descompuesto y de un orden de la materia en quiebra de descomposición.

Resulta llamativa, ya desde el anuncio todavía abierto del prefacio del texto, la apelación estilística a los acentos más cerrados y confusos, partiendo de la misma raíz acústica de la forma. Claudio arriesga con la densidad de los finales en *on* de las innumerables paranomasias y rimas dobles los peores abismos de la cacofonía, subrayando con el cuidado efecto de todas esas convergencias fónicas el siniestro reflejo universal del desecamiento de las formas de vida. Primero en el verso «y la erosión y la sedimentación», que anuncia su peculiar crepúsculo del día; para condensarse después en una insólita catarata de paranomasias y rimas internas que contrapuntean la semántica árida de un inventario léxico denso y angustioso, constituido sobre procesos de enrarecimiento y universalización del incendio del aire: «Es la disolución, la oxidación, / el milagro olvidado». Todo ello unido a la convocatoria habitual de la catacresis, para extrañar el efecto irracionalista de la imposible concordia entre los opuestos simbólicamente enfrentados en clamorosa antítesis: «cuando un copo de nieve quemó un cáliz». Y es que el reto de las imposibles referencias ante el cuadro de muerte arroja a la forma todo extremo del estilo. Recordemos sobre esto la densidad sucesiva de rimas que desafían cualquier regla habitual de conveniencia:

> *la corrosión en plena*
> *adivinación*
> *y la aniquilación en plena creación*
> *entre delirio y ciencia.*

Fiel instintivamente a la regla fundamental barroca del claroscuro antitético, Claudio Rodríguez puebla de efectos contrastados todos los niveles de estilo, desde los más intensos y sintagmáticos de las rimas y el léxico, hasta los más extensos de la organización macrotextual del enunciado. Por eso alternan en la disposición argumentativa del poema los instantes estilísticos más tupidos y oscuros con las treguas de luz y de respiro abierto. Son tres los momentos en el total de «Solvet seclum» en los que se producen esos espacios relativamente accesibles a la respiración imaginaria; el central, entre las dos representaciones sombrías del recinto de muerte, apuesta sobre seguras formas reconocibles del aliento vital, que son el cruce temático de las vivencias del campo alemán, próximo a Bonn, donde el poeta había permanecido unos días al acudir a un simposio de escritores: «El campo llano, con vertiente suave, / valiente en viñas...», etc.

Pero el poema, al fin, se abre al temible espectáculo anunciado en el título. En nuestra tradición española de imágenes, sólo Valdés Leal quiso descender antes con su pintura a la ignición de esa cámara fúnebre, al pudridero al que se asoman los versos más tardíos del imaginario de Rodríguez contaminados ya por el decadentismo sublime de la pasión romántica europea[10]: el formidable horror de las postrimerías en los cuadros de José Hernández. Una vez más concurren los sabidos acentos del léxico universal que corrobora la cal del hueso, la sequedad del esqueleto; pero en esta ocasión, para acentuar aún más nítidamente su evidencia, todas estas imágenes áridamente tectónicas de la materia muerta y desecada se confrontan bajo el efecto estilístico de las antítesis con destellos léxicos instantáneamente irónicos de promesas de vida: el vuelo —«... la carne en voz, en ala»— y el silbido del aire «del hueso que está a punto de ser flauta»; y la música de la vida visitando inmundos recipientes de muerte:

> *y el cerebro de ser panal o mimbre*
> *junto a los violines del gusano,*
> *la melodía en flor de la carcoma,*
> *el pétalo roído y cristalino,*
> *el diente de oro en el osario vivo.* (pág. 82)

El redoblado efecto de claroscuro, incluso al interior del denso paso de silencio y de muerte logrado en esta culminación compuesta del

---

10. La adición romántica como intensificación diferenciadora de la poesía funeraria de *Casi una leyenda*, sobre la tradición barroca más propiamente española, forma parte de la tesis de Philip W.Silver, en «Poesía última de Claudio Rodríguez», cit., págs. 112-113. En realidad el foco más activo de dichas modificaciones visionarias procede en este poema del confesado impacto de la fantasía de la degradación de la carne en los personajes pintados por José Hernández. Como es sabido, en el texto para el catálogo del pintor se encuentra un primer esbozo de este poema bajo el título de «Entre lo fascinante y lo tremendo».

poema, lo aporta el fragmento sucesivo de distensión antitética sobre la ascensión marina que trata de introducir el clímax. Una vez más, las crecientes del léxico movilizan las imágenes más abiertas y libres, y la propuesta de símbolos de elevación induce el levante de la gradación exaltada:

> *y las olas y el viento*
> *con el incienso de la marejada*
> *y la salinidad de alta marea,*
> *la liturgia abisal del cuerpo en la hora*
> *de la supremacía de un destello.*

De este modo se preparan las imágenes absolutas sobre la angustia agresivamente espacial, cuando la exploración de la llama extingue el aire:

> *de una bóveda en llama sin espacio*
> *con la putrefacción que es amor puro,*
> *donde la muerte ya no tiene nombre...* (pág. 83)

La acumulación desordenada de elementos en esta enumeración de materiales de desecho, a los que salva en su necesidad poética la eficacia temática y la tensión retórica del asociacionismo catacrético, sirve para referenciar la expresión de una imagen eterna del horror, ni clásica ni moderna. Las transgresiones expresivas del metaforismo surrealista en que se concretan y expresan las alturas sublimes de la metamorfosis visionaria aquí conquistada, descartan todas estas imágenes para la escenografía convencional de la putrefacción barroca e incluso romántica. Son más bien los espectros descarnadamente contemporáneos de unos transeúntes convividos, que el poeta confiesa haber percibido, transfigurados en el negativo de sus lacras morales, durante los días de intensa conmoción en que componía el poema inicial, vivamente impresionado tras la visión de las criaturas cadavéricas del pintor Hernández. Pero la misma solemnidad patética del «tempo» enunciativo, las tonalidades majestuosas del ritmo de un gran poeta que superaba con mucho las capacidades del pintor, desnaturalizan también este poema para los tonos y las formas convencionalmente modernos de la poesía.

Tal vez Claudio Rodríguez comprendiera que con estos pocos poemas extremos estaba induciendo un cierre para el ciclo del saber gozoso que había iniciado su inocencia idílica en las epifanías de la ebriedad; al tiempo que inauguraba el incierto trayecto simbólico que sumerge ahora su conciencia en la nebulosa de un espacio grandioso de final. La evolución de su poética, desde la coherencia de las primaverales alegorías convergentes hasta este caos sobrecogedor de la acumulación de formas de la metamorfosis, expresa temática y formalmente las etapas de un itinerario poderoso e inevitable del tránsito vital: el que media entre el éxtasis y el conocimiento, y entre la conciencia analítica de este último y la náusea desesperada del sinsentido vital. Los poemas de los interludios «El robo» y la «Balada de un treinta de Enero», simbolizan las dos etapas cimeras de la adquisición de la experiencia. Los dos textos funerales que acabamos de ver, «El cristalero azul» y «Solvet seclum», han dado un avance provisional a la digestión conjurada de la muerte, con algunos de los acentos estilísticos de más profunda persuasión patética, sin embargo, que la elegía funeral ha alcanzado en la poesía española de todos los tiempos.

La contrastada resolución imaginaria y estilística del tematismo de la muerte ostenta, bajo otra faceta decisiva, el firme entendimiento dualista que alimenta en Claudio todas las metamorfosis de la realidad. La muerte grácil y blanca y la muerte barroca y sombría se distribuyen por textos en este último libro de *Casi una leyenda*, que por ahora estabiliza sólo pasos de acercamiento aún no persuadidos en el balance poético del autor. Con el tematismo que plantea el conjunto de «Nunca vi muerte tan muerta», parece desdoblarse el último repliegue del debate agónico entre esperanza y experiencia, entre amor y dolor, entre salvación y culpa. Desde su emplazamiento textual en esta privilegiada posición de desenlace, Claudio Rodríguez apura aún un punto su ciclo del dolor experto; pero una vez más acabamos de constatar, también desde la ladera del estilo, la pugna ambivalente de su voluntad idílica, que contrapone la doble refracción, la siniestra y la idealizadamente poética, sobre el trance final.

Ni siquiera en esta hora fatal de las postrimerías llego a desfallecer el íntimo compromiso de Claudio Rodríguez con la apertura última de salvación. Tal vez se tratara de su forma de fidelidad al principio inocente o de los mecanismos morales de su arrepentimiento. El poema «Secreta», colofón del apartado y de la obra, subraya, en su condición litúrgica de acorde y de modulación recogidas del tematismo, el sesgo definitivamente idílico del libro; y también aquí las acertadas selecciones del estilo corroboran nuevamente los impulsos de alacridad del ánimo. Sobre la instancia fónica, el predominio de las vocales blancas en concierto sobre «la muerte bella» y «aquella lluvia de la infancia» verdadera, salvadas desde «la sábana sin sombra y la caricia»; aunque se viva incluso «con las manos abiertas esta tarde / maldita y clara» de la «gracia serena». El colorido vocálico incide, por tanto, con fiel exactitud sobre los lexemas más esperanzados y aptos de la alegría, capaces de transfigurar cualquier momento desolador. Todo ello servido por una sintaxis lineal en la que los contrastes oscuros se van desvaneciendo a partir de la forma verbal; pues las metamorfosis en luz primaveral y en doncellez ágil de la vida han ganado el nivel de estilo:

> *¿Y si la primavera es verdadera?*
> *Ya no sé qué decir. Me voy alegre.*
> *Tú no sabías que la muerte es bella,*
> *triste doncella.* (pág. 86)

En la producción tardía de Claudio Rodríguez no se descubren por tanto, a la luz de la argumentación macrorretórica y de su instrumentación y despliegue en fórmulas intensas del estilo, ni debilidades de la inspiración poética ni decadencia de la virtud moral, sino líneas de convergencia entre la vida y la creación, entre la maduración temática y las estructuras estilístico-figurales que las representan con naturalísima correspondencia necesaria, con total solvencia creativa, con persuasión estética espontánea. Las estaciones de ese duro itinerario desde la alegoría a la concentración metafórica y a las tensiones máximas de las imágenes catacréticas confirman resueltamente la espontánea carrera de un poeta necesario y sublime, en el trayecto definitivo hacia el interior futuro del anhelo sempiterno unitario.

Continuidad estilística de la forma: de la macroestructura antitética a los microestilemas de transfiguración unitaria

Al examinar la estructura mítico-poética de *Don de la ebriedad* radicalizábamos el esquema referencial subjetivo-objetivo como principio fundante del cotejo de exploración cosmológica que establecía el contenido simbólico de la obra. En una constatación de la homología isotópica textual, demostramos cómo el principio del cotejo se correspondía con las macroformas figurales del metamorfismo textual extenso, alegórico puro o no, que a su vez constituía la macroestructura determinante de la argumentación poética.

Las alternativas figurales más ostensibles que hemos descubierto a la propuesta genérica de Bousoño sobre el alegorismo han sido, según se recordará, de naturaleza también dualista y contrastiva; así, la antítesis fundante de *Alianza y condena*, o su intensificación expresiva en la *paradoja* macrotextual que rige en profundidad amplios sectores textuales de la enunciación desde *Don de la ebriedad* a *El vuelo de la celebración*. La percepción de esa continuidad genética: de la configuración temática hasta la argumentación macrotextual, resulta inmediata a la constatación básica del principio estructurante que funda el cotejo exploratorio. Éste, como despliegue dialéctico subjetivo-objetivo de la situación simbólico-referencial de la expresión lírica, caracteriza genéricamente, a su vez, la forma interior de la poesía de Claudio Rodríguez.

Pero la homología isotópica subsiguiente a la focalización simbólica y argumentativa se prolonga naturalmente, según lo hemos ido constatando en diferentes calas puntuales sobre los varios libros, hasta las estructuras terminales de los enunciados poéticos. De esa manera, es un hecho evidente la tendencia a la contraposición dualista de los estilemas de mayor rendimiento intencional en toda la obra. En algunos apartados de esta segunda parte del libro hemos procurado ilustrar las facetas estilísticas mas evidentes y constantes en esos procesos de la proyección expresiva. Son ellas las que comunican la figuralidad macroargumentativa de la forma interior hasta los estilemas y los testigos intencionales microestilísticos de la forma externa poemática. En este último apartado sobre *Casi una leyenda*, destinado a examinar la transición entre los formantes expresivos macro y microestilísticos de la forma interior poética, nos proponemos intensificar nuestro registro crítico del subrayado estilístico.

Tal propósito no se basa sólo en una estrategia crítica, sino que responde ante todo al absoluto dominio objetivo y a la nitidez esquemática que llegan a alcanzar los procedimientos imaginarios y expresivos consustanciales a Claudio Rodríguez, dentro del balance maduro del universo poético que representa *Casi una leyenda*. Si en el cotejo esquemático implícito, el impulso de exploración objetiva y de verificación subjetiva del deseo fundaban *la dualidad sincrónica entre lo exterior y lo interno imaginado*, en esta última polaridad del intenso itinerario de maduración poética de Claudio, la dualidad estilística se subvierte, según veíamos antes, como cotejo en la contraposición *diacrónica experta* entre lo *anterior* y lo *presente*, ya sea en términos de *experiencia* pesimista o de *salvación* decrecientemente idílica.

El dualismo referencial y expresivo a que aludimos, produce el efecto poético que hemos citado habitualmente bajo el término de *metamorfosis*. Doble metamorfosis más bien: en primer lugar y más evidentemente, porque se trata de los referentes objetivos, de las cosas del mundo transfiguradas en la unificación poética: la almendra, el pinar, el cáliz, la bóveda de la iglesia, etc... Pero también de una intensa afectación imaginativa, sentimental y expresiva de los términos, de las palabras y de los sintagmas elocutivos; de manera que se produzca en ellos una suerte de difuminación característica de las valencias neutras y generales de los significados. En ese punto de su transformación expresiva se construye la singular resonancia, logradamente personal, que adquieren los símbolos y sus encarnaduras en piezas idiomáticas dentro de la poesía de Claudio Rodríguez. A partir de ahí se naturalizan las construcciones fantásticas, con efectos imaginarios y afectivos.

Quizás no resulte ocioso advertir aquí, sin embargo, que la articulación poética del esquema de transfiguración o revestimiento metafórico suele producirse habitualmente mediante yuxtaposiciones directas de los correspondientes índices, sin que medie el circunstanciado despliegue explícito. Se trata en suma del caso más habitual dentro del procedimiento de transfiguración simbólica de los referentes que podríamos denominar de *contaminación* o de *fusión* recíproca. El origen esquemático del recurso no es diferente por tanto del habitual cotejo dualista constitutivo de los tropos; así «la nerviación de la hoja» y «el recuerdo» se ponen en contacto a través del sema común de «ternura», seleccionado peculiarmente por Claudio al construir la correspondiente imagen en la primera estrofa de «Los almendros de Marialba»:

> *la nerviación de la hoja tierna como*
> *el recuerdo sin quicios ni aleteos.* (pág. 73)

Aparte del grado de originalidad y de medularidad mítica que produce la asociación metafórica del objeto vegetal con el recuerdo a través del relacionante similar «ternura», concurre de manera habitual en Claudio Rodríguez el redoblamiento imaginativamente fecundo de toda una constelación de atributos simbólicos, cual «el recuerdo sin quicios ni aleteos». Se trata de emanaciones fantásticas originales y peregrinas en el orden de su *asociación sintagmática* en el verso, las cuales están a su vez hondamente motivadas, sentimental e imaginativamente, en su *relación sistemática* dentro del mito poético personal y del universo expresivo poemático del autor[11].

---

11. Resulta poco rentable, a mi juicio, explicitar en cada caso para los lectores habituales y competentes de esta poesía el orden de medularidad mítica y de constancia expresiva, retórico-figural y estilística, que encierra como su razón implícita de valor poético cada uno de los estilemas afortunados y eficaces, como los que comentamos arriba. Así el «quicio» y los «aleteos» del recuerdo en este ejemplo remiten fácilmente al escenario de los símbolos ambivalentes de la cama con sus ropas ajadas o cobijadoras y de las bandadas de palomas y pájaros siniestros o alentadores que pueblan la peculiar selección imaginaria en los poemas de recuerdos familiares, como son «Caza mayor» (págs. 116-118) o «Aventura de una destrucción» (págs. 201-202). Un trabajo equivalente de genealogía mítica y estilística requeriría explicar la poderosa resonancia emotiva y verbal en otros lugares de este mismo poema, como podrían ser el dístico: «de entrar en el tempero de la lluvia / en el tallo muy fino de la muerte»; o bien en el intenso fundido metafórico de versos como «oigo la savia de la luz con nidos». Y lo mismo, casi al azar, sobre otras incidencias tales como: «y ahora alumbra tu oficio / con su silencio fugitivo, en son / sereno como de agua a mediodía» de «Epitafio» (pág. 77); «... y lo invisible es transparencia en llama / como el olor a hoguera de noviembre», de «El cristalero azul» (pág. 79).

Dicha capacidad potenciadora de la selección paradigmática entre los símbolos ha sido presentida habitualmente por los lectores de poesía de todos los tiempos como uno de los rasgos decisivos de la clasicidad lírica, así como la traza del interés ejemplar de los grandes sistemas personales codificados por los poetas «mayores». Es a esa raíz a la que obedece la madurez poética que ostentan las composiciones de *Casi una leyenda*. Las tan alegadas —para bien y para mal— autocitas del libro no resultan ser, en consecuencia, sino un indicio evidente hacia esa unidad lograda como circularidad del universo mítico y expresivo. Dentro de ella, las referencias singulares adquieren la plenitud de sus capacidades de resonancia estilística, expresiva y sentimental.

Desde dicho sistema interior de resonancias estilísticas cumplidas, imaginarias, cognitivas y sentimentales —dentro de una obra no redundante sino *resonante*—, nos inquietan, por ejemplo, los interrogantes abiertos sobre un destino que se teme ya cerrado y concluso: «¿Y la palpitación oscura del destino / aún no maduro hoy?». Tanto más cuanto que ahora alerta adverso, desde una claridad nocturna y un viento sólo astuto ya nunca más sereno, como cuando fundaban los dones místicos de las revelaciones del deseo: «Oigo la claridad nocturna y la astucia del viento / como sediento y fugitivo siempre». Por eso las preguntas actuales en torno a las presencias más reconocibles de cualquier otro tiempo instauran inmediatamente en los formantes lírico-estilísticos del poema vacíos hondos de sencilla eficacia: «Pero ¿dónde está, dónde / este nido secreto de alas amanecidas / de golondrinas?». Y todas las citas propias de reconocimientos y menciones explícitas no desmerecen ya en la inocencia de sus intuiciones, ni tan siquiera de los más reconocibles guiños culturales, como el del arpa tan familiar de Bécquer: «... esta puerta cerrada se hace música / esperando una mano que la abra / sin temor y sin polvo...».

La contrapartida estilística querida para todo este riesgo superficial de citas reiteradas es la creciente austeridad de la forma, que se controla sobre todo en sus instrumentos expresivos intensos y microtextuales sin menoscabo del efecto poético imaginativo y sentimental. Pero la nueva sobriedad inaugura, a su vez, una ganancia definitiva del estilo para las autenticidades de la voz y de la conciencia artística madura en un poeta ya mucho más escueto y esencial, capaz de fundar ahora en su imaginación convergencias puntuales nuevas, como la de la súbita elevación simultánea del cemento y el cielo, o de proclamar la rutina sin uso de las voces del aire: «... Están muy altos / el cemento y el cielo. / Me está llenando el aire con rutina, / sincero».

La observación atenta sobre los nuevos materiales del estilo en este mismo poema o en el siguiente «Revelación de la sombra», destierra el grueso error de aquellas opiniones que han censurado un supuesto continuismo sin progresos en la obra de Claudio Rodríguez. Pero de lo que se trata es de que, en el ápice de su crisis ética de salvación, la selección estilística del poeta, desde la configuración de las macroestructuras a los detalles de la realización microestilística, corrige fecundamente las simplificaciones felices de las estaciones inocentes: aquellas leales imágenes feraces de las labores del campo, las adolescentes paradojas casi místicas sobre la cálida luminosidad de la sombra nocturna, etc..., etc... Lo que revelan las sombras en esta hora tardía de la desilusión —nunca definitiva, con todo— se hace discurso penetrante de sencillez formal, plasmado en rigores del léxico como el aristado perfil de los materiales, áridos y minerales, que habían debutado ya en *El vuelo de la celebración* bajo lexemas e imágenes sustanciales fuertemente arraigadas en el mito de Claudio; tales la de la almendra para los labios de la herida o las pupilas del pájaro nocturno. Unas imágenes adquiridas siempre en las peores horas de la desdicha:

> *...oliendo*
> *a alma abierta y a cuerpo con penumbra*
> *entre los labios de la almendra, entre*
> *los ojos del halcón...* (pág. 17)

Cualquier nueva revelación del léxico simbólico lo es ahora sobre las siniestras cuadrillas que acompañan a la sombra y a la epidermis áspera: «... y la vida que enseña / su oscuridad y su fatiga, / su verdad misteriosa, poro a poro, / con su esperanza y su polilla en torno». Mientras que toda proximidad metafórica emotiva de los recuerdos feraces vegetales se adjetiva inevitablemente, a esta luz nueva de la desolación, con los vacíos limítrofes de la muerte[12].

* * * *

Conviene recordar, una vez más, que establecer generalidades sobre la posible modificación absoluta del perfil estilístico en la evolución de un poeta, cuyos libros —no demasiado extensos— se demoran por decenios, impone ante todo la obligación de relativizar en los matices. Y muy singularmente en el caso de Claudio Rodríguez, en quien la trayectoria de agotamiento de la delicia animada y vegetal en los escenarios externos de la imaginación resulta altamente simbólica y afín al proceso de pugna entre la desilusión y la obligación salvadora de la esperanza, entre el abatimiento de la experiencia dolorida frustrante y el imperio moral de una ley de destino, incluso religiosa, que lo vincula de forma necesaria al reequilibrado idílico. En tales términos, los procesos correlativos de modificación moral y de alteraciones estilísticas observables en todos sus libros, y señaladamente en *Casi una leyenda*, se conforman objetivamente como *tendencias* generales y valencias medias. Su evidencia se refuerza o se adelgaza en la obra de una composición a otra, dependiendo de momentos —o mejor de etapas y de procesos— de oscilación sicológica. Así por ejemplo, el poema «Nocturno de la casa ida» permite ilustrar desde el estilo una modulación del entusiasmo mucho más positiva que la de las restantes composiciones nocturnas de esta parte del libro.

---

12. Parece obvio que las intensas modificaciones que estamos subrayando sobre la imaginación y el estilo de Claudio en esta obra, que la signan en el sentido de la austeridad formal y de una más controlada sobriedad fantástica, no significan pérdida de intensidad poética sino, al contrario, modificación intensa del escenario sentimental y de sus decorados imaginativos. Sobre esto no hay que recordar que lo sublime poético anida en lo venturoso y alegre como en lo patético. Pero el abandono de lo exultante por lo más elegiaco en esta obra tiñe a la expresión nueva de las antiguas fórmulas felices con un inédito rubor espontáneo de naturalidad melancólica, que debe figurar por ahora entre los logros más depurados de la fecundidad expresiva del poeta. A recordar las tiernas emociones hacia el final de «Revelación de la sombra»: «Si yo pudiera darte la creencia, / ...de esta tarde serena...»; o aquella otra exhortación decreciente de la despedida: «Vete con tu inocencia estremecida / volando a ciegas, cierta, / más joven que la luz. Aire en mi aire».

Aquí cuenta el ritmo entre los factores principales, el decisivo ritmo poemático permanentemente recordado en su responsabilidad expresiva máxima por Claudio. Ritmo global del poema —se entiende—, acústico e imaginario, versal y estrófico, que corresponde al alternante estado de ánimo de una melancolía elegiaca incluso entre las evidencias más amigas, como la de la suspendida estrofa del comienzo con el clímax bien temperado del conjuro y la oda en la parte final.

Construyen ese ritmo poemático no sólo, según es bien sabido, las principales regulaciones acústicas de la métrica y la versificación, sino otros muchos registros, cual el de las cenestesias de la memorización y la emoción simbólica de las imágenes, patentes sobre todo en la acumulación de enumeraciones caóticas que se suman a la variación dinámica de las escansiones versales:

> *Está entrando la noche, está sonando*
> *en cada grieta, en cada fisura,*
> *en el ladrillo bien cocido a fuego,*
> *en la pared con fruto con tensión hueca en temple,*
> *en la arena del cuarzo,*
> *en la finura de la cal, el yeso,*
> *el hormigón traslúcido,*
> *la arcilla ocre con el agua dentro,*
> *el hierro dulce...* (págs. 25-26)

También se añade decididamente el viejo poder constructor de las iteraciones y las deixis intratextuales que aportan las anáforas, sobre las que se constituye el fuste del poema. Por ejemplo, el intenso ritmo conjuratorio de la parte final: «¡Canten por fin las puertas y ventanas / y las estrellas olvidadas, cante / la luz del alma...», etc; para dar paso a la seriación anafórica que gravita sobre la optación del segundo imperativo: «... y suene / la flauta nueva de las tejas curvas... suene el olor a ola y a pétalo de trébol, / y la penumbra revivida, suenen / el arpa y el laúd... / suenen la escala, el tiempo, los arpegios... Suene por fin este aire de planicie».

Quiero advertir aquí de nuevo sobre la decidida resolución que he adoptado en este libro sobre todos estos análisis estilísticos de la forma exterior, de no demorarme con recuentos meticulosos o exhaustivos, enojosamente obvios de los microestilemas. La ilustración de esa vertiente del estilo ha sido bien atendida además por críticos tan asiduos y fiables sobre la obra poética de Rodríguez como Prieto de Paula en lo que se refiere a las estructuras tropológicas del estilo[13]. Añadiré sólo que, para cualquier lector avisado de Claudio, resulta familiar cómo el decisivo factor de construcción estilística de los ritmos prolonga íntegramente en los poemas de *Casi una leyenda* su conocida capacidad de imprimir tonalidades imaginarias y emocionales al poema, como inercias a que puedan inducir las instancias semánticas[14]. Queda también claro, por supuesto, que bajo la amplia acepción textual del ritmo apelamos nosotros habitualmente a sumarios muy globales de la impulsión poemática, síntesis de sensaciones en las que se acumulan isotopías de todos los constituyentes textuales: los propiamente métrico-acústicos, gramaticales, léxico-semánticos y expresivo-pragmáticos; sin olvidar los que conforman la decisiva densidad sicológica, emocional e imaginaria.

La intuición de la muerte se consolida estilísticamente, en este grupo último de poemas de *Casi una leyenda* por vía negativa, mediante la contraposición antitética a las formas pujantes de la vida. De ahí también, el símbolo de la floración de los almendros como primer testimonio del renuevo vegetal tras el letargo de la savia en invierno. Pero al mismo tiempo, la fórmula global de la geminación dual y del contraste en la macroestructura textual de la argumentación se despliega en innumerables oposiciones sintagmáticas intensas, microestilísticas, que

---

13. Para una aproximación genérica a la métrica, vease asimismo, Luis García Jambrina, «La trayectoria poética de Claudio Rodríguez (1953-1976): análisis del ritmo», cit., págs. 114-118.

14. La variedad de recursos y de indicios textuales para animar y jalonar el ritmo poemático es muy amplia en Claudio Rodríguez. Uno de los estilemas más habituales y permanentes a lo largo de toda la obra es la insistencia anafórica con estribillos, que aparece en composiciones de *Casi una leyenda*, como «The nest of lovers», mediante la reinsistencia en la declaración de amor «Y yo te veo porque yo te quiero». Fórmula que procede, a su vez, de poemas anteriores sobre situaciones amorosas análogas en «Sin leyes» de *Alianza y condena* (pág. 180). Pero la utilización habitual rítmico-anafórica del estribillo se intensifica en esta última obra, extendiéndose a poemas con tematismo muy variado; recuérdese en concreto la interrogación en «ritornello»: «¿todo es resurrección?» de «Los almendros de Marialba».

previen sobre la condición íntimamente fluida e interactiva de todos los estratos y planos de la forma interior bajo la unidad generadora del impulso. Son estructuras yuxtapuestas de aliento y depresión, de altura y de caída, de dinamismo aéreo y diurno frente a las representaciones lastradas por la quietud nocturna:

> *esperando este viento tan temprano,*
> *esta noche marchita y compañera,*
> *este olor claro antes*
> *de entrar en el tempero de la lluvia,*
> *en el tallo muy fino de la muerte.* (págs. 73-74)

Y así más adelante: «con estambres muy dulces de sabor, / junto a estas ramas sin piedad...»; «que llega germinando / con la savia sin prisa de la muerte»; «entre el otoño del conocimiento / y el ataúd de sombra tenue, al lado...». Una tendencia quizás dualista antes que necesariamente antitética[15] —la vigencia de esta articulación negativa la urge en el caso de este poema concretamente el tematismo obligado de la extinción—, capaz de marcar la andadura rítmica de la enunciación poética de Claudio en su último libro[16].

A la luz de la radicalidad que alcanza el principio de la geminación dualista en la idiosincrasia enunciativa del poeta, se entiende otra

---

15. Resulta habitual el recurso de la geminación complementaria o progresiva, no antitética, como dispositivo de transfiguración poética en los casos en que no se dan las necesidades temáticas de contraposición espacio-temporal o de negatividad sustantiva. Así de nuevo, en este mismo poema de muerte, la alocución conjuratoria de vida a los almendros, donde el ritmo imperativo lo impone la «amplificatio» sinonímica del énfasis positivo en clímax creciente, y no el contraste antitético: «porque la tierra está mullida y limpia... con su fidelidad y su constancia»; «... y se abren / a la yema y al fruto, / a la fecundación, a la fatiga, / a la emoción del suelo».

16. Véase como ejemplo añadido a lo anterior, la andadura intensamente dualista y nuevamente antitética —en correspondencia con la reaparición del índice temático de negatividad mortal— de la enunciación rítmica en los versos siguientes:

> *Hay un suspiro donde ya no hay aire,*
> *sólo el secreto de la melodía*
> *haciéndose más pura y dolorosa*
> *de estos almendros que crecieron antes*
> *de que inocencia y sufrimiento fueran*
> *la flor segura.* (pág. 75)

de sus peculiaridades microestilísticas más llamativas: la frecuencia de los casos de paranomasia y rima interna, cuya inocente violencia le ha sido reprochada en ocasiones al autor, atribuyéndola desacertadamente a caídas injustificables de su pericia compositiva hasta la cacofonía e incluso el ripio. Pero el fenómeno es general en toda la poesía de Claudio y en todas sus épocas, lo que descubre su secreta correspondencia como síntoma peculiar de su imaginación y de su estilo verbal. Espigando muestras tan sólo en este último libro, encontramos paranomasis en versos como: «y es la adivinación y es la visión» de «Un brindis por el seis de enero»; o «La vida impura pero tú eres pura» de «El cristalero azul»; o bien: «Y la erosión y la sedimentación» «... Es la dislocación, la oxidación...», «la corrosión en plena / adivinación / y la aniquilación en plena creación» del comentado poema «Solvet seclum», etc., etc... Obviamente la marcada intencionalidad estilística, lograda o menos, de estas muestras del comportamiento compositivo resulta indiscutible, sobre todo en sus desarrollos más ostensibles y queridos, entre los que no dudo en inventariar la estrofa y las rimas que cierran *Casi una leyenda*, tan sembradas de gestos poéticos intertextuales:

> *¿Y si la primavera es verdadera?*
> *Ya no sé qué decir. Me voy alegre.*
> *Tú no sabías que la muerte es bella,*
> *triste doncella.* (pág. 86)

* * * * *

La estructura figural antitética, en cuanto esquema argumentativo correspondiente a las dos actitudes poéticas fundamentales del cotejo lírico subjetivo-objetivo y de la metamorfosis amplificativo-metafórica, se establece dentro de la poética general de Claudio Rodríguez —y tanto más en su último libro— como el dispositivo retórico determinante, tanto de la estructuración macrotextual como en los procesos microtextuales del estilo más frecuentes y decisivos. Ya se ha señalado cómo en *Casi una leyenda,* el cotejo antitético melancólico y de final subyace en la mayoría de los poemas a las coordenadas antropológicas diacrónicas antes-ahora; lo que interesa subrayar ahora es el modo en que el esquema configurativo de la antítesis sustenta también en superficie relaciones antitéticas de sustancia semántica distinta. Tal por ejemplo la relación *íntimo / exterior* que constituye la peculiar configuración imaginaria entre cuerpo y conciencia, en convivencia reflexiva con el funcionamiento morboso de las dolencias del cuerpo, según se despliega en el poema «Manuscrito de una respiración».

El efecto de desdoblamineto distanciador entre la propia conciencia reflexiva y las estructuras viscerales del cuerpo rige el proceso exploratorio íntimo, afectando al esquema diferenciante de las antítesis:

> *Y la respiración que es hondo espía*
> *me trasluce y traspasa*
> *no sé qué resplandor. Me está esperando*
> *con taller y con lápida*
> *desde el vértigo mismo de la hoja del pulmón*
> *hasta la vena ciega*
> *y me hiere y me ayuda*
> *tierna en su fibra, bien cocida en limpio,*
> *y me hilvana y me cose*
> *con polen de la luz junto al encaje*
> *del hilo blanco y duro del ahogo,*
> *del suave del suspiro*
> *mientras el cuerpo se va yendo a solas.* (pág. 33)

Mucho del poderoso efecto poético que conllevan todas estas imágenes procede de la potente sensación distanciadora que se origina en la auscultación interna esquematizada en la antítesis textual. Así se generan las formas de dependencia prosopográfica que revisten los atributos de animación de pulmones y venas; todo ello bajo las sensaciones fantásticas de repulsión asociadas a los cosidos, encajes, pólenes y suturas, que Claudio había elevado, como se recordará, a índices míticos definitivos con el proceso de imaginación fatal del conjunto poemático titulado «Herida en cuatro tiempos» en su libro anterior[17].

---

17. La relación figural fundante *íntimo / externo* se complica y expande en el desarrollo posterior de la composición, según será ya característico en el proceso imaginativo de construcción argumentada de los textos en *Casi una leyenda*. En la estrofa sucesiva, la conciencia analítica

A su vez, esta misma relación antitética de configuración espacial *interior / exterior* gobierna la situación temática en que se origina la anécdota del poema «Un brindis por el seis de enero», como contraste entre el acogedor emplazamiento nocturno y el anuncio inminente de la claridad con que «se abre» el día. Siendo esta coordenada subyacente a la orientación imaginaria aún más decisiva para descifrar la compleja situación espacial, deliberadamente velada en la construcción del poema, sobre el trayecto imaginario previo a la salida de la estancia o al parto desplegado en «Balada de un treinta de enero»[18]. Un itinerario de la

---

contrapone la exterioridad circunstante del lecho y de sus lienzos a la interioridad de las cavidades corporales: «la oscuridad del tórax, la cal de uva del labio, / la penumbra del musgo...» etc.; mientras que en la siguiente el contraste diferenciador lo aporta el recinto de la alcoba, «La pared medianera...», frente al recorrido interno de la respiración. Todo para finalizar con el acostumbrado conjuro imperativo al aire íntimo de la respiración corporal, efundido a respiración externa del paisaje con su cierzo suave: «Ya estás sintiendo / cómo se mecen, cómo se cimbrean / suavemente los olmos, hoja a hoja, / en las riberas de la amanecida»; hasta la peculiar respiración del «aire de la meseta».

18. Sólo la claridad que aporta para la comprensión del texto la explicitud de la situación espacial fundante del discurso, permite ordenar y reconstruir la coherencia de las peculiares asociaciones fantásticas desplegadas en el poema; a partir de la vivencia inicial imaginada sobre la llamada de la vida en el reducto del claustro materno transfigurado en cruz de piedra —«... Desde estas piedras / que se estremecen al juntarse igual / que cruz o clavo / de cuatro puntas»—, hasta el término final del desencadenamiento del parto, enlazado catafóricamente mediante la imagen extraña de la crucifixión con las misteriosas asociaciones fantásticas de la cruz y del clavo: «alguien llama a la puerta... Y estoy viviendo / una crucifixión de espaldas». Expresión en verdad misteriosa cuando se desconoce el fundido de escenas que se introduce en ella para lograr el efecto de ambigüedad que componen la suma y la destrucción simultáneas de los sentidos. El clavo de cuatro puntas es instrumento de cerrajería que remite, como se ha dicho, al interés de Claudio preparando «El robo». Respecto a la «Crucifixión de espaldas» hemos advertido antes sobre el significado de ese recuerdo en la visión mística o alucinatoria vivida por el poeta en el atardecer de Medinacelli. Entre esos dos jalones internos de la clausura fetal nocturna discurre el cálculo previo de la fantasía por los espacios exteriores que conforman el escenario, diurno y aéreo, de las imágenes más habituales en la exploración postural de Claudio Rodríguez. Ese animado universo peculiar del poeta sutilmente estilizado y rentable ya a estas alturas, se compone de «aristas de la espiga» y de «polvo del cristal» que forma «la pobreza en ceniza». Espacio sobre todo marginado, que cristaliza en sugerentes escenarios surreales para los misteriosos juegos de infancia: «Y los niños jugando a nieve y nieve en la plaza / del aire»; pero que es también el ámbito previamente experto por el que han discurrido tantos paseos simbólicos de la calle en su mito de infancia: «¡Y qué iba a saber si estaba ahí / llamando puerta a puerta, entre las calles», que introduce una situación anecdótica del poeta, quien se recuerda golpeando puertas con una mano escayolada en noches borrascosas, coincidentes con la elaboración del texto. En ese dominio previo del ser, sobre el que se entrecruzan la inocencia retrospectiva del origen y la experiencia progresiva del ingreso en nuevas estancias del destino, el poema desgrana las llamadas al parto o los aldabonazos inexorables de un fantasma enlutado, que lo convoca a salir y le llama a cruzar sobre un presente ubicuo de eternidad global inmóvil, espléndidamente convertido en relato del texto.

imaginación que discurre entre los inequívocos jalones espaciales: «Alguien llama a la puerta y no es la hora. / Algo está cerca, algo se entreabre», y «Sea quien sea, sal y abre la puerta. / ¿Al mensajero de tu nacimiento?», que señalan el proceso referencial del propio alumbramiento[19].

El poder conformador del esquema antitético descubre de este modo, también en el tematismo espacial de los poemas de *Casi una leyenda*, su decisiva capacidad para organizar las operaciones de mitificación poética. No en balde hemos atendido ya en el capítulo correspondiente al apartado temático, a la genealogía mítica común que vincula dos temas tan decisivos como el del nacimiento y el del ladrón capturado para siempre en el tragaluz de piedra en el poema «El robo». Un texto y una experiencia centrales, como sabemos, en el mito temático determinante de toda la obra. La salida a la luz del ladrón por la angostura de la ventana se ordena imaginativamente según el esquema habitual de la contraposición dualista, que gobierna universalmente, como vemos, los enunciados de la obra.

El esquema antitético conoce asimismo intensificaciones muy llamativas para determinadas situaciones temáticas. Se trata de coyunturas simbólicas como la de «La mañana del búho», donde la contraposición temporal con la que se juega, alcanza la oposición absoluta *diurno / nocturno*; pero subvertida en la perspectiva catacrética que el texto retuerce hasta explotar el simbolismo temático de la situación paradójica. Para el atribulado búho de la fábula, la llegada del día marca el límite de su capacidad de visión y el umbral paradójico de su ceguera. Parece obvio recordar aquí de nuevo la identificación de las aves y sobre todo de estas aves nocturnas con el mito personal de la iluminación oscura del conocimiento esencial que recorre toda la obra de Claudio Rodríguez, desde el primero al último de sus libros.

Mediante el subrayado estilístico se decanta la gravitación del sistema espacio-temporal de contraposición antitética sobre el que se pro-

---

19. A este respecto, Claudio me ha confiado que, para la inspiración de estas poderosas imágenes de la llamada tenebrosa y solemne a la urgencia del nacimiento-muerte, resultaron en su caso definitivos los fotogramas de la película «Amadeus», con las visitas del enlutado Salieri urgiendo la fatal terminación de su encargo del «Requiem» a Mozart.

yecta y organiza la agregación anecdótica de sustancia semántica que funda el desarrollo del tematismo. En ese nivel, además, la condición radical del esquema antitético afirma su prioridad performativa sobre cualesquiera otras especializaciones semánticas subsiguientes, incluso las más fundamentales como pudiera serlo la diferencia espacio-temporal. En el caso de la contraposición imaginaria subyacente en «La mañana del búho», la relación específicamente temporal *noche / día* se identifica léxicamente con la espacial: *adentro* como espacio de accesibilidad y *afuera* como ámbito de exclusión. La llegada de la luz representa así para la realidad del búho, como en el antiguo mito paradójico del conocimiento místico esencial de Claudio, la pleamar de luz que impone la ceguera excluyente: «...esta ola sin ventanas / cerca de la pared del sueño en alta mar / y la marea baja...»; instante y ámbito formal de incertidumbres, de formas léxicas logradamente imprecisas, servidas desde sonidos casi evanescentes:

> *...Hay un sonido*
> *de altura, moldeado*
> *en figuras, en vaho*
> *de eucalipto. No veo, no poseo.*
>
> *¿Y todo es invisible? ¡Si está claro*
> *este momento traspasado de alba!*
> *Este momento que no veré nunca.*
> *Esta mañana que no verá nadie*
> *porque no está creada.* (pág. 20)

Pero la intensificación doblemente negativa de la paradoja respecto de la constatación simple, elementalmente excluyente de las antítesis, descubre sus convergencias con el despliegue del tematismo en el discurso alegórico de la fábula: la destitución de la antítesis elemental que instrumentan las lexemas *día*-acceso de la luz y *noche*-exclusión de la vista, desplazada por la amplificación intensificativa de la paradoja de la visión a causa de la noche, conduce la honda reflexión alegórica del animal simbólico a la penetración que iguala los contrarios: «No hay espacio ni tiempo: el sacramento / de la materia». Superación paradójica sublimada en la voz del *sacramento*, reducción a la unidad última sustancial, por tanto, del esquema antitético con su despliegue temático consciente para la conclusión de animación verbal insuperable de este monólogo búho-autor:

> *ya no hay huida ni aun conocimiento*
> *antes de que ahora llegue*
> *el arrebol interminable... ¡Día*
> *que nunca será mío y que está entrando*
> *en mi subida hacia la oscuridad!* (pág. 22)

Bajo la tensión figural de la paradoja, la metamorfosis poética de los componentes de realidad discriminados en origen por la consciencia sobre la polaridad fundante de la antítesis[20], sirve la cifra y el símbolo retórico de la metamorfosis transfigurante y unitivamente esencial de la alta poesía simbólica. En conclusión: proyección homogénea y armoniosa del impulso síquico unitario de la inspiración sobre el conjunto del despliegue textual de las macroestructuras *interiores* a los hallazgos instantáneos, intensos, de la macroestructura *externa*. Así siempre, cuando la poesía alcanza sus extremos de perfección sublime.

---

20. En estas coyunturas de la interpretación estilística retórico-figural de las macroestructuras de la argumentación, resulta siempre obligada la referencia a la temprana comprensión crítica sobre la trascendencia de las mismas que representó el capítulo sobre «El lenguaje tropológico» en el fundamental estudio de Ángel Luis Prieto de Paula, *La llama y la ceniza*, cit., págs. 85-89. Sobre la coyuntura del cruce tropológico a que aludimos en el texto, ver pág.. 89.

SÍNTESIS

EL ESPACIO DE LA FORMA INTERIOR: INTERACCIÓN Y SINCRONÍA DE LAS MACROESTRUCTURAS

Impulso poético y forma interior
en la creación de Claudio Rodríguez

La unidad sicológica del *impulso* poético genera símbolos de varia naturaleza. Habitualmente se identifican sólo como tales las acuñaciones de constitución semántica que referencian conceptos y emociones, imágenes de la fantasía o contenidos míticos de la imaginación. Sin embargo la simbolización propia del impulso se decanta también en estructuras significativas tradicionalmente aisladas como revestimientos formales, derivativos y sucesivos según tal concepción a los símbolos de «contenido». Pero ese esquema de sucesividad en los instrumentos simbólicos del mensaje poético resulta ser tan sólo una simplificación irrealista, como hemos ido constatando en nuestro recorrido analítico en paralelo sobre el despliegue de las figuras míticas y argumentativo-retóricas en que se sustancia el impulso en la obra de Claudio Rodríguez.

La metamorfosis poética de la realidad verificada en la posturalidad exploratoria de la experiencia *implica* —esto es, constituye y es simultáneamente constituida— la relación de *control cotejado*, subjetivo-objetiva, que caracteriza a la figuralidad *metafórica* con un despliegue extenso en la *alegoría*. Asimismo, la peculiar convención idílica que especula con resoluciones ilusorias sobre los términos unitarios del deseo, finge esquemas quiméricos sobre la doble negación de la *paradoja* para ver en la oscuridad o en el inverso de la vida que es la muerte, los absolutos no perceptibles a plena luz. Mientras tanto, las *antítesis* formulan el doloroso sentir de la diferencia experiencial y ética y separan las falsas estaciones necesarias para la ordenación de la sensibilidad y la memoria: día y noche, pasado y presente.

También cuando se agudizan los términos de la percepción, cuando el conocimiento estrecha la sutileza de sus objetos para representarse sus perfiles más delicados, la *catacresis* ofrece las licencias irracionalistas de sus posibilidades de anomalía en el asociacionismo metafórico y en las reglas de subcategorización lógica; lo mismo que para otras coyunturas emocionales las figuras del *énfasis* —imprecaciones, deprecaciones, interrogaciones no epistémicas, clímax, etc...— extreman bajo sus *conjuros* a los objetos de la realidad el poder emotivo de las enunciaciones más neutrales y directas. A su vez, la *sinécdoque* y la *metonimia* cobijan los instantes temáticos de repliegue resignado del conocimiento desfallecido ante la inmensidad inabarcable de la extensión del absoluto objetivo.

Figuras y temas, ritmos y conceptos, emociones e imágenes. Por tan varias maneras se nombran las facetas diferenciadas en el orden y resultados de la adquisición receptiva, que representan sin embargo meras alternativas en el despliegue *sincrónico* del impulso unitario de simbolización poética. Sobre ese espacio magmático e indiferenciado del *impulso a la forma*, de la necesidad sincrónica subconsciente al orden sucesivo de la conciencia de percepción, se implanta y desarrolla el trayecto y la intensa operatividad creativa de la *forma interior poética*. Un ámbito macroestructural que determina y dirige el trabajo ulterior consciente de los reajustes intensos microestilísticos que delimitan la *forma exterior poemática*. A uno y otro lado de ese límite realísimo entre globalidad textual y detalle sintagmático, la continuidad del proporcionalismo «decoroso» del estilo funda reglas de homogeneidad y de correspondencia entre ambas formas, que no deben inducir no obstante el espejismo crítico de la indiferenciación genética: la *forma interior* representa la cristalización de un *momento textual* de márgenes tal vez inacotables pero constitutivamente diferenciado y realísimo en el *proceso de creación*.

La entidad genérica de la imaginación antropológica, garantía de la *poeticidad* generalizable del mito literario, crea un orden interno de convergencias universalizables, que se sustancia en la variedad de los revestimientos imaginarios y fantásticos que constituyen los esquemas de convergencia y de recursividad simbólica reconocibles como *mito personal*. En el caso de Claudio Rodríguez, su mito personal dependiente de las circunstancias modificadoras de la biografía peculiariza esquemas de exploración cosmológica caracterizados por la mala conciencia de la transgresión y de la culpa: huida y aislamiento; y de la voluntad de conciliación restauradora: retorno y solidaridad. Elige facultativamente instancias casi místicas de extenuación paradójica nocturna como ámbito luminoso de la visión extrema; lo mismo que decide abandonar el hallazgo imposible sobre lo inmenso metafísico y buscar el consuelo del encuentro modesto, de las compañías limitadas y menores pero más abarcables y seguras; como después la focalización cuantitativa evoluciona a sutileza sintomática de perfiles crecientemente inconsistentes. Tal vez la memoria implacable del desarraigo y la culpa iniciales accidentan por siempre la constitución de su erotismo polémico; y puesto, en fin, ante la imaginación extrema de la muerte, la constancia inextinta del sentimiento idílico reequilibrante de salvación dificulta hasta ahora la entrega incondicional a la abdicación y al abandono en el naufragio de la plenitud identificativa.

Perfiles todos personales, individualizantes, de una gran voz poética y de una interesante mitología sustantiva; pero sobre el fondo de unas reglas constantes de participación universalista que a todos nos implican apasionadamente: la agonía tematizada hacia lo Uno, el Absoluto exterior y el Idéntico íntimo; y el torturado asedio de las Diferencias. Razón recóndita y evidencia palpable, distancia e inmediatez: sencilla verdad sublime de poesía. Recapitulemoslo, todo ello, en la obra de Claudio Rodríguez sobre las varias estaciones de la constitución del impulso poético en logros absolutos de la forma interior.

El impulso exploratorio y su despliegue cosmogónico mítico y expresivo en *Don de la ebriedad*

Un aspecto poco polémico en torno a la calidad poética y al acierto, calculado o innato, de la obra de Claudio Rodríguez es el relativo a su comienzo, *Don de la ebriedad*. Principio o iniciación; ambas cosas y sobre todo la segunda, no obvia. El tematismo de *Don de la ebriedad* ajusta sus peculiaridades singularizantes al mito universalista de la *iniciación* como constitución progresiva de la experiencia. Acierto sumo del instinto impulsivo del poeta: emplazar el origen del propio mito personal en el trayecto fundante de la iniciación. El viaje es el esquema imaginario, la falsilla estructural fantástica sobre la que se despliega el recorrido temporal progresivo de la iniciación a la experiencia. *Don de la ebriedad* es la crónica poética de un itinerario entusiasta — aunque apesadumbrado en su fondo de mala conciencia de transgresión y huida— de viaje y de salida. Términos emparentados, pero en este caso no sinónimos; porque el trayecto experiencial de *Don de la ebriedad* es un recorrido cosmológico inicial desde el origen del conocimiento.

Pero en la fisonomía mítica de los relatos de iniciación cuenta tanto el principio como el término. Todo viaje de la experiencia no parte de un estadio de inocencia absoluta, de justicia original y de nacimiento. La voluntad de enriquecimiento experto surge de un error reconocido y comprobado, de la perplejidad tras la crisis o después del pecado y de la culpa. La iniciación mítica precisa de algún antecedente idílico defraudado. El viaje aventurado de Odiseo arranca de la necesidad de compensar imaginativamente la concentración polémica de los héroes sangrientos tras el decenio de matanzas fétidas de Troya; y lo mismo las navegaciones errantes para fundar de Eneas. Los recorridos experienciales del Dante y de don Quijote lo son de varones emplazados «nel mezzo del camin» o incluso alcanzada la cincuentena. La juventud anhelante de Claudio Rodríguez en su primera exploración cosmológica partía del traumatismo previo de una infancia desolada por la orfandad y la incomprensión materna, el origen de la cadena de traumas biográficos y el sedimento conflictivo de un carácter definitivamente dramático por encima de sus optimismos, de su inabdicable voluntad de salvación idílica. La salida en el viaje mítico de Claudio Rodríguez fue la huida.

El esquema de la fuga viene a ser subyacente y enmascarado, no obstante, por la voluntad insobornablemente positiva en Claudio de adquisición experiencial y de reequilibrado sentimental idílico. De todo ello se sigue el atractivo fondo de dramatismo que tensa emotivamente, para su bien poético, la historia de adquisición de la experiencia cosmológica desplegada en *Don de la ebriedad*. Y tanto más se logra de intensidad y de interés apasionado, cuanto que el componente patético de la fuga aparece sagazmente contenido e implícito, muy raramente —nunca en la primera obra casi simultánea con lo peor del choque conflictivo— desmenuzado en momentos de confesión apasionada, que vendrían más tarde. La condición reactiva de la huida comparece tan sólo como mala conciencia en las «acusaciones» y el miedo, así como en la declarada tensión que protagoniza la «inocencia» del poeta entre los testigos imponentes de su aislamiento extraviado. Por su parte, el fondo patético lastrado para siempre desde el conflicto se abre paso en la narración mítica de este viaje de iniciación bajo el insuperable impacto de los primeros símbolos dolorosos: el propio cuerpo como surco-herida abierto por el arado de la luz divina, el corazón sangrante como la uva en sazón pisada por los hombres para extraer la sangre-vino de la ebriedad apasionada; o la conciencia inocente, ropa tendida al oreo del sol y amenazada de robo por los rivales, de estrujamiento por las lavanderas o del pisoteo y el picoteo sacrílego de los gallos siniestros.

Pero como se ha dicho ya, ese fondo temible es tan sólo por ahora el presupuesto dramático entrevisto, enmascarado en el juego de los símbolos más impactantes que debutan con *Don de la ebriedad*. Frente a él, todavía pujantes en aquel primer libro, se alinean las gracias generadoras de la luz y del agua: la compañía duradera de los ríos ilustres y aquellas otras lluvias de tanta sencillez depuradora; y también, sobre todo, los momentos de luz inigualablemente idílicos. Así que en el balance mítico de *Don de la ebriedad* ha de contar de forma decisiva lo positivo explícito, la voluntad ideal del mito de experiencia constitutivo de la historia narrada. La tenaz voluntad todavía intacta del impulso experiencial adolescente funda así su peculiar cosmología imaginaria recorriendo el esquema exploratorio del camino, al paso vivo del ritmo presuroso y jóven de quien dejaba atrás el fondo turbulento de olvidos que inicia y justifica cualquier fuga. Pero es de la anhelante voluntad hacia el conocimiento bajo el impulso exploratorio de la imaginación, de donde procede la condición experiencial predominante, penetrante y lustral, del contenido temático de aquella obra por tantas razones inicial del poeta.

Reduplicando el esquema mítico que potencia en la obra lo temático expreso a partir de lo encubierto y latente —el mismo procedimiento que antes hemos identificado sobre la huella de los traumas de huida en el patetismo de un sector de los símbolos dentro del mito entusiástamente cosmogónico de la primera obra de Claudio—, se instala la segunda fórmula de ambigüedad mítico-temática. Ella, como la primera mencionada, contribuye a conferir profundidad y grandeza antropológica a la referencialidad externa y alegórica del anecdotario temático. Se trata del que, en expresión de Jung, se conoce como trayecto sicológico de la «individuación», un itinerario igualmente iniciático y nocturno al interior de la conciencia, que resulta imaginable como paralelo en todo al mito exterior diurno del viaje exploratorio postural. La descripción que hace Jung de ese trayecto interior y el viaje externo tematizado alegóricamente por Claudio Rodríguez en *Don de la ebriedad* coinciden en ser ambos procesos de conciencia integradora hacia la *unidad* inmutable de lo Absoluto esencial, abierto desde el despojo progresivo de las apariencias diurnas de variación y *diferencia*.

La constitución narrativa del itinerario de la cosmología iniciática asume y radicaliza la actitud de observación y el proceso dialéctico de *metamorfosis,* así como de *cotejo* fundante de la posición expresiva y simbólica más genuina y propia de la enunciación lírica. Parece obvio declarar aquí que es en el proceso de metamorfosis poética de los referentes de la realidad cosmológica, a cargo de los equivalentes subjetivos en la sensibilidad del poeta, como la constitución del mito cosmológico adquiere sus formas más operativas de recubrimiento poético. Por otra parte, en las peculiaridades individualizadas que concurren en la fisonomía universal del mito iniciático de la exploración cosmológica, se emplazan los datos axiológicos del interés poético de cada mito personal. En el caso de *Don de la ebriedad,* la singularidad paradójica de la iluminación nocturna para el hallazgo sustancial unitario vincula el mito exploratorio de Claudio Rodríguez con el esquema imaginario de la inversión temporal nocturna de la experiencia, contituido por los poetas místicos castellanos y los poetas visionarios románticos más familiares a Claudio Rodríguez.

El aura invertidamente nocturna y paradójica de esta historia de iniciación de Rodríguez —sin olvidar sus relieves misteriosos ya señalados de intenso patetismo simbólico y la ambivalencia íntima y exterior del recorrido de la experiencia— determina, junto al inevitable contagio intertextual con las mitologías de la mística universal y española, el halo sagrado que concurre en este remontado poema del entusiasmo hímnico. De esa manera, lo que en el programa mítico habitual de las exploraciones más fieles y austeras en las metamorfosis peculiarizantes se suele plantear como *cosmologías* con vocación objetiva, en el caso de *Don de la ebriedad* se peculiariza inconfundiblemente como una *cosmogonía* con vocación de tal. Así se explica ese aliento sacro, identificado —o confundido— por muchos críticos y lectores de Claudio Rodríguez con la expresión más que problemática de una religiosidad sin fórmulas litúrgicas, tan crecientemente efectiva en lo más íntimo y personal de las creencias del hombre Claudio Rodríguez, como celosamente censurada por el poeta en la formulación mítica de la obra.

Con la cosmogonía fervorosa que desarrolla *Don de la ebriedad* resultarían incompatibles las fórmulas del naufragio del entusiasmo sucesivas a la conciencia patéticamente problemática de la huida. Por el contrario, y firmemente implantada ya desde estos primeros pasos del desarrollo simbólico en la poética de Claudio Rodríguez, se manifiesta su irreductible voluntad de *redención idílica,* que se ha de resarcir invariablemente contra los crecientes obstáculos acumulados en la vida y la experiencia del poeta en términos de sentimiento trágico. La persistencia en la trayectoria poética de Rodríguez del que algunos han identificado como una variante más del mito, genuinamente romántico según Abrams, esquematizado en el proceso de ascesis / crisis / restauración evidenciaba ya en la peculiar estructura narrativa idílica de *Don de la ebriedad* sus primeros impulsos más exentos. Bajo el empuje corrector de la restitución salvadora idílica, la condición objetivamente fatal que han de asumir las crisis —la intelectual de la experiencia y la moral de la solidaridad— irá descubriendo en cada nueva obra futura la permanente reducción de la esperanza a partir ya de *Don de la ebriedad*; siendo lo característico en este primer reajuste del deseo adolescente la pujante —e ilusoria— inmediatez de su conformación.

El esquema mítico-dialéctico de *crisis* y de *idilio* restaurador de la experiencia, ingenuamente automático y aun ilusorio bajo la pujanza juvenil del impulso de Claudio Rodríguez en la época de *Don de la ebriedad*, tranfiere a la crisis referencial de los símbolos la tensión sobre lo inasequible constitutivo de la referencialidad mítica. De esa manera, las excepciones expresivas en los márgenes irracionalistas de la subcategorización semántico-gramatical ensayan su propia genealogía de híbridos simbólicos con poder de sugerencia fantástica y emotiva. No se trataba en tal caso, contra lo que algunas lecturas de Claudio Rodríguez han querido afirmar, de ilustrar una poética de la insuficiencia expresivo-simbólica del lenguaje; antes bien afecta a las consecuencias que implanta el límite aporístico de la percepción intuitiva de lo unitario-absoluto en el descenso de la «individuación» consciente. Al contrario de lo que pretende la insinuación deconstructiva, la sorprendente capacidad lingüística de Claudio Rodríguez para configurar la alusividad de sus poderosos símbolos irracionales constituye el mejor argumento sobre las capacidades de metamorfosis expresiva, verdaderamente liminales, de la alta poesía.

* * * * *

Pero el tematismo de los mitos se concreta, cuando la poesía no se frustra, en formas expresivas apropiadas. No cabe decir que son aquéllos los que seleccionan a éstas, ni que sean los esquemas de la expresión, macroestructurales-dispositivos y microestructurales, los que conforman constitutivamente el tematismo de los mitos. Antes que esa escisión, puramente teórica en el proceso de la creación expresiva y sobre todo en la poética, cuenta el *impulso* como esquema sicológico prelingüístico de la voluntad simbolizadora. El impulso simbólico, que contiene en potencia el concepto y la forma y es un conglomerado heterogéneo de instancias de la imaginación sustanciadas en imágenes fantásticas, pulsiones emocionales y afectivas, presentimientos embrionarios sobre la espacialidad formal definitiva del texto, etc...,etc... El impulso en *Don de la ebriedad* se concreta, globalmente, como intensidad de movimiento, de marcha redoblada y de los ritmos que corresponden a ese paso ligero. Pero la voluntad de dejar atrás imágenes con las que se pretende romper desde la huida, conlleva compensatoriamente desdoblamientos secundarios sucesivos del impulso inicial, que son de naturaleza inquisitiva y cosmológica. Subyuga el significado universal grandioso de lo que se percibe y nos rodea, mientras que la visión empequeñecida y secundaria de los testigos humildes del entorno se metamorfosea en trascendencia esencial para el protagonista ebrio de «la contemplación viva».

Al mencionar la diferencia exploratoria que acabamos de señalar sobre el trayecto unitario del impulso de indagación cosmogónica, no aludimos solamente a las dos modalidades de exploración mítica —diurna y nocturna— que conviven en los poemas de *Don de la ebriedad*, y que se corresponden respecticamente con las etapas inicial y tardía del itinerario de maduración poética del mito en la conciencia del autor. Partes invertidas «a posteriori» por Claudio Rodríguez en su congruente —y por tanto conscientísima y profunda; nada caótica ni ebriamente involuntaria, como él mismo gusta de representársela actualmente— organización narrativa de la obra. Los poemas más maduros del hallazgo nocturno se emplazan mayoritariamente en la primera parte, mientras que los más iniciales respecto a la cronología creativa, que testimonian el extravío perplejo entre las diferencias diurnas ocupan en el tercer libro —el primero, cuarto y sexto— un bien graduado itinerario de descubrimiento tortuoso en el desenlace idílico de la historia. La enseñanza profunda a partir de todo esto, sobre la constitución y estructura de la *forma interior* como despliegue sincrónico, temático y argumentativo del impulso simbólico, es la que deriva de la correlativa diferenciación expresivo-figural de la diferencia mítica en estructuras macroargumentativas. Así se constituye la diferencia entre las estructuras de *correspondencia metafórico-alegórica* para expresar la metamorfosis diurna en los poemas tempranos, frente a la *inversión paradójica* que formula la mitología nocturna del hallazgo esencial en los desarrollos poemáticos más evolucionados y maduros del mito cosmológico-cosmogónico de la obra.

Siguiendo ahora, por claridad, la voluntad narrativa que organiza el libro, la inversión paradójica califica de manera muy congruente las primeras etapas de esta historia de iniciación. El libro arranca en su parte primera de la exaltación en la ebriedad, don espontáneo y gratuito del hombre, que elige el momento místico y visionario de la ceguera nocturna favorable por excelencia a la visión esencial de lo Absoluto idéntico sobre lo relativo diferencial. El mito se constituye así, temáticamente, obedeciendo al esquema figural de la paradoja: *veo porque / cuando no veo*. La homología sincrónica entre el mito temático y la macroestructura expresiva que lo desarrolla narrativamente, traduce con claridad en este caso el poder conformador unitario del impulso expresivo. Pero la voluntad de construcción narrativo-diacrónica del mito como historia persuade a Claudio Rodríguez para integrar las más tempranas expresiones poemáticas, diurnas y de convergencia alegórica del cotejo subjetivo-objetivo, en su peculiar despliegue constructivo del idilio narrativo en la tercera parte: ese ambiguo y titubeante itinerario de salida mítica de la ebriedad como conciencia asequible, también diurna, que intensifican sobre todo los poemas finales de la obra, el séptimo y el octavo del libro tercero. De esa manera, el abandono mítico de la ebriedad se corresponde con la abdicación del esquema fundante de la paradoja. *El veo (esencialmente) cuando no veo (fenoménica y diferencialmente)*, tal vez el momento de constitución mítica más representativo, interesante y homogéneo en el balance imaginativo, trata de asimilarse a través de la voluntad de restitución idílica al: *veo (esencialmente) cuando veo (fenoménica y diferencialmente)*, dentro de la voluntad de normalización restitutiva y de salida latamente solidaria de la ebriedad visionaria nocturna, con la que el poeta trata de reequilibrar costosamente, al amparo solidario de la comunión diurna de la luz, el hallazgo de lo Uno absoluto.

La «agonía» metafísica en la constitución visionaria de la experiencia como reducción de lo *diferencial antitético* a lo *unitario convergente*, bien sea por vía de proporcionalismo y de aproximación *metafórico-alegórica*, o por el proceso más esforzado de la doble negación paradójica, inaugura en *Don de la ebriedad* el duradero trayecto de convergencias míticas y expresivas que acota el espacio poético de un *universo personal simbólico*. Desde la totalidad de su obra, Claudio Rodríguez ha demostrado poseerlo con envidiable rigor y atractivo poético. En aquel primer libro adolescente la intacta voluntad de integración idílica del poeta, poderosa o ingenua (hallazgo conceptual, conciliación ética y equilibrio estético), alcanzaba a reducir a imágenes ilusorias de unidad las evidencias de la divergencia (infinita deriva conceptual y antagonismo ético). De ahí que el hallazgo expresivo de la antítesis no comparezca aún en aquella primera obra optimista del anhelo intacto. El irreductible destino del antagonismo diferencial como *condena* (de la búsqueda intelectual experta del principio unitario y de la hostilidad y del pactismo contra el ideal ético de la fraternidad hospitalaria) se demorará todavía algunos años hasta que, decaído el impulso ilusorio convergente de las alegorías, se resuelva francamente con *Alianza y condena* en el atormentado destino de las antítesis.

Conjuros, la segunda obra: regulación de la metamorfosis temática a cargo de las alegorías del énfasis visionario

Tras el impulso fundante de la huida, la segunda obra de Claudio Rodríguez, *Conjuros*, despliega la pulsión complementaria del *retorno*. Persiste en ambos casos el sentimiento rítmico de la marcha, del camino; pero tras el entusiasmo encendido de la antigua ebriedad, la exploración diurna se resuelve en encuentros melancólicos. Así, los temas y el impulso no reconocen ya la unicidad mítica de la marcha anhelante que empujó en otro tiempo los sentimientos entreverados pero intensos del hallazgo ideal e imposible, encauzado bajo la inconcreción de la paradoja y del sobrecogimiento perplejo accidentado por la culpa. El nuevo esquema mítico del regreso, suplementario del impulso inicial de alejamiento iniciático y del viaje exploratorio, impone la posturalidad demorada de los *hallazgos* temáticos bajo el *reconocimiento convergente*; es decir, la descripción proporcionalista que funda el correlato figural de las *alegorías*.

La consistencia mítica de *Conjuros* ha encontrado ya interpretaciones y diagnósticos muy variados, hasta ahora implícitos siempre dentro de las habituales paráfrasis temático-hermenéuticas; pero sobre esas diferencias creo que se puede acomodar, sin mayores violencias interpretativas, la impresión prevalente de un *proporcionalismo convergente* que fomenta el borrado de las anteriores vehemencias siempre inconcretas e insatisfechas del deseo. La nueva emoción fundante, sucesiva al impulso de retorno, la delimitan las tendencias a la *concordia*. Nacen así los sentimientos temáticos de la *metamorfosis* epistémica similar y homogénea y de los *afectos solidarios* y el impulso fraterno. Se ilustra por esta vía la tantas veces sospechada condición secundaria o simplemente derivativa de los sentimientos tematizados conscientes en relación a la prioridad causativa del impulso antropológico, que resulta ser de esa manera responsable unitario de las concreciones temáticas y de los esquemas formales que las desarrollan. En el caso que nos ocupa, las concreciones del hallazgo exploratorio como reconocimiento y el metaforismo alegórico como medida de la progresividad convergente en la «amplificación» de la metamorfosis poética.

En el retorno tematizado en *Conjuros* predomina, como puede verse, un género de emociones relativamente apacibles y conciliadoras frente a las vehemencias urgentes asociadas al impulso iniciático de exploración en el desgarro de la fuga, con sus secuelas implícitas de culpabilidad dramática. El inconformismo anhelante contra la fragmentación impura de lo *otro* sobre la propia voluntad *centrada* de dominio, que llegó a la ficción idílica de la quimera unitiva de la nocturnidad paradójica, queda suspendido en este itinerario de hallazgos dulcemente conformadores y melancólicos del retorno. El protagonista de *Conjuros* no regresa siquiera con la mala conciencia del despilfarro de unos bienes indiscutibles, que justificaba la humildad abatida del paradigmático Hijo pródigo; el gasto de los bienes de esta ebriedad ha representado, en el caso del poeta adolescente, la obediencia a un destino mítico, con la generosidad obligada del impulso grandioso que lo hermana con Hölderlin, con Leopardi y con Rimbaud. En el regreso al espacio de convergencias de la nueva Ítaca castellana, este otro Odiseo ostenta, sí, la «cojera» simbólica de todas sus malas horas; pero la arrastra sin arrepentimiento ni baldón, sino como las heridas en el fondo gloriosas de su experiencia única.

Al descender de las cimas fulgurantes de la ebriedad, el nuevo iluminado no ha de encontrar ya la feliz Lindau de la Arcadia hölderliniana, sino la dura «ciudad de meseta» con sus esquinados pobladores. Por eso las tímidas aproximaciones del caminante de *Conjuros* son siempre de merodeo y no de pleno hallazgo, de puertas afuera de la ciudad, la casa y la romería del día de Águedas; nunca de los adentros, de la acogida plena y cordial. El reposo que se ofrece a la intemperie del errante no ha de ser el de la casa sólida de un padre compasivo, sino la bien mezquina exclusión de las techumbres arruinadas y al raso, el resto de pared de alguna majada destruida, o el merodeo siempre solitario por las afueras de la calle y la alcoba simbólicas de la infancia, que nunca pudo ser inocente.

Pero la voluntad cordial del impulso conciliador y unitivo persiste modificada. De un libro a otro se ha perdido el antiguo fuego inexperto que alumbraba quiméricamente en la paradoja de la noche el hallazgo de lo absoluto plenario. En *Conjuros* se han obrado ya, sumisamente, las consecuencias de la diversidad; pero con los residuos de su conciencia culpable el fugitivo ha construido con su retorno una humilde voluntad apacible de integración y de convergencia. De esa manera, el modo de visión no fracturado de la proporcionalidad alegórica representa una y la misma plasmación del impulso mítico fundante que genera, sobre el plano de la sentimentalidad temática, la voluntad cordial del hallazgo solidario y fraterno. Véase cómo en los grandes poetas no se ha de inquirir tanto la veracidad humana de sus sentimientos, cuanto la congruencia representativa y armónica de los esquemas míticos, que constituyen en el *impulso* el fondo de sus últimas fidelidades.

* * * * *

Sobre *Conjuros* hablamos siempre de la figura alegórica por no discordar innecesariamente con nuestros propios antecedentes críticos. Carlos Bousoño consagró felizmente hace ya tiempo esa fórmula de aproximación figural para representar la peculiar continuidad proporcionalista entre las dos ramas implicadas en el cotejo lírico: la esfera de lo objetivo y su proyección concordante con las valencias de la metamorfosis subjetiva. Con posterioridad a la reflexión de Bousoño, el marbete crítico de *alegoría* —en el mismo sentido de índice figural de la argumentación macrotextual— fue movilizado por Paul de Man en su libro *Alegorías de la lectura*, con la acepción genérica de nivel esquemático-figural en el que se constituyen el conjunto de los esquemas figurales —antítesis, ironía, metáfora o alegorías específicas— como constituyentes de la significación. Contando con esa doble coincidencia en el uso crítico del término, hemos optado por mantenerlo en la medida de lo posible.

Pero en términos de rigurosa exactitud técnica, la aplicación «ad hoc» del término de alegoría que introdujo Bousoño para designar el procedimiento predominante de metamorfosis metafórica de Claudio Rodríguez, incluye numerosas inexactitudes que no han dejado de ser discutidas por los principales tratadistas de Claudio Rodríguez: Mayhew, Jambrina, Silver y Prieto de Paula, principalmente. La acepción peculiar de alegoría que maneja Bousoño se diferencia de la alegoría clásica en que aquella figura mantenía una constancia permanente en la constitución de sus dos planos: el metafórico de expresión en el que se despliega expresamente la historia simbólica —la novela de la rosa, la fábula de la hormiga y la cigarra, etc...— y el significativo verdadero, nunca mencionado directamente en el plano expresivo-simbólico pero siempre representado diafánamente por él. Evidentemente la mayoría de las composiciones de *Conjuros* no respetan ese orden de separación y alusión constantes entre planos de las alegorías clásicas, sino que ambos niveles se mezclan alternativamente en el orden explícito de los textos.

Precisamente esa doble presencia simultánea del orden simbólico y del de la significación real en estos poemas pudo dar pie al adjetivo *disémico*, con el que Bousoño complementó el término de *alegoría* para adaptarlo al peculiar uso del metaforismo de *Conjuros* y de *Alianza y condena*. Pero la característica de «disemia» como evidencia metafórica explícita del doble plano simbólico refuerza aún más la incompatibilidad de la figura clásica de la alegórica para representar la discontinua presencia en los enunciados de *Conjuros* de los planos real y simbólico; un orden argumentativo incompatible con la exigencia de mantener constante en el plano explícito de la enunciación el orden metafórico. Hechas todas estas salvedades, nosotros procedemos habitualmente, por las razones dichas, a manener el término de *alegoría* para significar el juego peculiar simbólico de *cotejo* subjetivo-objetivo, que rige la peculiar *metamorfosis de continuidad convergente* entre los planos metafóricos en el imaginario constitutivo de *Conjuros*.

Por otra parte, la figura clásica de la alegoría incorporaba otra condición constitutiva, también fundamental, para nuestro actual entendimiento macrorretórico de los esquemas figurales como pautas globales de la argumentación macrotextual. La alegoría como metáfora continuada era la única figura de alcance específicamente macrotextual en el inventario de figuras de la vieja Retórica. Ciertamente el esquema metafórico, como el antitético o el de la paradoja, en la condición de *esquema figural del mito* bajo la que nosotros los acogemos con frecuencia, pueden asumir condición de modelo textual extenso de la representación imaginaria; lo que no excluye sin embargo que la metáfora como tal, o cualquiera de las otras figuras mencionadas, no ejerzan al mismo tiempo —y sobre todo— su condición estilística de recursos *intensos* de la *amplificatio* poética estrictamente microtextual.

En muchos casos, nuestro propio empleo de la fórmula «alegórica» propuesta por Bousoño responde a una tercera virtualidad de la misma: la de representar aspectos decisivos en la configuración personal del cotejo amplificativo-metafórico en la construcción de las imágenes de *Conjuros*. Se trata de la llamativa modificación en el orden de la proporcionalidad y correspondencia simbólica del metaforismo, que modifica la exploración de Claudio bajo el principio de *convergencia* al que nos hemos referido antes. Al residenciar el límite de la experiencia en el espacio postural diurno de las presencias, fragmentarias pero asequibles y evidenciables, el poeta *abandona el sistema simbólico de la inversión paradójica* característico de las expectativas nocturnas del anhelo de lo absoluto unitario, para adherirse con resignada serenidad al *esquema alegórico de correspondencias* posturales diurnas. A cambio de la renuncia definitiva a la «vivencia» íntima de lo absoluto místico unitario, la experiencia se enriquece y anima de ese modo recorriendo el sistema de equivalencias, netamente poético, practicado bajo el modelo del cotejo y de las metamorfosis metafóricas. En este sentido, el esquema de la alegoría sirve admirablemente para ilustrar desde la constancia de su proporcionalidad metafórica el orden de serenas convergencias simbólicas que domina la red de metamorfosis posturales constitutivas de la nueva experiencia proporcionalista y diurna de *Conjuros*.

Como es fácil de suponer, la modificación mítica del modelo de cotejo experiencial experimentado en *Conjuros*, cuyas consecuencias figurales macrorretóricas acabamos de representar, proyecta la continuidad del impulso simbólico hasta los niveles estilísticos del microtexto. De esa manera, el observable despojo en esta obra de las metáforas más forzadamente irracionalistas por otras de proximidad racional más asequible refuerza la percepción estilística masiva, que nosotros estamos tratando de caracterizar en los términos míticos y figurales de convergencia y radicación directa de la experiencia en la metamorfosis poética. Con nuestro registro sobre las peculiaridades del complejo metafórico en el espacio microestilístico, tratamos de ofrecer una muestra localizada del espacio de yuxtaposición entre las estructuras mítico-argumentativas *extensas* de la *forma interior poética* y sus correspondientes despliegues en las estructuras estilísticas *intensas*, microsintácticas, de la *forma exterior poemática*.

Según lo advertimos reiteradamente en cada incidencia de este tipo de análisis en este libro, hemos tratado habitualmente de no prodigar las comprobaciones críticas exhaustivas sobre esa zona y nivel del estilo, donde las dos formas poéticas aparecen imbricadas y en la que el registro crítico estilístico correrá siempre el riesgo de repetir estructuras de análisis microestilístico demasiado evidentes y hasta obvias desde la experiencia pasada y estable de la estilística tradicional sintagmática de la forma exterior. Por otra parte, abordar de manera adecuada la especificación exhaustiva del espacio de transferencia entre los dos grandes niveles de la forma implicaría una metodología sobre muestras localizadas y una representación casuística de los fenómenos que serían absolutamente incompatibles e inviables con la metodología de investigación y de escritura crítica a las que hemos confiado nuestro libro.

El título mismo de *Conjuros* designa, por último, otro aspecto decisivo, junto al de la alegoría, en la constitución temática y figural-argumentativa de la obra. Distintos detalles biográficos y confidencias del autor hasta ahora desconocidas, garantizan la medularidad de los recursos del énfasis conjuratorio en el proceso de composición: la presencia del lexema «conjuro» en todas las combinaciones de títulos que el autor manejaba y que Aleixandre fue descartando hasta aislar exclusivamente ese elemento común como el título más representativo; o la ponderación de las fórmulas conjuratorias como elementos fundamentales del principio mágico en la poesía popular de canciones de corro, según lo testimonia la Memoria de Licenciatura de Rodríguez con ese tema, presentada en 1957. La fórmula gramatical y rítmica del conjuro organiza en extensión, según esto, la *dispositio* textual de la mayoría de las composiciones.

El conjuro, junto al metaforismo extenso o alegórico responsable de la metamorfosis poética peculiar en la transustanciación lírica, constituye por tanto un formante del impulso poético con doble relieve: tanto en el plano temático como en la fórmula figural-argumentativa que lo desarrolla. Elemento fuertemente marcado de la enunciación, sustituye al poderoso ritmo métrico continuo de endecasílabos y rimas asonantes de *Don de la ebriedad*. Las figuras retóricas del énfasis exclamativo: imprecaciones, deprecaciones, mandatos, optaciones, etc..., con las estructuras gramaticales que las suelen articular: imperativos, exclamaciones, e interrogaciones retóricas determinan el núcleo estructural característico del texto.

La constitución enfática del conjuro, en su condición de evidencia sobresaliente, representa en las composiciones de la segunda obra de Rodríguez la manifestación pujante del impulso de entusiasmo sagrado, responsable de los marcados ritmos característicos en la enunciación hímnica de estas primeras obras del poeta. No obstante, respecto al ardor ebrio de la primera, el pacto convencional de irrealidad que incluye la representación del conjuro, casi siempre como optación expresamente irreal, contribuye decididamente a atenuar los efectos poemáticos del entusiasmo en la segunda expresión más atenuada de la ebriedad. Esta nueva residencia en la tierra de los antiguos énfasis visionarios de *Don de la ebriedad* se constituye así en la tonalidad emotiva más adecuada para el impulso de retorno y reencuentro, desplegado tanto en el tematismo alegórico como en el ritmo enfático del conjuro.

El proceso poético de *Alianza y condena* en la divisoria del universo creativo de Rodríguez

Alianza y condena suscita inmediatamente en sus lectores y en los lectores críticos impresiones complementarias de *centralidad* o medularidad en la constitución del complejo mítico, y de *extensión* como amplitud compendiosa y variada del contenido temático y las formas. La centralidad puede que sea una percepción inherente a la perspectiva desde la que contemplamos esta tercera obra de Rodríguez, que ocupa efectivamente el ápice intermedio entre las cinco hasta ahora publicadas. Por eso, hemos alertado reiteradamente sobre riesgos críticos habituales debidos a deformaciones inerciales de la apreciación; pero pudiera ser también, y así nos lo parece en efecto, que la sensación de centralidad inducida por *Alianza* corresponda a razones verdaderamente constitutivas en la intensa entidad imaginaria y poética de esta obra, incluso aunque creciera en un futuro inmediato —tal como sería deseable que ocurriera— el número de los libros del autor.

La apreciación de centralidad referida a *Alianza* no es independiente de la condición también aludida de *extensión*, que se impone desde la ponderación objetiva del libro; y conste que no nos referimos a las dimensiones obvias del número de páginas o de poemas, que tampoco son desmesuradas en relación a las demás obras de Claudio. El balance ponderado de la imaginación temática y de los progresos de la forma en *Alianza* se traduce sobre todo en la rica amplitud del trayecto mítico jalonado por las aportaciones de dos o tres momentos de cambio muuy diferentes. De esa manera se constata, en el conjunto de este tercer libro, un *antes* y un *después* respecto a la sensibilidad imaginaria y estilística que conforma el «universo» poético de la obra completa de Rodríguez. El *antes* apunta, desde los poemas monumentales de censura social en el libro primero, hacia el origen referencial, extrovertido y épico, de la vida y la posturalidad imaginaria de un pasado andariego y agrícola. El *después* inaugurado por *Alianza* marca los comienzos de un nuevo ciclo simbólico y estilístico que se extiende por ahora hasta *Casi una leyenda*, obra esta última tejida con rememoraciones y autocitas que recuperan la urdimbre sentimental del periodo inglés en que se gestó precisamente *Alianza y condena*. Una nueva sensibilidad más subjetiva y reconcentrada en la parvedad e intimidad entrañables de los objetos simbólicos, quintaesenciada bajo el esquema de las sinécdoques sintomáticas, y al mismo tiempo más recluidamente doméstica y urbana, impregnada por los materiales míticos de una desolación aséptica, caliza y mineral.

Abierta y comunicada por tanto con las dos grandes mitades de la imaginación mítica y expresiva que constituyen el conjunto del universo poético de Rodríguez, *Alianza y condena* sugiere la condición constitutiva de un *fiel simbólico*, que aloja a un lado los escenarios y pasiones castellanas de las primeras obras con las ejercitaciones métricas sobre los poetas españoles, latinos y franceses del joven Claudio. De la otra parte comparece el alojamiento crecientemente incierto de las metáforas espacializadas sobre vivencias sutiles. Un ejercicio personal de asimilación cultural y sensible de la tradición literaria alternativa, romántica y anglosajona, de construcción textual del poema, adquirida en aquellos años de experiencia inglesa y en los de la traducción de Eliot sucesivos a la publicación de *Alianza*. Tan necesaria y esencial resulta la condición mencionada de fiel y cresta entre vertientes para la ponderación en bloque de *Alianza*, que hasta el título mismo de la obra invita regularmente a ser leído antes como antítesis discriminante que como continuidad copulativa.

Para ajustar las cuentas pendientes con la problemática personal y castellana de la etapa anterior, que se concentra según hemos visto en el conjunto de panorámicas monumentales del libro primero y en alguna otra composición también comprobadamente temprana del segundo como «Ciudad de meseta» y «Un momento», el poeta acude al modelo previo común de estructura textual de la *narratio* ordenada y extensa, que despliega la exploración de la realidad según el modelo lírico del *cotejo* subjetivo-objetivo. Sobre la continuidad textual de esa pauta actúan luego los ejercicios puntuales de *amplificatio* metafórica, crecientemente tensos e irracionalistas a medida que se va afirmando la congruencia estructural y la familiaridad del denso universo simbólico erigido, imagen sobre imagen, por Claudio Rodríguez. El resultado son meditaciones prolongadamente continuas y tupidamente sembradas por un metaforismo transfigurante; combinación de extensión textual y de traslación intensa metafórica a la que la crítica suele acomodarle, con restricciones, la condición —estrictamente impropia aunque ilustrativa— de «alegorismo disémico».

El rasgo diferencial que caracteriza ese núcleo de textos respecto a la práctica del cotejo alegórico plasmada en las obras previas, lo impone la activa densidad de las *antítesis*. La radicalización de los sentimientos temáticos de frustración del compromiso convencional idílico sobre la integración unitaria en la experiencia de lo absoluto, así como el de convergencia en la identificación fraterna, urbana y hospitalaria, se salda en *Alianza* mediante la constancia de la diversidad irreductible e incomunicable al conocimiento de las entidades, formas y procesos de la realidad. De esa manera, el *impulso* sentimental de extenuación del anhelo unitario se proyecta a la forma interior en las representaciones semánticas de un *complejo* sobre su doble vía sincrónica: de una parte como *temática de frustración* —la condena que representa la alianza pactista simbolizada en el arracimamiento de individuos incompatibles: pinar, ciudad, etc..., o las cáscaras simbólicas del disimulo y de la hipocresía—; de otra como *estructura expresiva*, la antítesis, que encauza y formula los dualismos temáticos irreductibles. La observable generalización intensificada del contraste antitético de *Alianza* es lo que pone un decisivo punto de inflexión sobre la continuidad del proceso de «narratio-alegórica», practicada muy activamente por Claudio Rodríguez en sus libros anteriores.

El fracaso ante la tenaz vocación de pluralidad de los seres empecinados en contemplar y afirmar la propia individualidad cognoscitiva y moral como esquema de destino forzaba en Claudio Rodríguez, tras los momentos de intenso dramatismo de la censura y la condena, otros tantos estados resultantes de postración melancólica, a los que se suceden las reactivaciones de su voluntad de redención superviviente. Pero la acumulación de experiencias de frustración y de fracaso en el proceso brillante del conocimiento y de la redención solidaria moral, al mismo tiempo que determinaba en el ánimo del poeta la cancelación de los procesos grandiosos de la ebriedad hímnica y de la regeneración moral idílica de las grandes odas, alumbraba el fértil consuelo de la reconcentración sobre las entidades sumisas y menores de la compañía: el gorrión, el girasol o las reverberaciones imperceptibles de la memoria entrañable: un olor, una luz, un bien... También en este caso se ve cumplido el rasgo de sincronicidad en los procesos temáticos y formales característico de la forma interior, pues la nueva desembocadura de reconcentración extensional semántica tiene su reflejo simultáneo en el esquema figural de la *sinécdoque* .

El adelgazamiento en el espesor espiritual de los nuevos referentes, que se produce a partir de las etapas más evolucionadas de la maduración del tematismo y del estilo expresivo, se completa por último mediante una eficaz práctica de la austeridad esquemática de los ritmos, la sintaxis expresiva y las fórmulas metafóricas. Momento que ejemplifican algunas de las más tardías composiciones de la obra, como «Lo que no es sueño» y «Frente al mar»; así como el ilustrativo cotejo entre las dos odas del libro cuarto, compuestas y fechadas en los momentos más distantes entre sí de la composición de la obra. La «Oda a la niñez», escrita durante 1959 y la primera mitad del año siguiente, participa de todos los recursos abigarrados del metaforismo y el ritmo característicos de las otras composiciones de la primera etapa; descontando en su caso las diferencias debidas a su tenor temático de restauración idílica de la memoria. En manifiesto contraste con ella, la muy tardía «Oda a la hospitalidad», compuesta por Claudio Rodríguez para intensificar el colofón idílico de la obra, ilustra las tendencias de parvedad focalizada y de penetración esquemática del simbolismo que son características en las composiciones del último periodo de Cambridge.

El vuelo de la celebración: presentimientos sobre un nuevo horizonte simbólico

Lo decisivo en el cuarto libro de Claudio Rodríguez se localiza en el crecimiento del nuevo impulso simbólico, con los correspondientes procedimientos formales y los ritmos que lo representan. Hasta aquí hemos ido conociendo aspectos del desarrollo de un primer núcleo mítico, del único origen conflictivo de las coordenadas simbólicas: desarraigo familiar y doméstico, fuga y retorno con el cotejo exploratorio de los hallazgos al paso comúnmente vegetales; el desgarro del surco sobre la piel del cuerpo y la nostalgia del nido y la imaginación del acogimiento uterino de la simiente. En *Alianza y condena* se profundizó y distanciaba el proceso consciente de la reflexión, pero podemos entender —creo que razonablemente— que no llegara a cristalizar todavía en aquel libro el sentimiento de una renovación radical en el horizonte del impulso. Crecimiento poético sí, e inmenso en *Alianza*, pero desplegado sobre sus consecuencias más sutiles, culminando un proceso de origen.

En los largos once años, tan tormentosos (1965-1971), de la nueva vida española del poeta, cambian radicalmente los presupuestos del origen y la motivación lírica. Fue muy explícito y persuasivo el arranque de la ebriedad para el impulso cosmogónico en marcha de la exploración postural y del cotejo constitutivo de la experiencia lírica; lo mismo que, después en *Alianza*, quedaron brillantemente de manifiesto las últimas consecuencias de la reflexión y la vivencia sentimental íntima en el impulso fundador anhelante del conocimiento y la experiencia. Pero las nuevas circunstancias de edad, de vida y de cultura inglesas, que empezaban ya a insinuar su impronta sobre el núcleo poético de la etapa más madura de aquel libro tercero, instauran definitivamente en *El vuelo de la celebración* las expectativas de un horizonte sutilísimo y evanescente de experiencias externas, emplazado sobre perfiles mínimos del aire, sobre el quejido imperceptible del entarimado confidente, sobre la honda palpitación que acompaña el sonido de un tacón bajo, o sobre un matiz de luz o de mirada entre desconocidos que se cruzan al paso en una calle de Ávila, instituyendo aventuras ilusorias de amor y confidencia.

Si en el principio del impulso ebrio alentaba la nebulosa mítica, imprecisa e inaferrable, del origen y causa anhelada y anhelante, ajena e interior; al término del nuevo trayecto de la proyección imaginativa laten ya agazapados, lejanos y resistentes, los enigmas del acabamiento y del final. Y si para constituir la sustancia mítica de las tempranas inquisiciones adolescentes, el impulso imaginativo se había revestido de la siembra paradójica de las luces nocturnas en surcos y en oreos y de la feracidad vegetal de los símbolos del cereal y de la uva, con sus trabajos campesinos y agrícolas; en esta nueva vuelta de la mirada definitiva hacia las coordenadas futuras del anhelo —combatido y experto pero nunca en derrota y en desistimiento de la ilusión y del deber idílicos— el material simbólico que se ofrece a los tanteos imaginativos del poeta y a sus poderes de predicción fantástica, son los símbolos calizos y minerales de la desolación inerte y del desecho: el yeso, la escayola, la cal y el hormigón batido. Una nueva simbología de las ciudades muertas, acorde con la resaca depresiva tras la indignación del polen sobre la herida mortal, que habrá de prolongar sus consistencas míticas y sus calidades constitutivas simbólicas todavía más tarde, en «Nunca vi muerte tan muerta» de *Casi una leyenda*.

En el poeta en plenitud madura de esta cuarta salida de la obra, han crecido incalculablemente los saberes —tentados estamos de decir las astucias— de la experiencia creativa, en proporción inversa seguramente a cómo mermaron en el mismo grado —en realidad se trata de vasos comunicantes en la sustancia poética— las energías proyectivas del entusiasmo imaginario. De ahí que, a partir de esta obra y hasta los poemas que escribe y proyecta Claudio al día de la fecha, estamos presintiendo los lectores nuestra concomitancia compañera con un importante proceso —nos parece que uno de los verdaderamente decisivos al final de este siglo— de iluminación poética, de otro más de los orbes imaginativos que jalonan la historia, afortunadamente renovada e interminable, de la pasión y la visión poéticas.

Pero no es fácil por cierto, ni para el propio poeta ni para sus lectores, identificar en el detalle de todos sus perfiles y consistencias el trayecto mítico de presentimiento futuro, que se abre trabajosamente en imágenes concomitantes y en símbolos sintomáticos; pero con muy demorada gestación y modificaciones significativas. Por otra parte, la poética personal de Claudio Rodríguez es constitutivamente adversa a las presiones apresuradas sobre la espontaneidad del universo simbólico: la clave de su interés artístico y de su honda verdad de resonancia sintomática. Así, los nuevos símbolos y los nuevos vehículos expresivos que los conllevan, se dejan percibir antes como presentimientos jugosos con abierto poder de sugerencia que como constancias ultimadas. Cuando se asiste crecientemente en los dos últimos libros del poeta y en sus silenciosos trabajos actuales a esa intensa proyección penetrante hacia el magma enigmático, necesariamente futuro, de un final en plenitud de altas mareas, se acrecienta asombrosamente la comprensión sobre el universo poético de Rodríguez. Arrebatado en impulso y mesurado en la perfección necesaria de sus momentos constituyentes, discreto pero con la inabatible ambición en su compromiso de circularidad total de la experiencia simbólica, tierno y exacto, apasionado e implacable, violento y lúcido, inspirado y experto.

* * * * *

El crecimiento del horizonte de perspectivas asume y acarrea constitutivamente no obstante, en el caso de este poeta, la naturalísima libertad de sus propios materiales antecedentes. En Claudio Rodríguez sorprende serenamente que no exista la censura planificada ni un control forzado de sus logros simbólicos, de sus imágenes constitutivas o de los trayectos verbales y los ritmos que los desarrollan. Las transiciones son así demoradísimas, y los afloramientos simbólicos del mito exhiben la fascinante vida en libertad de sus metamorfosis y sus epifanías. Los demorados espacios de tiempo sobre los que se distiende la maduración creativa de cada libro, acogen momentos diferenciados, entre poemas y grupos de poemas, del total mítico y expresivo sobre el que cristaliza la obra de Rodríguez. Unidad del libro en la implacable renovación de cada entidad poemática, diferenciada y coherente con el resto; pero unidad también, sobre todo, en el conjunto progresivo de la obra de Claudio, domeñando desde su propia continuidad global las debilidades de sustantividad encapsulada de cada entrega como momento original exento.

Así en el trayecto poético y vital de *El vuelo de la celebración* persiste la tradición conflictiva de la memoria lacerante del mito de la familia, bajo la intensidad trágica de los accidentes mortales de la madre y de su hermana Carmen; junto al recurso, ya conocido, de la concentración sobre entidades y parcelas mínimas y entrañables de realidad. Aleixandre captó y dejó noticia de esa condición enlazada y continua de la fidelidad mítica y formularia de su alumno y amigo, agrupando todos esos textos en las dos primeras partes de la obra —una sola en la edición más divulgada—. Naturalmente que ni siquiera en estos testigos anafóricos de la continuidad mítico-estilística dejaban de implantarse las vivificantes semillas de la renovación y el crecimiento poético simbólico y expresivo. Así resulta inigualada e insuperable la intensidad de los acentos trágicos en el alma lacerada por el desgarro familiar con los símbolos del polen purulento sobre la herida, de la imposible sutura y de la almendra, el embozo y la almohada con la cruz de los párpados alucinados en la movilidad espacial de paredes y techo. Y otro tanto sobre el escorzo del nido de la amapola, y sobre la ceniza y la sal de las amarras y de la lágrima, o sobre el grácil baile urbano al viento de unas hojas desechadas de papel. Pero como los temas, las formas expresivas: de nuevo la intensificación de la capacidad irracional de sugerencia simbólica a través de la *fragmentación del continuo alegórico* en islotes intensos metafóricos. Fórmula practicada desde *Alianza*, que sirve aquí la intensidad patética de los cuatro momentos de dolor absoluto de la «herida»; lo mismo que es el esquema concentrador de *sinécdoques* y *metonimias* el vehículo figural que vuelve a establecer los ejercicios de repliegue afectivo y de concentración simbólica en las semblanzas referenciales del libro primero —la arena o las amarras—, como antes en el gorrión o la espuma de *Alianza*.

El nuevo horizonte de la imaginación poética de Claudio se define también, en otros términos, bajo el síntoma del adelgazamiento sutil de las consistencias simbólicas. Es una tendencia afirmada ya en los poemas de la serie madura de *Alianza y condena*, que ahora se confirma en los ensayos equivalentes de fina sensorialidad incorporados a *El vuelo de la celebración*. De esa manera, el tenor fugitivo de las trazas de consistencia simbólica que tematizaban en la obra anterior poemas como «Un momento», «Como el son de las hojas del álamo» o «Un olor», adquiere ahora un fondo de solidez expresiva verdaderamente definitivo, sin perder la característica levedad y sutileza simbólica de las entidades referenciales en composiciones como «Cantata del miedo», «Hilando» o «Una aparición».

La fórmula expresiva para lograr tan extrema depuración referencial simbólica la ofrece, una vez más, el logrado ejercicio de manipulación de los planos convergentes en la metáfora. No sólo se trata ya de ejercitar aquí de nuevo el recurso habitual en la poesía moderna de la «subcategorización anómala», practicado por Claudio Rodríguez con creciente atrevimiento en las violaciones a la norma semántica y gramatical. El análisis del nuevo metaforismo en los poemas de *El vuelo*, y sobre todo el seguimiento atento de la génesis manuscrita de los textos desde los primeros esbozos racionalmente discursivos a las últimas versiones publicadas, confirma el peculiar ejercicio de *fundido* entre expresiones parcialmente elididas, que da como resultado la paradoja de una *destrucción* lógica *constructiva* de sentido poético.

Adviértase que los ejemplos representativos de la nueva poética de depuración simbólica que acabamos de mencionar, no se refieren ya a referentes puntuales, poco extensos y quintaesenciados; por el contrario los poemas aludidos antes —«Cantata del miedo», «Hilando» o «Una aparición»— referencian fenómenos dilatados o acontecimientos e historias alusivamente extensas, lo mismo que otros textos de *El vuelo* con características similares que podríamos añadir aquí como «Hermana mentira» o «Salvación del peligro». Se trata por tanto de un desafío extremo que consiste en sutilizar en profundidad simbólica, por una parte la naturaleza de los referentes gracias a la depuración y complicación de planos metafóricos, haciendo compatible esa práctica de minimalismo en la focalización referencial con la extensión durativa de las historias y los objetos descritos en el poema. La fórmula representativa que salva esa antinomia, para constituirse a partir de este cuarto libro de Rodríguez en la traza más segura de la nueva poética expresiva, es la de la *narratio* lírica.

La *narración* se instaura ahora como la fórmula expresiva extensa sustitutiva del continuismo referencial de las alegorías. Modulación simbolizadora perfectamente idónea para representar adecuadamente el creciente matiz de discurso *meditativo*, con el que Claudio Rodríguez se enlaza e incorpora —con más propiedad seguramente y con menos aspavientos y avisos exteriores que nadie entre nosotros— a una de las trazas más ciertas y ostensibles de la poesía moderna internacional. Los estímulos para esa asimilación de futuro expresivo en la poesía de Rodríguez hay que buscarlos en los serenos años de ejercicio poético en contacto con la lectura de los poetas mayores ingleses y americanos: metafísicos, románticos y contemporáneos. No se olvide que, por ejemplo, Claudio traduce intensamente durante decenios a un T. S. Eliot para él escasamente interesante.

La *narratio lírica* de Rodríguez se convierte por tanto a partir de *El vuelo de la celebración* en el procedimiento poético más idóneo y flexible para representar el matizado progreso del tematismo. Sobre sus moldes se funden igualmente la sutileza quintaesenciada de las historias de mayor extensión, como «La contemplación viva» o «Salvación del peligro», y las descripciones de panoramas tan sustanciales y complejos como la «écfrasis» sobre el cuadro de *Las Hilanderas* de Velázquez, o sobre el recinto simbólico de nuestra historia entreverada y doliente que se incorpora a la «Elegía desde Simancas». Bajo la variedad de figuras de la *narratio lírica* de Claudio se representan con igual eficacia las reflexiones extensas sobre los grandes universales de la existencia, como «Lo que no se marchita» y los trasuntos referenciales magistralmente amplificados en fondos de densidad íntima como «La ventana del jugo». En los odres nuevos de la sensibilidad definitiva de Rodríguez se acomodan los referentes de la nueva aridez mortal que oscilan entre el «Ballet del papel» o «Ahí mismo»; al igual que las contemplaciones sólo íntimas y susurradas de las intensas historias intrascendidas de «Tan sólo una sonrisa» y «Mientras tú duermes».

Si al abordar la larga y densa trayectoria poética de este libro, el poeta atesoraba únicamente la seguridad de un nuevo horizonte mítico sin perfiles aún constituidos; al cerrar la obra ha ido logrando la difícil, elaborada e imperceptible, constitución de alguna de las tramas míticas y de los recursos expresivos que habrán de resultar fundamentales para la aportación de un universo futuro decisivo. Una tarea artística que supone no sólo la vía de culminación convincente de la propia obra lírica del autor, sino la elucidación de uno de los espacios literarios más atractivos y pertinentes de la imaginación poética moderna.

De principio a final en *Casi una leyenda*: constancia esquemática del mito y figuras expresivas

También la recepción funda sentidos. ¿Y cómo no? No existe el lector —¿ideal?— penetrante y aséptico: asubjetivo. Cada lector añade algo o mucho de sí mismo sobre los textos que lee; y no digamos ya las promociones culturales de lectores colectivos, como «la lectura» romántica alemana del barroco español pongo por caso. Conviene recordar, al mismo tiempo, que esa puesta de sí de los lectores pone y quita sobre los textos mayores de la historia literaria; y cabe preguntarse inmediatamente si el añadido suele ser más ganga o mineral, ganancia o tergiversación. Han sido cuestiones todas muy debatidas en la teoría reciente de la literatura: más discutidas formalmente en el fuero que enriquecidas realmente sobre el huevo. Sería fascinante tal vez una historia social solvente del gusto y de la recepción; pero está todavía por hacer. Mejor dicho: no las han hecho, ni tan siquiera han actualizado lo que había, los paladines recientes del recepcionismo. Demasiado trabajo para las prisas que corren. Y lo que ha corrido en la edad postmoderna ha sido la rebelión engañadamente democrática del lector-masa, mal contento de serlo y fantaseándose, engallándose ridículamente como co-autor, co-creador lector o lo que sea. Y todo a costa de la autoridad olímpica del Autor bajo sospechas de autor-itarismo desde que la masa de lectores tecnológicos del vídeo y el compacto le trabucó el sentido definitivamente a la «muerte de Dios».

Pero ¿a qué viene todo esto aquí en las reflexiones meta-críticas de esta síntesis conclusiva? Viene al caso de la creciente necesidad de intervenir deparada por la densidad comunicativa que ha adquirido la circularidad del estilo de Claudio Rodríguez en *Casi una leyenda*. Nos planteamos sobre todo el alcance y las condiciones de legitimidad hermenéutica de la intervención planificadora de los lectores, en el momento de calcular abierto o cerrado definitivamente el universo simbólico fundado por el poeta. Téngase en cuenta que mi propia intervención crítica sobre su obra se produce en un momento dado y especialmente incierto de la misma. La mayoría de los lectores críticos de Rodríguez acostumbran a cerrar instintivamente el circuito de sus propias interpretaciones y valoraciones sobre el balance de obra, correspondiendo con el momento de sus respectivas intervenciones. Y ese dato de decisión, que es meramente táctico y factual, llega a convertirse —indirecta e inconscientemente, incluso en los casos más acertados— en un punto de perspectiva que presiona y determina el mismo panorama que traza.

La incardinación actual de *Casi una leyenda* resulta especialmente influyente, no sólo a causa de los razonables cálculos externos de su posición de término actual de las publicaciones del autor, sino aún más incluso por el inocultable perfil de balance rememorativo —«Calle sin nombre», «The nest of lovers»— y de despedida —«Momento de renuncia», «Lamento a Mari» o «Sin epitafio»—, que resulta legible en la mayor parte de las composiciones de este libro. Sin contar, además, con el tematismo conclusivo de la muerte, nunca afrontado antes con la radicalidad explícita de esta vez por el vitalismo experiencial del poeta. Todas las previsiones circunstanciales poéticas y biográficas parecían invitar por tanto a concluir balances demasiado definitivos sobre el mito poetizado de Claudio en 1991, año de la publicación de *Casi una leyenda*; y era también una tentación —una ventaja capciosa— muy convincente para una construcción del alcance e índole de la nuestra. Pero no solamente nuestros propios principios de objetividad y de lealtad crítica, sino sobre todo las actuales espectativas biográficas y creativas de la actividad poética de Claudio, persuaden a dejar abierto por ahora y a no dar por definitivamente concluido y estable el proceso de simbolización del mito personal y poético de Claudio Rodríguez. (Tras su reciente crisis de salud, en el verano del 98, el poeta nos declaraba la atracción de un vacio de Presencia anhelante).

Recuérdese ahora cómo describimos *Alianza y condena* en términos de «obra fulcro», un largo periodo de máxima creatividad imaginaria y expresiva del poeta distribuido a uno y otro lado de un fiel mítico y estilístico fundamental y decisivo: el que separaba el trayecto doméstico y vegetal de los cálculos anhelantes de la primera ebriedad imaginaria y la segunda inquisición mítica atraída por la corporeidad inasequible de los enigmas futuros. Enigmas en el medio imaginario abstracto y universalizado de unos síntomas íntimos y mínimos y de una declinación mortal inasumible. Por su parte, *El vuelo de la celebración* profundizó la gloria poética de los primeros, mientras que *Casi una leyenda* sondea, tal vez aún con vitalidad poética sobrada, en la profundidad opaca de los segundos. El último libro publicado hasta ahora por Claudio Rodríguez participa, sin cerrarla, de esa poética abierta y atractiva de la imaginación futura, no sólo la personal y mítica del poeta, sino hasta la total de la poesía contemporánea.

El apasionante recorrido sintético de los símbolos constitutivos de la tradición personal del propio mito —postural, cultural y amoroso— informa la parte obligada al recuento de la *memoria* biográfica y poética. Una memoria penetrantemente selectiva en todo caso, exigente con sus fidelidades sentimentales y maravillosamente lúcida respecto de las responsabilidades coherentes del interés confidencial de la propia poesía. Las lecturas defectuosas del libro, superficiales o simplemente malévolas, han interpretado las necesarias marcas de referencia memoriosa —que llegan hasta el absoluto explícito de las autocitas— no como hitos imprescindibles para la orientación simbólica al interior de un *universo* personal plenariamente constituido, sino como caídas redundantes de la energía inventiva. Para obviar esa crítica no habría sino que remitirse a los espacios temáticos de absoluta novedad objetivable en el mito personal de *Casi una leyenda*; pero aún más que eso —apuntando a órdenes de crecimiento poético más selectivos y sutiles— basta con demorarse sobre la renovación fantástica y expresiva del atlas imaginario de los símbolos en presencia llevada a cabo por la depuración metafórica de las *catacresis*. El ejercicio imaginario y expresivo de metamorfosis interior poética en los constituyentes simbólicos del mito personal, en permanente ascesis de modificación y de epifanía, adquiere tales valencias novedosas de depuración poética en las imágenes de afloración fantástica y en las fórmulas terminales de formulación expresiva de *Casi una leyenda*, que no reconocerlas a la vista exige la firme voluntad de cerrarles los ojos.

El crecimiento de la tensión simbólica de las metamorfosis metafóricas a cargo de la catacresis puebla de enigmas sublimes los versos de *Casi una leyenda*. La valentía creciente de los ejercicios previos de *elisión* y *fundido* en las imágenes son el fruto conjunto de la seguridad poética alcanzada por el autor y de la confianza razonable en la integración posesiva de los lectores dentro del mito poético que se ha llegado a desplegar. No es cuestión del detalle expresivo —hasta en el caso que desazona a algunos lectores extranjeros, de afirmaciones que sustituyen a negaciones y a la inversa, o de alternativas entre lexemas no sinónimos o incluso antagonistas— sino de la verdad progresiva afirmada en los ritmos textuales; como no es cosa tampoco de la veracidad conceptual de los términos constituyentes, sino del caudaloso arrastre textual de las emociones sintéticas de destrucción «orgiásticas», del total fidelísimo del sentimiento sugestivo. En tales términos de participación lograda, la supremacía del empuje rítmico en las composiciones mayores asegura en el total como en los detalles unos alcances ciertamente absolutos de la voz y del imaginario personales.

Pero a pesar de que se mantenga, incluso intensificada, la capacidad expresivo-simbólica habitual en los libros anteriores del poeta, los márgenes inciertos de muchos símbolos fundamentales en el nuevo mito futuro que Rodríguez otea, vuelven a constituir una realidad atractiva. Una vez más —y siempre— las leyenda del vate sobre las fronteras de las percepciones inefables. ¿Nuevo mito, o mito renovado? Más bien la perpetuación cambiante del enigma universal, unitario. Las edades del hombre modulan sobre diferencias de objeto imaginario la inquietante cuestión eterna de su «infirmidad». Primero el impulso inquisitivo se pregunta y pregunta a su entorno —Claudio se preguntaba— por la razón sagrada del origen; y a partir de que el asedio del tiempo se desajusta en neurosis, la malsegura previsión perpetuante se esfuerza trágicamente en penetrar el espesor nocturno de las postrimerías, trata de emplazar las imágenes posturales de familia sobre las orlas del vacío abisal y nocturno impenetrables a la imaginación. Un mismo trayecto, como vemos, única dirección con dos sentidos para la curiosidad interrogante, la misma actividad sustancial del débil punto luminoso, que es el hombre, extraviado en el espacio informe de la alteridad infinita.

* * * * *

La afirmación, tortuosa y demorada, del reverso mítico apuntado hacia el desasosiego incierto de lo diferencial inintegrable y hacia el vacío imaginario en las postrimerías ha ido construyendo trabajosa y espléndidamente sus relieves simbólicos desde el fulcro de *Alianza* hasta la serie burladamente «in morte» de *Casi una leyenda*. ¿Cabe esperar un final poético felizmente resolutivo a esta aguerrida inquisición de la palabra? ¿Pueden ser definitivos o concretables los objetos radicales del anhelo vital? ¿O tal vez no sea otro el destino de la demanda existencial que la «capacidad» sin fin de la pregunta? La poesía esencial como merodeo y aproximación infinitos, como tendencia sin objeto posible pero iluminando «fronteras infernales», adelantos sublimes, presentimientos únicos. Tal vez la garantía de la nueva exploración poética en todos estos reversos terminales del mito de la experiencia existencial consista sólo en su condición de «coloquio interminable», tal como lo preveía Maurice Blanchot.

Mientras aguarda el forzoso término vital para abandonar la interrogación ilimitada, la energía poética de Claudio Rodríguez le va construyendo al infranqueable fondo del enigma su deslumbrante floración mineral de imágenes térreas y calizas cada vez más numinosas e interiores, más ejercitadas y familiares, que han culminado por ahora en el contenido imaginario de *Casi una leyenda*. Pero el sistema de los nuevos símbolos denota al mismo tiempo, más allá de su propio estado inconfundible de fascinación poética, la latencia activa y aún vital —quiero decir, «in fieri» e inmadura— del estado del mito de despedida. Con sus temas de muerte-muerta, sus alegorías marinas frustradamente abisales y su cálculo cultural de las imágenes funerarias de mineralización del cuerpo, la imaginación idílica del poeta en su quinto libro dejó el testimonio de su inmadurez mítica —sus resistencias imaginarias vitales—sobre la orla nocturna de lo mortal definitivo. Se trata del perfil ejercitadamente superador del fondo tenebroso, que la mayoría de los comentarios críticos a *Casi una leyenda* le han descubierto al tematismo postrero de la muerte. Pero sobre tales postrimerías del mito el subconsciente inconformista habla a través de símbolos; y los elocuentes símbolos fluviales y marinos de Claudio Rodríguez no proclamaban todavía en *Casi una leyenda* las señales inequívocas de la entrega al naufragio final, a la abismación definitiva. Las estrategias elusivas del sabio conformismo carnavalesco del que Claudio participa sobre supervivencia de la especie nutrida en el renuevo de los individuos apuntan la condición provisional y pactada de una resignación todavía resistente y activa; lo mismo que la fulgurante imaginería manierista de los escenarios fantásticos sobre la cámara funeral, heredera de las fuentes vivas del imaginario cultural barroco español y romántico europeo.

Tanteos simbólicos sobre la imaginación en el final y sobre el desencadenamiento del origen —la «Balada de un treinta de Enero» o la interrupción natal del transgresor sacrílego en la narración alegórica de «El robo»—; he ahí el doble sentido sobre el que se proyecta el cinetismo de la pasión escrutadora de Claudio en el retablo de cristalizaciones míticas que constituyen la imaginación temática de *Casi una leyenda*. La imaginación reconstituyéndose como *memoria* y como *prospectiva*: recuperación y anticipación imaginaria. Un cálculo doblemente ilimitado hasta ahora dentro del itinerario mítico del poeta. Circunstancialmente abierto porque los datos que proporciona su actividad abonan la suposición de profundísimos ejercicios de creación poética, en el verano del 98, sobre las laderas del bloque del enigma. Sólo el tiempo, el destino y la salud creativa de Claudio decidirán el sesgo de tal albur poético: la mejora o la pérdida, la iluminación o el abandono.

Contemplado hacia la exterioridad postural o hacia la identidad íntima del yo, según momentos y estaciones del impulso correspondiente a la pasión exploratoria postural y diurna o íntima y digestiva, el mito cosmogónico del poeta mantiene desde *Don de la ebriedad* a *Casi una leyenda* su tensión dualista entre el anhelo fundamentador de la *identificación unitaria* frente a las perplejidades inducidas desde la conciencia forzosa de pluralidad y *diferencia*, radicadas en el contraste polémico de las *antítesis*.

Así conocimos primero, en el caso de la etapa metafísica de la conciencia cosmogónica, el asedio a la voluntad de *integración* unitaria de la visión esencial nocturna a cargo de las amenazas diurnas de la variedad fenoménica. Las antítesis irreductibles de *Alianza y condena* fundaron aquel título y la doctrina temática que constituye el sector más extenso y radical del contenido en el tercer gran libro, central por tantos conceptos en la obra de Rodríguez. También allí las tentativas idílicas de compromiso *unitario* entablaban su nueva tensión polémica con la experiencia social *disgregativa*. Ahora, por fin, en la hora experta de la memoria que definen las composiciones retrospectivas de *Casi una leyenda*, las antítesis melancólicas vuelven a constituir el esquema inevitable y necesario, —*entonces* frente a *ahora*—, que precipita el fondo decadente de las despedidas rituales al amor y a la vida como instancia ofrecida a la *inserción* en la identidad oceánica de la quietud invariable en tiempo y en espacio.

Identificando por tanto las raíces sígnicas profundas del *impulso* poético de Claudio Rodríguez, junto a los desarrollos temáticos y figurales de su despliegue macroestructural consciente, como *forma interior poética,* estamos aludiendo a realidades absolutas de vida y de acción simbólica bajo la metalengua necesariamente formalizada y esquemática de una explicación crítica constituida. Las singularidades que asume la voluntad simbólica en esos espacios profundos y universales del desarrollo poético de la *forma interior,* no son menos responsables del efecto poético como elemento de destino y de capacidad de ordenación simbólica parcialmente subsconsciente, que las manipulaciones ulteriores, conscientes, del designio artístico sobre opciones alternativas terminales de la *forma exterior poemática.* Todo el trayecto resulta decisivo para el valor y el logro del poema; así son fundamentales las implicaciones del mito personal en la *universalidad* subconsciente de los arquetipos de conciencia y de los universales antropológicos de la imaginación, determinantes de las selecciones sincrónicas de la figuralidad esquemático-argumentativa. Siendo factores todos ellos esquemáticos y responsables del interés y la viabilidad comunicativa de la poesía como participación universalista única y expresiva. Pero también, en grado no inferior —y mucho más consciente además y ponderado— deciden sobre el valor poético los otros aciertos semánticos de la escenografía fantástica de las imágenes terminales y los órdenes expresivos del ritmo, que perfilan en último término el complemento *individualizante* del *mito* y la voz personales del poeta sublime. Tan difícil y selectiva desde principio a fin, tan asediada por inanidades y riesgos de caída en todo su trayecto, y tan única en los casos como el de Claudio en que se logra, es la poesía.

EPÍLOGO CRÍTICO

RAZONES DE UNA CRÍTICA CONVIVIDA

Antonio García Berrio y Claudio Rodríguez en la
Universidad Complutense de Madrid (1998)

Ambigüedad referencial y sincronía crítica

Como crítico me ha tocado vivir, entre otras desgracias literarias, la indecorosa edad de la guerra de independencia de la crítica: la aturullada, narcisista y presuntuosa revuelta de los POderes críticos. Temperamentos muy egocéntricos y elevados como el de Roland Barthes, que descubrió a los postres su vocación irreprimida de novelista —y no sabría decir yo aquí en qué grado y por qué propios caminos también el oceánico Bloom y el engañoso de Man, por hablar solo aquí de los mayores y excelentes—, no han resistido la tentación de equiparar sus propios discursos críticos, consecutivamente reactivos y manieristas, con las voces genuinas de la literatura: el canto imaginario, impulsivo y creador de los protagonistas irrecuperables de la historia literaria, los poetas, los grandes literatos *inventores* de mitos universales y de las formas personales de la armonía y los ritmos verbales.

La razón de la masa, la multitudinaria ley del número, el inicuo dogma contemporáneo de la cantidad y de los porcentajes han venido después a concordar groseramente y a redondear con cuentas emborronadas la ecuación inexacta del anhelo egocéntrico de la minoría de nuestros críticos narcisistas mayores —no Frye por cierto, ni Blanchot ni Lukàcs—. A favor del principio trucado de la *adherencia* ha rampado alegre e inútilmente en el tiempo inmediatamente transcurrido la muchedumbre desafinada de los instrumentistas «polifónicos», la falsa democracia del voto idéntico transportado a equivalencia de «lecturas»; ese despropósito actual de los pigmeos mediáticos.

Acabo de aludir a la *adherencia* como verdad inolvidable de la lectura histórica. Quiero decir que junto al *significado afirmado y previsto* por la conciencia creadora de los poetas, acaba por contar en grado no desdeñable para el balance histórico de las experiencias literarias el bloque del *sentido atribuido*, el que construye la imaginación cultural dialéctica. Lo forman, de mayor a menores, las lecturas privilegiadas

—Petrarca leyó publicamente a Dante y a Petrarca Boccaccio—, las reescrituras filiales —Dante leyó a Virgilio y Joyce a Shakespeare— y las lecturas «efébicas» desasimilativas, que han descubierto la conciencia tortuosa, freudiana, del revisionismo moderno —los «visionarios» bloomianos leyéndose entre sí y a Milton y hasta a un nonnato Freud—. Pero también se *adhiere*, parece ser y yo lo admito —algún recepcionista interesado debiera ilustrarnos cómo—, la *suma aritmética* de las imaginaciones intrascendentes. Pongamos que en ese revoltillo de mineral y gangas se forme productivamente, con tal suma de valencias heterogéneas, la arqueología clásica evocadora de la *mirada renacentista* o la *lectura romántica* interpuesta de la imaginación barroca; entre otras y por ejemplo.

Personalmente me limito a celebrar en lo que vale, en toda esta ceremonia reciente del relativismo lector seudodemocrático, su recordatorio más obvio: el principio de la *adherencia* del bloque de la lectura colectiva en el significado histórico consolidado. Por ejemplo, el texto del Quijote, con su conjunto real y potencial sugerente —consciencia y subconsciente autoriales— más el depósito diacrónico de la masa de lecturas e imaginaciones: la anotación neoclásica de Clemencín, la fantasía figurativa de Doré, el contagio agónico de Unamuno, la imaginación espacialista de Azorín, el pensamiento olímpico de Ortega, etc, etc... En suma, siempre me ha parecido una evidencia historicista oportuna el recordatorio, eso sí más pretencioso que original según lo formularon los «desafíos» de Iser y de Jauss, del grupo de Constanza, en lo que se refiere al dato de la adherencia lectora.

Complementándolo, creo haberme resistido razonablemente a favor de la *consistencia* del significado poético durante estos años pasados de mayor ruido relativista, bajo la convicción que presta el ejercicio extenso de la crítica y no sólo la teorización abstracta y *en vacío* distante de los textos artísticos. El exceso relativista en las llamadas «teorías de la respuesta lectora» ha consistido principalmente en deformar el balance objetivo del significado literario, deprimiendo en el mismo la ejemplaridad de la presencia y la experiencia útil del autor, genial —término necesario y feliz por más que postmodernamente nefando— en el caso de las obras de arte monumentales y eternas. Al trueque, los ejemplos más caracterizados de la creación lectora ofrecían el balance del «placer» narcisista e intransitivo de una «escritura» aburrida y manierista por cuanto forzosamente «interpuesta».

Las supuestas holguras referenciales del significado literario, cuando no sea incluso la deconstrucción alambicada de las evidencias simbólicas de los grandes discursos artísticos, han franqueado a los bartheanos menores y a los deconstruccionistas metafísicos travestidos de estéticos, el libérrimo disfrute de sus «placeres» tortuosos o las apocalipsis trucadas de sus aporías contra la «legalidad» inasequible del «logos» uno-eterno-inmutable. Todo ello al precio de endilgar ociosidades o disparates críticos de la propia cosecha sobre los textos —por lo común siempre poéticamente perdedores— de los «troyanos» más famosos como Rousseau o Saussure, retrayendo —eso sí, astutamente— la prueba con los «tirios» de la alta poesía, como Cervantes, Hölderlin o Leopardi. El carnaval obsceno de una masa docente de universitarios improvisados, ufanos con la impostura de haberse sustraído por aclamación asamblearia al control molesto y «anticuado» de un *sentido* codificado y estable según las intenciones explícitas o la impulsión poderosa subconsciente de ningún autor-autoritario.

* * * * *

No quiero dilatarme más en este Epílogo crítico con debates «en vacío», según los acabo de nombrar yo mismo. Vengamos pronto a lo «lleno», a lo plenario del sentido en la poesía *completa* de un autor *contemporáneo*, Claudio Rodríguez. Porque muchas de las presuntas holguras del significado «abiertas», objetiva y legítimamente, a las oscilaciones de la interpretación se generan en la *diferencia* (distancia) histórica irreversible entre el crítico actual y los textos del pasado. Evidencia de un conflicto arqueológico en todo caso que no debería contar; pero que resulta indirectamente englobada casi siempre en las aporías sincrónicas y absolutas sobre la inasequibilidad y las insuficiencias del significado simbólico. Nadie puede inquirir hoy de Quevedo si tuvo un referente personal o era solamente un constructo tópico la Lisi de su *Canto*; pero sí me consta por testimonio directo y personal de Rodríguez, que el famoso «Cristo de tierra» unamuniano de las Claras de Palencia actuó en la intrahistoria simbólica de sus penetrantes imágenes míticas del «crucifijo de los campos» y del «surco» abierto por la arada divina de la luz en *Don de la ebriedad*, por ejemplo.

Claro es que no se trata tan sólo, en sí mismas, de reclamar las nada desdeñables ventajas del testimonio concluyente en la crítica sobre contemporáneos, porque ese tipo de incidencias de lo evidente despiertan el desdén y las impaciencias inmediatas de nuestros críticos digamos «creativos». Por supuesto que ver atajados con una iniciativa tan elemental y eficaz como la del contacto y la conversación directos los azares hermenéuticos que favorecen el «placer» intransitivo de las sabrosas «derivas» personales, pudiera resultar una prueba exasperante. Evidentemente no: la crítica de un autor contemporáneo respeta y reconoce, con todo, sus espacios naturales de sombra y de secreto en las indecisiones del significado. Sabrosos y productivos, sí, pero ni tantos ni tan oceánicos como los demandó la gratuidad de la «deriva» relativista, por no hablar de la ambigüedad irresoluble en las apocalipsis deconstructivas del sentido.

En mi contacto muy próximo, continuo, amistoso y franco con el gran poeta Claudio Rodríguez he tenido ocasiones sobradas para despejar cuantas ambigüedades y enigmas *conscientes* hubiera dejado él mismo en suspensión dentro de sus poemas; bien fuera como hallazgos voluntarios y «abiertos» deliberadamente a la iniciativa co-creadora de los lectores, o bien porque hubiesen resultado tales en alguna de las encrucijadas, trampas y límites involuntarios o inevitables de la capacidad simbolizadora del lenguaje. Muchos son los espacios de ambigüedad en la poesía profunda de Rodríguez que me ha sido dado franquear y reducir a evidencia de sentido en comunicación casi diaria con el poeta y que quedan despejados en este libro. En cualquier caso no son todos los posibles: a veces me he limitado por cortesía hacia el enigma sagrado del propio autor y amigo, y otras no sólo por deferencia —siempre poco creíble en el caso de los académicos— hacia mis colegas y continuadores futuros y sus libertades para hablar e imaginar en el mito de Claudio; sino también por las limitaciones, incluso materiales, inherentes a la escritura parafrástica y hasta a la extensión convencional de un libro de crítica literaria.

Al ponderar ahora el conjunto de todos esos espesores conflictivos a la interpretación de un poeta como Claudio Rodríguez —no excluido por la lectura superficial a la fama y hasta a la fascinación postmoderna de densa obscuridad o de «apertura» ambigua—, se disfruta en mi caso de una atalaya privilegiada, consistente y realísima, que ha sido poco frecuentada además por la teorización relativista y nihilista reciente sobre ambigüedades del enunciado y aporías deconstructivas en torno al sentido. Un ejercicio crítico tan desacostumbrado e inusual por tantos conceptos como el que testimonia mi propia experiencia en esta obra, ha seleccionado un poeta moderno máximamente idóneo para ello: sublime y denso, calculador y fragmentario. Me parece que uno de los trabajos más necesarios actualmente para la reflexión crítico-teórica sobre la literatura es el de acotar razonablemente los márgenes eficaces de la ambigüedad simbólica de la literatura y la poesía; después de tantos decenios de frivolidad revisionista de casi todos sobre la invención impotente de los silencios y los supuestos espesores de incapacidad del lenguaje poético.

Márgenes de la polisemia en una crítica convivida sobre la creación poética

Sobre los contornos del espesor enigmático de Claudio Rodríguez acabo de mencionar un principio de diferencia; a saber, los márgenes que delimitan el espacio secreto fundados en la condición *natural* de la dignidad y la densidad poéticas del «mito personal», frente a aquellos otros que establece necesariamente lo convencional de la escritura crítica parafrástica. Al concretar sobre los primeros, se configura de inmediato la nueva diferencia entre lo *enigmático personal inconsciente* y el espesor de lo *confidencial intransgredible*, necesario por muchos conceptos al vértigo de la pasión poética.

Creo francamente que en este libro no es poco lo que se ha ahondado sobre la difícil transición de lo inconsciente a lo espontáneo explícito en la obra del poeta. Y creo además que la delineación razonable de ese trayecto siempre tan azaroso entre el control útil o la gratuidad caprichosa de las lecturas, constituye uno de los objetivos fundamentales —cuando no sea el primero y principal— de la crítica artística. Recuerdo bien aún la expresión de incredulidad y de recelo de Claudio Rodríguez el día en que, en nuestro despacho compartido de la Complutense, le refería yo ese objetivo sicológico de mi trabajo sobre su obra como la alternativa prioritaria a la inocente práctica académica de la estilística explícita y exterior, inasumible ya como tarea de necesidad a determinadas alturas de la exigencia crítica. Sólo debo decir en cuanto al resultado, que nada ha contradicho Claudio Rodríguez al leer este libro en mis deducciones sobre su mito personal temático; y aun debo añadir su confesión de que, a partir de mis deducciones, es mucho lo que se le ha clarificado, a él mismo, en torno a sus propios enigmas impulsivos.

En el ámbito de ese trayecto deductivo de la crítica entre las configuraciones simbólicas «obsesivas» legitimadas por la explicitud del texto y las inferencias subconscientes, es donde el trabajo de una hermenéutica literaria que aspire a ser fehacientemente mediadora y legítima, ha de extremar sus cautelas y sus propios controles; y más que nunca hoy, cuando legitiman cualquier frivolidad los disparates recientes del capricho crítico narcisista y del oportunismo teórico incompetente. No es el momento —ni sería la tonalidad pertinente en este epílogo— de enumerar y repetir el orden de nuestros trayectos deductivos sobre los rastros del subconsciente de Claudio legitimados por sus textos, cuya andadura explícita hemos tratado de reconstruir minuciosamente en el libro aprovechando los datos de la obra y las confidencias a menudo incompletas y abruptas del autor. Aquí sí conviene subrayar que, personalmente, me han resultado siempre decisivas las ventajas de la vivencia *sincrónica* de mi escritura crítica, el control contemporáneo y directo de mi experiencia sobre la personalidad viva de Claudio, dentro de este análisis de *crítica convivida*.

Porque en ese recorrido diario de varios años midiendo alternadamente escrituras de poemas antiguos y nuevos con los comportamientos vivos observados, de convivir anecdotarios y registrar reacciones, de mesurar el trabajo incesante de su juguetona fantasía fundadora de disparates y exageraciones biográficas, que han dado en la máscara única de la casi-leyenda de Claudio; en ese conocimiento vivo del sujeto, el crítico contemporáneo constituye una suerte de registro virtual sobre el ajuste y el desajuste interpretativo de los enunciados poemáticos. Y tanto más adecuado y exacto, cuanto mayor haya sido la paciencia respetuosa del uno con el otro, del creador y el crítico; y en el caso de Claudio

Rodríguez y mío, a la tolerancia mutua y al valor generoso del afecto sólo los ha sobrepasado, según creo, la condición intransgredida en ambos del respeto recíproco y de mi creciente admiración por su talento poético singularísimo, para el que encuentro muy pocos parangones en la poesía española y mundial de la segunda mitad del siglo XX.

A la medida de esa suerte de previsión ponderada sobre la personalidad sicológica del hombre y los registros habituales actualizados en su escritura, han comparecido consolidándose en la conciencia crítica las constantes dialécticas entre la *euforia expansiva* del caminar libérrimo y los *retornos*, la retracción de Claudio, siempre debidos a cordialidad convencional y no infrecuentemente a la mala conciencia por la travesura deleitosa. Quizás la sombra grave, el momento tortuoso negociado con la propia conciencia del protagonista y hasta nefando para las conjeturas de su crítico amigo, apunte a las densidades dramáticas de la *transgresión* arrastrada hasta la mortal plaga de las heridas purulentas y los cuentos tristes para el invierno de la vida. Es en esas tensiones densas de la tragedia cuando el poeta ha ido esforzando la inocente componenda cordial de sus horas idílicas, el recurso moral inquebrantable a la solidaridad salvadora, al mito de la redención inextinguible.

Así también la exploración lírica extrovertida y andariega de la realidad como vivencia *alegórica*, descrita como metamorfosis transfigurante, confirma la propensión de Claudio al *desdoblamiento perceptivo*, amenazado por la *diferencia* de las *antítesis*, siempre combatida a su vez por el asalto de la voluntad sintética, asimilativamente reductora hasta el retorcimiento máximo de las *paradojas*. Conciencia dualista y voluntad anhelante de síntesis, tráfago disgregante y transgresor frente a esperanzada persistencia en el acogimiento unitario; un movimiento constante del destino subconsciente codificado en impulso y en ejercicio de «poiesis» crecientemente dramático y radical desde *Don de la ebriedad* a *Casi una leyenda*. Monumental distancia apasionante, espacio inmenso de acogida para el encuentro mítico entre el autor y sus lectores. Un tanteo verosímil, un cálculo convincente sobre la impronta física del texto del poema, ajustado a la dimensión sicológica y poética del hombre y el artista convividos.

* * * * *

Mencionaba también antes la zona de silencio obligado que pacta el decoro debido, entre el autor y el crítico, a las ventajas de la convivencia. Es ocasión para otra anécdota muy al caso: hacia la mitad del tiempo de trabajo que ha desembocado en este libro, la amistosa cortesía de Claudio y su sincera modestia se esforzaban por abreviarme a toda costa el esfuerzo, instándome a «rematar» la obra aun al precio de provisionalidades, según él, inevitables e inherentes a los libros de crítica. Por el contrario, la tentación de servirme yo al máximo de las inhabituales ventajas deparadas por mi sincronía convivida con los datos, correcciones y confirmación del poeta protagonista, me hacían resistirme a las instancias de Claudio a que abreviase, con la esperanza de clarificar al máximo los enigmas críticos pendientes: «Acabaré —le dije una de esas veces, sin medir entonces el alcance de mi atrevimiento— cuando no tengas más enigmas para mí». La cara que recuerdo me puso Claudio, la profundidad de su silencio en respuesta, sancionaban la impropiedad —ya que no la mala fe o la petulancia, lo aseguro— de mis bien intencionados propósitos.

Este ejercicio práctico, tan intenso, de crítica convivida me ha dimensionado la absoluta legitimidad de un margen fecundo para la «deriva» razonable, fundado en el bloqueo oportuno de algunas verificaciones conscientes. La naturaleza concreta del fondo conflictivo adolescente largamente arrastrado y operante en la constitución de su universo mítico por Claudio Rodríguez, supone en este caso para el crítico-amigo un espacio deliberado de sombra, cuya enunciación precisa debe quedar abierta a la deriva hipotética de lectores y críticos futuros. Creo que en mi libro he mesurado suficientemente la dimensión sicológica, la dramaticidad apasionante de ese «agujero negro», al tratar de ajustarla adecuadamente a la correspondencia de sus ecos poéticos. Hubiera bastado tal vez una pregunta mía al autor o a su entorno más íntimo para circunstanciar la sustancia biográfica de ese fondo necesario de enigma con tan intensas resonancias poéticas. El amigo contemporáneo no ha querido inquirir en esa zona; dejo así una casilla ubicada y sin rótulo, ponderada en su dimensión sicológica y en sus consecuencias míticas en la obra, pero sin nombres.

Es éste un ejemplo sobre el grado de licencias legítimas con la ambigüedad que puede —debe en mi caso— consentirse la especulación crítica, un grado flexible de «deriva» que resulta compatible con su necesidad fehaciente de mediación, de escritura útilmente «interpuesta». Téngase en cuenta además, y sobre todo, que no son sólo razones de cortesía o de afecto amistoso las que se mueven y cuentan finalmente en esas zonas íntimas excluidas al desvelamiento consciente de la confidencia. Constan por una parte los límites de lo personal inconfesable hacia los demás: lo secreto; y hacia sí mismo: el tabú subconsciente. Para la crítica convivida pudiera ser, antes que desleal o indelicado, ocioso y fundamento gratuito de errores asumir literalmente la narración consciente de los autores; lo que importa —al menos en las circunstancias de esta investigación para el libro— es asumir adecuadamente el peso sicológico del fondo biográfico enigmático consentido como generador de la conciencia literaria del mito.

Para explicar la aparente contradicción entre la confirmación que acabo de hacer, de un bloque de silencio o de indeterminación nominal del síntoma sicológico en Claudio y mis reservas habituales frente a la ambigüedad radical de la «deriva» en la crítica «abierta», me referiré a la condición indiferente para la estructura mítica profunda que revisten las transformaciones terminales de lexicalización en el nivel superficial de agregación semántica en la constitución del tematismo. Ícaro o Faetón no son sino variables nominales y circunstanciales del núcleo mítico del vuelo; lo mismo que la fuente, el arroyo o el río y sus nombres propios en el caso de que los diera el poeta petrarquista, no dejarían de ser sino variantes de superficies, sin relieve predicactancial temático profundo, del *caso confidente* innominado en la poesía amorosa de tradición cortés.

Esa misma proporcionalidad indiferenciada entre el significado *funcional profundo* y las posibles variables *superficiales* de atribución *nominal* —circunstancial o biográfica o sintomática sicológica—, es la que nosotros admitimos como margen diferencial de la «deriva» crítica, que tiene consecuencias muy limitadas en el esquema funcional constitutivo de la macroestructura mítico-temática. En esa zona radical de la estructura del enunciado es donde los *esquemas figurales argumentativos* convienen con la *estructura temática profunda,* manifestando en el hecho de esa convergencia indiferenciada la globalidad conformante del *impulso* primario subconsciente en la *forma interior.*

Desajustes materiales inherentes a la fiabilidad exhaustiva de la paráfrasis crítica

Entre los factores que desacomodan el significado de la obra literaria y el balance analítico e interpretativo de la paráfrasis crítica mediadora, aludíamos antes a los que son propiamente inherentes a la índole y límites prácticos de la escritura crítica. Los enunciados literarios profundos y grandiosos, las obras de arte geniales como se las acostumbra a llamar, producto de poderosísimos talentos intuitivos de la codificación expresiva, no son tanto inagotables laberintos ambiguos según se los ha presentado recientemente, cuanto ingentes fondos intensos de sugerencias simbólicas.

Descodificar esas grandes obras, comprenderlas exhaustivamente, analizarlas desmenuzando sus formantes en la variedad de planos de su constitución textual inmanente y comunicativa, es una tarea inmensa del detalle crítico. Llamarla infinita o siquiera sea inagotable propicia las asociaciones inmediatas con la arbitrariedad selectiva de la práctica fragmentaria y en último término con las aporías habituales contra las escrituras críticas de mediación. Seguir la especulación de cualquiera de las ramas que se abren a partir de ese ápice de la divergencia para el debate, expone a abismarse en el aburrido espacio de los bizantinismos teóricos y de los saltos deconstructivos en el vacío. Un libro como éste familiariza absolutamente con la naturaleza estricta de las limitaciones materiales de la escritura crítica; manifiesta y define sus márgenes insuperables. Pero también desaloja y desnaturaliza el fantasmón medroso del nihilismo apocalíptico.

Se dirá tal vez que la improporcionalidad de naturaleza entre la inmensidad de sugerencias simbólicas en las grandes obras artísticas —y no me cabe duda de que la obra poética de Claudio Rodríguez merece figurar ya entre ellas— y la necesaria parcelación selectiva en sus objetivos de análisis inherente a las obras críticas que las analizan, se ha salvado tradicionalmente mediante el talento alusivo, sintético y globalizador, de los grandes críticos; desde Lessing a Emerson y a Roland Barthes. Efectivamente, un extenso ejercicio de familiaridad y de observación minuciosa durante muchos años de empatía lectora puede desembocar en los genios de perspicacia sintética mencionados, o en tantas observaciones de nuestros Menéndez y Pelayo, Unamuno, Ortega y Gasset o Dámaso Alonso, en el vislumbre comprimido de una página de síntesis excepcional o aun en el de un par de frases luminosas. Esa es, por supuesto, una vía capital del pensamiento literario de la que nosotros nunca renegamos.

Pero, a no dudarlo, ni la alusividad compendiosa y exacta de esos epítomes sintéticos de la genialidad crítica es un fruto diario, ni —tampoco nos engañemos— su contenido es casi nunca tan abarcador, exacto y exhaustivo respecto al significado vasto de sus objetos, que desnaturalicen la escritura masiva de las grandes obras críticas de Worringuer, de Curtius, de Auerbach o de Frye; para referirme tan sólo a libros absolutamente surgidos y utilizados en dimensiones pragmáticas que podemos considerar estrictamente universitarias y académicas de la crítica.

En lo que a nuestro propio caso se refiere, y a las experiencias implicadas y desarrolladas en este libro, debemos descartar en absoluto el que, a la vista de su extensión inhabitual por referirse a un objeto literario convencionalmente restringido como la obra de Claudio Rodríguez, se alegue su equivalencia estricta con ninguna de las reducciones que se pudieran practicar a partir del mismo por ninguno de sus lectores, incluso de las que yo mismo pudiera realizar con indiscutible conocimiento de causa. Mi sentido primero de la prudencia y finalmente incluso el de la supervivencia para mi trabajo —siquiera sea a la vista de las lamentables circunstancias editoriales, refractarias al escrúpulo y al perfeccionismo de caracter científico, en una sociedad intelectualmente tan degradada como la actual; y todavía peor si cabe la española— me han mantenido alerta, pragmáticamente, a lo largo de la escritura de cada una de estas páginas sobre los riesgos de ser o no ser en relación a cualquier veleidad del capricho ocioso.

El exigente desafío de los textos de Claudio, el límite inagotable para el crítico de sus riquezas poéticas inextinguibles, lo confiero yo ahora como el acicate más persuasivo y constante para mí al asumir el peligro de la extensión infrecuente —nunca voluntariamente, para ningún exceso consentido— que amenaza estas páginas. Pues tal vez convenga prevenir cuanto antes en nuestro caso respecto a la modalidad analítica que aquí hemos asumido como más pertinente y adecuada para ilustrar metalingüísticamente el proceso sicológico y expresivo de génesis de la *inspiración* poética de Claudio Rodríguez: el trayecto del *impulso* preconsciente a la *forma exterior* intervenida, a través del espesor sincrónico de la *forma interior*. Respecto a ese itinerario inmenso en la creación de los poemas de Claudio Rodríguez, antes me han combatido casi siempre los escrúpulos de insuficiente explicitud elusiva, que los de exhaustividad injustificable y caprichosa.

Detallado lo anterior en sus términos técnicos, creo que he satisfecho en este libro, con la minuciosidad apropiada imprescindible, la génesis y la variedad tipológica de las *macroestructuras* mítico-temáticas y argumentativo-figurales que constituyen en globalidad *sincrónica* el despliegue impulsivo de la *forma interior*. Elucidar ese aspecto conceptualmente muy intrincado y vasto de mi objeto, acotado ya en sí mismo como tarea crítica específica para este libro, ha sido satisfecho razonablemente sin sobreabundancias ni carencias, tanto en el registro analítico de los formantes míticos como en el de las fórmulas figurales que los despliegan . Pero a partir de ahí ¡cuántos han sido los vacíos de análisis, y cuántas las restricciones económicas ante la proliferación ingente de aciertos expresivos de la forma exterior! ¡Cuánto secreto arte por explicar aún en cada renovado registro de la fecundidad fantástica y expresiva de Claudio!

En esos alveolos terminales y decisivos del sintagma poético: en las selecciones del lexema y de la imagen, en las anomalías de la subcategorización, en los pliegues y repliegues inagotables de los ritmos..., a cada decisión intensa de la forma, en la profundidad poética diferencial del mínimo estilema se renueva y concentra —se reproduce— el espesor completo del impulso constitutivo, el firmamento inmenso de la imaginación de Claudio. ¡Cuánto lo hecho y cuánto lo por hacer! ¡Cuántas son las delicias intensas apenas afloradas por el análisis en nuestra adhesión a la poesía de Claudio! ¡Cuánto lo emotivamente implícito en los presentimientos racionales sobre el espesor de imagen de los grandes poetas!. Crítica exhaustiva para el corazón inmenso del universo de la imaginación y despilfarro inasumible para la sociedad actual mediática de las tecnologías planetarias. ¡No, nada de eso! Siempre lo he dicho, y nos lo vienen diciendo los físicos y los bioquímicos de todo el mundo: se sobreimponen en lo infinito el centro del universo astral y el corazón íntimo de la célula.

* * * * *

Claro que, contra la exhaustividad costosa o imposible en la extensión del objeto, cabría siempre apostar por el acierto selectivo de la muestra. Una alegación desplazada al espacio de los objetos de análisis que es en todo proporcional a la que recogíamos antes sobre la condensación formular de los balances extensos de la experiencia crítica. Pero como en aquel otro caso, resulta ser también reversible e insuficiente para los alcances legítimos de la veracidad científica, siquiera sean los muy peculiares de una crítica literaria rigurosa.

Por la vía de una selección deficiente de la muestra «ad hoc» pierden credibilidad la mayoría de los libros críticos no malos que he leído en mi vida. O bien, si no la pierden a veces en manera y límites absolutos, algunos de ellos excepcionalmente brillantes dejan de alcanzar toda la autoridad verdadera que, a ciertas alturas de la vida, uno le exige ya a lo que lee a fondo en los demás, y que trata de imbuir en lo que él mismo ofrece a los otros. En cierto modo, en la insuficiencia del objeto asumido estriban las limitaciones que objetaba antes a libros tan famosos en su momento como los de Paul de Man, o a *Siete tipos de ambigüedad* de Empson y a la *Gramática del Decamerón* de Todorov; e incluso sin salir de nuestro propio círculo, es ésta de la selección intencionada y prejuicial «ad hoc» la principal fuente de mis reservas ante las brillantes pero aleatorias construcciones teóricas de *Poesía Española* de Dámaso y *Materia y forma en poesía* de Amado Alonso.

Claro está que yo mismo hubiera podido ejercer en este libro sobre la forma interior del gran poeta Claudio Rodríguez alguno de esos escamoteos favorables de mi propia muestra. Que nadie tenga dudas sobre cuánto de esfuerzo crítico me hubiera ahorrado de haber procedido por esa vía de reducción favorable y «ad hoc» de la muestra durante los últimos cinco años y pico, y cuánto de más atractivo o «practicable» hubiera resultado seguramente el esfuerzo para la aceptación editorial y social inmediatas... pero, como siempre, a costa de cuántas limitaciones asumidas, de cuántos relativismos mejor o peor encubiertos sobre la *verdad* literaria del objeto.

Habiéndose acotado mi análisis estratégicamente a cualquiera de los libros aislados de Claudio Rodríguez, hubiera deformado el decisivo factor de *diacronía reactiva* del mito y de muchas de las alternativas figurales a las que aquél se adapta para expresarse. Este libro demuestra con el necesario pormenor cómo el llamado *mito personal* y la *figuralidad* que lo formula en el complejo sincrónico de la forma interior, comparecen concentrados respecto a la unidad sicológica personal y a unos hábitos de despliegue argumentativo relativamente coherentes y constantes; pero que son, a su vez, tan sólo una articulación individual más en el interior de las «sustancias» míticas y argumentativas posibles, y por consiguiente algo no rígido sino oscilante e *histórico* como *abierto*.

Todavía hubiera sido peor el resultado, más deformante y provisional, si me hubiera inclinado por el «maquillaje» selectivo en mi objeto de muestra que practica casi unánimemente la crítica por razones convencionales de supervivencia: seleccionar en cada una de las obras los poemas más favorables al desarrollo esquemático de mis presupuestos teóricos. Procediendo así, no sólo habría aligerado las tensiones sino que hubiera comparecido un balance más transmitible y lineal diacrónico de mi tesis sobre el mito y la figuralidad retórica de la forma interior. Pero ¿se hubiera percibido en tal simplificación la expresión del torturado impulso creativo del poeta, que arranca portentosamente sus figuras peculiares al espesor abisal del subconsciente, para alojarlas con inigualable perspicacia en las formas representativas de la conciencia poética?.

Se confirma una vez más en el caso personal de Claudio Rodríguez, como no podía ser de otra manera, la fórmula general del sistema literario: la tensión genética entre *lo uno y lo diverso*, la fecunda dialéctica creativa entre la fuerza antropológica de *convergencia universalista*, que propende a integrar la pluralidad sintomática en la unidad de clave comprensiva del mundo, y la *libertad individualizadora* del juego de variables que garantiza la entidad *histórica*, absoluta e irrepetible, de los individuos: las variedades genéricas, los sistemas personales, las tendencias de época y estilo, y en último término la *originalidad* de cada texto compatible con el sistema de recurrencias programadas que garantiza en él no sólo la comunicación sino incluso su propia codificación generadora.

Salvar críticamente la tensión de contrarios que implica una historia de *creación* poética tan *espontánea* (inspirada, fatal y libre) cuanto *rigurosa* (analítica, intelectual, estética y éticamente) como es el mantenido y depuradísimo proceso ejemplar de constitución selectiva de un universo poético personal, representa proporcionalmente para el ejercicio cotidiano del análisis de Claudio Rodríguez orientarse con lealtad y seleccionar fielmente las tensiones abismadoras propias de cada gran poema; e incluso a veces las que componen cada uno de los «momentos» disgregantes en pugna dentro de cada texto. Dificultades para el crítico y grandezas auténticas del poema; la nebulosa fascinación crítica intuitiva hacia la constante enigmática que se adivina en el origen de las convergencias, combatida en la creación y para la lectura por las obnubilaciones dispersantes de las sorpresas y las tentativas, de las vacilaciones y los extravíos fecundos obedeciendo a los impulsos ciegos... de la vida.

* * * * *

La *vida* es la palabra a que siempre se acoge Claudio contra los tecnicismos críticos en los análisis de su obra. Él, el primero y más perseverante y sagaz sin duda entre los observadores de su poesía, que no ha perdonado nunca, salvo muy pocas veces, al poema mediocre; y que ha salvado y elevado a su perfecta transfiguración, según lo cantan los manuscritos que yo he visto, tantos malos comienzos y tantos desahogos imperdonables, siempre a base de su «vigilancia» —el término, yo proponía «inteligencia», es del propio Rodríguez— poética superior. Ese gran intelecto estético de Rodríguez ha bromeado a veces contra el esquematismo lógico de mis análisis en nombre de la *vida* de su poesía... así, hasta el final de este libro. Porque éste, conviene saberlo, es un libro *autorizado* por el poeta; si no, no hubiera visto nunca la luz: el pacto implícito, necesario, de la crítica *convivida*.

Sólo a través de afrontar en todas las complicaciones de su *variedad vivida* la intensidad multiforme (carnal y humana) de *cada uno* de los poemas rescatados y respetados por Claudio para el total significativo de la obra, la sequedad necesaria del registro y la fórmula crítica llega a garantizarse, connaturalizándose con la contrariedad jugosa de la poesía. De ahí la tensión intensísima, soterrada bajo la cordialidad y el respeto personal más exquisitos, que ha presidido la relación de estas páginas con el poeta en los últimos años. Las sucesivas capas de escri-

tura de mi propio trabajo han ido identificando también otras tantas —
¡y cuántas más!— corrientes superpuestas en los inolvidables años de
testimonio poético en crecimiento accidentado y constante que ha sedimentado cada obra de Claudio. La fervorosa *vida* de cada libro y de
su poemario general destierra de una parte la simplificación esquemática de la fórmula crítica uniforme; pero no es menos cierto el factor
de *voluntad poética*, que en el caso de los grandes creadores como
Rodríguez acaba por decidir en cada hora contra los ensimismamientos
sublimes y dispersantes de la *vida*.

Jardín y laberinto, las antiguas metáforas de Spitzer sobre la condición reversible de los placeres evolutivos de la filología y la literatura
podrían invocarse aquí para explicar los sibilinos cambios que experimentan e intercambian el crítico y el poeta a lo largo de los años de análisis
convividos. Jardín inicial, jugoso e impredecible de *vida* poética contra
laberinto seco de la *fórmula* crítica; así se plantea habitualmente, según
creo, la relación inicial entre la poesía y la crítica. Así empezó planteán-
dola convencionalmente, al menos en este caso, un Claudio responsable
—en todos los sentidos e intenciones del término— de su *casi-leyenda*
combatidamente dramática y vital de hombre y de poeta. Pero al final,
laberinto complejo de la poesía accidentada por irreductibles incidentes
de vida; y jardín deleitoso en las iniciativas críticas leales de encontrarle
a la variedad su sentido permanente: la vida de la vida; y así lo entiende
Claudio cuando autoriza mi trabajo —ahora al final— con palabras sencillas y muy hermosas, que quedan para mí.

ÍNDICE

803

Secreta

Tú no sabías que la muerte es bella
y se hizo en tu cuerpo. No sabías
que la familia, calles generosas,
eran mentira.

Pero no afecté llanto de la infancia,
y no el sabor de la desilusión,
la mañana sin sombra y la caricia
desconocida.

Que la luz nunca olvida y no perdona,
más peligrosa con tu chico
tan inocente que lo dice todo:
revelación.